ISBN 978-0-332-70957-4
PIBN 11227408

Geschichte

Preussens,

von den ältesten Zeiten

bis

zum Untergange der Herrschaft des deutschen Ordens,

von

Johannes Voigt.

Zweiter Band.

Die Zeit von der Ankunft des Ordens bis zum Frieden 1249.

Königsberg,

im Verlage der Gebrüder Bornträger.

1 8 2 7.

Vorwort.

Die Zeit des Heidenthums, die Geschichte Preussens der ältesten Zeiten, die erste Bekanntschaft des Landes unter fernen und nahen Völkern durch den Handel mit seinen eigenthümlichen Erzeugnissen, die ersten Berührungen und Begegnungen des Volkes im Krieg und Frieden mit Nachbarn und Fremdlingen und das Bild seines Lebens im Innern in allen noch erkennbaren Zügen und Beziehungen hat der erste Theil dieses Werkes dargestellt. Nun folget in diesem zweiten Theile zuerst die Zeit des Ursprunges und der frühesten Geschichte des Deutschen Ritterordens im heiligen Lande, seine ältesten dunkelen Tage unter den drei ersten Meistern, dann seine Erhebung zur Macht und Größe unter dem Meisterthum des edlen Hochmeisters Hermann von Salza durch des Kaisers hohe Gewogenheit und Freundschaft und durch die zahlreichen Verleihungen und Begünstigungen der Päpste.

Ich habe diesen Abschnitt mit größerer Ausführ=
lichkeit bearbeitet, als es manchem zu einer Geschichte
Preussens im ersten Augenblicke wohl nothwendig
scheinen dürfte. Es geschah indessen solches aus meh=
ren Gründen, welche der denkende Leser zum Theil in
diesem Abschnitte selbst leicht auffinden wird. Vor al=
lem schien mir auch dieser Theil der Geschichte des
Ordens noch nirgends in solcher Art, in solchem Lichte
und mit solcher Klarheit bearbeitet zu seyn, als es
nöthig war, um zu erkennen, wie es kam, daß der
Deutsche Orden sich mächtig genug fühlte, die schwere
Eroberung eines Landes, wie Preussen war, zu über=
nehmen, und wie ihm durch die Mithülfe und die
Theilnahme, welche er in seiner großen Sache vor=
nehmlich in Deutschland fand, die Unternehmung in
solcher Weise gelingen konnte. In Hermanns von
Salza Seele kam der Gedanke des großen Zieles zur
Reife; darum schon gebührte diesem edlen Meister
vor allem ein Ehrenplatz in diesem Werke. Ueberdieß
aber zog mich auch der reine Adel der Seele und die
erhabene Geistesgröße des Mannes so mächtig zu ihm
hin, daß ich in wärmster Liebe und Verehrung mit
aller Sorgfalt gerne alle Züge zu seinem Bilde sam=
melte und gesammelt zum Ganzen vereinte.

Hierauf folget in diesem Werke die Unterneh=
mung zur Eroberung und Bekehrung Preussens selbst.
Die gewaltigste Kraft, welche in ihr wirkte und in
die Erscheinung trat, war jener wunderbare, mächtige
Geist der Zeit, der in der Menschheit des Abendlandes
am Schlusse des elften Jahrhunderts erwachte, im
zwölften jene Züge ins Morgenland in Bewegung
setzte und auch im dreizehnten Jahrhunderte noch
kräftig nachwirkte, zwar mehr nur im Nachhall jener
Begeisterung und jenes Kreuzesrufes, welcher die Völ=
ker Europa's zur Errettung und Befreiung des heili=
gen Grabes aufregte, aber auch jetzt noch tief genug
gefühlt und stark genug vernommen zur Ausführung
des Gedankens des Gewinnes der nordischen heidni=
schen Völker für den Glauben an das Evangelium.
Ich habe die Erscheinung des Deutschen Ritterordens,
wie er in Preussens Landschaften mit dem Kreuze und
mit dem Schwerte auftrat, aus dem Geiste jener Zeit
darzustellen gesucht, und die Bestrebungen und die An=
sicht von der Bestimmung und dem Ziele des Lebens
vorwalten lassen, wie sie damals in den Seelen der
Menschen lebten und wirkten. Also sind es nicht ei=
gentlich die Ueberzeugungen, die Gedanken und Em=
pfindungen der Seele des Geschichtschreibers, die er in

die Bruſt der Menſchen jener Zeiten hineingedacht, ſondern es ſind die Ueberzeugungen, die Gedanken und Stimmungen aus jener Zeit heraus, die er in der Gemüths= und Gedankenwelt jener Menſchen walten und wirken läßt. In dieſer Welt aber liegt ihm zugleich das richterliche Geſetzbuch und der wahre Maß= ſtab im Richteramte über die Erſcheinungen und Be= ſtrebungen, welche in der Unternehmung des Ordens gegen das heidniſche Preußen an den Tag treten.

Der Kampf des Deutſchen Ordens mit dem heidniſchen Volke Preußens und mit deſſen Schirm= herrn, dem Herzoge Suantepolc von Pommern macht den weſentlichſten Theil dieſes zweiten Bandes aus. Ich habe das Gemälde dieſer Kämpfe — das iſt mein lebendigſtes Bewußtſeyn — mit aller Unparteilichkeit gezeichnet und es hier nicht anders niedergelegt, als wie es ſich mit ſeinen Lichtfarben und ſeinen Schat= tenzügen in meiner Seele durch treueſtes Studium der Quellen geſtaltet hatte. Ich habe nichts dem Aehnlichen gehuldigt, was in irgend einer Weiſe Ten= denz genannt werden könnte; ich meide und mißbillige eine ſolche überall in der Geſchichte. Wo ich aber warm für den Freiheitskampf und über die Freiheits= ſache der Preußen ſprach, da fühlte ich aus der Seele

des Volkes heraus den schweren Jammer und das
namenlose Unglück, welche durch die aufgedrungene Rit=
terherrschaft über schuldlose Menschen gebracht wurden,
den harten Druck für sie in dem Verhältnisse des
Eroberers zu den Besiegten, den tiefen Schmerz über
den Verlust der Freiheit des alten Lebens, des Glau=
bens an die urväterlichen Götter und alles dessen,
was als heilig und theuer dem Volke durch die Ver=
gangenheit war zugebracht worden. Wo ich warm
über die Eroberungs = und Bekehrungssache des Or=
dens schrieb, da sprach ich in der Ueberzeugung der
Ordensritter von der Pflicht und der Bestimmung ih=
res Vereines für Kirche und Glauben, von ihrem Be=
rufe zur Vertheidigung und zum Schutze bedrängter
Christen, da ward in mir der Gedanke lebendig, wel=
ches Heil und welche große Erfolge für freiere Ent=
wickelung und menschliche Bildung daraus hervorgin=
gen, daß die Deutschen sich der Küsten des Baltischen
Meeres bemächtigten und der freiere Geist Deutscher
Eigenthümlichkeit Raum gewann zu seiner Entfaltung
in einem Lande, welches späterhin vielleicht das Schwert
Slavischer Geschlechter überwältigt hätte, so wie zur
Vermittelung Deutscher Bildung in die nahen Völker.
Wo ich endlich den Herzog Suantepolc von Pommern

in seinem Kampfe gegen die Ordensherrschaft recht-
fertigte, da sprach ich die Ansicht, die Bestrebungen
und Besorgnisse eines um die Freiheit seines Landes,
um die Erhaltung seines Herzogsstuhles und um die
Eigenthümlichkeit seines Volkes schwer bekümmerten
Fürsten aus; — und dieses alles, so weit es mir
möglich war, mich in die Welt dieser einander entgegenstehenden und entgegenwirkenden Bestrebungen, Ueberzeugungen, Gedanken und Gefühle hineinzuver-
setzen.

Ich habe in diesem gewaltigen Widerstreben
feindlicher Kräfte zuvörderst immer die Idee festgehalten und den Gedanken vorwalten lassen, der sich
in ihm aussprach: Kampf des Christenthums mit
dem Heidenthum; Sieg der Macht christlicher Ueberzeugung über den Glauben im Götzendienste; Sieg
des Lichtes im Worte des Erlösers über die Finsterniß des Geistes in der Zeit des Machtgebotes heidnischer Priester; — siegreiche Herrschaft und Verbreitung des Deutschen Geistes über ein Land, welches
seit den ältesten Tagen seiner Geschichte für Deutsches
Leben, Deutsche Gesinnung und Deutsche Sitte bestimmt gewesen war. Darum mußte aus dem heiligen Lande herüber, wo das segensreiche Licht der evan-

gelischen Erkenntniß entzündet worden war, der Deutsche
Ritter kommen, um in Preussen den letzten Götzen zu
stürzen, der in Europa noch angebetet wurde und um
ein Land dem Deutschen Reiche zuzueignen, das nun
noch heute sich eines Deutschen Königes erfreut.

Anderwärts ist der Orden in seinem Streben in
einem sehr unfreundlichen und zurückschreckenden Bilde
gezeichnet worden. Ich habe mich in keiner Weise um
dieses Bild bekümmert, so verführerisch auch immerhin die Farben in demselben aufgetragen sind und so
verderblich es auf das wahrhafte, ernste Studium der
Geschichte des Vaterlandes gewirkt hat und von Tag
zu Tag noch fortwirket. Steht die Zeichnung in diesem Werke anders da, so darf ich offen bekennen, daß
weder Groll noch Vorliebe die Farben gemischt und
Licht und Schatten gewählt haben; es ist das Bild,
wie es die unbefangenste, sorgsamste und treueste Forschung in den Quellen mir in die Seele gab.

Das Werk erhält in diesem zweiten Bande eine
Charte aller Burgen in Preussen zur Zeit des Deutschen Ordens, sowohl der heidnischen, so weit solche
irgend noch zu ermitteln waren, als der bischöflichen
und Ritterburgen. Sie soll dem Leser die Bühne
seyn, auf welcher sich die Ereignisse mehrer Jahrhun-

derte bewegen. So viel ich weiß, besitzt noch keine Geschichte eines Deutschen Landes etwas Gleiches. Dieses schöne Verdienst um die Geschichte Preussens hat sich mein verehrter Freund, der Herr Major von Fischer im hiesigen Generalstabe erworben. Zeuge der unendlichen Mühe in Erforschung der Einzelnheiten, des sorgsamsten Studiums der vaterländischen Geschichte und des großen Zeitaufwandes, den dieses im Entwurfe, wie in der Ausführung ganz neue Werk ihm gekostet hat, kann ich nicht umhin, ihm hiermit öffentlich meinen freundlichsten und innigsten Dank zu bezeugen und gewiß spreche ich solchen auch in der Seele und im Namen aller Freunde der vaterländischen Geschichte aus *).

Königsberg,
am 20ꜱᵗᵉⁿ Februar 1827.   Johannes Voigt.

_____

*) Gewiß wird sich der freundliche Leser durch dieses belehrende Geschenk für das Titelkupfer hinreichend entschädigt finden, welches früher zu diesem Bande hinzukommen sollte.

Fortsetzung und Schluß des Subscribenten-Verzeichnisses.

		Ord.	Vel.
	Se. Durchlaucht der Fürst Hein-rich LX. Reuß von Plauen auf Tirschtigel u. Klauptzig	1	
	durch		
	Hrn. Buchhändler Darnmann in Züllichau.		
Aachen	Hr. Mayer, Buchhändler, noch	1	
Bamberg	⸗ Dresch, Buchhändler	1	
Berlin	⸗ Amelang, Buchhändler, noch	2	
	⸗ Ferd. Dümmler, Buchhändler	6	
	⸗ Duncker et Humblot, Buchhändl.	13	2
	⸗ Logier, Buchhändler, noch	6	
	⸗ Mittler, Buchhändler, noch	5	
	⸗ Rauk, Buchhändler, noch	1	
	⸗ Riemann, Buchhändler, noch	5	
	⸗ v. Tippelskirch, Königl. Preuß. General-Lieutenant und Comman-dant von Berlin	1	
	⸗ Trautwein, Buchhändler	3	
	die Voßsche Buchhandlung	1	
Bonn	Hr. Dr. Naeke, Professor	1	
	⸗ Dr. Ritter, Professor	1	
	⸗ Dr. Schopen	1	
Deutsch-Crone	durch Ein Königl. Landraths-Amt noch	3	
	für		
	Hrn. Kegel, Gutsbesitzer auf Kattun		
	⸗ Körner, Gutsbesitzer auf Stibbe		
	⸗ Mund, Kreis-Secretair		
Elberfeld	Hr. Schönian, Buchhändler, noch	1	
Glogau	die Neue Günthersche Buchhandlung	1	

		Ord.	Vel.
Göttingen	Hr. Sartorius, Hofrath und Profeſ=ſor, Ritter des Guelphen=Ordens	1	
Graudenz	= Dietrich, Canonicus u. Seminar=Director für ſich und für		
	die Bibliothek der Lehr=Pflegeſchule	2	
Greifswalde	Hr. Koch, Buchhändler, noch	2	
Gumbinnen	= v. Keler, Lieutenant	1	
Hamm	Die Schulziſche Buchhandlung, noch	1	
Inſterburg	Hr. Born, Lehrer an der hohen Bür=gerſchule	4	
Königsberg	Hr. Albrecht, Profeſſor	1	
	= v. Baer, Profeſſor	1	
	= Baranowski	1	
	= v. Borke, Ingenieur=Major	1	
	= Buettorf, Lieutenant	1	
	die Königl. Diviſions=Kriegsſchule	1	
	Hr. Engel, Pfarrer in Barthen	1	
	= B. Lorck, Kaufmann	1	
	= Mielſch, Pfarrer in Mühlhauſen	1	
	= Mueller, Ingenieur=Lieutenant.	1	
	= Ritſch, Kaufmann	1	
	= W. A. Unzer, Buchhändler, noch	3	
	für		
	Hrn. Krudziorra, Pfarrer in Bialla		
	= Schlenther, Referendarius in Heinrichswald		
	= Welk, Regierungs=Conducteur		
Kulm	= Roſenhagen, Landrath	1	
Leipzig	Hr. Hartmann, Buchhändler	4	
	= E. Klein, Buchhändler	1	
	= Kollmann, Buchhändler	1	
	= Liebeskind, Buchhändler	1	
Lemgo	die Meyerſche Hofbuchhandlung	2	
Marien=werder	Hr. Kanter, Hofbuchdrucker, noch für		
	Hrn. Mores, Regierungs=Calculator	4	
Memel	Hr. A. F. Beyme	1	
Mietau	= Reyher, Buchhändler	1	
München	= Lindauer, Buchhändler, noch	1	
Neiſſe	= Einert, Buchhändler	2	
	für		
	Hrn. J. H. Richter		
	= Scholz, Director des Gymnaſiums		

		Ord.	Vel.
Nürnberg	Hr. Felsecker, Buchhändler	1	
Rastenburg	durch Ein Königl. Landraths = Amt	14	
	für		
	Hrn. Dietrich, Oberlehrer		
	= Gemmel, Pfarrer in Leuenburg		
	= v. Gerhard, Lieutenant a. D.		
	= Dr. Göbel, Gutsbes. a. Baumgarten		
	die Königl. Gymnasial=Bibliothek.		
	Hrn. Krüger, Director des Gymnasiums		
	= Kuhnke, Pfarrer in Wenden.		
	den Magistrat		
	Hrn. Moldähnke, Gutsbes. in Jun=		
	kerten		
	= Skupeh, Pfarrer in Beeslack		
	= v. Stechow, Landrath in Rehstall		
	= Weyl, Oberlehrer.	2	
Stettin	Hr. Morin, Buchhändler noch	2	
Stralsund	= Löffler, Buchhändler		
Thorn	= C. A. Spiller, Cammer = Cassen=		
	Assistent	7	
	für		
	= Huhn, jun. Cammer=Cassen=Assistent		
	= v. Kolokowski, Canzley=Inspector		
	= Podzinski, Cammer=Cassen=Rendant		
	= Preuß, Cammer=Cassen=Buchhalter		
	= Schönfeld, Calculator		
	= Steinicke, Cammer=Cassen=Assistent		
Tilsit	= Wehmeyer	7	
Wilna	= Ottacewicz, Professor	1	
Zürich	= Ziegler et Söhne, Buchhändler	1	

Inhalt.

Beilagen.

Erstes Kapitel.

Ueber vier Jahrhunderte war Jerusalem, jene heilige Stadt, in welcher Christus gelebt, gewirkt und gelitten hatte, in der Macht der Ungläubigen und unter den Geboten der Fürsten des Islam gewesen, als durch den wunderbaren Geist, der in den Völkern des Abendlandes sich entwickelt hatte und in der Erscheinung des ersten großen Kreuzzuges in seiner gewaltigen Kraft und Wirkung sichtbar ward, der heilige Boden und jener heilige Ort in dem letzten Jahre des elften Jahrhunderts für christliches Gebet und christliche Herrschaft wieder gewonnen wurde. Jene christlichen Helden, die in dem ersten Kreuzzuge unter Jammer und Elend, unter Kämpfen und Schlachten, unter den schrecklichsten Leiden und Opfern, immer aber in freudiger Begeisterung und mit innigster Sehnsucht der Seele bis gen Jerusalem vorgedrungen waren, errichteten dort ein neues Königreich und erwählten den ritterlichen Herzog Gottfried von Bouillon zum Verweser desselben und zum Beschützer des heiligen Grabes; denn nicht König wollte er an dem Orte heißen, wo sich der Heiland einen Knecht und Diener Gottes genannt, und keine goldene Krone wollte er in dem Lande tragen, in welchem der Erlöser eine Dornen-Krone getragen hatte. Aber nur auf kurze Zeit verwaltete Gottfried das hehre Amt der Vertheidigung des Grabes Christi; denn als das neue Königreich durch die wunderbare Schlacht bei Askalon gegen die nächste Gefahr gesichert, durch Verträge mit den Befehlshabern von Ptolemais, Askalon, Cäsarea und mit

dem Fürsten von Damascus vorerst gegen den Ansturm naher
Feinde verwahrt, auch durch Eroberungen hie und da schon
erweitert war, starb der Held des heiligen Grabes in der
Fülle des Ruhms und der Verehrung nach kaum vollendetem
ersten Jahre seines königlichen Amtes.

Aber längst war die Einigkeit des Willens schon entschwunden, mit welcher die Fürsten und Führer der Kreuzheere im Abendlande zusammengetreten waren und Schwert
und Kreuz zur Befreiung des heiligen Landes ergriffen hatten.
Fürst Boemund von Tarent hatte, als ihm der Besitz von
Antiochien gesichert war, an der Eroberung Jerusalems schon
gar nicht Theil genommen. Graf Raimund von Toulouse
lebte mit den übrigen Fürsten in solcher Zwietracht, daß er
sogar die Ungläubigen mit Rath und Hülfe gegen seine Glau-
bensgenossen unterstützte, und aus Jerusalem hinwegeilend
durch Boemund in Laodicea ein eigenes Fürstenthum gewann.
Selbst die Geistlichkeit, auch dort, wo der Heiland in Demuth
und Erniedrigung gewandelt, von hierarchischem Geiste getrieben, lag mit den weltlichen Fürsten in Hader und Feindschaft; und diese Spaltung und Spannung der Gemüther
ward nicht gehoben, vielmehr noch verstärkt, als die Erledigung der Königswürde durch Gottfrieds Tod der Leidenschaft
der Herrschlust neue Nahrung gab. Es begannen für das
neue Königreich die traurigsten Verhältnisse. Zwar erhielt
Gottfrieds Bruder, Graf Balduin von Edessa, wenn gleich
nicht von solcher Reinheit und so hohem Adel der Gesinnung
durchdrungen, wie sein Bruder, doch in jeder Weise der wür-
digste unter den Fürsten, die königliche Würde; allein die Feindschaft unter den christlichen Fürsten und mit ihr drohende Gefahren von allen Seiten für das Königreich waren dadurch nur vermehrt worden. Die Zahl derer aber, welche dieses Reich vertheidigen sollten gegen die Macht der Türken, war von Tag
zu Tag geringer geworden, denn viele von den Kriegern
Christi, in deren Seele die Sehnsucht nach dem Grabe des
Herrn gestillt war, bei denen irdische Rücksichten und weltliche
Bestrebungen wieder Raum in der kälteren Brust gewonnen

hatten, waren in die Heimat zurückgegangen, sobald ihrer
Herrschluſt, ihrer Habſucht und ihrem Eigennuße nicht Genüge
geſchehen war; andere, zum Ziele ihrer Leidenſchaft gelangt,
kümmerte nur die Sicherheit des erworbenen Gewinnes. Das
Vaterland war ferne und für die Kräfte, durch welche des
neuen Reiches fernere Erhaltung und Errettung nur allein
möglich ſchien, floß die Quelle nur in den entlegenen Län=
dern Europa's, während der erbitterte und aufgehetzte Feind
rings um die chriſtlichen Beſißungen ſeine Macht immer ſchnell
wieder aus ſich ſelbſt in der Nähe ergänzen konnte. Nun
langten zwar bei der Kraft der Begeiſterung, die im Abend=
lande trieb, der Pilgrime in einzelnen Schaaren fort und
fort noch viele an und erſetzten zum Theil die erlittenen Ver=
luſte; allein ein neuer großer Kreuzzug, der in Frankreich
durch den jungen Grafen Wilhelm von Nevers, Grafen
Stephan von Blois, Hugo den Großen, Grafen von Verman=
dois, Grafen Wilhelm von Poitou in Bewegung geſetzt ward,
hatte einen ſo unglücklichen Ausgang, daß er für die mißli=
chen Verhältniſſe des Königreiches Jeruſalem faſt gar nichts
austrug und den König Balduin um ſeine ſchönſte Hoffnung
betrog.

Darum zeugt es wohl immer von dieſes Königs großem
Geiſte, daß er in ſolcher Lage der Verhältniſſe achtzehn Jahre
hindurch die wankenden Stützen ſeines Reiches und das Waf=
fenglück der Chriſten nicht bloß immer aufrecht hielt, ſondern
durch den Gewinn der wichtigen Küſten = Städte, als Akkon,
Tripolis, Sidon, Berytus, Biblium und anderer auch die
Gränzen der chriſtlichen Herrſchaft bedeutend erweiterte, ja den
Krieg bis in das Innere Aegyptens, an die Ufer des Nils
trug. Aber was fruchtete all ſolches Glück, der Heldenſinn
der Ritter, das Vertrauen und die Tapferkeit der Krieger,
die Anſtrengung und Begeiſterung neuer Pilger im Kampfe
mit dem Glaubensfeinde, gegen das, was dem Königreiche
zu Heil und Gedeihen für die Dauer Noth that! Schon als
König Balduin im Jahre 1118 auf einer Kriegsfahrt nach
Aegypten ſtarb und ſein nächſter Verwandter, Balduin von

Bourges, Fürst von Edessa, die Königswürde übernahm, brach eine neue schwerbedrohete Zeit an. Was die fortwährenden Kämpfe mit den Türken und die blutigen Kriege mit den Aegyptern kosteten und was sonstiges Unglück und Krankheiten unter den Christen dahinrafften, konnte die Ankunft neuer Pilgrime kaum wieder ersetzen und dennoch in dem Maße, als die innern Kräfte des christlichen Reiches abnahmen, mehrten sich die äußeren Gefahren. So konnte es auch bald dem Fürsten von Aleppo Ilgazi, zumal als er seine Macht mit der des Fürsten Togthekin von Damascus und eines Emirs der Araber vereinigt hatte, gar nicht schwer fallen, das Kriegsglück der Christen tief zu erschüttern und ihnen selbst mehre Städte und feste Plätze auf dem Wege von Antiochien gen Jerusalem wieder zu entreißen; und hätten nicht Ilgazi's Fehden mit Nebenbuhlern in der Herrschaft und die Zwistigkeiten mit seinen eigenen Söhnen seine ganze Kraft hinweggezogen und wäre nicht schon im Jahre 1122 sein Tod erfolgt, so würden sonder Zweifel die Verluste für das Königreich noch von größerer Bedeutung gewesen seyn. Auch das Unglück der Gefangenschaft, in welche König Balduin in eben dem Jahre bei dem Orthokiden Balak gerieth, als er den gefangenen Grafen Joscelin von Edessa befreien wollte, würde von weit wichtigeren Folgen gewesen seyn, zumal da zur nämlichen Zeit auch Antiochien ohne Herrn und Haupt war, wenn nicht die Muselmänner fort und fort innerer Haber und Zwist beschäftigt und der Fürst von Sidon und Cäsarea, Eustach Werner, des Königreiches Verwaltung nicht mit so viel Klugheit und Umsicht geführt hätte. So gelang es diesem, mit klug vereinter und weise geleiteter Kraft nicht nur ein Heer Aegypter zu schlagen, welches die Herrnlosigkeit Jerusalems zu benutzen gedachte, um die christliche Macht zu stürzen, sondern es glückte ihm auch im nächsten Jahre (1124) mit Beihülfe einer Venetianischen Flotte, selbst Tyrus zu erobern. Und als König Balduin um diese Zeit wieder frei ward und sich ein neuer Kampf um die Bezahlung des verheißenen Lösegeldes mit dem Fürsten Aksonkor von Mosul erhob, gewannen die Christen auch über diesen den Sieg.

Dieses Glück der christlichen Waffen beruhte allerdings wohl, wie nicht zu verkennen ist, zum Theil mit auf der alten Feindschaft, die unter den Muselmännern selbst herrschte, auf der Zersplitterung und Vergeudung ihrer Kraft, jener gegenseitigen inneren Befeindung natürlichsten Folge, auf der gänzlichen Planlosigkeit ihrer Kriege und Fehden gegen die christlichen Fürsten, auf der inneren Zerrissenheit ihres politischen Lebens und auf der argen Spaltung in ihrem Glauben. Aber es beruhte auch jenes Glück zum größeren Theil auf der gewaltigen Macht des Geistes, die in den meisten Pilgrimen des heiligen Landes immer noch lebendig war und oft wunderbar zu Entschluß und That, zu Opfer und Hingebung den Menschen forttrieb; es beruhte auf dem kräftigfrommen, tief gewurzelten Glauben: es sey Alles Gottes Wille, was da komme, und Alles Gottes Werk, was geschehe; auf dem großen Gedanken: Gottes Sache werde immerdar auch in den Schwachen mächtig siegen; und es beruhete endlich auf der Alles überwindenden Ueberzeugung: jeglicher Kampf für das heilige Land, jegliches Opfer für die Vertheidigung des heiligen Grabes, jede Entsagung für den heiligen Zweck, jede Hingebung für das Heil der großen Sache, jedes Bemühen, jede Bestrebung, jede Sorge und jede Arbeit für alle solche, die mit dem Kreuze sich und ihre Kraft dem Werke Gottes geweiht, Alles, was für die Errettung und Erhaltung des heiligen Landes geschehe, geschehe dem zu Dienst und Wohlgefallen, der am Kreuze die Menschheit mit seinem Blute erkauft.

Durch diesen Geist aber und in dieser großen Ueberzeugung waren bereits längst schon auch zwei ritterliche Vereine entstanden, die nicht minder auf die Vertheidigung des heiligen Landes und auf die Aufrechthaltung des Glückes der Christen von dem mächtigsten Einflusse waren, als sie durch den Zweck und die Bestimmung ihrer Verbindung jenem Geiste immer neue Nahrung gaben und jene Ueberzeugung stets neu belebten, befestigten und zu Wirkung und That trieben.

Noch vor dem Anfange der Kreuzzüge, um die Mitte des elften Jahrhunderts, als jener Geist, der späterhin in den Pilgerzügen selbst so gewaltig wirkte, schon zahlreiche Pilger= haufen gen Jerusalem hinzog und die Sehnsucht und der Eifer für das heilige Grab schon lebendiger in der Brust erwachte, hatten Kaufleute aus Amalfi, deren Namen die Geschichte nicht mehr nennt, mit Erlaubniß des Aegyptischen Chalifen einen Steinwurf weit vom Grabe des Herrn ein Kloster zu Ehren der Jungfrau Maria erbaut, in welchem Benedictiner= Mönche den Gottesdienst in lateinischer Sprache und nach abendländischem Gebrauche hielten. Damit aber Pilgrime, die oftmals nach den Mühen der langen Pilgrimsreise ohne Obdach, ohne Erquickung und Unterstützung unter Jammer und Elend umher irrten, die nöthige Pflege finden könnten, ward bald nachher von jenem Kloster aus zu ihrer Aufnahme ein Hospital errichtet, welches der Abt dem Patriarchen Jo= hannes dem Mildthätigen im Sinne seines Zweckes widmete [1]. „Reinheit des Willens, Entsagung und Aufopferung war der Geist dieser frommen Gründung und der Geist der Männer, die sich der Verpflegung unglücklicher Menschen widmeten [2]." Lange bestand diese Anstalt im Stillen, nur durch Gaben aufrecht erhalten, die ihr Frömmigkeit und menschliches Mit= leid zuwiesen. Als aber nun das heilige Land in die Gewalt der Christen kam und die Zahl der Hülfsbedürftigen und Ver= pflegten sich bedeutend mehrte, mußte die fromme Stiftung bald die Aufmerksamkeit Gottfrieds von Bouillon auf sich ziehen. Er beschenkte sie mit ansehnlichen ländlichen Besitzungen und nun trennte sich das mildthätige Hospital unter seinem Vor= steher Gerhard aus der Provence von jenem Kloster. Doch erst als im Jahre 1100 die frommen Brüder, welche die Pflege im Hospitale besorgten, die Regel und Kleidung der

---

1) *Wilhelm. Tyr.* Histor. p. 934. *Jacob de Vitriaco* Hi-stor. Hieros. p. 1082. *Alberici* Chron. p. 223. *Sanuti* Secreta fidelium crucis L. III. P. VIII. c. 3.

2) Luden Allgem. Geschichte der Völker und Staaten 2ter Th. 2te Abth. S. 297.

Augustiner Chorherren und auf das Kleid ein weißes Kreuz mit acht Spitzen annahmen, bildete sich eigentlich eine beson= dere Congregation und wahrscheinlich erst bei dieser Umwand= lung ward Johannes der Täufer zum Schutzheiligen der Ver= brüderung erwählt. Seitdem hießen nun die mildthätigen Pilgerpfleger Hospitalbrüder des heiligen Johannes von Jeru= salem. Auch König Balduin der Erste belohnte ihre Ver= dienste durch beträchtliche Geschenke; es folgten dessen Bei= spiele mehre andere christliche Fürsten und also geschah, daß das Johannis=Hospital bald zum Besitze bedeutender Güter sowohl im Morgenlande, als in Europa gelangte. Schon im Jahre 1113 bestätigte der Papst Paschalis der Zweite alle seine Besitzungen, gab den Brüdern das Recht, nach Ger= hards Tode ihre Vorsteher selbst zu wählen, und befreite sie vom Zehnten an den Patriarchen von Jerusalem[1]). Die Stif= tung schritt nun immer weiter in ihrer innern Ausbildung. Durch den Gedanken getrieben, daß auch in der Pflege und Wartung erkrankter, armer Pilgrime hohe Verdienste um die Sache des Heilandes zu erwerben seyen und daß der demüthige Dienst christlicher Erbarmung und Wohlthätigkeit vor Gott höher stehe und Christi Beispiel näher liege, als die Pflicht des weltlichstolzen Ritterdienstes, traten nunmehr in die fromme Stiftung auch Ritter ein, und nun schien es noth= wendig, für die an Stand, Charakter und Geist so verschie= benen Hospitalbrüder gewisse Lebensregeln festzustellen, die für alle zur Norm und Richtschnur dienen könnten. Der Ritter Raimund von Puy, nach Gerhards Tode zum Vorsteher er= wählt, entwarf im Jahre 1118 eine dem erweiterten Umfange der Stiftung angemessene Verfassung, in welcher die Gelübbe der Armuth, der Keuschheit und des Gehorsams die Grund= gesetze bilden und das ritterliche Leben in klösterlicher Weise mit mönchischen Regeln befreundet wurde. Seitdem hoben Päpste und weltliche Fürsten durch Gunst, Geschenke und

---

1) *Wilhelm. Tyr.* p. 935. *Vertot* Histoire des cheval. de S. Jean T. I. p. 578.

Vorrechte den neuen Orden immer mehr empor und er wuchs im zunehmenden Verhältnisse seines Ansehens, seines Ruhmes, seines Glanzes und seiner Wirksamkeit auch immer mehr an Wohlhabenheit, an Reichthum und an seiner Glieder Zahl. Der Vorsteher hieß bald Meister, bald Großmeister, und es theilten sich nun auch die Ordensglieder bald in Ritter=, Prie= ster= und dienende Brüder, deren Thätigkeit, Bestimmung und Lebensregeln im Gesetze des Ordens genau vorgezeichnet waren.

So sicher aber Sinn und Stiftung dieses Ritter=Ordens tief im damaligen Geiste des Lebens selbst lag und der Or= den, wenn auch, wie uns dünkt, durch Zufall und ungefähres Glück veranlaßt und emporgehoben, als eine sinnvolle Er= scheinung und Aeußerung des eigenthümlichen Lebens jener Zeit hervortrat, so gewiß konnte das Beispiel, in solcher Art gegeben, nicht ohne Nachahmung bleiben und der Eine Stamm des Lebens mußte mehre Zweige gleicher Art treiben. Christus war den Menschen nirgends mehr, als auf dem heiligen Bo= den, den sein Fuß berührt hatte, das Vorbild und das Ideal, dem man nacheiferte, der Angel, um welchen sich alles im Le= ben drehete; aber nicht Christus, das hohe Bild reiner geisti= ger Vollkommenheit, sondern Christus, wie er sinnlich auf diesem Boden gewandelt, als das vollendetste Bild der Ar= muth, der sittlichen Reinheit, des Gehorsams, der Mildthätig= keit [1]). Daher geschah, daß in demselben Jahre (1118), als Raimund von Puy den Johannisbrüdern Regel und Verfas= sung gab, neun tapfere und fromme Ritter aus Frankreich, an ihrer Spitze Hugo von Payens und Gottfried von St. Omer, eine ähnliche ritterliche Verbrüderung bildeten [2]). Wie im Verein der Hospitalbrüder das Ritterthum dem Mönchs= thum untergeordnet war, so sollte hier das Mönchsthum dem Ritterthum untergeordnet seyn [3]). Darum konnten die drei

---

1) S. Statuten des Deutsch. Ordens herausgegeben von Hennig S. 40.

2) *Jacob de Vitriaco* h. H. p. 1083. *Wilhelm. Tyr.* p. 819 — 820.

3) Luden a. a. O. S. 298.

Mönchsgelübbe nicht hinreichend erscheinen für die Pflichten,
zu welchen ein christlicher Ritter am Grabe des Herrn sich
angetrieben fand. Kampf und Krieg zur Vertheidigung des
heiligen Landes und Schutz und Sicherheit der Pilger auf
ihren Wallfahrten schien nicht minder nothwendige und ver=
dienstliche Pflicht. Sie scheint daher bei den genannten Rit=
tern auch der erste Anlaß zur Begründung eines neuen Rit=
tervereines gewesen zu seyn [3]). Es legten demnach die Stif=
ter auch noch das vierte Gelübbe in die Hand des Patriar=
chen von Jerusalem: für Schutz und Schirm der Pilgrime
und für die Vertheidigung des heiligen Landes durch Kampf
und Schwert zu leben und zu sterben.

Wenn nun schon die Verbrüderung des Hospitals bei ih=
rem beschränkteren Ziele durch den Geist des Lebens und die
Stimmung der Zeit schnell emporgehoben worden war, so
mußte eine Stiftung mit so erweitertem Zwecke bald noch
mehr durch dieselbe Stimmung emporgetragen werden. Kö=
nig Balduin der Zweite nahm sich derselben mit ungemeinem
Eifer an, wies ihr nicht bloß sogleich bestimmte Einnahmen
zu ihrer Erhaltung zu, sondern räumte den frommen Rit=
tern sogar einen Theil seines Palastes an der Ostseite des
Tempels Salomons ein und gab hiedurch Anlaß zu ihrer Be=
nennung: Brüder des Ritterdienstes des Tempels, Tempel=
herren oder Tempeler. Und bald folgten des Königes Bei=
spiele in reicher Begabung und Unterstützung des so tapferen
als frommen Rittervereins auch noch andere christliche Fürsten,
denn die Achtung und das Vertrauen, welches man ihm
schenkte, erhöhte seine Tapferkeit und seine tapferen Thaten
vermehrten seinen Ruhm. Neun Jahre hindurch hatte sich
nun der Orden schon so emporgehoben, daß König Balduin
ihn dem Schutze der Kirche empfahl und den Papst Honorius
den Zweiten um seine Bestätigung ersuchte. Zugleich begaben
sich zwei Glieder des Ordens ins Abendland zu dem berühm=
ten und hochverdienten Abt Bernhard von Clairvaux, um von

---

3) *Wilh. Tyr.* p. 820. *Sanut.* L. III. P. VIII. c. 3.

diesem eine Regel und Verfassung für den Orden zu erbitten. Er entwarf sie und auf der Kirchenversammlung zu Troyes im Jahre 1128 erhielt der Orden mit jener Regel die päpst= liche Bestätigung [1]), zugleich auch ein weißes Ordenskleid, welchem nachmals (1146) der Papst Eugenius einen weißen Mantel mit einem rothen Kreuze bezeichnet hinzufügte. Seit= dem stieg nun dieser Orden, besonders durch den Ruhm und Glanz, welchen ihm die Lobreden des weltberühmten Abtes von Clairvaux erwarben [2]), in beiden Welttheilen eben so schnell als mächtig an Güterreichthum, wie an Achtung und Ansehen unter den Menschen empor und überstrahlte bald bei weitem den älteren Orden der Hospitalbrüder.

In dem nämlichen Geiste ward um dieselbe Zeit in stiller Verborgenheit auch die Stiftung des Deutschen Ritter= Ordens vorbereitet. Die Ueberzeugung eines Mannes, daß nicht bloß im Kampfe und Streite mit den Ungläubigen, die das heilige Land entweihten, sondern auch in sorgsamer und mildthätiger Pflege armer und erkrankter Pilgrimme ein gott= seliges Verdienst in der Sache Christi zu erwerben sey, war der Gedanke, auf welchem der früheste Beginn dieser Stif= tung beruhte, und die edlen Gefühle menschlichen Mitleids und Erbarmens über unglückliche christliche Brüder waren die Quellen, aus denen Entschluß und That hervorgingen.

Es war ums Jahr 1128, als ein frommer Deutscher, der zu Jerusalem mit seinem Weibe lebte, tief gerührt von dem jammervollen Elende, in welchem er so manche Pilgrime durch Hunger, Ermattung und Krankheit leiden sah, den Ge= danken faßte, für seine erkrankten und hülflosen Landsleute, die das Grab des Herrn besuchten, aus den Mitteln seiner Habe ein Pilgerhaus zu erbauen, denn in den andern Stif= tungen solcher Art, die zur Zeit in Jerusalem bestanden,

---

1) *Alberici* Chron. p. 224; *Baronii* Annal. Eccles. T. XII. an. 1127. Nr. 8.

2) Vgl. Wilcke Geschichte des Tempelherrenordens B. I. S. 23. aus Bernhards liber de laude novae militiae ad milites templi.

hinderte schon die Unkunde der deutschen Sprache eine sorg-
same Pflege der erkrankten Deutschen. Dieses aber war zugleich auch der Grund, daß dieses deutsche Hospital von solchen, denen Pflege in ihrer Krankheit und Erquickung in ihren Leiden von Nöthen war, bald zahlreich besetzt wurde.
Andere fromme Deutsche, die neben Gebet und Andacht an
den heiligen Orten auch durch Werke menschlicher Liebe und
Mildthätigkeit des Himmels Gnade zu erwerben strebten,
nahmen gern die Pflicht der Pflege der Unglücklichen über
sich und beschenkten die Stiftung mit milden Gaben. Da
erregte sie die Aufmerksamkeit des Patriarchen und es ward
mit seiner Zustimmung und Unterstützung neben dem Hospitale nun auch ein Bethaus für Deutsche errichtet und beides
unter den Schutz der Jungfrau Maria gestellt [1]).

---

1) Als Zeit der Stiftung ist das Jahr 1128 angenommen. Es
beruht diese Angabe auf *Jacob de Vitriaco* p. 1085, welcher als der
bewährteste Zeuge über diesen Gegenstand seine Erzählung unter diesem
Jahre giebt. Ganz sicher ist die Zeit der Stiftung freilich dadurch noch
keineswegs und es scheint beinahe, als sey sie wirklich älter. Auf die
Angabe der Ordenschronik S. 4, nach welcher das Deutsche Hospital
schon von der Kaiserin Helena, Constantins Mutter, erbaut, dann unter der Herrschaft der Türken wieder zerstört und erst vom Könige
Balduin I. von neuem errichtet worden seyn soll, ist wenig Gewicht zu
legen, denn dieser Gründung durch kaiserliche und königliche Hand widerspricht die bestimmte Angabe des genannten Chronisten. Da er die
wichtigste Quelle über diese Stiftung ist, so mag man hier seine eigenen
Worte lesen: Cum civitas sancta post eius liberationem habita-
retur a Christianis, et multi ex Teutonicis et Alemannis causa
peregrinationis pergentes Hierusalem linguam civitatis igno-
rarent, inspiravit divina clementia cuidam honesto et religioso
viro Teutonico, qui in civitate cum uxore sua morabatur,
quatenus quoddam xenodochium de bonis suis construeret, in
quo pauperibus et infirmis Teutonicis hospitalitatem exhiberet.
Confluentibus autem ad ipsum ratione commercii linguae et
noti sibi idiomatis, de gente illa multis pauperibus et peregrinis, de consensu et voluntate domini Patriarchae quoddam
oratorium composuit juxta praedictum hospitale in honore beatae
Dei genetricis Mariae. — Eben so berichtet *Sanut.* L. III. P. VIII.
c. 3. Chron. S. *Bertini* ap. *Martene* T. III. p. 626.

Das war der erste Beginn des Deutschen Hospitals zu Jerusalem, der erste Grundstein zum Bau des Deutschen Ritter=Ordens. Lange Zeit aber waren die Mittel zur Unterhaltung der frommen Stiftung noch sehr beschränkt; an eigenen Besitzungen blieb sie arm und nur was in mildthätigen Spenden oder durch Sammlungen gewonnen ward, deckte kärglich die Kosten der Pflege armer Kranken. Doch die Stimmung der Zeit wirkte Anfangs wenigstens für die Erhaltung und nachmals auch für die Erweiterung des Hospitals. Es fanden sich mehr und mehr fromme Deutsche Pilgrime, die sich berufen glaubten, dem weltlichen Leben für immer entsagend sich für ihr ganzes Leben dem Dienste Gottes und den Werken der Liebe und Barmherzigkeit zu widmen und in der Wartung und Pflege unglücklicher Pilgrime im Hospitale das heilbringende Verdienst ihrer Seligkeit zu suchen. Darum legten sie auch das weltliche Kleid ab und zeichneten sich durch weiße Mäntel vor den übrigen Deutschen Pilgern aus [1]). In solcher Weise geschah es, daß in den Mauern der heiligen Stadt neben den beiden Verbrüderungen des Hospitals und des Tempels noch ein dritter frommer Brüderverein entstand, dessen Glieder sich Brüder des S. Marien=Hospitals zu Jerusalem nannten und in ihrer Lebensweise der Regel des heil. Augustinus folgten [2]).

---

1) Nach *Jacob de Vitriaco* p. 1085. u. *Sanut.* l. c. sollen sie damals schon auf dem weißen Mantel ein schwarzes Kreuz getragen haben; nach dem Chron. *S. Bertini* p. 626 aber scheinen sie dieses Zeichen erst später angenommen zu haben.

2) Merkwürdig ist in mehrfacher Hinsicht eine Stelle im Chron. *S. Bertini* p. 626., wo es heißt: Vir iste cum viris Alemannis sibi adjunctis caritatis officia sicut Hospitalarii viris Alemannis pauperibus et infirmis devote exhibuerunt, de suo atque fidelium eleemosynis necessaria ministrando. Uxor quoque ejus in aliud hospitale seorsum et juxta illud mulieribus Alemannis pietatis officia ministrabat. Crescente devotione crevit et numerus fratrum ibi Domino servientium, et se ad ordinem seu regulam S. Augustini disposuerunt, mantellos albos deferentes; successu temporis sicut Hospitalarii quasi co-

Nun geschah aber, als die Zahl der frommen Pfleger im Hospitale sich mehrte und auch Deutsche Ritter und andere Edle in den Brüderverein eintraten, daß zur Zeit allgemeiner Gefahren und bei bringender Noth die edleren Brüder auch das Schwert ergriffen zur Vertheidigung des heiligen Bodens, um auch in solcher Weise sich Verdienste zu erwerben in der Sache des Heilandes. Dadurch wurde der Kreis der Wirksamkeit und so auch bald der Zweck des Deutschen Brüdervereins ungleich mehr erweitert und zugleich dem des Ordens des Tempels und Hospitals merklich näher gebracht. Beide Orden waren nun den Deutschen Hospitalbrüdern Vorbild und Muster in ihrer Lebensweise, in ihren Pflichten und in ihren Bestrebungen [1]), und so erregte bald das Deutsche Hospital auch die Aufmerksamkeit der Kaiser und der Päpste. Um den Bemühungen der Deutschen Brüder, die, wie es scheint, damals noch ohne Haupt und Vorstand waren, jeder Zeit die nöthige Richtung und ihrer schönen Stiftung festeren Halt zu geben, verordnete der Papst Cölestin der Zweite ums Jahr 1143, daß das Marien-Hospital zu Jerusalem forthin unter der Aufsicht und Obhut des Großmeisters des Johanniter-Ordens stehen solle und daß unter einem gewählten Vorsteher oder Prior stets nur Deutsche Pilgrime als Mitglieder des Vereines aufzunehmen seyen [2]). Diese Anordnung bestätigte nachmals auch Papst Hadrian der Vierte.

---

acta arma sumserunt, et in defensionem terrarum suarum et patriae Deo et regulae beati Augustini votis se astringentes, cruces nigras albis vestibus superaddentes atque vexillis, anno Domini MCXXVII. — Also zugleich auch ein Hospital für deutsche Frauen, von dessen Schicksal wir aber nichts wissen.

1) *Sanut.* l. c. sagt daher von den Deutschen Hospitalitern: Hii ex primis duobus ordinibus aliqua sumpserunt: professionem et regulam et institutiones militum Templi, tam in bello, quam in pace prorsus observant; infirmos et peregrinos sicut fratres Hospitalis sollicite et devote procurant.

2) Codice diplomat. di Malta p. 272. Bull. VI. Cf. Histoire de l'Ordre Teutonique T. I. p. 13. *De Wal* Recherches sur l'ancienne institution de l'ordre Teuton. T. I. p. VI. bemerkt,

meinen auch die des Hospitals von Jerusalem, und mit Recht
theilt es mit ihnen auch das Verdienst und den Ruhm, den
sie durch menschliche Milde und Wohlthätigkeit, wie durch
Muth und Tapferkeit im Kampfe gegen die Ungläubigen vor
Gott und Menschen erwarben [1]).

So geht denn eine Reihe von Jahren vorüber, in wel=
chen die Geschichte des Hospitals zu Jerusalem nicht besonders
erwähnt und nur einzelne Spuren sind uns hinterlassen, die
uns bezeugen, daß ihm die Gunst und das Vertrauen vorneh=
mer Pilgrime, welche die heilige Stadt besuchten, nie ent=
ging [2]). So geschah, daß Theoderichs des Siebenten, Gra=
fen von Holland, fromme Wittwe, Sophie, Tochter des ed=
len Pfalzgrafen Otto von Schleyern, als sie auf ihrer dritten
Pilgerreise an das Grab des Herrn in Jerusalem schwer er=
krankte, an die Brüder des Hospitals die Bitte that, auch
nach ihrem Tode bei ihnen ruhen zu dürfen und sie fand in
der Marienkirche des Deutschen Hospitals ihre Ruhestätte [3]).

---

1) *Sanut.* L. III. P. VII, c. 3 spricht dieses ganz klar aus, in=
dem er von allen drei Verbrüderungen sagt: Hii omnes talia ha-
buere initia, taliaque praeludia sanctitatis: humiles erant in
obsequiis pauperum, audaces in armis, Christianis benigni, ter-
ribiles Saracenis, pro fide proprium sanguinem fundere non
timentes; propter quod in omnem terram exivit sonus, et
quasi novorum Machabeorum gesta linguae fidelium persona-
bant.

2) Sollte z. B. Heinrich der Löwe nicht auch das deutsche Hospi=
tal unterstützt haben, da er in Jerusalem dem Tempelorden über 1000
Mark Silber spendete? *Bodonis* Syntagma ap. *Meibom.* T, II.
p. 505. Unbezweifelt dürfte wenigstens seyn, daß unter den Templariis et Hospitalariis, cum grandi comitatu et honestissime ex-
cipientibus Ducem auch die Brüder des Hospitals waren; *Helmold.*
Chron. Slavor. L. III. c. 7. Hier werden auch die Hospitalarii
als von dem Fürsten beschenkt genannt.

3) Chron. de Holland. ap. *Matthaei* Analect. veter. aevi
T. V. p. 532 — 533. Im Jahre 1128 war Theoderich selbst in
Jerusalem gewesen. In welches Jahr die dritte Pilgerreise und der
Tod Sophiens fällt, ist nicht bestimmt zu ermitteln; aber gewiß erst
nach dem Jahre 1163, in welchem Theoderich starb; jenes Chronikon
sagt ausdrücklich: Sepulta est in hospitali Teutonum.

Bald aber zählte das Deutsche Marien=Hospital auch die Kaiser aus dem Hause der Hohenstaufen unter seine Wohlthäter und Beschützer. Schon Kaiser Friederich der Erste vermehrte durch milde Geschenke die Mittel zu seiner Erweiterung; auch dessen Nachfolger, Heinrich der Sechste, verlieh ihm mehre Besitzungen nebst verschiedenen Gerechtsamen und nahm sich überhaupt der Hospitalbrüder mit besonderer Zuneigung an [1]). Zwar mußte gewiß solche Gunst der beiden Oberhäupter der Christenheit den Eifer des frommen Brüdervereines in Erfüllung seiner Pflichten ungemein beleben; allein sein stilles Wirken in der Pflege armer Pilgrime im Krankenhause hat die Geschichte im Strome so großer Ereignisse, wie sie damals das heilige Land fast täglich sah, nicht beachtet und die Fehden und Kämpfe, welche die Deutschen Hospitalbrüder im Verein mit den Rittern des Tempels und des Johannis=Ordens bestanden, hat sie lange Zeit diesen allein zugerechnet [2]). Ohne Zweifel also sind die Schicksale dieser beiden Ritter=Orden im Ablaufe mehrer Jahrzehnde im Allge=

---

daß zwischen den deutschen Hospitalbrüdern und dem Johanniter=Orden Mißhelligkeiten entstanden seyen, die der Papst auf diese Weise habe beseitigen wollen.

1) Wir ersehen solches aus einer Urkunde bei *Duellius* Histor. Ordin. Teuton. p. 9, in welcher Kaiser Friedrich II. sagt: Sacra domus Hospitalis S. Mariae Teutonicorum in Jerusalem a *Praedecessoribus nostris* pietatis intuitu propagata in multiplices fructus prodiit fide dignos etc. In den Selectis Privileg. Nro. XVI. p. 15 nennt derselbe Kaiser das Deutsche Haus Divorum Augustorum *Avi et Patris nostri* ac nostra structura specialis. Da nun der Deutsche Orden unter Friederichs II. Großvater noch nicht bestand, so kann sich Friedrichs I. Wohlthätigkeit auch nur auf die Urstiftung des Deutschen Ordens, nämlich auf jenes Marien=Hospital zu Jerusalem beziehen.

2) Daher kennen die meisten Chronisten die eigentlichen Deutschen Hospitalbrüder gar nicht; so *Vincentius Belluacensis*, der alle Ereignisse nur durch die fratres Hospitalis et Templi milites oder templarios et hospitalarios geschehen läßt und diese letzteren sind bei ihm immer nur die Johanniter; cf. LXXX. c. 38. 43. Eben so *Guilielm. Neubrig.* Histor. rer. Anglicar. L. III. c. 16.

meinen auch die des Hospitals von Jerusalem, und mit Recht
theilt es mit ihnen auch das Verdienst und den Ruhm, den
sie durch menschliche Milde und Wohlthätigkeit, wie durch
Muth und Tapferkeit im Kampfe gegen die Ungläubigen vor
Gott und Menschen erwarben [1]).

So geht denn eine Reihe von Jahren vorüber, in welchen die Geschichte des Hospitals zu Jerusalem nicht besonders
erwähnt und nur einzelne Spuren sind uns hinterlassen, die
uns bezeugen, daß ihm die Gunst und das Vertrauen vornehmer Pilgrime, welche die heilige Stadt besuchten, nie entging [2]). So geschah, daß Theodorichs des Siebenten, Grafen von Holland, fromme Wittwe, Sophie, Tochter des edlen Pfalzgrafen Otto von Schleyern, als sie auf ihrer dritten
Pilgerreise an das Grab des Herrn in Jerusalem schwer erkrankte, an die Brüder des Hospitals die Bitte that, auch
nach ihrem Tode bei ihnen ruhen zu dürfen und sie fand in
der Marienkirche des Deutschen Hospitals ihre Ruhestätte [3]).

---

1) *Sanut.* L. III. P. VII, c. 3 spricht dieses ganz klar aus, indem er von allen drei Verbrüderungen sagt: Hii omnes talia ha-
buere initia, taliaque praeludia sanctitatis: humiles erant in
obsequiis pauperum, audaces in armis, Christianis benigni, ter-
ribiles Saracenis, pro fide proprium sanguinem fundere non
timentes; propter quod in omnem terram exivit sonus, et
quasi novorum Machabeorum gesta linguae fidelium persona-
bant.

2) Sollte z. B. Heinrich der Löwe nicht auch das deutsche Hospital unterstützt haben, da er in Jerusalem dem Tempelorden über 1000
Mark Silber spendete? *Bodonis* Syntagma ap. *Meibom.* T, II.
p. 505. Unbezweifelt dürfte wenigstens seyn, daß unter den Templariis et Hospitalariis, cum grandi comitatu et honestissime ex-
cipientibus Ducem auch die Brüder des Hospitals waren; *Helmold.*
Chron. Slavor. L. III. c. 7. Hier werden auch die Hospitalarii
als von dem Fürsten beschenkt genannt.

3) Chron. de Holland. ap. *Matthaei* Analect. veter. aevi
T. V. p. 532 — 533. Im Jahre 1128 war Theodorich selbst in
Jerusalem gewesen. In welches Jahr die dritte Pilgerreise und der
Tod Sophiens fällt, ist nicht bestimmt zu ermitteln; aber gewiß erst
nach dem Jahre 1163, in welchem Theodorich starb; jenes Chronikon
sagt ausdrücklich: Sepulta est in hospitali Teutonum.

Die Verhältnisse des heiligen Landes aber gestalteten sich in den letzten Jahrzehnden des zwölften Jahrhunderts in einer Weise, die alles für den Untergang der frommen Stiftung befürchten ließ. Im Jahre 1173 erhielt zum Unheil ein drei=zehnjähriger kranker Knabe, Balduin der Vierte, die Würde eines Königes von Jerusalem. Um die Verwaltung des Rei=ches, zu welcher jener völlig unfähig war, haberten auf die ärgerlichste Weise die Vornehmen, die zu allen ihren Bestre=bungen sich des Königes zu bemächtigen wußten. Ränke und Händel um Gewinn, Macht und Herrschaft hielten den Geist, der sonst nur auf die heilige Sache gerichtet gewesen, fort und fort beschäftigt; das Grab des Herrn war für viele schon zum leeren Steinhaufen geworden und die Geschichte der Zeit ist in eben dem Maße leer und arm an großen Ereignissen und würdigen Thaten, die den Geist erheben und das Herz erfreuen könnten, als sie reich und überfüllt ist von inneren Zwistigkeiten, Zerwürfnissen und Ausbrüchen wilder Leiden=schaft. Und doch stand unter diesem Gewirre der verkehrtesten Bestrebungen der Machthaber dem schwachen und immer tie=fer sinkenden Königreiche in dem so tapferen als edelgesinnten Saladin, dem großen Sultan von Aegypten, gerade jetzt ein Mann gegenüber, wider dessen Macht und Heldenmuth die Rettung der christlichen Herrschaft im Morgenlande kaum nur denkbar war [1]. Das erkannte auch schon Balduins Nachfolger, König Guido (Veit) von Lusignan und schloß deshalb mit dem drohenden Gegner sogleich beim Antritte sei=ner Regierung einen Waffenstillstand [2]. Aber der Wurm hatte schon zu tief gefressen und das Verderben, welches in dem Geiste der Christen selbst begründet lag, war hiedurch nicht mehr abzuwenden. Die Entartung und Sittenlosigkeit wucherte wie Unkraut unter allen Ständen schon so allge=mein, daß von der alten Begeisterung für das heilige Land kaum hie und da noch eine Spur bemerklich wurde. Auch

---

1) Surrexit Saladinus, non jam virga, sed malleus, sagt *Guilielm. Neubrig.* L. III. c. 10.

2) *Roger de Hoveden* an. 1186.

die beiden Ritter-Orden hatten unter dem Volke bereits bedeutend in ihrer Achtung verloren; ja die Geistlichkeit hatte
sie auf öffentlicher Kirchen-Versammlung schwerer Verbrechen
beschuldigt und vorzüglich war gegen die Tempelherren überall
ein so bitterer Haß verbreitet, daß auch der König Guido,
der in ihnen seinen größten Schutz zu finden glaubte, in immer tiefere Verachtung sank[1]. Zudem lagen die beiden Ritter-Orden selbst im ärgerlichsten Haber und Zwist gegen einander, denn auch sie fingen schon an, von ihrer schönen Bahn
abzuweichen, ihres heiligen Zweckes zu vergessen und nur nach
Vorrechten, Besitz und Reichthum zu geizen[2]. Stand auch
das Deutsche Marien-Hospital noch unberührt von diesen Gebrechen und Verderbnissen der Zeit und hielten die Deutschen
frommen Brüder in mäßigem Besitze auch noch fest an ihrer
ursprünglichen Bestimmung der Pflege für Arme und Unglückliche[3], so war doch ihr Einfluß auf den Gang des Lebens
um sie her viel zu gering, als daß sie, in so kleiner Zahl, dem
Verderben hätten Einhalt thun können. Führte doch in den
Mauern Jerusalems selbst der Patriarch Heraclius mit einer
Buhlerin, der Ehefrau eines Specereihändlers aus Neapel,
das gottloseste und ärgerlichste Leben und hingen doch schon
christliche Fürsten, wie Graf Raimund von Tripolis, in fre-
velhaften Verbindungen gegen die Vertheidiger des Grabes

---

1) Vgl. Wilken Geschichte der Kreuzzüge 3ter Th. 2te Abth. S.
263. Raumer Hohenstauf. B. II. S. 378.

2) *Sanut.* l. c. sagt von ihnen: Procedente tempore de patrimonio Crucifixi impinguati sunt, incrassati, dilatati, divi-
tiis et delitiis affluentes, in quibus periit etiam Salomon.
Guilielm. de Nangis Chron. ap. *D'Achery* Spicileg. T. III.
p. 15. *Mansi* T. XXII. p. 222. c. 9.

3) Davon spricht das Zeugniß des Chronisten *Jacob de Vitriaco*
p. 1085: Quoniam usque ad *tempora praesentia* in humilitate
paupertatis et fervore religionis permanserunt, avertat Dominus ab eis superbas, avaras, litigiosas et solicitudine anxias
et religioni inimicas divitias.

II.

Christi sich an die Feinde des Glaubens und selbst an den gewaltigen Saladin [1]).

Da geschah das Unvermeidliche. Schwer erzürnt über die Beraubung seiner Mutter auf einer Reise ·nach Damascus durch Rainald von Chatillon während des angelobten Waffenstillstandes und erbittert über den unverständigen Hochmuth, mit welchem der König Guido seine Forderung wegen Ersatzes des Geraubten zurückwies, brach Saladin mit seiner ganzen Macht zur Rache an den übermüthigen Christen auf. König Guido und die übrigen christlichen Fürsten zogen dem Feinde mit einem Heere entgegen, wie sie es in solcher Stärke seit vielen Jahren nicht hatten aufstellen können. An Kraft ward alles aufgeboten, was möglich war; aber die Seele dieser Kraft, der einstige mächtige Glaube, der sonst so gewaltig in den Kreuzheeren gewirkt hatte, konnte nicht wieder hervorgezaubert werden. Da gab am fünften Juli 1187 die unglückliche Schlacht bei Hittin, eine furchtbare Niederlage der Christen, die schmachvolle und schreckliche Entscheidung. Die meisten Ritter des Tempel= und Johannis=Ordens waren im Kampfe gefallen; andere geriethen in die Gefangenschaft des Sultans [2]); dieses letztere Schicksal theilten auch König Guido und der Großmeister des Tempel=Ordens und nachdem Tiberias, Joppe, Akkon und mehre andere Städte Palästina's dem

---

1) *Guilielm. Neubrig.* L. III. c. 15 drückt sich über diese Verderbniß am stärksten aus, indem er sagt: Erant euim in Jerusalem et regno eius non, ut olim, viri religiosi ex omni natione, quae sub coelo est, sed ex omni gente Christiana facinorosi, luxuriosi, ebriosi, mimi, histriones, hoc genus omne in terram sanctam, tanquam in sentinam quandam confluxerat, eamque obscenis moribus et actibus inquinabat. Vgl. Wilken a. a. O. S. 257.

2) Ueber das unglückliche Schicksal der Tempelherren, von denen Saladin die meisten hinrichten ließ, s. vorzüglich *Vinisauf* Itinerar. regis Anglor. Richardi ap. *Gale* Script. histor. Brit. T. II. p. 251. *Guilielm. Neubrig.* L. III. c. 17. 21. *Guil. de Nangis* p. 14. *Walteri Hemingford* Chron. ap. *Gale* T. II. p. 509. *Godefrid. Monach.* ap. *Freher.* T. I. p. 251.

Feinde zugefallen waren, stand Saladin vor den Mauern
der heiligen Stadt. Es war am dritten October des Jahres
1187, als auch diese in des Siegers Gewalt fiel. Auf Saladins Befehl mußte alles, was den christlichen Namen bekannte, die heiligen Mauern verlassen [1]; nur wenigen ward
vergönnt dort ferner zu verweilen, und unter diesen auch einigen Gliedern des Deutschen Hospitals, die auch forthin noch
in der frommen Stiftung der armen Pilgrime pflegten [2]. Saladin war zu edel in seinen Gesinnungen, viel zu menschlich-
mild und zu weit entfernt von gemeiner Rachlust, als daß
er eine Stiftung hätte vernichten sollen, die so ganz aus den
reinsten Gefühlen des Mitleids und der Erbarmung für menschliches Elend und Unglück hervorgegangen war. Vielmehr ertheilte er den Hospitalbrüdern ausdrücklich die Erlaubniß, auch
fernerhin noch in Jerusalem verweilen zu dürfen, so lange
noch Kranken und Unglücklichen dort ihre Pflege und Wartung nöthig sey. Doch mögen im Deutschen Hospital, wie
auch in dem der Johanniter, nur diejenigen Brüder zurückgeblieben seyn, die unter dem Namen von dienenden Brüdern
sich ganz ausschließlich der Krankenpflege gewidmet hatten,
während die übrigen, die mit dem Schwerte den heiligen Boden vertheidigt, wohl meist in dem schweren Kampfe bei Hittin gefallen waren, zum Theil aber auch mit den übrigen
Christen Jerusalem verlassen mußten [3].

---

1) *Vincent. Belluac.* L. XXX. c. 44. *Guil. Neubrig.* l. c.
c. 18. Wilken a. a. O. S. 281 ff. Raumer B. II. S. 398 ff.

2) Die Ordens-Chron. S. 7 sagt: „Welche Crysten zcu Jerw-
salem bleyben wolten unter dem Trybut, mochten bleyben, by zwene
Hospital auch zu nutzungen der armen pilgerlewthe."

3) Der Großmeister der Tempelherren berichtet unter andern dem
Könige von England in einem Briefe in *Baronii* Annal. eccles.
T. XII. an. 1187 nro. 7: Ipse Saladinus in domo Hospitalis
permisit remanere decem de Fratribus Hospitalis ad custodien-
dum infirmos usque in unum annum. Daßelbe bezeugt *Guil.
Neubrig.* L. III. c. 18: Debilium quoque in famosissimo illo
hospitali beati Joannis decumbentium, sive humanitas, sive
pro gloria misericordiam habuit: eorumque donec vel more-

2 *

Unnennbar aber war der Schrecken, der Schmerz und der Jammer, der durch die Länder Europens ſich in Aller Herzen verbreitete, als die Nachricht von dem Verluſte des heiligen Grabes ankam. Ein Geſchrei der Wehklage ging durch die ganze Chriſtenheit [1]; denn je tiefer in den Menſchen das Vertrauen und die feſte Zuverſicht gewurzelt war: das Grab des Erlöſers, mit dem Blute ſo vieler Tauſenden aufgekauft, könne nie wieder verloren gehen, um ſo ſchreckenvoller erwachte man nun bei dem ungeheuren Unglücke aus der Ruhe, in der man jetzt nur Sünde und Verbrechen ſah. Ueberall hörte man wieder wie vor neunzig Jahren, als der erſte Zug ins Morgenland begann, den Ruf des Kreuzes. In Deutſchland aber ward die Bewegung erſt allgemein, als in der Faſtenzeit des Jahres 1188 der Kaiſer Friederich der Erſte auf dem Reichstage zu Mainz das Kreuz aus den Händen des Cardinal = Biſchofes Heinrich von Albano und des Biſchofes Gottfried von Würzburg empfing, um den Abend ſeiner Tage dem Dienſte des Herrn zu widmen [2]. Zwanzigtauſend Ritter und unzähl-

---

rentur, vel convalescerent, curam haberi voluit, quibusdam ex fratribus hospitalariis hanc operam secure et libere exequendam committens. Auch beſtätiget dieſes das Chron. Ordinis ap. *Matthaei* Anal. c. 36. Vgl. den Brief des Papſtes Gregorius bei *Baronii* Annal. eccles. T. XII. an. 1187 Nro. 13, wo unter den Hospitalariis ohne Zweifel die Deutſchen = und Johanniter = Hoſpitalbrüder begriffen ſind. *Vinisauf* p. 254. *Vertot* Histoire de l'Ordre de Malthe T. I. L. II. p. 235. *De Wal* Histoire de l'Ordre Teut. T. I. p. 19 — 20. Recherches sur l'ancienne institution. T. I. p. VIII. *Ebn al Athir* bei Wilken B. IV. S. 71 ſagt freilich: das Haus der Hoſpitaliter zu Jeruſalem ſey zu einem prächtigen Collegium, in welchem das Schafeitiſche Lehrſyſtem vorgetragen wurde, umgeſchaffen worden.

1) Vox turturis, vox doloris et gemitus fines Christianorum usque ad mundi ultima lamentabili novitate rumoris perculit. *Godefrid. Monach.* ap. *Freher.* Script. T. I. p. 250. *Guil. Neubrig.* L. III. c. 23.

2) *Otton. de s. Blasio* Append c. 31. *Godefrid. Monach.* p. 251. *Alberici* Chron. p. 375. *Arnold. Lubec.* Chron. L. III. c. 28. Kortüm Kaiſer Friedrich der Erſte S. 223.

bare Schaaren von Geistlichen, Bürgern und anderem Fuß-
volke sammelten sich im Frühling des Jahres 1189 bei Regensburg zur Theilnahme am Wiedergewinne der heiligen Stadt,
und als nun der Kaiser, zwar schon im sieben und sechzigsten
Lebensjahre, aber noch mit dem Feuereifer eines Jünglings
und mit der Umsicht, Kraft und Weisheit, die ihm überall
eigen waren, alles wohl vorbereitet und des Reiches Wohlfahrt und Sicherheit aufs beste besorgt, geschah im Mai der
Aufbruch. Wegen des gleichzeitigen Kreuzzuges, welchen die
beiden Könige von England und Frankreich zur See unternehmen wollten, ward für das Deutsche Kriegsvolk der Weg
zu Land als der bessere vorgezogen [1]). Mit dem Kreuze bezeichnet waren im Geleite des Kaisers sein eigener Sohn, Herzog Friederich von Schwaben, Bertold von Andechs, Herzog
von Meran, Herzog Ottokar von Steiermark, der Markgraf
Hermann von Baden. Auch der in der Dichtkunst gefeierte
Landgraf Ludwig der Milde von Thüringen und sein Bruder,
der Pfalzgraf Hermann von Sachsen nahmen damals mit vielen Grafen und Rittern ihrer Länder das Kreuz, schifften sich
aber mit dem Bischofe von Bremen in Brundusium ein [2]).
Unter neunzehn Grafen, die mit dem Kaiser zogen, glänzten
vor allen Robert von Nassau, Heinrich der jüngere von Diez,
Poppo von Henneberg, Ulrich von Kyburg, Bertold von Zäh-
ringen und manche andere; unter den Bischöfen waren die
von Münster, Meißen, Lüttich, Utrecht, Passau, Würzburg,
Osnabrück, Verden, Basel und Straßburg und an ihrer
Spitze der Erzbischof von Trier. An diese Fürsten und Geistlichen schloß sich endlich eine Zahl von Rittern an, deren
Namen ganz Deutschland feierte [3]).

---

1) *Guil. Neubrig.* L. III. c. 24. 27. IV. 13. Historia Hie-
rosolym. p. 1158.

2) *Ursini* Chron. Thuring. ap. *Mencken.* T. III. p. 1272.
Wilken B. IV. S. 260. Beil. IV. S. 97, wo unter denen, welche
die Seefahrt vorzogen, auch der Bischof von Bremen genannt ist.

3) Es ist für die Geschichte des Ursprunges und der ersten Zeiten
des deutschen Ordens nicht unwichtig, über die Fürsten und Bischöfe,

Selten war ein Kriegszug mit größerer Freudigkeit und
mit sicherern Hoffnungen angetreten worden. Alles sah auf
den Kaiser hin, den ergrauten Helden, als den Mann, dem
allein es noch vergönnt und möglich zu seyn schien, den heiligen
Boden noch einmal von den Ungläubigen zu säubern und der
Christenheit das heilige Grab wieder zuzueignen. Und diese

---

die an diesem Zuge Theil nahmen, sichere Nachrichten zu haben. Wir
finden sie in folgenden Quellen: *Tageno* Descript. expedit. Asiat.
Friderici Imperat. contra Turcos ap. *Freher* T. I. Append. p.
6, wo es heißt: Cum eo filius eius Fridericus, dux Alemanniae,
Bertoldus dux Meraniae, ex Bavaria de castro Andechs natus,
Hermannus marchio Badensis, episcopi Herbipolensis, Monasteriensis, Dietpoldus Bathaviensis, Offenburgensis (der von
Osnabrück) Misnensis, cum multis regni Comitibus, cum magna
multitudine populi. Am vollständigsten findet man die Theilnehmer
aufgezählt in *Ansberti* historia de expeditione Friderici Imperat. im Auszuge bei Wilken Beil. IV. S. 95 — 96. Damit ist zu
vergleichen besonders in Rücksicht der Führung der einzelnen Heerschaaren Anonymi Expedit. Asiat. Friderici I in *Canisii* Lection.
antiq. T. V. p. 64. *Lambert. Schaffnab.* Addit. ap. *Pistor.*
T. I. p. 430 nennen die Theilnehmer noch genauer: Signati sunt do-
minica cruce Gotefridus Wurtzburgensis episcopus, Hermann-
nus Monasteriensis, Martinus Misnensis, Rodolphus Leodiensis, Heinricus Argentinensis et alii plures episcopi; Ludovicus
comes provincialis Thuringiae, Poppo comes de Hennenberg,
Adelbertus de Grumbach, Albertus de Hildenburg, aliique
multi principes, comites et nobiles. Außerdem nennt das Chron.
Abbat. Ursperg. p. 229 als bemerkenswerthe Ritter Fridericus de
Bergilen, Conradus de Dombach et Fridericus frater eius,
Gobertus et Poppo. Daß auch die Grafen von Flandern, Geldern
und Holland Theil nahmen, bezeugen *Anselm. Gemblac.* Chron.
ap. *Pistor.* T. I. p. 999, *Wilhelm. Egmondan.* Chron. ap.
Matthaei Anal. T. II. p. 473 und *Godefrid. Monach.* p. 252,
der auch den Bischof von Utrecht nennt. Die Histor. Hierosol. p.
1160 begnügt sich bloß mit Angabe der Zahlen: Erant Antistites
septem, Archipraesul unus, Duces duo, Comites XIX, tres
vero Marchiones. Chron. S. Petri Erfurt. ap. *Mencken.* T.
III. p. 231. *Vinisauf* p. 260 nennt dieselben Zahlen, aber ebenfalls
ohne namentliche Anführung. Vgl. Chron. German. ap. *Pistor.*
T. II. p. 794.

Hoffnungen wurden noch gehoben durch das Glück, von welchem das Kreuzheer auf seinem Zuge durch Ungern begünstigt
ward. Darauf aber hinderten schon den schnelleren Fortzug
die durch den Griechischen Kaiser veranlaßten Angriffe der
wilden und trotzigen Bulgaren, und als das Heer weiter
vorbrang, nicht minder auch die Fehden und Kämpfe der arg-
listigen Griechen [1]). In solcher Weise war der Kaiser so lange
verzögert worden, daß er erst im März des Jahres 1190 den
Boden Asiens betrat. Auch dort noch von Griechischer Heim-
tücke verfolgt und dann auf Türkischem Gebiete durch zahllose
feindliche Schwärme und unaufhörliche Kämpfe aufgehalten,
in seiner Macht selbst nicht wenig geschwächt, gelangte das
Kreuzheer unter den schrecklichsten Leiden und Beschwerden erst
im Hochsommer in das Gebiet von Armenien und lagerte an
den kühlen Ufern des Flusses Saleph, bei der Stadt Seleu-
cia. Da geschah aber, als das Heer weiter ziehen wollte,
daß Kaiser Friederich in den Wellen des Flusses seinen Tod
fand. Keins der bestandenen Leiden war diesem Unglücke
gleich zu messen und so allgewaltig war der Schrecken, der
Jammer und die Verzweiflung im ganzen Heere, daß viele,
denen für immer alle Hoffnung entschwunden war, die Krieger des Kreuzes verließen, um in die Heimat zurückzukehren [2]).
Doch als das übrige Heer von seiner tiefen Betrübniß sich
wieder ermannt, folgte es der Führung des Herzogs Friederich von Schwaben, des Kaisers Sohn, und zog von ihm geleitet nach Antiochien. Hier aber warteten seiner neue Leiden. Unmäßiger Genuß nach so langen Entbehrungen und
die Folgen der schlechten Nahrungsmittel, zu denen auf dem
Zuge Noth und Mangel getrieben hatten, erzeugten furchtbare
Krankheiten, denen ein noch größerer Theil des Heeres erlag [3]), als bisher alle Kämpfe mit dem Feinde gekostet hat-

---

1) *Guil. Neubrig.* L. IV. c. 13. Das Nähere über diesen Zug
bei Wilken und Raumer.

2) *Tageno* l. c. p. 14. *Guil. Neubrig.* L. IV. 13. p. 392.

3) *Abulfedae* Annal. Muslem. T. IV. p. 107. *Ansberti*
Historia expedit. Frider. bei Wilken B. IV. Beil. IV. S. 105.

ten. Dort starb auch der Bischof Gottfried von Würzburg
und mit ihm mancher ritterliche Held. Erst nachdem die Pil=
grime sich wieder etwas erholt, traten sie den Zug über Ty=
rus nach Ptolemais oder Akkon an [1]).

Noch vor Jerusalems Eroberung war außer mehren an=
dern Städten, als Sidon, Tiberias, Byblus, Nazareth,
Hebron, Bethlehem u. a. auch Akkon in Saladins Gewalt
gefallen und hatte Türkische Besatzung erhalten [2]). Je schmerz=
licher aber für die Christen des Morgenlandes des Hafens we=
gen der Verlust dieser Stadt war, um so lebendiger und
thätiger zeigte sich auch ihr Eifer um die Wiedereroberung.
Sobald daher König Guido, aus seiner Gefangenschaft von
Saladin entlassen, mit dem Markgrafen Bonifaz von Mont=
ferrat, dem Großmeister des Tempel=Ordens, Gerhard von
Riderfort, und andern vornehmen Herren sich dorthin begeben [3]),
hatte sich vor den Mauern dieser Stadt auch fast die ganze
übrige christliche Kriegsmacht des Morgenlandes versammelt,
um durch den Hafen von Akkon die aus dem Abendlande er=
wartete Hülfe desto leichter an sich ziehen zu können [4]). Auch
die Ritter des Tempel= und Johanniter=Ordens lagen mit
bei diesem Heere vor Akkon [5]). In der That landete dort
auch bald eine Flotte von funfzig Schiffen mit zehntausend

---

1) Ueber diesen Kreuzzug und die betreffenden Quellen ist zu ver=
gleichen Wilken B IV. Raumer B. II. und Kortüm Kais. Frie=
derich der Erste S. 217 ff.

2) *Vinisauf* p. 252. *Guil. Neubrig* L. IV. c. 19. p. 415.

3) *Jacob de Vitriaco* p. 1162 — 1163. *Vinisauf* c. 26.
Hemingford c. 34.

4) Die Belagerung begann nach *Jacob de Vitriaco* p. 1163
im August 1189. *Vinisauf* l. c. sagt: Exeunte Augusto, die S.
Augustini gravis illa et longa cepit obsidio.

5) *Guil. de Nangis* p. 16. sagt, daß nach dem Auszuge aus
Jerusalem Regina Sybilla, cum Heraclio Patriarcha, Templa=
riis et Hospitalariis, ac immenso exulantium coetu apud An=
tiochiam est profecta. Von dort folgten dann dem Könige die
Templer und Johanniter mit nach Akkon.

Pilgern [1] und es lagerte also in kurzem eine nicht unbedeu=
tende Kriegsmacht vor den Mauern der Stadt. Sie war
freilich an Kriegerzahl der der Türken um Akkon bei weitem
nicht gleich, und bestand aus Menschen der verschiedensten Art;
die meisten waren aus England, Frankreich, Italien, Deutsch=
land und selbst aus dem hohen Norden, aus Dänemark, den
größeren Kreuzheeren vorangeeilt, hier zusammen gekommen [2].
Der frische Muth dieser Pilgrime aber, mancherlei Vorzeichen
für glücklichen Erfolg, die Tapferkeit der Ritter des Hospitals
und des Tempel=Ordens, deren Zahl bald durch Ordensbrüder
aus dem Abendlande wieder verstärkt wurde [3], ließen leicht
die Meinung entstehen, daß nach der Ankunft des Deutschen
Pilgerheeres unter Herzog Friederich von Schwaben die Er=
oberung der Stadt bald gelingen werde. Allein diese Hoff=
nung täuschte; denn noch bevor Herzog Friederich mit den
Seinen vor Akkon erschien, war der mächtige Sultan Saladin
mit einem starken Heere herangezogen, drohend sich an der
einen Seite der Stadt lagernd. Zudem ward auch die Be=
satzung von der See her durch eine ägyptische Flotte bald so
reichlich mit Lebensmitteln versorgt und die Stadt durch ihre
zahlreiche Kriegsmannschaft so entschlossen und tapfer verthei=
digt, daß alle Hoffnung einer baldigen Einnahme schwinden
mußte [4].

Sie schwand aber um so schneller, diese Hoffnung, als
Herzog Friederich mit seinem äußerst geschwächten, entmuthig=
ten, ermatteten und erkrankten Pilgerheere erst im Herbst des

---

1) *Jacob de Vitriaco* p. 1164. *Alberici* Chron. p. 392.
Vinisauf c. 27. Vgl. Wilken B. IV. S. 254.

2) *Alberic.* Chron. l. c. nennt viele der dort versammelten
Ritter namentlich und spricht als Augenzeuge. *Guil. Neubrig.* L.
III. c. 27. *Bernard. Thesaurarius* ap. Murat. T. VII. p. 806.

3) *Guil. de Nangis* p. 16 sagt: Templarii, Hospitalarii,
virique fortes quamplurimi transfretant, ut oppressis terrae
sanctae succurrant.

4) *Jacob de Vitriaco* p. 1167. *Guil. Neubrig.* L. IV. c.
19. *Alberic.* p. 386.

Jahres 1190, am achten October vor Akkon ankam [1]). Schon vorher hatten die Christen mehrmals großen Mangel an Lebensmitteln gelitten und nun wuchs die Noth mit der Ankunft jedes neuen Pilgerhaufens [2]). Saladin suchte überdieß einer entscheidenden Hauptschlacht beständig auszuweichen, meinend, daß Hunger, Verzweiflung und Krankheiten unter den Belagerern ihm Akkon schon von selbst retten würden. Darum war es auch sein nächster Plan, ihnen vorerst nur jede Zufuhr von Lebensmitteln gänzlich abzuschneiden. Und das Ziel schien nicht ferne, denn es brach im christlichen Lager eine so schreckliche Hungersnoth ein, daß man Pferdefleisch, Gras und Wurzeln, selbst das Ekelhafteste genoß [3]), daß man aus Mangel an Holz selbst Schiffe verbrannte und manche aus Verzweiflung sogar zu den Türken übergingen; und das natürliche Geleite dieser Noth waren Seuchen und allerlei schreckliche Krankheiten. Am meisten aber litten unter diesen Schrecknissen die Deutschen Pilgrime, die größtentheils schon durch die vielen Mühseligkeiten, Gefahren, Entbehrungen und beständigen Kämpfe auf ihrem Wege ermüdet, entkräftet und erkrankt vor Akkon angelangt waren und nun um so leichter von den Seuchen ergriffen wurden [4]). Ihr Loos war in

---

1) Die Quellen sprechen einstimmig über den geschwächten und kläglichen Zustand des Deutschen Heeres. Der Augenzeuge *Albericus* p. 391 sagt: Fredericus Dux Suaviae *cum paucis* ante Acram venit; *Guil. Neubrig.* L. IV. c. 13 bemerkt: Tantus exercitus per viam longissimam paulatim bellis morbisque confectus atque imminutus, ita tandem laboris intolerantia sumptuumque penuria elanguit atque defluxit, ut nulla re memorabili facta contemptibiles ex eo reliquiae Palestinam cum Duce memorato venisse dicantur. Eben so *Hemingford* c. 50. *Abulfeda* T. IV. p. 107 sagt, daß von dem ganzen Heere kaum 1000 Mann vor Akkon angekommen seyen.

2) *Sanut.* p. 196. *Jacob de Vitriaco* p. 1121. 1169.

3) Chron. *Abbat. Ursperg.* p. 229. *Guil. Neubrig* L. IV. c. 19. *Bernard. Thesaurar.* l. c. p. 807.

4) Nach *Tageno* l. c. p. 15 starb unter andern damals auch der Bischof von Passau und wurde bei Akkon begraben. Von dem Zustande

jeder Weise das schrecklichste, denn für sie war nicht einmal
eine Erleichterung und Hülfe vorhanden, wie die im Lager seyenden Tempelherren sie vorzüglich den Pilgrimen aus
Frankreich und die Ritter und Brüder des Johanniter=Or-
dens den unglücklichen Italienern sie darreichten, indem die
kleine Zahl von Brüdern des Deutschen Hospitals in Jerusalem, die etwa unter den Johannitern mit nach Akkon gekommen waren, unmöglich leisten konnte, was die Noth erforderte. Ohnedieß nahmen auch die unaufhörlichen Kämpfe
bald mit der Besatzung der Stadt, bald mit Saladins um-
herschweifenden Heerhaufen jene Ordensritter viel zu sehr in
Anspruch, denn ihre Zahl war, wie erwähnt ist, durch die
Schlacht bei Hittin bedeutend vermindert worden und der
Verlust durch die neuen Ankömmlinge noch keineswegs ersetzt.
So lagen denn die unglücklichen Kranken oft ohne Wartung
und Pflege, ohne Obdach und Hoffnung der Genesung, dem
Jammer und der Verzweifelung überlassen da und. starben
auf dem Sande [1]).

Unter solchen Schrecknissen und Leiden geschah die Stiftung des Deutschen Ordens. Aus Mitleid und christlichem

des Deutschen Heeres sagt der Augenzeuge *Alberic.* p. 387: Defuncti
filius Imperatoris Frederici respectu suorum, qui laborum per-
taesi domos redierant, seu perierant in bellis vel infirmitate
imbelles, vix cum paucis ad nos evaserat comitatus, paulo post
timor hostium tam de foris nos obsidentium, quam de nobis
intus obsessorum cum duabus ex se genitis filiabus, fame videlicet et pestilentia graviter nimis exercitum quam si flagello
triplici coepit affligere Christianum: nam prae timore quia
victualium ad nos, nobis ad victualia rarus aut nullus erat
accessus, nec aliquis alicui patebat e castris absque periculo
mortis egressus, hinc fames urgebat populum, hinc ex corruptione se comprimentium pestilentia consurgebat talis ac tanta,
quod per eam duabus exercitus nostri partibus decumbentibus
vel occumbentibus tertia vix remansit. *Guil. Neubrig.* L. IV.
c. 19. *Ansberti* Historia exped. Frider. bei Wilken a. a. O.
S. 105.

1) *Sanut.* p. 196: Multis proinde angustiis tunc afflictus

Erbarmen über das jammervolle Schicksal der unglücklichen
Deutschen hatten einige Bürger aus Bremen und Lübeck, die
mit dem edlen Grafen Adolph von Holstein nach dem heiligen Lande gesegelt waren und vor Akkon mit im Lager der
Deutschen links am Berge Toron, an der südlichen Seite, in
der Nähe der Moschee oder Mahumeria lagen, vermittelst ihrer Schiffssegel Zelte aufgeschlagen, unter deren Schutz sie
die aufgenommenen kranken Deutschen Pilgrime pflegten und
erquickten, so viel es ihnen möglich war [1]).   Mit ihnen aber
verbanden sich auch zum christlichen Werke der Liebe und des
Mitleids die Brüder des Deutschen Hospitals von Jerusalem,
die unter den Tempelern und Johannitern mit vor Akkon gezogen und wahrscheinlich durch herbeigekommene Mitbrüder
aus ihrem Stiftungshause in Jerusalem an Zahl noch vermehrt worden waren [2]).   Sie vor allen forderte ja ihr Gelübbe und der Zweck ihrer Verbrüderung zu einem solchen
Werke auf. Ohnedieß war in Jerusalem selbst ihre Bestimmung auch schwerlich in ihrer ganzen Ausdehnung mehr zu
erfüllen und die ihnen vom Sultan Saladin gesetzte Zeit ihres Aufenthalts in ihrem Hospital war auch bereits längst
vorüber. Es geschah im Herbst des Jahres 1190, daß sich

---

est populus Christianus ante adventum Regum Franciae et
Angliae: hostis enim, et a tergo et a facie imminebat; intem-
peries aëris, ac pestilentia, dysenteriae: multi inedia coram
civitate in sabulo peribant. *Jacob de Vitriaco* p. 1120 sagt:
Quantas tribulationes et angustias, quot pericula et detrimenta,
antequam venirent Reges Franciae et Angliae, perpessi sint,
longum esset enarrare. Nam eo machinas frequenter Sara-
ceni combusserunt; multos autem sagittis et spiculis laetaliter
vulnerantes, frequenter occiderunt: multo autem plures inedia, labore, et aeris corruptione vitam in sabulo ante civitatem finierunt. Chronicon German. ap. *Pistor.* T. II. p. 795.

1) S. die Statuten des Deutschen Ordens, herausgeg. von Hen-
nig S. 31. *Dusburg* Chron. P. I. c. 1. Chron. Slavica ap.
Lindenbrog script. sept. p. 205. Chron. Ordin. ap. *Matthaei*
Anal. T. V. p. 655.

2) *Guil. Neubrig.* L. IV. c. 19. Vgl. über diese Stelle die
Beilage Nro. I.

in solcher Weise die frommen Brüder des Deutschen Hospitals mit den milchthätigen Bürgern aus Lübeck und Bremen zur Pflege der Unglücklichen vor Akkons Mauern vereinigten [1]),

So hatten menschliches Elend und Leiden und menschliches Mitleid und Erbarmen eines Schiffes Segel zu einem Hospitale geschaffen und keine Seele ahnete damals noch, was durch dieses an sich in seinem ersten Beginne so unbedeutende Ereigniß für die Weltgeschichte, für das Schicksal von Ländern und Völkern geschehen war; kein Auge übersah es noch, daß hier in der Weltordnung ein Faden angeknüpft war, der sich in wunderbaren Verschlingungen durch mehre Jahrhunderte hindurchziehen werde. Der Geist aber, der in dem christlich-frommen Werke lebte und wirkte, der Geist reiner menschlicher Liebe und christlicher Milchthätigkeit und der thätigfromme Eifer, mit welchem die Bürger aus Lübeck und Bremen und die Brüder aus Jerusalem sich der Pflege der Unglücklichen und Leidenden unter Mühen und Entsagungen, unter Opfern und Entbehrungen so freudig hingaben, erregte bald der Fürsten, vor allen des Herzogs Friederich nähere Aufmerksamkeit. Der Hinblick auf die beiden schon bestehenden Orden, von denen der eine mehr nur für Pilgrime aus Italien, der an-

1) Daß bei dieser eigentlichen Stiftung des Deutschen Ordens in manchen Chronisten, selbst in den Ordens-Statuten von diesen alten Hospitalbrüdern nicht weiter die Rede ist, darf schon deshalb nicht auffallen, weil es sich jetzt überhaupt um die Gründung eines ganz neuen Instituts handelt. Daß aber damals Brüder jenes Hospitals mit vor Akkon waren, geht schon aus dem altdeutschen Gedicht über die Kreuzfahrt des Landgrafen Ludwig von Thüringen hervor, wo ihrer, wie man schon aus Wilken B. IV. S. 21 (Beilagen) ersieht, ausdrücklich erwähnt wird. Ohne Zweifel standen sie damals noch unter der Obhut des Johanniter-Ordens, und deshalb hat sich bei einigen Chronisten die Nachricht erhalten, daß der Deutsche Orden überhaupt aus dem Johanniter-Orden hervorgegangen sey. So heißt es z. B. bei *Rolewink* Fascicul. Tempor. ap. *Pistor.* T. II. p. 79: Ordo Teutonicorum dominorum incepit circa haec tempora in Prussia (!) sub Coelestino Papa tertio; ortum habuit ex ordine sancti Johannis Hierosolymitani. — Ueber die Verbindung der Deutschen Hospitalbrüder und die Zeit der Entstehung des Deutschen Ordens siehe die Beilage Nro. I.

dere mehr nur für solche aus Frankreich gestiftet war, die
dringende Nothwendigkeit einer ähnlichen Stiftung auch für
Deutsche, die fernerhin das heilige Land besuchen würden, die
Besorgniß, daß jener Verein mildthätiger Pilgrimsbrüder sich
wieder auflösen werde, wenn ihn nicht noch ein anderes Band
fester zusammenhalte, die Tapferkeit und die ruhmvollen Thaten, welche bisher schon jene beiden Ritter-Orden in den
Kämpfen gegen den Christenfeind und in der Vertheidigung
der Sache Christi an den Tag gelegt: das alles mochte vor
Herzogs Friederich Seele stehen, als er den Gedanken faßte,
jenem Werke der Liebe und des Mitleides eine sicherere Grundlage und eine festere Stütze zu geben.

Im Rathe versammelt mit den Fürsten und Bischöfen,
die ihn begleitet, mit dem Könige und dem Patriarchen von
Jerusalem, den beiden Meistern vom Tempel- und Johanniter-Orden und manchen andern geistlichen und weltlichen hohen Herren des Abendlandes und des Morgenlandes [1]), sprach
der edle Herzog den Entschluß aus, nach der Weise der Tempeler und Johanniter-Ritter auch für Pilgrime aus dem Vaterlande, aus dem Deutschen Volke einen Ritter-Orden zu
stiften und als solchen die Brüder des Deutschen Hospitals
von Jerusalem zu erheben, damit auch für sein Volk ein Verein vorhanden sey, in welchem der fromme Pilgrim edleren
Geschlechtes, der Welt und ihrer Lust entsagend, im Kampfe
für des heiligen Landes Errettung und Vertheidigung, im
Schutze bedrängter Pilger und in der Pflege und Wartung
armer, unglücklicher Wallbrüder sich Verdienste um des Erlösers heilige Sache und um das Heil der Kirche zum Besten
seiner Seele erwerben könne [2]).

---

1) Von einer solchen Berathung sprechen die Ordens-Statuten
in der Vorrede S. 32; die Ordens-Chronik (Mscr.) S. 8, und
bei *Matthaeus* Analect. T. V. p. 657; *Dusburg* P. I. c. 1.
Lucas David B. II. S. 143. Ueber die Angaben dieser Chronisten
in Beziehung auf die bei der Berathung gegenwärtig gewesenen Personen sagen wir das Nöthige in der erwähnten Beilage.

2) Diese Bestimmung des Ordens bei seiner Stiftung spricht vorzüglich die Vorrede zu den Ordens-Statuten aus.

Des Herzogs Gedanke fand Beifall in der ganzen Ver=
sammlung und die beiden Meister des Tempel= und Johan=
niter=Ordens, nebst dem Patriarchen und andern hohen Geist=
lichen wurden sofort beauftragt, sich über Regel und Gesetz
zu berathen, unter denen die Ritterbrüder des neuen Ordens
leben und wirken sollten [1]). Man fand am zweckmäßigsten,
für den neuen Orden die Regeln und Gesetze der Tempeler
und Johanniter in solcher Weise zu verbinden, daß das Leben
des neuen Ordensbruders als Ritter und Streiter Christi und.
der Kirche nach dem Gesetze und der Ordnung der Tempel=
herren, seine Pflichten aber in christlicher Mildthätigkeit gegen
Arme und Unglückliche und in der Pflege der Leidenden nach
den Regeln der Johanniter geordnet seyn sollten [2]). Es war.
aber diese Anordnung auch schon um deßwillen für die zweck=
dienlichste erfunden worden, weil ja die Deutschen Brüder des
Hospitals zu Jerusalem schon seit ihrer Stiftung in der hei=
ligen Stadt und während ihres Zusammenseyns mit jenen
beiden Orden immer nach den Gesetzen und Verfassungen die=
ser ritterlichen Vereine, vorzüglich nach den Regeln der Tem=
peler gelebt und für ihre Bestimmung gewirkt hatten, so weit
sie wenigstens in ihren Verhältnissen für sie anwendbar ge=

---

1) Ordens=Statut. S. 32. Ordens=Chron. S. 8. Lucas
David B. II. S. 144.

2) Dieses bezeuget die Vorrede zu den Ordens=Statut. S. 32,
wo es heißt: „Es sey dem neuen Orden gegeben das leben an siechen
nach dem spitale sente Johannis, und die ritterschaft nach dem orden
des tempels", oder wie *Dusburg* P. I. c. 1. es ausdrückt: In dicto
Hospitali (sc. Teutonicorum) Ordinem fratrum Hospitalis in
Hierusalem (i. e. S. Johannis) circa pauperes et infirmos,
fratrum vero militiae templi circa Clericos et milites et alios
fratres instituit. Eben so die Ordens=Chron. S. 8. bei *Matthaeus* l. c. p. 657. Die Päpste sagten das Nämliche in ihren Bullen
öfter; so heißt es in einer an den Deutschen Orden gerichteten Bulle
des nachmaligen Papstes Gregorius IX. vom Jahre 1227: Cum ordinem fratrum hospitalis Jerlimitani circa pauperes et infirmos, fratrum vero Militiae Templi circa clericos et milites ac
alios fratres in domo vestra proinde institutum laudabiliter
observetis — etc.

wesen [1]). Gestiftet aber sollte der neue Orden seyn zur Ehre
der Jungfrau Maria. Darum sollten auch die Glieder desselben Ritter unserer lieben Frauen [2]) oder Deutsche Brüder
der Kirche der heiligen Maria zu Jerusalem zur Erinnerung
an ihrer Brüderschaft einstigen Ursprung genannt werden [3]).
Aber gering und beschränkt blieb vorerst noch der Beginn der
jungen Stiftung, denn als die frommen Pilgrime aus Lübeck
und Bremen mit dem Grafen Adolph von Holstein in ihre
Heimat zurückkehrten, überließen sie die zu einem Hospitale
aufgerichteten Zelte an den Kämmerer und den Kapellan des
Herzogs Friederich, und erst nach der Zeit erbaueten diese statt
des Zeltes ein Haus mit einer der Jungfrau Maria geweihten Kapelle, und nannten dieses Haus „das Hospital unserer
lieben Frauen der Deutschen" [4]).

Da nun in solcher Weise zur Stiftung des neuen Rit-
ter=Ordens alles vorbereitet war, sandte man Botschafter an
den Papst und an den Römischen König Heinrich den Sechsten mit der Bitte, den Orden mit ihrer kirchlichen und königlichen Macht zu bestätigen, ihn unter ihren Schutz zu

---

1) *Jacob de Vitriaco* p. 1085. Chron. *Bertini* p. 626.
Sanut. L. III. P. VII. c. 3.

. 2) So die Ordens=Chron. (Mscr.) S. 8. und bei *Matthaeus* l.
c. p. 657.

3) „Fratres theutunici ecclesiae sanctae Mariae Jerusale-
mitanae" nennt sie der Papst Clemens III. in der ersten sie betreffenden Bulle. Der Behauptung des *De Wal* Recherches sur l'institut. T. I. p. XIX, daß zwischen dem Deutschen Hospitale zu Jerusalem und dem neuen Orden bei seiner Stiftung gar keine Gemeinschaft Statt gefunden habe, können wir nicht beipflichten; die von diesem Verfasser angegebenen Gründe sind in keiner Hinsicht zureichend
und seine Herleitung des Namens „Deutsches Haus von Jerusalem"
ist offenbar zu künstlich. Unsere Untersuchung hierüber hatte uns längst
hierbei auf das Resultat geleitet (wie aus unserer Recension des Hand-
buches der Geschichte Preuß. von Förster in der Leipz. Literat. Zeit.
Nro. 246 vom J. 1821 zu sehen ist), als wir jetzt aus **Wilken** B.
IV. S. 317 sehen, daß auch dieser Gelehrte damit übereinstimmt.

4) *Hermanni Corneri* Chron. in *Eccard.* Corp. histor.
med. aevi T. II. p. 793.

nehmen und sein Aufkommen und Gedeihen in jeder Art zu
fördern ¹). Zu der Zeit saß auf dem päpstlichen Stuhle noch
Clemens der Dritte. Erfreut über die Begründung des neuen
Ritter=Vereines, der nach der Weise der beiden andern Or=
den zur Errettung des heiligen Landes eine stehende Kriegs=
macht bilden und dem Christenfeinde dort widerstehen konnte,
nahm er die neue Brüderschaft der heiligen Jungfrau, sammt
ihrer Kirche zu Jerusalem und was ihr sonst an Besitz eigen
war und noch eigen werden konnte, unter den Schutz des
Apostels Petrus und seines Stuhles zu Rom. Es geschah sol=
ches am sechsten Februar des Jahres 1191, wenige Wochen
vor seinem Tode ²). Auch König Heinrich bestätigte den Or=
den und gab in einem Schreiben dem Könige von Jerusalem
und seinem Bruder, dem Herzog Friederich von Schwaben
den Auftrag, die Stiftung des Ordens, so weit es nöthig
sey, ferner zu befestigen, die in den Verein eintretenden Glie=

---

1) *Dusburg* P. I. c. 1. Ordens=Chron. S. 8. Ordens=Sta=
tut. S. 32. Lucas David B. II. S. 144.

2) Diese Bulle des Papstes Clemens III. ist erst in neuern Zeiten
durch Hennig im Lucas David B. IV. Vorr. p. IV. bekannt
geworden. Das Datum derselben ist: Laterani VIII. Idus Februar.
Pontif. nostri anno quarto. Da nun Clemens am 19ten Decemb.
1187 zum Papste erwählt war, so fällt die Ausstellung dieser Bulle auf
den 6ten Februar 1191. Er starb am 25sten März 1191, gab also
die Bulle sieben Wochen vor seinem Tode. Die Aechtheit derselben ist
schon von Hennig a. a. O. außer Zweifel gesetzt und es darf hier zur
Bestätigung nur noch hinzugefügt werden, daß im Eingange der No=
tariatsformel die Bulle genannt wird: Litterae Apostolicae in xpo
patris et domini domini Clementis pape tercii, und daß nach der
Beschreibung der daran hängenden Bulle gestanden hätten ab una
parte hee icciones; Clemens p̄p̄ III. Der Notar hatte also das
Original vor Augen. Demnach war der Papst Cölestin III., wie all=
gemein, selbst auch noch von Wilken a. a. O. behauptet wird, streng
genommen nicht der erste Papst, welcher den Orden bestätigte, denn
schon in dieser Bulle liegt eine offenbare Anerkennung und Bestätigung
des Ordens. Nicht ganz derselben Meinung ist *De Wal* in s. Recherches T. I. p. XIV — XV.; aber er kannte die erwähnte Bulle
nicht.

II.

der zu Rittern zu schlagen und ihnen sodann das Recht zuzusprechen, daß sie hinfüro selbst aus kaiserlicher Macht den Ritterschlag ertheilen könnten [1]).

Herzog Friederich aber erlebte die Ankunft dieser Bestä-
tigungsbriefe im Morgenlande nicht. Schon am zwanzigsten
Januar 1191 erlag der jugendliche Held der schrecklichen Seuche, die im Lager der Christen noch immerfort herrschte, und
es mußten daher die noch übrigen Deutschen Fürsten die an
ihn ergangenen Aufträge in Ausführung bringen [2]). Da versammelten der König von Jerusalem und die Deutschen Fürsten die Deutschen Brüder des Hospitals und wer noch sonst
in den Orden aufgenommen zu seyn wünschte, und vierzig
Männer eblen Standes und frommen Wandels waren es,
welche die Weihe in den ritterlichen Brüder-Verein verlangten. Als sie auf den Knieen vor der fürstlichen Versammlung
ihre Bitte erklärt, da schlug der König den Ersten zum Ritter und dann ertheilten die Deutschen Fürsten und ritterlichen

---

1) Das Schreiben hierüber ist nicht mehr vorhanden. Die Nachricht davon giebt uns aber die Ordens-Chron. S. 9 und bei *Matthaeus* p. 661.

2) Es ist hier unmöglich, die abweichenden Zeitangaben der Quel-
en auf irgend eine Weise mit einander zu vereinigen. Nach allen Or-
dens-Chronisten, denen freilich in der Zeitbestimmung hier wenig zu
trauen ist, müßte Herzog Friederich noch nach der Wahl des Papstes
Cölestin III (28. März 1191), ja selbst noch nach der Ankunft von
dessen Bestätigungsbulle im Morgenlande gelebt haben. Dem widerstreiten aber durchaus alle Angaben auswärtiger Chronisten über Friederichs Tod. Ganz gewiß ist, daß Friederich bei der Ankunft des Königes Philipp August von Frankreich im Lager vor Akkon, am 14. April
1191 nicht mehr lebte. Raumer B. II. S. 437 und Wilken B.
IV. S. 314 erweisen aus morgenländischen Quellen, daß der 20. Januar 1191 Friederichs Todestag ist. Andere setzen ihn noch früher.
Otto de S. Blasio c. 35 sagt: ubi (bei Akkon) *modico* manens
tempore febre corripitur, immaturaque morte raptus, cum
maximo planctu ibidem sepelitur. Eben so *Guil. Neubrig.* L.
IV. c. 13 und *Arnold. Lubec.* L. III. c. 34. Die Sache hat ihre
Wichtigkeit in Beziehung auf die Stiftungszeit des Ordens. S. Beilage Nro. I.

Herren auch den Uebrigen den Ritterschlag. Hierauf fielen
die jungen Ritter auch vor dem Patriarchen von Jerusalem
und den versammelten Bischöfen in Demuth nieder und baten
um die heilige Weihe. Der Patriarch ertheilte sie, legte ih=
nen ein geweihtes weißes Ritterkleid mit einem schwarzen Kreuze
an [1]) und erklärte ihnen nach Inhalt der päpstlichen Bulle,
daß ihre Kirche zu Jerusalem sammt ihren Personen und Gü=
tern im Schutze des Apostels Petrus stehen sollten. Genannt
aber sollten sie forthin seyn Deutsche Brüder der Kirche der
heiligen Maria zu Jerusalem. Und als ihnen hierauf der Kö=
nig von Jerusalem im Auftrage des Papstes und des Römi=
schen Königes ihre Bestimmung und ihre Pflichten im ritter=
lichen Dienste für Gottes Sache, im Schutze und in der Ver=
theidigung des heiligen Landes und der christlichen Gebiete ge=
gen Gottes Feinde, im Schirme der Kirche und ihrer Diener,
in der mildreichen Hülfe gegen Wittwen und Waisen und in
der Pflege und Wartung der Kranken und Leidenden beleh=
rend vorgelegt und sie ermahnt, an der Ehre und Zucht des
Ordens immerdar fest zu halten, schritt man zur Wahl eines
Vorstehers oder obersten Meisters aus ihrer Mitte [2]).

---

1) Daß schon der Papst Clemens den Gebrauch des weißen Man=
tels mit dem schwarzen Kreuze genehmigt habe, beweiset eine Bulle des
Papstes Innocenz III, worin dieser sagt: daß mantellorum alborum
usus a *quibusdam nostris predecessoribus* romanis pontifici=
bus vobis extiterit confirmatus. Seine beiden Vorgänger aber wa=
ren Clemens III und Cölestin III. Zugleich beweiset auch diese Be=
ziehung auf Clemens III Bestimmung, daß dieser Papst außer der
schon erwähnten Bulle noch eine eigene Bestätigungsbulle ausgefertigt
haben müsse.

2) Die Frage: ob diese Bestimmungen schon vom Papste Clemens
III oder erst von seinem Nachfolger Cölestin gegeben seyen? liegt noch
in großem Dunkel und kann vielleicht einst nur durch nähere Nachrich=
ten und Urkunden aus dem päpstl. Archive aufgeklärt werden. Die Or=
dens = Chronisten stehen hier insgesammt in dem unauflöslichsten Wider=
spruche mit den sicheren Zeitangaben anderer Quellen. Von Clemens
III Mitwirken bei der Stiftung des Ordens ist ihnen eben so wenig
etwas, als die erwähnte Bulle bekannt. Sie schreiben die erste Bestä=

Als der würdigſte unter allen wurde befunden der ſo ta=
pfere als fromme Ritter Heinrich Walpot von Baſſenheim,
aus den Rheinlanden gebürtig, wo ſein Geſchlecht noch Jahr=
hunderte nach ihm fortgeblüht ¹). Von ihm, einem Manne

---

tigung und die ganze erſte Verfaſſung des Ordens dem Papſte Cöleſtin
III zu, der, wie erwähnt, erſt ſeit dem 28. März 1191 auf dem päpſt=
lichen Stuhle ſaß. Dennoch aber iſt nach den Ordens=Chroniſten bei
der ganzen Ausführung der durch Cöleſtin gegebenen Anordnungen
auch der Herzog Friedrich von Schwaben noch thätig wirkſam, wie=
wohl dieſer ſchon einige Monate vor Cöleſtins Erhebung geſtorben war.
Da nun dieſer Widerſpruch in irgend einer Weiſe ausgeglichen werden
muß; da zweitens durch obige Bulle Clemens III auch ſicher ſteht, daß
dieſer mit der Stiftung und erſten Anordnung der Verhältniſſe des
neuen Ordens in Berührung war; da drittens die Stiftung, wie in
der Beilage Nro. I. erwieſen iſt, noch in die Regierungszeit dieſes
Papſtes fällt und endlich viertens in allen Quellen Herzog Friedrich
von Schwaben als der eigentliche Stifter des Ordens anerkannt wird;
ſo mag die obige Darſtellung in dieſen Gründen ihre Rechtfertigung
finden und alſo auch die Behauptung nicht zu gewagt ſeyn, daß die
erſten oben erwähnten Grundſteine der Ordensverfaſſung ſchon von Cle=
mens III gelegt ſeyen.

1) Bachem in ſ. Verſuch einer Chronologie der Hochmeiſter des
Deutſchen Ordens S. 14 läßt dieſen Meiſter aus Lübeck gebürtig ſeyn
und nennt als Quelle das Bremer Wappenbuch (Mſcr.). Wir kennen
aber das Gewicht dieſer Quelle nicht. Lucas David B. II. S. 152
ſagt freilich auch, er ſey im Bisthum Bremen geboren geweſen. Allein
es ſcheint, als wenn beide ihn gerne zu einem der Bremer oder Lü=
becker Bürger haben machen wollen, die vor Akkon lagen. — Wir ken=
nen das alte, edle Geſchlecht von Baſſenheim am Rhein ſchon im 12ten
und 13ten Jahrhunderte. Es kommt in Urkunden jener Zeit dort ſehr
oft vor; vgl. darüber *Günther* Cod. Diplom. Rheno - Moſel. Ein=
leit. zum 2ten Th. S. 51 und in den Urkunden T. II. p. 83. 158.
168. 315. T. III. p. IX. Seine Stammgüter lagen in dem ehemali=
gen Eifelgau; Cf. Eiflia Illuſtrata von Schannat herausgegeben
von Bärſch 1r B. 2te Abth. S. 595. Ritterſhuſius hat die Ge=
nealogie dieſes Stammes geliefert und er kommt bis auf die neueſten
Zeiten vor; vgl. *Pfeffinger* Vitriar. T. IV. p. 210 — 211. *Guden.*
Cod diplom. T. II. p. 483 und 499 behauptet, dieſer Hochmeiſter
ſey aus Mainz gebürtig geweſen und nicht aus dem Geſchlechte der
Baſſenheime, denn dieſes komme im 13ten Jahrhundert noch nicht mit

noch friſchen Alters und hochgeachtet bei Fürſten und Herren,
war für des Ordens jugendliches Erheben gewiß alles zu er=
warten, was die Verhältniſſe der Zeit nur irgend möglich
machten. Seine Tapferkeit im Kampfe, ſein ritterlicher Sinn,
ſeine Mildthätigkeit und Sorgfalt gegen unglückliche Pilgrime
zeigten ihn in jeder Weiſe der hohen Achtung würdig, die er
als Meiſter des neuen Ordens nun allgemein genoß. Dabei
iſt nicht unwahrſcheinlich, daß er ſchon vor des Ordens ei=
gentlicher Beſtätigung das Vorſteheramt in dem bereits geſtif=
teten Ritter=Orden verwaltet und man nachmals ſeine Mei=
ſterwürde nur beſtätigt habe [1]). Ohne Zweifel geſchah es in
den erſten Zeiten ſeines Amtes, daß des Herzogs Friederich
Kapellan und ſein Kämmerer ſtatt des Zeltes zu beſſerer
Pflege der Kranken im Lager der Deutſchen einige Wohnun=
gen und daneben ein Bethaus erbauten und dieſes alles der
Sorgfalt des neuen Ordensmeiſters übertrugen [2]).

---

der Amtsbezeichnung Walpot vor; dagegen habe in Mainz ein Ge=
ſchlecht Namens Walpot gelebt. Aber wiſſen wir, wie ſich dieſer Hoch=
meiſter eigentlich genannt hat und konnte der Name Walpot nicht erſt
ſpäter hinzugefügt werden, als das Geſchlecht ihn annahm? Walpot
oder Walbpot war urſprünglich nicht Name, ſondern Amtstitel, wor=
über die gründlichſte Erklärung in Bobmanns Rheingauiſch. Alterthüm.
B. II. S. 563; vgl. auch Detters Verſuch einer Geſchichte der Burg=
grafen von Nürnberg B. 3. S. 51 — 52. In den Rheingegenden
kommt dieſer Amtstitel mit dem Namen verbunden öfter vor; ſ. *Gu-
deni* Cod. diplom. T. I. p. 256. 330. 934. *Günther* l. c. 3r Th.
S. 12. 29. 33. 73. 81. *De Lang* Regesta Boica T. II. p. 242.
Im *Auct. Aquicinct.* p. 998 wird als der Name des erſten Ordens=
meiſters blos Heinricus Walpot angegeben. In der Schreibart Wal=
pot folgen wir nur dem Gebrauche, nicht der richtigen Ableitung dieſes
Wortes.

1) Hochmeiſter=Verzeichniß in Lindenblatts Jahrb. S. 359.
Dusburg P. I. c. 2. Histoire de l'O. T. T. I. p. 40.

2) So ſcheint ſich die Angabe der Chron. Slavica ap. *Lindenbrog* p. 205 mit *Dusburg* P. I. c. 2 vereinigen zu laſſen; denn
jene erſtere ſagt: Ipsis (sc. Bremensibus et Lubec.) cum comite
Adolpho redeuntibus, comiserunt illud hospitale Capellano
Friderici Ducis Sueviae — et Camerario eiusdem Capellani,

Es waren aber Tage voll Jammer, Elend und Gefah=
ren, unter denen der neue Ritter=Orden die erſten Monate
ſeines Daſeyns verlebte. Faſt nie ruhten die Waffen gegen
Saladins Schaaren oder gegen die Vertheidiger der Stadt
und doch brachte kein Kampf irgend eine Entſcheidung; täglich
mehrten ſich die Kranken und Verwundeten unter den Bela=
gerern; immer größer ward die Zahl derer, die in den Spi=
talen der Ordens=Ritter Hülfe und Rettung ſuchten und doch
minderten ſich mit jedem Tage bei dem allgemeinen Mangel
der nothwendigſten Bedürfniſſe auch die Mittel der Kranken=
pflege. Viele Arme, die keine Pflege fanden, unterlagen dem
Hungertode, andere friſteten das traurige Leben auf die jäm=
merlichſte Weiſe [1]). Es kam hinzu, daß auch mancher Gön=
ner des neuen Ordens, der die Brüder mit mildthätigen Ga=
ben unterſtützt, als Opfer der Anſtrengungen, der täglichen
Kämpfe oder der ungeſunden, verpeſteten Luft vor Akkons
Mauern ſeinen Tod fand. Der Landgraf Ludwig von Thü=
ringen hatte ſchon früher auf den Rath der Aerzte ſeiner
geſchwächten Geſundheit wegen das Lager vor Akkon verlaſſen
und war auf Cypern geſtorben [2]). Bald nach Herzogs Frie=
berich Tod erlagen auch der edle Graf Poppo von Henneberg,
der tapfere Ritter Adalbert von Grumbach, der Biſchof von
Meißen, der von Paſſau und mehre andere ausgezeichnete
Herren geiſtlichen und weltlichen Standes [3]). Da verloren

---

qui aedificaverunt ibi domicilia et capellam in honorem b. Mariae virginis. Nach Dusburg aber übergeben die Bürger aus Bre=
men und Lübeck das Hoſpital cum omnibus eleemosynis et atti-
nentiis dem erſten Meiſter des Ordens.

1) Vgl. die Angaben bei Wilken B. IV. S. 311 — 313.

2) *Vinisauf* c. 43. p. 280. Wilken B. IV. Beil. S. 68.

3) *Tageno* p. 15. Chron. August. p. 363. Chron. S. Petri
Erfurt. p. 231. *Arnold Lubec.* L. III. c. 36. Auch von den nicht=
deutſchen Grafen und Rittern ſtarben ſehr viele, worüber *Alberic.*
Chron. p. 393. *Matthaeus Paris* p. 156. *Bernard. Thesaurar.* de acquisit. sanctae terrae ap. *Murator.* T. VII. p. 810.
Wie ſchon oben erwähnt iſt, ſetzt *Tageno* p. 15 den Tod des Biſchofs
von Paſſau in etwas frühere Zeit. *Ansbert* historia expedit. bei

viele andere alle Hoffnung, kehrten ins Vaterland zurück oder
suchten auf andere Weise dem Elende und dem Verderben zu
entfliehen. So geschah, daß in kurzem die Deutschen Pil=
grime, die im Vertrauen auf baldige Hülfe vor Akkons Mau=
ern zurückblieben, fast ganz ohne Führung, ohne Vorsorge
und ohne Rath waren. Vier Wochen lang mußte, wie es
scheint, der Meister des Deutschen Ordens, Heinrich von Baf=
senheim dem noch übrig gebliebenen kleinen Theile des Deut=
schen Heeres vorstehen [1]). In der That bildeten die Ritter=
brüder der drei geistlichen Orden in dem Belagerungsheere jetzt,
nach der Heimkehr oder nach dem Tode der meisten übrigen
Fürsten, Ritter und Herren noch den eigentlichen Kern des
Ganzen und belebten durch ihren Muth, durch ihre Entschlos=
senheit und Tapferkeit auch immer wieder das Vertrauen und
die Hoffnung des übrigen Heeres, wenn sie sinken wollten.
Die ersten im Kampfe und die letzten in der Schlacht waren
sie dem Feinde bald unter allen Kriegern auch am furchtbar=
sten geworden und ihre Ruhe suchten und fanden sie nur am
Krankenlager und bei der Pflege der Verwundeten [2]). Vor
allen zeichnete sich in dieser harten Zeit der Prüfung und der

Wilken B. IV. S. 96 nennt den Adalbert von Grumbach Adilber=
tus de Grunibach, wohl nur verschrieben für Grumbach.

1) Es ist sehr wahrscheinlich, daß es der Meister des Deutschen Or=
bens war; freilich sagt *Godefrid Monach.* p. 258 nur unbestimmt:
Post Heinricus quidam per quatuor septimanas, ac deinde per
VI quidam Gerhardus exercitui praefuerunt; wäre aber darunter
der berühmtere Graf Heinrich von Troyes gemeint, so würde ihn der
Chronist gewiß zu nennen gewußt haben. Den verlassenen Zustand der
noch baseyenden Deutschen schildernd, fügt Gottfried hinzu: Desolati
itaque ac vexati et jacentes sicut oves non habentes pastorem,
divisi sunt et dispersi ab invicem et unusquisque in viam suam
ad patriam declinavit.

2) Daher wendet *Jacob de Vitriaco* p. 1084 auf sie das Sprich=
wort an: Funiculus triplex difficile rumpitur. Von der Tapfer=
keit und der Theilnahme der Ritter=Orden an den Kämpfen gegen die
Ungläubigen geben Wilken B. IV. *Vertot* Histoire de l'Ordre
de Malte T. I. p. 262 und das altdeutsche Gedicht über die Kreuz=
fahrt Ludwigs von Thüringen auch aus dieser Zeit Beispiele genug.

Noth auch der Meister des Deutschen Ordens aus. Mochte der Kampf mit den Türken seine Tapferkeit und seinen muthigen Arm in Anspruch nehmen oder mochte die Pflege erkrankter Pilgrime und verwundeter Krieger seinen Rath und seine hülfreiche Hand verlangen: in beiden übertraf ihn keiner an Eifer, an Ausdauer und Aufopferung [1]). Jeder, der die Deutsche Sprache redete und durch Leiden und Siechthum bedrückt war, fand bei ihm und seinen Brüdern Unterstützung und Erhaltung [2]).

Aber zwei Jahre hatte man Akkon nun schon belagert und auch jetzt war noch keine Aussicht einer baldigen Eroberung. Erst vor kurzem hatte der durch seine Weissagungen damals berühmte Abt Joachim verkündet: „noch sey die Zeit nicht gekommen, des Herren Haus zu erbauen [3])." Da erschien endlich die längst ersehnte Hülfe aus dem Abendlande. König Philipp August von Frankreich landete am dreizehnten April 1191 nach glücklicher Fahrt bei Akkon zwar nur mit wenigen Schiffen; aber es langte bald darauf auch Herzog Leopold der Sechste von Oesterreich mit einem Deutschen Pilgerhaufen und eine bedeutende Schaar von Wallbrüdern aus Cöln und aus den Städten am Niederrhein an und im Anfange des Juni erreichte endlich auch König Richard von England mit fünfundzwanzig Schiffen unter großem Jubel der Belagerer die Küste bei Akkon [4]). Außer einer zahlreichen

---

1) Ordens=Chronik S. 11 (Mscr.) und bei *Matthaeus* l. c. p. 665.

2) *Dusburg* P. I. c. 2.

3) *Sanut.* L. III. P. X. c. 4. Raumer B. II. S. 466. *Guil. de Nangis* p. 17. De Kronika san Sassen herausgegeb. von Scheller S. 121 — 122.

4) *Jacob de Vitriaco* p. 1121: portui Accon applicantes nostrorum exercitum immenso gaudio repleverunt. *Godefrid. Monach.* p. 259 — 260. *Otto de S. Blasio* c. 36. *Arnold Lubec.* L. III. c. 37. *Guil. Neubrig.* L. IV. c. 19. 21. *Matthaeus Paris* p. 157. *Sanut.* L. III. P. X. c. 4. *Guil. de Nangis* p. 17. Daß Leopold von Oesterreich erst im Jahre 1191 ins Morgenland gegangen sey, sagt *Calles* Ann. Austriae T. II. p. 99 — 100;

streitbaren Mannschaft brachte dieser auch einen außerordent=
lichen Vorrath von Lebensmitteln für die darbenden Belagerer
mit [1]). Nun wurden die vom Könige Philipp schon begon=
nenen Versuche zur Erstürmung der Stadt verdoppelt, und
hinderte auch beider Könige Eifersucht um den Ruhm der Er=
oberung und Richards Krankheit noch einige Zeit die Ein=
nahme, so wirkten doch im Heere der Belagerer die verstärk=
ten Kräfte, der Muth der Ritter=Orden [2]), die wetteifernden
Geschenke der Könige für die tapfersten und kühnsten Pilgri=
me [3]), und dagegen in der belagerten Stadt die Muthlosigkeit
und der Mißmuth der Besatzung, der Tag und Nacht wieder=
holte Schrecken der Bestürmung, die Noth an Lebensmitteln
und trinkbarem Wasser und der Mangel an Aussicht zum Ent=
satze und zur Errettung bald so mächtig in alle Verhältnisse
ein, daß schon am zwölften Juli 1191 Akkon den Streitern
Christi in die Hände fiel [4]).

Unter den mit großem Jubel in die Stadt einziehenden
christlichen Kriegern waren auch der Meister und die Brüder
des Deutschen Ordens. Doch unberührt von dem ärgerlichen
Haber und ohne Theilnahme an dem unwürdigen Zwiste der
beiden Könige und des Herzogs Leopold über die Theilung
der gefundenen Beute und über den Besitz der Stadt [5]), aber
unter diesen Feindseligkeiten zwischen den christlichen Fürsten

---

andere setzen seine Pilgerfahrt schon ins Jahr 1190; diesen folgt Wil=
ken B. IV. S. 284.

1) Famelico exercitui victualia ministravit. *Matthaeus Pa-*
ris. l. c. vgl. Wilken a. a. O. S. 331.

2) Die Eifersucht der Könige hatte selbst auf diese Ritter=Orden
verderblichen Einfluß, denn die Tempeler standen auf der Seite des Kö=
niges von Frankreich, wie die Johanniter auf der des Königes von
England; *Bernard. Thesaurar.* ap. Murat. T. VII. p. 810.

3) *Guil. Neubrig.* L. IV. c. 19. 21.

4) Expugnata est anno a partu Virginis M. C. LXXXXI.
quinto Idus Julii, anno, ex quo in manus Turcorum incide-
rat, quarto, giebt *Guil. Neubrig.* L. IV. c. 22 an; *Guil. de*
Nangis p. 17. *Abulfeda* T. IV. p. 109.

5) Vgl. *Vinisauf* L. III. c. 18. *Jacob de Vitriaco* p. 1122.

Versuch zur Wiedergewinnung Jerusalems machen durch die alte Heimat der Deutschen Hospitalbrüder,

starke Thürme gaben ihm seine große Festigkeit, zuerst nahe am Meere der Thurm des Patriarchen, dann der Brücken=thurm, weiterhin der Thurm des heil. Nicolaus und am Ende der Wall=Linie der verfluchte Thurm, deswegen so genannt, weil, wie die Sage ging, in diesem Thurme die Silberlinge geprägt seyn sollten, für welche Judas den Heiland verrieth [3]). In gleicher Richtung vom Meere her lief weiter nach innen noch eine zweite starke Wallmauer, die mit fünf festen Thür=men versehen die Stadt an dieser Seite zunächst einschloß. Durch den mittlern dieser Thürme führte das Nicolaus=Thor nach der äußeren Umwallung hin. Hier lag bisher ein gro=ßer Garten, der nach der Seite des Meeres hin an die Um=gebungen des Patriarchats und gen Westen an das Kloster

1) Einen solchen Versuch, gegen Jerusalem hin aufzubrechen, machte zwar König Richard, aber erst nach des Königes von Frankreich Auf=bruch zur Heimkehr und ohne Erfolg. *Jacob de Vitriaco* l. c.

2) Historia Hierosol. p. 1166. S. den Plan der Stadt Akkon in *Bongars.* Gesta Dei per Francos Nro. V.

3) *Vinisauf* c. 28. 32. p. 272: „nam argentei, quibus Do=minum Judas proditor vendidit, ibi facti fuisse dicuntur. Hi=stor. Hierosol l. c.

von S. Lazarus anstieß. Diesen Garten erkaufte damals der
Meister des Deutschen Ordens und erbaute daselbst ein Ho=
spital, daneben eine Kirche und verschiedene Wohngebäude [1]).
Eine Mauer im Fünfeck schloß das Ganze ein und ein hoher
Thurm im Süden, der Thurm der Deutschen genannt, diente
zugleich als Eingang und als nöthige Schutzwehr [2]). Man
nannte das Ganze das Deutsche Haus oder das Hospital des
Deutschen Ordens [3]). Seitdem hießen nun auch die Brüder
des Ordens gemeinhin die Ritter vom Deutschen Hause oder

---

1) Auf dem erwähnten Plane bei *Bongars.* wird der Ort durch
den Namen Alamani und ein dabei stehender Thurm durch die Worte
turris Alamanorum bezeichnet. Das S. Lazaruskloster, an welches
jener Garten anstieß, war nicht das Mönchskloster des heil. Lazarus,
denn dieses lag nahe am Hafen bei dem Hospitium hospitalis, dem
Quartier der Johanniter, sondern das Nonnenkloster des heil. Lazarus.

2) *Dusburg* P. I. c. 2 sagt: Post captionem civitatis Acho-
nensis idem frater Henricus emit quendam hortum, infra muros ante portam S. Nicolai, in quo Ecclesiam, Hospitale et
mansiones diversas exstruxit. Auch nach der Ordens=Chronik
S. 11. 17 und bei *Matthaeus* l. c. p. 666 hat man nicht an ein
einzelnes Haus, sondern an „eyn sere stark Castell oder hoff mit starken
wonungen, eyne kyrche darczu in dem hofe und eyn Spitall" zu den=
ken. Es war also eigentlich ein förmlich befestigtes Quartier, welches
die Ordens=Brüder errichteten. Und mit diesen Angaben der Chro=
nisten stimmt vollkommen die Bestimmung in dem Plane von Akkon
bei *Bongars.* überein. Das Quartier, welches durch Alamanni be=
zeichnet wird, liegt wirklich infra muros, nämlich innerhalb der dop=
pelten Umwallungsmauern und ante portam S. Nicolai, nämlich in=
nen von der Stadt aus, denn der zweite Thurm der äußern Wall=
mauer hieß turris S. Nicolai und bildete das Thor nach dieser Seite
hin. In der Mitte des im Fünfeck gebauten Quartieres stand ein
großes Gebäude wie eine Burg mit drei Thürmen, das wahrscheinliche
Haus der Ordens=Brüder. Ein solches Haus zur Wohnung, ein Spi=
tal zur Krankenpflege und eine Kirche zum Gottesdienst waren die
drei Gebäude, welche die drei geistlichen Orden da, wo sie wohnen woll=
ten, nothwendig haben mußten. Chron. S. *Bertini* ap. *Martene*
T. III. p. 626 — 627.

3) Chron. Halberstad. ap. *Leibnitz* T. II. p. 138.

auch in Beziehung auf ihre älteste Heimat die Ritter des Deutschen Hauses zu Jerusalem [1]).

So ward Akkon des Deutschen Ordens erste Heimat. Als aber das Haus der Deutschen Ritter=Brüder vollendet und die Ordenskirche geweiht war, wurde in einem feierlichen Gottesdienste, dem auch die beiden Meister und die Ritter= Brüder der zwei andern Orden beiwohnten, der Leichnam des Stifters, des Herzogs Friederich von Schwaben in der Or= denskirche nach seinem letzten Willen zur Ruhe in geweihter Erde beigesetzt [2]). Es ward verordnet, daß hinfort für die Ruhe seiner Seele in allen Häusern, welche der Orden errich= ten werde, von Zeit zu Zeit Messen und Gebete gehalten wer= den sollten [3]).

Mittlerweile war man auch darauf bedacht gewesen, Ak= kon auf jede Weise stärker zu befestigen und die zerstörten Mauern wieder aufzurichten. König Richard wandte darauf alle Sorgfalt, denn man erkannte nur gar zu bald, daß der erbitterte Sultan seine bei der Uebergabe gegebenen Verspre= chungen keineswegs zu erfüllen gedenke [4]). Akkon aber, durch so theuere Opfer erkauft, mußte unter jeder Bedingung erhal= ten werden; es war die Pforte für das Abendland nach dem Morgenlande und jetzt der wichtigste Waffenplatz für die dor= tigen Christen. Freilich hinderten ihre Thätigkeit eine schreck=

---

1) Bei den Deutschen Chronisten findet man meistens diese Benen= nungen: militia, quae de Teutonica domo appellatur. Chron. Mont. Sereni p. 51; Ordo militum Teutonicorum, Aquicinct. Auct. ap. *Pistor.* T. I. p. 998. Ordo militum de domo Teuto= nica, Chron. Verdens. ap. *Leibnitz* T. II. p. 218. Im Chron. Brunsw. picturat. ap. *Leibnitz* T. III. p. 352 heißen sie die Man= telherren oder die Gottesritter; im Chron. S. *Bertini* p. 627 mili= tes Dei; im Chron. S. Aegidii p. 586 Ordo fratrum Teutoni= cae domus.

2) Fragment. histor. anonymi ap. *Urstis.* P. II. p. 86. Chron. Halberstad. p. 138. *Dusburg* P. I. c. 2. Ordens=Chron. S. 12.

3) Ordens=Statut. S. 217.

4) *Vinisauf* L. IV. c. 1. 2. *Guil. Neubrig.* L. IV. c. 23.

liche, auch nun in der Stadt noch fortherrschende Sterblich=
keit, Krankheiten aller Art und bald auch hier wieder eintre=
tender Mangel an Nahrung, Kleidung, Waffen und Pferden [1]).
Auch die Brüder des Deutschen Ordens litten manches unter
diesem Ungemache; zudem war ihre Anzahl damals, wie es
scheint, noch viel zu gering, als daß sie die Verluste leicht
hätten ersetzen oder in dem vom Könige Richard, bald wieder
begonnenen Kampfe mit den Türken irgend bemerkbar hätten
hervortreten können [2]).

Unterdessen hatten sich für den Orden wichtige Verän=
derungen im Abendlande ereignet. Der Papst Clemens der
Dritte war am fünf und zwanzigsten März 1191 gestorben
und wenige Tage nachher hatte der Cardinal Hyacinth unter
dem Namen Cölestin des Dritten den päpstlichen Stuhl be=
stiegen. So hochbejahrt aber dieser Mann auch zur päpstli=
chen Würde gelangte, so war es für den Orden doch ein
höchstgünstiges Ereigniß, daß ihn gerade die Wahl traf, denn
er bewies sich bald als einen der größten Gönner und Beför=
derer der Deutschen Ordens=Ritter. Er bestätigte nicht bloß,
wie sein Vorgänger, den Orden von neuem durch eine beson=
dere Bulle und nahm ihn unter des heiligen Stuhles Schutz [3]),

---

1) *Alberici Chron.* p. 393. *Guil. Neubrig.* l. c. *Vinisauf*
L. IV. c. 6. 9.

2) Theil nahmen die Deutschen Ritter an den Kämpfen gewiß
eben so gut, als die beiden andern Orden; aber erwähnt werden von
den Chronisten auch jetzt immer nur Templarii und Hospitalarii;
vgl. *Vinisauf* L. IV. c. 12. 14. 15. 19. 20. 32. 35. Auch in den
morgenländischen Quellen muß der Deutschen Ordens=Ritter keine Er=
wähnung geschehen, denn auch Wilken B. IV. S. 404. 409. 414.
nennt immer nur jene beiden Ritter = Orden. Selbst nicht einmal
in der Schlacht bei Arsuf am 7ten Sept. 1191 wird irgend etwas von
den Deutschen erwähnt. Daß Herzog Leopold von Oesterreich daran
Theil nahm, findet auch Wilken B. IV. S. 415 unzweifelhaft. Das
Chron. S. Bertini p. 678 bezeugt auch, daß wirklich Deutsche mit
im Heere waren; es nennt z. B. Ducem Limburgensem, comites
de Hoste und de Cleve Theutonicos. Die Theilnahme des Deut=
schen Ordens an diesen Kämpfen berührt wenigstens die Ordens=
Chron. S. 18 und bei *Matthaeus* l. c. p. 667.

3) Es ist aber über diesen Gegenstand viel Zweifel und Streit erhoben

ſondern er erwarb ſich auch um die Vervollkommnung ſeiner Verfaſſung und um die beſtimmtere Anordnung der Lebens= weiſe der Ordensglieder noch beſondere Verdienſte. Ueber dieſe letzteren Anordnungen ſcheint der Papſt mit dem Kaiſer Heinrich dem Sechsten, des Herzogs Friederich von Schwa= ben Bruder, der im Frühling des J. 1191 zu Rom die Kai= ſerkrone erhielt, in Berathung getreten und von ihm um die Vervollſtändigung der Verfaſſung des Ordens gebeten wor= den zu ſeyn [1]).   Er genehmigte den weißen Mantel mit dem

worden. Wir haben allerdings wohl eine ſolche Beſtätigungs=Bulle des Papſtes Cöleſtin III; ſie befindet ſich in *Leo* Hiſtor. Pruſſ. p. 62, in *Lünig* Spicileg. Eccleſiaſt.; ferner in Benator vom Ma= rianiſch=Deutſchen Ritterorden S. 8, in Hartknoch X. u. N. Preuß. S. 252, in *De Wal* Hiſtoire de l'O. T. T. I. p. 44; allein die Aechtheit dieſer Urkunde iſt von mehren in Zweifel gezogen und es ſind die unverkennbarſten Spuren ihrer Unächtheit von anderen aufgedeckt wor= den. Die Beweiſe, welche ſchon *Duellius* p. 6. und beſonders *De Wal* l. c. p. 45 gegen ihre Aechtheit angeführt haben, ſind ſo überwiegend, und für jeden Diplomatiker hat die Bulle ſo viel Verdächtiges, daß ſie auf keine Weiſe wird gerettet werden können. Schon nach ihrem Da= tum vom 12ten Februar 1191 könnte ſie dieſem Papſte gar nicht an= gehören. Daß aber beſungeachtet Cöleſtin III. den Orden wirklich be= ſtätigt und unter den Schutz des Röm. Stuhles genommen habe, iſt gar nicht zu bezweifeln, denn außer den Chroniſten, die es bezeugen — *Dusburg* Praefat. p. 12. Ordens=Chron. S. 8. Auct. Aqui= cinct. p. 998, welche das falſche Datum 22. Febr. 1191 angiebt, *Staindelii* Chron. in *Oefelii* Script. rer. Boicar. T. I. p. 498 — beſtätigen es auch die Ordens=Statut. S. 32 und *Baron.* Annal. Eccles. T. XII. an. 1198 Nr. 2. Der wichtigſte Beweis hiefür aber iſt, daß Cöleſtins Nachfolger ſich auf beſſen Beſtätigungs=Bulle aus= drücklich beruft. Innocenz III. ſagt in ſeiner Bulle vom J. 1215: Hospitale S. Marie Alemannorum Jerus. — *ad exemplar* felicis recordationis *Celestini* pape predecessoris nostri sub beati Petri et nostra protectione suscipimus. Honorius III. be= dient ſich dann in ſeiner Bulle vom J. 1216 derſelbigen Worte und er= wähnt dabei auch der Beſtätigungs=Bulle ſeines Vorgängers Innocenz III. Demnach iſt es gewiß, daß eine ächte Beſtätigungs=Bulle Cöle= ſtins III. vorhanden geweſen, aber verloren gegangen iſt.

3) Ordens=Statut. S. 32. Ordens=Chron. S. 8. *Baron.* Annal. Eccles. l. c. ſagt auch geradezu: **Rogatus ab Henrico**

schwarzen Kreuze als Ordenskleid; als Wappen und Banier
bestimmte er ein weißes Schild mit einem schwarzen Kreuze;
er setzte ferner, wie es scheint, auch fest, daß sich die Ordens=
glieder forthin Brüder des Hospitals der Deutschen von S.
Marien zu Jerusalem nennen, dabei aber auch alle Rechte,
Begünstigungen und Freiheiten genießen sollten, die bisher
schon den beiden Orden der Tempeler und Johanniter ver=
liehen waren [1]).

Außerdem erließ der Papst auch noch verschiedene Auf=
träge an den Meister zur Vervollkommnung der Verfassung
und der Lebensweise der Ordensbrüder. Als erstes Grundge=
setz ward schon jetzt die Verordnung aufgestellt, daß hinfüro nur
Männer Deutscher Geburt, von freiem und edlem Stamme
in die Ritter=Brüderschaft des Ordens aufgenommen werden
sollten. Es bildete sich ferner auch schon in dieser Zeit der
Unterschied der Ordensbrüder in zwei Classen weiter aus.
Die tägliche Gefahr des Kampfes mit dem Feinde des Glau=
bens erforderte, daß sich auch jeden Tag eine Anzahl von
streitbaren Ordensbrüdern zu Krieg und Wehr gegen den
Feind bereit hielt. Es waren immer solche, die im Schwerte
Gottes Lohn und Gnade, im Kampfe für des heiligen Landes
Erhaltung und weitere Eroberung fromme Verdienste und
ritterlichen Ruhm suchten, also die kampflustigsten und streit=
barsten Ritterbrüder. Ihre Lebensweise in dieser Beziehung
war nach des Ordens erster Begründung durch die Gesetze
und Ordnungen der Tempelherren geregelt. Während aber
diese Zahl von Rittern dem Kampfe mit dem Feinde nach=

Imperatore donavit eosdem idem Pontifex veste alba et cruce
nigra, subjecit vero Regula S. Augustini.

1) *Dusburg* P. I. c. 1: Omnesque libertates, immunita-
tes et indulgentias venerandis domibus praedictorum Hospitalis et Templi ab Apostolica sede concessas indulsit, ut eis
uterentur libere sicut illi. Ordens=Chron. S. 9. 10.; bei
Matthaeus l. c. p. 662: „Ende die Paus Celestinus Tertius gaff
die Duytsche Dirden alle die selve aflaten, vriheit, ende privilegien, die
die Dirde von den Tempel ende die Dirde van Sinte Johans habben."
Lucas David B. II. S. 146.

ging, durfte auch die Pflege und Heilung der Kranken in den Hospitalen nicht verabsäumt werden [1]) Sie war des Ordens gleich hohe Pflicht und gleich wichtiges Ziel; mit ihr beschäftigte sich ein anderer Theil der Ordensbrüder in der Stille des häuslichen Gemaches. Außer dem neuerbauten Hospital zu Akkon stand auch noch jenes ursprüngliche Hospital zu Jerusalem da und weil noch fortwährend Pilgrime die heilige Stadt besuchen durften, so befanden sich immer auch noch Kranke und Leidende von Deutscher Abkunft darin, die der Pflege und Hülfe bedurften [2]). Auch Cölestin hatte den Wunsch erklärt, daß dieses Hospital, als des Ordens erstes Eigenthum, noch fortdauern möge und der Meister sandte daher wahrscheinlich mit Saladins Erlaubniß auch eine neue Anzahl seiner Brüder dahin, welche die Pflege der Siechen und Unglücklichen besorgen mußten [3]). Wenn auch kaum zu glauben ist, daß er selbst öfter nach Jerusalem zur Aufsicht über die Krankenpflege gekommen sey [4]), so ist doch ausgemacht, daß er einen Verweser oder Vorsteher anordnete, der bald mit dem Namen eines Großkomthurs bezeichnet in des Meisters Abwesenheit die beständige Aufsicht über das Hospital zu führen hatte [5]).

---

1) Ein solcher Unterschied liegt überhaupt im Wesen des Ordens selbst und auch schon in der ersten Begründung desselben; vgl. *Jacob de Vitriaco* p. 1085. Chron. S. *Bertini* p. 626; auch *Dusburg* P. I. c. 1. Ordens-Statut. S. 35.

2) Ordens-Chron. S. 12 bei *Matthaeus* l. c. p. 664 — 665. Lucas David B. II. S. 152. Daß dieses Hospital in Jerusalem im Jahre 1216 noch als ein dem Orden zugehöriges Krankenhaus vorhanden war, beweiset auch die Bulle des Papstes Innocenz III. bei Lucas David B. II. S. 205.

3) Ordens-Chron. S. 12. 17.

4) Wie Lucas David B. II. S. 154 behauptet.

5) Daß die Anordnung eines solchen Aufsehers schon vom ersten Ordensmeister geschehen sey, bezeuget Lucas David B. II. S. 154. So jung diese Quelle auch ist, so läßt sich doch nicht bezweifeln, daß dieser oberste Spitalaufseher, Präceptor, nachmals Großkomthur genannt, schon zu den ältesten Einrichtungen gehöre. Dieses beweisen schon die Ordens-Statute S. 180. Wir finden aber auch noch in einem

Außer diesen Ordensbrüdern wurden schon unter diesem Meister auch Priester in den Dienst genommen, welche täglich die sieben Gezeiten halten, die Messe lesen und überhaupt den Gottesdienst besorgen mußten. Eigentliche Ordensglieder waren sie freilich um diese Zeit noch keineswegs, erhielten aber Kost, Kleidung und Sold vom Orden [1]). Es dauerte noch gegen dreißig Jahre, ehe der Orden die Erlaubniß bekam, auch Priesterbrüder in seine Mitte aufnehmen zu können [2])). Rief den Ordensbruder nicht der Kampf auf das Schlachtfeld, so befahl ihm eine Verordnung dieses Meisters, Tag und Nacht nach klösterlicher Weise in den bestimmten Gezeiten dem Gottesdienste beizuwohnen, wo ihm die Zahl seiner Gebete gesetzlich bestimmt war.

Die Mittel seiner Erhaltung, so wie der Krankenpflege, fand Anfangs der Orden mehr in frommen Gaben und milden Spenden wohlthätiger Gönner, als in eigenen Besitzungen. Vor Akkons Einnahme hatte Herzog Friederich von Schwaben ihn durch Geschenke unterstützt [3]) und nach Eroberung der Stadt war dem neu errichteten Hospitale, wie es scheint, auch schon einiges ländliche Eigenthum zu seiner Unterhaltung angewiesen worden [4]). Reichlicher aber bedachte

---

Transsumt einer Bulle des Papstes Honorius III. diesen „magnus Preceptor domus Hospitalis sancte Marie theutonicorum Jerusalemitani" in einer zu Akkon ausgestellten Urkunde angeführt. Ohne dieß bestand diese Würde auch lange schon bei den Tempelherren; s. Wilke Geschichte des Tempelherren-Ordens B. I. S. 105.

1) Ordens-Chron. S. 11. 17. bei *Matthaeus* l. c. p. 664. Lucas David B. II. S. 154. *De Wal* Recherches sur l'institution de l'Ordre Teut. T. II. p. 41.

2) Bulle des P. Honorius III. in *Duellius* Selecta privileg. Nro. I. p. 2. *De Wal* l. c.

3) *Schütz* p. 15.

4) Wenn auch nicht ganz gewiß, so ist doch sehr wahrscheinlich, daß damals schon das Ordenshaus zu Akkon einen Theil der ländlichen Besitzungen erhielt, die ihm nachmals dort zugehörten; vgl. die Bulle Innocenz III. bei Lucas David B. II. S. 205. Ob damals schon der Orden auch Besitzungen in Deutschland hatte, ist noch zweifelhaft; zwar führt *Lang* Regest. Boica T. I. p. 357 eine Urkunde an,

ihn bald der Kaiser Heinrich der Sechste. Es ist bekannt, welche Kämpfe dieser Kaiser Jahre lang zu bestehen und welche Schwierigkeiten jeglicher Art er zu beseitigen hatte, um den Königsthron Siciliens in seinen Besitz zu bringen, auf welchen er durch seine Gemahlin Constanze, eine Tochter des Königes Roger und Erbin des Reiches unbestreitbare Rechte hatte, dessen sich aber nach König Wilhelm des Zweiten Tod der begünstigte Graf von Lecce Tancred durch die Gunst der Großen des Reiches und durch die Bemühung des klugen Kanzlers Mathäus bemächtiget [1]). Da nun Heinrich im Jahre 1197 abermals zu diesem Zwecke in Apulien war, damit beschäftigt, seine Gegner zu vertilgen und die Krone Siciliens sicher auf sein Haupt zu bringen, vernahm er, daß auch die Cistercienser=Mönche des Klosters der heil. Dreifaltigkeit in Palermo die Partei des Königes Tancred gehalten und seinen Rechten mit mönchischer Starrheit widerstritten hatten, denn der Kanzler Mathäus war der Gründer dieses Klosters. Er nahm Rache an den Mönchen, vertrieb sie aus Palermo und erließ am 18ten August 1197 eine Urkunde, in welcher er das Kloster sammt allen seinen Besitzungen zum Eigenthum der Brüder des Deutschen Ordens verschrieb, ihnen Zollfreiheit für alles, was zu des Hauses Bedarf durch die Thore der Stadt einging, bewilligte und zugleich auch die Erlaubniß ertheilte, auf den königlichen Mühlen ihr Getreide umsonst mahlen zu dürfen. Es ward außerdem allen Deutschen der Umgegend verstattet, von den Priestern des Hauses die letzte Oehlung zu empfangen und sich in der Kirche der Deutschen Ordensbrüder beerdigen zu lassen. Die Bewohner dieser neuen Ordensgüter sollten aber nach der kaiserlichen Bestimmung einzig nur der Gerichtsbarkeit des Komthurs des Hauses untergeben seyn, ausgenommen in Fällen von Leibes=

---

nach welcher Crafto quidam, Jerosolimas pergens, fratribus hospitalis Jerosolomitani donat possessiones in Althausen, Cunigeshoven, Ippehoven, Swegern et Bocksberg, im Jahre 1192; allein es könnte sich dieses auch auf den Johanniter=Orden beziehen.

1) Vgl. Sismondi Geschichte der Ital. Freistaaten B. II. S. 322 ff. Raumer B. III. S. 13. ff.

strafen [1]). So ward hieburch der Grund zur Ballei des Deutschen Ordens in Sicilien gelegt, die sich nachmals bedeutend vergrößerte.

Mittlerweile hatten sich die Verhältnisse des Morgenlandes, unter welchen der Orden dort emporwuchs, manchfach verändert. Die Deutschen Pilgrime, erzürnt über die Art, wie der herrische und stolze König Richard von England einen Deutschen Fürsten, den ritterlichen Herzog Leopold, ungebührlich behandelt und das im Vaterlande so hochgeachtete Oesterreichische Banier entwürdigt [2]), hatten das Kreuzheer bereits längst verlassen und kein Deutscher nahm mehr Theil an dem Kampfe, welchen jener König forthin mit dem mächtigen Sultan zu führen hatte. Höchst wahrscheinlich war dieses der Grund, daß auch der Deutsche Orden, erbittert über die schnöde Kränkung der Deutschen Ehre, sich aller Gemeinschaft mit König Richard entschlug [3]). Da nun des Königes Plan zur Eroberung der heiligen Stadt selbst durch den Rath und Ausspruch derer mißlang, welchen Stand und Pflicht die erste Aufforderung dazu hätten geben müssen, da nämlich selbst die

---

1) Die Urkunde befindet sich in *Mongitor* Monumenta historica sacrae domus mansiónis S. Trinitatis militaris Ordinis Theutonicorum urbis Panormi p. 13. Ich habe indessen dieses Werk selbst nicht erhalten können und kenne den Inhalt des Diploms nur aus der Histoire de l'Ordre Teut. T. I. p. 77 seq. Recherches T. II. p. 11.

2) Die Sache, welche nachmals Anlaß zu Richards Gefangennehmung gab, erzählt *Godefrid. Monach.* p. 260, wo er von Richard sagt: Rex suspectam habens virtutem Alamannorum. *Otto de S. Blasio* c. 36. Ohne Zweifel fielen zwischen Leopold und Richard mehrmals unangenehme Auftritte vor, wie schon aus Raumer B. II. S. 485 und am gründlichsten aus Wilken B. IV. S. 468 — 471 hervorgeht.

3) Dieses ist ohne Zweifel auch mit ein Grund, daß um diese Zeit des Deutschen Ordens bei der Erzählung der Kriegsereignisse fast in keiner Quelle erwähnt wird. *Vinisauf* gedenkt überhaupt in seinem speciellen und wortreichen Berichte nicht einmal eines Deutschen; zwar kommt L. VI. c. 22 ein Henricus Teutonicus als signifer Regis vor; allein es bleibt dunkel, wer dieser eigentlich war.

4 *

Ritter des Tempel= und Johanniter=Ordens, nachdem schon
alles zum Wiedergewinn Jerusalems vorbereitet war, sich gegen
Richards Gedanken erklärten [1]), so blieb diesem kaum etwas ande=
res übrig, als mit Salabin im Herbste des Jahres 1192 einen
Waffenstillstand zu schließen, der den Christen auf drei Jahre
Ruhe gewähren sollte [2]). Bald nach Richards Heimkehr starb
nun zwar 1193 der mächtige Sultan; allein die Schwäche
der Christen in Syrien ließ aus dem Zwiespalte, der unter
Salabins Söhnen ausbrach, und aus den inneren Feindselig=
keiten der Ungläubigen keinen bedeutenden Vortheil ziehen.

Nun geschah aber im Jahre 1195, daß in Deutschland
die fromme Begeisterung für das Grab des Herrn abermals
äußerst lebendig erwachte, ein neues Kreuzheer sich in Bewe=
gung setzte und im September des Jahres 1196 im Hafen
von Akkon landete. Die Erzbischöfe von Mainz, Köln und
Bremen, die Bischöfe von Halberstadt, Naumburg, Verden,
Regensburg, Würzburg und Prag, die Herzoge von Meran,
Brabant, Kärnthen und Oesterreich, der Pfalzgraf Heinrich,
der Landgraf von Thüringen, der Graf Adolf von Holstein,
der von Limburg und viele andere Grafen und edle Herren
standen an seiner Spitze [3]). Auch aus Lübeck nahmen an
vierhundert tapfere Männer an dem Zuge Theil [4]). So un=
gern die Ankunft dieser Deutschen Fürsten auch vom Grafen

---

1) *Vinisauf* L. VI. c. 2. *Guil. Neubrig.* L. IV. c. 28.
Raumer B. II. S. 495. Wilken B. IV. S. 563.

2) *Guil. Neubrig.* l. c. c. 29. *Abulfeda* T. IV. p. 123 —
126. Wilken a. a. O. S. 569.

3) *Otto de S. Blasio* c. 42. *Arnold. Lubec.* L. V. c. 1.
Guil. de Nangis p. 18. *Hemingford* c. 85. Auch der Markgraf
Otto von Brandenburg hatte das Kreuz genommen, wurde aber durch
den Papst von seinem Gelübde wieder entbunden. Ordens=Chron.
bei *Matthaeus* l. c. p. 667. Chron. German. ap. *Pistor.* T. II.
p. 798. *Bernard. Thesaur.* ap. Muratori T. VII. p. 815.
Robert. de Monte ap. *Pistor.* T. I. p. 939. *Herm. Corner*
p. 808.

4) *Arnold. Lubec.* l. c.: Inter quos in civitate Lubeca de
valentioribus circa quadringentos viros signati sunt.

Heinrich von Champagne, welchen König Richard als Statthalter von Syrien und Palästina zurückgelassen, von den beiden Orden der Tempeler und Johanniter, die in ihrem Ansehen und ihrem Einflusse bisher weit über dem Deutschen
Orden gestanden hatten, und von den meisten übrigen christlichen Bewohnern Syriens aus mancherlei Rücksichten gesehen
wurde [1]), so war sie doch für den Deutschen Orden von bedeutender Wichtigkeit.   Denn abgerechnet, daß die Kraft, mit
welcher das Deutsche Heer gegen die Saracenen auftrat, auch
das Ansehen und Gewicht des mit ihm verbundenen Deutschen
Ordens wieder bedeutend hob und daß die Deutschen Ordens-
Ritter auch wieder mehr in den Kampf gegen den Glaubensfeind hineingezogen wurden, mußten offenbar bei der Gegenwart jener angesehenen Deutschen Fürsten auch des Ordens
äußere Lebensverhältnisse in jeder Weise besser gestellt werden [2]).
Gewiß ließen schon die Pilgrime aus Lübeck die Stiftung ihrer Mitbürger nicht unbedacht.   Ohne Zweifel aber erhielt damals bereits der Deutsche Orden seine Besitzungen in Scalone
mit seinen Weinbergen, wo bald nachher auch ein Ordenshaus
erbaut wurde, seine Güter um Tyrus, wo ebenfalls nachher
ein Ordenshaus stand, und manches andere Eigenthum an
anderen Orten Syriens, denn aus Tyrus, Sidon und Berytus wurden die Saracenen verdrängt; Byblus, Gibellum und
Laodicea gaben sie freiwillig auf [3]) und es scheint, daß man
die Tapferkeit der Deutschen Ordens-Ritter, wo sie sich gezeigt, auch überall belohnt und hiedurch ihrer Stiftung frommen Zweck immer gerne befördert habe, denn seit dem Kreuzzuge dieser Deutschen Fürsten hatten sich die Besitzungen des
Ordens bedeutend an Zahl vermehrt [4]).

---

1) Worüber zu vergleichen *Otto de S. Blasio* c. 42.

2) Vielleicht ließe sich hieraus auch der in der Beilage Nro. I.
besprochene Irrthum erklären, daß man die Theilnehmer dieses Kreuzzuges als bei der Stiftung des Ordens gegenwärtig ansah.

3) *Godefrid. Monach.* p. 263. *Arnold. Lubec.* L. V. c. 3.
Jacob de Vitriaco p. 1124. Historia terrae sanctae ap. *Eccard.* T. II. p. 1354.

4) Diese Besitzungen hatte der Orden wenigstens schon unter Cö-

Doch diese für das Gedeihen des Deutschen Ordens so günstige Zeit ging bald vorüber, denn schon die Nachricht von des Kaisers Heinrich Tode bewog manche der vornehmeren Deutschen, ihre Heimkehr zu beschleunigen und im März des I. 1198 folgten jenen auch die übrigen, also daß der Erfolg dieses Kreuzzuges für das heilige Land nicht von besonderer Wichtigkeit war [1]). Während aber bald hierauf im Abendlande eine neue Kreuzfahrt in Bewegung gesetzt ward, starb der erste Meister des Deutschen Ordens zu Akkon am vierundzwanzigsten October des Jahres 1200 [2]), nachdem er zehn Jahre lang treu in seinen Ordenspflichten, tapfer und ritterlich gegen des Glaubens Feinde, milchthätig gegen Arme und Leidende und als ein Muster der Frömmigkeit für seine Brüder dem Orden vorgestanden. In der Ordenskirche zu Akkon ward seine Hülle beigesetzt [3]).

---

lestins Nachfolger Innocenz; vgl. darüber die Bulle dieses Papstes bei Lucas David B. II. S. 205. Es ist kaum abzusehen, bei welcher andern schicklicheren Gelegenheit er sie erhalten haben könnte.

1) *Guil. de Nangis* p. 19, *Bernard. Thesaurar.* l. c. p. 818.

2) *Dusburg* P. I. c. 2 sagt: Obiit nono Calendas Novembr. et sepultus est Accon. *Hartknoch* fügt hinzu: Diem obitus primorum illorum Magistrorum habet Dusburgius ex Anniversariis sacris. Singulis enim annis Ordo Teutonicus memoriam Magistrorum optime meritorum celebrabat, ut adhuc in antiquis cruciferorum Fastis videre licet. Ordens-Chron. S. 18. Bachem Chronologie der Hochmeister S. 14. Histoire de l'O. T. T. I. p. 81. Der Nekrolog Liber. Annivers. bei *De Wal* Recherches sur l'institution de l'O. T. T. II. p. 247 giebt den 5ten Novemb. an.

3) Lucas David B. II. S. 155 berichtet außerdem noch, daß dieser Meister im Jahre 1195 zu Akkon ein Kapitel gehalten, darin den Gottesdienst der Ritter regulirt, daß er ferner auch das Gesetz gegeben habe, die Ritter sollten den Bart nicht scheren, um den Feind desto mehr zu schrecken; auch soll er stets hundert wohlgerüstete Reiter und für die Kranken erfahrene Doctoren, Chirurgen und Apotheker gehalten haben u. s. w. Indessen lassen sich diese und ähnliche Nachrichten durch keine bewährte alte Quelle sicher verbürgen.

Ein Jahrzehent stand nun zwar der Orden schon da, aber noch keineswegs in der Blüthe und mit der großen Bedeutsamkeit, so wie auch nicht mit dem wichtigen Einwirken in die großen Ereignisse des Morgenlandes, wie die beiden andern Orden; denn an sich schon schwächer in seiner Brüder Zahl, minder reich an Gütern und Besitzungen und deßhalb auch weniger glänzend vor der Welt, war er immer noch durch jene älteren und reicheren Orden überschattet und zurückgedrängt [1]. Aber er blieb in dieser stillen Zurückgezogenheit, in der er mehr und mehr emporstieg, auch frei von den Verderbnissen und von den unziemlichen Verirrungen, die schon jetzt an den beiden andern Orden oft schwer gerügt wurden. Daher das Lob und die Achtung, die ihm auch in seiner stillen Wirksamkeit bei den Zeitgenossen zu Theil ward [2]. Langsam und verborgen, aber kräftig und gesund wuchs die junge Pflanze heran, die einst als starker Baum über Länder und Völker sich ausbreiten und verzweigen sollte. So ist der Gang der Dinge in der Natur, so im Menschenleben.

Auch unter dem Nachfolger des verstorbenen Meisters gelang es dem Deutschen Orden noch keineswegs, jenen mächtigeren Orden an Ansehen und Gewicht bedeutend näher zu kommen. Erwählt wurde als neuer Meister durch die Ordens=

---

1) Ueber die früheren sehr beschränkten Umstände des Ordens und über seine Armuth spricht sich besonders *Dusburg* im Prologus p. 6 aus.

2) So sagt *Jacob de Vitriaco* p. 1085 von ihm: Infirmos, peregrinos et alios in hospitali suo recipiunt, eisdem cum omni devotione et pietate necessaria sufficienter ministrantes; domino Patriarchae et aliis ecclesiarum praelatis humiliter obedientes. Decimas autem integras ex omnibus bonis, quae possident, secundum quod exigit ordo juris et divina institutio, reddentes, ecclesiarum Praelatos non molestant. Hi autem quasi a modico et tenui fonte principium habentes in magnum fluvium excreverunt, beata virgine Maria eorum advocata, cui cum omni devotione et humilitate serviunt, eos tam in bonis spiritualibus quam temporalibus subsidiis promovente et incrementum largiente.

brüder der tapfere und fromme Ritter Otto von Kerpen oder
Karpen, schon ein hochbejahrter Mann [1]) und sonder Zweifel
einer jener vierzig Ritter, die durch ihren Eintritt den Orden
begründet. Ob er aus Bremen gebürtig und, wie manche
behaupten, eines dortigen Freiherrn Sohn gewesen sey, ist
zweifelhaft [2]); eher möchten die Rheinlande sein Geburtsland
seyn, denn dort blühte das Geschlecht von Kerpen gerade um
diese Zeit und noch lange nachher [3]). Würdig war Otto von
Kerpen dieser Erhebung gewiß in jeder Weise; tapfer und kühn
im Streite gegen den Feind auch noch im hohen Alter, freundlich und liebevoll gegen seine Ordensbrüder, sorgsam und mildthätig gegen Unglückliche und Kranke, die er oft mit eigener
Hand pflegte und wartete, genoß er bei Allen hohe Liebe und
Verehrung. Sein frommer und reiner Lebenswandel war al-

---

1) Der Name wird Kerpen und Karpen geschrieben gefunden;
Lindenblatts Annalen S. 359 nennen ihn Kirpin. Kerpen ist of-
fenbar das Richtigere. Er soll schon octogenarius gewesen seyn; *Hen-
neberger* de veter. Pruss. Landtaf. p. 364. Tibemanns Chron.
S. 26. *Schütz* Histor. Pruss. p. 16. Lucas David B. II.
S. 160.

2) Lucas David a. a. D. nennt ihn eines Bürgers Sohn aus
Bremen, doch ritterlichen Standes; Henneberger Landtaf. p. 364.
Tibemann a. a. D. Die Ordens-Chron. S. 18 „eines freyen
edlen Herren son." Histoire de l'Ord. Teut. T. I. p. 81.

3) Vgl. *Günther* Cod. diplom. T. I. p. 297, wo eine Urkunde vorkommt, in welcher König Conrad III im Jahre 1145 dem
St. Cassiusstifte zu Bonn die Freiheit des von Dudechin von Kerpen
gekauften Gutes zu Bävernich (Vernich) in der Grafschaft Ahr bestätigt;
als Dudechins Brüder werden genannt Nicolaus, Garsilius und Hermann; ferner S. 499, wo ein Dieterich von Kerpen in den Jahren
1190 — 1212 im Gebiete des Erzbischofs von Trier vorkommt; T. II.
p. 134 ein Heinrich von Kerpen im J. 1218; T. III. p. 76 ein
Wilhelm von Kerpen ums Jahr 1335. *Hontheim* Historia Trevi-
rens. T. I. p. 588. 630. 717. *Gudenus* Cod. diplom. T. II. p.
1104 Dieterich und Johann von Kerpen. Vgl. auch *Schaten.* historia Westphaliae p. 986. Schannat Beschrib. der Eifel von
Bärsch S. 170. Hanselmann v. der Hohenloh. Landeshoh. B.
II. S. 127. Hellbachs Adels-Lexicon B. I. S. 646.

len Brüdern Beispiel und Muster [1]. Die Geschichte aber, um diese Zeit auf die großen Ereignisse hingerichtet, die durch ein mächtiges Kreuzheer in der Eroberung der Griechischen Kaiserstadt und in der Errichtung eines Lateinischen Kaiserthrones in den Mauern Constantinopels geschahen, geht völlig schweigend vor dem vorüber, was in jenen Jahren durch und für den Deutschen Orden bewirkt wurde. Und in gleicher Weise war auch im Abendlande zur selbigen Zeit Aller Blick nur auf die neue Erscheinung im alten Griechischen Kaiserreiche hingeheftet, ohne sich mit dem früheren lebendigen Interesse auf die kleinartigen Begebenheiten in Syrien und Palästina hinzuwenden. So liegt also das Buch der Geschichte über die sechs Jahre, in welchen dieser Meister dem Orden vorstand, über alles, was seine Schicksale betrifft, stumm und sprachlos da, nur das Einzige noch meldend, daß von diesem Meister das erste Ordens=Siegel stamme: die Mutter Christi auf einem Esel sitzend, auf ihrem Arme das Jesuskind, vor ihnen Joseph mit dem Wanderstabe das Thier leitend, als auf der Flucht nach Aegypten begriffen und dem Sterne folgend, der vor ihm hergehet [2]. In solcher Weise in seinen stillen Bestrebungen wenig von den Geschichtschreibern beachtet, starb Otto von Kerpen am zweiten Juni 1206 und ward zu Akkon in der Ordenskirche neben seinem Vorgänger beigesetzt [3].

---

1) Die Ordens=Chron. bei *Matthaeus* p. 681 zeichnet diesen Meister in Rücksicht seiner frommen und edlen Gesinnung ganz besonders aus. Lucas David B. II. S. 160.

2) Lucas David führt B. II. S. 161 an: es habe die Umschrift gehabt: Sigillum officii Magisterialitatis domus Theutonicae. Irrig behauptet aber dieser Chronist, daß auch die sämmtlichen nachfolgenden Hochmeister dieses Siegel geführt haben. Es wird späterhin das Nähere hierüber gesagt werden.

3) Seinen Todestag giebt *Dusburg* P. I. c 3 an. Ordens=Chron. S. 18, bei *Matthaeus* l. c. p. 681. Lucas David B. II. S. 160 läßt ihn erst im Jahre 1207 sterben. Nach Lindenblatt S. 359 war aber 1206 sein Todesjahr. Der Nekrolog Liber. Annivers. bei *De Wal* Recherches T. II. p. 247 nennt als Todestag den 7. Februar.

Da traten die Ordensbrüder abermals zur Wahl zusammen und erkoren zu ihrem Meister den Ritter Hermann Barth [1]), den einige einen Sprößling des altbaierischen Geschlechtes der Edlen von Barth [2]), andere einen Brudersohn des Herzogs von Bahrt, dessen Land Bahrt in Pommern die Rügier gegen das Ende des zwölften Jahrhunderts dem Pommerischen Herzoge Bogislav dem Ersten weggenommen hatten [3]), noch andere einen Abkömmling des Geschlechtes von Barth im Holsteinischen nennen [4]). Die Sage berichtet, daß er früher noch vor seiner Pilgerfahrt ins Morgenland als Amtmann der Königin von Dänemark in Lübeck während eines kalten Winters einem armen Weibe mit ihrem Kinde ein Almosen mit den harten Worten versagt habe: An fremden Hunden und Kindern verliert man Kost, Mühe und Arbeit. Bald nachher sey die arme Wittwe mit dem Kinde erfroren auf dem Miste gefunden worden. Da sey jenem im Traume Gottes Gericht erschienen und durchs Gewissen gequält über seine That habe er das Gelübde einer Wallfahrt nach Jerusalem gethan [5]). Er soll, bevor er nach Akkon kam, Vorsteher des Deutschen Hospitals zu Jerusalem gewesen seyn [6]). Auch ihn erhob zum

1) Fast alle Chronisten und selbst die ältesten, als *Dusburg* P. I. c. 4, Ordens-Chron. S. 18, Lindenblatt S. 359, nennen ihn Hermann und ohne Zweifel ist dieses auch sein richtiger Name. Nur der im Jahre 1440 geschriebene Ordens-Kalender (Mscr. im geheim. Archive zu Königsberg) giebt ihm den Namen Heinrich, wahrscheinlich nach einer falsch erklärten Sigle.

2) *Sinapius* Curiosit. Siles. nobilium familiar. B. I. S. 242. Hellbachs Adels-Lexicon B. I. S. 104. Kotzebue B. I. S. 364.

3) Ordens-Chron. S. 18. *Schütz* p. 16. Histoire de l'O. Teut. T. I. p. 92. Sell Gesch. von Pommern B. I. S. 197.

4) Bachem S. 16. Lucas David B. II. S. 162. *Schütz* p. 16. Auch in Thüringen gab es eine Familie von Barth; s. Falkenstein Thür. Chron. S. 1341.

5) Lucas David B. II. S. 163; doch ist zu beachten, daß die Sage aus Simon Grunau Tr. V. c. VII. §. 2 ist.

6) Lucas David a. a. O., ebenfalls nach Simon Grunau a. a. O.

Meisteramte des Deutschen Ordens seine gottergebene Frömmigkeit, sein Eifer in der Krankenpflege und seine Mildthätigkeit gegen Unglückliche und Leidende; nicht minder aber auch
seine Tapferkeit im Kampfe gegen die Ungläubigen [1]).

Bedeutend konnte sich der Orden auch unter diesem Meister
noch nicht emporheben. Die Verhältnisse sowohl im Abendlande, als in Syrien und Palästina waren für ihn nichts
weniger als günstig. Zwar saß in Innocenz dem Dritten um
diese Zeit ein Mann auf dem päpstlichen Stuhle, der bei seinem gewaltigen Geiste und bei dem Feuereifer seiner Seele
für Alles, was die Macht, die Würde und Verbreitung der
Kirche Roms fördern konnte, auch die mögliche Wirksamkeit
eines so kräftigen Mittels für seine Zwecke, als der Orden in
jeder Weise werden konnte, wohl schwerlich übersah. Allein
die ersten Jahre seines Papstthums nahmen die schrecklichen
Verwirrungen in Italien nach Heinrich des Sechsten Tod,
besonders die unruhigen Bewegungen in Apulien viel zu sehr
in Anspruch, als daß er jetzt eine rege Theilnahme an dem
Orden hätte beweisen können. Und nicht minder verwirrungs-
voll und unruhig war damals auch das Reich: Könige und
Fürsten wider einander im Kampfe; ganz Deutschland gespal-
ten durch eine zwiefache Königswahl; hieburch alle Verhältnisse zerrissen; alle Reichsgroßen, geistliche, wie weltliche,
zum Theil für Otto den Braunschweiger, zum Theil für Philipp von Schwaben und unter sich in wilder Zwietracht; das
Vaterland durch einen heillosen Bürgerkrieg dieser Parteien
heimgesucht und zu schweren, blutigen Opfern gezwungen. So
konnte der für das Deutsche Volk gestiftete Orden zur Zeit
noch wenig Theilnahme in seinem Deutschen Vaterlande erwarten.

Einzelnes geschah jedoch für seine Verbreitung und Erhebung. So ward im Jahre 1207 zu Utrecht die S. Marienkirche für den Deutschen Orden eingeweiht [2]). Ohne Zweifel

---

1) Ordens-Chron. S. 18 bei *Matthaeus* l. c. p. 681. Lucas David a. a. O. Histoire de l'O. T. T. I. p. 92.

2) Chron. magnum Belgicum ap. *Pistor.* T. III. p. 235.

war es Folge der lebendigen Theilnahme der Bewohner jener
Gegenden an den Kreuzzügen und an den Schicksalen des hei=
ligen Landes, daß man dort so früh des Ordens gedachte, der
zum Schutze desselben gegründet war. Aber auch im Innern
Deutschlands fand der Orden nun schon manchen Gönner und
Wohlthäter [1]). Der edle Graf Friederich von Ziegenhain und
seine Gemahlin Luchardis, der Graf Ludwig von Ziegenhain,
Graf Burchard von Falkenstein und seine Gemahlin Kuni=
gunde, Albert von Hackeborn [2]) und seine Gattin Gertrude
und Graf von Webach verliehen ihm im Jahre 1207 zur
Förderung ihres einstigen Seelen=Heiles die Kirche zu Rei=
chenbach, einem in ihren Besitzungen in Hessen liegenden
Dorfe nebst allen dazu gehörigen Gütern [3]). Ohne Zweifel
waren diese Grafen in der Begleitung des Landgrafen Her=
mann von Thüringen [4]) zehn Jahre zuvor mit im Morgenland
gewesen und hatten damals des Ordens Wirken und Verdienst

Anno Hugonis Leodiensis septimo (1207) Ecclesia b. Mariae
de Junctis in oppido Trajectensi, ubi habitant milites Theutonici ordinis, consecratur. Hierauf heißt es wieder p. 237: Anno
Domini MCCXCVI consecrata est Ecclesia beatae Mariae de
Junctis, ubi habitant milites Theutonici ordinis, sed modo
habitant in civitate Trajectensi. Diese Jahrzahl aber ist offenbar
falsch.

1) Daß die erste Niederlassung des Ordens in Koblenz nicht ins
Jahr 1206 (wie Kotzebue B. I. S. 365 behauptet), sondern erst zehn
Jahre später fällt, wird weiterhin erwiesen werden.

2) Diese Grafen kommen öfter in Urkunden vor; Ludwig von Zie=
genhain (Cigenhagen) in der Urkunde Friederichs II bei *Duellius*
Select. Privileg. Nro. XIV.

3) S. Histor. Diplomat. Unterricht und gründliche Deduction von
des Deutschen Ritter=Ordens und insbesondere der Ballei Hessen Im=
medietät=Exemtion S. 18 und die Urkunde Nro. 41.

4) Er steht auch in der Urkunde mit unter den Zeugen. Daß die
genannten Grafen schon mit Ludwig dem Milden, Landgrafen von
Thüringen im heiligen Lande gewesen seyen, ist sehr unwahrscheinlich,
denn keiner von ihnen wird in dem Gedichte von Ludwigs Kreuzfahrt
bei Wilken B. IV. S. 22 Beil. als Waffengefährte dieses Landgra=
fen genannt.

genau kennen gelernt. Sie legten hiemit den Grund zu der
nachmaligen Ordens=Ballei in Hessen und waren die ersten
mit, die überhaupt in Deutschland den Güterbesitz des Ordens
begründeten [1]). In solcher Weise war, wenngleich nur erst in
geringem Beginn, die erste Anheimung des Deutschen Ordens
auf vaterländischem Boden geschehen.

Auch im Morgenlande wirkten die Verhältnisse für den
Orden noch nicht besonders günstig. An Brüderzahl konnte
der ritterliche Verein auch jetzt noch nicht bedeutend zunehmen.
Da Constantinopel in seiner neuen Gestaltung das Augenmerk
des Abendlandes immer noch zunächst auf sich hinzog, so ka=
men überhaupt nur wenige Pilgrime nach Syrien hinunter [2]).
Indessen griff doch jetzt schon der Deutsche Orden mehr als
zuvor in die politischen Verhältnisse des Landes ein. Im Jahre
1205 nämlich war König Amalrich von Jerusalem gestorben.
Sein hinterlassener Sohn, ein Knabe unter der Vormund=
schaft Johanns von Ibelin, der Königin Bruder, war ihm
im Tode bald nachgefolgt und es blieb daher jetzt Maria
Jolanthe, die älteste Tochter der Königin Isabelle, als Reichs=
erbin übrig. Zu ihrem Gemahl bestimmte der König Philipp
August von Frankreich, den man darum befragt, den tapfern
und klugen Grafen Johann von Brienne [3]). Da indessen
dieser seine Ankunft sehr verzögerte, so war das Reich eigent=
lich ohne Haupt; und doch ging gerade um diese Zeit der mit
Saphadin, Sultan von Aegypten, geschlossene Waffenstillstand
zu Ende. Erschreckt durch die Nachricht von der Ankunft ei=
nes mächtigen Heeres unter der Führung des Grafen von
Brienne, wünschte jedoch der Sultan den Stillstand zu ver=
längern und es traten daher die Meister der drei Ritter=Orden

---

1) Reichenbach gehörte dem Orden auch noch im 15ten Jahrhun=
derte. In einem alten Verzeichnisse der Deutschen Ordensbesitzungen
(im geh. Archive zu K.) steht es mit unter den Gütern, die unter dem
Landkomthur von Thüringen standen.

2) *Sanut.* L. III. P. XI. c. 3.

3) *Sanut.* L. III. P. XI. c. 3 — 4. *Guil. de Nangis*
p. 23.

mit des Landes übrigen Großen zu einer Berathung zusammen. Der Meister des Deutschen Ordens war mit dem der
Johanniter und allen Baronen entschieden für die Verlängerung der Waffenruhe. Allein der Meister der Tempelherren
und die Prälaten stimmten für den Beginn des Krieges [1]).
Er begann auch wirklich, aber keineswegs mit glücklichem Erfolge für die Christen [2])

Wie hier, so standen auch im Streite um die Herrschaft
in Antiochien die drei Ritter-Orden auf verschiedenen Seiten.
Längst schon lagen der Graf Raimund von Tripolis und der
König Leo von Armenien über Antiochiens Besitz im Zwiste
mit einander, da Raimund als zweiter Sohn des Fürsten
Boemund des Dritten von Antiochien darauf Anrechte hatte,
der König dagegen die Ansprüche eines nahen Verwandten
geltend zu machen suchte [3]). Vergebens hatte der Papst schon
oft zur Ausgleichung und Versöhnung gerathen [4]). Vielmehr
nahmen an diesem Streite auch die drei Ritter-Orden lebendigen Antheil, die beiden Meister des Deutschen [5]) und Johan-

---

1) *Sanut.* l. c. sagt: Requirit autem *Saphandinus* treugas
iterum reformari, usque tamen ad beneplacitum dicti venturi
comitis Brenensis; et quamvis decem casalia Christianis pro-
pinqua offerret, Magistri quoque Hospitalis *et Alamanorum*
cunctique Barones treugas prolongare vellent, Magister tamen
Templi ac praelati, licet esset utilius, minime assenserunt.

2) Die Histoire de l'Ord. Tent. T. I. p. 92 setzt diese Begebenheit noch in die letzte Zeit des Meisters Otto von Kerpen. Nach
Sanut. l. c. fällt sie indessen wahrscheinlicher in die ersten Zeiten Hermann Barths.

3) Epistol. Innocent. III. L. II. 252.

4) Epistol. Innocent. III. L. II. 217. 253. 259. *Muratori*
Antiquit. Ital. T. VI. p. 103 — 104.

5) In den meisten Briefen des Papstes Innocenz III, welche diesen Streit zum Gegenstande haben, werden zwar nur die Tempelherren
und die Hospitalarii als Theilnehmer genannt. Allein es leidet keinen
Zweifel, daß auch der Deutsche Orden auf der Seite des Königes stand.
So begiebt sich nach Epistol. Innocent. III. L. XII. 45 ein Deutscher Ordensbruder zu dem Papste, um diesem über die Sache des Königes Bericht zu erstatten.

niter=Ordens auf der Seite des Königes, der Meister der
Tempeler dagegen und Antiochiens Bewohner selbst auf der
des Grafen Raimund. Während nun der König von Arme=
nien mit dem Papste noch unterhandelte, um durch einen
päpstlichen Befehl den Orden der Tempeler vom Grafen Rai=
mund zu trennen, hatte dieser den Sultan von Iconium zum
Einfall in Armenien zu gewinnen gewußt, wo durch dessen
Waffen eine schreckliche Verheerung erfolgte. Da sammelten
die beiden Meister des Deutschen und Johanniter=Ordens
ihre Heerhaufen dem Könige zu Hülfe, und kaum waren sie
in Armenien angelangt und mit des Königes Kriegsmacht
verbunden, so kam es zwischen ihnen und dem Sultan von
Iconium nach mehren Gefechten zum blutigsten Kampfe. Die
beiden Meister und ihre Brüder bewiesen eine außerordentliche
Tapferkeit. Des Sultans Heer ward geschlagen, zerstreut und
größten Theils vernichtet [1]), der Meister des Deutschen Or=
dens in der Schlacht zwar schwer verwundet [2]), aber bald
auch des Königes Land vom Feinde ganz wieder befreit. Und
dankbar für diesen Beistand und erkenntlich für die bewiesene
ritterliche Tapferkeit schenkte König Leo den Johannitern die
ganze Stadt Saleph mit andern umherliegenden Besitzungen [3]);
dem Deutschen Orden verlieh er in Armenien die feste Burg
Amuda, mehre in der Nähe liegende Häuser mit deren Besi=
tzungen und verschiedene Freiheiten. Nachdem der Papst In=
nocenz der Dritte diese Schenkung späterhin bestätigt [4]), setzte

---

1) *Vertot* Histoire de l'Ordre de Malthe T. I. p. 311. Histoire de l'Ordr. Teut. T. I. p. 94.

2) *Schütz* p. 16 und *Henneberger* de veter. Pruss. erwäh=
nen, daß Hermann Barth bei der Belagerung von Tripolis tödtlich
verwundet und in Folge dessen bald nachher in Jerusalem gestorben sey.
Es liegt indessen in dieser Angabe ein Mißverständniß, worüber sich
schon die Histoire de l'Ordre Teut. l. c. hinlänglich erklärt hat.

3) *Raynald.* Annal. Eccles. T. XIII. an. 1210 Nro. 34. Innocent. III. Epistol. L. XIII. 119.

4) Diese Bestätigungs=Urkunde befindet sich in Abschrift im großen
Privilegienbuche des geh. Archivs. Als den Gegenstand der Beschenkung
des Königes nennt der Papst Castellum Amudam et Casale sibi

der Meister zur Verwaltung dieser neuen Ordensbesitzung einen Komthur in jene Burg [1]).

So sehen wir auch hier wieder die Deutschen Ordens-
Ritter dem Orden der Tempeler gegenüber stehen. Es herrschte
überhaupt aber zwischen beiden schon längst eine gewisse feindliche Spannung, die vielleicht daher entstanden war, weil sich
der Deutsche Orden in allen Verhältnissen mehr an den Jo-
hanniter=Orden, den alten Gegner der Tempeler, anschloß.
Neue Nahrung fand dieser feindliche Geist schon unter diesem
Meister auch überdieß noch durch einen Zwist beider Orden
wegen ihrer Ordenskleidung. Sogleich bei seiner Stiftung
war, wie früher erwähnt, den Deutschen Ritterbrüdern der
weiße Mantel mit einem schwarzen Kreuze als Ordenskleid
zuerkannt und von Clemens und Cölestin dem Dritten auch
wirklich bestätigt worden [2]). Der Tempel=Orden, welcher
immer schon das nämliche Ordenskleid getragen, hatte darin
um so weniger eine Beeinträchtigung seines Rechtes gesehen,
weil ja überhaupt auch seine Regel und Verfassung bei der
Stiftung des Deutschen Ordens mit zur Grundlage gedient
hatte, und so lange die Deutschen Brüder noch ohne besondere
Theilnahme und Gewicht in den Verhältnissen der beiden andern Orden dastanden, war die Sache von den Tempelern
unberücksichtigt geblieben. In den letzteren Jahren dieses Meisters aber, als der Deutsche Orden durch sein näheres An-
schließen an die Johanniter den Tempelern gegenüber trat,
fanden diese auch in der bisherigen Ordenskleidung der Deutschen Ritterbrüder einen Anlaß zum Zwiste. Sie wandten
sich mit der Klage an den Papst Innocenz: daß die Annahme ihres Ordenskleides durch die Deutschen Ordensritter

---

adherens de Sespin, quoque de Buchecia et de Am casalia
cum terris, aquis etc. Das Datum dieser Bulle ist: Rome apud
S. Petrum, Kalend. Marcii pont. nostri anno sexto decimo.

1) Dieses ist auch der Grund, warum *Dusburg* P. I. c. 5 auch
Armenien mit unter die Länder zählt, in welchen der Orden Besitzungen hatte.

2) Hierüber vgl. oben S. 34 und 46.

mancherlei Verwechselung und Unordnung erzeuge, und baten zugleich, daß jenen, weil sie ohnedieß erst weit später diese Ordenskleidung angenommen, der fernere Gebrauch derselben untersagt werden möge. Der Papst, welcher bisher noch nie bedeutendes Interesse an dem Deutschen Orden genommen, obgleich er ihn in der nämlichen Weise, wie seine Vorgänger bestätigt und in den Schutz der Römischen Kirche erhoben hatte [1]), war über die Streitsache nicht genau unterrichtet, vielleicht auch absichtlich von den Tempelern über den Stand der Dinge ungewiß gelassen. Er war ohne Zweifel durch das Klaggeschrei der Tempelherren auf die Meinung geleitet worden, der Deutsche Orden habe erst vor kurzem die Ordenskleidung der Tempeler angenommen, und gebot daher den Deutschen Ordensrittern, dieses Ordenskleid der Tempelherren wieder abzulegen und sich mit ihrer eigenen Ordenskleidung zu begnügen [2]). Da jedoch der Papst

---

1) Die Bestätigungs-Bulle steht in Epistol. Innocent. III. L. I. 570. Das Datum ist: Laterani XI. Kal. Martii pont. nostri anno primo. *De Wal* Recherches T. I. p. XV. — XVI. Im Jahre 1209 stellte aber Innocenz noch eine zweite Bestätigungs-Bulle aus, welche auch *De Wal* l. c. schon anführt und im zweiten Bande seiner Recherches mittheilte; vgl. T. I. S. 369, wo eine nähere Beschreibung derselben steht. Auch das geh. Archiv zu Königsb. besitzt eine Abschrift davon etwa aus dem Ende des 13ten Jahrhunderts auf Papier. Schon damals war das Original nicht mehr vorhanden, wie aus einer Bemerkung hervorgeht, die sich bei der erwähnten Abschrift befindet.

2) Nur auf diese Weise erklärt sich das Schreiben des Papstes an den Meister und die Brüder des Ordens in Epist. Innocent. III. L. XIII. 125 und bei *Duellius* p. 6, wo es heißt: Suam nobis dilecti filii fratres militiae Templi querimoniam obtulerunt, quod cum in primordio institutionis ordinis sui eis fuerit ab apostolica sede concessum, ut in religionis signum milites militiae Templi albis palliis uterentur ad differentiam aliorum, vos, in confusionem ordinis supradicti, *nuper alba pallia portare coepistis.* Nolentes igitur ut ex hoc inter vos et ipsos aemulationis seu discordiae materia suscitetur, praesentium vobis auctoritate praecipiendo mandamus, quatinus vestro con-

II. 5

die Sache selbst nicht klar faffen konnte, so erhielt von ihm zu=
gleicher Zeit der Patriarch von Jerusalem als päpstlicher Legat
den Auftrag, die wahre Beschaffenheit der Klage des Tempel
Ordens genauer zu erforschen und dann nach seiner Einsicht,
was heilsam und nöthig sey, ohne weiteres festzustellen [1]). Der
Patriarch, über die Streitsache genauer unterrichtet, benachrich=
tigte hierauf den Papst, daß den Deutschen Ordensrittern der
Gebrauch des weißen Mantels als Ordenskleid von den frü=
heren Päpsten, Innocenzens Vorgängern allerdings bestätigt
worden; zugleich aber schlug er vor, daß sie hinfort ihre Rit=
termäntel von einer von der der Tempelherren abweichenden
besonderen Tuchgattung tragen möchten, um allen Streit bei=
der Orden zu vermeiden, und der Papst bestätigte dann auch
diese Anordnung [2]).

_____

tenti habitu existentes, huiusmodi alba pallia quae, sicut prae-
missum est, in signum religionis concessa fuerunt Templariis
antedictis, nullatenus deferatis.

1) Epist. Innocent. III. L. XIII. 126, wo es heißt: Frater-
nitati tuae per apostolica scripta mandamus, quatinus *inquisita*
plenius et cognita veritate, id super hoc statuas appellatione
remota, quod religioni pariter et saluti videris expedire, faciens quod statueris per censuram ecclesiasticam firmiter ob-
servari. Es geht hieraus ziemlich deutlich hervor, daß der Papst, in=
dem er den Deutschen Ordensrittern schrieb: nuper alba pallia portare coepistis, entweder in dem Klagschreiben der Tempeler einiges
nicht recht verstand oder durch eine irrige Angabe der neidischen Anklä=
ger falsch berichtet wurde. Den weißen Mantel trugen ja die Deutschen
Ordensritter seit ihrer Stiftung und nur das rothe und schwarze Kreuz
unterschied beide Orden.

2) Die päpstliche Bestätigungs=Bulle steht im großen Privilegienbuche.
Die Hauptstelle heißt: Ea propter dilecti in domino filii vestris
justis postulationibus inclinati statutum, quod de mantellorum
dispositione alborum, super quibus dilectos filios Magistrum
et fratres milicie templi senciebatis infestos, licet ipsorum
mantellorum usus a quibusdam nostris predecessoribus romanis pontificibus vobis extiterit confirmatus et deferendis palliis tam a vobis quam successoribus vestris amodo de stan-
forti, a venerabili fratre nostro Al. Ihrlilani patriarcha apostolice sedis legato inter vos et templarios supradictos pro

Diesen Ausgang des Streites aber erlebte der Meister Hermann Barth nicht mehr, denn nachdem er sein Meister= amt kaum vier Jahre lang verwaltet und sich im Streben für seines Ordens Aufnahme und Erhebung, wie nicht minder in seinem Eifer um die Krankenpflege und durch seine Tapfer= keit allgemeine Achtung erworben, starb er, wie es scheint, in Folge seiner schweren Verwundung in der Schlacht gegen den Sultan von Iconium am zwanzigsten März des Jahres 1210 und wurde in der Ordenskirche zu Akkon bei den vorigen Meistern beigesetzt [1]).

---

bono pacis firmatum auctoritate vobis apostolica confirmamus et presentis scripti patrocinio communimus. Dat. Lateran. V. Kalend. Augusti p. n. anno quarto decimo. Diesen Streit beschreibt ziemlich weitläuftig *De Wal* Recherches T. I. p. 2 — 4.

1) Die Chronisten weichen in ihren Berichten über den Tod dieses Meisters sehr von einander ab. *Dusburg* P. I. c. 4 sagt: praefuit multis annis et mortuus est XIII. Kal. Aprilis (20. März) se- pultusque est Achon. Ueber die Regierungsjahre war also dieser Chronist nicht gewiß. Lindenblatt S. 359 aber giebt vier Regie= rungsjahre an; eben so Stegemanns Chron. S. 4. Tibemanns Chron. S. 28. Auch die Histoire de l'Ord. Teut. T. I. p. 97 nimmt den 20sten März 1210 als die richtige Angabe an und dieser ist Bachem gefolgt, obgleich der Nekrolog Liber Annivers. bei *De Wal* Recherches T. II. p. 247 den 2ten Juni angiebt. *Schütz* p. 16 läßt dagegen diesen Meister bis zum 20sten März 1211 regieren, ihn in der Belagerung von Tripolis stark verwundet werden und in Jerusalem sterben. Diese Angabe aber hat schon die Histoire de l'Ord. T. T. I. p. 94 — 97 zur Genüge aufgehellt. *Jaenichii* Meletemata Thorunens. p. 194.

Zweites Kapitel.

Als nach des letzten Meisters Tod die Brüder des Ordens zur Wahl eines neuen Hauptes zusammentraten, fiel einmüthig die Stimme der berufenen Ritter auf den tapferen und edlen Ordensbruder Hermann von Salza, seines Stammes aus Thüringen, wo das Geschlecht der Edlen von Salza, reich begütert und hochgeachtet, schon seit langen Zeiten gewohnt und von da aus sich weit verzweigt hatte [1]. Wahrscheinlich war Hermann ein Sohn jenes Burchards von Salza, der um das Jahr 1162 als einer der ältesten Ahnherren seines Geschlechtes zu Salza lebte [2]. Als kriegslustiger Jüng-

---

[1] Thüringen war ohne Zweifel der älteste Sitz der von Salza, von wo aus sich dann Zweige des Stammes nach Sachsen, Böhmen, Schlesien, in die Lausitz und andere Länder verbreiteten. S. Falkensteins Thüring. Chronik S. 958. *Sagittar* Histor. der Herrschaft Salza in der Sammlung vermischter Nachrichten zur Sächsisch. Gesch. B. VI.

[2] In den Familien der von Salza ist die, welche ihre Stammgüter unfern von Nordhausen, um das alte Dorf Salza hatte, von einer andern zu unterscheiden, die ihren Stammsitz in oder bei Langensalza hatte. Diese letztere war das Stammgeschlecht unseres Hermann von Salza. Jenes Dorfes wird schon in einer Urkunde Carls des Großen 802 erwähnt. f. *Schultes* Director. diplomat. B. I. H. I. S. 12. Aber auch die Besitzung dieser Familie kommt schon im Jahre 932. vor und wird Salzaha genannt, *Schultes* a. a. O. S. 53. Manche aber führen auch dieses Geschlecht bis in die Zeit Carls des Großen zurück, f. Falkensteins Thüring. Chron. S. 958. Burchard von Salza ist einer der ältesten, die man in der Geschichte

ling, den die Sehnsucht nach dem heiligen Lande und das
Verlangen nach ritterlichem Ruhme in Kämpfen gegen die
Ungläubigen vom heimischen Boden hinwegtrieb, war er wohl
schon mit dem Landgrafen Hermann von Thüringen im Jahre
1196 nach dem Morgenlande gezogen [1]) und bald darauf in
den Deutschen Orden getreten. Durch seine Tapferkeit soll er
sich nachher, doch nach unverbürgten Nachrichten, die Würde
des Ordensmarschalls erworben haben [2]).

Da ahnete keiner, welche große und glückliche Zeit für
den Deutschen Orden mit dem Tage begann, an welchem
dieser jugendliche, ritterliche Held zum obersten Meister der

---

dieser Familie nennen kann. Er kommt als Zeuge in einer Urkunde
vom Jahre 1162 vor, welche die Verbesserung des Klosters Homburg
in Thüringen betrifft, worüber seit alter Zeit die von Salza das Vog-
teirecht hatten, s. *Schultes* l. c. S. 161, Falkenstein a. a. O.
Im Jahre 1174 kommen als Zeugen in einer Urkunde die drei Brüder
Hugo, Günther und Hermann von Salza als Ministerialen
des Landgrafen Ludwigs III. von Thüringen vor, s. Thuringia sacra
p. 95. *Schannat* Vindem. litt. T. I. p. 117 im Chartar. Rein-
hartsborn., wo die Brüder mit aufgezeichnet stehen, welche *Schultes*
B. II. H. I. S. 244 weggelassen hat. Es ist kaum ein Zweifel, daß
dieses Söhne Burchards von Salza sind und daß der genannte Hermann als der jüngste Sohn der nachmalige Meister des Deutschen Ordens ist. Im J. 1179 kommt unter den Zeugen einer Urkunde bei
Schultes B. II. H. I. S. 267 auch ein Walther von Salza vor; es
ist aber nicht zu ermitteln, ob er zu Hermanns Verwandten gehörte.
Eben so ist es mit Gottfried von Salza, der sich Ministerial des Grafen Berthold zu Henneberg nennt und ums Jahr 1183 lebte; *Schultes*
a. a. O. S. 297. Falkenstein a. a. O. führt seine Nachrichten
nicht höher hinauf, als bis zu Hermann von Salza und nimmt sie
aus Venator. Auch zur Zeit unseres Herrmanns kommt im J.
1237 noch ein Hermannus de Salza als Ministerialis Domini
Landgravii vor; s. Thuringia Sacra p. 112.

1) Mit dem Landgrafen Ludwig dem Milden kann Hermann
schwerlich ins Morgenland gezogen seyn; er würde dann gewiß in dem
Gedichte über Ludwigs Kreuzfahrt unter den Waffengefährten genannt
seyn; s. Wilken B. IV. Beil. S. 22 ff.

2) Es stützt sich diese Nachricht nur auf Simon Grunau Tr.
V. c. 8. §. 1. Erläut. Preuff. B. II. S. 389. Histoire de l'Ord. T.
T. I. p. 100.

Deutschen Brüder erkoren ward. Seine Tapferkeit im Kampfe,
sein reiner, adeliger Sinn, die Achtung und Liebe seiner Ordensbrüder und die gewissenhafte Strenge in Erfüllung seiner
Ordenspflichten hatten ihn bis dahin emporgehoben, wo er
als Haupt des Ordens nun stand und wo er stehen mußte,
um der Fülle seines Geistes durch ein vielthätiges und hoch-
strebendes Leben in seinem Kreise zu genügen. Und gewiß
war dieser Geist durch seine Zeit mit geweckt worden. Es
war eine große Zeit, in welcher Hermann bastand, die Zeit,
in welcher Kaiser und Könige, Fürsten und Ritter der Dichtkunst durch ihre Gunst und Liebe, wie nicht minder durch
ihre eigenen Schöpfungen und Werke huldigten, in welcher
Kaiser Heinrich der Sechste, Friederich der Zweite, Manfred,
Conradin und andere aus königlichem Geblüte als Dichter
glänzten, in welcher die Fürstenhöfe minder durch eitlen Prunk
und Tand, als durch die Liebe zur Dichtkunst und zum Gesange dem Volke vorstrahlten und in allen Gauen des Vaterlandes das Deutsche Lied die Seele erweckte, erwärmte und
zu Thaten hinriß. Und Hermann von Salza war in einem
Lande geboren, wo seit alten Zeiten und bis auf diesen Tag
in Wald und Thal Gesang und Klang ertönte. Schon damals übertrafen in der Liebe zum Gesange wenige Fürstenhöfe den der Landgrafen von Thüringen, an welchem die berühmten Wettgesänge erklangen, wo man den Dichterkrieg auf
der Wartburg vernahm [1]), wo mit der Dichtkunst sich der
Rittergeist vermählte, wo fort und fort sich eine Menge Deutscher Edelknaben zusammenfand, um seine Sitte und Ritter-
dienst zu erlernen, wo Deutscher Gesang und Deutscher ritterlicher Geist den Geist edler Deutscher Jünglinge durchdrang
und emporhob und wo die Feier großer Thaten im Munde
der Sänger auch die Lust und den Durst nach großen Thaten im Leben in der jugendlichen Brust erweckte.

In dieser Zeit und in solchen Umgebungen in dem sang-
reichen Thüringen war Hermann von Salza gebildet und auf-

---

1) Vgl. „von der senger krige zu Warperg" (Wartburg) in *Rohte*
Chron. Thuring. ap. *Mencken* T. II. p. 1697 — 1698.

gewachsen. Keiner vermag zu sagen, welche Wirkungen in Hermanns jugendlichem Geiste die Anklänge der Ruhmgesänge auf ritterliche Könige, Fürsten und Helden, welchen Einfluß das Zusammenseyn mit den ersten Rittern seines Landes an des Landgrafen feingesittetem Hofe auf seine Bildung und welche Anregung die Nähe gefeierter Helden und Sieger beim Turniere und im Ritterspiele, die man zur Zeit in Thüringen hielt, auf seinen Charakter, auf sein Wollen und Streben gehabt haben mögen: — vielleicht aber daher besonders in Hermanns Geist der ritterliche Edelmuth, die adelige Größe in That und Gesinnung, die reine ritterliche Sittlichkeit, die Hoheit der Gedanken und aller seiner Bestrebungen, der jugendliche Feuereifer im Edlen und Erhabenen und doch daneben das feste und männliche Verharren in seinen Entwürfen, die stille Bedächtigkeit in seinen Planen, die ruhige Entschlossenheit in Gefahr, die kluge Mäßigkeit im Glücke, die große Kunst, die Menschen leicht für seine Zwecke und Bestrebungen zu gewinnen, seine reiche Erfahrung und ungemeine Gewandtheit in dem Weltleben und die Geschmeidigkeit im Benehmen, durch welche er sich den Kaiser, den Papst und die Fürsten zu vertrauensvollen Freunden gewann. So steht Hermann schon in den ersten Jahren seines Meisteramtes da und so geht er durch sein ganzes Leben [1]).

Mit diesen Tugenden stand Hermann von Salza nun an der Spitze des Ordens und eine neue Zeit begann für

---

1) Keine Chronik, welche diesen Meister nicht nach ihrer Weise rühmt. *Dusburg* P. I. c. 5 sagt von ihm: Hic fuit facundus, affabilis, sapiens, circumspectus, providus et in factis suis omnibus gloriosus. Darnach singt von ihm Jeroschin:

An viel Genaden Prise
Gespräche und wise
Vorbesichtig, minnesam,
Geretig und auch ehesam,
Was er du alle sine That.

Die Ordens-Chron. S. 18: „Er was eyn from, verständig, weyse Mann, wolberedt, gottfürchtig, eines erbaren Lebens, hochangesehen beym Babst und beym Kaiser."

deſſen Blüthe. Sie begann vorzüglich aber durch ſeinen Geiſt.
Man hat gemeint, daß beim Antritte ſeines Meiſteramtes die
Zahl der Ordensbrüder höchſt gering geweſen ſeyn müſſe und
daß die erlittenen Verluſte in den Kämpfen mit den Ungläubigen den Orden überhaupt faſt ganz wieder vernichtet hätten[1])
denn als Hermann die Meiſterwürde übernommen, ſoll er den
Wunſch erklärt haben: „Er wolle das eine ſeiner Augen darum geben, wenn während ſeines Meiſteramtes der Orden auch
nur zehn ſtreitrüſtige Ritter aufzuſtellen habe[2]).‟ Iſt wirklich dieſes Wort damals von Hermann geſprochen worden, ſo
hatte es offenbar eine andere Beziehung, denn die ganze Geſchichte des Ordens dieſer Zeit ſetzt eine viel größere Zahl
von Ordensrittern voraus[3]).

In der erſten Zeit waren freilich die Verhältniſſe der
Welt wie im Abendlande, ſo im Morgenlande dem Emporkommen des Ordens auch jetzt noch nichts weniger als günſtig.
In Deutſchland herrſchte zwar nach Philipps von Schwaben
Ermordung (1208) Otto der Vierte als anerkannter König;
allein die in dem Zwieſpalte und im Hader verwilderten Gemüther waren noch keineswegs beruhigt, die geſchlagenen Wunden noch nicht geheilt und das Feuer der Parteiſucht zwiſchen
den Welfen und Hohenſtaufen glimmte im Stillen noch fort

---

1) Auch die Histoire de l'Ord. Teut. T. I. p. 97 vermuthet es.
2) So bei *Dusburg* P. I. c. 5.
3) Gar nicht unwahrſcheinlich iſt, was *De Wal* in den Recherches T. I. p. 387 hierüber in folgenden Worten ſagt: Il semble, que
les statuts des Templiers peuvent aider à comprendre le mo-
tif du souhait attribué à Salza. Les Templiers avoient toujours
dix chevaliers sous les ordres du Commendeur de Jérusalem,
destinés à escorter les Pélerins, qui alloient visiter les rives
du Jourdain: il en étoit probablement de même dans l'Ordre
Teutonique, qui s'acquitta du devoir de l'escorte des Pélerins
de manière à mériter les éloges du chef de l'Eglise. — Il étoit
sans doute plus urgent de combattre les Sarazins et les payens,
que d'escorter les Pélerins; mais Salza ne vouloit négliger au-
cun de ses devoirs, et il est probable, que c'étoit ce dernier
objet qu'il avoit en vue, quand il a fait le souhait, qu'on lui
attribue.

und fort.   Ohnedies war Otto bald auch viel zu sehr in Ita=
lien beschäftigt, als daß er an den Verhältnissen des Morgen=
landes hätte Theil nehmen können.   Sein Streit mit dem
Papste zog vollends jeden Gedanken vom heiligen Lande hin=
weg.   Auch brachen schon im Jahre 1211 die Unruhen im
Vaterlande von neuem aus [1]).   Unter solchen Verhältnissen
aber, da alles im Reiche wankte und schwankte, blieb jeder
gerne in der Heimat zur Sicherung von Haus und Herd.
Und wen diese nicht fesselte, wer Ruhm im Kampfe gegen die
Heiden und Verdienste um die Kirche suchte, dem boten die
damals gerade geprebigten Kreuzzüge gegen die Ungläubigen
im Norden, besonders in Livland [2]), oder die vom Papste
selbst gebotenen Kriege gegen die ketzerischen Albigenser reiche
Gelegenheit zum Streite dar.

Daher kam es, daß auch vorerst nur wenige im Abend=
lande des Deutschen Ordens mit milder Hand gedachten.   Doch
erfolgten hie und da auch jetzt wieder einzelne neue Anpflan=
zungen [3]).   So geschah, daß ein edler Ritter im Gebiete des
Herzogs Leopold von Oesterreich, Otto von Galprunne den
Brüdern des Deutschen Hauses im Jahre 1210 eine Besitzung
in Hengelshagel verlieh, die erste in den Oesterreichischen Lan=
ben und die älteste Grundlage der späteren dortigen Ballei [4]).
Einige Jahre nachher beschenkte auch Friederich der Zweite als
König von Sicilien den Orden mit der Besitzung Tussano
bei Salerno; der erste Beweis seiner besonderen Zuneigung
zu den Deutschen Ritterbrüdern, so klein der neue Besitz auch
immerhin war [5]). — Schon zehn Jahre vor Hermanns Mei=

---

1) S. Raumer B. III. S. 167.

2) Heinrich der Lette an. 1210. p. 75. an. 1211. p. 84.

3) *Meichelbeck* Histor. Frising. T. II. p. 3 setzt also fälsch=
lich die erste Anpflanzung des Ordens in Deutschland ins Jahr 1227.

4) Die Bestätigungs=Urkunde des Herzogs Leopold von Oesterreich
f. bei *Duellius* P. III. p. 53.

5) Wir haben darüber nur noch die Bestätigungs=Bulle des Pap=
stes Innocenz III im großen Privilegienbuche (im geh. Archive), wo es
heißt: Magistro et fratribus hospitalis theut. de Accon‑Casale,

sterthum hatten Deutsche Ordensbrüder auch eine Stiftung
zur Krankenpflege in Halle an der Saale gegründet, indem
ihnen dort der Erzbischof von Magdeburg am westlichen
Theile der Stadt einen freien Raum zum Aufbau eines Ho=
spitals verliehen [1]. Bald ward daneben auch eine Kapelle
aufgerichtet und der heiligen Kunigunde geweiht, wo Deutsche
Ordensgeistliche den Gottesdienst besorgten. Die Stiftung
hob sich, vom Geiste der Zeit getragen, bald mehr und mehr
empor. Schon im Jahre 1204 gab ihr der Bischof Volrad
von Halberstadt auch die Pfarrkirche in Zörben ein und wies
den Ordensgeistlichen, die dort den Gottesdienst hielten, auch
den Zehnten der Kirche zu [2]. Nachdem das Hospital, das
Deutsche Haus bei Halle genannt, sich Anfangs durch Kauf
auch festen Güterbesitz erworben, ward es besonders in der
Zeit des Meisterthums Hermanns von Salza durch Beschen=
kungen mehr und mehr bereichert [3]. Auch diese Anpflan=

---

quod dicitur Tussanum situm inter Salernum et Ebirlum cum
hominibus, possessionibus, tenimentis et omnibus pertinentiis
suis a carissimo in Cristo filio nostro F. Sicilie rege illustri
hospitali vestro pia liberalitate collatum — confirmamus. Datum Rome apud S. Petrum X Kalend. May pont. nostri anno
XVII.

1) Die Urkunde in *Ludewig* Reliquiae Manuscript. T. V. p.
90. Dreyhaupt Beschreib. des Saalkreises B. I. S. 831.

2) *Ludewig* Reliqu. T. V. p. 88. Auch im 15ten Jahrhundert
steht Halle noch mit im Verzeichnisse der Ordensbesitzungen der Ballei
Thüringen. Es hielten sich dort drei geistliche Ordensbrüder auf.

3) Durch Kauf erhielten die Ordensbrüder in Halle vom Benedic=
tiner=Kloster in Memleben dessen Gut in Zörben; Urkunde bei *Ludewig* T. V. p. 88; ferner eine Besitzung in Gräfendorf bei Schafstädt
von zwei Ministerialen des Landgrafen Hermann von Thüringen im
J. 1203; Urkunde bei *Ludewig* ib. p. 118. Durch Schenkung be=
kamen sie im J. 1216 durch den Burggrafen Hermann von Magdeburg
von den Gütern der jungen Herren von Querfurt, deren Vormund
Hermann war, ein Besitzthum in Reideburg; Urkunde bei *Ludewig*
ib. p. 104; ferner im J. 1217 durch jene jungen Herren von Quer=
furt selbst zwei Wälder beim Dorfe Horenberg; Urkunde bei *Ludewig*
ib. p. 91. Dreyhaupt l. c. p. 828.

zung des Deutschen Ordens gehörte mit zu· den ersten in
diesen Gegenden; doch gab es damals schon einen Pfleger
der Ordensgüter im Thüringerlande [1]). — Eine ähnliche Stif=
tung entstand in diesen Jahren auch zu Koblenz, hier eben=
falls die erste Grundlage der nachmaligen Komthurei. Schon
seit länger als hundert Jahren stand, durch den Erzbischof
Bruno von Trier gestiftet [2]), bei der S. Florinskirche zu Kob=
lenz ein Hospital für arme Kranke, lange Zeit durch mild=
thätige Gaben erhalten. Bis zum Jahre 1216 aber war es
in solchen Verfall gekommen, daß sein Untergang unvermeid=
lich bevorstand. Da übergab es der Erzbischof Dieterich von
Trier mit Zustimmung des Kapitels von S. Florin zu besse=
rer Pflege der Armen den Brüdern des Deutschen Ordens,
wies ihnen alle Güter und Renten zu, welche für die Pflege
der Kranken bestimmt waren und gründete in solcher Weise
das Deutsche Haus zu Koblenz [3]). — Aehnlich war die Stif=
tung, zu welcher der Erzbischof Eberhard von Salzburg und
sein Kapitel dadurch den Grund legten, daß sie dem Deut=
schen Orden das Hospital zu Freisach und den an das Schloß
Freisach gehenden Zehnten von allen Lebensmitteln vergaben [4]).
Während sonach der ·Deutsche Orden im Abendlande sich

1) Dieser Pfleger in Thüringen scheint schon zwischen den Jahren
1200 und 1202 angeordnet worden zu seyn, denn in dem letzteren
Jahre kömmt er schon unter der Benennung Provincialis Thuringiae
vor bei *Ludewig* T. V. p. 88. Im Jahre 1250 heißt er aber schon
Commendator Thuringiae et Saxoniae; ib. p. 113. Er setzt
also auch schon Ordensgüter in Thüringen im Anfange des 13ten Jahr=
hunderts voraus.

2) *Günther* Cod. diplom. T. I. p. 166.

3) Die näheren Umstände findet man in der Urkunde bei *Günther*
Cod. diplom. T. II. p. 121; eine alte Copie des Diploms steht im
großen Privilegienbuche im geh. Archive, welche jedoch die falsche Jahr=
zahl 1206 hat. Dieses hat Kotzebue B. I. S. 365 auch verleitet, sie
für älter auszugeben, als sie ist. Wirklich besaß nach Günthers Be=
merkung das Deutsche Haus in Koblenz bis in die neuesten Zeiten noch
mehre von den in der Urkunde genannten Gütern.

4) Die päpstliche Bestätigung hierüber in Epistol. Innocent. III.
T. II. p. 822.

weiter und weiter verzweigte, waren die Verhältnisse des Morgenlandes mittlerweile im Wesentlichen nicht besonders verändert worden. Zwar war durch die Ankunft Johanns von Brienne ein neuer König an die Spitze getreten, aber ein König ohne weitere Macht und ohne ein eigentliches Königreich. Die geringe Begleitung von nur dreihundert Gewappneten, mit welcher er dort erschien, gab den Ungläubigen nur neuen Muth und machte sie so kühn, daß der Türkische Fürst Corrabin[1]) während Johann von Brienne sein Krönungsfest zu Tyrus feierte, mit einem mächtigen Heere vor Akkon zog, in der Nähe der Stadt auf dem Berge Tabor eine feste Burg erbaute und von hier aus Akkons Bewohner so bedrängte und beängstigte, daß es kaum einer wagen konnte, vor den Thoren zu erscheinen[2]). Auch für die Ritterorden waren es die traurigsten Tage, die sie im Morgenlande erlebt hatten, denn Akkon, ihr Hauptsitz, ohnedies vor wenigen Jahren durch ein großes Erdbeben schrecklich zerrüttet und in seinen Befestigungswerken erschüttert[3]), schien unwiederbringlich verloren, wenn nicht bald aus dem Abendlande neue Hülfe herbeikam.

An dieser Hülfe aber arbeitete der Papst Innocenz der Dritte seit dem Jahre 1213 mit wahrem Feuereifer. Unter den mancherlei Mitteln, die man aufbot, theils um für die Errettung des christlichen Morgenlandes in den Gemüthern der Menschen neue Theilnahme zu erwecken, theils um für seine Erhaltung in ihm selbst eine starke, feststehende, zum Kampfe dort immer selbst gerüstete Kriegsmacht zu bilden, war auch die Begünstigung, Erhebung und Bereicherung der dortigen Ritterorden. Je mehr die Geschichte der letzten Jahrzehnte gezeigt hatte, was diese ritterlichen Orden durch ihren Geist,

---

1) Sein eigentlicher Name war Moattam; Corrabin nannten ihn die Abendländer. Er war der Bruder Sultans Kamel.

2) *Sanut.* L. III. P. XI. c. 5: Ex tunc vero quasi obsessi essent in Ptolomayda peregrini nunquam amplius exierunt, non Rex, non Baro, non cruce signatus. Epistol. Innocent. T. II. L. XV. 2. p. 753.

3) *Guil. de Nangis* p. 20: Magna pars urbis Acconensis cum palatio Regis corruit et populus multus periit.

durch ihre Tapferkeit und durch ihre Kriegsübung, gegen den
Chriſtenfeind wirken konnten, um ſo reger und allgemeiner
ward der Gedanke, daß ſie ſtets den nächſten Schutzwall,
den eigentlichen Kern der chriſtlichen Kriegsmacht im heiligen
Lande bilden müßten, an welchen ſich die hinüber kommenden
Pilgerhaufen anſchließen und die nöthige Richtung in der Anwendung ihrer Streitkräfte finden könnten.   Das Abendland
aber mußte den Ritterorden immer auch reiche Mittel zu ihrer
Verſtärkung und Vergrößerung darbieten.   Daher geſchah, daß
Kaiſer Otto der Vierte im Jahre 1213 nicht nur alle Güter,
Beſitzungen und ſonſtiges Eigenthum des Deutſchen Ordens
im ganzen Umfange des Römiſchen Reiches unter ſeinen kai-
ſerlichen Schutz nahm, ſondern auch geſtattete, daß jeder freie
Lehnsmann, Miniſterial oder wer ſonſt vom Reiche Güter
zu Lehen trage, etwas von dieſen Gütern in Betracht der
frommen Verdienſte den Deutſchen Ordensrittern übergeben
oder auch verkaufen könne.   Zugleich aber ward vom Kaiſer
auch verordnet, daß jeder, der den Orden in ſeinem Eigenthum beſchwere oder ihm Schaden und Unrecht zufüge, einer
Geldbuße von hundert Pfund des reinſten Goldes unterliegen
ſolle, wovon dem Orden die Hälfte anheim falle [1]).

Ohne Zweifel aber hatte Kaiſer Otto durch dieſe Begünſtigung des Ordens ſich zugleich auch deſſen Treue und Geneigtheit nur noch mehr verſichern wollen, denn gerade in dieſer Zeit ſuchte er für ſein ſinkendes Anſehen im Reiche der

---

1) Die Urkunde hierüber ſteht bei *Duellius* Selecta Privileg.
Nro. XII. p. 11 und iſt datirt: Apud Nürenberg anno dom.
M. CC. XIII. VI Idus May (10 May) Indict. XV.   Die wichtigſte
Stelle heißt: Eidem Domui et Fratribus, qui Deo illic famulan-
tur, concedentes et indulgentes, ut quicunque Liber Homo,
aut miniſterialis vel cuiuscumque conditionis fuerit, aliquid
de his bonis, quae ab Imperio tenet, divinae remunerationis
intuitu eis tradere aut etiam vendere voluerit, plenam de hoc
et liberam habeat facultatem, ipsam donationem ratam habentes et Imperiali confirmantes auctoritate. S. Hiſtoriſch-diplomat.
Unterricht und gründliche Deduction von des D. Ordens Immedietät.
Beil. Nro. I.

Stützen so viele, als er nur irgend finden konnte. Und den=
nach war seine dunkele und schauerliche Macht, unter Blut
und Leichen erworben, auf Trümmern aufgebaut und unter
Härte und drückenden Geboten befestigt, sofort gebrochen und
darniedergeworfen, als das freundliche und hellglänzende Ge=
stirn des dreizehnten Jahrhunderts am Deutschen Himmel auf=
ging, als der königliche Jüngling Friederich der Zweite aus
Italien kommend unter seinen Deutschen erschien mit einer
Herablassung und freundlichen Milde, daß ihm bald Aller
Liebe und Aller Herzen zufielen. Und an ihm fand auch der
Deutsche Orden seinen größten königlichen Gönner und Be=
schützer. Mag es seyn, daß Friederich und Hermann von
Salza bei irgend einer Gelegenheit, deren die Geschichte nicht
erwähnt hat, sich persönlich kennen, achten und lieben lern=
ten, oder daß zwei Männer, so gleichartig in der Größe ihrer
Bestrebungen und in dem Adel ihres Geistes, so nahe ver=
wandt in Gesinnung und Gefühl, beide so klar in ihren Ge=
danken über ihre Zeit, das Leben mit so hellem Blicke durch=
schauend, beide so feuereifrig in ihrem Wollen und Streben,
und auf der hohen Stelle, wohin das Schicksal sie erhoben,
so rastlos thätig mit der ganzen Kraft ihres Willens, sich
gegenseitig auch bald hochachteten und lieb gewannen, auch ohne
sich gesehen zu haben, oder mag es seyn, daß andere Verhält=
nisse, deren Erinnerung die Zeit vertilgt hat, beide Männer
einander näher brachten: — kaum erschien Friederich auf dem
Deutschen Throne, als er als Gönner und Freund Hermanns
von Salza auf jede Art zu beweisen strebte, wie hoch er den
Meister in dem Orden und nicht minder den Orden in dem
Meister ehrte und achtete. Schon im Beginn des Jahres
1214 verlieh er dem Orden mit königlicher Huld nicht bloß
dieselbe Begünstigung, die ihm im Jahre zuvor der Kaiser
Otto ertheilt hatte [1]), sondern er gab ihm außerdem auch das
wichtige ausgezeichnete Vorrecht, daß der jederzeitige Meister

---

1) *Duellius* Selecta Privileg. Nro. XVII, wo Friederich als
Kaiser (1223) bestätiget, was er als König verliehen hatte.

des Ordens und oberste Verwalter der Besitzungen des Or=
dens in Deutschland, so oft er an den Kaiserhof komme, als
ein Glied desselben betrachtet und ihm sowohl, als einem Or=
densbruder mit sechs Fuhrwerken, wie jeglichem andern Mit=
gliede des kaiserlichen Hofes, alle nothwendigen Bedürfnisse frei
und reichlich zu Theil werden sollten, damit in solcher Weise
der Meister am Kaiserhofe selbst und bei den Reichsgroßen den
Nutzen und die Angelegenheiten seines Ordens mit um so er=
sprießlicherem Erfolge besorgen könne. Zugleich aber geneh=
migte Friedrich auch, daß zur Einsammlung der Almosen und
milden Gaben für die Hospitale beständig zwei Ordensbrüder
Wohnung und Unterhalt am Kaiserhofe finden und mit allem
aufs reichlichste versorgt werden sollten [1]).

Noch in dem nämlichen Jahre gab Friederich dem Orden
durch Bestätigung aller seiner Besitzungen im Vaterlande und
einer neuen Beschenkung im Elsaß [2]) noch einen neuen Be=

---

1) Das Diplom steht in *Duellius* Selecta Privileg. Nro. XIII
p. 12. Sein Datum ist: Hagenowia a. d. M. CC. XIIII. X Kal.
Februar. (23. Januar) indict. IV. (Ganz richtig scheint aber diese
Angabe der Indiction oder des Tages nicht zu seyn; vgl. Raumer
B. II. S. 564 — 565). Es spricht sich auch aus dieser Urkunde selbst
unverkennbar die Achtung aus, welche Friederich gegen den Orden hegte,
So heißt es: Nos attendentes honestatem Religionis, quae viget
in Domo Hospitali S. Mariae, quae est Teutonicorum in Jerusalem: considerantes quoque honestatem personarum illic
sub domino militantium... Manches andere, was diese Urkunde
noch bemerkenswerth darbietet, wird spätere Erwähnung finden. Histor.
Diplomat. Unterricht u. s. w. Beil. Nr. 2.

2) Die Urkunde hierüber befindet sich im kleinen Privilegienbuche
p. 112; es heißt darin: Quia progenitores nostri avus noster F.
et dilectus dominus et pater noster Heinricus Romanorum Im-
peratores Augusti necnon et patruus noster F. illustris Swe-
vorum dux ipsam domum dilexerunt et honoraverunt, Nos
eorum vestigiis inherentes prefatam domum hospitalis Theutonicorum S. Marie pro multa honestate eorum et religione
sincere diligimus, manutenere volumus et honorare et cum
omnibus suis, que nunc habent vel sunt inposterum habituri
sub nostra protectione semper esse volumus constituta. Confirmamus quoque eidem domui omnia bona ipsius, specialiter

weiß seiner Geneigtheit und seines eifrigsten Strebens zur Erhebung der um die leidende Menschheit so verdienten Ordensbrüderschaft, denn in der That es war bei ihm auch religiöser Grundsatz, es war ihm Gewissenssache, eine Stiftung von so reinmenschlichen und heiligen Zwecken durch seine königliche Hand mehr emporzuheben und sie mit reichlichen Mitteln für ihre schönen Ziele auszustatten [1]). Wenige Monate zuvor hatte ja Friederich selbst am Tage nach seiner Königskrönung mit vielen Fürsten das Kreuz genommen und sich zum Streite für das heilige Land verpflichtet.

Dem Könige stand in neuer Begünstigung des Ordens auch der Papst nicht nach. Aufgeschreckt durch das Klagegeschrei um Hülfe aus dem Morgenlande und mit der ganzen Kraft seines großen Geistes beschäftigt, diese Hülfe durch Anregung eines allgemeinen Kreuzzuges und auf jede andere Weise zu erwirken, sah Innocenz auch in der Erhebung des Deutschen Ordens ein Mittel für das Heil und die Sicherheit des heiligen Landes. Er nahm ihn nicht bloß von neuem mit Beziehung auf das Beispiel seines Vorgängers, des Papstes

---

autem confirmamus sepedicte domui quedam bona, que sunt in Alsacia in villa, que dicitur Ingemarsheim, que predicte domui contulit Burkardus Lupus miles quidam per justam sentenciam a nobis dampnatus. — Acta sunt hec anno dom. incarn. M. CC. XIV. Indictione II. Datum apud Augustam X Cal. Marcii.

1) Dieß spricht sich deutlich in der Urkunde bei *Duellius* l. c. Nr. XIV. p. 13 aus, wo es heißt: Quod nos profectui et augmento Hospitalis S. Mariae Teut. in Jerus. eo amplius intendentes, quo per ipsum sub cultu Religionis et habitu, fortius ad liberationem intenditur terrae sanctae, — praeter humanitatis officia quae multipliciter impendunt et pauperibus et infirmis in subsidium et augmentum domus eiusdem concedimus, ut quicumque aliquid de bonis imperii possidet nomine feudi, licenter ac libere quantum voluerit ex iisdem tamquam proprium, memorato conferre valeat Hospitali. Das Datum dieser Urkunde ist: In castris prope Juliacum Non. Septembr. (5 September.) a. d. M. CC. XIIII. Indict II. Histor. Diplomat. Unterricht und Deduction u. s. w. Beil. Nr. 3.

Cölestin des Dritten, unter seinen apostolischen Schutz mit allen seinen Gütern und Besitzungen, sowohl solchen, die er bereits erworben, als auch denen, die er inskünftige von Päpsten, Königen, Fürsten und andern Wohlthätern noch erhalten werde, sondern er verlieh dem Orden auch mehre neue Vorrechte. Von den durch Ordensbrüder selbst oder auf ihre Kosten angebauten Besitzungen und vom Futter für ihr Vieh sollte hinfort niemand mehr den Zehnten fordern. Die Salbung, die Einweihung ihrer Kirchen und Altäre, die Ordination ihrer Geistlichen, so wie alle andern kirchlichen Sacramente sollten forthin von dem Bischofe der Diöcese, sofern er mit dem Römischen Stuhle in Gemeinschaft stehe, den Ordensbrüdern unentgeltlich verrichtet werden. Jedem solle es frei stehen, bei dem Orden Begräbniß zu suchen und keiner solle dem letzten Willen der Verstorbenen in dieser Hinsicht entgegenstehen. Jede Missethat und jedes Verbrechen in einem Ordenshause ward von dem Papste aufs strengste untersagt und verpönt; in gleicher Weise auch jede Beunruhigung des Hospitals, jede Beeinträchtigung des Ordens in seinen Gütern, jede Schmälerung seiner Besitzungen, damit der Friede und die Ruhe des Ordens durch keinen Frevel der Welt jemals gestört werde. In der Wahl des Ordensmeisters sicherte der Papst den Brüdern völlige Freiheit zu, doch mit der Weisung, daß keiner durch den Weg der List oder der Gewalt, sondern jeglicher stets durch Einstimmung aller Brüder oder des größeren und verständigeren Theiles derselben zur Meisterwürde gelange [1]).

5) Diese in vieler Hinsicht sehr wichtige Bulle ist ausgestellt: Laterani per manum Thome sancte Romane ecclesie Subdiaconi et Notarii Neapolitani electi XII Kal. Martii Indiccione IIII. Incarn. domin. anno M. CC. XV. pontificatus vero domini Innocentii pp. III. anno octavo decimo. (18. Februar 1215). Sie steht abgedruckt im Lucas David B. II. S. 204. Dort ist in einer Anmerkung von Hennig auch schon über die Autenticität dieser Bulle das Nöthige gesagt, wobei nur noch zu bemerken ist, daß die Unterschriften der Kardinäle (wie sie die Original-Copie des geh. Archives hat) mit denen in andern Bullen dieses Papstes aus seiner spätern Zeit

Es geschah aber noch in demselben Jahre 1215, daß Innocenz ein allgemeines Concilium nach Rom berief. Ein großer Kreuzzug zur Hülfe des Morgenlandes war seine Hauptbestimmung. Deßhalb erschienen unter den zahlreich Eingeladenen neben dem Patriarchen von Jerusalem und des Königes von Jerusalem Gesandten auch die Ritterorden aus Akkon durch ihre Bevollmächtigten [1]). Im November ward die glänzende Versammlung eröffnet und der Gedanke eines allgemeinen Europäischen Kreuzzuges zur Wiedererrettung des heiligen Grabes schritt der Ausführung näher und näher. Innocenzens Seele war ganz erfüllt von diesem Gedanken, denn durch ihn sollten die Tage seines Papstthums alles verdunkeln, was je für das heilige Land geschehen war. Fast schien der Papst hiemit am Ziele zu seyn und es blieb für den großen Zweck nur noch übrig, die wichtigen Seestädte Oberitaliens zu versöhnen und für die Sache zu gewinnen, als ihn dort plötzlich im Jahre 1216 im eifrigsten Wirken für seinen Plan der Tod übereilte [2]).

Sein Nachfolger aber, Papst Honorius der Dritte griff den Gedanken wieder auf und hielt ihn bei allen Hindernissen und Schwierigkeiten fest mit ganzer Kraft der Seele. Auch er war der Ueberzeugung, es werde für die Sache des heiligen Landes, wo noch immer die Ritterorden fast eigentlich allein die stehende Kriegsmacht bildeten, von sehr heilsamen Folgen seyn, wenn die Mittel für diese ritterlichen Verbrüderungen immer stärker vermehrt, die Ordensritter durch Zeichen seiner besonderen Gunst neu ermuthigt und ihre Thätigkeit und ihr Eifer für ihre Bestimmung von neuem belebt werde. Daher stellte er schon wenige Monate nach seiner Wahl [3]),

---

genau übereinstimmen; vgl. Innocent. III. Epistol. ed. *Baluz*. T. II. p. 850.

1) Epistol. Innocent. III. T. II. p. 758. *Guil. de Nangis* p. 26.

2) Raumer B. III. S. 306.

3) Eine allgemeine Bestätigung aller von den früheren Päpsten dem Orden ertheilten Privilegien, Indulgenzen, Freiheiten und Exem-

mitten in dem Drange seiner Bemühungen um den Kreuzzug, eine Bulle aus [1]), durch welche er nicht bloß den Orden und alle seine Besitzungen nach der Weise seiner Vorgänger Cölestins und Innocenz des Dritten in seinen und des Apostels Petrus Schutz nahm, sondern auch manches in seiner Verfassung befestigte und verschiedene neue Begünstigungen hinzufügte. In Betreff der Meisterwahl bestätigte er seines Vorgängers Verordnung, doch fügte er noch hinzu, daß zur Wahl und Würde stets nur ein ritterlich tapferer und in seinen Ordenspflichten strenger und frommer Ordensbruder zugelassen werden solle [2]). Weiter verordnete der Papst, daß es weder

---

tionen ertheilte der Papst Honorius schon durch eine Bulle, deren Datum ist: Tibur. X Cal. August. P. a. I. (23. Juli 1216), wovon eine Abschrift im großen Privilegienbuche.

1) Die Aechtheit dieser Bulle ist durchaus nicht zu bezweifeln, obgleich eine wunderliche Grille (Kotzebue B. I. S. 350) alle Bullen der Päpste, die vor dem Jahre 1220 gegeben sind, für untergeschoben erklärt hat. Das Original ist nicht mehr vorhanden, sondern nur ein Original-Transsumt, welches der Presbyter Johannes, prior ecclesie S. Nicolai in carcer. Tulliano Rom. Fraternitatis rector et judex ordinarius auf das Gesuch des frater Theodericus Preceptor domus S. Marie de Monte Rozanese in Tuscia ordinis Alamannorum durch den päpstlichen Notarius Augustinus Luce zu Rom am 1. August 1318 von der Original-Bulle ausfertigen ließ. Es hat noch vier eigenhändige Unterschriften von andern Notarien; auch ist die Stelle noch kenntlich, wo das Siegel gehangen hat. Eine Abschrift dieser Bulle steht auch im großen Privilegienbuche und zwar unter den Bullen, deren Originale in Venedig lagen. Das Datum derselben ist: Rome VI Idus Decemb. P. a. I. (8. Decemb. 1216).

2) Es heißt in der Bulle: Adicimus insuper, ut quemadmodum domus vestra huius sancte vestre institutionis et ordinis fons et origo esse promeruit, ita nichilominus omnium locorum ad eam pertinentium caput et magistra in perpetuum habeatur. Precipimus eciam, ut obeunte te, dilecte in domino fili Magister, vel tuorum quolibet successorum nulhs eiusdem domus fratribus preponatur, nisi militaris et religiosa persona, que vestre religionis habitum sit professa, nec ab aliis nisi ab omnibus fratribus insimul vel a saniori eorum parte qui preponendus fuerit eligatur.

einer weltlichen, noch geistlichen Person erlaubt seyn solle, die
von dem Meister und den Brüdern gemeinsam angeordneten
Gewohnheiten und Gebräuche des Ordens zu brechen oder ab-
zustellen, daß ferner aber auch die vom Orden eine Zeitlang
beobachteten und schriftlich befestigten Gewohnheiten nicht anders, als durch den Meister und mit Einstimmung des verständigeren Theiles der Ordensbrüder im Kapitel verändert
werden dürften [1]). Als ein Vorrecht des Ordens fügte der
Papst hinzu: es solle weder eine geistliche noch weltliche Person von dem Meister und den Brüdern widergebührlich den
Lehnseid der Treue oder Schwüre und andere unter weltlichen
Leuten herkömmliche Versicherungen verlangen [2]). Endlich erhielten die Ordensbrüder auch das Recht, in den ihrem Orden verliehenen wüsten Gegenden für die da bleibenden Menschen Dörfer, Kirchen und Gottesäcker anzulegen, doch so, daß
nahe liegende Abteien und Klöster in ihrer Stille nicht beunruhigt würden. — Um dieselbe Zeit verordnete auch der Papst,
daß kein Ordensbruder, der einmal in den Orden eingetreten
sey, denselben wieder verlassen dürfe und wenn solches geschehen sey, der Ausgetretene wieder in die Ordensbrüderschaft
zurückkehren müsse [3]).

Mittlerweile war bis zum Sommer des Jahres 1217
die Vorbereitung zum Kreuzzuge vollendet. Allein der große

---

1) Porro nulli ecclesiastice secularive persone infringere
vel minuere liceat rationabiles consuetudines ad (et) vestre
religionis et officii observancias, a Magistro et fratribus communiter institutas. Easdem quoque consuetudines a vobis
aliquanto tempore observatas et scripto firmatas nisi a Magistro, consentiente tamen saniori parte capituli non liceat im-
mutari.

2) Prohibemus preterea et omnimodis interdicimus, ne
ulla ecclesiastica secularisve persona a Magistro et fratribus
eiusdem domus exigere indebite audeat fidelitatis hominia
seu juramenta vel reliquas securitates, que a secularibus fre-
quentantur. Vgl. Eichhorn Deutsche Staats- und Rechtsgeschichte
B. II. S. 311.

3) Die päpstliche Bulle hierüber steht im großen Privilegienbuche
p. 113 und ist gegeben im ersten Jahre des Pontificats Honorius III.

Gedanke einer allgemeinen Europäischen Heerfahrt war in dem Sturme der Zeiten gebrochen worden. Unruhen und Kriege in vielen Ländern Europa's und in einzelnen auch manche andere Ursachen verhinderten die Könige und die Großen der Reiche, an dem Kreuzzuge Theil zu nehmen. So blieb der König Andreas der Zweite von Ungern unter allen Königen der einzige, der an die Spitze eines bedeutenden Kreuzheeres trat. An ihn schloßen sich die andren Theilnehmer des Zuges, besonders Deutsche Fürsten, hohe Geistliche und andere edle Herren an; die wichtigsten waren die Herzoge Leopold von Oesterreich und Otto von Meran, der Erzbischof von Salzburg Burkard von Ziegenhain, die Bischöfe von Bamberg, Zeiz, Utrecht, Münster u. a. [1]). Für den Deutschen Orden eröffneten sich hiedurch schöne Hoffnungen, denn die meisten der geistlichen und weltlichen Fürsten in dem Kreuzheere waren seine Gönner und Wohlthäter. Der König Andreas von Ungern selbst hatte ihm schon vor mehren Jahren das freilich sehr verwüstete, menschenarme und gegen die Angriffe der nahen heidnischen Völker schwer zu vertheidigende Land Burza in Siebenbürgen an den Gränzen der Moldau und Wallachei übergeben [2]) und der Bischof von Siebenbür-

---

1) Chron. magnum Belgic. ap. *Pistor.* T. III. p. 242. Chron. *Alberici* p. 496. *Herman.* Altah. an. 1217. *Godefrid. Monach.* p. 283. *Oliveri Scholastici* Historia Damiat. ap. *Eccard.* T. II. p. 1397.

2) Daß diese Schenkung nicht erst, wie früherhin geglaubt wurde, im Jahre 1222 erfolgte, sondern bereits im Jahre 1211 geschehen war, hat schon *De Wal* in f. Recherches T. I. p. 385 bewiesen, indem er aus der „Siebenbürgischen Quartalschrift" 1793 S. 194 zweier vom Könige Andreas in den Jahren 1211 und 1212 an den Orden ausgestellter Schenkungs-Urkunden erwähnt, welche diesen Gegenstand betreffen. Bestätigt wird diese Angabe des von Wal auch durch das Transsumt der Urkunde des Königes Andreas, welches sich im geh. Archive befindet und im „Ungerischen Magazin" schon gedruckt ist. Auch die Bestätigungs-Bulle des Papstes Honorius III. ist noch vorhanden und zeugt ebenfalls für das Jahr 1211. Wenn daher Engel in der Geschichte von Ungern (Allgem. Weltgeschichte Th. 49. B. 4. S. 142) eine weit frühere Niederlassung des Ordens in Siebenbürgen annimmt

gen hatte den dortigen Ordensrittern, theils um ihnen die
nöthigen Vertheidigungsmittel zu verschaffen, theils auch um
den Anbau des sonst nicht unfruchtbaren Landes zu erleichtern, das Recht bewilligt, unter gewissen Einschränkungen in
seinem Gebiete den Zehnten zu erheben und Kirchen zu erbauen [1]).

Im Herbste des Jahres 1217 langten unter des Königes
Führung die Pilgrime bei Akkon an, mit Jubel von den lange
geängstigten Christen Syriens empfangen: ein buntgemischter
Haufe der verschiedensten Völker. Kaum vergönnte man sich
einige Tage Ruhe und Erholung; dann verbanden sich mit
den neu angekommenen Pilgern der König von Jerusalem,
die Ritter des Tempels, die Johanniter und die Deutschen
Ordensbrüder, nach alter Gewohnheit an ihrer Spitze der
Patriarch von Jerusalem mit dem heiligen Kreuze in der
Hand. Allein der erste Auszug des Heeres bis zum Gali-
läischen Meere blieb fruchtlos, da der Sultan Corradin mit
den Seinigen wegen des Feindes Stärke zurückzog [2]). Nach
Akkon zurückgekehrt, beschloß man die Bestürmung jener festen
Burg auf dem Berge Tabor, deren Besatzung so lange der
Schrecken der Stadt gewesen. Auch hieran nahmen die Ritterorden den thätigsten Antheil. Der schroffe Berg ward unter unsäglicher Mühe erstiegen, der Befehlshaber der Besatzung
im Getümmel erschlagen und dennoch blieb die Unternehmung
aus unbegreiflicher Entschlußlosigkeit ohne Erfolg. Unter den
nutzlos Hingeopferten ward auch mancher Deutsche Ordensritter von seinen Brüdern beklagt [3]).

---

und schon den König Emrich im J. 1199 die Ordensritter in sein
Land rufen läßt, so ist an dieser Annahme um so mehr zu zweifeln,
weil ihr alle Beweise fehlen.

1) Von der Bestätigungs-Bulle des Papstes Honorius III, worin
die Urkunde des Bischofs von Siebenbürgen mit enthalten ist, befindet
sich das Original im geh. Archiv, Schiebl. I. Nro. 5. Vgl. *De Wal*
Recherches T. I. p. 386. Engel a. a. O. S. 143.

2) *Jacob de Vitriaco* p. 1129 — 1130. *Godefrid. Monach.*
p. 285. *Sanut.* L. III. P. XI. c. 6. *Mathaeus Paris* p. 289.
Abulfeda T. IV, p. 261.

3) *Jacob de Vitriaco* p. 1130. *Godefrid. Monach.* p.

Bald aber stellte sich auch jetzt wieder unter den Christen Streitlust und Spaltung ein; das Band der Einigkeit zerriß, als jeder anfing, seinem eigenen Plane nachzugehen. Während der König von Ungern mit dem von Cypern sich nach Tripolis wandte, der König von Jerusalem dagegen und Herzog Leopold von Oesterreich gen Cäsarea zogen, um die dortige Burg zu befestigen, vereinte sich Hermann von Salza nebst den Seinen mit den Tempelherren und einer Schaar von Pilgrimen, um eine alte Burg zwischen Cäsarea und Cayphas, früherhin die Burg des Sohnes Gottes, nun die Pilgrims=Burg genannt, wieder in befestigten Stand zu setzen [1]). Für die gen Jerusalem wallfahrenden Pilger und für die Sicherheit der ganzen Umgegend, die sonst durch Räuber sehr gefährlich war, hatte die Burg allerdings ihre bedeutende Wichtigkeit; allein Zeit und Kraft für größere Unternehmungen gingen darüber verloren. Für drei Könige wären wichtigere Siege zu erringen gewesen; denn als der König von Cypern in Cäsarea starb, Andreas von Ungern die Heimkehr antrat und die meisten Pilgrime ihm folgten, gab es kaum irgend einen bedeutenden Gewinn, den dieses Kreuzheer gebracht hatte [2]). Auch dem Deutschen Orden waren die Hoffnungen, die er bei der Ankunft der Deutschen Fürsten gefaßt, schwerlich erfüllt. Kaum mochte er seine Verluste der im

---

286. *Oliver.* Histor. Damiat. p. 1398 — 1399. *Abulfeda* T. IV. p. 263.

1) *Godefrid. Monach.* l. c. sagt: Templarii cum paucis auxiliatoribus peregrinis et hospitalariis de domo Teutonicorum castrum filii Dei, quod olim Districtum, nunc castrum Peregrinorum appellatur, a quibusdam aedificare coeperunt, quod positum est in Episcopatu Caesariensi inter Cayphas et Caesaream. *Jacob de Vitriaco* p. 1131. *Sanut.* l. c. Die Ordens=Chronik S. 14 nennt die Burg Belgeram (st. Pilgrim). *Oliver.* Histor. Damiat. p. 1399. *Vincent. Belluac.* L. XXXI. c. 82. wo zugleich eine specielle Beschreibung der Burg gegeben ist. *Bernard. Thesaurar.* ap. Murat. T. VII. p. 823.

2) *Danduli* Chron. ap. *Muratori* T. XII. p. 340: „nihil laudabile peregerunt.“

Kampfe gefallenen Brüder durch den Eintritt neuer Glieder
in die Verbrüderung ersetzt haben.

Doch schon im Mai des Jahres 1218 kam aus den
Rheingegenden, besonders aus den Gebieten von Trier und
Köln und aus den nördlichen Theilen Deutschlands wieder
neue Hülfe bei Akkon an [1]). Graf Wilhelm von Holland
stand an der Spitze des neuen Pilgerheeres. Aber belehrt
und gewarnt durch die Erfahrung der jüngsten Ereignisse,
vereinte man jetzt sogleich die gesammte Macht der Christen
des Morgenlandes zu einer gemeinsamen großen Unternehmung. Sie zielte auf nichts anderes hin, als den Haupt-
kampf mit den Ungläubigen nach Aegypten zu versetzen, in
solcher Weise die Macht der Saracenen vom heiligen Lande
hinwegzuziehen und zugleich auch die Quelle zu verstopfen,
aus welcher bisher dem Feinde immer die reichlichsten Mittel
zur Führung des Krieges in Syrien zugeflossen waren. Papst
Innocenz hatte zuerst in jener großen Kirchenversammlung
diesen allerdings nicht tadelnswerthen Gedanken ausgesprochen [2])
und jetzt sah man in ihm die einzig mögliche Art zu einer
kräftigen Hülfe und zur Befreiung des heiligen Landes. Vor
allem mußte nach diesem Plane die stark befestigte Stadt Damiette am Ausflusse des Nils, der Schlüssel Aegyptens, von
den Christen gewonnen werden, und es segelte deshalb im
Frühling des Jahres 1218 die ganze christliche Kriegsmacht
in Syrien, mit ihr auch Hermann von Salza und der größte
Theil der Deutschen Ordensritter gegen Aegypten hin [3]). Die

---

1) *Godefrid. Monach.* p. 287. *Jacob de Vitriaco* p. 1132.
Bernard. Thesaurar. l. c. p; 825.

2) *Mathaeus Paris* p. 289. *Jacob de Vitriaco* p. 1132.
Oliver. Histor. Damiat. p. 1402. *Bernard. Thesaurar.* l. c.

3) Die Meister der Ritterorden und namentlich auch die Deutschen
Ordensbrüder werden in den Quellen ausdrücklich als Theilnehmer dieser
Unternehmung aufgeführt. *Mathaeus Paris* l. c. *Jacob de Vitriaco* l. c. begreift sie unter dem Ausdrucke tres domus. Ordens-
Chron. S. 14. Auch *Vincent. Belluac.* L. XXXI. c. 84 erwähnt
der tres domus und der magistri domorum. Das Memoriale potestat. Regiens. ap. *Muratori* Scr. rer. Ital. T. VIII. p. 1098

drei Ritterorden, die Deutschen und Friesen waren es vor=
züglich, die durch ihre Tapferkeit, wie nicht minder durch listige
Anwendung der Belagerungskünste den Feind nicht selten in
Schrecken setzten. Zwar verließ schon im Frühlinge des Jah=
res 1219 einer der ritterlichsten Helden, der Herzog Leopold
von Oesterreich, das christliche Heer und trat die Heimkehr
an, nachdem er anderthalb Jahre im Morgenlande unter au=
ßerordentlichen Opfern den Kampf gegen den Glaubensfeind
stets aufrecht erhalten und unter andern, wie man angab, den
Deutschen Ordensrittern mehr als sechstausend Mark Silber
zum Erwerb neuer Besitzungen geschenkt hatte [1]), auch sonst
als Gönner und Beschützer des Deutschen Ordens diesem viel=
fach seine Gunst und Geneigtheit bewiesen. Allein die bal=
dige Ankunft neuer Pilgrime brachte mit neuer Kraft auch
neuen Muth und beides wuchs bei den Christen in eben dem
Maße, als man beim Feinde Zaghaftigkeit, Mangel an Plan
und Spaltung und Unfrieden in seinen inneren Verhältnissen
täglich mehr wahrnahm. Die Deutschen Ordensbrüder nah=
men an allen, oft äußerst blutigen Kriegsereignissen nicht nur
den eifrigsten Antheil, sondern ihren ritterlichen Meister an ih=
rer Spitze zeichneten sie sich nicht selten ganz vorzüglich aus [2]).

---

nennt die Deutschen Ordensritter mehrmals. Aus seinen Angaben läßt
sich schließen, daß ihre Zahl nicht unbedeutend war. *Bernard. Thesaur.* l. c.

1) *Oliver. Scholast.* de captione Damiat. p. 1188 berichtet:
Erat Dux Austriae, qui per annum et dimidium Christo fideliter militaverat, princeps devotione plenus, humilitate, obe-
dientia, largitate, qui praeter alios sumptus innumerabiles,
quos in negotiis bellicis ac privatis eleemosynis fecerat, domui Theutonicorum sex millia marcharum argenti vel amplius
ad comparandum praedium creditur contulisse. *Jacob de Vitriaco* p. 1138. *Oliver.* Histor. Damiat. p. 1411. *Bernard.
Thesaur.* p. 833 (wo die nämlichen Worte stehen, wie bei Oliver.
Scholast., nur daß es zuletzt heißt „ad comparandum praesidium").

2) Es kann natürlich hier nicht der Zweck seyn, die Geschichte der
Belagerung von Damiette so ausführlich zu erzählen, daß die einzel=
nen Vorfälle, in denen die Deutschen Ordensritter sich hervorthaten, in
die Erzählung verwebt würden. Man vergleiche über das Einzelne

Freilich erlitt hiebei der Orden auch manchen schmerzlichen Verlust an seinen tapfersten Brüdern [1].

Während aber das christliche Heer vor Damiette im Ganzen vom Glücke sehr begünstigt war, erlitt Jerusalem selbst ein schweres Unglück. Malec=el=Kamel, der Sohn des Sultans Malec=el=Adel, welcher den Christen bei Damiette gegenüber stand, rief endlich zur Errettung der Stadt seinen Bruder Moattam, den wir nach der Weise der Abendländer bisher immer Corrabin genannt haben, aus Syrien zur Hülfe herbei [2]. Schnell ein mächtiges Heer sammelnd, zog dieser eiligst herab nach Jerusalem. Hier aber, sey es, daß ihn Rachzorn gegen die Christen leitete, oder daß er fürchtete, die Christen möchten sich in seiner Abwesenheit Jerusalems wiederum bemächtigen und dann darin zu behaupten suchen, brach er die Befestigungswerke der Stadt, Mauern und Thürme in Eile ab [3], ließ die Hospitäler, Kirchen und Kapellen des Deutschen Ordens und der Johanniter, die dort bisher immer noch Kranke und leidende Pilgrime in ihre Pflege genommen hatten, in Steinhaufen verwandeln, vertrieb die Ordensbrüder aus der Stadt und vernichtete in solcher Weise jene alte Stiftung, aus welcher der Deutsche Orden hervorgegangen war [4]

Oliver. de capt. Damiat. p. 1189. *Mathaeus Paris* p. 295. *Jacob de Vitriaco* p. 1138. *Bernard Thesaur.* p. 834.

1) *Oliver.* de capt. Damiat. p. 1190 sagt in Beziehung auf die Verluste des übrigen Heeres vom Deutschen Orden: nec evasit sine damno domus Theutonicorum. *Mathaeus Paris* p. 295. *Jacob de Vitriaco* p. 1139.

2) *Abulfeda* T. IV. p. 271.

3) *Godefrid. Monach.* p. 289. *Oliver.* p. 1188. *Mathaeus Paris* p. 291. *Jacob de Vitriaco* p. 1137. *Oliver.* Histor. Damiat. p. 1409. *Guil. de Nangis* p. 28. *Dandulo* ap. Murat. l. c. p. 341.

4) *Abulfeda* T. IV. p. 277. Die Ordens=Chron. S. 15, bei *Matthaeus* l. c. p. 673 berichtet: Do czog Corodin gen Jherusalem mytt großer macht und erschlug yn Jherusalem alle Crysten, Erstlichen by drey brüder von den dreyen Ritterorden, alle geistliche personen, alle yhr haußgesinde und dyner und all by Crysten, dy er finden

Dieſer Gräuel der Verwüſtung aber hatte auf die Lage der Dinge im Ganzen eben ſo wenig Einfluß, als Corradins Ankunft vor Damiette den Seinigen beſonderes Glück brachte. Ward auch die Eroberung der Stadt hiedurch noch auf einige Zeit hinausgeſchoben, ſo ſchien ſie doch ſchon ſo gewiß, daß die Chriſten die glänzendſten Bedingungen des Friedens, die Uebergabe Jeruſalems und aller Eroberungen Saladins, die Auslieferung des heiligen Kreuzes und aller chriſtlichen Gefangenen, mit denen Kamel und Corradin ihnen für die Aufhebung der Belagerung von Damiette entgegen kamen, ohne weiteres verwarfen [1]). Und noch im Herbſte des Jahres

---

kundt, zubrach und vorbrennet alle kyrchen, Capellen, Gotshewſer, Stabtmauer, pforten, Thurm und bi hewſer, bo wurden dy Templirer, Sanct Johannes Hoſpital und das Teutſch hawß unſer liben frawen, Jr hoſpital, gotshawß und all by Gotteshewſer In Jeruſalem vor‐ brandt und zubrochen, one den Tempel, der bleyb gancz und der Thurm Davidt, ſo uff dem Berge Sion ſtundt bey dem Teutſchen hawſe. — Daß auch bis jetzt das Deutſche Hoſpital in Jeruſalem immer noch dem alten Zwecke nachgekömmen war, beweiſet eine Bulle des Papſtes Honorius III., wo dieſer ſagt: Quam amabilis deo et quam vene‐ randus hominibus locus existat, quam eciam jocundum et utile receptaculum peregrinis et pauperibus praebeat xeno‐ dochium hospitalis sancte Marie theut. Ihrlitan. hii qui per diversa maris pericula pie devocionis intuitu sanctam civitá‐ tem Ihrlm et sepulchrum domini visitant, assidue recogno‐ scunt, ibi enim indigentes et pauperes reficiuntur, infirmis multimodo sanitatis obsequia exhibentur et diversis laboribus et periculis fatigati resumptis viribus recreantur, atque ut ipsi ad sacrosancta loca domini nostri Jesu Christi corporali pre‐ sencia dedicata securius valeant proficisci servientes quos fra‐ tres eiusdem domus ad hoc officium specialiter deputatos propriis sumptibus retinent cum opportunitas . exigit devote ac diligenter efficiunt. — De Wal Recherches T. I. p. XVII. — XVIII. hat daher gewiß Unrecht, wenn er gar keine Verbindung zwiſchen dem alten Deutſchen Hoſpital in Jeruſalem und dem Deut‐ ſchen Orden in ſpäterer Zeit mehr zugeben will.

1) *Oliver.* p 1190 — 1191. *Mathaeus Paris* p. 296. *Jacob de Vitriaco* p. 1140. Auch der Deutſche Orden ſprach gegen die An‐ nahme dieſer Bedingungen.

1219 ward das Vertrauen der Christen auf ihre Kraft und die Hoffnung in ihrem Muthe und ihrer Tapferkeit erfüllt, denn am fünften November dieses Jahres fiel Damiette in ihre Gewalt [1]).

Unter den Theilnehmern des Ruhmes, den sich die christlichen Helden vor den starken Mauern der Stadt erworben, waren die Ritter vom Deutschen Orden keineswegs die letzten. An jeglichem Kampfe gegen den Feind hatten sie Theil genommen und oft mit großer Auszeichnung [2]), und sobald das Kampfschwert ruhete, war die Pflege der Kranken und die Heilung der Verwundeten ihre eifrigste Sorge, also daß ein edler Ritter aus den Niederlanden, Sweder von Dingede, welcher Augenzeuge dieser Tapferkeit und dieses Eifers war, gerührt und ergriffen durch die Aufopferungen der Ritter auf dem Schlachtfelde, wie am Krankenlager, dem Deutschen Orden den größten Theil seines Vermögens übergab [3]) Es

---

. 1) Vgl. Raumer B. III. S. 370.

2) Eigene Untersuchungen haben uns der Ansicht der Histoire de l'Ord. Teuton. T. I. p. 126 völlig beistimmen lassen, welche meint, daß die Quellenschriftsteller über diese Begebenheiten, wenn sie von den Kriegsthaten der Deutschen überhaupt sprechen, unter diesen auch die Deutschen Ordensritter mit begreifen. Auffallend ist es besonders, wie *Godefrid. Monach.*, der in seinen Berichten mit *Mathaeus Paris*, *Jacob de Vitriaco* und *Oliver.* meist wörtlich übereinstimmt, der Deutschen Ordensritter mit keinem Worte erwähnt, vielmehr wie absichtlich alle die Stellen wegläßt, in denen vom Orden die Rede ist. Nur bei dem Baue der Burg bei Cäsarea berührt er auch die Theilnahme der Deutschen Ordensritter. Er muß also irgend einen, uns unbekannten Grund gehabt haben, warum er alles, was den Orden in den Jahren 1218 und 1219 vor Damiette betraf, absichtlich verschwieg. Und sollte dieser nicht in dem nachmaligen großen Hasse der Geistlichkeit gegen den Deutschen Orden liegen? Wer sich von der absichtlichen Verschweigung alles dessen, was dem Orden rühmlich war, bei diesem Chronisten belehren will, vergleiche nur z. B. die eine Stelle bei *Oliver.* p. 1189 mit dem, was *Godefrid. Monach.* über das nämliche Ereigniß erzählt. Vgl. Memoriale potestat. Regiens. aq. *Muratori* l. c. q. 1098.

3) Die Urkunde steht in *Matthaeus* Analect. T. V. p. 682 und im Auszuge in der Histoire de l'Ord. Teut. T. I. p. 128.

blieben also auch hier den Ordensrittern die beiden großen
Ziele vor Augen, für welche ihre Stiftung geschehen war:
Kampf und Opfer für Kirche und Glauben, und thätiges
Mitleid und christliches Erbarmen mit solchen, die für das
heilige Land duldeten und bluteten.

Auch der König Johann von Jerusalem hatte nicht ohne
hohe Bewunderung und Theilnahme die Beweise der ritterli=
chen Tapferkeit der Deutschen Ordensbrüder wahrgenommen;
denn in Betracht dieser Auszeichnung des Meisters und sei=
ner Ritter geschah es in dieser Zeit, daß er dem braven Her=
mann von Salza und allen seinen Nachfolgern die ehrenvolle
Erlaubniß ertheilte, in ihrem schwarzen Ordenskreuze das gol=
bene Kreuz von Jerusalem, welches einst auf den Zinnen des
Tempels in der heiligen Stadt prangte, als Zeichen seiner
Huld und königlicher Belohnung zu tragen [1]).

Freilich aber hatten alle die Opfer, welche das christliche
Heer für Damiette's Eroberung dargebracht und die Tapfer=
keit, welche die Ritter der geistlichen Orden hier mehr als je
bewiesen, nichts weniger als glücklichen Erfolg. Unbegreiflich
war die saumselige Ruhe, der man sich nach Gewinnung der
Stadt allgemein hingab [2]); kaum daß einige Auszüge auf
Beute durch die Ritterorden, namentlich auch von den Brü=
dern des Deutschen Ordens mit irgend einigem Erfolge ge=
schahen, und selten überwog dabei der Gewinn den erlittenen
Verlust. So geschah es einmal, daß die Ritter des Deut=
schen Ordens ihren Präceptor, ihren Marschall und mehre ihrer

---

Sie ist ausgestellt in obsidione Damiathae anno incarn. dom.
1218 und es heißt darin: Cum venissem in exercitum christianorum Damiathae et vidissem graves expensas, quas faciunt Fratres domus Theutonicorum in Jerusalem tum in infirmis, tum
in militibus contra insultus Saracenorum sustentandis, divina
monitus inspiratione, curiam meam in Lankarn etc. etc. contuli eidem religioni perpetuo deserviendam.

1) Nach Angabe der Ordens=Chron. S. 16 geschah die Er=
theilung des goldenen Kreuzes im J. 1219.

2) Vgl. die Schilderung des im Genusse versunkenen Heeres bei
Oliver. Histor. Damiat. p. 1424.

Brüder der Gefangenschaft des Feindes überlassen mußten [1]. Daß mit dem Gewinne von Damiette bei weitem noch nicht alles gewonnen sey, schien man zwar allgemein zu fühlen; aber es schien auch, als sähe man das rechte Ziel nicht mehr, welches zu erreichen war. Ueberall herrschte Unentschlossenheit und Uneinigkeit in den Planen, wohin die noch übrig gebliebene Kraft am besten zu verwenden sey, indem bereits viele Pilgrime das Heer wieder verlassen hatten. Man erwartete neue Hülfe aus dem Abendlande.

Hier war freilich der Papst Honorius unermüdlich thätig, um neue Streiter für das Kreuz und die Kirche in Bewegung zu setzen. Allein alle seine Bitten, seine Ermahnungen, seine Erinnerungen und Drohungen an Friederich den Zweiten zur Erfüllung seines Gelübdes waren bisher ohne Erfolg geblieben [2]. Zudem war bei vielen Menschen, welche die Errettung des heiligen Grabes durch alle Bemühungen nie bedeutend weiter vorschreiten gesehen, die alte Begeisterung ausgeglüht und endlich geschah es gerade um diese Zeit, daß auf des Papstes Ermunterungen und durch die Predigten des ersten Bischofs von Preussen bewogen, viele, denen das Morgenland zu fern lag und die Mühen einer solchen Pilgerfahrt zu schwer schienen, das Kreuz zum Kampfe gegen die Preussen um denselben Preis der Sündenvergebung und der Seligkeit übernahmen. Schon im Jahre 1218 forderte ja der Papst die Erzbischöfe von Mainz, Köln, Trier, Salzburg,

---

1) So erzählt *Oliver.* l. c. p. 1425, nachdem er eines Auszuges der Templer auf Raub Erwähnung gethan: Domus Teutonica cum multis aliis occurrit eis (sc. Templariis) prae gaudio, sed moram faciens post tergum ipsorum, ex qua causa non satis constat, veloces equites Turcorum aggressionem contra eos fecerunt super mare, territi vero de aliis nationibus fugierunt ab eis, sec Anglici et Flandrenses et Teutonici et Robertus de Bellomonte supervenientium sustinuerunt incursum; praeceptor et marschalcus eiusdem Domus cum aliis fratribus et militibus seculi ferme XX capti sunt. *Bernard. Thesaur.* p. 834.

2) Vgl. Raumer B. III. S. 326 ff.

Bremen, Magdeburg, Gnesen und Lund und mehre Bischöfe
in dringenden Schreiben auf, dem Bischofe Christian von
Preussen in seinem Werke der Bekehrung der Preussen in je=
der Weise zu Hülfe zu stehen und diejenigen, welche einem
Kreuzzuge ins Morgenland nicht beizuwohnen vermöchten, zu
einer Pilgerfahrt für den Kampf gegen die Preussen und zum
Schutze der dortigen neuen Christen in ihren Bezirken aufzu=
muntern[1]). Und wirklich zogen auch in den Jahren 1219
und 1220 gerade aus diesen Gegenden, die sonst so manchen
Kämpfer für Gottes Sache dem Morgenlande zugesandt hat=
ten, nicht unbedeutende Kreuzheere nach dem Norden hinauf.
Außerdem ging mancher ritterliche Streiter lieber nach Spa=
nien, als nach Syrien und Aegypten, denn auch dort
waren Feinde des Glaubens zu bekämpfen.

So war im Morgenlande das ganze Jahr 1220 und
die erste Hälfte des nachfolgenden hingegangen ohne besondere
Fortschritte und ohne wichtige Ereignisse, an denen der Deutsche
Orden theilnehmend bemerklich hätte hervortreten können. Nun
kam aber vom Kaiser Friederich gesandt Herzog Ludwig von
Baiern mit einem bedeutenden Heerhaufen bei Damiette an.
Im Kriegsrathe, den der Herzog anordnete, war auch Her=
mann von Salza der Meinung, man müsse sofort die unnütze
Ruhe aufgeben und die neuen Kräfte zu einer wichtigen Un=
ternehmung verwenden und diese Meinung siegte endlich ob,
wiewohl der König Johann von Jerusalem ihr mit wichtigen
Gründen entgegensprach[2]). Statt aber von Aegypten aus in
Palästina einzudringen, ward auf den Vorschlag des herrsch=
süchtigen päpstlichen Legaten Pelagius der unbesonnene Plan
beschlossen, landeinwärts am Nile hinauf vorzugehen und we=
nigstens Unter=Aegypten zu erobern. Dadurch ging alles
wieder verloren; denn als das christliche Heer einige Tage
vorgedrungen war, ließ der Sultan von Aegypten plötzlich die

---

1) *Raynald.* Annal. Eccles. T. XIII. an. 1218. Nro. 43
— 44.

2) *Oliver.* Histor. Damiat. p. 1433 — 1434. *Mathaeus
Paris* p. 302. *Guil. de Nangis* p. 29.

Schleusen = Werke des Nils öffnen und brachte hiedurch das unglückliche Heer in solche Noth, daß es seine Rettung nur durch einen schnellen Frieden erkaufen konnte, dessen Bedingungen die Zurückgabe des schwer errungenen Damiette, Lösung aller Gefangenen und ein Waffenstillstand auf acht Jahre waren. Zur Sicherheit wurden von beiden Theilen Geißeln gestellt. Außer dem Könige Johann, dem päpstlichen Legaten, dem Herzoge von Baiern und den beiden Meistern des Tempel= und Johanniter=Ordens wählte sich der Sultan auch den Meister des Deutschen Ordens Hermann von Salza aus [1]). Doch wurde dieser mit dem Meister des Tempel=Ordens bald wieder frei gegeben und von den geistlichen Fürsten beauftragt, die Uebergabe von Damiette an den Sultan zu vollführen [2]). Dann theilte sich das christliche Heer; die Fürsten kehrten ins Abendland zurück und der König von Jerusalem und die Ritter=Orden begaben sich nach Akkon [3]).

Keinem war die Nachricht dieses Unglücks schrecklicher als dem Papste Honorius. Hermann von Salza war einer der ersten, die sie ihm überbrachten; denn nachdem er die Verwaltung seines Meisteramtes dem Großkomthur des Ordens, als seinem Stellvertreter, übergeben hatte, trat er sofort von Damiette aus noch im Laufe des Jahres 1221 eine Reise nach Italien an [4]). Er traf den Kaiser Friederich in Apulien.

---

1) *Oliver*. Histor. Damiat. p. 1438. *Abulfeda* T. IV. p. 307.

2) *Oliver*. l. c. p. 1439: Magister militiae Templi et Magister de domo Teutonica missi sunt a principibus, ut juxta condictum et jurisjurandi religionem civitatem redderent.

3) *Guil. de Nangis* p 29.

4) Nach *Sanut.* L. III. P. XI. c. 10 kann diese Reise Hermanns von Salza in keine andere Zeit fallen, denn er sagt: Resignata Saracenis civitate (sc. Damiata) universi Ptolomaydam profecti sunt, exceptis paucis Peregrinis ad Italiam proficiscentibus et Magistro Alamanorum, qui in Apulia Imperatori, deinde summo Pontifici Christianorum casum exposuit. Der Kaiser war auch wirklich, wie Urkunden erweisen, damals in Apulien; s. Raumer B. II. S. 570. Damit stimmt auch *Oliver* Histor. Damiat. p.

Es war vielleicht das Erstemal, daß sich beide sahen und spra=
chen. Nicht ohne Staunen und Schmerz vernahm Friederich
den Bericht über das Unglück, welchem die Christen in Ae=
gypten hatten erliegen müssen, und vom Verluste der Stadt,
für die so viele Opfer gefallen waren. Darauf begab sich
Hermann auch zum Papste, der mit Schmerz und Seufzern
des Meisters Botschaft empfing und in Briefen voll Klagen
und apostolischen Ernstes mahnend und drohend bei dem Kai=
ser darauf drang, sein so oft erneuertes Gelübbe eines Kreuz=
zuges für die Rettung des heiligen Landes aufs baldigste zu
erfüllen [1]). Hermanns Erzählung hatte den Kaiser auch so
tief erschüttert, daß er jetzt mehr als je bereit schien, seinem
Versprechen nachzukommen, und man beschloß, auf einer näch=
stens zu haltenden Versammlung, zu welcher auch der König
von Jerusalem, der Patriarch und die Meister der beiden an=
dern Ritterorden berufen werden sollten, das Heil des christ=
lichen Morgenlandes und die Anstalten zu einem neuen Kreuz=
zuge näher zu berathen [2]).

Bevor aber diese Versammlung zu Stande kam, wirkte
Hermann von Salza mit unermüdlichem Eifer für das Beste
und für die Wohlfahrt seines Ordens, denn in solchen Ab=
sichten vorzüglich war er, wie es scheint, nach Italien gekom=
men. Er besuchte alle Ordenshäuser, welche der Orden zur
Zeit in diesem Lande hatte und erkundigte sich aufs genauste
um ihre Ordnung, Beschaffenheit und Verfassung [3]). So

1450 insofern überein, indem er bei der nachmaligen Reise der beiden
andern Ordensmeister, von benen jedoch nur der Johanniter kam, des
Meisters des Deutschen Ordens nicht erwähnt, also voraussetzen läßt,
dieser sey schon früher nach Italien gereist. Die Ordens=Chronik
S. 16 giebt bei Erwähnung dieser Reise keine Zeit an. — Aus dem
allen geht auch hervor, warum der Kaiser eher Nachricht über die Un=
fälle in Aegypten hatte, als der Papst. Vgl. Raumer B. III.
S. 378.

1) *Raynald.* Annal. Eccles. an. 1221. Raumer B. III.
S. 377.

2) *Sanut.* L. III. P. XI. c. 10.

3) Ordens=Chron. S. 16 bei *Matthaeus* l. c. p. 678.

viel die Zeit erlaubte, bereiste er auch verschiedene Ordensbesitzungen in Deutschland [1]). Meistens jedoch hielt er sich in
Rom und am kaiserlichen Hofe auf, zum erstenmal an diesem
des Vorrechtes genießend, mit welchem Friederich vor einigen
Jahren ihn beehrt hatte. Seitdem war überhaupt kaum ein
Jahr hingegangen, in welchem der Kaiser dem Meister nicht
neue Auszeichnungen oder seinem Orden nicht neue Beweise
seiner Gunst, seiner besonderen Vorliebe und seiner großen
Hochachtung gegeben hatte. Er sprach diese schon im Jahre
1220 in der Bestätigung aus, durch welche er die dem Ordenshause zu Mergentheim von den Brüdern Gottfried, Conrad und Andreas von Hohenlohe bei ihrem Eintritte in den
Deutschen Orden gemachten Schenkungen über ihre Besitzungen um Mergentheim genehmigte. Er hatte ferner erst noch
im Frühlinge des Jahres 1221 ein Diplom ausgestellt, in
welchem er mit Rücksicht auf die hohe Zuneigung, welche sein
Vater und Großvater dem Deutschen Hause bewiesen, auf die
Auszeichnung des Meisters Hermann von Salza und auf die
Verdienste der gesammten Brüder des Ordens [2]) diesem nun
auch als Kaiser des Römisch-Deutschen Reiches nicht bloß
alle Besitzungen, Rechte und Freiheiten, die er sich bisher
erworben, bestätigte und befestigte, überhaupt den Orden mit
allem, was ihm angehörte, unter seinen besondern kaiserlichen
Schutz und Schirm nahm [3]), sondern auch wieder verschiedene

---

1) Die Ordens-Chronik a. a. O. sagt: „Er visitirte seine
Hewser des Ordens, so yn Tewtschen landen legen, auch die heuser yn
Wellischen landen als yn Romania, Apulia, Cecilia, Colabria und
Hispanien, auch yn andern landen.“ Aber in Spanien war Hermann
um diese Zeit sicherlich nicht, obgleich wir späterhin Besitzungen des
Ordens in Spanien kennen lernen werden. Vielleicht aber — und dieß
ist wohl das wahrscheinlichste — ist Hispanien nur verschrieben statt ei-
nes Landes in Italien, etwa Campanien.

2) In der Urkunde heißt es: Attendentes celebrem vitam et
honestae religionis cultum, quibus nobis in Domino frater
Hermannus Magister Domus Hospitalis, eiusdem et Fratres sui
clarere noscuntur, labores etiam et sudores assiduos, quos
pro fide Christianorum et gloria sustinent incessanter.

3) Diese abermalige Bestätigung aller Rechte und Freiheiten ge-

neue Begünstigungen und Freiheiten als Zeichen seiner fort=
dauernden Huld hinzufügte. So sprach er des Ordens sämmt=
liche Güter und Besitzungen frei von jeglicher ausgeschriebenen
Beisteuer, jedem Geschosse, allen Frohnleistungen und Dienst=
lasten [1]); er bewilligte ferner dem Orden die freie Benutzung
der Gewässer, Wiesen und Holzungen im ganzen Umfange
seiner eigenen Besitzungen im Reiche zum Gebrauche der Or=
denshäuser, wobei sie frei seyn sollten von allen Zollabgaben,
sey es Pforten= oder Thor=, Straßen= oder Baum= oder
Ufer=Zoll oder irgend eine andere durchs Gesetz oder durch
Gewohnheit angeordnete Auflage zu Land oder zu Wasser [2]).
Sodann gebot auch der Kaiser, daß forthin es niemand wa=
gen sollte, die Ordensbrüder anfechtend aus ihren Gütern und
Besitzungen ohne Gericht und Recht zu verdrängen oder in
ihrem Besitzrechte zu beunruhigen. Es leuchtet jedem ein, von
welcher Wichtigkeit diese Vorrechte für den im Abendlande
und zumal in Deutschland und in Italien sich immer weiter
ausbreitenden Orden in aller Hinsicht seyn mußten [3])

---

schah offenbar in Beziehung auf die erst vor kurzem erlangte kaiserliche
Würde.

1) **Eximentes ipsas (sc. ordinis possessiones) ab omni data
collecta, seu exactione, ab omni Angaria, et ab omni onere
cuiuslibet servitutis,** oder wie es eine altdeutsche Uebersetzung giebt:
Wir nemen sie us von allir gifft, geschusse und getwankfal, von allim
ungelde und allir bürdin des Dinstes. Ueber diese verschiedenen Arten
von Abgaben und Leistungen im Mittelalter vgl. Hüllmanns Deutsche
Finanz=Geschichte S. 94. 152. 168.

2) **Concedimus etiam eidem Sacrae Domui de munificen-
tia liberali libertatem aquarum, herbarum et lignorum, utique
per proprias Imperii nostri terras ad suarum Domorum usum
et utilitatem, et ut de ipsis per totum Imperium nihil ratione
portatici, plateatici, falangatici, ripatici theolonii, vel alicuius alterius exactionis et jure consuetudinis seu statuti in
terra vel mari, sive fluminibus solvere teneantur, sive etiam
aliis aquis.** Ueber diese Zollabgaben s. Hüllmann a. a. O. S. 225.

3) Dieses wichtige Diplom steht im *Duellius* p. 9 und ist datirt
**Tarenti anno dom. Incarn. 1221, mense Aprili, Indictione
nona.** In Tarent war der Kaiser auch nach andern Urkunden im

Noch freigebiger aber in neuen Vorrechten und Begünstigungen bewies sich gegen den Orden der Papst, welcher es
sich besonders seit den Jahren 1220 und 1221 recht eigentlich
zum Ziele gesetzt zu haben schien, die für den Römischen Stuhl
immer wichtiger werdende Deutsche Ritterverbrüderung auf
jede Weise mehr emporzuheben. Zuerst entschied Honorius den,
wie es scheint, bisher noch immer nicht ganz beschwichtigten
Streit der Deutschen Ordensritter mit den Tempelherren über

April; s. Raumer B. II. S. 570. Vgl. auch bei *Duellius* Select.
Privil. Nr. XV, wo das nämliche Diplom gedruckt ist. Das geheime
Archiv besitzt aber mehre Transsumte dieser Urkunde, die von dem Abbrucke bei *Duellius* im einzelnen abweichen. In einem Transsumt
des Officials von Basel vom Jahre 1320 wird z. B. auch Friederichs
Großvater als Gönner des Ordens genannt: Sacra domus Hospitalis etc. a divo quondam Augusto domino imperatore Friderico
avo nostro pietatis intuitu propagata in multiplices fructus
prodiit laude dignos. Ferner sind zum Theil auch die Zeugen anders; Ludwig Herzog von Baiern ist hier nicht genannt, eben so wenig
Herzog Rainalb von Spoleto und mehre andere; dagegen stehen hier
als Zeugen Comes Heinricus de Grenisbach et Albertus de Slut-
zelingen. Endlich ist in dieser Urkunde auch der Tag der Ausstellung
durch Quarto Idus Aprilis (10. April) genauer angegeben. — Noch
mehr weicht ein anderes Transsumt vom Jahre 1336 von den eben erwähnten Urkunden ab. Wir finden hier sogar folgenden ganz neuen
Zusatz: De habundaciori quoque gratia nostra eidem domui et
fratribus suis concedimus et perpetuo confirmamus, ut de proventibus et bonis suis, que ad partes dirigunt transmarinas
pro ipsorum utilitatibus et servicio iehsu christi, nichil ab ipsis racione portatici, plateatici, falangatici, ripatici theolonei
vel alicuius alterius exactionis et Juris doanarum aut portuum
in introitu vel exitu exigatur, Insuper de passagio fari eundo
a Sicilia in Calabriam et a Calabria in Siciliam eidem sacre
domui et fratribus suis et omnibus bonis eorum perpetuam
damus et concedimus libertatem. Außerdem weicht auch der Schluß
in dieser Urkunde gänzlich ab, obgleich das Datum genau dasselbe ist,
wie in der Urkunde bei *Duellius*; wiewohl die Angabe der Zeugen
gänzlich fehlt. Da nun außerdem noch ein anderes Transsumt vom
Jahre 1353 mit dem bei *Duellius* genau übereinstimmt, so halten wir
diesen Zusatz für eingeschoben und also das Transsumt vom Jahre 1336
für verfälscht.

die Ordenskleidung, indem er fest bestimmte: die Deutschen Ordensbrüder sollten forthin ohne alle Widerrede eines andern die Mäntel und Kleider tragen, wie das vom Papste bestätigte Ordensgesetz sie den Brüdern vorschreibe ¹). — Mit großem Eifer nahm sich der Papst des Ordens vorzüglich auch in den Fällen an, wo dessen Rechte und Freiheiten in irgend einer Art verletzt oder verkürzt wurden. So war der Orden bekanntlich schon frei gesprochen von der Leistung des Zehnten in seinen selbstbebauten Besitzungen. Habsüchtige Geistliche indessen wollten durch eine mißgünstige Auslegung der päpstlichen Bulle diese Befreiung nur von den erst durch den Orden neu angebaueten und urbar gemachten Ländereien verstehen und verlangten daher den Zehnten von den schon in urbarem Stande dem Orden geschenkten Besitzungen. Der Streit hierüber kam vor den Papst, der sich in einer an die gesammte Geistlichkeit gerichteten Bulle über die falsche Auslegung seiner Worte sehr mißfällig äußerte, den Orden in allen seinen Gütern, die er auf eigene Kosten bebauen lasse, für völlig frei von der Leistung des Zehnten erklärte und dem Laien mit dem Banne, dem Geistlichen mit Entsetzung von seinem Amte drohte, der es je wieder wagen werde, diese Begünstigung des Ordens auch nur in irgend einer Weise zu verletzen ²). Und in der nämlichen Zeit erließ der Papst an

---

1) Die Bulle steht im großen Privilegienbuche p. 4 und ist datirt: Laterani V Idus Januarii pont. n. anno quinto. Die wesentliche Bestimmung heißt: Auctoritate vobis presentium indulgemus, ut nullius contradictione obstante, libere utamini mantellis et aliis vestibus secundum statutum ordinis vestri nostro privilegio confirmatum, districtius inhibentes, ne quis id aliquatenus prohibere vel impedire presumat. Daß dieser Streit aber auch ferner noch eine Spannung zwischen beiden Orden nährte, beweiset eine andere Bulle aus dem folgenden Jahre.

2) Die Bulle hierüber befindet sich im großen Privilegienbuche p. 38 und ist datirt: Laterani XVIII Calend. Februar. pont. n. anno quinto (15. Januar 1221). Eine mit dieser im Inhalte übereinstimmende Bulle von gleichem Datum befindet sich auch im kleinen Privilegienbuche. Später wurde jedoch der Orden in diesem Rechte noch

die geſammte Geiſtlichkeit auch den Befehl, daß man die Brü=
der des Deutſchen Ordens, in Erwägung ihrer hohen Verdienſte
in dem Kampfe gegen die Glaubensfeinde und der ſchweren
Gefahren, denen ſie fort und fort Preis gegeben ſeyen, bei
dem Einſammeln der Almoſen von niemanden beunruhigen
und ſtören laſſen ſolle. Wer ſich deſſen erkühne und auf Er=
mahnung nicht ablaſſe, ſolle ohne weiteres der Strafe des
Bannes unterliegen [1]).

Je mehr aber der Papſt den Deutſchen Orden durch ſeine
Gunſt und durch neue Rechte und Freiheittn emporhob und
in jeglicher Weiſe auszeichnete, um ſo lebendiger erwachte jetzt
ſchon bei den Geiſtlichen auch die Mißgunſt und um ſo thäti=
ger ward ihr Neid, ihre Bedrückung und heimliche Befeindung.
Allerdings ward ihnen durch die Begünſtigung und Bevor=
rechtigung des Ordens manches entzogen, was bisher nur ih=
nen allein zugefloſſen war; allerdings ging jetzt manche fromme
Gabe, die ſonſt der Kirche zugefallen war, an den Orden
über; allein keiner der Geiſtlichen mochte einräumen, daß das
Recht und die Befugniß des Ordens gerade eben da ſtehe,
wo auch das der Geiſtlichen ſtand. Daher hatten die Ordens=
brüder ſchon jetzt in manchen Gegenden die heftigſten Streitig=
keiten gegen den Clerus zu beſtehen. So wollte die Geiſtlich=
keit nicht dulden, daß der Orden in erledigten Kirchen auf

öfter angefochten, denn das große Privilegienbuch p. 25 enthält noch
eine Erneuerung dieſer Bulle, welche datirt iſt: Laterani X Calend.
Julii pont. n. anno octavo (27. Jun. 1223), wovon nachher das
weitere.

1) Die Bulle ſteht in mehren Abſchriften im kleinen Privilegien=
buche und iſt datirt: Lateran. XVIII Cal. Februar. pont. n. anno
quinto. Die eine Abſchrift iſt ein Transſumt des Biſchofs von Würz=
burg Jring von Reinſtein. Der Papſt ſpricht darin ſeine Zuneigung
gegen den Orden auf folgende Weiſe aus: Quanto dilecti fratres
domus Hospitalis S. Marie Theut. maiori religione et honestate
preeminent et contra christiani nominis inimicos graviori ju=
giter labore decertant, tanto et universis christianam profes=
sionem tenentibus fervenciori caritate debent diligi et eorum
jura ipsis propensiori sollicitudine conservari.

seinen eigenen Besitzungen oder auch in solchen, über welche ihm das Vogtrecht zustand, auf seine eigene Hand Vicare einsetze oder auch daß Ordensbrüder, von rechtmäßigen Patronen als Vicare für andere erledigte Kirchen vorgeschlagen, zu einem solchen Amte angenommen werden dürften. Der Orden ging deshalb mit einer Klage an den Papst, weil ihm daraus großer Schade erwuchs, daß er solche Kirchen nicht zu seinen Bedürfnissen im Kampfe gegen die Feinde im heiligen Lande benutzen könne, und Honorius entschied in der Sache zu Gunsten des Ordens, den Geistlichen befehlend, ihn in seinen Rechten über solche Kirchen nicht ferner mehr zu stören [1]). — Eine Folge jener Mißgunst der Geistlichen war es ferner auch, daß fremde Eingriffe in des Ordens Rechte und Freiheiten, Beeinträchtigungen desselben in seinen Besitzungen, widerrechtliche Anforderungen an die Ordenshäuser, Störungen ihres Friedens von den Geistlichen leichtfertig übersehen und Missethäter und Verbrecher, wenn ihre Gräuelthaten den Orden betrafen, kaum einer Strafe unterworfen wurden. Der Papst, hievon benachrichtigt, erklärte darüber der Geistlichkeit seinen höchsten Unwillen, tadelte aufs nachdrücklichste diese Sorglosigkeit in Aufrechthaltung der Ordnung und Beachtung seiner Gebote und befahl die strengste Ahnung gegen alle diejenigen, welche sich nur im mindesten an den Gütern oder Häusern des Ordens vergreifen oder den Ordensbrüdern, was ihnen etwa von Sterbenden durch Testamente zugesprochen sey, vorenthalten, oder gegen sie die Strafe der Excommunication und des Interdicts auszusprechen wagen würden oder etwa von ihren Besitzungen den Zehnten verlangten. Er trug den Geistlichen auf, gegen solche, wenn es Laien seyen, ohne weiteres den Bann und gegen Geistliche sofort die Entsetzung von ihrem Amte zu verhängen [2]).

---

1) Die Bulle befindet sich im großen Privilegienbuche p. 42 und ist datirt: Lateran. XVII Calend. Februar. pont. n. anno quinto (16. Januar 1221). Sie ist an die gesammte hohe Geistlichkeit gerichtet.

2) Die Bulle, im großen Privilegienbuche p. 62, ist datirt: La-

Jene neidische Gesinnung der hohen Geistlichkeit sprach sich ferner auch darin aus, daß sie dem Orden auf jegliche Weise manche Mittel des Einkommens erschwerte, auf welche er doch durch päpstliche Verleihungen und Vorrechte schon früher hingewiesen war. So wollte sie nicht gestatten, daß Halbbrüder des Ordens oder wer sonst auf Kirchhöfen der Ordenskirchen begraben seyn wollte, auf solchen eine Bestattung finden sollten [1]); eben so wenig, daß Mitglieder des Ordens in ihren Kirchen Almosen einsammelten. Noch weniger kamen die Geistlichen der päpstlichen Verordnung nach, das Volk zu frommen und mildthätigen Gaben an den Orden aufzumuntern. Ueber alles dieses mußte ihnen der Papst wiederholt die ernstlichsten Weisungen geben [2]). Und weil nun zu befürchten war, diese mitunter sehr nachdrücklichen Verweise möchten nur die Folge haben, daß die hohe Geistlichkeit den Orden in ihrer geistlichen Gerichtsbarkeit und mit ihren kirchli=

---

eran. XVII Calend. Febr. pont. n. anno quinto (16. Januar 1221). Eine Abschrift befindet sich auch im kleinen Privilegienbuche. Vgl. *Duellius* Select. Privileg. Nro. II. p. 4.

1) Auch die Ordensbrüder unentgeltlich zu bestatten, verweigerten die Geistlichen; s. *Duellius* l. c. Nro. II. p. 5.

2) Die Bulle hierüber im großen Privilegienbuche p. 63 ist datirt: Lateran. XVII Cal. Febr. pont. n. anno quinto. Daß vorzüglich Geld = und Güterinteresse die Geistlichkeit zur Feindschaft gegen den Orden trieb, beweiset noch eine andere Bulle von gleichem Datum, worin der Papst erklärt: der Orden habe sich bei ihm beschwert, daß die Geistlichen den dritten Theil der dem Orden gemachten testament=lichen Legate verlangten, und dann bestimmt: quatenus de hiis, que memoratis fratribus dantur ab aliquibus in sanitate vel infirmitate sive postea convaluerint aut apud alios fuerint tumulati, partem aliquam non queratis. De aliis vero parochianis vestris, qui laborantes in extrema apud predictos fratres eligunt sepeliri, quarta sitis testamenti parte contenti nec aliquid ab eis amplius erogatis, sed nec sepulturam, quam per indulgenciam apostolice sedis habere noscuntur, occasione ista quisquam vestrum impedire contendat. Taliter autem ab ipsorum molestiis et vos abstinere et parochianos vestros compescere studeatis.

chen Zuchtmitteln ihre feindſelige Geſinnung wohl bald in an=
derer Weiſe fühlen laſſen werde, ſo erließ der Papſt zugleich
die ausdrückliche Verordnung, daß weil der Orden unter kei=
nem Biſchofe oder irgend einem andern Prälaten, ſondern
einzig nur unter dem Stuhle zu Rom ſtehe, auch kein Geiſt=
licher es je wagen ſolle, ohne des Römiſchen Biſchofes beſon=
dern Befehl die Strafe der Excommunication oder des Inter=
dicts gegen die Ordensbrüder oder ihre Kirchen auszuſprechen.
Vergehe ſich ein Ordensritter an einem Geiſtlichen oder einem
Unterthan einer Kirche, ſo ſolle man ſolches dem Papſte be=
richten und von dieſem die Entſcheidung erwarten [1]). So
waren der Geiſtlichkeit die mächtigen Waffen, mit denen ſie
ſonſt alles in Schrecken und Verzweifelung zu ſetzen mußte,
gegen den Orden mit einemmale entriſſen und es hatte dieſer
Schritt des Papſtes, wie wir ſpäterhin ſehen werden, äußerſt
wichtige Folgen.

Bei ſolchen Vorrechten aber und bei dieſer hohen Gunſt
des Papſtes mußte ſich natürlich auch die Zahl der Ordens=
brüder bedeutend vergrößern, zumal da auch hierauf der
Römiſche Stuhl mit allem Eifer bedacht war. Die Erfahrung
hatte ja ſchon hinlänglich überzeugt, daß die Sicherheit der

---

1) Die Bulle, im großen Privilegienbuche p. 61, iſt datirt: Lateran. XVII Calend. Februar. pont. n. anno quinto. Eine Ab=
ſchrift derſelben im kleinen Privilegienbuche. Vgl. *Duellius* Select.
Privileg. Nro. II. p. *A.* Die wichtigſte Stelle heißt: Cum dilecti
filii fratres Hospitalis S. M. Th. Ier. nullum habeant episcopum vel prelatum preter romanum pontificem et speciali pre-
rogativa gaudeant libertatis, non decet vos in eos vel clericos
aut ecclesias eorum, in quibus partem ecclesiasticam non ha-
betis, absque mandato nostro excommunicationis vel interdicti
sentencias promulgare. Sed si quando vos vel subditos vestros
iidem fratres injuste gravaverint, per vos aut nuncios vestros
id romano pontifici significare debetis ac per ipsum de memoratis fratribus iusticiam obtinere. Die Begünſtigung weiſet gleichmäßig
die Urkunde bei *Guden.* Cod. diplom. T. IV. p. 869 nach, aber ſie
zeigt auch, daß in der Diöceſe von Mainz hierin eine Ausnahme Statt
fand.

Eroberungen im heiligen Lande, so wie das Glück in den Kämpfen mit den Ungläubigen zumeist auf der stehenden Kriegsmacht der religiösen Ritterorden beruhe. Daher verordnete auch Honorius auf ein deshalb an ihn ergangenes Gesuch des Meisters Hermann von Salza, daß jeder mit dem Kreuze Bezeichnete als Bruder in den Deutschen Orden aufgenommen werden könne, sobald nicht kirchliche Hindernisse entgegenträten [1]); und es ist zu vermuthen, daß diese Verordnung wohl nicht wenig beigetragen habe, den Orden auch in Rücksicht seiner Glieder bedeutend zu verstärken.

Trotz der Gunst aber, welche der Papst dem Orden bei jeder Gelegenheit erwies, übte die listige Geistlichkeit doch fort und fort allerlei Künste, um dem Emporstreben desselben entgegen zu treten. So folgte sie zwar darin dem Befehle des Papstes, daß sie diejenigen, welche des Ordens Rechte verletzt oder ihm in seinen Besitzungen Eintrag gethan, mit der Excommunication oder dem Interdicte belegte, aber sie hob dann diese Strafen immer schnell wieder auf, ohne darauf zu bringen, daß dem Orden für sein gekränktes Recht Vergütung oder Ersatz für seinen Schaden geleistet werde. Da nun der Orden über diese Umgehung der päpstlichen Verordnung sich abermals beklagte, so erließ Honorius an die Geistlichkeit den neuen Befehl, daß jene kirchlichen Strafen hinfort nie eher gelöst werden sollten, als bis der Orden völlige Genugthuung für die erlittene Kränkung erhalten habe [2]). — Nicht selten geschah es auch, daß in Streitigkeiten die Geistlichkeit dem Orden allerlei Schwierigkeiten bei dem Erweise seiner

---

1) Die Bulle hierüber im kleinen Privilegienbuche ist datirt: Lateran. XVII Calend. Febr. p. n. anno quinto. Es heißt: Vestris justis postulacionibus grato concurrentes assensu presentis scripti pagina vobis duximus indulgendum, ut liceat vobis quemlibet sancte crucis signaculo signatum in fratrem recipere, si impedimentum aliquod canonicum non obsistit.

2) Die Bulle hierüber im kleinen Privilegienbuche ist datirt: Lateran. XVI Calend. Februar. p. n. anno quinto (17. Januar 1221).

Rechte entgegen legte. Um auch hier dem Orden den nöthigen Schutz zu gewähren, ertheilte ihm der Papst die neue Vergünstigung, daß er in allen Fällen seine Rechte schon allein durch das Zeugniß seiner eigenen Brüder beweisen und bewähren könne [1]). — Ferner erhielt der Orden auch noch das Vorrecht, daß ein Ordensbruder, der sich gewaltsam an einem andern Ordensbruder, an einer geweihten Person oder auch an einem Weltgeistlichen vergriffen hatte, vom Bischofe der Diöcese die Absolution von seinem Vergehen empfangen könne, und dieses Recht solle selbst auf die Vergehungen ausgedehnt werden, die mit dem Banne bestraft ein Bruder noch vor der Annahme des Ordenskleides begangen hatte, sobald das Vergehen nur nicht übergroß, bis zur Verstümmelung eines Gliedes oder zu Blutvergießen gegangen oder Gewalt an einem Bischofe oder einem Abte verübt worden war [2]).

Indessen war doch der Orden durch alle solche Schutzbullen des Papstes gegen die heimlichen Befehdungen und Belästigungen der Geistlichen noch keineswegs ganz sicher gestellt. Sie musterten und beutelten an jeder päpstlichen Bulle, um trotz ihres Inhaltes irgend noch ein heimliches Mittel und einen Schleichweg zur Kränkung der Rechte des Ordens aufzufinden. So war, wie früher erwähnt ist, untersagt, vom

1) Das wohl erhaltene Original dieser Bulle befindet sich im geh. Archive Schiebl. I. Nro. 6. Es heißt darin: Eapropter vestris postulacionibus inclinati ut jura vestra testimonio vestrorum fratrum probare et tueri possitis liberam vobis concedimus facultatem. Das Datum ist: Lateran. XVI Calend. Februar. p. a. quinto. Als diplomatische Merkwürdigkeit des Archives gilt ein Transsumt dieser Bulle vom Erzbischofe von Tyrus, Bonacursus, Vicarius des Patriarchats Jerusalem und des Bisthums von Akkon, und vom Bischof Gailardus von Betlehem verfertigt und ausgestellt zu Akkon am 19. October 1277. Von den beiden Siegeln ist nur noch das des Bischofes von Tyrus vorhanden. — Des nämlichen Vorrechtes erfreute sich auch der Tempel-Orden; Wilcke a. a. O. S. 166.

2) Diese merkwürdige Bulle, im großen Privilegienbuche p. 39, ist datirt: Laterani XV Calend. Februar. p. n. anno quinto. Abschriften davon stehen im kleinen Privilegienbuche p. 65 und im lateinisch-deutsch. Privil. S. 25.

Gut und Eigenthum der Ordensritter gewisse Zölle und Abgaben zu fordern; allein man entdeckte immer noch bald die
eine, bald die andere Abgabe, welche der Papst nicht ausdrücklich genannt und also, wie man vorgab, auch nicht verboten
hatte. Man zwang daher gewissermaßen den Papst, in seinen Verleihungen und Begünstigungen immer mehr ins Einzelne der Verhältnisse einzugehen und sich in seinen Bullen
immer bestimmter zu erklären [1]). So übersahen es unter andern die hohen Geistlichen, wenn an solchen Orten über welche
wegen Vergehungen gegen die Ordensbrüder das Interdict
ausgesprochen war, Presbyter und andere Cleriker dennoch
Gottesdienst hielten, bis endlich der Papst auch diese Vernach-
lässigung der kirchlichen Zucht mit Nachdruck verwies [2]).

Schon diese feindliche Spannung zwischen der Geistlichkeit und dem Orden machte es immer mehr nöthwendig, daß
der letztere so viel als möglich ganz unabhängig von jener da-
stehe. Hiezu aber bedurfte es vorzüglich einer geregelteren und
besseren Einrichtung des Kirchenwesens im Orden selbst und
auch dieses ließ der Papst nicht unbeachtet. Vor allem ertheilte er ihm zu diesem Zwecke das Recht, verdiente und ge-

---

1) Zwei Bullen weisen solches deutlich aus. Unter den untersagten
Zöllen war in der früher erwähnten Bulle das Cantagium nicht genannt, wie Du Fresne Glossar. s. h. v. es erklärt: tributum quod
pro calceis reficiendis a praetereuntibus exigitur. Man forderte
es also vom Orden, bis der Papst in einer besondern Bulle erklärte:
per apostolica scripta precipiendo mandamus, quatenus universis parochianis vestris sub terminacione anathematis prohibere curetis, ne a presatis fratribus vel eorum hominibus de
victualibus, pecudibus seu de aliis rebus eorumdem fratrum
usibus deputatis Cantagium seu aliqualem consuetudinem exigere vel extorquere presumpserint. — Die andere Bulle ist eine
bestimmtere Erklärung des Papstes über die Freiheit des Ordens von
Abgaben und Leistungen in seinen Gütern; sie steht im kleinen Privilegienbuche p. 143 und ist datirt: Lateran. XV Calend. Februar.
p. n. anno quinto. S. Duellius Select. Privileg. Nro. II.
p. 5.

2) Darüber die Bulle im großen Privilegienbuche p. 74, datirt:
Lateran. XV. Calend. Febr. p. n. anno quinto.

achtete Geistliche und Priester, gewissenhaft ordinirt, zur Seel-
sorge und pünktlichen Haltung des Gottesdienstes mit den
kirchlichen Sacramenten in die Ordenshäuser aufzunehmen und
sowohl in des Ordens Haupthause, als an andern dem Orden
untergebenen Orten halten zu dürfen. Wenn solche Geistliche
in der Nähe waren, so sollten die Obersten des Ordens sie
von den Bischöfen sich erbitten; doch sollten es stets solche
Geistliche seyn, die nicht schon zum Gehorsam in einer andern
geistlichen Verbindung oder einem Orden verbunden seyen;
denn der Papst bestimmte, daß sie niemanden, als nur dem
Kapitel des Ordens und dem jederzeitigen Meister zu Gehorsam verpflichtet seyn sollten [1]. Diese Anordnung machte der
Papst auch den Geistlichen bekannt, mit der Erklärung, daß
er dadurch keines Geistlichen Rechte, Zehnten oder sonstige
kirchliche Einkünfte habe schmälern wollen, daß es aber für
gute Zucht, Sittsamkeit und Seelenheil unter den Ordensbrüdern heilsam gewesen sey, den Gottesdienst in ihren eigenen Bethäusern zu besuchen. Zugleich forderte der Papst die
Patriarchen, Erzbischöfe und Bischöfe auf, daß wenn die
Ordensbrüder sie darum ersuchten, sie solche Bethäuser, wie
die Kirchhöfe ohne Verweigern einweihen und die Priester des
Ordens nicht beunruhigen und befehden möchten [2].

---

1) Das Original dieser Bulle im geh. Archive Schiebl. I. Nro. 8.
Die wichtigste Stelle darin heißt: Ut vobis ad curam animarum
vestrarum et salutis plenitudinem nichil desit atque ecclesiastica sacramenta et divina officia vestro sacro collegio exhi-
beantur commodius, statuimus, ut liceat vobis honestos clericos et sacerdotes secundum deum quantum ad vestram con-
scientiam ordinatos, undecunque ad vos venientes suscipere et
tam in principali domo vestra, quam eciam in obedienciis et
locis sibi subditis vobiscum habere, dum modo si e vicino
sint, eos a propriis episcopis expetatis. Iidemque nulli alii
professioni vel ordini teneantur obnoxii. Preterea nulli persone extra vestrum Capitulum sint subjecti, tibique, dilecte in
domino Magister, tuisque Successoribus tanquam magistro et
Prelato suo deferatur secundum vestri ordinis instituta. Die
Bulle ist datirt: Lateran. XV Calend. Februar. p. n. anno
quinto.

2) Das Original dieser Bulle im geh. Archive Schiebl. I. Nro.

So wichtig indeſſen dieſe Anordnung für den Frieden des Ordens immerhin auch ſeyn mußte, ſo fanden ſich für die neidiſche Geiſtlichkeit doch immer noch neue Mittel, um die Ordensbrüder mit ihren Anſprüchen zu beläſtigen. Sie beſchuldigte z. B. Menſchen, die ſich in die Ordenshäuſer begeben hatten, bald des Ehebruchs, bald des Diebſtahls, bald anderer Verbrechen, um ſomit nur Gelegenheit zu finden, ſie mit Geldſtrafen zu belegen, oder ſie beſchwerte auch die Presbyter und Kirchen des Ordens mit allerlei ungebührlichen Auflagen. Wenn die Ordensbrüder von allen Gütern ihrer Leute, die bei ihrem Tode Erben hinterließen, den dritten Theil oder von ſolchen, welche ohne Erben ſtarben, die Hälfte als Erbtheil erhielten, ſo verlangten die Geiſtlichen ebenfalls einen Theil dieſes ererbten Nachlaſſes, bis der Papſt auch dieſe unbefugte Forderung durch eine Bulle niederſchlug. Nicht ſelten legten auch die Geiſtlichen bei dem Tode eines Mitbruders des Ordens ſeiner Beſtattung mit den kirchlichen Gebräuchen Hinderniſſe in den Weg, ſo daß der Papſt die Verfügung geben mußte, daß jeglicher Halbbruder des Ordens auf gleiche Weiſe, wie jeder andere Chriſtgläubige, beſtattet werden ſolle [1]). — Oefter kamen aber auch Fälle vor, daß ſelbſt weltliche Großen, Grafen und andere vornehme Herren gegen den Orden ungebührliche Forderungen erhoben, z. B. von übertragenen Gütern des Ordens den zwanzigſten Theil des Ertrages oder andere Abgaben verlangten, wogegen der Papſt ebenfalls ein Verbot ergehen laſſen mußte [2]).

Selbſt ſchlauer Betrug gemeiner Menſchen trieb mit dem Orden ſein verworfenes Spiel. Es gab Leute, die ſich das ſchwarze Kreuz der Deutſchen Ordensbrüder auf ihr Kleid

10. Ein Transſumt von 1418 Schiebl. XVII. Nro. 11. Vgl. *Duellius* l. c. Nro. II. p. 5. *De Wal* Recherches T. II. p. 41 — 43.

1) Dieſe drei Bullen ſtehen im großen Privilegienbuche p. 5 und im kleinen Privilegienbuche p. 61. 71. 76 und alle ſind von dem nämlichen Datum: Lateran. XIV Calend. Februar. p. n. anno quinto (19. Jan. 1221).

2) Die Bulle im großen Privilegienbuche p. 41, datirt: Lateran XIV. Februar. p. n. anno quinto.

nähten und mit diesem Zeichen täuschend in den Landen um-
herzogen, um von milden Händen Almosen zu erbetteln: ein
Frevel, den der Papst sofort mit dem Banne zu bestrafen gebot, wenn der Betrüger überwiesen und gewarnt das Kreuz
nicht sogleich ablege [1]). Wie nun durch jene neidische Habsucht der Geistlichkeit, so entging dem Orden auch durch diesen Betrug manche milde Gabe, deren er theils zur Erhaltung
seiner Hospitale, theils für seine Zwecke im Morgenlande bedurfte.

Der Papst fand ferner vor allem auch nothwendig, der
inneren Verfassung des Ordens die möglichste Vollkommenheit zu geben, denn es war klar, daß manche Mühsale und
Bedrängnisse des Ordens um so leichter von selbst hinwegfallen
mußten, je mehr die Einheit des Ganzen durch Ordnung und
Regel befestigt werde. Manche heilsame Verfügung des Papstes
hatte dieses Ziel vor. So erneuerte und schärfte Honorius
unter andern das Gesetz, daß jemand, der einmal das Ordensgelübde schon abgelegt und Kreuz und Ordenskleid angenommen habe, gegen den Willen und Rath der Ordensbrüder und des Meisters in keinem andern Ort oder in ein Kloster um größerer oder geringerer Gelübde Willen sich begeben
dürfe und daß auch niemand einen solchen, der den Orden
verlassen habe, irgendwo aufnehmen solle [2]). Um ferner in

---

1) Die Bulle im kleinen Privilegienbuche p. 68 ist datirt: Lateran. XII. Calend. Febr. p. n. anno quinto (21. Januar 1221).
Schwer erzürnt schrieb der Papst: Detestandum facinus et pluri-
mum abhorrendum per diversas mundi partes accepimus pul-
lulare, quod quidam avaricie amore cecati pocius quam zelo
religionis accensi nigras cruces, quas fratres hospitalis S. Marie Theut. deferunt, sibi imponere et eas portare minime verentur, ut sic possint sub tali velamento eleemosinas pauperibus deputatas colligere.

2) Die Bulle im großen Privilegienbuche p. 62 ist datirt: Lateran. XIII. Calend. Februar. p. n. anno quinto; steht auch in
Duellius Select. Privileg. p. 2. Als Grund fügt der Papst hinzu:
Cum enim ad defendendam orientalem ecclesiam et paganorum seviciam reprimendam relictis pompis secularibus sint

der Ordensverbrüderung die innigste Verbindung und Einheit aller Einzelnen zu einem Ganzen immer mehr zu' befestigen, schien es auch nöthig, daß jede einzelne Abweichung von der bestehenden Form und Verfassung ·des Ordens untersagt und also z. B. keinem Ordensbruder gestattet werde, irgend eine andere Observanz oder irgend ein besonderes Gelübde der Entsagung zu beobachten, welches der Meister nicht besonders erlaubt oder das Kapitel der Brüder einstimmig angenommen hatte [1]).

Es fällt aber in diese Zeit noch. eine Anordnung in der Verfassung des Ordens, die weit in die Zukunft hinaus von äußerst wichtigen Folgen begleitet war, wie sie denn auch schon in den nächsten Zeiten dem Emporkommen und der Verbreitung des Ordens ungemein förderlich seyn mußte. Der Papst Honorius hatte nämlich ungefähr um diese Zeit dem Orden auch das Recht verliehen, nach der Weise des Johanniter=Ordens und der Tempelherren eine sogenannte Halbbrüderschaft in sich bilden zu können [2]) und der Meister Hermann

---

Dei servicio mancipati, si transeundi ad alia loca et sumptum habitum relinquendi daretur eis licencia, magnum ecclesie dei posset exinde contingere detrimentum. Er befahl daher der Geistlichkeit, einen solchen aus dem Orden ausgeschiedenen Menschen, so wie diejenigen, welche ihn bei sich behalten würden, sofort mit der Excommunication zu bestrafen. Dieselbige Verordnung für den Tempelorden s. bei Wilcke Geschichte des Tempelordens B. I. S. 51.

1) Das Original dieser Bulle im geh. Archive Schiebl. I. Nro. 11. ist datirt: Lateran. XIV. Calend. Februar. p. n. anno quinto.

2) Vgl. meine Abhandlung über die Halbbrüder des Deutschen Ordens in den Beiträgen zur Kunde Preuss. B. VII. H. I. S. 52. Solche Verbrüderungen mit religiösen Orden, in denen man sich an diese zu gewissen Zwecken und mit gewissen Verpflichtungen anschloß, waren überhaupt Sitte der Zeit; vgl. *Muratori* Antiquit. Ital. T. VI. p. 452. In der erwähnten Abhandlung ist die Stiftung der Halbbrüderschaft in das Jahr 1221 gesetzt worden, weil die dort berührte Bulle diese Zeit nachzuweisen schien. Wenn indessen die Urkunde bei *Guden* Cod. diplom. T. IV. p. 869 wirklich vom 5ten Octob. 1221 ist, wie *De Wal* Recherches T. I. p. 331 nachgewiesen zu haben glaubt, so muß die Anordnung der Halbbrüderschaft schon früher geschehen seyn. Denn unter den Vorrechten des Ordens wird darin auch schon erwähnt,

von Salza hatte die bedeutenden Vortheile, welche durch die
Halbbrüder jenen beiden Orden geleistet wurden, viel zu klar
erkannt, als daß er nicht auch in seinem Orden auf die möglichste Ausbreitung und Verzweigung dieser Halbbrüderschaft
seinen gewohnten Eifer für des Ordens Heil und Erhebung
hätte verwenden sollen. Es traten aber nach dieser Einrichtung Menschen in den Verband des Ordens hinein, die zwar
keineswegs an sämmtliche strenge Verpflichtungen, Gelübde,
Regeln und Gesetze des Ordens gebunden oder auch nur gehalten waren, im Inneren der Ordenshäuser mit den eigentlichen Ordensbrüdern zusammen zu leben und ihr ganzes Wirken und Handeln auf das Interesse des Ordens zu richten,
aber dennoch in ihrem weltlichen Leben und in ihren Verhältnissen vielfach an die Ordensverbrüderung geknüpft, durch
gewisse Verpflichtungen und Gelübnisse stets an sie gebunden
und namentlich durch feierliche Versprechungen gehalten waren,
des Ordens Bestes, sein Gedeihen, seine Wohlfahrt, sein Zunehmen an Habe und Gut, seinen Ruhm und was ihm sonst
in irgend einer Sache frommen und Nutzen schaffen konnte,
in jeder Weise wahrzunehmen und mit voller Seele zu befördern [1]). Aus jedem Stande konnten Männer von gesetzlicher
Geburt, rechtlichem Wandel und unbescholtenem Namen in
diesen brüderlichen Verband des Ordens eintreten, denn es
ward hiebei nicht gefordert, daß sie Ritter oder ritterbürtige
Männer seyen. Sie lebten dann zum Theil in ihren weltlichen Verhältnissen fort, unterschieden sich jedoch von andern
durch das Ordenskleid von geistlicher Farbe und durch das
Zeichen eines halben Kreuzes, als Zeugniß ihrer Mitbrüder-
schaft im Deutschen Orden. Es läßt sich schon von selbst er-
messen, welche Wichtigkeit für den Orden diese Verbreitung
und Verzweigung seiner Glieder durch alle Stände und Rang-

---

daß quicunque se Confraternitati vel orationibus nostris com-
mittere voluerint, a nullo Episcoporum valeant excommunicari
vel aliorum quorumlibet debeant iniqua exactione inquietari.

1) Man findet das Einzelne hierüber genauer entwickelt in der
eben erwähnten Abhandlung.

II.

erbnungen unter den Menschen haben mußte und wie sehr sein Ansehen und seine Wirksamkeit hiedurch gefördert ward.

Aber diese Halbbrüder des Ordens traf derselbe Haß und Neid, dieselbe Verfolgung und Ränkesucht der Geistlichkeit und der Papst hatte auch sie, wie schon erwähnt worden, mehrmals gegen die feindseligen Bedrängungen des Clerus in Schutz nehmen und ihre Ruhe gegen diesen verfechten müssen [1]. Am meisten in Berührung mit der Geistlichkeit kamen sie durch die Verpflichtung, nach einer dem Orden verliehenen Begünstigung, alljährlich einmal in allen Kirchen zur Erhaltung der Spitale des Ordens Almosen einzusammeln. Der Papst nämlich hatte die Geistlichkeit zwar aufgefordert, bei dem Erscheinen der Halbbrüder in den Kirchen das Volk zur Mildthätigkeit und zu frommen Spenden für den Orden aufzumuntern [2] und der Clerus durfte sich dieser Anordnung wohl keineswegs geradezu widersetzen; allein die priesterliche Schlauheit fand doch auch hier wieder Mittel, des Papstes wohlgemeinte Absicht zu umgehen und den Orden in seinem Rechte zu kränken. Die Geistlichen nämlich stellten gerade an dem Tage, an welchem die Mitbrüder des Ordens zu ihrer jährlichen Almosensammlung bei ihnen erschienen, auch ihre eigenen Almosensammler aus und wußten dann in ihrer Aufmunterung zur Mildthätigkeit auch dahin zu wirken, daß die Mitbrüder des Ordens nur wenig oder wohl gar nichts empfingen [2]. Der Orden klagte hierüber

---

1) S. auch die in den Beiträgen zur Kunde Preuss. B. VII. S. 69 abgedruckte Bulle Honorius III.

2) In der Bulle des Papstes an die Geistlichkeit heißt es: Eosdem quoque fratres ad querendas elcemosinas pauperum juxta indulgenciam nostram in ecclesiis vestris recipi faciatis.

3) In der Bulle bei *Duellius* Selecta Privileg. Nro. II. sagt der Papst den Geistlichen selbst: Quidam vestrum avariciae ardore succensi, confratrias suas confratriis illorum eadem die in ipsorum adventu proponunt, et sic fratres ipsi confusi aut nihil exinde, aut modicum consequuntur. Ueber die Bedeutung des Wortes confratriae giebt *Du Fresne* Gloss. s. h. V. Aufklärung. Vgl. auch meine Abhandlung über die Halbbrüder a. a. O. S. 66.

bei dem Papste und erzürnt über dieses Verfahren erließ Honorius an die gesammte Geistlichkeit den Befehl, die zum Empfange der Almosen ausgesandten Ordensbrüder nicht bloß mit mehr Güte und Achtung aufzunehmen und zu behandeln, sondern das Volk auch fleißig zur Wohlthätigkeit gegen den Orden zu ermahnen und forthin ihre Almosensammler an dem Tage nicht mehr auszustellen, an welchem die Ordensbrüder in ihren Kirchen erschienen, da ihre eigene Almosensammlung ja sonst täglich geschehen könne [1]).

Je mehr aber die Geistlichkeit in solcher Weise dem Emporkommen des Ordens und der Zunahme der Mittel für seine Bestimmung entgegen arbeitete, um so thätiger blieb fort und fort der Papst und um so kräftiger und eifriger wirkte er allen jenen Ränken des Neides und der Habsucht entgegen. So verlangte man bald vom Orden und seinen Unterthanen, wenn Dörfer ummauert oder Burgen und Befestigungen errichtet werden sollten, den Zwanzigsten aus den Ordensgütern als Beisteuer, ja man beraubte sogar diese Güter, sobald die Steuer verweigert ward. Der Papst sprach auch hievon den Orden frei und gab zugleich der Geistlichkeit die ernstliche Weisung, mit Bann und Interdict zu strafen, sofern jemals wieder eine solche Forderung an den Orden ergehen werde [2]). Ueberhaupt erhielt der Orden bei dieser Gelegenheit die Be-

---

1) Die Bulle bei *Duellius* l. c. Nro. II. p. 4.

2) In der Bulle im großen Privilegienbuche p. 74, datirt: Lateran. II. Non. Februar. p. n. anno quinto (4. Febr. 1221) heißt es darüber: Cum bona fratribus Hospitalis S. Marie t. I. fidelium devocione collata defensioni terre orientalis et pauperum recepcioni et sustentacioni proficiant, providere quantum possumus nos oportet, ne ab alii minus necessariis presumpcione aliqua usurpentur. Pervenit autem ad nos, quod quidam ab eis et hominibus eorum ad claudendas villas atque castella et irrigandas municiones vicesimam extorquere presumunt, et si non dederint, auferunt violenter et ecclesiam orientalem ac pauperes sepulchrum domini visitantes indebite pro magna parte sustentacione defraudant.

freiung von Beisteuern zu allen öffentlichen Arbeiten [1]). — So hatten ferner die Bischöfe, wenn Ordenskirchen durch den Abgang ihrer Geistlichen erlediget waren, die Ordination der neuen Geistlichen oftmals unter allerlei· Ursachen absichtlich aufgeschoben, um mittlerweile das Einkommen der Kirchen für sich einzuziehen. Auch diesen· Mißbrauch stellte der Papst durch die Verordnung ab, daß bei solchen Erledigungen die Kircheneinkünfte zwanzig Tage lang dem Orden zufallen sollten und während dieser Zeit der neue Geistliche dem Bischofe präsentirt werden möge [2]). Weil ferner der Papst um dieselbe Zeit auch die Klage vernahm, daß man den Ordensbrüdern in ihren Rechtsstreitigkeiten die Berufung an den Römischen Stuhl nicht selten verwehre, so sicherte er ihnen das Recht zu, daß sie in jeglicher Rechtssache· und von jedem Richter in offenbaren Bedrückungen eine Berufung an den Römischen Hof ergreifen könnten, sobald· die Sache nur nicht solcher Art sey, daß eine solche Berufung gar nicht Statt finden oder das Mittel der Berufung nicht angenommen werden könne [3]).

Schon aus diesen Einzelnheiten leuchtet aufs Klarste ein, daß es überall die habsüchtige und herrrschlustige Geistlichkeit

---

1) Die Bulle hierüber im großen Privilegienb. p. 85 ist datirt: Lateran. Non. Febr. p. n. anno quinto.

2) Die Bulle hierüber im kleinen Privilegienbuche p. 66 ist datirt: Lateran. Non. Febr. p. n. anno quinto.

3) Diese für den Orden sehr wichtige Bulle steht im kleinen Privilegienbuche p. 65 und ist datirt: Lateran. Non. Febr. p. n. anno quinto. Die wesentliche Stelle darin ist folgende: Pervenit ad nos, quod in causis, quas alii contra vos et vos contra alios exercetis, vobis frequenter intercluditur appellacionis auxilium, quamvis illud in commissionis litteris vobis minime denegetur. Cum itaque vobis non debeat subtrahi, quod communiter conceditur universis, presentibus vobis litteris duximus indulgendum, ut in quacunque causa vel a quocunque judice libere vobis liceat a manifestis gravaminibus ad sedem apostolicam appellare, nisi forsan talis sit causa, que appellacionem non recipiat vel in commissionis litteris appellacionis remedium fuerit denegatum.

war, welche von ihrem Neide getrieben alle Mittel der Liſt und Schlauheit aufbot, um das Aufſtreben des Ordens zu hindern und die junge ritterliche Pflanzung wo möglich noch in ihrem jugendlichen Aufwuchſe gänzlich zu erdrücken. Sonſt erkannte man das heilſame Wirken und den thätigen Eifer der Ordensbrüder ſowohl im Kampfe gegen den Feind der Chriſtenheit im Morgenlande, als nicht minder in den Pflichten, die ihnen menſchliches Mitleid vorſchrieb, wohl all= gemein an, denn außer der Kranken= und Armenpflege übten die Ordensbrüder auch noch manche andere Pflichten menſch= lichen Erbarmens. So geſchah es damals nicht ſelten, daß arme Aeltern in drückender Noth ihre kleinen Kinder vor die Thóre der Ordenshäuſer ausſetzten, die dann von den Brü= dern aufgenommen, getauft und im Hauſe verpflegt wurden [1]).

Nun erhielt aber der Papſt Honorius in den erſten Ta= gen des Februars des Jahres 1221 die betrübende Nachricht von den Verluſten, welche der Orden einer Seits durch die Zerſtörung ſeines Hoſpitals in Jeruſalem, anderer Seits auch in den blutigen Kämpfen vor Damiette erlitten hatte. Er bot alles auf, ſie wieder zu erſetzen. In einer Bulle an die ge= ſammte Geiſtlichkeit der chriſtlichen Kirche ſchilderte er mit klagenvollen Worten den Jammer jenes Verluſtes und for=

---

1) Der Papſt ſpricht von dieſer Sache in einer Bulle, die im gro= ßen Privilegienbuche p. 39 unter dem Datum Lateran. Januar. p. n. anno septimo, im kleinen Privilegienbuche p. 76 aber unter dem Datum Lateran. Non. Februar. p. n. anno quinto vorkommt. Es heißt darin: Cum pueros, qui ad januam vestram alendi causa sepius deportantur vel in domo vestra nascuntur, contingat plures sine baptismatis sacramento decedere, presencium vo= bis auctoritate concedimus, ut liceat vobis pueros qui ad ja= nuam domus vetre projiciuntur causa necessitatis sine alicu= ius prejudicio in pelvi vel alio vase modico baptizare. — Das Ausſetzen der Kinder durch arme Aeltern war im Mittelalter ſehr häu= fig; es gab ſelbſt Xenodochia, in quibus infantuli, qui ante ja= nuas a parentibus, qui eos nutrire ac fovere minime valebant, nimia paupertate attenuati, mittebantur, mercede ac stipendiis obstetricibus ordinatis pueriliter alebantur. *Muratori* Antiq. Ital. T. III. p. 592.

derte ſie ſo flehentlich als dringend auf, bei den ihr untergebenen Völkern mit aller Gabe der Beredſamkeit und mit aller Kraft der Ermahnung und Ermunterung dahin zu wirken,
daß alle die, denen Gottes wohlthätige Hand Gut und Reichthum zugewieſen, ſpendend der Noth des Ordens zu Hülfe
kommen möchten. „Jetzt" — ſo ſchrieb der Papſt — „wird
ſich in Erfahrung zeigen, wer den rechten Eifer für Gottes
Sache hat und wer es in der Liebe des Herrn und in der
Feſtigkeit des chriſtlichen Glaubens von Herzen wünſchet, daß
die Mißhandlung des chriſtlichen Volkes und das ſchrecken-
volle Verderben der Chriſten im Morgenlande einmal aufhöre.
Darum möge aufs eiligſte Hülfe geleiſtet werden, denn im
Verzuge drohet die höchſte Gefahr [1]."

Und um zugleich auch den Eifer derer zu beleben, welche
bei dem Einſammeln der geſpendeten Gaben vielfach beſchäftigt
waren, verlieh der Papſt um dieſelbe Zeit mehre wichtige
Vorrechte zu Gunſten der Halbbrüder des Ordens. So erſchien die Verordnung, daß die Halbbrüder, denen die Geiſtlichen keine freie Beſtattung bewilligen wollten, von den Ordensbrüdern in den Kirchen des Ordens oder auf deſſen Be-
gräbnißplätzen begraben und für ihrer Seelen Heil, wie für
andere Brüder, feierliche Meſſen gehalten werden ſollten [2].
Zugleich aber fügte der Papſt noch hinzu, daß wenn
ſelbſt die Kirchen, zu welchen die verſtorbenen Halbbrüder gehörten, ins Interdict erklärt und alſo auch kirchliche Todten-
begängniſſe ſtreng unterſagt ſeyen, ſie dennoch feierlich und
nach kirchlicher Sitte beſtattet werden könnten, ſofern ſie nur

---

1) Die Bulle hierüber, der redendſte Beweis von des Papſtes Eifer für den Orden, iſt im geh. Archive Schiebl. XVII. Nro. 12. in
einem Transſumt vom Jahre 1396 vorhanden und datirt: Lateran.
VI. Idus Februar. p. n. anno quinto. Vgl. *Duellius* Sel. Privil. Nro. II. p. 5.

2) Bulle im großen Privilegienb. p. 75, datirt: Lateran. Non.
Februar. p. n. anno quinto. Vgl. meine Abhandlung über die Halbbrüder a. a. O. S. 67. *Duellius* l. c.

bei ihrer Lebenszeit nicht selbst mit Bann und Interdict bestraft oder offenbare Wucherer gewesen seyen [1]).

Das Unglück aber, welches den Orden im Morgenlande so hart getroffen, die Strenge der Ordenspflichten, die nothwendige Entsagung alles Weltlichen, welche das Gesetz verlangte, nicht minder auch die Verfolgung, die Bedrückung und der Haß der Geistlichkeit, der manchem einzelnen Ordensbruder gewiß fühlbar genug gemacht wurde, müssen um diese Zeit doch manche Seele zerknickt und nicht wenige vermocht haben, dem Ordensgelübde wieder zu entsagen und in das Weltleben zurückzutreten. Manche widersetzten sich selbst ihren Vorstehern in den Ordenshäusern, blieben, auch wenn sie von jenen aus den Ordensgütern zurückgerufen wurden, gegen Ordnung und Befehl in deren Besitz und zeigten sich so auf alle Weise als ungehorsam und aufrührerisch gegen das Gesetz. Manchen mochte wohl auch nur der Reiz des Neuen, der Ruhm, in welchem der Orden stand oder ein anderer irdischer Zweck in die Ordensverbrüderung gezogen haben, und solche mußte die Täuschung bald wieder ins Weltleben hinaustreiben. Gegen solche abtrünnige und widersetzliche Ordensglieder gebot der Papst die strengste Ahnung mit dem kirch'ichen Fluche, „auf daß solch giftiges Unkraut auf dem Acker des Herrn nicht weiter fortwurzele." Ja selbst unter dem Ordenskleide wurde hie und da von einzelnen weltlicher Lust gefröhnt [2]).

----

1) Die Bulle hierüber im großen Privilegienb. p. 107 und im kleinen Privilegienb. p. 195 ist datirt: Lateran. Non. Februar. p. n. anno quinto.

2) Die Bulle des Papstes hierüber im großen Privilegienb. p. 75 ist datirt: Lateran. V. Idus Februar. p. n. anno quinto (9. Februar 1221). Die Worte des Papstes beweisen freilich, daß nicht überall dieselbe Gesinnung im Orden waltete. So heißt es: Grave nimis gerimus et indignum, quod quidam fratres Hospitalis S. M. Th. sponte a sui proposili tramite discedentes habitu religionis abjecto ad nupcias transeunt seculares et ponentes in cordibus suis, quod non sit deus nec sit sciencia in excelso nec requiret ista, qui scrutator est cordium et eciam medullarum

Außer den zahlreichen Freiheiten und Begünstigungen des Ordens aber bestätigte der Papst in diesen Zeiten auch eine Menge von frommen Spenden und Beschenkungen, mit welchen die Ordensbrüder von Königen, Fürsten und edlen Großen erfreut wurden, der sprechendste Beweis von der Achtung und Zuneigung, welche dem Orden damals von vielen Seiten entgegenkam. Unter den Beschützern und Wohlthätern des Ordens zeichneten sich in dieser Hinsicht durch Verleihungen aus der Bischof Otto von Würzburg, der den Ordensbrüdern nicht bloß in Bestätigung anderer Beschenkungen seine Gunst bewies, sondern ihnen auch eine eigene Besitzung am Main übergab [1]), ferner ein Graf von Henneberg, welcher dem Orden die ihm vom Könige Johann von Jerusalem geschenkte Burg Königsburg im Morgenlande einräumte [2]). In gleicher Weise bereicherten den Orden auch manche Fürsten mit ansehnlichen Besitzungen [3]). Sein größter Gönner und Beschützer

---

deserta celestis regis milicia cingulum secularis milicie recipere verentur, et frequenter quidam de ipsis fratribus exterioris religionis signo retento cum intus a se tocius religionis observanciam abdicarint, ad personas se transferunt ecclesiasticas vel mundanas, que ipsos non tam fovent in sue rebellacionis audacia quam defendunt. Vgl. *Duellius* l. c.

1) Die Bulle im kleinen Privilegienb. p. 70 ist batirt: Apud Urbem veter. V Idus Julii p. n. anno quarto. Der Bischof schenkte dem Orden domum, quae Transmogum dicitur apud monasterium Scotorum. Außerdem haben wir von diesem Bischofe Bestätigungsurkunden über die Hohenlohischen Beschenkungen an das Ordenshaus zu Mergentheim, über eine Schenkung Sifridi Plebani de Wickardisheim u. a.

2) Die Bestätigungsbulle des Papstes im großen Privilegienb. p. 7, bat.: Lateran. VI. Calend. Nov. p. n. anno quinto. Wahrscheinlich war es Graf Poppo VII. von Henneberg, welcher diese Schenkung machte.

3) Dahin gehört z. B. die Schenkung des Grafen von Jülich über das Reichslehen Berenstein und über Siersdorf bei Jülich im Jahre 1219, woraus die Kommende Siersdorf, zu der Ballei Alten-Biesen gehörig, erwuchs. S. Ritz Urkunden und Abhandl. zur Geschichte des Niederrheins B. I. Th. I. S. 98 — 99.

blieb aber unter allen weltlichen Fürsten auch jetzt immer noch der Kaiser Friederich, indem er ihm nicht bloß verschiedene seiner Burgen, z. B. die von Mezano [1]) zur Gründung neuer Or= denshäuser überwies, sondern ihm auch sonst noch mit bedeutenden Geschenken zu Hülfe kam. So hatte er schon wenige Jahre zuvor dem Orden mit Bewilligung seiner Gemahlin Constan= zia und seines Sohnes Heinrich im Tausche für eine Ordens= besitzung in Deutschland ein jährliches Einkommen von hundert und funfzig Unzen reines Goldes aus den Zolleinkünften der Stadt Brindisi verliehen [2]) und wenige Jahre nachher fügte er jener Schenkung noch eine andere hinzu, kraft welcher der Orden besonders zum Ankauf weißer Mäntel für die Ordens= brüder aus den Zolleinkünften derselben Stadt alljährlich zwei= hundert Unzen Goldes erhielt [3]).

1) Die Bestätigungsbulle des Papstes im großen Privilegienb. p. 41, dat.: Lateran. XVII. Calend. Augusti p. n. anno quinto.

2) Die Bestätigungsbulle des Papstes hierüber im großen Privile= gienb. p. 40 ist datirt: Lateran. XI. Calend. April. p. n. anno secundo und die darin aufgenommene Urkunde des Kaisers: Datum Wimpnie III. Non. Januar. 1218. In letzterer heißt es: Atten- dentes religionem et ordinem atque honestatem tuam, frater Hermanne Magister sacre domus Hospitalis Theut. — acce- dente consensu et bona voluntate carissime uxoris nostre re- gnique consortis Constancie ac dilectissimi filii nostri Henrici concedimus et damus eidem sacre domui Hospitalis Th. in perpetuum Centum quinquaginta uncias auri bonorum tare- norum Sicilie ad pondus Baroli in proventibus Sicle duane et aliorum reddituum civitatis nostre Brundusii singulis annis percipiendas, in concambium cuiusdam tenimenti, quod ab hospitali ipso in Alimannia recepimus. In Brindisi war übri= gens ein Ordenshaus. *De Wal.* Recherches T. II. p. 13.

3) Die Bestätigungs=Bulle des Papstes hierüber im großen Pri= vilegienbuche p. 41 ist datirt: Verulis XIII Calend. May p. n. anno sexto. Es heißt ausdrücklich: Specialiter pro emendis albis mantellis ad usum fratrum vestrorum militum annuatim du- centas uncias auri ad poudus Baroli vobis Imperiali liberali- tate donavit tamdiu vobis annis singulis exsolvendas de reddi- tibus supradictis donec in terris laboratoriis seu aliis posses- sionibus regni competens vobis excambium Imperiali munifi- cencia largiatur.

Die wichtigsten aller verliehenen Vorrechte und Freiheiten aber enthielt das Hauptprivilegium des Papstes Honorius, welches schon am 15. December d. J. 1220 gegeben alles Einzelne zusammenfaßte, womit der Papst den Orden zur Blüthe und zum Wohlstande erheben zu können geglaubt hatte. Es war in jedem Betracht die gehaltreichste und wichtigste Urkunde, welche der Orden bisher vom Stuhle zu Rom erhalten hatte, eine Freicharte, die allen Nachfolgern des Papstes Honorius zur Norm und Grundlage diente, der Grundpfeiler, auf welchem in folgenden Zeiten die ganze Macht des Ordens emporgebaut wurde [1]. Was theils dieser Papst, theils seine Nachfolger noch hinzufügten, das waren meistens nur Stützen und Halte, welche bald diesen, bald jenen erweiterten Ausbau der Macht und Wirksamkeit des Ordens tragen und befestigen sollten [2].

So stand der Ritterorden des Deutschen Hauses erhoben durch des Kaisers hohe Achtung und reiche Beschenkung, ermuthigt durch dessen ausgezeichnete Gunst und Liebe, geschützt und vertheidigt durch die Waffen des Hofes zu Rom, emporgetragen durch die gewaltige Macht des Papstes, reich begabt mit den wichtigsten Freiheiten und Gerechtsamen von beiden ihm höchst wohlgesinnten Häuptern der Christenheit und geachtet von vielen Fürsten des Reiches — so stand er nun schon im Abendlande da, als Hermann von Salza, der biedere und wackere Meister, bei diesen Gönnern und Schirmherren seines Ordens erschienen war. Sein Erscheinen aber beim Kaiser und beim Papste war in aller Hinsicht von großer Wichtigkeit.

---

1) Das Original dieser Bulle ist im geh. Archive nicht mehr vorhanden, wohl aber mehre Transsumte aus den Jahren 1393, 1417 und 1438. Schiebl. I. Nro. 12, 13, 14. Gedruckt steht die Bulle im *Duellius* Select. Privileg. Nro. I.; auch bei Kotzebue B. I. S. 351 — 357, hier aber äußerst fehlerhaft und an vielen Stellen ganz unverständlich. Ferner in Histor. Diplomat. Unterricht und gründlich. Deduction Beil. Nro. 35.

2) Die meisten der in dieser Bulle enthaltenen Vorrechte hatten die Tempelherren in ihrer Bulle Omne datum optimum von Alexander III erhalten Vgl. Wilcke a. a. O. S. 77.

Im April des Jahres 1222 trat die Hoffnung einer neuen Hülfe für das heilige Land der Erfüllung näher, als sie je gewesen war. Der Kaiser und der Papst kamen nämlich um diese Zeit zu Veroli zusammen und zu des letztern großer Freude erklärte sich Friederich eifriger als je zur Rettung des heiligen Landes bereit [1]). Auch Hermann von Salza wohnte dieser Berathung der beiden Häupter der Christenheit bei. Ihm aber schien zum Heil und zur Erhaltung des heiligen Landes vor allem nothwendig, daß der Geist der Zwietracht und des Haders unter den Christen im Morgenlande erstickt und Eintracht und Friede und unter den ritterlichen Orden zumal auch brüderliche Liebe und brüderliches Vertrauen herrschend werde; denn noch immer störte dieses der alte Groll der Tempelherren gegen die Deutschen Ordensbrüder, noch immer sahen jene mit schelem Blicke auf den weißen Ordensmantel der letztern hin und die Narbe der alten Spaltung war auch jetzt noch keineswegs verschwunden. Das kümmerte vor allem Hermanns friedlichgesinnte Seele und er theilte seinen Kummer und seine Besorgniß darüber dem Papste mit. Da trat dieser noch einmal ins Mittel. „Es ist eueres geheiligten Standes unwürdig, schrieb er dem Meister und den Rittern des Tempel=Ordens, daß ihr noch Zorn und Groll gegen die Deutschen Brüder heget, weil sie den weißen Ordensmantel tragen. Wenn euch von dieser Leidenschaft die Ehrfurcht gegen Kaiser und Papst noch nicht abhalten konnte, so hätte euch doch wenigstens das Hohngespött der Welt davon zurückziehen müssen, der es, wie es denn auch wahrhaft ist, lächerlich scheint, daß ihr zürnet, weil andere von uns einen weißen Mantel zu tragen erlaubt erhalten, zumal da er doch von euerer Kleidung noch durch ein besonderes Zeichen so unterschieden ist, daß gar nicht zu besorgen steht, es würden die Brüder des einen Ordens für die des andern gehalten werden. Wir bitten euch also, aber wir ermahnen euch auch mit allem Ernste, allen

---

1) *Raynald.* Annal. Eccles. T. XIII. ann. 1222. Nro. 2. *Richard de S. Germano* Chron. ap. *Muratori* Script. rer. Ital. T. VII. p. 994.

Groll zu vergessen, den ihr vielleicht noch gegen die Deutschen Ordensbrüder gehegt habt, im Geiste der Liebe mit ihnen zu wandeln und an sie geknüpft durch das Band der Einigkeit, wie es gottgeweihten Männern geziemt, ihren Vortheil stets so wie den eurigen zu beachten, also daß wenn der Kaiser mit Gottes Hülfe zu euch kommt, er brüderliche Einigkeit unter euch finde. Wofern ihr aber anders handelt, so werdet ihr nicht bloß beim apostolischen Stuhle und beim Kaiserthrone in der Gunst gänzlich sinken, sondern zu euerem Nachtheile auch den Spottreden der Welt noch mehr Nahrung geben [1]."

Es war bisher bei allen Kreuzzügen die löbliche Sitte beobachtet worden, bevor ein neuer Zug ins heilige Land ins Werk gesetzt ward, allen Zwist und alle Streitigkeiten unter den Theilnehmern niederzulegen, um mit reinem Herzen und mit friedlicher Brust das heilige Werk Gottes zu beginnen. Und wie auch jetzt der Kaiser von diesem Gedanken geleitet, alle Zwistigkeiten, z. B. die über die Behandlung der Geistlichen im Apulischen Reiche zu beseitigen suchte [2], so war der Papst mit Hermann von Salza auch darauf bedacht, einen schon Jahre lang geführten Streit des Ordens mit dem Bischofe von Ebenne friedlich auszugleichen. Er betraf ein Haus mit einigen Besitzungen bei Akkon auf dem Musardischen Berge, auf welche der Bischof wie der Orden Ansprüche erhob. Der Papst ertheilte dem Patriarchen von Jerusalem, in der Würde eines päpstlichen Legaten, den Auftrag, die Streitsache noch vor des Kaisers Ankunft friedlich auszugleichen und der Bischof ließ sich aus Liebe zum Frieden bereit finden, das Haus mit seinen Zubehörungen dem Großkomthur des Deutschen Ordens gegen eine Geldentschädigung einzuräumen [3].

---

1) Dieser auch sonst noch interessante Brief steht im kleinen Privilegienbuche p. 73 und ist datirt: Verulis XV Calend. May p. n. anno sexto. Er ist also zur Zeit der Zusammenkunft des Papstes mit dem Kaiser zu Veroli geschrieben, wo auch Hermann von Salza gegenwärtig war. Einiges aus diesem Briefe hat auch *Raynald.* Annal. Eccles. T. XIII. an. 1222. Nro. 7. *De Wal* Recherches T. I. p. 4. 289.

2) Raumer B. III. S. 379.

3) Die Vertragsurkunde hierüber befindet sich im großen Privile-

Derselbige Gedanke leitete auch den Papst und den Kai=
ser bei ihren Bemühungen, die Mißhelligkeiten zwischen dem
Orden und dem Könige Andreas von Ungern über das früher
den Deutschen Ordensrittern geschenkte Land Burza in Sie=
benbürgen durch Vermittlung beizulegen. Nachdem nämlich
der Orden auf den besseren Anbau und die Sicherheit des
Landes sehr beträchtliche Summen verwandt und unter Kampf
und Blutvergießen gegen die häufigen Anfälle des wildheran=
stürmenden Kumaner=Volkes fünf starke Wehrburgen errichtet,
hatte König Andreas unter Verhältnissen, welche die Geschichte
dunkel läßt, dem Orden das nun gesicherte Land wieder ent=
zogen [1]). Vielleicht hatte er nun erst wahrgenommen, welche

gienbuche p. 27 und ist datirt: Accon in camera episcopali Ac=
conensi a. d. M. CC. XX. tercio, Indictione prima, die Vene=
ris, undecimo mensis Augusti. Unter den Zeugen werden nur
zwei Ordensbrüder, frater Florentius und frater Henricus de do=
mo Alemannorum angeführt. An sich ist der Streit wohl nicht von
besonderer Wichtigkeit und hätte, was seinen Gegenstand betrifft, viel=
leicht kaum eine Erwähnung verdient. Er erhält aber dennoch eine
gewisse Merkwürdigkeit in Rücksicht der Personen, welche ihn von Sei=
ten des Ordens führten. Wir finden nämlich in der Urkunde erwähnt
eines Sindicus et procurator domus S. Marie theut., der den
Streit von Seiten des Ordens führte; also damals schon das Amt ei=
nes Ordens=Sachwalters, wie es der nachmalige Procurator des Deut=
schen Ordens am Römischen Hofe bekleidete. Ferner nennt uns die Ur=
kunde den religiosus vir frater Conradus magnus preceptor do=
mus Alemannorum oder den Großkomthur des Ordens, der in des
Meisters Abwesenheit die Ordensverwaltung im Morgenlande zu führen
hatte, also ein neuer unbezweifelter Beweis, daß die Würde des Groß=
komthurs schon im Morgenlande vorhanden war (gegen Baczko P.
II. S. 32, welcher dieselbe erst im Jahre 1309 entstehen läßt, ein
Irrthum, welchen auch Kotzebue B. II. S. 95 nachschrieb).

1) Wir ersehen dieses aus der Bulle des Papstes Gregorius IX
bei *Dreger* Cod. diplom. Nro. XC p. 155 und aus der Urkunde
des Königes Nro. LVI p. 103, wo dieser nur sagt: Quando ira
nostra contra eos provocata eo tempore, quo terram sepedic=
tam eis preceperamus auferri, fuerant non modicum dampni=
ficati. Engel Geschichte von Ungern S. 143 giebt als Grund der
Vertreibung der Ritter die nothwendige Wiederherstellung der Finanzen
an; man habe ihnen eigenmächtige Erweiterung ihres Gebietes Schuld
gegeben.

Gewinne aus dem sonst so äußerst fruchtbaren Boden des Landes durch solchen Fleiß, wie ihn der Orden auf seinen Anbau verwandt hatte, sich versprechen ließen, zumal da nun die errichteten Burgen an den Engpässen des Gebirges die räuberischen Einfälle der Kumaner bedeutend erschwerten [1]); oder vielleicht waren auch Verhetzungen der aufsätzigen Geistlichkeit bei dem wankelmüthigen Könige nicht ohne Wirkung geblieben. Mit vollem Rechte klagte daher der Meister Hermann von Salza bei dem Papste über des Königes gewaltthätigen Schritt, der auf keine Weise zu entschuldigen war, und Honorius bewog in der That den König, dem Orden das Land wieder zurückzugeben. Er erhielt es aber vom Könige selbst mit mehren sehr wichtigen Vorrechten: die Hälfte von allem aufgefundenen Golde und Silber, das Recht der Bewilligung freier Märkte zu Handel und Verkehr und die Erhebung aller Marktzölle und Abgaben, die Freiheit der Gründung neuer Burgen und Städte von Stein zur Sicherheit gegen die Kumaner, Befreiung von allen Waarenzöllen, Steuern und Auflagen, so wie von allem fremden Gerichtsbanne außer dem königlichen, dagegen eigene Gerichtsbarkeit über des Ordens Unterthanen. Außerdem fügte der König seiner Schenkung noch einen neuen Landstrich hinzu, in welchem die von den Ordensrittern erbaute Burg Kreuzburg lag, ertheilte ihnen das Recht, auf zwölf Schiffen das Salz aus den Salzwerken von Akana durchs ganze Reich zu verfahren

---

1) In der erwähnten Bulle heißt es: Ipsi (i. e. fratres ordinis) pro colenda et munienda terra eadem, per quam Comanis regnum Ungarie multipliciter perturbantibus frequens introitus et exitus habebatur, numerosam pecuniam expenderunt, ibi cum multo labore et proprii effusione cruoris quinque castra fortia construendo. Histoire de l'Ordre Teut. T. I. p 180 — 181. Nach Engels Angabe a. a. O. S. 142 war Kreuzburg die erste der errichteten Burgen; dann legten sie eine Verschanzung an die Alt; hierauf gründeten sie die Heldenburg castrum Heltven, und die Marienburg; nachdem die Dieterichsburg oder Törzburg zu Ehren des Komthurs Dieterich, die ihnen den Eintritt in die Walachei frei machte.

und andere Begünstigungen mehr. Endlich nahm der König die Ordensbrüder dieses Landes mit allen ihren jetzigen und künftigen Besitzungen in seinen besondern Schutz und bewilligte, daß jeglichem seiner Unterthanen erlaubt seyn solle, sein Eigenthum als fromme Gabe dem Orden zu verleihen. So wollte der König den Schaden vergüten, welchen der Orden in großem Maaße durch die Zurücknahme des Landes erlitten hatte [1]). Diese neue Schenkung geschah im Jahre 1222, und auf des Meisters Bitte, da man des Königes Wankelmuth nun schon hinlänglich kannte, bestätigte sie im nächsten Jahre auch der Papst mit allen den Rechten und Freiheiten, welche der König verliehen [2]). Bald darauf aber erging vom Orden an den Papst auch das Gesuch, der heilige Stuhl zu Rom möge das vom wilden Ansturm heidnischer Feinde befreite Land unter seinen Schutz nehmen und für ein rechtmäßiges Eigenthum der Römischen Kirche erklären, weil dieses sonder Zweifel des Landes Anbau und Bevölkerung bedeutend befördern werde, da es zur Zeit immer noch zu wenig bewohnt war, um die nachbarlichen Feinde für immer von plündernden Einfällen zurückzuschrecken. Der Papst gewährte diese Bitte, nahm das ganze

---

1) Die Vergabungs = Urkunde des Königes steht in *Dreger* l. c Nro. LVI. Ein Vidimus dieses Diploms vom Kaiser Rudolf, ausgestellt zu Wien am 15. März 1280 im geh. Archive Schiebl. 29. Es weicht nur in einigen unwesentlichen Worten vom Abbrucke bei Dreger ab. Doch würde in den Ortsnamen aus dieser Urkunde manche Berichtigung für Dreger zu entnehmen seyn. Ein Transsumt von jener Vergabungs = Urkunde für den König Bela vom Gardianus fratrum Minorum et supprior fratrum predicatorum in Wienna verfertigt, stimmt ebenfalls mit dem Abbrucke bei Dreger nicht ganz wörtlich überein; es hat unter andern die falsche Jahrzahl 1227 statt 1222, obgleich es das Regierungsjahr des Königes richtig angiebt. Ferner ist noch ein anderes Transsumt vom Jahre 1317 vorhanden, welches Thomas archiepiscopus Strigoniensis ad instanciam honesti fratris Wernhardi commendatoris domus Theutonicorum de Wienna verfertigte.

2) Die Bestätigungsbulle des Papstes im Original im geh. Archive Schiebl. I. Nro. 17; abgedruckt bei *Dreger* l. c. Nro. LX. Engel a. a. O. S. 143.

Land als Eigenthum des apostolischen Stuhles für ewige Zeiten in seinen Schutz und Schirm und bestimmte, daß es forthin keinem andern geistlichen Obern weiter unterworfen sey, als nur allein dem Papste. Den hohen Geistlichen aber, dem Erzpresbyter vom Burzenlande und den Bischöfen von Ungern verbot er sofort jegliche kirchliche Strafe über Land und Leute, wie nicht minder die Ausübung kirchlicher Gerichtsbarkeit ohne des apostolischen Stuhles besonders ertheilte Vollmacht [1]).

In solcher Weise war der Deutsche Orden nun schon im Besitze eines ganzen Landes; er war freier und fast ganz unabhängiger, nur des Papstes Obergebote untergebener—Herr eines großen und fruchtbaren Gebietes, welches durch seine Tapferkeit von einem wilden Feinde des Glaubens befreit, durch seinen Fleiß aus völliger Verwüstung bald zum erfreulichsten Gedeihen und zur schönsten Blüthe emporstieg, durch seine Bemühungen aus einer menschenleeren Einöde ein mit neuen Bewohnern eben so reich besetztes, als glücklich angebautes Land wurde und die Spuren des Raubes und der Verheerungen seiner Feinde in kurzem ganz verlor. Gewiß ein solches Beispiel konnte auf die Gestaltung der Dinge in der Zukunft schwerlich ohne Wirkung seyn. Preussen erduldete gerade um diese Zeit im Kulmerlande und in Masovien in seinen nördlichen Gränzgebieten das nämliche Schicksal, wie vormals das Burzenland. Aber noch lag die Zukunft im tiefsten Dunkel und keiner ahnete hier im Norden ein gleiches Ereigniß.

Mittlerweile aber waren die vom Papste zu einer Berathung über des heiligen Landes Errettung zusammenberufenen Fürsten und hohen Geistlichen in Italien angelangt [2]) und es erschienen nun im Jahre 1223 in Ferentino, wohin die

---

1) *Raynald.* Annal. Eccles. T. XIII. an. 1224. Nro. 36. Histoire de l'Ord. Teut. T. I. p. 184 — 185. Das Schreiben des Papstes an die Bischöfe von Ungern befindet sich auch in einem Transsumt des geh. Archivs Schiebl. 29.

2) Nach *Richard de S. Germano* Chron. p. 995 begleitete den König Johann von Jerusalem nur der Meister des Johanniter-Ordens. Der Meister des Tempel-Ordens sandte einen Stellvertreter.

Versammlung verlegt war, der Papst, der Kaiser Friederich, der König Johann und der Patriarch von Jerusalem, und außer dem Meister des Johanniter=Ordens und vielen andern wohlunterrichteten Männern auch der Meister Hermann von Salza [1]), der bisher viel in Geschäften des Kaisers und des Papstes thätig gewesen war und als Vermittler zwischen bei= den manches Mißverständniß ausgeglichen hatte [2]). Indessen hatte die Berathung der Versammelten doch keineswegs den Erfolg, welchen der Papst, die Ordensmeister und manche an= dere in ihren eifrigen Wünschen für des heiligen Landes bal= dige Errettung sich versprochen hatten. Den Kaiser hinderten auch jetzt noch mancherlei Kriegsfehden und Unruhen in Ita= lien und auf Sicilien, mit einer großen Macht ins Morgen= land aufbrechen zu können und die Sendung einer minder be= deutenden Kriegshülfe widerriethen selbst der König von Jeru= salem und manche morgenländische Abgeordneten. Man schob daher den Kreuzzug bis in das Jahr 1225 hinaus; doch gab Kaiser Friederich in feierlicher Versammlung das eidliche Ver= sprechen, ihn dann auch unter jeglicher Bedingung ins Werk zu setzen [3]).

Um aber des Kaisers Wünsche und Bestrebungen noch enger in die Sache des heiligen Landes zu verknüpfen, that auf die Anregung des Meisters des Deutschen Ordens der Pa= triarch von Jerusalem in der Versammlung den Vorschlag, daß der Kaiser die Tochter des Königes von Jerusalem, Jolante,

---

1) *Sanut.* L. III. P. XI. c. 10. Vgl. das Schreiben des Pap= stes an den König von Frankreich bei *Raynald.* l. c. an. 1223. Nro. 3.

2) Es geschah solches z. B. in der Streitsache des päpstlichen Stuh= les gegen den unruhigen Gonzalinus dapifer aulae imperialis, wo= bei Hermann von Salza sehr thätig war, um das Mißtrauen des Pap= stes gegen den Kaiser zu beseitigen; einmal Pontifex excandescens Theutonicorum fratrem magistrum cum vehementioribus lit= teris ad Imperatorem misit. *Raynald.* l. c. an. 1222. Nro. 30.

3) Brief des Papstes Honorius an den König von Frankreich bei *Raynald.* l. c. an. 1223 Nro. 4. *Sanut.* l. c. *Richard de S. Germano* Chron. p. 996.

vernichtet und als getilgt angesehen seyn sollte und daß nur
diejenigen für die Schuld aufzukommen verbunden seyen, an
welche die Erbschaft seines Vermögens und seiner Güter über=
gehe, selbst wenn die in den Orden eintretenden Brüder einen
Theil ihrer Güter dem Orden zugewendet[1]). Jetzt fügte aber
der Kaiser seinen früheren Vergünstigungen, durch die des Or=
dens Erhaltung schon ungemein erleichtert worden war[2]), auch
noch das wichtige Vorrecht hinzu, daß der Orden in allen
Kirchen sowohl im Reiche, als in des Kaisers Erbgütern, über
welche ihm das Patronat und Repräsentations = Recht jetzt
oder inskünftige zustehe, wie nicht minder in allen denen,
welche in irgend einer Weise an das Reich fallen oder zu sei=
nem und seiner Nachfolger Eigenthum kommen würden, das
Vorrecht und die Vollmacht genießen solle, bei jeder eintre=
tenden Erledigung solcher Kirchen den Theil des beweglichen
Eigenthums, welcher sonst bei solcher Erledigung dem Kaiser
und Reiche zufiel, zu seiner Benutzung einzuziehen. Ferner
erhielten die Ordensritter auch noch das Recht, vom Tage
der Erledigung solcher Kirchen die gesammten Einkünfte der=
selben, mit Abzug dessen, was für den Unterhalt der Geist=
lichen und der andern der Kirche zugehörigen Personen erfor=
derlich sey, ein ganzes Jahr hindurch für sich einzuziehen und
frei und ohne Einrede irgend eines andern zu ihrem Gebrauche
verwenden zu können[3]). Wer aber den Umfang des dem

---

1) Die Urkunde bei *Duellius* Sel. Priv. Nro. XVI, wo es
heißt: Ut nulli postquam ipsius domus Religionem assumpserint
et habitum gestaverint super aliquibus debitis, quae ante sus-
ceptum habitum contraxerant, requirantur, aut ea solvere
compellantur, sed illi pro ipsis debitis teneantur, ad quorum
Dominium haereditatis et bonorum suorum noscitur successio
devoluta, etiamsi ipsi fratres, cum ordinem assumpserint,
partem bonorum suorum domui contulerint memoratae.

2) Der Kaiser bezeichnet sie selbst im Eingange der Urkunde bei
Duellius l. c. Nro. XVIII.

3) Dieses Privilegium steht bei *Duellius* l. c. Nro. XVIII und
ist zu Ferentino im März des J. 1223 verliehen. Im kleinen Privi=
legienbuche p. 106 und 178 stehen zwei Privilegien des Kaisers gleichen

Kaiser bisher zustehenden Rechtes der Regalie und der Spolie kennt und weiß, was dem Kaiser dadurch alles zugefallen war [1]), der wird leicht begreifen, wie ungemein wichtig diese Begünstigung für den Orden in aller Hinsicht seyn mußte, denn beides, Spolie und Regalie erhielt nun bei erledigten Kirchen der Orden durch dieses ihm verliehene Vorrecht.

Dieses alles geschah noch in der Versammlung zu Ferentino und so war sie für die Erhebung und für die Blüthe des Ordens auch hiedurch von ungemeiner Wichtigkeit geworden. Als sie nun aber auseinander ging, geschah es ohne Zweifel in des Kaisers Auftrag, daß der Meister Hermann von Salza im Vorsommer des Jahres 1223 eine Reise ins Morgenland antrat, sey es, daß er des Königes von Jerusalem Tochter zu Akkon von dem Vorschlage ihrer Vermählung mit dem Kaiser benachrichtigen sollte oder daß er über die Gestaltung

---

Inhaltes, aber datirt: apud Ferentinum anno dom. incarn. M. CC. XXIII. Mense April. XI Indictione. Es sind dieses ohne Zweifel Abschriften von einer zweiten über jenen Gegenstand vom Kaiser gegebenen Urkunde. Sie haben aber namentlich auch den wichtigen Zusatz: Non prejudicante sibi, si quis in eadem ecclesia juxta morem infra annum fuerit constitutus, quando proventus et usufructus percipiant, sicut superius est expressum, post completum vero annum procurationem et perceptionem proventuum et usufructuum ecclesiarum ipsarum sequentis scilicet temporis manibus et custodiae illius vel illorum, qui in eis rite fuerint constituti debeant resignare nec se inde ulterius intromittant, nisi ecclesiam vacare contingeret, ut jurisdictionem exerceant constitutam, quam non nisi uno anno quociens aliqua vel aliquae ecclesiae vacaverint in percipiendis proventibus et usufructibus vacantis eeclesiae decrevimus valituram, sicut in privilegio nostro extremum predicte domui indulto plenius continetur. — Auch diese letzten Worte weisen darauf hin, daß der Kaiser über diesen Gegenstand zwei Urkunden ausfertigen ließ. Vgl. Histor. Diplomat. Unterricht und Deduction u. s. w. Beilage Nro. 6.

1) Unter Regalie verstand man die Beschlagnahme der Einkünfte erledigter Bisthümer; unter Spolie die Beschlagnahme des beweglichen Nachlasses der Bischöfe für den König. Vgl. Raumer B. VI. S. 155 — 157.

der Dinge und die Verhältnisse im heiligen Lande genauere
Kunde einziehen wollte. Es ist wohl möglich, daß Hermann
damals auch schon mit dem Gedanken nach Akkon ging, dort
alles darauf vorzubereiten, seinem Orden, sobald es irgend die
Verhältnisse gestatten würden, den Hauptsitz im Abendlande
zu errichten; denn sah man auf die Vorrechte, Freiheiten und
Besitzungen, welche der Orden in kurzem hier erworben hatte,
so war ja klar, daß die Pfeiler seiner künftigen Macht und
Größe im Abendlande standen, und so viel hatte der umsichtige Meister aus den Verhältnissen des Kaisers und des Papstes wohl schon deutlich erkannt, daß die Grundsäulen der
christlichen Herrschaft im Morgenlande in der verwandelten
Stimmung der Christenheit des Abendlandes bereits untergraben und der Verlust dessen, was im heiligen Lande der
mächtige Geist des Glaubens und die gewaltige Begeisterung
für das heilige Grab vormals errungen hatten, wohl bald zu
befürchten sey; es konnte ihm überhaupt wohl schwerlich entgehen, daß die Sprößlinge dieser Begeisterung, die ritterlichen
Ordensverbrüderungen da nicht lange mehr im Forttriebe und
im Gedeihen würden bestehen können, wo es täglich mehr an
belebender Kraft und an Nahrung gebrach. Und hievon ward
Hermann in kurzem noch tiefer überzeugt.

Während der Meister nämlich im Morgenlande verweilte,
waren der Papst, der Kaiser und der König von Jerusalem,
jeglicher in seiner Weise, für die Vorbereitungen zur nächsten
Kreuzfahrt ungemein thätig. Der König durchzog die Länder,
besonders Frankreich, England, Spanien und Deutschland, um
Könige, Fürsten, Ritter und Edle zur Theilnahme am heiligen Zuge zu gewinnen; aber nirgends erfreute ihn ein bedeutender Erfolg. Zwar rüstete der Kaiser in seinen Häfen ansehnliche Flotten aus; allein die Wahrnehmung, welche König
Johann ihm zugebracht, daß die Stimmung des Abendlandes
für das Kreuz im Morgenlande nur zu sehr ermattet und er-
kaltet sey, schlug auch seine Hoffnungen merklich wieder nieder[1]).
Der Papst forderte abermals in feurigen Ermahnungsschreiben

---

[1]) Raumer B. III. S. 384.

Könige und Fürſten, Geiſtliche und Weltliche, Völker und
Reiche zum Kampfe für das Kreuz und zur Beiſteuer für das
heilige Werk auf [1]. Allein allenthalben waren die Herzen
kälter geworden, die Worte verhallten und griffen nicht mehr
ein in die Seelen der Menſchen wie in früherer Zeit. Am
meiſten ruhte des Papſtes Vertrauen noch auf dem Geiſte der
Ritterorden und vorzüglich auf dem der Deutſchen Ordensbrü=
der; daher er auch jetzt wieder den Deutſchen Orden, „dieſen
getreuen und muthigen Wächter des heiligen Landes,“ durch
neue Begünſtigungen für ſeine Opfer und ſeine Mühen im
Morgenland zu bekräftigen und ſeinen Muth zum ferneren
Kampfe zu ſtärken ſuchte durch neue Beweiſe ſeiner Huld und
Gunſt. So ward denn auch das Jahr 1223 durch eine Menge
neuer Freiheiten und Gerechtſame bezeichnet, durch die auch
jetzt wieder der Orden in ſeiner Stellung in den Verhältniſ=
ſen der Welt bedeutend höher ſtieg.

Vor allem munterte der Papſt bei der, wie er meinte,
nun bald zu hoffenden Befreiung des heiligen Landes die
geſammte Geiſtlichkeit der chriſtlichen Welt von neuem auf,
den Kämpfern und Vertheidigern des heiligen Landes, den
Rittern des Deutſchen Hauſes „in der freudigen Hoffnung
der baldigen Ankunft des Herrn“ thätige Hülfe zu leiſten und
ihren Mitbrüdern beim Sammeln milder Gaben für des Hei=
landes Sache brüderlich und hülfreich beizuſtehen, „denn was
man den Brüdern des Ordens ſpendet, ſagte der Papſt, wird
niedergelegt in die himmliſche Schatzkammer, wo kein Roſt
frißt und kein Wurm naget. [2]“ Wie ferner der Deutſche
Orden ſchon alle Privilegien und Freiheiten der Tempelherren

---

1) *Raynald.* Annal. eccles. an. 1223. Nro. 8.

2) Die Bulle im großen Privilegienbuche p. 61, batirt: Lateran.
Non. Januar. p. n. anno septimo (5. Januar 1223.) Nos enim,
ſagt der Papſt am Schluſſe des Ermahnungsſchreibens, de beat. apostolorum Petri et Pauli auctoritate confisi omnibus, qui de facultatibus sibi collatis a deo fratribus subvenerint antedictis
et in eorum sancta fraternitate se collegas statuerint eisque
beneficia persolverint annuatim septimam partem injuncte penitencie relaxamus.

besaß, so sicherte ihm nun der Papst auch alle diejenigen zu, welche jemals der Orden der Johanniter vom Römischen Stuhle erhalten hatte und stellte somit die Deutschen Ordensbrüder in jeder Beziehung jenen beiden Orden gleich [1]. Außerdem verordnete er, daß wenn Geistliche einer Kirche dem Orden auf ein oder zwei Jahre im Gottesdienste frei und unentgeldlich zu dienen beschlössen, sie durch niemand daran verhindert werden und ihre Einkünfte ihnen mittlerweile ungeschmälert zufallen sollten [2]. — Um aber bei dem bevorstehenden Kriegszuge ins Morgenland, an welchem die streitfähigen Ordensritter in den Besitzungen im Abendlande sämmtlich Theil nehmen mußten, die für Krankenpflege und Verwaltung der Güter daheim bleibenden Ordensbrüder in ihrer Ruhe und ihre Besitzungen gegen Raub und Frevel habgieriger Menschen sicher zu stellen, erging vom Papste an die gesammte Geistlichkeit der strenge Befehl: es solle jeglicher, sey er Geistlicher oder Laye, der an einen Ordensbruder durch Gefangennehmung, durch Abwerfen vom Rosse oder in irgend einer andern Weise gewaltthätige Hand lege, sofort und ohne allen weitern Verzug öffentlich bei brennenden Lichtern in den Kirchenfluch erklärt werden und so lange alle Gemeinschaft mit dem Fluchbeladenen aufs strengste untersagt seyn, bis er dem Beleidigten und Verletzten volle Genugthuung geleistet und zur Vergebung seiner Sünden sich in Rom vor dem Papste selbst eingefunden habe. Sofern jedoch ein Ordensbruder nicht gewaltthätig angegriffen, sondern nur etwa durch Schmähworte beleidigt oder seines Reisezeugs oder anderer Güter beraubt worden, solle der Thäter durch Ermahnung und durch die Strafe des Bannes zur Genugthuung für die Beleidigung und zur Rückgabe des Entnommenen bewogen werden [3].

---

1) „Ut sitis pares in assecucione apostolici beneficii, quibus in operacione virtutum pio studetis proposito adequari,“ sagt der Papst zu den Deutschen Ordensbrüdern in der Bulle hierüber im großen Privilegienbuche p. 22, datirt: Lateran. II Idus Januar. p. n. anno septimo.

2) Die Bulle im großen Privilegienbuche p. 21.

3) Die Bulle hierüber im großen Privilegienbuche p. 85 ist datirt:

Aber auch jetzt noch hatte der Orden seinen größten Gegner an der neidisch gesinnten Geistlichkeit und der Papst war
noch fort und fort genöthigt, gegen den Haß und die Ver-
folgungssucht der widerspenstigen Prälaten anzukämpfen. Jede
fromme Gabe und jede neue, dem Orden zugewiesene Besitzung schien ihnen ein Raub an dem, was ihnen oder der
Kirche habe zufallen müssen. Wo sie daher auch nur irgend
vermochten, traten sie dem Orden hindernd entgegen, und der
Papst, unablässig von des Ordens Klagen beschwert, durfte
nicht aufhören, zu warnen, zu mahnen, zu verbieten und zu
drohen: bald wenn man die vom Orden ausgesandten Almo-
sen-Sammler aufs unfreundlichste aufgenommen, ja sie sogar
aus den Kirchen geworfen und ihrer gesammelten Gaben beraubt hatte [1]); bald wenn die Geistlichen solche, die sich an
Gliedern des Ordens oder dessen Besitzungen vergangen, entweder gar nicht weiter bestraften oder die Strafe ohne erfolgte
Genugthuung schnell wieder aufhoben [2]); bald auch wiederum,
wenn die hohen Geistlichen die päpstlichen, den Nutzen und
die Sicherheit des Ordens betreffenden Verfügungen nicht einmal öffentlich bekannt machten oder bei der Bekanntmachung
als unwichtig darstellten [3]). Selbst gemeine Verläumdungen

Lateran. XVII Calend. Februar. p. n. anno septimo (16. Januar 1223). Dieselbe Bulle, aber speciell an den Erzbischof von Mainz
und an die Geistlichkeit seines Sprengels gerichtet, befindet sich im kleinen Privilegienbuche p. 71 unter dem Datum: Lateran. VII Idus
April. p. n. anno septimo (7. April 1223).

1) Eine Bulle, welche dagegen eifert, im kleinen Privilegienbuche
p. 44 ist datirt: Lateran. Idus Januar. p. n. anno septimo.

2) Eine Bulle dagegen im großen Privilegienbuche p. 37, datirt:
Lateran. III Non. Februar. p. n. an. septimo; auch p. 61 und
wiederholt im kleinen Privilegienbuche p. 128.

3) Die Gesinnung der Geistlichkeit gegen den Orden schildert der
Papst selbst in einer an die hohen Geistlichen gerichteten Bulle im großen Privilegienbuche p. 107, datirt: Lateran. II. Calend. Febr.
p. n. anno septimo, worin es unter andern heißt: Si discrimina,
que dilecti filii fratres hospitalis S. Marie theuton. pro defensione Christianitatis cotidie sustinent in partibus transmarinis,
et beneficia, pauperibus subministrant, consideracione solli-

und erdichtete Nachreden waren nicht felten der erbitterten
Geiftlichkeit erwünschte Mittel, den Orden in feiner Ehre un=
ter den Menfchen und in der Achtung der Welt zu beeinträch=
tigen.   Wäre daher für das Gebäu des Ordens nicht der
Papft durch feine Gunft und feinen Schirm ein fo mächtiger
Pfeiler und ein fo fefter Halt gewefen, gewiß würde der dann
ficherlich noch wilder tobende Sturm des Clerus, der fchon
Throne und Königskronen niedergeworfen, auch diefes zertrüm=
mert und in feiner erften Erhebung wieder vernichtet haben.

Durch folch hohes Wohlwollen des Oberhauptes der Kirche
aber ftand nun der Orden im Befitze feiner Macht, feiner Güter,
feiner Freiheiten und Gerechtfame fchon ganz vollkommen gefi=
chert da.   Die Pflanze, im Morgenlande aufgewachfen, war, ins
Abendland herübergetragen, zum kräftigen Stamme geworden
und hatte die Wurzeln fchon zu tief ins Leben der Abendwelt
eingefchlagen.   Männlich hielt ihn zudem der Papft auch in al=
len Stürmen aufrecht.   Sein Vertrauen auf des Ordens Ver=
dienft und Werth vor.Gott und vor der Welt war felbft fchon
fo tief und feft begründet, daß er dem Meifter und deffen
Brüdern die wichtige Zuficherung gab: päpftliche Briefe, die,
vielleicht · durch falfche Angaben oder fonftigen Betrug veran=
laßt, vom Hofe zu Rom gegen des Ordens Freiheiten und
Vorrechte ausgehen möchten, follten den Orden nie verpflich=
ten, deshalb mit jemandem vor einem Gerichte zu erfcheinen [1]).

---

cita pensaretis, non solum ab ipsorum molestiis cessaretis,
sed alios studeretis districtius cohibere.   Ceterum audivimus
et audientes nequivimus non mirari, quod eos quidam vestrum
solito durius persequentes non solum querelas eorum dissimu-
lant, sed ipsos gravibus injuriis vexaverunt et indampnabili
adhuc proposito perseverant, litteras nostras generales et quan-
doque speciales legere contempnentes, quas si interdum lege-
rint, vilipendunt, unde clerici et laici sumentes audaciam adversus eos severius insolescunt, eleemosinas et beneficia sub-
trahunt consueta.

1) Die Bulle hierüber im großen Privilegienbuche p. 94 ift von
ungewiffem Datum.   Es heißt darin aber: Nostro imminet officio
providendum, ut si per falsam suggestionem aut tacendi frau-

Zugleich wurde den Geistlichen vom Papste aufs strengste untersagt, die dem Orden verliehenen Freibriefe und Privilegien anders als nach getreuem Sinne der Worte zu deuten und auf solche Weise den Brüdern den Nutzen ihrer Freiheiten zu entziehen [1]).

So aufs neue durch Begünstigungen erhoben und durch Beweise der päpstlichen Huld ermuntert fand Hermann von Salza den Orden, als er mit dem Anfange des Jahres 1224 aus dem Morgenlande zum Kaiser nach Sicilien zurückkehrte [2]). Aber er kehrte zurück mit schwer bekümmerter Seele, denn er hatte die Verhältnisse im heiligen Lande im höchsten Grade traurig gefunden. Nur die Zwietracht und die Spaltungen unter den Häuptern der Glaubensfeinde hatten den Bestand der christlichen Besitzungen bisher noch möglich gemacht. Her=

---

dem littere a nobis contra ipsa privilegia emanaverint, nullum ex eis libertas vestra sustinet detrimentum. Eapropter auctoritate vobis apostolica indulgemus, ut si que contra privilegia vestra littere fuerint a quoquam per surrepcionem obtente, nisi ex certa consciencia nostra procedant, in judicio alicuius non teneamini disceptare, salva moderacione concilii generalis.

1) Die Bulle ohne bestimmtes Datum im großen Privilegienbuche p. 94 und 96.

2) *Godefrid. Monach.* p. 292 sagt ausdrücklich, Hermann sey in Epiphania Domini bei dem Kaiser angekommen und die genaue Bestimmung der Zeit läßt uns schließen, daß der Chronist hievon wohl unterrichtet gewesen. Nun kommt zwar in einer Urkunde des Königs Heinrich VII, welche zu Nordhausen am 22. Septemb. 1223 ausgestellt ist, ebenfalls ein Deutscher Ordensmeister unter den Zeugen vor und nach *Schultes* Director. diplom. p. 578, welcher darunter Hermann von Salza versteht, müßte man glauben, dieser sey im Herbst des Jahres 1223 in Deutschland und nicht im Morgenlande gewesen. Allein Schultes irrte; denn unter jenem Ordensmeister Hermann ist der damalige Deutschmeister Hermann Balk zu verstehen. Wir erfahren, daß dieser schon im Jahre 1219 das Amt eines Deutschmeisters verwaltete, indem eine Urkunde des Kaisers Friederich II, datirt: Apud Fuldam in solempni curia 1219, Mense Decemb. Indict. VII diesen Hermann Magister und Preceptor domorum eiusdem Hospitalis in teuthonia nennt.

mann schilberte dem Kaiser den ganzen höchst gefahrvollen Zu=
stand der Dinge, wie er ihn gefunden hatte [1]), und stellte es
diesem als die dringendste und heiligste Pflicht vor, daß er ei=
ligst aufbreche mit seiner Macht und den Christen Syriens zu
Hülfe komme, wenn nicht bald alles, was Tausende und aber
Tausende mit ihrem Blute erkauft, unwiederbringlich verloren
gehen solle. Nie war dem Kaiser ein mahnendes Wort tiefer
zu Herzen gegangen; nie war er fester entschlossen gewesen,
sein oft erneuertes Gelübbe zu erfüllen. Und um dem Papste
zu bezeugen, mit welchem Ernste und Eifer er jetzt in der
Vorbereitung zur Kreuzfahrt beschäftigt sey, meldete er ihm:
„Hundert Galeeren liegen anjetzt in den Häfen unseres Rei=
ches zur Abfahrt bereit; funfzig Lastschiffe, die an zwei=
tausend Reiter und Pferde und gegen zehntausend Fußvolk
tragen werden, sind in Arbeit; zwei Brüder des Deutschen
Ordens und andere der Sache kundige Männer sind von uns
bei ihrem Baue zur Aufsicht angestellt, also daß wir sicher
glauben, mit nächstem Sommer können die Schiffe bemannt
werden [2].“

Auf Hermanns des Meisters Rath hatte der Kaiser be=
schlossen, nach Deutschland zu gehen, um dort durch seine Ge=
genwart und seinen Einfluß die Sache des Kreuzzuges um so
mehr zu befördern [3]). Dieser Entschluß konnte aber wegen
seiner nothwendigen Gegenwart bei der Versetzung der unru=
higen Saracenen aus Sicilien nach Apulien nicht vollführt
werden; deßhalb erwählte der Kaiser den Meister Hermann
von Salza zu seinem bevollmächtigten Geschäftsträger, um

---

1) *Godefrid. Monach.* p. 292.

2) Der Brief des Kaisers bei *Raynald.* an. 1224. Nro. 5.

3) Der Kaiser schreibt selbst hierüber: Frater Hermannus domus Theutonicorum magister ad praesentiam nostram acce-
dens proposuit et persuasit instanter, quod de consilio vestro
erat et satis utile vobis, et ei expediens videbatur, ut pro tam
arduo negotio Terrae sanctae cum principibus Imperii oretenus
loqueremur, versus partes illas nos personaliter conferen-
tes. *Raynald.* an. 1224. Nro. 6. *Godefrid. Monach.* p. 292.

durch ihn den Fürsten des Reiches seinen Willen verkündigen zu lassen [1]). Es war im März des Jahres 1224, als Hermann die Reise nach Deutschland antrat [2]). Mit einem Schreiben des Kaisers an den Papst erschien er in Rom, theils um diesen über den Zustand der Dinge im heiligen Lande und über des Kaisers jetzt festgefaßten Entschluß zu einem Kreuzzuge und die bereits getroffenen Vorbereitungen näher zu unterrichten, theils auch um ihm den Bericht über die unbedeutenden Erfolge der Bemühungen des Königes von Jerusalem und dessen Entschluß zur Rückkehr zu überbringen [3]).

Von Rom aus begab sich Hermann zuerst, wie es scheint, nach Wien; er überbrachte Briefe vom Kaiser an den Herzog von Oesterreich und suchte diesen zur Theilnahme an dem Kreuzzuge zu gewinnen. Hierauf zog er nach Frankfurt, wo König Heinrich, des Kaisers Sohn, damals Hof hielt, und überreichte diesem des Vaters Briefe mit bringender Bitte, das heilige Werk bei den Fürsten des Reiches nach aller Kraft zu fördern. Dort langte bald aus Spanien und Frankreich auch der König von Jerusalem an, welchem Hermann im Auftrage des Kaisers und des Papstes die Bitte vorlegte, daß er in Deutschland noch einige Zeit verweilen und durch seine Gegenwart die Theilnahme am Kreuzzuge noch lebendiger anregen möge [4]). Von da begleitete der Meister

---

1) *Raynald.* l. c. *Godefrid. Monach.* l. c.

2) Der Brief des Kaisers, welchen Hermann mit nach Rom brachte, ist vom 5ten März.

3) Der Kaiser schrieb dem Papste die den Geist der Zeit bezeichnenden Worte: Per quem (Hermannum) etiam plenius agnoscetis, quod illustris Hierosolymitanus Rex nuper scripserit nobis, et qualiter in proposito sit ab illis partibus recedendi, pro eo quod parum ibi proficiat pro negotio Terrae sanctae. Nam praedicatores, qui praedicant verbum crucis, in tantum vilipenduntur ab omnibus, tum quod infimae personae videntur, tum quod nullam auctoritatem, vel aliquam, sicut moris est, in talibus habeant praestandae indulgentiae potestatem, quod non est, qui eos audiat vel intendat. *Raynald.* l. c.

4) *Godefr. Monach.* p. 293. *Raynald.* an. 1224 Nro. 9 — 10.

die beiden Könige nach Köln, wo sie von dem Erzbischofe
Engelbert aufs prachtvollste empfangen wurden [1]).

Hermann aber hatte außer der Sache des Kreuzzuges
vom Kaiser und vom Papste noch einen andern wichtigen Auftrag erhalten, dessen Ausführung bedeutenden Schwierigkeiten
unterlag. Graf Heinrich von Schwerin nämlich, ein kühner,
stolzer Krieger, hatte aus Rachsucht und Zorn, daß König
Waldemar der Zweite von Dänemark von ihm den Lehnseid
über seine Länder erpreßt und dann selbst einen Theil seiner
Besitzungen ihm mit bewaffneter Hand entrissen, diesen bei
einem Jagdvergnügen gefangen genommen und in ein festes,
unzugängliches Schloß in Ketten gelegt. Klagen beim Kaiser
und beim Papste über die frechkühne That, über welche ganz
Deutschland staunte, und wiederholte Aufforderungen und Drohungen von diesen beiden an den Grafen wegen des Königes
Befreiung waren bis jetzt immer ohne Erfolg geblieben. Und
doch war es für beide, für den Kaiser wie für den Papst,
um gewisser Anforderungen willen, die man an den König
zu richten hatte, von großer Wichtigkeit, daß seine Befreiung
durch ihren Betrieb und ihre Vermittelung geschehe. Hermann von Salza war von beiden beauftragt, sie zu bewirken [2]). Er begab sich daher von Köln aus in Begleitung
beider Könige, des Erzbischofs Engelbert, des päpstlichen Legaten Bischof Conrad von Porto und verschiedener Fürsten
des Reiches gegen die Elbe hin nach Sachsen. Dort sandten
die Könige den Meister an den Grafen von Schwerin und
an den gefangenen König voraus, um die Unterhandlungen
mit ihnen zu des letzteren Befreiung und ihrer Versöhnung
vorzubereiten [3]). Dann ward eine Fürstenversammlung zu
Nordhausen angeordnet; allein des Erzbischofs Engelbert ei-

---

1) *Godefrid. Monach.* l. c.

2) *Petri Olai* Excerpt. ap. *Langebeck* T. II. p. 258. *Raynald.* an. 1223 Nro. 23 seq. an. 1224 Nro. 28. Mallet Geschichte
von Dänemark B. I. S. 379. Raumer B. III. S. 667.

3) *Godefrid. Monach.* p. 293. Chron. Hirsaug. T. I. p.
534.

frigste Bemühungen dafelbst für des Königes Freilaffung blieben ohne Erfolg. Erst auf einer zweiten Versammlung zu
Barbewick gelang es den klugen und gewandten Unterhandlungen Hermanns von Salza, von den übrigen Fürsten und
dem Legaten unterstützt, am vierten Juli des J. 1224 zwischen Waldemar und dem Grafen einen Vertrag zu Stande
zu bringen [1]). Freilich dauerte es noch länger, als ein Jahr,
ehe der König seiner Haft entlassen wurde und es waren
schwere Opfer, die er für seine Befreiung zu bringen hatte [2]).

Hierauf besuchte Hermann ohne Zweifel das nahe liegende
Salza, seinen Geburtsort, und den Hof des Landgrafen von
Thüringen, seines alten Landesherrn, an welchen er ebenfalls
Briefe vom Kaiser überbrachte [3]). Auch diesen suchte er für
die Theilnahme am Kreuzzuge zu gewinnen, indem er
ihm, wie allen andern Fürsten in des Kaisers Namen verhieß, daß er sie auf dem Zuge reichlich mit Lebensmitteln,
mit Geld und andern nöthigen Dingen unterstützen werde.
Zugleich aber benutzte der Meister diese Reise auch, um die
Beschaffenheit und Verwaltung der Besitzungen des Ordens
in Deutschland genauer kennen zu lernen. In Thüringen be-
lehrte ihn hierüber wahrscheinlich der Deutschmeister Hermann
Balk, als oberster Aufseher aller damals vorhandenen Balleien
im Deutschen Reiche, der sich meistentheils in Thüringen aufhielt [4]). Von da begab sich Hermann von Salza zu dem

---

1) Daß dieser Vertrag vorzüglich Hermanns Werk war, sagt ausdrücklich *Godefrid. Monach.* l. c.: Quo (sc. magistro Hermanno)
mediante ad hoc inductus est idem Rex. — *Hamsfort.* Chronol. ap. *Langebeck* T. I. p. 286 sagt ebenfalls: Cuius (sc. Hermanni Magistri) suasu persuadetur Rex, ut omnem terram
ablatam reddat Imperio et det quinquaginta millia librarum
argenti. *Raynald.* an. 1224. Nro. 28.

2) Chron. Hirsaug. T. I. p. 534. Mallet B. I. S. 381.
Raumer B. III. S. 668.

3) *Raynald.* an 1224. Nro. 6.

4) Daß Hermann Balk damals Deutschmeister war, ist so eben aus
Urkunden bewiesen. Wahrscheinlich geschah es auf Verwenden Hermanns

nämlichen Zwecke nach Franken, wo der Orden gleichfalls schon
ansehnliche Güter hatte [1]).

Auch an den König von Ungern hatte der Meister vom
Kaiser Briefe und Aufträge erhalten [2]), eines Theils die
Sache des Kreuzzuges, andern Theils aber ohne Zweifel auch
die wichtige Ordensbesitzung im Lande Burzen betreffend.
In diesem nämlich hatten sich die Verhältnisse in kurzer Zeit
wiederum ganz umgewandelt. Nachdem König Andreas den
Ordensrittern das Land aufs neue zugesichert und der Papst
dieses bedeutende Besitzthum des Ordens als ein Eigenthum
der Kirche in seinen besondern Schutz genommen, hatten die
Ordensbrüder, nunmehr im Besitze sich völlig sicher glaubend,
alles angewandt, das Land für immer von den häufig noch
wiederholten Einfällen der Kumaner und anderer wilden
Feinde zu befreien. Es ward der Aufbau einer neuen Burg
begonnen, die durch ihre Festigkeit und glückliche Lage die
Raubzüge des Feindes fernerhin ganz unmöglich machen sollte.
Da brach plötzlich ein starker Haufe von Kumanern auf, um
den Bau zu hindern [3]). Es kam zum Kampfe. Zum Glück
hatten die Ordensritter ihre ganze Kriegsmacht dort versammelt, also daß sie dem wild anstürmenden Feinde mit aller
Kraft begegnen konnten und ihn mit so glücklichen Waffen
bekämpften, daß er in großer Verwirrung und erschreckt zurückfloh, viele aber sich den Ordensbrüdern freiwillig ergaben
und die Taufe empfingen [4]). Doch war dieser Feind, da ihm

---

von Salza, daß der Landgraf Ludwig im J. 1225 das für den Orden
günstige Diplom ausstellte, wodurch dieser in Thüringen völlige Zollfreiheit erhielt; s. Histor. Diplomat. Unterricht und Deduction u. s. w.
Beilage Nr. 43.

1) Nach einer Urkunde bei *Schultes* Director. diplom. p. 590
befand sich Hermann am 23sten Juli 1224 zu Nürnberg.

2) *Raynald.* l. c.

3) Da ihnen der König ultra montes inviam (nivium) partem
Cumaniae geschenkt hatte, so war es ohne Zweifel hier, wo sie die
feste Burg, vielleicht das Castrum S. Severini oder Szörény erbauen
wollten. S. Engel S. 143.

4) Vgl. die Bulle des Papstes Gregorius IX. bei *Dreger*
Nro. XC.

mit offenen Waffen begegnet werden konnte, noch keineswegs
der gefährlichste; denn weit größere Gefahren drohten auch
hier dem Orden von Seiten der Geistlichkeit, zumal als der
mächtige Bischof Rainald von Siebenbürgen in seinem Streite
mit dem Orden über die geistliche Gerichtsbarkeit vom Papste
einen so scharfen Verweis erhalten hatte [1]), daß er auf alle
Mittel bedacht war, den Ordensbrüdern sein Gewicht und
seinen Einfluß in jeder Weise fühlen zu lassen. Und solches
gelang dem Bischofe; denn theils durch ihn verhetzt, theils
vielleicht auch erzürnt, daß auf Anlaß der Ordensritter der
Papst das ganze Land Burzen für ein Eigenthum der Römischen Kirche erklärt und somit den Orden der Oberherrschaft
des Reiches gänzlich entzogen hatte, fand König Andreas
schon im Jahre 1224 neuen Anlaß gegen die Ordensritter.
Sie von neuem eigenmächtiger Eroberungen beschuldigend,
brach er jetzt sogar mit bewaffneter Macht gegen sie auf,
nahm ihnen die neuerbaute Burg weg und beschloß, sie durch
Belästigungen mit Abgaben und allerlei Anforderungen so
lange zu bedrängen, bis sie der Schenkung endlich selbst entsagen würden [2]).

Dieß waren die Verhältnisse, welche den Meister Hermann bewogen, mit dem Könige selbst Unterhandlungen anzuknüpfen [3]). Sie blieben indessen ohne Erfolg und der Orden klagte nun von neuem bei dem Römischen Stuhle über
des Königs Wankelmuth und harte Behandlung. Da erließ

---

1) *Raynald.* an. 1224. Nro. 36.

2) Die Bulle des Papstes Gregorius IX. bei *Dreger* Nro. XC.
scheint anzudeuten, daß auch jetzt der glückliche Anbau des Landes den
König gereizt habe, dasselbe sich wieder zuzueignen.

3) Ob Hermann im Jahre 1224 persönlich mit dem Könige unterhandelte und also in Ungern selbst war, ist nicht sicher zu behaupten.
Gregorius IX. deutet in der erwähnten Bulle zwar darauf hin, daß der
Meister wirklich einmal nach Ungern gereist sey; allein hiernach scheint
diese Reise erst nach der Vertreibung der Ritter im Jahre 1225 erfolgt
zu seyn. Freilich ist auch nicht gewiß, ob der Papst in seiner Bulle
die Erzählung streng chronologisch geordnet habe und möglich wäre es
immer, daß die Reise nach Ungern schon ins Jahr 1224 fiele.

Honorius an diesen ein ernstmahnendes Schreiben, in welchem er ihn durch Gründe der Religion und seiner königlichen Ehre zur Milde und zur Treue seiner Verheißungen zu bewegen suchte, mit dem Erbieten, einen Legaten zu ihm ins Land zu senden, welcher untersuchen solle, ob wirklich die Ordensritter die Gränzen ihres Gebietes überschritten .oder ob neidische Verläumbung, welcher der König zu leichtfertig Gehör gegeben, ihnen diese Schuld nur angedichtet [1]). Das Letztere schien dem Papste wohl unbezweifelt, denn er kannte die feindliche Gesinnung der hohen Geistlichkeit in Ungern gegen den Orden. Um so weniger aber konnten auch des Papstes Ermahnungen und Bitten bei dem Könige Erfolg haben. Die Ritter wurden vielmehr mit Gewalt aus ihrem Besitze vertrieben [2]) und ein Theil desselben den Sachsen eingeräumt. Zwar ließ Honorius auch jetzt noch nicht ab, den König mit allem gebieterischem Ernste an die Zurückgabe der Schenkung zu ermahnen; allein der König gab weder Ermahnungen noch Bitten Gehör und die Ordensritter mußten alles, was sie unter Mühen und Kämpfen in dem unwirthbaren Lande errungen, ohne Hoffnung aufgeben [3]).

So kehrte Hermann von Salza keineswegs mit erfreuenden Nachrichten nach Italien zurück, denn auch seine Bemühungen in der Sache des Kreuzzuges waren nicht überall mit dem Erfolge belohnt worden, welchen er sich versprochen hatte. Aber auch den Kaiser selbst fand er anders gesinnt, als er ihn verlassen. Die geringe Theilnahme, welche der König von Jerusalem überall gefunden, die unbedeutenden Wirkungen, welche in verschiedenen Ländern die Kreuzpredigten gehabt, die Erfolglosigkeit aller Ermahnungen des Papstes an die Könige von England und Frankreich zur Beilegung ihrer Fehden

---

1) Vgl. den Brief des Papstes Honorius bei *Raynald.* an. 1225. Nro. 19 — 20.

2) „Fratres de terra expulit violenter" heißt es in der Bulle des Papstes bei *Dreger* l. c. *Raynald.* an. 1225. Nro. 20.

3) *Raynald.* l. c. Histoire de l'Ord. Teut. T. I. p. 185. Engel a. a. O. S. 144.

und zur Theilnahme an der heiligen Unternehmung, zudem auch manche bedenkliche Verhältnisse in seinen Staaten ließen es dem Kaiser unmöglich scheinen, den Kreuzzug in der zu Ferentino festgesetzten Zeit wirklich anzutreten. Auch der König und der Patriarch von Jerusalem waren mit ihm darin einverstanden und es gelang diesen letztern, abermals den Papst zur Verlängerung der Frist zu gewinnen [1]). Zu S. Germano ward im Juli des J. 1225 ein neuer Vertrag geschlossen, nach welchem der Kaiser versprach, im August des Jahres 1227 den Kreuzzug gewiß anzutreten und im heiligen Lande zwei Jahre hindurch tausend Reiter zu erhalten. Für jeden fehlenden verhieß er eine Strafe von funfzig Mark, die nach der Bestimmung des Königes, des Patriarchen und des Meisters des Deutschen Ordens zum Besten des heiligen Landes verwandt werden solle [2]). Ferner verpflichtete sich der Kaiser, auf hundert und funfzig Schiffen zweitausend Reiter nach dem heiligen Lande überzusetzen und wenn sich diese Zahl von Rittern nicht finde und jene Schiffe nicht nöthig seyen, die dadurch ersparte Summe nach der Bestimmung der genannten Personen für die Vertheidigung des heiligen Landes zu verwenden. Außerdem verhieß er, an den König, den Patriarchen und den Meister des Deutschen Ordens hunderttausend Unzen Goldes in vier Fristen gleichsam als Pfandgeld auszuzahlen, die er jedoch zurückerhalten sollte, sofern er binnen zwei Jahren den Kreuzzug wirklich antrete; sterbe er aber mittlerweile oder ziehe er aus irgend einer Ursache nicht ins Morgenland, so solle jene Summe in den Händen der genannten Personen verbleiben und mit Beirath der Meister

----

1) *Richard. de S. Germano* p. 998.

2) Im Vertrage heißt es: Pecuniam de huiusmodi redemptione collectam nos, si ibi fuerimus, ad testimonium et consilium Regis et patriarchae Hierosolymitanorum ac magistri domus Theutonicorum ac aliorum proborum hominum de terra ibidem ad servitium Jesu Christi expendemus in usus eosdem vel alios, ubi eis magis visum fuerit expedire. *Raynald.* an. 1225. Nro. 4.

des Tempel- und Johanniter-Ordens und anderer bewährter
Männer verwandt werden [1]). Endlich warb in dem Vertrage
auch noch ausdrücklich bestimmt, daß der Kaiser, sobald er einen einzigen Artikel des Vertrages nicht erfülle oder irgend
einem Punkte entgegenhandele, ohne weiteres in den Bann
verfalle und die Kirche mit seiner eigenen Einwilligung das
volle Recht haben solle, diese Strafe über ihn auszusprechen [2]).

Ohne Zweifel war Hermann von Salza eben so, wie
der König und der Patriarch von Jerusalem bei dem Ab-
schlusse dieses Vertrages zu S. Germano zugegen. Er beweiset die wichtige Stellung, welche damals schon der Meister
des Deutschen Ordens in den Angelegenheiten des Morgenlandes behauptete; er beweiset das Vertrauen und die hohe
Achtung, mit welchen der Kaiser ihn beehrte; er beweiset endlich aber auch, daß Hermann seine Zuversicht auf den Kaiser
und auf dessen Hülfe noch keineswegs aufgegeben und also
auch um diese Zeit noch nicht mit festem Entschlusse an eine
Versetzung seines Ordenshaupthauses ins Abendland gedacht
habe [3]).

Doch war Hermann damals schon, und zwar wahrscheinlich im Jahre 1224, mit einem Manne bekannt geworden,
der durch Einen Gedanken, den er, späterhin aussprach, Anlaß

---

1) Rex et patriarcha et magister domus Theutonicorum
praedicti ad laudem et consilium magistrorum Hospitalis et
Templi ac aliorum proborum hominum de terra expendent
eandem pecuniam bona fide, sicut melius viderint expedire
utilitati Terrae sanctae. *Raynald.* l. c. Nro. 6.

2) Der Vertrag bei *Raynald.* l. c.; einzelnes bei *Richard. de
S. Germano* p. 998. Bgl. *Mathaeus Paris* p. 333.

3) Daß Hermann sich schon im Jahre 1224 von Akkon nach Venedig begeben und da seinen künftigen Wohnsitz aufgeschlagen habe,
wie Baczko B. I. S. 40 nach der unbestimmten Angabe bei *Leo
Hist. Pruss.* p. 68 behauptet, ist ganz unerweislich und schon deshalb
nicht glaublich, weil er den größten Theil des Jahres 1224 auf seiner
Reise zubrachte. Der Vertrag von S. Germano setzte auch offenbar
noch voraus, daß Hermann eben so wie der König und der Patriarch
fernerhin im Morgenlande leben würde.

gab, daß das ganze Schicksal des Ordens ein anderes ward. Dieser Mann war der Bischof Christian von Preussen, welcher um jene Zeit in Deutschland gewesen war, um ein neues Kreuzheer zu sammeln zur Vertheidigung der in Preussen durch ihn neugegründeten Kirche [1]). Es scheint, daß beide Männer sich alsobald zu einander hingezogen gefühlt haben, und wie auch anders? Beide lebten mit der ganzen Kraft ihrer Seele Einer Idee, Einem Ziele, Einem Werke in dem Reiche Christi. Was Hermann für das Morgenland erstrebte, das wollte der Bischof Christian für Preussens rauhere Gegenden.

Auch der Papst hatte für das, was diese beiden Männer als ihres Lebens höchste Aufgabe betrachteten, mit einem Eifer gestrebt, gerungen und gearbeitet, der wohl eines erfreulicheren Erfolges würdig gewesen wäre. Aber es nahten nun schon die letzten Jahre seines Lebens, ohne daß er das Ziel erreichen konnte, dem er während der ganzen Zeit seines bischöflichen Amtes nachgetrachtet. Vielmehr waren auch diese letzten Lebensjahre mit einer Reihe von Begebenheiten angefüllt, die nichts weniger als heilbringend für die Kirche seyn konnten. Zuerst brachen in Rom wegen eines Streites mit dem Senate so gefährliche, aufrührerische Bewegungen aus, daß Honorius genöthigt war, die Stadt zu verlassen und seinen Aufenthalt theils zu Reate, theils zu Tivoli zu nehmen [2]). Auch hier waren es die Verhältnisse des Ordens, welche ihn vielfältig beschäftigten. Trotz aller Ermahnungen, Warnungen, Drohungen und Verbote des Papstes dauerten die unwürdigen Umtriebe der Geistlichkeit gegen den Orden noch immer fort und immer waren auch noch päpstliche Befehle nöthig, um den kecken Clerus in seinen Kränkungen des

---

1) Lucas David B. II. S. 16 giebt aus Simon Grunau zwar die Nachricht, daß Christian den Meister Hermann bereits im Jahre 1218 zu Rom kennen gelernt habe; allein dieses ist schon aus dem Grunde unrichtig, weil Hermann erst einige Jahre später nach Italien kam. Weit wahrscheinlicher ist daher, daß die Bekanntschaft beider Männer erst ins Jahr 1224 fällt.

2) *Richard. de S. Germano* p. 998.

Ordens zurecht zu weisen [1]). Und alle diese wiederholten Be=
fehle zeugen von dem neidischen, mißgünstigen und widerspen=
stigen Geiste, den die Geistlichkeit in allem nährte und wirken
ließ, was nur irgend auf das Wohl und den Nutzen des Or=
dens hinzielte. Nur wenige blieben demselben so wohlge=
sinnt, wie der Bischof von Würzburg, Dieterich von Hohen=
burg, der gern einwilligte, daß die beiden edlen Brüder Gott=
fried und Conrad von Hohenlohe den nicht unbedeutenden
Zehnten, welchen sie in Mergentheim von der Würzburgischen
Kirche in Lehnsverbindung zogen, an den Orden abtraten [2]);
wie denn auch sein Vorgänger Otto von Labenberg dem Or=
den manche Beweise seiner geneigten Gesinnung gegeben [3]).

Noch trüber aber wurde die Aussicht für des Papstes
letzte Lebensjahre und noch entfernter trat die Hoffnung, den
längst erwünschten Kreuzzug in Ausführung gebracht zu sehen,
als zwischen dem Kaiser und dem Papste wegen Besetzung

---

1) Hierüber sind aus den Jahren 1224 und 1225 mehre Bullen
vorhanden, die aber fast immer nur von neuem verbieten, was zuvor
schon verboten worden war. Die Wiederholung dieser Bullen zeigt uns
daher nur, worin und warum die Geistlichkeit den Orden noch fortwäh=
rend befehdete; z. B. eine Bulle, datirt: Lateran. XI. Calend. Jul.
p. n. anno octavo, worin der Papst eine falsche Auslegung seiner
früher über die Freiheit des Ordens vom Zehnten verliehenen Bulle
bestreitet und die Erhebung des Zehnten von den Gütern des Ordens
von neuem streng verbietet. Neu ist aber die Bulle, in welcher der
Papst dem Orden das Recht giebt, Angriffe boshafter Menschen auf die
ihm vom Kaiser zur Bewachung übergebenen Burgen in Sicilien mit
Waffengewalt zurückzuweisen: Licet vestri propositi sit, arma contra christicolas non movere, quia tamen exuberante malicia
nichil satis tutum est ab incursibus malignorum, presencium
vobis auctoritate concedimus, ut si forte in castra, que sunt
in regno Sicilie custodie vestre a carissimo in christo filio
nostro, Friderico Imperatore Romanorum Illustri et rege Sicilie commissa fuerint facti insultus, ad eorum defensionem
vobis liceat uti armis.
2) Die pästliche Bestätigung hierüber steht im kleinen Privilegienb.
p. 77. datirt: Reate III. Idus Jul. p. n. anno nono.
3) *Lang* Regesta Boica T. II. p. 135. 99. 143.

von fünf in Italien erledigten Bischofsstühlen, die sich Honorius ohne Rücksicht auf des Kaisers Recht erlaubt hatte, ein
so äußerst heftiger Zwist ausbrach, daß an ein gegenseitiges,
gemeinsames Zusammenwirken für die Sache des heiligen Landes gar nicht mehr zu denken war, vielmehr von beiden Seiten die heftigsten Vorwürfe die Erbitterung immer höher
trieben. Nach dem, was der Papst dem Kaiser im hohen
Zorne über die Sache schrieb [1]), war kaum abzusehen, wohin
der Streit die erbitzten Gemüther noch führen werde. Da
war es der Meister des Deutschen Ordens, der so friedlich
als rechtlich gesinnte, von dem Unheile der Zwietracht beider
christlicher Oberhäupter aufs schmerzlichste ergriffene Hermann
von Salza, auf welchen beide ihr vollstes Vertrauen setzten
und den auch beide, Kaiser und Papst, zum Schiedsrichter ihres Streites erkoren. Diese Aufforderung indessen, so sehr sie
auch von dem ehrenvollsten Vertrauen beider hoher Gönner
zeugte, setzte den Meister dennoch in schüchterne Verlegenheit.
Er antwortete dem Kaiser: „Wie kann solches geschehen, daß
ich armer und unweiser Mann versöhnend eine Sache auszugleichen unternehme, welche die ganze Christenheit betrifft? Ich
bin hiezu weder würdig, noch auch unterrichtet genug und
bitte Gott, man wolle mich des überheben.“ Wohl hatte
Hermann auch noch manche andere Gründe, ein solches
Schiedsrichteramt über die beiden Häupter der Christenheit
von sich abzulehnen. Allein beide bestanden auf seinem Aus-
spruche. Der Meister konnte nicht mehr umhin; und nachdem er sich über die Beschaffenheit des Streitpunktes hinlänglich unterrichtet, fiel sein Spruch zu Gunsten des Papstes.
Der Kaiser untergab sich dem Urtheile und der Friede zwischen beiden war somit durch Hermanns Bemühen wiederher-
gestellt [2]).

---

1) *Raynald.* an. 1225 Nro. 45 seq. Raumer B. III.
S. 398.

2) So die Ordens-Chroniken. *Dusburg* P. I. c. 5 sagt: Acci-
dit et quod dum inter Dominum Honorium Papam III. et
Fridericum II. Imperatorem aliqualis dissensionis materia ver-

Mittlerweile aber entspannen sich in Oberitalien Verhält=
nisse, deren bedenkliche Wendung, welche sie für den Kaiser
nahmen, die Hoffnung eines baldigen Kreuzzuges wieder wei=
ter zu entfernen schien, deren Verlauf jedoch auch zeigt, daß
Hermanns Richterausspruch zu Gunsten des Papstes des Kai=
sers Vertrauen und gewogene Gesinnung gegen ihn nicht im
mindesten verändert hatte. Eingedenk des früheren Bundes,
welchen die Lombardischen Städte zur Zeit des Kaisers Frie=
derich des Ersten gegen die ihrer Freiheit widerstrebende kaiser=
liche Macht zur Behauptung und zur Hut ihres freien Bür=
gerlebens geschlossen, traten im Jahre 1226 die wichtigsten
jener Städte, erschreckt durch die Nachricht, daß der Kaiser
an der Spitze seiner Apulischen Macht gegen Lombardien zie=
hen und sich mit einem aus Deutschland kommenden Heere
vereinigen wolle zur Bekämpfung der seinem Hause abgeneig=
ten Städte, zu einer neuen Bundesvereinigung zusammen, des
Kaisers Versuch zu widerstehen [1]). Beweisliche Gründe zu
diesem Schritte waren in Friederichs bisherigem Verfahren ge=
gen die Städte nicht vorhanden; es war, wie er selbst erklär=
te, die Sache des Kreuzzuges, deren Berathung zu Cremona

teretur occulta, uterque causam suam eidem Fratri Hermanno
definiendam commisit, quod cum audiret ipse, renuit, asse-
rens magnam indecentiám, si Dominorum totius mundi causam in se susciperet, cum ipse esset persona humilis et in
nullius dignitatis praeeminentia constitutus. Orbens = Chron.
S. 16 und bei *Matthaeus* l. c. p. 679. Die Italienischen Quellen
wissen freilich nichts von einer solchen Vermittlung durch den Meister
und wir ersehen aus Raumer B. III. S. 408, daß die ganze Streit=
sache durch einen nachgiebigen Brief des Kaisers an den Papst, also im
Stillen beigelegt wird. Demnach ist wohl auch die Vermittlung des
Meisters der Welt damals wenig bekannt geworden und von den Chro=
nisten der Zeit unberührt geblieben. Und hatten Kaiser und Papst in
ihren Verhältnissen nicht auch Ursachen genug, der Welt von ihrem
Zwiste nicht viel kund werden zu lassen und die Entscheidung einem ver=
trauten Freunde zu übergeben?

1) Friederichs Brief bei *Raynald.* an. 1226. Nro. 21. *Sigonius*
de regno Ital. p. 33 — 34. Muratori Geschichte von Italien
B. VII. S. 460.

er vor Augen gehabt. Darum suchte er die gefährliche Bewegung durch vermittelnde Unterhandlungen zu beschwichtigen. Außer andern angesehenen und bewährten Männern, die er als Gesandten nach Lombardien schickte, ernannte er hiezu auch den Meister des Deutschen Ordens; für diesen ein neuer Beweis des hohen Vertrauens, welches ihm der Kaiser schenkte [1]. Allein die Abgesandten kehrten zurück, ohne die feindliche Gesinnung der meisten jener Städte zum Frieden umgestimmt zu haben. Da ersuchte Friederich den Papst [2], mit Beihülfe und Rath des Erzbischofs von Tyrus, des Meisters vom Deutschen Orden und anderer bewährter Männer die Vermittlung und Entscheidung zwischen ihm und den Lombarden zu übernehmen. Ungern unterzog sich Honorius dem bedenklichen Auftrage; doch auf des Kaisers erneuerte Bitte that der Papst mit Beirath der genannten Männer einen schiedsrichterlichen Ausspruch, mit welchem beide Parteien sich vorerst befriedigten [3].

Hermann von Salza hatte in diesen Verhandlungen dem Kaiser neue Beweise seiner Gewandtheit in Staatsverhältnissen, seiner Klugheit und Erfahrung, wie nicht minder seiner treuesten Anhänglichkeit und Liebe zu dem herrschenden Kaiserhause, aber er hatte auch dem Papste neue Zeugnisse und Merkmale seines eifrigsten Strebens zur Entfernung aller der Sache des Kreuzzuges entgegenstehenden Hindernisse gegeben. Und dem Verdienste folgten seine Belohnungen. Von gleicher Hochachtung beseelt gegen den würdigen Meister und von gleicher Liebe zu ihm hingezogen, erhoben ihn und alle seine Nachfolger im Meisteramte der Kaiser und der Papst zum Reichsfürsten, und zum Zeichen dieser fürstlichen Erhebung beschenkte

---

1) Friederichs Brief bei *Raynald.* l. c.

2) *Raynald.* l. c. Nro. 23. *Richard de S. Germano* p. 1000.

3) Vgl. Raumer B. III. S. 408 — 409, wo freilich die Theilnahme Hermanns von Salza an dieser Streitsache nicht besonders hervorgehoben ist. Sie liegt aber nach Friederichs erwähntem Schreiben außer Zweifel.

ihn der letztere mit einem kostbaren Ringe [1] der nachmals bis
in entfernte Zeiten von Meister zu Meister überging, als ein
Kleinod zum Andenken der einstigen Huld und Hochschätzung,
die der Meister Hermann von Salza am heiligen Stuhle genossen hatte [2]. Der Kaiser aber verlieh ihm als Reichsfür-

---

1) Ringe mit Steinen verziert verschenkte der Papst öfter als Zeichen seiner Huld. Solche erhielten z. B. König Ludwig VII von Frankreich von Alexander III, der Graf von Toulouse von Innocenz IV,
König Johann von England von Innocenz III, welcher letztere sich in
seinem Briefe an den König über die sinnbildliche Bedeutung des Geschenkes ausläßt; s. Raumer B. III. S. 260 u. VI. S. 63.

2) Ueber die Zeit dieser Verleihung des päpstlichen Ringes ist schwerlich etwas Bestimmtes festzustellen. Zwar erwähnt Hartknoch in einer Anmerkung zum *Dusburg* P. I. c. 5 einer päpstlichen Bulle vom
25. Decemb. 1219, nach welcher um diese Zeit die Verleihung geschehen
seyn soll, und er wiederholt diese Bemerkung auch im A. u. N. Preuß.
S. 268. Allein diese Nachricht gründet sich auf ein sehr unkritisches
Zeugniß. In einer Chronik der Wallenrodischen Bibliothek (zu Königsberg), welche Auszüge von den Bullen des Papstes Honorius III mittheilt, steht unter andern Bullen dieses Papstes auch eine mit der Auf-
schrift: „Von des Meysters Köre und Confirmation." Sie giebt zuerst
den Inhalt der früher schon erwähnten Bulle (vom 8. Decemb. 1216),
wo von der Meisterwahl die Rede ist. Dann fügt sie hinzu: „Dersel-
big Babst Honorius gab Herr Hermann von Salza dem Hohemeister
ein gulbin ringlen an die Handt und Privilegia darauff, Nemlich also,
welcher hienfurter zu einem Hohemeister gekoren wurde nach den regeln
und Ordens gewohnheiten und ein ritterbruder ist, das man demselben
gekoren Homeister ein gulbin Ringelein an die Handt stecken soll und In
setzen in den Stuell seiner Herrligkeit." Darunter setzt nun der Chronist willkührlich das Datum: „in seinem Vierden Jar im 8 Calend.
Januar." Es ist ganz klar, daß hier der Chronist völlig kritiklos verfuhr. In der Bulle Honorius III vom 8. Decemb. 1216 steht nicht
nur kein Wort vom Ringe des Meisters, sondern es findet sich auch
unter den zahlreichen Bullen dieses Papstes, weder unter den Originalen, noch in den päpstlichen Privilegienbüchern keine einzige, welche der
Verleihung des Ringes erwähnte. Wenn daher die Histoire de l'Ordre
Teut. T. I. p. 160 in Beziehung auf diesen Gegenstand sagt: Si Hartknoch ne s'est pas trompé de date, ou si elle n'est pas fau-
tive par la maladresse de quelque copiste, tous ces événemens
doivent être placés sept ou huit ans plustôt, so müssen wir viel-

sten zum Beweise seiner Dankbarkeit und Gnade die Erlaubniß, auf seinem Schilde und in seiner Ordensfahne den schwarzen Adler führen zu dürfen und schenkte ihm überdieß ein
Stück vom heiligen Kreuze Christi, welches bis in des Ordens späteste Zeiten als heilige Reliquie verehrt worden [1]).

Wie aber um diese Zeit der Meister in hoher Würde da
stand und sich nun auch Hochmeister des Deutschen Ordens
nannte, so hatte jetzt unter Hermanns sechszehnjähriger Verwaltung der ganze Orden selbst eine weit höhere Stellung erstiegen und mit dem Meister hatte sich auch der Orden
erhoben, wie an Ansehen und Gewicht vor der Welt, so an
Umfang und an Reichthum seines Einkommens und seiner Besitzungen. Die hohe Achtung und Gewogenheit, welche der
Kaiser dem Meister in so manchfaltiger Art bewiesen, hatte
auf die ganze ritterliche Verbrüderung einen gewissen Glanz
geworfen und sie in den Augen der Welt bedeutend emporgehoben. Jene zahlreichen Beweise der ausgezeichnetsten Gunst
und besonderen Vorliebe, die der Papst dem Oberhaupte des
Ordens gegeben, mußten nothwendig, trotz alles Gegenwirkens
der Geistlichkeit, in unendlich vielen Menschen die Ueberzeugung
von der großen Verdienstlichkeit und von dem hohen Werthe
des ganzen Ordens erwecken und befestigen, denn der Papst
wandte in seinen Bullen sichtbar alle Mühe auf, um diese
Ueberzeugung aufs allgemeinste zu verbreiten. Für das Einkommen und die Erhaltung des Ordens war ferner vom Kaiser wie vom Papste während Hermanns Zeit, man möchte
sagen, wahrhaft väterlich gesorgt worden. Aus welchen Quellen dieses Auskommen für den Orden floß, wird aus dem,
was über diesen Gegenstand bisher im Einzelnen gesagt ist,
schon von selbst einzusehen seyn. Außerdem erstreckten sich des
Ordens ländliche Besitzungen schon fast über alle Länder des
Vaterlandes und selbst weiter hin nach Italien und Sicilien.

---

mehr uns überzeugt halten, daß gar keine Bulle über diese Verleihung
des Ringes ausgestellt worden ist, da sie sich sonst unter den übrigen
gewiß finden würde.

1) Auch über die Zeit dieser Verleihung giebt keine Urkunde Aus-

Auf solchen Besitzungen sehen wir frische Zweige des Ordens in den Rheinlanden, in Baiern, in Oesterreich, in Franken, in Thüringen, in Hessen und andern Gegenden Deutschlands. Außer seinen Ordenshäusern im Vaterlande und in Italien hatte er auch noch seine alten Besitzungen im Morgenlande, die im Ertrage zwar nicht von sonderlicher Bedeutsamkeit und ohnedieß in ihrer Sicherheit oft sehr gefährdet waren, doch aber auch dort den Orden außerhalb der Mauern Akkons weiter verzweigt hatten, so daß man den anfangs so ganz armen Orden nun schon für ziemlich begütert halten durfte [1]). Auf diesen Gütern vertheilt und in den verschiedenen Ordenshäusern zerstreut lebte nun auch schon eine bedeutende Anzahl von Ordensrittern und Ordensbrüdern, die im Morgenlande unter Aufsicht des dortigen Stellvertreters des Hochmeisters, des Großkomthurs, die in Deutschland unter der des Deutschmeisters. Hermanns allgemein gefeierter Name hatte unfehlbar manchen, der nach Ruhm und Ehre geizte, auch wohl manchen, der mit frommem Herzen nur den heiligen und menschenfreundlichen Zweck des Ordens vor Augen hatte, in die geweihte Brüderschaft hineingezogen [2]), denn der Geist der Zeit,

---

kunft. Nach *Dusburg* P. I. c. 5 setzen wir sie in diese Zeit, weil jetzt Hermann durch seine Verdienste in vorzüglichster Gunst bei dem Kaiser stand. Ein kaiserliches Diplom über diese Bewilligung ist aber nicht vorhanden.

1) Damit stimmt auch das Chron. Hirsaug. beim Jahre 1227 p. 538 überein, wo es heißt: His temporibus Ordo militum b. Mariae Hospitalis Teutonicorum in Germaniae provinciis domos Conventuales in diversis locis plures construere coepit: et brevi tempore multum in rebus et bonis temporalibus profecit per industriam Hermanni supremi Magistri Hospitalis Hierosolymitani. — Unde cum favore summi Pontificis, Imperatoris quoque et Principum domus in Teutonia plures fundatae sunt militum Ordinis Teutonicorum, multisque praediis et possessionibus in subsidium militantium Christo magnifice dotatae.

2) Der Eintritt des Landgrafen Conrad von Thüringen, den man gewöhnlich in diese Zeit setzt, geschah erst im Jahre 1234. S. Rommels Geschichte von Hessen B. I. S. 248.

der die Ritterorden geboren hatte, nährte die Sprößlinge der
Kreuzzüge auch wohl von selbst schon durch Vermehrung ihrer
Gliederzahl. Zudem hatte der Papst Honorius, wie wir
gesehen, manches Mittel zur Vergrößerung der Brüderzahl
aufgeboten und wiederholt den Eintritt in den Orden als eine
heilige Weihe für den Dienst Gottes und des Heilandes an-
gepriesen [1]. Selbst kirchliche Gnadenmittel waren für die
Theilnahme an der Gemeinschaft des Ordens vom Papste öffentlich ausgesetzt worden [2]. Und wenn man weiß, wie lo-
ckend solche Mittel in jenen Zeiten waren und wie mächtig sie
einwirkten auf die Entschlüsse und Gesinnungen der Menschen,
so ist leicht zu glauben, daß auch sie zur Vermehrung der
Ordensbrüder nicht ohne bedeutenden Erfolg blieben. Sicherlich beburfte es zur Bezähmung des wilden Kumanervolkes an
den Gränzen des Burzenlandes einer ansehnlichen Zahl streit-
barer Ordensritter, einer nicht minder bedeutenden zur Bewachung und Vertheidigung der kaiserlichen Burgen auf Sicilien und zur Besetzung der Ordenshäuser in Deutschland und
in Syrien. Dazu nun noch die dem Orden zugehörigen Halbbrüder, welche vorzüglich in den ersten Zeiten für des Ordens
Erhaltung und für die Vermehrung seines Einkommens in aller Weise so wichtig wurden und den Stamm der Ordens-

---

1) Nur von vielen Ein Beispiel, wie der Papst in seinen Bullen
die Verdienste des Ordens erhebt. In einer Bulle vom Jahre 1221
heißt es: Milites Hospitalis S. Mariae Teut. Hierosol. novi sub
tempore gratiae Machabaei, abnegantes secularia desideria et
propria relinquentes, tollentes crucem suam, Dominum sunt
seculi: ipsi sunt, per quos Deus orientalem ecclesiam a paganorum spurcitiis liberat, et christiani nominis inimicos expug-
nat: ipsi pro fratribus animas ponere non formidant et peregrinos ad sancta loca proficiscentes, tam in eundo quam re-
deundo defensant ab incursibus paganorum.

2) So heißt es in einer Bulle: Nos de beatorum Apostolorum
Petri et Pauli auctoritate confisi omnibus, qui de facultatibus
sibi collatis à deo fratribus subvenerint, et in eorum sancta
fraternitate se collegas statuerint eisque beneficia persolverint
annuatim, septimam partem injuncte penitencie relaxamus.

verbrüderung auch in einen Stand verbreiten halfen, von welchem er sonst durch beschränkende Gesetze geschieden war.

So stand der Orden da, reich begabt mit Gütern und
ländlichem Besitze, weit verzweigt in seiner Glieder Zahl, gesichert durch bedeutende Einkünfte, befreit von allen Lasten, die
das Leben drückten, beglückt durch die Gunst und das Wohlwollen der beiden Häupter der christlichen Welt, berühmt
durch seine Tapferkeit, geachtet unter den Menschen durch seine
Verdienste um Milderung menschlichen Elends, verbreitet in
zwei Welttheilen, als ums Jahr 1226 seiner im Norden ganz
neue Schicksale erwarteten und eine neue Welt der Thätigkeit
für ihn eröffnet werden sollte.

Drittes Kapitel.

Schon länger als sechzehn Jahre hatte der fromme und im Glauben so eifrige Bischof Christian an der Verbreitung des Evangeliums im Volke der Preussen mit einer Thätigkeit und einer Hingebung gearbeitet, die kaum übertroffen werden konnten; allein sie waren im Verhältnisse zu der Länge der Zeit noch keineswegs mit dem erwünschten Erfolge belohnt worden. Um die junge Anpflanzung des christlichen Glaubens, so weit sie unter Mühen und Gefahren emporgekommen war, gegen die wilden Anstürme aus Norden her nach Kräften zu schützen, hatte er unter Mithülfe des Herzogs Conrad von Masovien den Orden des Ritterdienstes Christi von Dobrin gegründet. Aber nach kurzer Dauer schon war diese Wehr für die junge Pflanzung durch ein starkes Heer heranstürmender Preussen so gänzlich zerbrochen und darniedergeworfen worden, daß von ihr kein Schutz und keine Sicherheit fernerhin mehr erwartet werden konnte. So stand sie noch da wie eine traurige Ruine ohne Haltung und Festigkeit. Darauf hatte der Bischof Kreuz= heere herbeigerufen, um unter deren Mithülfe die junge Pflan= zung zu schützen und weiter ins heidnische Land hinein zu ver= breiten; allein sie gingen vorüber wie heitere, hoffnungsvolle Tage des Lebens, nach welchen Stürme und Ungewitter zu= rückkehren, denn die Kreuzbrüder zogen in die Heimat zurück, sobald sie das Gelübde ihres Glaubenskampfes erfüllt hatten und der Zorn und die Erbitterung der Preussen gegen alles, was christlich hieß, war jedesmal durch die Erscheinung des

Kreuzes im Verein mit dem feindlichen Schwerte nur noch
tiefer in ihnen aufgeregt worden. Um so weniger vermochte
es nunmehr Konrads, des Herzogs von Masovien, schwache
Kraft, das junge Bisthum im Culmerlande gegen den An-
drang des erbitterten Feindes zu schützen, da er ja nicht einmal im Stande war, die gefährdeten Gränzen seines eigenen
Landes ganz sicher zu stellen. Zudem war auch das nachbar-
liche Pommern schon in den Kampf mit den Preussen hineingezogen und hatte seine Theilnahme am Kriege mit diesem
Volke bereits schwer genug büssen müssen. So lag das
Kulmerland, dem Herzoge zwar zugehörig, doch wie verwaiset
und verlassen da und die christliche Kirche in ihm ohne Wehr,
ohne Schutz und Sicherheit.

In solcher Gefahr gedachte der Bischof Christian des
Meisters Hermann von Salza, den er vor wenig Jahren persönlich kennen gelernt und seines ritterlichen Ordens, von dessen Eifer für die Sache der Kirche und des Glaubens und
von dessen Tapferkeit im Kampfe gegen die Feinde des Christenthums Kaiser und Papst so viel Ruhm erhoben, daß
Deutschland davon voll war. Vielleicht das Beispiel vor Augen, wie durch der Deutschen Ordensritter männliche Thaten
das Land Burzen gegen die stürmischen Raubzüge der wilden
Kumaner vertheidigt und zu blühendem Anbau gelangt war,
vielleicht auch erwägend, wie gerne der Orden bei dem Verluste jener Besitzung seine Kraft auf ein anderes Land verwenden möge und wie wenig er jetzt seiner Bestimmung im Morgenlande nachkommen könne, begab sich der Bischof an Conrads Hof, erzählte dem Herzoge, was die Ritter des Deutschen Ordens für Verbreitung und Vertheidigung des Glaubens und der Kirche in verschiedenen Landen bisher erkämpft
und gewirkt, wie sehr der Kaiser und der Papst sie mit ihrer
Gunst und Achtung beehrt, und sprach den Rath aus: der Herzog
möge diesen Orden zum Schutze des Bisthums im Kulmerlande und zur Wehr der Gränzen seines Herzogthums herbei-
rufen und durch Uebergabe eines bestimmten Landestheiles ihm
eine förmliche Niederlassung in der Nähe seines Gebietes mög-

lich machen [1]) Den Rath des Bischofs billigend berief Herzog Conrad die Großen seines Landes, Prälaten, Woiwoden, Castellane und andere angesehene Herren zu einer Berathung über des Landes Wohl und Rettung, und als sie erschienen, legte er ihnen den Gedanken des Bischofs zu reifer Erwägung vor. Auch bei diesen fand der Plan der Berufung des Deutschen Ordens um so mehr Billigung und Beifall, weil um die nämliche Zeit, als Masovien von den Preussen so hart be-

---

[1]) Daß vom Bischofe Christian der erste Gedanke hiezu ausging, ist nicht zu bezweifeln. Zwar sagt *Dusburg* P. II. c. 5: Hoc resedit in corde ipsius (sc. Conradi ducis) divinitus inspiratum, quod dictos fratres vellet ad defensionem suae terrae, fidei et fidelium invitare, ex quo videret, quod fratres milites Christi per eum ad hoc instituti non proficerent in hac causa; wonach zu glauben wäre, daß Conrad den Entschluß zur Berufung des Deutschen Ordens selbst gefaßt habe. Allein der Chronist schickt dieser Angabe die Worte voraus: Odor bonae famae ipsius (sc. Ordinis) longe lateque diffusus tandem ad notitiam dicti Ducis pervenit, und giebt damit zu verstehen, daß ihm zuvor schon Nachrichten über den Deutschen Orden zugekommen waren, und dieses geschah durch den Bischof Christian. Es lag gewiß in den nachherigen feindlichen Verhältnissen des Bischofs und des Ordens, daß der Ordens-Chronist den Bischof Christian bei dieser Sache so sehr in dem Hintergrunde stehen läßt. Daß dieser aber die Berufung des Ordens zuerst in Anregung brachte, bezeugen das Chron. Oliv. p. 19, Lucas David B. II. S. 31 und es stimmt selbst das Chron. Polon. *Boguphali* ap. *Senckenberg* T. II. p. 59 überein, indem es hier heißt: Conradus Masoviae dux, qui multas infestationes a Pruthenis et a Polexianis in terra Culmensi sustinebat, ad consilium Guntheri barbatis nigra cruce signatis Hospitalariis etc. concessit terram Culmensem (in welcher Stelle aber offenbar statt Guntheri zu lesen ist Christiani, da vom Bischofe Günther von Plock hiebei gar nicht die Rede seyn kann). Dieses bestätigen auch die spätern Polnischen Chronisten, welche den *Boguphal* vor Augen hatten: *Dlugoss.* T. I. p. 644. *Math. de Miechow* p. 125, welche beide sagen: der Orden sey herbeigerufen worden de consilio Christiani Episcopi Culmensis und *Cromer* p. 194: Christiano episcopo suggerente et suadente. Wagner Geschichte von Polen S. 162 ist dadurch widerlegt.

drängt war, auch im Osten des Landes von dem Volke der Litthauer neue Gefahren drohten und dann zumal um so verderblicher werden konnten, wenn in dem alten Feinde Masoviens, in dem Stamme der nahen Polerianer irgenbzur der Gedanke der Vereinigung mit den Litthauern gegen Masovien zum Erwachen kam. Den Preussen hatten die Litthauer zur Bekämpfung des Herzogs von Masovien einigemal schon Hülfe geleistet [1]). Welches Schicksal war für Masovien zu erwarten, wenn sich diese drei Völker gegen den Herzog verständigten!

Die Großen Masoviens stimmten darum gerne in des Herzogs Vorschlag ein [2]): man wolle dem Meister des Deutschen Ordens eine Gesandtschaft schicken und mit dem Erbieten einer Schenkung des Kulmerlandes und eines andern Gebietes zwischen dem Herzogthum und Preussens Gränzen ihn auffordern, einen Theil seiner Ordensritter zur Bekämpfung der heidnischen Preussen herbeizusenden [3]). Es bewog aber zu

---

1) *Kojalowicz* Histor. Lithuan. p. 62. 76.

2) Was Lucas David B. II. S. 12 — 16 über diese Berathung und namentlich von dem anfänglichen Widerspruche der Großen Masoviens gegen Conrads Entschluß sagt, ist alles aus Simon Grunau Tr. V. c. 2. §. 1 — 2 entnommen, ermangelt durchaus aller anderweitigen Gewährschaft und verdient keinen Glauben. Kürzer, aber wahrhafter spricht hierüber *Dusburg* P. II. c. 5 und die Ordens-Chron. p. 24, bei *Matthaeus* l. c. p. 692.

3) Fälschlich berichten manche, so die Histoire de l'Ordre Teuton. T. I. p. 217 und Kotzebue B. I. S. 143, man habe dem Hochmeister auch das Land Dobrin angeboten. Allein dieses Land gehörte damals noch den Brüdern des Ordens von Dobrin und konnte also wohl schwerlich dem Deutschen Orden als Schenkung angeboten werden. Zwar sagt Lucas David B. II. S. 33, man wisse nicht, „was vor Befehl, Werbe und Schriften dem Gesandten mitgegeben," aber er weiset uns selbst auf die Urkunde des Kaisers hin, bei *Dreger* Nr. LXV. p. 118, wo in Rücksicht des dem Hochmeister gemachten Anerbietens nur de terra, que vocatur Colmen et in alia terra inter Marchiam suam videlicet et confinia Prutenorum die Rede ist. *Dusburg* P. II. c. 5 spricht daher auch nur de donatione terrae Pruschiae Colmensis et *Luboviae* und dieses letztere war die alia terra inter marchiam suam (Conradi) et confinia Prutenorum; eben so die Ordens-Chron. S. 24 und bei *Matthaeus* l. c. p. 695.

ſolchem Erbieten den Herzog und die verſammelten Großen vor allem noch die Erwägung, daß für Maſoviens Rettung und Sicherheit vorzüglich auch die hohe Gunſt des Ordens bei dem Papſte, dem Kaiſer und den Fürſten des Reiches von wichtigen Folgen ſeyn werde, da ihre Theilnahme am Gedeihen des Ordens auch für Maſoviens Wohlfahrt nicht ohne Wirkung bleiben könne ¹). Dieſe Berathung geſchah noch im Spätſommer des Jahres 1225.

Sofort ging nun eine Geſandtſchaft mit zureichender Vollmacht nach Italien ab. Wahrſcheinlich ſtand der Biſchof Chriſtian an ihrer Spitze. Beim Hochmeiſter in den erſten Monaten des Jahres 1226 angelangt, legte ſie ihm des Herzogs Conrad Geſuch und Anerbieten vor ²). So unerwartet ihm die Sache kommen mochte, ſo erwünſcht mußte ſie ihm doch auch in jeder Hinſicht ſeyn, wenn er auf die Verhältniſſe ſah, in welchen gerade zu dieſer Zeit der Ritterorden wie im Morgenlande, ſo im Abendlande ſtand. Aber in eben dieſen Verhältniſſen lagen auch mancherlei Schwierigkeiten und Bedenklichkeiten, deren Erwägung die größte Sorgfalt und Beſonnenheit forderte. · Hermanns Seele hing mit aller Macht der frömmſten Sehnſucht an dem Wunſche für des heiligen Landes Befreiung und Errettung; dorthin rief ihn die Stimme ſeines Innern; dorthin zogen ihn und ſeinen Orden Pflichten

---

1) *Dusburg* l. c.

2) Daß ſich Conrad auch ſchriftlich an den Hochmeiſter gewandt habe, ſagt uns *Dusburg* l. c. Das Chron. German. ap. *Pistor.* T. 11. p. 816 ſtellt freilich die Sache ganz anders dar, indem es ſagt: Eisdem temporibus dux Moscoviae et Polonorum venit Romam, petiitque a Pontifice, ut mitteret probum quempiam virum Prutenis, qui praedicaret Christianam fidem. Missus est episcopus, vir ad eam functionem idoneus. Sed Pruteni noluerunt apostolum audire, dicebant eum non propter evangelium religionemque Christianam venisse, sed ut tyrannidem in se exercerent Christiani. Darauf ſeyen die Einfälle und Verheerungen in Maſovien erfolgt und nun erſt Polonorum dux, nomine Conradus, invocat auxilium Pontificis Romani et aliorum Christianorum Principum.

und Gelübbe. Mit dem nächſten Jahre ſollte der Kreuzzug
zu dieſem heiligen Zwecke in Bewegung treten und Hermann
wollte und mußte ſich ihm mit allen Rittern ſeines Ordens,
ſo viele ihrer nur irgend in den Beſitzungen im Abendlande
entbehrt werden konnten, nach Pflicht und Geſetz anſchließen.
Herzog Conrad dagegen verlangte ſicherlich eine nicht unbedeutende Zahl von Ordensrittern, denn ihn hatte ja des Do-
briner-Ordens Schickſal hinlänglich belehrt, daß mit wenigen
wenig gefruchtet ſey. Wie konnte es Hermann, auch bei aller Lockung einer ſo bedeutenden neuen Beſitzung für ſeinen
Orden, leichtfertig über ſich nehmen, die Kraft des Ordens, die
nach dem Sinne der Stiftung zunächſt nur dem h. Grabe zuge-
hörte, in ſolcher Weiſe im Abendlande noch mehr zu zerſtreuen?
Die Vertreibung des Ordens aus dem Lande Burzen hatte ihm
zwar allerdings manchen Ordensritter von dorther wieder zugebracht; allein der König von Ungern ward noch fort und
fort durch den Papſt gemahnt, das Land dem Orden zurückzugeben; es war noch Hoffnung, daß der König dem heiligen
Vater Gehorſam leiſten werde; dann mußten auch die vertrie-
benen Ordensritter in die dortigen Ordensburgen zurückkehren.
Zudem war die Erfahrung, welche der Orden bereits an
des Ungeriſchen Königes Wortbrüchigkeit und Wankelmuth gemacht hatte, für Hermanns Handlungsweiſe gewiß nicht ohne
Lehre geblieben. Wer bürgte bei Herzog Conrad von Maſovien für größere Sicherheit? Wer kannte in Italien ſeine
Geſinnungsart? Und wenn Hermann ſie kannte, wie konnte
er ihm Vertrauen und Glauben ſchenken, wenn er auf manche
von Conrads Handlungen hinſah? Zu dem allen wie entfernt an den Enden der Chriſtenheit lag die neuangebotene
Beſitzung, welche, wenn ſie angenommen und unter Kampf
und Blut geſichert war, doch auch ferner durch ſtete Zuſen-
dung neuer Hülfe erhalten werden mußte! Solcher und ähn-
licher Art mögen die Bedenklichkeiten geweſen ſeyn, die ſich in
Hermanns Seele bewegten. Ihnen gegenüber ſtanden aber
wohl auch andere Betrachtungen. War denn damals gerade
bei der Spannung zwiſchen Kaiſer und Papſt ſo ſicher auf den

11 *

verheißenen Kreuzzug zu rechnen? Hatte Friederich ihn nicht
schon von Jahr zu Jahr immer weiter hinausgeschoben? Und
wenn er auch wirklich begann, war der Erfolg so ganz gewiß?
Konnte ferner selbst bei einem günstigen Erfolge sicher
auf die beständige Erhaltung des heiligen Landes gehofft werden, zumal bei der Mattigkeit der Begeisterung und bei dem
Mangel aller Theilnahme, welchen Hermann selbst erst vor
kurzem im Abendlande erfahren hatte? Ward das Land Burzen nicht zurückgegeben und gingen vielleicht auch bald des
Ordens Besitzungen in Syrien verloren, waren dann für die da-
herkommenden Ritterbrüder nicht neue Erwerbungen höchst wünschenswerth? Und nahm der Orden den Kampf gegen die
heidnischen Preussen über sich, stritt er dann nicht auch für
Kirche und Christenthum? Gab es nur im Osten, nicht auch
im Norden Verdienste im Glauben und in den Werken der
Liebe und des Erbarmens?

Solches waren, wie es scheint, die Betrachtungen, denen
Hermann mit den bewährtesten seiner Ordensbrüder die sorg-
fältigste Berathung und Erwägung schenkte [1]). Darauf begab
er sich zum Kaiser, der sich im März des Jahres 1226 zu
Rimini aufhielt, ihm des Herzogs Anerbieten und Gesuch mit-
zutheilen. Der Hochmeister war in Einstimmung mit seinen
Ordensbrüdern entschlossen, das Erbieten anzunehmen, sofern
der Kaiser einwillige und zu dem schweren Unternehmen seine
Beihülfe verheiße [2]). Es war ein höchst wichtiger Entschluß,
den Hermann gefaßt hatte: — gewiß der wichtigste Gedanke,
der sich jemals in seinem Geiste bewegt hat, denn wenn man
erwägt, was aus ihm, als dem Urquell der gesammten nach-

---

1) Magister post multa consilia variosque tractatus cum
fratribus suis habitos super hoc arduo negotio — sagt *Dusburg* P. II. c. 5. Auch der Kaiser erwähnt in der Urkunde bei *Dreger* p. 118, daß Hermann das Anerbieten nicht sogleich angenommen,
sondern provisionem recepisse distulerat. Das Chron. German.
p. 816 läßt den Hochmeister ganz aus dem Spiele und alles durch den
Papst geschehen.

2) Urkunde bei *Dreger* p. 118.

folgenden Ereignisse, für Preussen auf Jahrhunderte lang alles hervorging, wie in ihm zunächst die Bestimmung der
Schicksale eines ganzen Volkes für unendliche Zeiten lag,
wie durch ihn ein Land, rings umgeben von Völkern Slavischer Eigenthümlichkeit, Deutscher Gesinnung, Deutscher Sprache,
Sitte und Gesetzen zugewandt wurde, und wenn man ferner
noch hinzunimmt, wie folgenreich hierdurch wieder auf einen
großen Theil des ganzen Europäischen Nordens in manchfal-
tigster Weise eingewirkt und in Staaten und Völkern unendlich vieles anders gestaltet, umgebildet und umgewandelt worden ist, — wenn man dieses alles im Vorblicke auf die kommenden Jahrhunderte zusammenfaßt und im Geiste nach seiner
ganzen Wichtigkeit verfolgt, so liegt gewiß in Hermanns Gedanken, seinen Orden auch nach Preussen herauf zu verpflan-
zen, eine wahrhaft königliche Größe und der Augenblick, in
welchem er diesen Entschluß faßte, ist unbezweifelt der größte
und wichtigste Moment seines ganzen Lebens; denn diesen Einen Gedanken aus Hermanns Seele hinweg — und es gab
wohl nie ein Deutsches Preussen!

Der Kaiser gab den Ausschlag. — „Dazu hat der
Herr unsere Kaisergewalt hoch über die Könige des Erdkreises
emporgehoben und die Gränzen unserer Herrschaft durch die
verschiedenen Zonen der Welt erweitert, auf daß wir Sorge
tragen sollen, daß sein Name in Ewigkeit verherrlicht und der
Glaube an das Evangelium auch unter die Heiden weit verbreitet werde [1].“ Das war des Kaisers Gedanke; und durch
diesen Gedanken bewogen überreichte er dem Hochmeister eine
Urkunde, kraft welcher er diesem, in Betracht des Eifers seiner Bitte, mit welchem Hermann die Erwerbung jenes Landes für seinen Orden wünschte, und im Vertrauen auf des
Meisters klugen, in Wort und That mächtigen Geist [2], daß
er des Landes Erwerbung männlich verfolgen und im Beginne
nicht fruchtlos vom Werke wieder abstehen werde, die Voll-

---

1) Urkunde bei *Dreger* p. 117.

2) Der Kaiser sagt: Confidentes quoque de prudentia magistri ejusdem, quod homo sit potens opere et sermone.

macht ertheilte, in das Land Preußen mit der ganzen Macht seines Ordens einzubringen, und es zugleich auch bestätigte und bewilligte, daß der Meister für seine Nachfolger und seinen Orden sowohl das Landgebiet, welches der Herzog Conrad verheißen oder sonst noch verleihen werde, in Empfang nehmen, als auch alles Land, welches der Orden in den Gebieten Preußens erwerben werde, völlig frei, ohne Dienstlast und Steuerpflicht, in seinen Besitz bringen könne ¹), ohne Verantwortlichkeit gegen irgend eine menschliche Macht. Dann ging der Kaiser mehr ins Einzelne der Rechte ein, welche dem Orden in dem neuen Lande zustehen sollten; es solle ihm gestattet seyn, zu seinem Nutzen Straßen- und Markt-Zölle anzuordnen, Märkte und Handelsplätze einzurichten, Münzen zu schlagen, Grundabgaben und andere Leistungen aufzulegen, Ungelder zu Land, auf Flüssen und auf dem Meere festzustellin, Bergwerke anzulegen, ferner auch Richter einzusetzen, die sowohl in bürgerlichen, als in Criminal-Fällen Streitsachen entscheiden und das Volk, nicht minder das noch unbekehrte, als das dem Christenthum schon zugewandte in Gesetz und Ordnung halten könnten. Außerdem ertheilte der Kaiser dem Hochmeister und allen seinen Nachfolgern auch volle Gerichtsbarkeit und alle sonstige Gewalt und Macht über das Land, so weit es irgend ein Fürst des Reiches in seinem eigenen Lande haben könne, also daß sie Gesetze und Verfassung anzuordnen, Gerichtsversammlungen zu halten und alle Einrichtungen zu treffen vermöchten, durch welche der Glaube der Gläu-

---

1) Concedentes et confirmantes eidem magistro, successoribus eius et domui sue in perpetuum tam predictam terram, quam a prescripto duce recipiet, ut promisit, et quamcunque aliam dabit, necnon terram quam in partibus Prussie Deo faciente conquiret, *velut vetus et debitum jus imperii*, in montibus, planicie, fluminibus, nemoribus et in mari, ut eam liberam sine omni servicio et exactione teneant et immunem. Kurz vorher sagt der Kaiser von Preußen: quod terra ipsa sub monarchia Imperii est contenta. Diese Bezeichnung und jenes vetus et debitum jus imperii beruhen übrigens auf der von den Kaisern immer festgehaltenen Idee vom dominium mundi.

bigen befestigt und für die Unterthanen überhaupt ein ruhiges
Leben gesichert und begründet werde. Und endlich gebot der
Kaiser noch, daß keine Person, weder ein Fürst, ein Herzog,
ein Markgraf, ein Graf oder sonst einer aus der Zahl der
Reichsgroßen, höheren oder niederen, geistlichen oder weltlichen
Standes den Orden jemals in dieser Verleihung und Bestäti=
gung seines Besitzthums in irgend einer Weise beeinträchtigen
solle bei der Strafe von tausend Mark Goldes [1]).

In solcher Art war vom Kaiser dem Deutschen Orden
des Herzogs Conrad Schenkung, sammt allem Lande, welches
in dem heidnischen Preussen erobert werden könnte, mit völli=
ger Landeshoheit bestätigt und als Eigenthum verschrieben.
Darauf wandte sich der Hochmeister in derselbigen Sache auch
an den Papst Honorius, welcher gleichfalls seine Einwilligung
ertheilend das Werk der Verbreitung des Glaubens im Nor=
den auf alle Weise zu unterstützen und zu fördern versprach [2]).

---

1) Das Original dieser wichtigen kaiserlichen Urkunde befindet sich
noch äußerst gut erhalten, auf Pergament mit dem Monogramm des
Kaisers und der goldenen Bulle desselben versehen, im geh. Archive. Es
schließt mit folgendem Datum: Acta sunt hec anno dominice incarnat. millesimo ducentesimo vicesimo sexto, mense Martii,
quarte decime indictionis, imperante domino Friderico Dei
gratia serenissimo Romanorum Imperatore semper Augusto,
Iherusalem et Sicilie Rege, Romani imperii anno eius sexto,
Regni Iherusalem primo, Regni Sicilie vicesimo sexto, feliciter amen. Datum Arimine anno. mense et indictione pre-
scriptis. Als Zeugen sind außer den Erzbischöfen, Bischöfen und Her=
zogen von Sachsen und Spoleto noch genannt Heinrich von Schwarz=
burg, Walther von Kevernburg, Werner von Kyburg, Albert von
Habsburg, Ludwig und Hermann von Froburg u. a. Die Urkunde ist
vielfach gedruckt; unter andern bei *Dreger* Cod. Pomer. Nro. LXV.
p. 117. *Dogiel* Cod. Polon. T. IV. Nro. 4. p. 3. *Lünig* Spicileg. eccles. contin. T. I. p. 5.

2) Wir haben hierüber kein solches urkundliches Zeugniß, wie vom
Kaiser; unter den noch vorhandenen Bullen ist uns wenigstens keine
bekannt, welche hierauf Bezug hätte. Wir müssen also hier den Aus=
sagen der Chronisten glauben: *Dusburg* P. II. c. 5 (wo aber nicht
Gregorius IX. gemeint ist, wie Hartknoch anmerkt, sondern Hono=

Doch neben allen diesen Verheißungen, Zusagen und Bestätigungen schien dem Hochmeister bei der Wichtigkeit des Schrittes die größte Vorsicht nothwendig und zwar deshalb auch um so mehr, weil der Herzog von Masovien die Schenkung allerdings wohl versprochen, aber doch noch keineswegs urkundlich verschrieben und nach Gesetz und Brauch fest zugesichert hatte.

Um daher in jeder Weise, bevor größere Kräfte in Bewegung gesetzt würden, ganz sicher zu gehen, sandte Hermann von Salza noch im Laufe des Jahres 1226 zwei Ordensritter, Conrad von Landsberg[1] und Otto von Saleiden mit einem Häuflein von noch achtzehn reisigen Knechten an den Herzog von Masovien, und mit dem Auftrage, theils das Landgebiet, welches als Schenkung versprochen war, in seiner Beschaffenheit und seinen Verhältnissen zu Preussen vorerst näher auszuforschen, theils auch mit dem Herzoge Conrad das Nähere zu verhandeln und seine Versprechungen von ihm urkundlich befestigen und versichern zu lassen[2]. An des Herzogs Hofe angelangt, fanden sie ihn nicht einheimisch, denn die Verhältnisse des Landes hatten ihn nach Polen gerufen. Seine Gemahlin indessen, die Herzogin Agaphia nahm die fremden Ritter freundlichst auf und lud sie ein, am Hofe zu verweilen, bis der Herzog heimkehre[3]. Mittlerweile aber kam die Nach-

---

rius III.); ferner Ordens-Chron. bei *Matthaeus* p. 694, wo ausdrücklich erwähnt wird, daß Honorius noch alles genehmigt habe.

1) Dieser Conrad von Landsberg war ohne Zweifel aus der Gegend von Magdeburg und Halle und wahrscheinlich der nämliche, der im Jahre 1226 noch als weltlicher Ritter vorkommt in einer Urkunde bei *Schultes* Director. diplom. p. 510. 552.

2) Diesen Zweck ihrer Sendung spricht *Dusburg* P. II. c. 5 ausdrücklich aus. Auffallend ist, daß die Ordens-Chron. S. 24 und bei *Matthaeus* l. c. p. 695 den Hochmeister mit etlichen Ordensbrüdern selbst zum Herzog Conrad reisen und alles mit ihm verhandeln und abschließen läßt. Es ist dieses aber um so weniger glaublich, da sich Hermann auch im April dieses Jahres noch in Italien aufhielt und namentlich in Cremona den Landgrafen Ludwig von Thüringen in des Kaisers Namen empfing; s. Spangenberg Sächsische Chronik S. 433.

3) *Dusburg* l. c. Lucas David B. II. S. 34 — 35.

richt, daß ein starkes Heer von Preußen mit schwerer Ver=
heerung in Masovien eingebrochen sey und unter furchtbarer
Verwüstung mit Feuer und Schwert näher gegen Ploczk her=
anrücke, weil sich dorthin große Schaaren von den Landes=
bewohnern mit Habe und Gut geflüchtet hatten. Da stellten
sich auf der Herzogin Ersuchen die beiden Deutschen Ritter
an die Spitze eines starken Masovischen Heeres und übernah=
men vom obersten Hauptmanne Masoviens dessen Ordnung
und Führung. Eiligst zog man dem Feinde entgegen. Es
kam zum Kampfe; die von den Rittern gewählte glückliche
Stellung brachte den Preußen bedeutenden Schaden und große
Schaaren von ihnen erlagen im männlichen Streite des Ma=
sovischen Kriegsvolkes, also daß der Sieg des letztern kaum
noch zweifelhaft schien. Als aber mit dem neigenden Tage
die Preußen die große Zahl ihrer Erschlagenenen erblickten
und ihre Kriegsfürsten und Führer an Rache mahnten und
an Vergeltung für die Gefallenen, da wandte sich die ganze
noch übrig gebliebene Kriegsmacht der Preußen, von neuer
Kampfwuth entbrannt, abermals zum Streite. Der unver=
muthete Ansturm warf das Masovische Volk in die Flucht,
und als die Deutschen Ordensritter und der Masovier Haupt=
mann die fliehenden Haufen zum erneuerten Widerstande auf=
stellen wollten, wurden die erstern schwer verwundet, der letz=
tere vom Feinde gefangen genommen und eine große Zahl
des Volkes erschlagen. Die Preußen aber hatte der blutige
Kampf so ermüdet und geschwächt, daß sie keine Verfolgung
wagend mit ihrer Beute in ihre Gebiete zurückeilten. Die
beiden Ordensritter hielt man für erschlagen, bis die Herzogin
Kundschafter aussandte, sie auf dem Kampfplatze aufsuchen
ließ und zur Heilung der Sorgfalt der Aerzte übergab [1].

---

1) *Dusburg* P. II. c. 5. Lucas David B. II. S. 35 vgl.
mit S. 19, wo nach Simon Grunau erzählt wird. Aus Lucas
David entnommen ist der Bericht über diese Schlacht in den Act. Boruss. T. I. S. 385.— 392. Auf diese Schlacht deuten auch die Pol=
nischen Chronisten hin, aber freilich in größter chronologischer Verwir=
rung: *Boguphal.* p. 59. *Dlugoss.* T. I. p. 644. Das Chron.

Als nun bald hierauf Herzog Conrad aus Polen heim=
gekehrt und die Ritter geneſen waren, traten dieſe nach ihrer
Sendung eigentlichem Zwecke mit ihm in Unterhandlungen.
Sie hatten jedoch keineswegs den Auftrag, die Sache mit dem
Herzoge ohne weiteres abzuſchließen, denn der kluge Meiſter
wollte in Preußen nicht die Erfahrung von neuem machen,
welche ſeinem Orden in Siebenbürgen am Lande Burzen ſo
großen Schaden gebracht. Deshalb war jeder Schritt, den
er für die neue Unternehmung in Preußen that, mit äußerſter
Sorgfalt berechnet und bedacht. Zwar durfte der Meiſter,
nachdem Kaiſer und Papſt des Herzogs Verheißungen geneh=
migt und beſtätigt, auf das ihm vorgelegte Geſuch Conrads
nun ſchon mit ſicherem Vertrauen eingehen. Allein das An=
erbieten des Maſoviſchen Fürſten war das Verſprechen über
ein Landgebiet, welches keiner in des Meiſters Umgebung we=
der nach ſeinen Gränzen, noch in ſeiner übrigen Beſchaffen=
heit irgend genauer kannte [1]). Es mußte ferner auch noch
manches andere, was die Bekämpfung der Preußen, den Bi=
ſchof Chriſtian in ſeinen Verhältniſſen zum Orden und ſeine
Beſitzungen im Kulmerlande und im Gebiete von Löbau be=
traf, ohne Zweifel mit Herzog Conrad ſelbſt verhandelt, ge=
nauer erforſcht und ſicher geſtellt werden. Bevor ſolches alles

German. ap. *Pistor.* T. II. S. 816 erzählt manches anders. Con=
rad von Landsberg kommt cum armata militum Germanorum
manu nach Polen und dieſe mit Polniſchen Kriegsleuten vereinigend,
geht er ſogleich dem Feinde zum Kampfe entgegen dumque maximis
animis pugnatur, cadit utrinque innumerabilis multitudo.
Dux ipse Conradus de Lansperg vulneratus cadit, cadunt et
alii duces. Da fliehen die Polen und mit ihnen auch die Deutſchen;
bald aber a fortibus, qui inter eos erant plurimi, adhortati, de
integro fecerunt in hostes impetum tantum, ut hostes cedere
coacti sint ex campo, ubi proelium fuit, ita tamen Pruteni
cesserunt, ut fugisse dici non possint.

1) Wie unbeſtimmt dieſes alles bei Conrads erſtem Anerbieten ge=
laſſen war, beweiſet ſchon das kaiſerliche Diplom, indem nur im Allge=
meinen die Rede war de terra, quae vocatur Colmen et in alia
terra inter Marchiam suam et confinia Prutenorum.

dem Meister nicht aufs genaueste berichtet und sorgsam erörtert war und bevor Herzog Conrad selbst nebst seinen Ange-
hörigen nicht in Gegenwart von Ordensrittern und andern
gewichtigen Zeugen auf die angebotenen Lande förmlich Verzicht geleistet, konnte natürlich auch an die Sendung einer
eigentlichen Hülfe durch den Orden nicht gedacht werden.

Nicht also der Abschluß eines förmlichen urkundlichen Vertrages, sondern nur jene vorläufigen Verhandlungen waren
es, welche die beiden Ordensbrüder in des Hochmeisters Auftrage mit dem Herzoge anstellten, und ihr endliches Ergebniß
war, daß Conrad mit Rath, einstimmiger Zusage und ausdrücklicher Einwilligung seiner Gemahlin Agaphia und seiner
drei Söhne Boleslav, Kasimir und Semovit den Ordensbrüdern die Lande Kulm und Löbau, sammt allem, was forthin
durch den Orden den Händen der Ungläubigen entrissen werden möchte, mit Verzicht auf alles Recht, Eigenthum oder
sonstigen Anspruch für sich, seine Gemahlin, seine Kinder und
Nachfolger förmlich und fest zusagte und diese Zusage mit
Brief und Siegel versicherte. Verhandelt ward solches alles
am neun und zwanzigsten Mai des Jahres 1226 in Gegenwart der Bischöfe Günther von Masovien, Michael von Cujavien, Christian von Preussen und anderer geistlichen und weltlichen Herren [1]).

---

1) So ist der Vorgang der Sache nach *Dusburg* P. II. c. 5
und ohne Zweifel giebt dieser Chronist die richtigste Vorstelluug, sobald
man ihn nur richtig versteht. Es ist bekannt, daß in Rücksicht der
Zeitangabe der ersten Verschreibung des Herzogs über die beiden Lande
von jeher große Verschiedenheit geherrscht hat. *Dusburg* l. c. setzt die
erste eigentliche Zusage des Herzogs nur im Allgemeinen ins Jahr
1226; die Ordens-Chron. dagegen S. 24 (Mscr.) und bei *Matthaeus* p. 696 und *Schütz* p. 17 geben bestimmter den IV. Calend.
Junii — 29sten Mai des J. 1226 als die Zeit derselben an. Weil
nun aber von diesem Datum keine eigentliche Urkunde zu finden gewesen ist, so hat dieses manche andere sowohl Preussische als Polnische
Chronisten veranlaßt, die Ankunft, so wie die Verhandlung der Ordensritter auf ein oder mehre Jahre später anzusetzen. So läßt z. B.
Lucas David B. II. S. 187 die Ankunft der Ritter erst im Jahre

Hiemit hatten Conrad von Landsberg und Otto von Saleiden den wichtigsten Zweck ihrer Sendung zum Herzog wohl erreicht und nachdem sie auch die Beschaffenheit und die Verhältnisse des Landes näher erforscht, hätten sie nun wieder nach Italien zurückkehren mögen. Doch vielleicht vorausse= tzend, daß nach solchen Erbietungen des Masovischen Fürsten der Hochmeister bald stärkere Hülfe herbeisenden werde, viel= leicht von diesem auch schon zuvor im Falle eines günstigen

1227 erfolgen und nimmt die bekannte Verschreibung des Herzogs vom Jahre 1228 für die erste Zusage, obgleich er sich S. 34 über die lange Verzögerung der Sendung der Ordensritter wundert und sie durch den im März 1227 erfolgten Tod des Papstes Honorius III. erklärt, ohne zu bedenken, daß dieser gar kein Hinderniß für eine Sendung im Jahre 1226 seyn konnte, indem ja der kaiserliche Bestätigungsbrief gerade ein Jahr vor des Papstes Tode ausgestellt war. Polnische Scribenten, z. B. *Boguphal.* p. 59, *Dlugoss.* T. I. p. 644 setzen das Ganze so= gar erst in das Jahr 1230, ohne zu erwähnen, was denn die lange Verzögerung vom Jahre 1226 bis 1230 veranlaßt habe. — Obige Darstellung scheint das chronologische Räthsel am besten zu lösen. Es liegt an sich schon am Tage, daß der Hochmeister, nachdem er um des Kaisers und Papstes Zustimmung gebeten und sie erhalten hatte, nicht noch ein oder mehre Jahre gezögert habe, den ersten Schritt in der Sache zu thun. Es mußte ihm aus mehr als einer Ursache viel daran gelegen seyn, wenigstens die Unterhandlungen sogleich anzuknüpfen. Er sandte also offenbar die Ritter auch schon im Jahre 1226 nach Maso= vien. Hier langten sie wahrscheinlich im April an, fochten die Schlacht mit, erkundigten sich über das Land, traten mit dem Herzoge in Un= terhandlungen und erhielten am 29sten Mai 1226 die förmliche Zusage. Das das Ganze mehr nur eine persönliche Verhandlung war, welche der Herzog verbriefte, deutet *Dusburg* durch die Worte: „ Acta sunt haec circa An. Dn. MCCXXVI. auch ausdrücklich an und die Or= bens=Chron. und *Schutz* stimmen darin völlig mit ihm überein. Die litterae sigillo munitae, welche Conrad den Rittern gab, waren daher offenbar nur eine schriftliche Versicherung, daß der Orden im Besitze des geschenkten Landes, sobald er ihn angetreten habe, von nie= manden in der Folge belästigt werden solle: ut haec donatio firma esset et perpetua nec ab aliquo imposterum posset infirmari. Sie bildeten die Grundlage des noch abzufassenden Schenkungsinstru= ments, waren aber dieses keineswegs noch selbst. Vgl. Chron. Oliv. p. 19.

Erfolges hiezu beurlaubt, blieben die beiden Ritter mit ihrem
Reiterhaufen beim Herzoge, ersuchten ihn aber, bis zur An=
kunft mehrer ihrer Ordensbrüder ihnen einen Aufenthalt anzu=
weisen, in welchem sie sich gegen der Preussen etwanigen An=
sturm sicher vertheidigen könnten. Da berief der Herzog, in
ihre Bitte willigend, in Eile einen großen Haufen seines Vol=
kes und ließ am linken Ufer des Weichsel=Stromes, da wo
nun Thorn liegt schräge gegenüber, auf einer leichten Anhöhe
eine Burg aus Holz erbauen, die er den Rittern als einstwei=
ligen Wohnort überwies. Schnell war sie vollendet worden,
weil die Preussen Ruhe gestatteten und als die Ritter in sie
einzogen, verliehen sie ihr den freundlichen Namen Vogel=
sang ¹). Die Preussen aber befürchteten aus der neuerrichte=
ten Burg bald Unheil und Verderben für ihre Gebiete, fielen
ins Kulmerland und befestigten an des Stromes rechtem Ufer,
der Burg Vogelsang gegenüber, die Burg Rogow, sie mit
zahlreicher Mannschaft bewehrend, um so den Feind von ih=
rem Lande zurückzuhalten ²),

Mittlerweile aber hatten die beiden Ordensritter auch
eine Botschaft an den Meister nach Italien entsandt mit des
Herzogs schriftlicher Zusage und manchen andern Berichten
über des Landes Beschaffenheit, zugleich auch mit der Bitte,
daß er bald eine größere Zahl von Ordensbrüdern und eine
stärkere Kriegsmannschaft herbeisende zur Bekämpfung der
nahen heidnischen Preussen ³). Allein es gelangte diese Nach=

---

1) *Dusburg* P. II. c. 8. Lucas David B. II. S. 38; aus
diesem die Erzählung in Actis Boruss. T. I. p. 399. Chron. Oliv.
p. 19. Der Name Vogelsang wird von den Chronisten verschieden er=
klärt, wie aus *Dusburg* l. c. Lucas David a. a. O., Schütz p
17 zu ersehen ist, wo er bald von dem Gesange der dort zahlreichen
Waldvögel, bald auch von dem kläglichen Jammergesang der Ordens=
brüder (!) hergeleitet wird. Der Name scheint mehr aus der
Fremde, aus Deutschland oder Italien herbeigebracht zu seyn. Dafür
spricht wohl auch der später beobachtete Gebrauch.

2) Dieß war offenbar die Burg, deren *Dusburg* P. III. c. 7
erwähnt. Warzmann Preuss. Chron. nennt sie Rogosno.

3) *Dusburg* P. II. c. 9. Lucas David B. II. S. 39.

richt an den Meister gerade in einer Zeit, welche für die schnelle Förderung des wichtigen Unternehmens nichts weniger als günstig oder auch nur irgend geeignet war. Gerade damals stand in Italien alles in Gährung und in Spannung gegen einander. Es war gerade die Zeit, als die Städte in Lombardien sich gegen den Kaiser erhoben und zu Schutz und Trutz ihrer Freiheit ihren alten Bund erneuert hatten. Hermann von Salza war in diesen Verhältnissen, wie bereits erwähnt worden, mit sehr wichtigen Aufträgen beschäftigt. Schon nahte der Ausgang des Jahres 1226 und noch wußte keiner, wie sich die so schwierige, als bedenkliche Lage der Dinge im nächsten Jahre für den Kaiser gestalten werde. Und als nun im Anfange des Jahres 1227 die feindliche Spannung zwischen dem Kaiser und den Lombarden durch den Papst Honorius beschwichtigt war, starb der letztere mitten unter den unsichersten und schwankendsten Verhältnissen am achtzehnten März 1227: — für den Deutschen Orden ein um so schmerzlicher Verlust, weil noch kein Papst für seine Erhebung, sein Ansehen, seine Beförderung zu Wohlstand und Einfluß, für seine Sicherheit gegen seine Widersacher und sein ganzes Beste mit so eifriger und unermüdlicher Theilnahme und mit so viel inniger Liebe gesorgt und gewirkt hatte, wie dieser; aber auch deshalb nicht minder schmerzlich, weil Honorius gerade zu einer Zeit starb, die für des Ordens bevorstehende Schicksale und Verhältnisse im Norden so äußerst wichtig und in welcher des Papstes kräftiges Mitwirken, sein Rath und sein Beistand in aller Hinsicht doppelt nothwendig waren.

Wenige Tage nach des Honorius Tod ward zu seinem Nachfolger der Cardinal Hugolinus unter dem Namen Gregorius des Neunten erwählt: ein Mann, von dessen glühendem Eifer für die Sache des heiligen Landes, wie für die Verbreitung des Glaubens und für die Erweiterung und Verherrlichung der Kirche auch vieles zur Begünstigung und Beförderung des Ordens zu erwarten war; dessen Geist aber, dessen Willenskraft, Charakterstärke und eiserne Festigkeit der

Grundsätze auch manchen schweren Sturm für den Kaiser ah=
nen ließ [1]). Der Kreuzzug ins Morgenland war sein erster
und dringendster Gedanke, mit welchem er den heiligen Stuhl
betrat [2]); er war zugleich auch das erste Wort, welches er
dem Kaiser bei der Ankündigung seiner Papstwahl entbieten
ließ. Der Ordensmeister Hermann von Salza war es,
den der Kaiser in Begleitung des Bischofs von Reggio mit
Glückwünschungsbriefen an den neuen Papst sandte, um die
freundlichen Gesinnungen erwiedern zu lassen, mit welchen
Gregorius ihm entgegen gekommen war [3]). Zugleich benutzte
der Hochmeister die Gelegenheit, dem neuen Oberhaupte der
Kirche das Wohl und die Förderung seines Ordens zu
empfehlen und Gregorius gab bald Beweise, daß er auch
hierin seinem Vorgänger nicht nachzustehen gedenke.

Er erneuerte und bestätigte nicht bloß eine Menge von
Begünstigungen, Freiheiten und Vorrechten, die schon die frü=
heren Päpste, besonders Honorius, dem Orden ertheilt hat=
ten [4]), sondern er fügte auch schon in dem ersten Jahre seiner

---

1) Vgl. Raumer B. III. S. 414.

2) *Raynald.* an. 1227. Nro. 18.

3) *Richard de S. Germano* p. 1002. Raumer B. III. S. 415.

4) Z. B. Verleihung aller Privilegien des Johanniter= und Tem=
pel=Ordens an die Deutschen Ordensbrüder, Anagnie II. Id. Jun.
Pont. an. I. Erlaubniß für den Orden, sich der Mäntel und anderer
Kleidungsstücke nach der Vorschrift der Ordensstatute zu bedienen,
Anagn. VI. Non. Jul. P. a. I. Befehl an die Geistlichkeit zur Be=
strafung mit Bann und Interdict gegen alle, die des Ordens Personen,
Unterthanen und Besitzungen gewaltthätig verletzen würden, Anagn.
II. Id. Jul. P. a. I. Befreiung des Ordens von der Steuer des
Zwanzigsten oder sonstigen Abgaben an die Geistlichkeit von allen dem
Orden geschenkten oder testamentlich vermachten Gütern, Anagn. III.
Cal. Aug. P. a. I. Befehl an die Geistlichkeit zum Verbote, daß un=
ter Strafe des Anathema niemand von den Ordensbrüdern oder deren
Leuten für Victualien, Kleider, Vieh und andere Dinge zu ihrem Ge=
brauche Zoll oder andere Abgaben erhebe, Anagn. II. Non. Aug. P.
a. I. Diese und mehre andere Bullen über früher schon verliehene Vor=
rechte sind theils in Originalen im geh. Archive, theils in Abschriften
im großen und kleinen Privilegienbuche vorhanden.

Regentschaft manche neue hinzu. So ward dem Orden erlaubt, an allen den Orten, welche er aus den Händen der
Saracenen befreien werde, sofern sie nicht bischöfliche Sitze
seyen, Kirchen zu errichten, die allein nur der Römischen Kirche
unterworfen seyn sollten [1]). Es wurden ferner durch einen
päpstlichen Befehl Maßregeln getroffen, die in solchen Kirchen
des Ordens dienenden Geistlichen oder Kapellane der Untergebenheit und der Pflicht des Gehorsams gegen den höheren
Clerus gänzlich zu entziehen, um sie von den Belästigungen
der neidischen Geistlichkeit völlig zu befreien [2]). Der hohen
Geistlichkeit ward streng untersagt, Unterthanen des Ordens
unter Beschuldigung des Ehebruchs oder anderer Sünden und
Ketzereien mit Geldstrafen zu belegen, indem es den Ordensgeistlichen überlassen bleiben müsse, solche Vergehungen an des
Ordens Untergebenen zu ahnden [3]. Vorzüglich aber mußte
auch Gregorius alle Mittel seiner päpstlichen Macht aufbie-
ten, um den Orden und dessen Unterthanen gegen die fortdauernden Belästigungen und heimlichen Umtriebe der feindlichen Geistlichkeit sicher zu stellen, denn beständig hatte man von
Seiten des Ordens am päpstlichen Hofe die alten Beschwerden und Klagen gegen Bedrückungen, ungerechte Anforderungen und Beeinträchtigungen seiner Rechte und Freiheiten durch
den hohen Clerus zu wiederholen [4]).

Endlich genehmigte und bestätigte der Papst auch von
seiner Seite die Schenkung des Herzogs Conrad von Masovien und des Ordens Unternehmung zur Eroberung des Landes der heidnischen Preussen [5]), indem er zugleich mit Ver-

---

1) Original-Bulle im geh. Archive, datirt: Anagn. VII. Idus
Aug. P. n. a. I. (7. Aug. 1227).

2) Die Bulle im großen Privilegienb. p. 47 ist datirt: Anagn.
V. Non. Jul. P. n. a. I.

3) Die Bulle im großen Privilegienb. p. 48, datirt: Anagn.
XIII. Cal. Aug. P. n. a. I.

4) Darüber mehre Bullen theils im Original im geh. Archive, theils
in Abschriften im großen Privilegienbuche.

5) Es ist wohl zu unterscheiden, daß *Dusburg* P. II. c. 5 von
der Bestätigung und Genehmigung des Papstes Honorius III., der da-

heißung der Sündenvergebung die Ordensritter aufforderte, das schwere Unrecht zu rächen, welches dort der Gekreuzigte erlitten und das den Christen zugehörige Land aus den Händen der Ungläubigen wieder zu gewinnen. „Gürtet die Schwerter um," rief er ihnen zu, „seyd stark und bereit zum Kampfe gegen Völker, welche uns und unser Heiligstes zu vernichten trachten. Es ist besser für uns, im Kampfe zu sterben, als Unheil gebracht zu sehen über unser Volk und über unser Heiligstes." Dann stärkte er sie zur Standhaftigkeit, sie tröstend und ermunternd mit den Worten des Herrn, die einst Israel zu seinen Söhnen sprach: „Wenn Du ausziehest in den Streit wider Deine Feinde und Du siehest ihre Zahl stärker als die Deinige, so fürchte sie nicht, denn der Herr, Dein Gott ist mit Dir [1]). Es ist nicht euer Kampf, zu dem ihr ausziehet, sondern es ist Gottes Kampf." Hierauf erinnerte er sie an Beispiele von Standhaftigkeit aus den Zeiten des alten Bundes. „Gedenket, wie einst unsere Väter mitten im Meere mit ihren Schaaren errettet wurden. Auch jetzt soll unser Ruf zum Himmel gehen und der Herr wird sich unserer erbarmen, eingedenk des Bundes unserer Väter und wird den Feind vertilgen vor unseren Augen, auf daß er alle Völker heilige, denn es ist Gott, der sie erlöset und befreit. Beweiset euch also, ihr Söhne, als Eiferer im Gesetze; gebet gerne euer Leben hin für den heiligen Bund der Väter; gedenket der Werke, die sie vollbracht in ihren Zeiten und ihr werdet großen Ruhm und einen unsterblichen Namen erhalten." — So sprach der Papst zu denen, welche der Meister des Ordens bereits auserkoren hatte, um sie nach dem Norden zum Kampfe gegen die Preussen auszusenden [2]).

---

mals allerdings noch lebte, und P. II. c. 6 von der des neuen Papstes Gregorius IX spricht.

1) 5 Mose XX. 1.

2) So finden wir den Auszug aus der Bulle Gregorius IX. bei *Dusburg* P. II. c. 6. Es ist nach seinen Worten durchaus kein Zweifel, daß er bei der Abfassung des Kapitels die Bulle des Papstes vor sich hatte, denn er führt selbst an, daß er einen Auszug daraus liefere.

Im Spätsommer des Jahres 1227 nämlich hatten die Verhältnisse zwischen dem Kaiser und dem Papste schon eine so höchst unglückliche Wendung genommen, daß der Ordensmeister fast alle seine Hoffnung auf die glückliche Ausführung eines Kreuzzuges aufgeben mußte. Zwar hatten sich im Laufe des Sommers ziemlich bedeutende Schaaren von solchen, die das Kreuz genommen, in Italien zusammen gefunden [1]. Bösartige Krankheiten aber, durch Italiens glühenden Himmel erzeugt, hatten noch vor dem Aufbruche des Heeres durch schmerzhafte Verluste, z. B. des Landgrafen Ludwig von Thüringen [2], der Bischöfe von Augsburg, Anjou und anderer angesehener Männer, eine gewisse Muthlosigkeit erzeugt, und als nun der Kaiser, ungeschreckt durch diese Unfälle, sich endlich einschiffte, nach wenigen Tagen aber erkrankte und wieder landete, ergriff die in Unteritalien noch verweilenden Pilger-

---

Wir besitzen sie jetzt nicht mehr, weder im Originale, noch in Abschrift. Wenn manche gemeint haben, daß die Bulle Gregorius IX bei Lucas David B. II. S. 47. Acta Boruss. T. I. p. 414. *Dreger* Nr. 84. p. 145 die erste Bestätigungsbulle in dieser Sache überhaupt sey, so liegt hierin ein Fehlgriff, der eben so sehr gegen den Vorgang der Sache selbst, als gegen die Chronologie streitet. Auch stimmt Dusburgs Auszug mit dieser Bulle nicht im mindesten überein.

1) *Richard de S. Germano* p. 1002 — 1003. *Alberic.* Chron. p. 520. Chron. German. ap. *Pistor.* T. II. p. 815.

2) Chron. Erfurd. ap. *Schannat* Vindem. litter. p. 92. Nach der Historia de Landgrav. Thuring. ap. *Pistor.* T. I. p. 1371 wurde lange Zeit geglaubt, daß der Landgraf Ludwig von Thüringen damals im Jahre 1226 die Anwartschaft auf das Land Preußen vom Kaiser erhalten habe; s. Spangenbergs Sächs. Chron. S. 433. Heinrichs Handb. der Sächsisch. Geschichte Th. I. S. 251, denn dort heißt es: Imperator, cum idem Landgravius bene ad placitum suae voluntatis obsequium sibi praestitisset, contulit sibi jure feudi marchiam Misnensem et Lusatiae et terram Briseiae, quantum expugnare valeret et suae subjicere potestati. Allein Wedekind in den Noten zu einigen Geschichtschreibern des MA. H. I. S. 90 — 91 hat dargethan, daß statt terram Briseiae zu lesen sey terram Plissiae und somit fällt diese an sich schon sehr unwahrscheinliche Angabe in nichts zusammen.

schaaren eine solche Hoffnungslosigkeit und ein so kleinmüthi=
ges Verzagen, daß sie sich in wenigen Tagen nach allen Sei=
ten hin zerstreuten. So wenig war in ihnen der alte Geist
und der alte Glaube, der in den ersten Zügen nach dem Mor=
genlande die Wunder standhafter Seelen und ausharrender
Gemüther an den Tag gelegt. Aber der Papst nahm es an=
ders. Denn als ihm kund wurde, was geschehen war, kannte
er im Zorne und in der Erbitterung keine Gränzen und schleu=
derte ohne weiteres gegen den Kaiser den Bannstrahl [1]. Frie=
derich versuchte seine Entschuldigung und eine Aussöhnung [2];
allein der Feuereifer und der stürmische Haß des Papstes ent=
brannte sogleich in so heftigem Grade, daß an eine Versöh=
nung der beiden Häupter der Christenheit bald nicht mehr zu
denken war, vielmehr die schrecklichste Erbitterung von Tag
zu Tag zunahm.

So waren die Verhältnisse der Zeit, so stürmisch und un=
ruhig die Tage und so entfernt alle Hoffnung einer baldigen
Hülfe für die Noth im heiligen Lande, als Hermann von Salza
aus der Zahl seiner Ordensbrüder die Ritter auserkor, welche
er nach Preussen entsenden wollte, um dort seinem Orden für
eifrige Thätigkeit im Glauben und für die Erfüllung seiner
Gelübde und seiner Pflichten einen neuen Kreis zu eröffnen [3].
Erwählt wurde hiezu vor allem der aus Deutschland herbei=
gerufene Deutschmeister Hermann Balk, wahrscheinlich aus
Westphalen stammend [4]), ein eben so tapferer und kriegsge=

---

1) *Richard de S. Germano* p. 1003. Chron. Ursperg. p.
247. *Mathaeus Paris* p. 332. seq. *Raynald.* an. 1227. Nr. 30.
Chron. German. l. c.

2) *Richard de S. Germano* l. c.

3) Das Chron. German. ap. *Pistor.* T. II. p. 817 hat die
Nachricht: Sub idem tempus quidam fratrum Teutonicorum ve-
nerunt ex Hierosolymis, viri militaribus dotibus cumulatissimi,
quibus Prussiae imperium est concessum, si vincerent eos (sc.
Prutenos).

4) Das alte Geschlecht Balk breitete sich in Westphalen, Schlesien
und Livland aus; doch scheint in Westphalen sein eigentlicher Stamm=
sitz gewesen zu seyn. Der rechte Name Hermanns war nicht eigentlich

übter, als in Weltsachen umsichtiger und erfahrener und in göttlichen Pflichten frommer Mann, welcher den Ordensbesitzungen in Deutschland schon gegen zehn Jahre mit einer Pflichttreue und einem Eifer vorgestanden hatte, daß ihm der Hochmeister längst das vollste Vertrauen schenkte. Zu dessen Beweis ernannte er ihn jetzt zum obersten Führer der übrigen Ritter und zum ersten Verweser des dem Orden vom Herzoge Conrad überwiesenen Landes [1]). „Sey getrost und unverzagt, sprach zu ihm der biedere, fromme Meister, als er scheidend ihm die Hand reichte, denn Du führest Deine Brüder in ein Land, welches der Herr ihnen verheißen hat, und Gott wird mit Dir seyn! [2])." Ihm wurde als Marschall zur Führung des Krieges zugesellt der Ritter Dieterich von Bernheim aus Franken [3]), ein kriegsverständiger, tapferer Held. Zum ersten Komthur des Hauses, welches in dem neuen Besitzthum den Ordensbrüdern zum Wohnsitze dienen würde, ernannte der Hochmeister den Ritter Conrad von Tutelen, aus Thüringen,

---

Balk, sondern Balco; so findet man ihn in Urkunden, z. B. bei *Dreger* Cod. diplom. Nr. 93, Schottky Vorzeit und Gegenwart Jahrgang I. St. 2. S. 199, und was noch wichtiger ist, auch auf seinem eigenen Siegel (im geh. Archive), welches die Umschrift hat: S. fris (fratris) Hermani Balconis. So klang auch der Name der Westphälischen Familie, aus welcher er höchst wahrscheinlich stammte. Wir finden in einer Westphälischen Urkunde vom Jahre 1227 unter den Zeugen ebenfalls einen Hermannus Bolico, der gleichfalls dieser Familie angehörte; s. *Schaten*. Histor. Westphaliae p. 1023 vgl. mit p. 878, wo statt Hermannus Bokko wahrscheinlich Bolko stehen soll. Schon ums Jahr 1170 kommt ein Herimannus Balco in einer Urkunde vor, in welcher die Abtissin Hathewig von Essen einen Streit in Betreff des census von einem mansus schlichtet; s. Troß Westphalia Jahrgang 1826 S. 321. Wäre die Urkunde vielleicht etwas jünger (sie hat keine Jahrzahl), so könnte dieses füglich unser Hermann Balk seyn.

1) *Dusburg* P. II. c. 9.

2) Nach Josua I. 6.

3) Bernheim — Burg=Bernheim im Bisthum Würzburg war das Besitzthum der von Bernheim. *Lang* Regesta Boica T. II. p. 75. 93. 187. Gottfried von Bernheim, vielleicht der Vater oder Bruder

einst Kämmerer der heiligen Elisabeth [1]). Diesem zur Seite
bestellte er den Ordensritter Heinrich von Berka, ebenfalls
aus Thüringen [2]), zum Hauskomthur. Zum Spittler des ersten Ordenshauses aber erkor der Meister den biedern Ordensbruder Heinrich von Zeiz von Wittchendorf, aus Sachsen [3]).
So waren die ersten Verwaltungsämter in der neuen Besitzung bestellt. Als Begleiter wurden jenen Ordensrittern noch
manche beigegeben, unter denen Bernhard von Landsberg,

Dieterichs, kommt in einer Urkunde vom Jahre 1210 vor, s. *Lang*
l. c. p. 45. Im J. 1240 wird ein Cuno miles de Bernheim genannt;
Lang l. c. p. 207. Die Burg Bernheim wird schon in früher Zeit genannt;
s. Hanselmann von der Hohenlohisch. Landeshoh. B. I. Urk. Nr. I.
Später waren die Bernheim Hohenlohische Vasallen; Hanselmann
a. a. O. S. 591.

1) *Dusburg* P. II. c. 9: „Conradum de Tutele, quondam
Kamerarium beatae Elisabeth. Wir zweifeln an der Richtigkeit
des Namens; es ist wahrscheinlich, daß dieser Conrad von der Thüringischen Familie Tuteleben, Duteleben oder Teuteleben war, welche um
diese Zeit gerade sehr blühte. *Schultes* Director. diplom. S. 12.
19. 38. 312.

2) *Dusburg* l. c. schreibt ihn Henricum de Berge Thurin-
gum. Wir glauben, daß Heinrich der alten Thüringischen Familie von
Berka angehörte, die um diese Zeit noch sehr blühend war. Vgl. *Schultes* Direct. diplom. S. 105. 108. 109. 178. 350. *Ludewig* Reliqu. Mscr. T. VII. p. 495. Es gab auch einen Zweig der von
Berga, welche Hohenlohische Vasallen waren; Hanselmann B. I.
S. 590 und einen andern im Oesterreichischen; s. Hormayr Geschichte
von Wien B. I. H. 3. S. XIX. XXIV. Ueber die Thüringische Familie von Berka vgl. vorzüglich Falkenstein Thüring. Chron. S. 778.
Wie aus einer Urkunde S. 757 hervorgeht, schrieb sie sich auch de
Berge.

3) Die Familie der Herren von Zeiz, oder Cice, Cyce (wie der
Name in Urkunden auch vorkommt, wonach das verdorbene Cutze bei
Dusburg zu verbessern ist, blühte um diese Zeit noch; namentlich
kennen wir aus dem Jahre 1220 einen Wolfwinus zu Cice und
dessen Bruder Wolthenus von Pesne (Pößa, ein Dorf bei Leip-
zig). Die Familie hatte sich aber getheilt, wie auch hieraus sichtbar
ist. Daher hieß unser Heinrich von Zeiz der aus dem Dorfe Wittchendorf im Amte Weiba; vgl. *Schultes* l. c. S. 81. 137. 217. 462.
553.

vielleicht ein naher Anverwandter jenes Conrads von Landsberg, Berengar von Ellenbogen und Otto von Querfurt genannt sind [1]). Mit ihnen aber zog auch ein nicht unbedeutender
Haufe reisigen Kriegsvolkes mit Roß und Rüstung nach Preussen aus [2]).

Wie stark aber immerhin auch die Zahl der Ordensritter
und ihres Kriegshaufens gewesen seyn mag, so ist es doch fast
unbegreiflich, wie diese Schaar es wagen oder nur hoffen
konnte, mit ihrer geringen Kraft ein Volk zu bezähmen und
zu besiegen, welches mehr Tausende zählte, als ihrer Einzelne
waren. War allerdings auch zu erwarten, daß Herzog Conrad von seinem Lande aus sie unterstützen werde, so konnte
auf kräftige Mithülfe doch keineswegs gerechnet werden, denn
sein Unvermögen und seine Schwäche gegen den mächtigen
Feind war ja Anlaß zur Berufung des Ordens gewesen.
Hatte ferner wohl auch der Papst tröstende Aussichten auf
Kreuzheere aus Deutschland und den Nachbarlanden gegeben,
so war doch der Erfolg der Kreuzpredigten in dieser Zeit schon
sehr ungewiß; die letzten Ereignisse hatten Beweise genug geliefert, wie sehr es von ganz besondern Umständen abhing,
wenn in Deutschland noch irgend einmal ein beträchtliches
Kreuzheer zu Stande kam. Ueberdieß bildeten solche zusam-
mengelaufene Pilgrimsschaaren immer eine höchst unsichere
Kriegsmacht, auf welche die feste Berechnung eines Kriegs-

---

1) Lucas David B. II. S. 40. Daß wirklich noch mehre Ordensbrüder als die bei *Dusburg* und Lucas David genannten mit
nach Preussen zogen, sehen wir auch aus der Urkunde bei *Dreger* Nr.
70, wo als Deutsche Ordensritter noch Philippus de Halle et Henricus Bohemus genannt sind. Der erstere kommt auch schon in der
Urkunde bei *Guden.* T. IV. p. 871 vor als Komthur in Halle.

2) *Dusburg* P. II. c. 9 sagt überhaupt nur, sie seyen gekommen cum armigeris et equis pluribus. Lucas David B. II.
S. 40 fand in alten Schriften, daß des reisigen Volkes nicht mehr als
hundert gewesen seyn sollten. Doch meint er auch, der Haufe müsse
bedeutender gewesen seyn. Chron. Germ. l. c.: Assumptis belli
sociis militibus Germanicis, profecti sunt ad illos, qui in Polonia erant fratres Teutonici ordinis.

planes, wie er gegen die Preussen nothwendig war, kaum Anwendung finden konnte. Aus den Nachbarländern endlich
konnte schwerlich eine ansehnliche Kriegshülfe erwartet werden.
In Polen herrschten noch fort und fort die alten Unruhen und
inneren Gährungen; daneben fast unaufhörlich Kriege mit den
Nachbarn. Im Jahre 1227 war aber außerdem der Herzog Leffek von Polen ermordet worden; über das Recht der
vormundlichen Landesverwaltung hatten Herzog Conrad von
Masovien und Herzog Heinrich von Breslau so eben Krieg
wider einander erhoben [1]); und da Conrad in mehren Kämpfen unterlag und aus den besetzten Gebieten des Landes vertrieben ward, so rief er von Rache entbrannt zur Verheerung
Polens sogar die nahen Heiden, Preussen, Litthauer, Jatzwin-
ger und andere ins Land, die es mit schrecklicher Verwüstung
weit und breit durchzogen [2]). Auch aus Pommern war man
des Beistandes um so weniger sicher, da Herzog Suantepolc
mit Herzog Conrad von Masovien, so wie mit Polen überhaupt in feindlichen Verhältnissen stand [3]) und also kaum zu
hoffen war, daß er Conrads Feinde, die Preussen, mit werde
bekämpfen helfen. Sonst aber stand den Ordensrittern nirgends eine Aussicht zu bedeutender Beihülfe in ihrer Bekämpfung des heidnischen Volkes offen. Nicht also die Hoffnung
auf fremden Beistand war es, welche ihnen Muth und
Vertrauen zu ihrem Unternehmen geben konnte; es war

---

1) *Boguphal* p. 58.

2) *Boguphal* l. c. Conradus igitur dominia nepotis am-
biens et ejectionem sibi fore pudorosam aestimans Jaczwcz-
anszitas, Scoweas, Pruthenos, Lithuanos, Szanmitas precio
conventus ad devastandas terras Sandomiriensis nepotis sui
frequenter educebat. Qui furtim aliquas terras invadentes ipsis rapinis desolabant. Die Völker-Namen sind in dieser Stelle offenbar zum Theil verdorben, aber die Preussen, Litthauer und Samaiten (Szammonitas) nennt auch das alte Mscr. von Boguphal im
geh. Archiv, während es der beiden erstern Völker nicht erwähnt. Vgl.
Adam. Naruszewicz Historya Polskiego T. IV. p. 311 seq.

3) *Boguphal.* p. 37. Chron. Polonor. ap. *Sommersberg*
T. I. p. 40 — 41.

eine ganz andere Macht auf welcher ihr Muth, ihre Zuver=
sicht und ihr Vertrauen beruhte: — die Macht der Idee, die
Macht des Glaubens, die Macht der Ueberzeugung in Gottes
Sache und der Hoffnung auf gewissen Sieg, weil es der
Sieg des Kreuzes sey über den Irrglauben irdischer Götzen,
der Sieg des Evangeliums über den dunkeln Wahn heidnischer
Lehre, der Sieg des Lichtes im göttlichen Worte über die
Nacht menschlichen Aberglaubens.

Mit dieser Zuversicht betraten die Ordensritter das Land.
Es war im Jahre 1228, als sie bei Herzog Conrad von Ma=
sovien anlangten [1]). Hermann Balk trat hier nun sogleich

---

1) Ueber die Zeit der Ankunft des Ordens in Preußen herrschen selbst
in älteren Quellen so große Verschiedenheiten in der Angabe des Jahres,
daß auch in die späteren geschichtlichen Werke darüber keine Einigkeit ge=
kommen ist. Gemeinhin nahm man in der neuesten Zeit das Jahr 1230
als die Zeit der Ankunft des Ordens an, aber ohne diese Bestimmung
einer genauern Untersuchung zu unterwerfen; s. Baczko B. I. S. 112;
Kotzebue B. I. S. 145. Hennig im Lucas David B. II. S.
187 meinte jedoch, daß der Orden schon i. J. 1227 in Preußen angekom=
men seyn könne. Daß dieses aber nicht wohl möglich war, ist gezeigt
worden. Es ist hier das J. 1228 als die Zeit der Ankunft des Ordens
angenommen worden. Die Beweise hiezu sind folgende: 1. Ist gar kein
Grund vorhanden, warum der Hochmeister die Besitznahme des ihm
1225 angebotenen, im J. 1226 vom Kaiser bestätigten, im J. 1227
durch den Herzog Conrad fest zugesicherten und nun auch vom herr=
schenden Papste ihm zugewiesenen Landes noch bis zum Jahre 1230
ausgesetzt haben solle. Alles war im J. 1227 bereits erörtert, und ein
Hinderniß in der Besitznahme war, so viel wir die Verhältnisse kennen,
nicht mehr vorhanden; vielmehr mußten die Gefahren, welche im J.
1227 den Herzog Conrad bedrängten, den Hochmeister, wenn er sie
kannte, nur noch näher bewegen, das geschenkte Land so bald als mög=
lich in den Besitz des Ordens zu bringen. — 2. Faßte der Herzog im
Frühling des Jahres 1228 die Schenkungsurkunde über das Kulmer=
land förmlich ab (*Dreger* Nr. 71) der Bischof Christian verzichtete
um die nämliche Zeit zum Vortheile des Ordens auf den Zehnten im
genannten Lande. Was bewog sie gerade in diesem Jahre dazu? Nur
die Ankunft des Ordens konnte Anlaß seyn, daß Conrad die Schenkung
nun urkundlich feststellte, da er die festgesetzte Bedingung durch die Ankunft
der Ritter wirklich erfüllt sah. — 3. Hermann Balk war zwölf Jahre
Landmeister gewesen, als er starb 1239 oder in diesem Jahre wenigstens

kraft seiner Ernennung durch den Hochmeister an des Ordens
Spitze; indessen führte er noch nicht eigentlich den Titel eines
Landmeisters, wie seine Nachfolger thaten, sondern er nannte
sich bald Präceptor in Slavonien und Preussen, bald ersten
Komthur des Landes Preussen, bald auch Verwalter der
Deutschen Ritterbrüder vom Hospitale S. Mariens in Polen,
bald wiederum Verweser in Preussen oder Präceptor des
Deutschen Hauses in Preussen; in welchem Wechsel der Amts=
benennung nur die Versuche zu erkennen sind, im Namen des
obersten Verwesers die Gebiete zu bezeichnen, zu deren Besitz
der Orden sich nun schon in aller Weise für berechtigt hielt,
denn Preussen sah er jetzt schon ganz als sein Eigenthum
an und man bezeichnete es als solches auch fast immer
in der noch unbestimmten, selbst zuweilen nicht einmal ganz
passend gewählten Amtsbenennung des obersten Vorstehers
des Ordens in diesen Gegenden [1]).

---

nach Deutschland ging. Kam er aber erst im J. 1230 als Landmeister
nach Preussen, so kann jene Angabe bei *Dusburg* P. II. c. 10 nicht
zutreffen. Sie trifft dagegen genau zu, wenn Hermann schon im J. 1227
vom Hochmeister zum Verwalter des Landes ernannt war, denn dann
ist das Jahr 1239 gerade das zwölfte Jahr seines Landmeisteramtes. —
4. Der Hochmeister sandte, wie erzählt ist, zuvor zwei Ordensritter an
den Herzog Conrad voraus. Im Jahre 1228 kann diese Sendung nicht
erfolgt seyn, denn wir finden im Anfange des Mai 1228, wie erwähnt,
wirklich schon Ordensritter in Preussen. Vom August des J. 1228 bis zum
Herbst des J. 1229 war Hermann von Salza mit Kaiser Friederich im
Morgenlande. Nun war aber Hermann Balk in den ersten Monaten d. J.
1230 gewiß schon in Preussen, und es ist nicht glaublich, daß in den
wenigen dazwischen liegenden Monaten der Jahre 1229 und 1230 die
Unternehmung nach Preussen in Eile ins Werk gesetzt worden sey. Wie
hätte auch der sonst so umsichtige Hermann von Salza die Reise ins
Morgenland antreten können, ohne diese wichtige Angelegenheit erst
in Ordnung gebracht zu 'haben!

   1) Diese Amtsbenennungen Hermann Balks kommen natürlich alle
nur lateinisch in Urkunden vor; in der einen bei *Lucas David* B.
III. S. 137 nennt er sich „per Sclavoniam et Prusiam preceptor,"
welche Benennung, wie *Hennig* a. a. O. bemerkt, sich zugleich auch
auf die damals schon ansehnlichen Besitzungen in Schlesien bezieht. Die
nämliche Bewandtniß hat es mit dem Titel: Procurator in Polonia

Bevor nun aber an die Gewinnung des Landes Preußen gedacht werden durfte, war über das vom Herzoge Conrad dem Orden zugesagte Gebiet noch manches zu erörtern. Vor allem mußte dieser jetzt eine förmliche urkundliche Verschreibung über die Schenkung des Kulmerlandes an den Orden ausstellen und er fügte ihr nun auch noch das Dorf Orlau in Cujavien hinzu mit Verzicht auf den Besitz für alle seine Nachfolger. Es geschah solches am drei und zwanzigsten April des J. 1228 [1]). Diese Schenkung betraf indessen natürlich nur den Theil des Kulmischen Gebietes, welcher zur Zeit noch in des Herzogs Besitz war, denn bereits früher — 1222 — hatte er einen Theil dieses Landes dem Bischofe Christian von Preußen verliehen. Aber auch dieser gab dem Orden sogleich bei dessen Eintritt in das Land manche Beweise seines Eifers und seiner Zuneigung. Freiwillig verzichtete er auf den Zehnten, welchen er in dem den Ordensrittern abgetretenen Theile des Landes zu erheben bisher berechtigt gewesen, mit der Bestimmung, daß er vom Orden zu des Glaubens Vertheidigung verwendet werden solle [2]).

---

fratrum hospitalis S. Marie Theutonicorum in einer Originalurkunde im geh. Archive (S. Lucas David B. III. S. 9), woraus zugleich hervorgeht, daß Hermann Balk wirklich auch Verweser der Ordensbesitzungen in Schlesien war. Preceptor domus theuton. in Pruscia nennt er sich in einer Urkunde bei Kotzebue B. I. S. 447; Ordinis in Prussia Provisor in einer andern bei *Dusburg* ed. Hartknoch p. 453, wo er auch primus terrae Commendator heißt. *De Wal* Recherches T. I. p. 351.

1) Die Urkunde in mehren Transsumten im geh. Archive, gedruckt bei *Dreger* Nro. 71. *Dogiel* Cod. Polon. T. IV. Nro. 4. Acta Boruss. T. I. p. 394. Ueber das Dorf Orlau in Cujavien stellte der Herzog noch im Jahre 1229 eine besondere Schenkungsurkunde aus, welche im Original noch vorhanden ist und das Dorf Orlẘe nennt.

2) Die Urkunde in den eben genannten Werken. Der Bischof drückt sich bedachtsam so aus: Contuli militibus de domo Theutonica pro defensione Christianitatis decimam in territorio Colmensi in hiis bonis, que Dux Conradus Mazovie et Cuyavie predictis militibus salvo jure nostro licite conferre potuit. Diese Urkunde ist gegeben am 3ten Mai 1228. Lucas David B. II. S. 37.

Sonach gränzte nun der Deutsche Orden mit seinem neuen
Besitzthum gen Süden am Flusse Drewenz an die Gebiete,
wo der Orden der Ritterbrüder von Dobrin entstanden war
und in seinem Ueberreste noch fortbestand.

Auch hier führte die Ankunft des Deutschen Ordens
manche neue Verhältnisse herbei. Obgleich immer nur schwach
in seiner Brüderzahl hatte sich jener ritterliche Orden durch
alle Stürme der Zeit doch bis jetzt auf seiner Burg Dobrin
immer noch erhalten. Aber auch neben dem nachbarlichen
Deutschen Orden schien seine fernere Erhaltung noch höchst
wünschenswerth, denn immer bildete doch die kleine Ritterzahl
eine feste Grundlage, auf welcher der Orden sich mehr und
mehr erheben und einst vielleicht im Verein mit den Deutschen
Ordensbrüdern für Glauben und Sicherheit kräftig wirken
konnte. Darum sorgte auch Herzog Conrad für des Ordens
fernere Erhaltung und Erhebung mit allem Eifer, denn von
dem Wunsche beseelt, daß die Dobriner Ritterbrüder sich einst
zum Kampfe gegen die Preußen mit dem Deutschen Orden
verbinden und somit Masovien an beiden eine doppelte Wehr
gegen den feindlichen Nachbar erhalten möge, sprach er ihnen
am vierten Juli 1228 die für sie erbaute und bisher von ih=
nen auch schon bewohnte Burg Dobrin mit dem ganzen
Striche Landes zu, welchen die beiden Flüsse Chameniza und
Cholmeniza bis nach Preußen [1]) umschlossen, mit Verzicht
darauf für sich, seine Söhne und alle seine Nachfolger, über=
gab dieses Land dem Orden erblich auf völlig freies Recht,
fügte auch noch einen Theil des Dorfes Eiche an der Weich=
sel und das ganze Dorf Sedlce [2]) vor Neu=Leßlau hinzu und

---

1) „Inter hos duos rivulos Chamenizam et Cholmenizam
usque in Prussiam." Die Cholmeniza ist das Flüßchen, an welchem
südlich von Schönsee der Ort Chelmonitz liegt; es kommt von der Ma=
sovischen Gränze und geht in den See bei Schönsee. Ein solches Flüß=
chen war auch die Chameniza, aber weiter östlich hin.

2) „Villam ante Juvenem Wladislavam, quae vocatur
Sedlce." Es ist das nämliche, welches *Dusburg* P. II. c. 4 Cede-
licze, allodium seu praedium in terra Cujaviae nennt.

ertheilte ihm völlige Zollfreiheit zu Wasser und zu Land, nebst unumschränkter Gerichtsbarkeit über alle Bewohner in des Ordens Besitzungen. Von demselben Wunsche für die Erhaltung und Erhebung des Ordens geleitet verzichtete auch der erwählte Bischof Günther von Masovien [1] zum Besten der Dobriner = Brüder auf sein Kirchdorf an der Burg Dobrin mit einer ihm zugehörigen großen Insel, nebst dem Zehnten von diesen Ländereien, sofern nicht Polen, sondern Deutsche sie bebauten. Es traten ferner auch die Stiftsherren von Leßlau, durch Herzog Conrad entschädigt, dem Orden ihr Recht auf das Dorf Wissin mit allen seinen Zubehörungen ab und es gelangte in solcher Art der Orden von Dobrin im Jahre 1228 durch alle diese Beschenkungen zu ziemlich ansehnlichen Besitzungen [2].

Noch vermehrt aber wurden diese Besitzungen und Frei=

---

1) Es ist derselbe, welcher in andern Urkunden dieser Zeit Episcopus Ploccensis genannt wird. In der Schenkungsurkunde des Herzogs Conrad an den Deutschen Orden steht er als Electus Plocensis.

2) Alle diese Schenkungen enthält die Urkunde bei *Dreger* Nro. 72. *Dogiel* T. IV. Nro. 8. p. 5. Acta Boruss. T. I. S. 396. Aber alle diese Werke beziehen dieselbe fälschlich auf den Deutschen Orden und bringen dadurch mancherlei Verwirrung in die Geschichte. Erst Hennig zu Lucas David B. II. S. 38 gab ihr die richtige Anwendung, und näher beleuchtet findet man sie in meiner Abhandlung über den Dobriner=Orden. Es gehört hieher auch eine Angabe in dem Bullenverzeichnisse Gregorius IX. (im geh. Archive Schiebl. 17 Nro. 30), die sich offenbar auf den Orden von Dobrin bezieht. Es wird hier eine päpstliche Bulle aus dem zweiten Jahre seines Pontificats mit folgenden Worten verzeichnet: Magistro et fratribus etc. Sacrosancta etc. personas vestras et locum etc. sub protectione beati Petri etc. specialiter autem Insulam Dobrin, castrum et ecclesias de Dobrin cum terris usque in Prutiam, partem ville Quercus et ante iuven. Wlodislau qui Sedlce appellatur, ac omnia que a Conrado duce Masov. et Cuiavie ac filiis suis et in villa Wissin a canonic. ecclesie Wladislav. Wir sehen aus diesen Worten, daß der Papst den Dobriner=Orden mit seinen Besitzungen in den besonderen Schutz der Römischen Kirche nahm.

heiten der Dobriner=Brüder durch eine andere, um die näm=
liche Zeit verliehene Schenkung des Bischofs Günther und des
Kapitels von Plocsk; denn sie verliehen dem Orden in dem
vom Herzoge ihm geschenkten Landbezirke um die Burg Do=
brin auch alle zu ihrem Bisthum gehörigen Güter und Be=
sitzungen, mit dem Rechte, sowohl in Dobrin als in seinen
Landesgränzen Kirchen zu erbauen und über diese das volle
Patronatrecht zu üben, so daß die Ordensbrüder selbst ihre
Kapellane frei erwählen und die Gewählten dem Bischofe oder
dem Archidiaconus vorschlagen konnten. Alle Bewohner dieser
Güter und Besitzungen, es mochten Deutsche oder sonst Fremde
seyn, erhielten völlige Zehnten=Freiheit; nur Polen, welche
etwa diese Güter bebauten, waren hievon ausgenommen. Auch
sollte niemand von des Ordens untergebenen Leuten bei Ver=
nachlässigung heiliger Feste, der Fasten oder anderer kirchlichen
Gebräuche, mit Geldstrafen, sondern mit irgend einer kirchli=
chen Buße belegt werden [1]). So waren also die Brüder
von Dobrin durch die höhere Geistlichkeit mit manchen Vor=
rechten begabt, welche der Deutsche Orden in seinem Kampfe
nur von den Päpsten hatte erhalten können, denn hier war
es die Noth und Gefahr und die tägliche Bedrängniß, welche
die Geistlichen zu solcher Freigebigkeit und Begünstigung des
Dobriner=Ordens bewog, da ihre Kirche in Masovien durch
die Preussen fast schon völlig vertilgt und noch fort und fort
neuen Gefahren ausgesetzt war [2]). Gleiche Theilnahme und

---

1) Das Original dieser Urkunde im geh. Archive. Abgedruckt, je=
doch sehr fehlervoll, findet man sie bei Kotzebue B. I. S. 332. Um
sie verstehen zu können, muß verbessert und gelesen werden: Z. 8 statt
extraminium — exterminium, Z. 21 statt cui — sed, Z. 22 st.
contradicat — contradicant, Z. 23 st. probeat — probent, Z. 25
muß omnesque nach eos eingerückt werden, Z. 28 statt tantum —
tamen, Z. 33 st. si — sed.

2) Sie sagen selbst in der Urkunde: die Vergabung geschehe ad
honorem et commodum sancte ecclesie graviter in Mazovia ab
immundis paganis Prutenis oppresse et pene jam ad exterminium perducte.

gleiche Gesinnung gegen die Dobriner = Brüder hatte auch schon der Herzog Suantepolc von Pommern bewiesen, indem er ihnen alle und jegliche Freiheiten in seinen Landen ertheilt und in seinem ganzen Herzogthum den Befehl hatte ergehen lassen, daß keiner seiner Unterthanen sie in ihrem Eigenthum in irgend einer Weise beeinträchtigen solle [1]). In solcher Weise standen nun die beiden Ritterorden neben einander da. Hermann Balk aber fand noch mancherlei Vorbereitungen nothwendig, bevor er den ernsten Kampf mit dem heidnischen Feinde wagen durfte. Vor allem bedurften die Deutschen Ordensritter noch einer neuen festen Burg theils zu ihrer Wohnung, theils zum sichern Vertheidigungsort gegen den einbrechenden Feind, denn die Burg Vogelsang reichte für die größere Zahl der Ritter zu beiden Zwecken nicht zu. Da ward mit des Herzogs Beihülfe der Aufbau der Burg Nessau begonnen, nahe am linken Weichsel = Ufer, da wo jetzt das Dorf Niezewle am Strome liegt. Conrad von Masovien bot eine große Zahl seiner Unterthanen auf, um den Bau schnell zu Stande zu bringen, während des Ordens gerüstetes Kriegsvolk die Bauleute bewachte. So stand die Feste in kurzer Zeit auf einer leichten Anhöhe vollendet da, nicht bloß stark und tüchtig in ihren Mauerwerken, sondern auch durch des Landes Beschaffenheit rings umher geschützt und durch Sümpfe und Gebrüch für den Feind ganz unzugänglich [2]).

---

1) Die Urkunde im Original im ged. Archive, abgedruckt in Lucas David B. III. Anh. S. 5 und bei Kotzebue B. I. S. 412, wo aber fälschlich unter den militibus Christi die Deutschen Ordensbrüder verstanden werden. Vgl. meine Abhandlung über den Dobriner-Orden in der Geschichte der Eidechsen-Gesellschaft S. 262 — 263.

2) *Dusburg* P. II. c. 9. Ordens = Chron. Mscr. S. 24 und bei *Matthaeus* p. 696. Lucas David B. II. S. 45. — Daß diese alte Burg Nessau da lag, wo jetzt das Dorf Groß-Nietzewle befindlich ist, kann wohl keinem Zweifel unterliegen. Noch bis diesen Tag sind an diesem Orte am linken Weichsel = Ufer, etwa eine halbe Meile von Dybow, Ueberbleibsel und Grundmauern der alten Burg vorhanden. Die Sachverständige urtheilen, stehen diese Ueberreste in ihrem Material dem Alter von Thorn nicht nach und an Umfang kommen sie der nachmaligen Burg zu Thorn völlig gleich.

Kaum aber war der Bau vollendet, als die Preussen auf die Nachricht von der Ankunft der neuen Ritterschaar aber= mals verheerend in die Gebiete des Kulmerlandes einfielen, um vereint mit der Burgbesatzung von Rogow Masovien zu über= ziehen. Da war es zum erstenmale, als sie die Deutschen Ordensritter in ihrem Ordenskleide erblickten, und verwun= dert, woher diese Kriegsmänner seyen und wozu sie gekom= men, erhielten sie von einem gefangenen Masovier die Ant= wort: „Es sind Kriegsleute, die sich Gott geweihet, tapfere Ritter aus Deutschland, vom Oberhaupte der Christen, dem Papste ausgesendet, euch zu bekriegen, bis ihr euern unbeug= samen Nacken der Römischen Kirche untergebet.“ Als die Preussen solches vernommen, zogen sie mit Hohngelächter da= von; denn sie wagten es nun nicht, Masovien zu über= fallen [1]).

So waren nun schon zwei Burgen als Wohnsitze der Deutschen Ritter aufgerichtet, aber auf einem Gebiete, welches außer den Gränzen des vom Herzoge dem Orden geschenkten Landes lag. Darum stellte Conrad im Jahre 1230 einen neuen Schenkungsbrief aus, nach welchem er den Ordensbrü= dern die Burg Nessau nebst vier Dörfern mit allen ihren Gebieten und zugehörigen Besitzungen als Eigenthum über= gab, doch mit der Bedingung, daß hiefür der Orden auch

---

1) *Dusburg* P. II. c. 9. Lucas David B. II. S. 57 — 59 giebt aus verschiedenen andern Preussischen Chronisten eine viel weit= läuftigere Erzählung, läßt den gefangenen Masovier zum Griwe brin= gen, wo er den Göttern geopfert werden soll, aber auf seine wieder= holte Aussage über die Deutschen Ritterbrüder das Leben geschenkt er= hält. Ihm hält dann auch der Griwe eine Rede über sein Recht zum Besitze des Kulmerlandes, über Conrads unbillige Verschenkung dieses Landes und über das Vertrauen zur Besiegung der Deutschen durch die Preussen. Endlich erhält der Masovier den Auftrag, dieses alles dem Herzoge und den Rittern zu verkündigen. Wir kennen jedoch die kritische Auctorität der Quellen, aus denen Lucas David diesen Be= richt nahm, zu wenig, als daß seine Wahrheit zu begründen wäre. Einen Auszug aus des Griwen Rede giebt Kotzebue B. I. S. 146.

um so eifriger und treuer ihn im Kampfe gegen die Heiden unterstützen solle [1]).

Mittlerweile aber hatte Hermann Balk den Herzog Conrad in seinem Denken und Handeln näher kennen gelernt. Des Herzogs Leben, seine Handlungsweise selbst gegen seine nächsten Verwandten, sein ganzer Charakter, den er als Mensch und als Fürst in seinen Thaten selbst bis auf diese Zeit klar genug dargelegt, das alles war in keiner Weise geeignet, bei den Menschen Zuneigung und Vertrauen zu erwecken. Je länger ihn daher Hermann Balk beobachtet und in seinem Wollen und Streben durchschaut hatte, desto mehr scheint sich bei ihm ein gewisses Mißtrauen und eine Ungewißheit über des Herzogs redliche Absichten begründet zu haben. Dieses Mißtrauen aber veranlaßte bald auch wieder neue Unterhandlungen über die Schenkung des Kulmerlandes. Allerdings nämlich mußte die im Jahre 1228 geschehene urkundliche Zusage über dieses Land bei den Ordensrittern bald mancherlei Bedenklichkeiten erregen. Zum ersten nannte sie ja das Land Kulm nur ganz im allgemeinen ohne alle Bestimmung seiner Gränzen und ohne alle gebräuchlichen Angaben mancher einzelnen Verhältnisse, wie sie damals in solchen Schenkungs-

---

1) Die Urkunde bei *Dogiel* Nro. 13. p. 10. Acta Boruss. B. 1 S. 404. Ueberall aber findet man die Namen sowohl der Burg, als der vier geschenkten Dörfer äußerst verdorben. In der Urkunde bei *Dogiel* heißt die Burg Nieszowa, die Dörfer aber Oszchotyno, Wysne, Misnete und Okrola. In den Actis Boruss. wird die Burg Vizne, die Dörfer dagegen Oztochone, Nezne, Misnete und Mola genannt. Richtiger finden wir die Namen in den über diese Urkunde vorhandenen Transsumten. In dem einen heißt es: Castrum quod dicitur Nissŭe cum his quatuor villis Ozchotino, Nissŭe, Nissŭcta, Occola. In einem andern Transsumte wird die Burg Nessow genannt. Der Herzog sagt: die Schenkung geschehe magna necessitate urgente; er nennt sie dann auch eine donatio pernecessaria und fügt endlich hinzu: Pro hac eciam donacione fratres supradicti cum omni fidelitate contra paganos quoslibet una nobiscum spoponderunt omni tempore se militaturos secundum deum et eorum posse. Ein genaueres Datum als das Jahr 1230 hat die Urkunde nicht.

briefen für nothwendig und unerläßlich galten. Zum andern schenkte der Herzog damals das Land zwar, wie er vorgab, mit Zustimmung seiner Erben; allein von diesen Erben war weder jemand ausdrücklich in der Urkunde genannt, noch hatten sie selbst ihre Einwilligung und ihre Verzichtleistung ausgesprochen. Zum dritten schien dem Landmeister auch wohl die förmliche Einstimmung der geistlichen und weltlichen Großen des Herzogthums um so nothwendiger, je weniger ihn sein Mißtrauen auf des Herzogs alleinige Zusage fest bauen ließ. Solches und Aehnliches erwägend verlangten die Ordensritter im Vorsommer des Jahres 1230 eine neue, in aller gebräuchlichen Form vollkommene Verschreibung über das Kulmerland, denn in der verwirrungsvollen Lage, in welcher sich um diese Zeit Masovien und ganz Polen befanden, und bei der eben erst erfolgten Begünstigung des nachbarlichen Dobriner = Ordens war ohnedieß für den Deutschen Orden eine größere Sicherstellung über sein künftiges Besitzthum auch durchaus nothwendig.

Herzog Conrad, von allen Seiten her durch Gefahr und Noth bedrängt, stellte daher auf Hermann Balks Ansuchen einen neuen Schenkungsbrief aus, in welchem er zuerst ausdrücklich bemerkte, daß die Schenkung des Kulmerlandes mit voller Zustimmung seiner Gemahlin Agaphia und seiner Söhne Boleslav, Kasimir, Semovit und Semimisl geschehen sey [1]). Ferner bestimmte er auch die Gränzen des Landes genauer: es solle anheben an dem Orte, wo die Drewenz aus Preus=

---

1) In allen Transsumten und Abschriften dieser Urkunde wird die Herzogin nicht wie sonst gewöhnlich Agaphia, sondern Safia und Gafya genannt; ferner ist außer den drei sonst bekannten Söhnen Conrads noch eines vierten erwähnt und sein Name bald Semimisl, bald Semimigi, bald Semmugi geschrieben. Diese Verschiedenheit entdeckte auch schon *Dreger* p. 141, da dieses Sohnes in der spätern Schenkungsurkunde keine Erwähnung geschieht, und meinte, derselbe könne wohl in der Zwischenzeit gestorben oder sein Name beim Abschreiben der zweiten Urkunde ausgelassen seyn. Das Letztere ist aber kaum glaublich, indem die Ordensritter diesen nicht unwichtigen Umstand gewiß nicht unerörtert gelassen haben würden.

fens Gränzen ins Kulmerland kommt und längs diesem Flusse
fortgehen bis an die Weichsel, dann an der Weichsel hinab
bis an die Ossa und endlich an der Ossa aufwärts bis an
die Gränzen Preussens. Weiter sprach er dem Orden abermals das immerwährende Besitzrecht zu mit Angabe der Rechte
und Freiheiten, von denen er zu Wasser und Lande Gebrauch
machen könne, als auf Auffindung von Gold, Silber und
jeglichem andern Metall, auf die Jagd, auf Fischfang, auf
Märkte, Münzen, Zölle und was sonst in solchen Schenkungsbriefen in üblicher Weise bezeichnet werde. Und in diesem
Besitzthum versprach der Herzog die Ordensritter gegen jeden
Anspruch eines andern nach aller Kraft zu vertheidigen. Für
dieses alles aber hatten die Ritter sich abermals verbindlich
erklärt, dem Herzoge und allen seinen Erben mit aller Treue
und mit ihrer ganzen Kraft gegen die Feinde der Kirche und
seines Landes und namentlich gegen alle Heiden ohne andern
Lohn [1] und ohne allen Einwand bis auf den letzten Mann
jeder Zeit im Kampfe zu Hülfe zu stehen [2].

Aber auch durch diesen neuen Verschreibungsbrief schien
dem vorsichtigen Landmeister noch keineswegs alles beseitigt,
was über den Besitz des Kulmerlandes und der Gebiete, die
man im Kampfe mit den Preussen noch zu erobern gedachte,
einst Irrungen, Ansprüche und Streitigkeiten erwecken konnte.
Das Beispiel jener Scheingründe und Vorwände, unter denen Ungerns König Andreas dem Orden das den Heiden
entrissene Land wieder entzogen hatte, lag gewiß den Ordens-
vorstehern noch viel zu nahe, als daß es ihnen nicht auch
hier Warnung und Lehre hätte seyn können. Man ging daher jetzt außerordentlich vorsichtig, um in aller Weise ganz
sicher zu gehen. Nun war aber auch in dem letzten Verschreibungsbriefe des Herzogs der Zustimmung der Bischöfe und
der weltlichen Großen Masoviens über die Schenkung keines-

1) „Secundum Deum.‟

2) Diese Urkunde, auch vom Bischofe Christian von Preussen bezeugt, findet man gedruckt in *Dreger* Nro. 79 p. 137. *Dogiel*
Nro. 12 p. 9. **Acta Boruss.** B. I. p. 402.

wegs erwähnt; es waren ferner die einzelnen Gegenstände,
auf welche sich das Besitzrecht des Ordens im ganzen
Lande gründen und beziehen sollte, noch immer nicht nach be=
stehender Form und Sitte aufgeführt; selbst die Zusicherung
und Begründung des Besitzrechtes auf das Land war noch
nicht in üblicher und rechtskräftiger Art in der Verschreibung
ausgesprochen. Die wichtigste Frage aber war: Wem fie=
len die Eroberungen oder was sonst an beweglichem und un=
beweglichem Gut im Kampfe gegen die ungläubigen Völker
errungen werden konnte, als Eigenthum zu? Nur in dem
ersten Erbieten hatte Conrad die Ordensritter auch auf die
Erwerbungen im heidnischen Preussen hingewiesen [1]) und der
Kaiser hatte sie im voraus genehmigt. Allein in keinem der
Schenkungsbriefe war vom Herzoge hierüber irgend Erwäh=
nung geschehen. Nun hatte man freilich Preussen von Po=
len und Masovien aus niemals so besiegt und unterworfen,
daß für die Fürsten dieser Länder auch nur im mindesten
ein eigentliches Recht auf den Besitz hatte begründet werden
können; allein manche von Polens Königen und Herzogen
hatten doch allerdings die Idee einer gewissen Oberherrschaft
über das nahe Preussen aus Anlaß einzelner glücklicher
Kriegszüge wirklich festgehalten und so schwer fühlbar die
Preussen dem Herzoge Conrad oft das Gegentheil gemacht
hatten, so war doch offenbar auch in ihm der Gedanke eines
gewissen Rechtes auf Preussens Lande noch nicht ganz unter=
gegangen. Wer aber unter den Ordensrittern konnte er=
messen, worauf dieses Recht beruhe, und wie weit es über=
haupt begründet sey? Das alles gab wieder mannichfaltigen
Anlaß zu neuen Unterhandlungen mit dem Herzoge.

Sie dauerten bis in den Juni des Jahres 1230. Da
stellte der Herzog noch einen neuen Verschreibungsbrief aus,
in welchem auch diese Punkte aufs genaueste erörtert wa=
ren [2]). Vor allem wurde der Zustimmung der Bischöfe und

---

1) Wie aus der Urkunde des Kaisers Friederich II. bei *Dreger*
p. 118 zu ersehen ist.

2) Ohne Zweifel ist auch der ganze Eingang zu dieser neuen Ver=

13*

der Magnaten des Landes ausdrücklich erwähnt [1]). Es ward
ferner das Einzelne, worauf sich das landesherrliche Recht
des Ordens im Lande erstrecken sollte, mit aller Genauigkeit
und in allen rechtsüblichen Formen bezeichnet. In Allem
wurde dem Orden das vollkommenste und unbeschränkteste Eigenthumsrecht aufs klarste zugesprochen und zur Bürgschaft und
sichersten Aufrechthaltung dieses Versprechens verpflichteten sich
der Herzog und seine Erben mit dem ganzen Lande. In Betreff der Erwerbung Preussens aber ward festgesetzt: Was die
Ordensritter an Personen oder Gütern der Ungläubigen, an
beweglichem oder unbeweglichem Eigenthum, an Land oder
Gewässer und allem darin Enthaltenen durch Gefangenschaft,
durch Raub oder Eroberung und Unterjochung in irgend einer
Weise sich zueignen könnten, das alles solle mit vollkommen-
stem Rechte und mit aller Freiheit ohne alle Schmälerung und
Verhinderung als wahres Eigenthum und vollkommenes Besitzthum dem Orden zugehören [2]). — So war nun endlich

---

schreibung des Herzogs nicht ohne Zweck und Wichtigkeit, indem er in
der Schilderung der Verheerungssucht der Preussen und anderer naher
heidnischer Völker den Grund der Herbeirufung des Ordens, so wie der
Schenkung näher entwickelt. Es ist sehr wahrscheinlich, daß dieser Punkt
dem Herzoge von den Ordensrittern ebenfalls vorgeschrieben war.

1) Auch über die Einwilligung der Gemahlin und der Söhne des
Herzogs hieß es noch bestimmter: Uxore mea Agafia, filiis meis
Boleslao, Casimiro, Semovito *expresse de bona et sponta-
nea voluntate* consentientibus.

2) Für die nachfolgende Zeit bekommt diese Stelle der Urkunde eine
besondere Wichtigkeit. Sie lautet so: Preterea quicquid de perso-
nis vel bonis omnium Sarracenorum captivatione, depredatione,
extorsione, occupatione vel subjugatione mobilium sive immo-
bilium, terrarum vel aquarum atque omnium in eis contento-
rum quolibet modo fratres predicti adipisci potuerint cum
omni ac integro jure et libertate superius premisse donationis
nulla prorsus diminutione, coarctatione vel inpedimento ipsis
a me, heredibus meis vel quolibet alio, quem nos prohibere
vel coarctare possumus, prestando vel procurando, eisdem
concessi, cum vera proprietate et perfecto dominio quiete
dossidendum, et in hoc consensi cum uxoris mee, filiorum

-durch diesen neuen Verschreibungsbrief des Ordens Besitzrecht auf das Kulmerland und auf alle Gebiete, die im Lande der umherwohnenden Ungläubigen irgend erworben werden konnten, auf jede mögliche Weise sicher und festgestellt [1] und Herzog Conrad hatte sich, wie die Urkunde aufs klarste an den Tag legte, nicht das mindeste Recht weder auf das übergebene Kulmische Gebiet noch auf die künftigen Eroberungen in Preussen gegen den Orden vorbehalten [2]).

---

meorum, episcoporum, baronum et magnatum terre mee consensu, contra omnem hominem ad observationem et defensionem omnium supradictorum, secundum omne posse et totas vires meas eisdem auxilium, et consilium bona fide firmiter promittens, omnes heredes et successores meos et terras meas obligans mecum, et astringens adratihabitionem, observationem et conservationem donacionum concessionum, obligationum, promissionum omnium supradictarum. — Daß unter Sàraceni in jener Zeit alle Heiden und Ungläubigen, folglich hier auch die heidnischen Preussen verstanden werden, ist an sich klar.

1) Diese wichtige Urkunde befindet sich mehrfach im geh. Archive und abgedruckt bei *Duellius* p. 12. *Dreger* Nr. 80. p. 138. *Dogiel* Nr. 10. p. 7. *Leibnitz* Prodrom. ad Cod. Jur. Gent. T. I. *Lünig* RA. P. Spec. p. 4. Acta Boruss. B. I. p. 66 — 72. Baczko B. I. S. 237. Gustermanns Gesch. Preuß. S. 143. Je klarer der Inhalt dieser Urkunde ist, um so auffallender und zugleich grundloser sind die Behauptungen der Polnischen Chronisten über die Sache.

2) Dieser Satz muß durchaus als geschichtlich erwiesen festgehalten werden, da sich an ihn in der Folge unendlich vieles anknüpft. Die ungereimten Angaben der Polnischen Chronikenschreiber über eine zwischen dem Herzog Conrad und dem Orden bedungene Theilung aller Eroberungen in Preussen in gleiche Hälften bedürfen jetzt keiner Widerlegung mehr. Solche Angaben findet man unter andern bei *Dlugoss.* T. I. p. 644, wo zugleich noch die wunderliche Behauptung steht, die Schenkung des Kulmerlandes sey geschehen licet de facto, non de jure, cum in praejudicium Regni Poloniae donationem ipsam Conradus Dux non poterat aliquatenus fecisse. Noch abgeschmackter ist die Angabe bei *Cromer* p. 194: der Orden habe sich verbindlich gemacht, das Kulmerland wieder zurückzugeben, sobald die Preussen besiegt seyen und die Eroberungen dann auf gleiche Hälften zu thei-

Während aber in solcher Weise Hermann Balk und seine obersten Ordensbrüder in jenen Verhandlungen mit dem Herzoge über die Hauptbesitzung begriffen waren, stand der Orden wegen einer ähnlichen Schenkung in lebhaften Unterhandlungen mit dem Bischofe Christian von Preussen. Es war im Anfange des Jahres 1230, als dieser Bischof, wie er selbst erklärte, zu kräftiger Vertheidigung der so schwer verheerten Kirche im Kulmerlande dem Orden freiwillig alles Land abtrat, was er theils früherhin vom Herzoge Conrad und dem Bischofe und Kapitel zu Ploczk erhalten, theils nachmals selbst durch Ankauf erworben hatte. Dagegen verlangte er aber einmal, daß die Ordensritter ihm und seinen Nachfolgern, sobald er sie zum Kampfe gegen die Ungläubigen auffordern werde, stets zur Hülfe bereit stehen sollten; behielt sich zweitens auch vom Ertrage des übergebenen Landes eine bestimmte Leistung der Erzeugnisse vor, zu welcher der Orden sich verpflichten sollte, und benannte endlich auch noch eine gewisse Anzahl von Ackertheilen, die ihm als Eigenthum verbleiben sollten [1]). Diese Verleihung kam den Ordensrittern allerdings sehr befremdend vor. Es ließ sich kaum die Frage erheben: ob der Bischof dem Orden das Land als volles Eigenthum oder nur als Lehen übergeben wolle? Das erstere

---

len. Nicht bloß eben so unwahr, sondern zugleich noch weit unwissender zeigt sich in der ganzen Sache *Math. de Miechov* p. 125, wo dieser ein wahres Musterstück von historischer Verworrenheit giebt. Zu bewundern ist, daß der sonst viel zuverlässigere *Boguphal* p. 59 sagt: Concessit terram Culmensem viginti annis, und erst im Laufe der Zeit den Herzog Conrad durch den Herzog Heinrich den Bärtigen von Schlesien bereden läßt, dem Orden das Land durch Schenkung zu verschreiben. Früherhin fand man viel Interesse, diese Behauptungen der Polen zu widerlegen; vgl. Polnische Bibliothek IV. St. S. 297. Hartknoch A. u. N. Preuß. S. 271 ff. Pauli Preuß. Staats-Geschichte B. IV. S. 53 ff.

1) Die Urkunde bei *Dreger* Nr. 81. p. 142. *Dogiel* Nr. 8. p. 6. *Duellius* p. 13 — 14. Acta Boruss. B. I. S. 72. — Als Leistung behielt sich der Bischof vor von jedem Pfluge einen Scheffel Weizen und einen Scheffel Roggen, an Ackertheilen zweihundert Pflüge und fünf Vorwerke, jedes zu fünf Pflügen.

schien keineswegs der Fall zu seyn, da in dem Verschreibungs=
briefe des Eigenthumsrechtes gar nicht weiter erwähnt war [1]).
Dagegen schien die ganze Art seiner Abfassung, es schienen
nicht minder die gestellten Bedingungen darauf hinzuweisen,
daß der Bischof den Orden in dem ihm übertragenen Landes=
theile nur als seinen Lehnsträger betrachten wollte. Und in
diesem Sinne verstand ohne Zweifel auch der Orden den aus=
gestellten Verschreibungsbrief, wiewohl in diesem sichtbar mit
Absicht manches dunkel und unbestimmt gelassen war. Man
erbat sich deshalb vom Bischofe eine nähere Bestimmung der
Verhältnisse aus, unter welchen nach seiner Meinung der
Orden in den Besitz des angebotenen Landes treten sollte,
denn als des Bischofs Lehnträger konnten die Ordensritter
wohl unter keiner Bedingung gelten wollen.

Da traten in die Verhandlungen zwischen dem Orden
und dem Bischofe, vielleicht von diesem aufgefordert, die bei=
den Aebte Heinrich von Lugna und Johannes von Linda [2])
als Vermittler ein und veranlaßten eine nähere Berathung
der Sache auf einem Tage zu Leßlau im Januar des Jahres
1230, bei welcher sich auch verschiedene Ritter des Dobriner=
Ordens einfanden [3]). Hier ergab sich aber, daß des Bischofs
Verschreibungsbrief wirklich in dem Sinne verfaßt war, wie
ihn die Ordensritter verstanden hatten. Der Orden sollte sich,

---

1) So war in der Urkunde auch wohl mi allem Bedachte nur
der Ausdruck „contuli" gewählt und zugleich hinzugefügt: ut ipsi
mihi omnibusque meis successoribus sint parati contra paganos pugnatui.

2) Henricus Abbas de Lucca unterschrieb sich der erstere in der
ersten Verschreibungsurkunde des Bischofs als Zeuge.

3) Wir finden diese Urkunde im *Dogiel* Nr. 9 p. 6 und in den
Actis Boruss. B. I. S. 406. Sie ist von den beiden genannten Aeb=
ten abgefaßt, offenbar als eine Art von Commentar über die eben er=
wähnte erste Schenkungs= oder vielmehr Verleihungsurkunde des Bi=
schofs Christian, welche sie dem Inhalte nach auch wieder enthält. Die
Aebte sagen ausdrücklich, die Verleihung des Bischofs an den Orden in
solcher Art geschehe „nobis mediantibus et pro posse nostro coo-
perantibus.

So war des Bischofs Meinung. Offenbar erzielte er in diesen Bedingungen eine eigene geistliche Oberherrschaft über das Kulmerland, zu deren Aufbau und Erhaltung ihm das Schwert des Ordens als Mittel und als Stütze dienen sollte. Christian stand, wie es scheint, schon um diese Zeit nicht mehr so rein in seiner Seele da, als in jenen ersten Tagen, da er das Licht der christlichen Erleuchtung zuerst in diesen Landen entzündete. Anderes erstrebte er damals als Mönch, anderes jetzt als Bischof von Preussen. Er war seitdem in Deutschland zur Schule gegangen; er hatte die Deutsche kirchliche Verfassung, das Streben und die Stellung der Deutschen Bischöfe, die Grundlage der dortigen Hierarchie genauer kennen gelernt und in dieser Schule war er keineswegs ganz frei geblieben von dem Geiste, der damals allgemein die hohe Geistlichkeit belebte. Das bewies er hier; er bewies es nachmals durch sein ganzes Leben. Vielleicht stand auch schon der Orden der Dobriner Brüder, des Bischofs Schöpfung, gerade in dem Verhältnisse, in welches er den Deutschen Orden versetzen wollte, und dann in welcher Stellung fand Christian den Orden der Schwert=Brüder in Livland gegen den Bi-

---

stibus subnotatis, Joanne Priore, Hermanno Monacho Lugnensi, fratribus de Thimau, Gerhardo et Conrado militibus Christi de Prussia, Andrea Wernero, Joanna Albrando, Conrado. Diese Angabe ist nicht ohne Wichtigkeit, denn erstens sehen wir daraus, daß die Urkunde eigentlich nichts weiter ist, als eine Art von Protokoll über eine zu Leßlau in der Sache gepflogene Verhandlung, eine genauere Erörterung der Verhältnisse, in welchen der Bischof zu dem Orden durch die in seiner Verleihungsurkunde enthaltene Uebergabe seines Besitzthums stehen wolle. Wir schließen zweitens aus der Zeitangabe, daß der Verleihungsbrief des Bischofs in die ersten Tage des Januars 1230 fallen muß, was uns für die Annahme einer früheren Ankunft des Ordens ins Land von Wichtigkeit ist. Aus der Angabe der Zeugen aber, die wir anderwärts zum Theil ebenfalls wieder finden, dürfen wir einen sicheren Beweis für die Aechtheit dieser Urkunde entnehmen; denn Bedenken gegen diese hat man hie und da — Histoire de l'Ordre Teuton. T. I. p. 232. Kotzebue B. I. S. 377 — nur deshalb gehegt, weil man ihre Beziehung nicht recht verstand.

schof von Riga? Konnte ein solches Beispiel ohne Reiz und
Lockung für ihn bleiben?

In dem Deutschen Orden aber täuschte sich Christian in
seinen Bestrebungen und er gelangte nicht zu seinem Ziele.
Es leuchtet von selbst ein, daß die Ordensritter, unter Verhältnissen herbeigerufen, in denen sie eher Bedingungen vorzuschreiben berechtigt waren, als sie sich vorgeschriebenen fügen
durften, den Inhalt dieser Verhandlungen zu Leßlau verwer-
fen mußten. Die Entscheidung zog sich immer weiter hinaus, bis endlich im nächsten Jahre Ereignisse eintraten, welche
den Bischof bei weitem nachgiebiger stimmten und ihm geboten, vorerst wenigstens sein Ziel aufzugeben. Er stellte nämlich einen neuen Verschreibungsbrief aus, der von dem früher gehegten Gedanken keine Spur mehr in sich trug. Er
übergab hierin dem Orden alles, was er vom Bisthum Ploczk
zur Aufhülfe des Bisthums in Preußen an Einkünften des
Zehnten oder andern kirchlichen Leistungen erhalten hatte,
ohne weitere Bedingung und behielt für sich im übrigen nur
die bischöfliche Gerichtsbarkeit. Er überließ ihm ferner auch
die ganze ihm vom Herzog Conrad gewordene Schenkung im
Kulmerlande mit allem Rechte des eigenthümlichen Besitzes,
und endlich trat er den Ordensrittern auch das erkaufte Gut
Resin [1]) zu beständiger Benutzung ab [2]), also daß nun der
Orden ohne ausdrückliche Verpflichtungen fast alles überkam,
was bisher bischöfliches Besitzthum im Kulmerlande gewesen war [3]).

_____

1) Ueber den Ankauf dieses Gutes ist in unserm ersten Theile schon
gesprochen worden.

2) Das Original dieser Verleihungsurkunde mit dem Siegel des
Bischofs befindet sich im geh. Archive Schiebl. 59. 1; gedruckt bei *Dreger* Nr. 83. p. 144. *Dogiel* Nr. 16. p. 11. Acta Boruss. B. I.
S. 410 — 412. Unter den Zeugen stehen auch mehre Deutsche Ordensbrüder, aber nur mit den Taufnamen Friederich, Heinrich und Ulrich
bezeichnet.

3) Nur auf solche Weise scheint es möglich, die drei über diese Sache vorhandenen Urkunden mit einander in Verbindung zu setzen. Man
scheint bisher die Beziehung derselben nie recht verstanden zu haben.

Weit leichter und schneller gelangte der Orden im Kul=
merlande zum Besitze dessen, was bisher noch der bischöflichen
Kirche von Ploczk daselbst gehört hatte. Erwägend, daß solche
streitige Verhandlungen, wie sie der Orden Jahre lang mit
dem Herzog Conrad und mit dem Bischof Christian hatte füh=
ren müssen, dem Zwecke, zu welchem die Ordensritter gerufen
waren, mehr hinderlich als förderlich seyen [1]), trat der Bischof
Günther von Ploczk mit seines ganzen Kapitels Zustimmung
dem Orden zur Ermunterung seines Eifers im Kampfe gegen
die heidnischen Preussen alle Güter und Besitzungen, die sei=
nem Bisthum im Kulmischen Gebiete bisher noch zugehört
hatten, mit allen kirchlichen Einkünften, dem Patronate über
die Kirchen und seinem vollen Eigenthumsrechte ohne weiteres
ab, nur unter der einzigen Beschränkung, daß kirchliche Wei=
hungen oder sonst andere kirchliche Handlungen auch forthin
noch vom Bisthum zu Ploczk aus verrichtet werden sollten [2]).

So war das ganze Kulmerland das Eigenthum des
Deutschen Ordens geworden. Es war der Eckstein des
großen Baues, zu welchem er berufen war. Die erste

Schon Lucas David B. II. S. 42 gesteht, daß er mit diesen ver=
schiedenen Urkunden nicht habe aufs Reine kommen können; er hilft sich
deshalb mit der sonderbaren Annahme, man habe vielleicht mit der Rein=
schrift der längeren Urkunde der beiden Aebte zur Absendung an den
Papst nicht fertig werden können und daher die kürzere vom Jahre
1231 verfaßt. Dieß ist auch in den Actis Boruss. B. I. S. 410 nach=
geschrieben worden. Spätere Geschichtschreiber, wie Baczko B. I. S.
141 und Kotzebue B. I. S. 377 haben die Sache leichthin genom=
men und nur Auszüge geliefert. Auch die Histoire de l'Ordre Teuton. T. I. p. 232 hat die richtige Beziehung verfehlt.

1) Darauf mögen die Worte in der nachfolgend verzeichneten Ur=
kunde hindeuten: Quia religiosam vitam eligentibus congrua
consideratione conspiciendum est et providendum, ne unquam
a Dei servicio et devocione per illicitas controversias abstra-
hantur et maxime militibus Cristi, qui personas suas pro Cristi amore periculo subponere non formidant. — —

2) Die Urkunde bei *Dreger* Nr. 78. p. 136. *Dogiel* Nr. 11.
p. 9. Acta Boruss. B. III. S. 263.

Heimat des merkwürdigen, großen Lebens war gegründet, in welchem der Deutsche Orden seine weltgeschichtliche Bedeutung offenbaren sollte [1]).

---

1) Merkwürdig ist es, daß wir in den uns zugänglichen Quellen gar keine Spur von Verhandlungen mit dem Dänischen Könige wegen etwaniger Ansprüche auf Preußen, namentlich auf Samland finden. Daß er dieses Land auch jetzt noch als zu seinem Reiche gehörig ansah, scheint das auf seinen Befehl im Jahre 1231 verfertigte Dänische Reichs-Lagerbuch auszuweisen, in welchem seine südbaltischen Besitzungen in folgender Art verzeichnet stehen: *Terre Pruzie, ex una parte fluvii Lipz* Pomizania, Lanlania, Ermelandia, Notangia, Barcia, Peragodia, Nadravia, Galindo, Syllones, Zudua, Littovia: *ex altera parte Lipz* Zambia, Scalwo, Lammata, Curlandia. Semigallia. Einige dieser Namen der einzelnen Landschaften befremden allerdings. Lanlania aber ist wohl offenbar verschrieben für Lansania und für Pogesanien genommen, denn das Land Lansanien lag in dieser Landschaft. Peragodia beutet, sofern der Name richtig ist, auf die Gothen hin und scheint das nachherige Barta Major gewesen zu seyn. Syllones ist zweifelhaft; darf man dabei vielleicht an die alten Igyllionen des Ptolemäus denken? Die Lage als Gränzland Galindiens würde passen. — Vgl. obige Stelle des Dänischen Reichs-Lagerbuches in Gebhardi Genealog. Geschichte der erblichen Reichsstände in Deutschland B. I. S. 209.

Viertes Kapitel.

Sobald aber die Verhältnisse ausgeglichen waren, deren wir bisher gedacht haben, begann die ernste Zeit des schweren Kampfes mit den Preussen. Zwar hatte dieser Kampf im Einzelnen längst angehoben und die Ritter hatten bereits öfter schon rühmliche Beweise ihres Muthes und ihrer Tapferkeit gegen einzelne anstürmende Haufen von Preussen gegeben [1]; allein die Zahl dieser Ordensritter war, auch selbst in Verbindung mit den Ritterbrüdern von Dobrin und mit den Hülfshaufen des Herzogs von Masovien, doch immer noch viel zu gering, um einen Krieg mit dem zahlreichen Feinde im Zusammenhange zu führen und in das feindliche Gebiet selbst einzubringen. Man hatte sich deshalb stets nur vertheidigend verhalten und die feindlichen Schwärme nur zurückgeworfen, wenn sie raubend und verheerend im Kulmerlande erschienen. Nun wandten sich aber zu gleicher Zeit der Landmeister Hermann Balk und Herzog Conrad an den Papst Gregorius den Neunten, der letztere rühmend, mit welchem Muthe bisher die Ritter vom Deutschen Orden die Anfälle des ungezähmten Feindes des Namens Christi zurückgeschlagen und zugleich auch klagend, daß das heidnische Volk der Preussen jetzt mit verdoppelter Erbitterung alles Christliche in seiner Nähe zu vertilgen strebe und daß die Zahl der Ordensritter

---

1) Dieß geht aus der in nächster Anmerkung näher bezeichneten Bulle Gregorius IX. hervor.

noch viel zu gering sey, um der starken Macht des feindlichen
Volkes zu widersteßen, beide daher den Papst aufs drin=
gendste bittend, daß er zur Stärkung der Kriegsmacht des
Ordens in Deutschland und in den nahegelegenen Königrei=
chen und Herzogthümern das Kreuz predigen lassen möge [1].
Dieselbige Bitte richtete an den Papst auch der Hochmeister
Hermann von Salza, als er von dem Zustande der Dinge im
Kulmerlande Nachricht erhalten [2].

Gerade jetzt aber hatten sich glücklicher Weise auch Ver=
hältnisse ausgeglichen, welche früher einen Kreuzzug nach
Preussen wohl schwerlich hätten zu Stande kommen lassen.
Des Papstes Bannfluch gegen den Kaiser und des Kaisers
kräftigkühne und bündige Sprache gegen den Stußl zu Rom
hatten das ganze Abendland in Bewunderung gesetzt, und all=
gemeines Staunen erregte es, als Friederich ungeachtet des
kirchlichen Fluches im Spätsommer des Jahres 1228 dennoch
seinen angelobten Kreuzzug antrat. Viele hatte der Bann=
strahl von ihm zurückgeschreckt; nicht wenige waren an ihm
irre geworden. Unter denen aber, die mit freierem Geiste und
in treuer Gesinnung auch ferner noch an ihrem Kaiser
festhielten, war der Ordensmeister Hermann von Salza.

---

1) Bulle des Papstes Gregorius IX. im geh. Archive Schiebl. II.
15, worin es vom Herzoge heißt: Ex litteris sane dilecti filii Nobilis viri Ducis Mazovie intelleximus, quod Pagani Pruteni
nomen cristi, quem ignorant, ad cuius cognitionem venire non
volunt, exterminare tamquam profanum de suis finibus per
exterminium (Christianorum ibidem —) existentium intendentes, ipsos vhementer impugnant, destruentes terras eorum,
qui resistere pre paucitate non possunt et personas etiam miserabiliter trucidantes et licet idem Dux ordinem fratrum Hospitalis S. M. Theut. in terram suam ad christianorum auxilium
introduxerit et cum ipsius ordinis fratribus ibi existentibus
deus miserabiliter operetur conterendo per eos mirabiliter
sui nominis inimicos, quia tamen ad tam arduum negotium
sufficere per se nequeunt et egent fidelium subsidiis adju-
vari. — —

2) *Dusburg* P. II. c. 11.

Er schiffte sich nebst vielen seiner Ordensritter mit dem Kaiser ein und landete am achten September des J. 1228 zu
Akkon [1]). Und wie hätte jetzt Hermann einen Gönner verlassen können, der ihm von Jahr zu Jahr neue Beweise seiner Achtung, seiner hohen Gunst und Gewogenheit gegeben
hatte, der seinem Orden erst unlängst alle die zahlreichen Besitzungen bestätigte, welche die Vorfahren der Kaiserin Isabelle demselben im Morgenlande verliehen hatten [2])! Außerdem fesselten den biedern Meister auch innere Hochachtung
und wahre Liebe viel zu sehr an den Kaiser, als daß der
Bannspruch ihn bis zur Trennung von seines Ordens hohem
Wohlthäter hätte schrecken können. Und er blieb mit seinem
Orden ihm auch dann noch unerschütterlich treu, als der
Bannfluch vom Papste gegen den Kaiser erneuert ward und
die meisten Christen im Morgenlande, selbst die Ritter des
Tempel= und Johanniter=Ordens von dem Gebannten sich
trennten [3]). Er versagte sogar dem Papste den Gehorsam in

---

1) *Mathaeus Paris* p. 338 — 339.

2) Wir besitzen noch diese Bestätigungsbulle des Kaisers in einem
Transsumt vom Jahre 1393 im geh. Archive. Die Urkunde des Kaisers ist ausgestellt im Januar 1225. Es sind darin nicht bloß alle Besitzungen des Ordens im Morgenlande einzeln genannt, sondern die
Freiheiten und Privilegien, angeführt, welche er dort genoß. Man ersieht daraus, daß der Orden in Syrien ziemlich reich begütert war.
Die Worte: Confirmamus eidem sacre domui omnia privilegia
et scripta quelibet, que tam a predecessoribus quam a parentibus predicte consortis nostre dicte domui pia fuerunt liberalitate concessa, necnon insuper castra, casalia, homines et
possessores, que donacione regum, concessione principum et
oblacione fidelium sive quolibet alio justo titulo est adepta
etc. beweisen, daß auch die Könige von Jerusalem sich wohlthätig gegen den Orden bewiesen hatten.

3) Chron. Abbat. Ursperg. p. 248. *Albert. Stadens.* p. 305.
„(Fridericus), ut ajunt, multa sustinuit ex perfida proditione
Templariorum. Soli vero Hospitalarii de domo sanctae Mariae Teutonicorum fideliter sibi astiterunt, similiter Januenses
et Pisani et alii milites.

dem Befehle [1]), daß er die beim Kaiser seyenden Deutschen und Lombarden von diesem trennen und selbst befehligen solle. Bedenkt man hiebei, was Hermann in seinem Beharren auf des Kaisers Seite bei dem erzürnten Papste alles auf das Spiel setzte, so giebt sein Benehmen in dieser bedenklichen Lage ein schönes Zeugniß für seinen Charakter und seine Gesinnung.

Doch ungeachtet, aller feindlichen Widerstrebungen, welche der Kaiser unter den Christen im Morgenlande durch den auch dort noch mächtig fortwirkenden Zorn des Papstes fand, nahmen die Verhältnisse mit den ungläubigen Fürsten doch eine unerwartet glückliche Wendung [2]). Denn da Friederich im März 1229 durch Hermann von Salza die Nachricht erhielt [3]), daß ein päpstliches Heer in seine Staaten verwüstend eingefallen sey, der Papst mit dem Schwerte gegen ihn aufstehe, und seine baldige Rückkehr nach Italien dadurch sehr nothwendig ward, so kam es zwischen ihm und dem Sultan von Aegypten zu einem zehnjährigen Waffenstillstande, in welchem den Christen Jerusalem, Bethlehem, Nazareth und das ganze Land zwischen Akkon und der heiligen Stadt, also fast das ganze eigentliche Königreich wieder überlassen wurde [4]).

---

1) *Richard de S. Germano* p. 1012. *Sanut.* L. III. P. XI. c. 12. Chronicon S. Bertini p. 711. — Vielleicht möchte auch in dem Werke: Histoire de la Croisade de l'Empereur Fréderic II., d'après les auteurs arabes, par *M. Reinaud* noch manches in Beziehung auf den Deutschen Orden enthalten seyn; allein ich habe es nicht benutzen können und kenne es nur durch das Bulletin univers. des sciences. Févr. 1826.

2) Raumer B. III. S. 437 ff.

3) Daß Hermann von Salza ihm die Nachricht gab, fand Raumer B. III. S. 438 in einem Schreiben des Hochmeisters in Reg. Gregor. IX. 110 — 117.

4) *Richard de S. Germano* p. 1012. *Bernard. thesaur.* de Jacquis. s. terrae p. 846. Friederichs Brief an den König von England bei *Mathaeus Paris* p. 344. Unter andern war in dem Vertrage auch zugestanden castrum S. Mariae Teutonicorum, quod fratres ipsius domus in montana Achon aedificare coeperunt, reaedificare nobis liceat.

Hermann von Salza war es vorzüglich gewesen, der diesen Frieden mit dem Sultan unterhandelt hatte, der auch den Patriarchen von Jerusalem mit allem Eifer für den Kaiser zu gewinnen suchte und vor allem den letztern und die Deutschen bringend aufforderte, sofort das heilige Grab nun auch selbst zu besuchen [1]. Am siebzehnten März 1229 hielt Kaiser Friederich an der Spitze seiner Getreuen seinen Einzug in Jerusalem: für Hermann von Salza, den edlen, frommen Meister, ein längst herbeigesehnter, heiliger Tag.

In des Kaisers Gunst stand jetzt kaum ein anderer dem Meister des Deutschen Ordens gleich. Ihn fragte Friederich in allen wichtigen Verhältnissen um Rath [2]. In seiner Begleitung war es, als der Kaiser des Abendlandes den Tempel zu Jerusalem betrat und da kein Geistlicher den Gottesdienst halten und ihn krönen wollte, die Krone des Königreiches Jerusalem vom Altar nahm und sie selbst auf sein Haupt setzte. Ihn, den getreuen Meister, den er gerne schon seinen Freund nannte, wählte der Kaiser aus, um dem versammelten Volke eine Rede mittheilen zu lassen, welche mit jauchzendem Beifalle vernommen wurde [3]. — Bei keinem aber stand auch der Kaiser höher in Achtung, in Liebe und Verehrung, als bei Hermann von Salza. Was seit Jahren von Tausenden und aber Tausenden mit aller Inbrunst gewünscht und ersehnt worden war, was halb Europa mehrmals in Bewegung gesetzt, was den Päpsten bei allen ihren Bemühungen und Bestrebungen als letztes, höchstes Ziel vor-

---

1) Vgl. den Brief des Patriarchen von Jerusalem an den Papst bei *Raynald.* anno 1229. Nro. 7 — 9, woraus die thätige Theilnahme Hermanns von Salza an dieser Angelegenheit hervorgeht.

2) *Raynald.* an. 1229. Nro. 13 — 14.

3) *Raynald.* l. c. Magister Alemannorum surrexit et sermonem longum et prolixum primo in Theutonico et postea in Gallico ad nobiles et populum inchoavit, et sicut nobis relatum fuit, exonerando, immo exaltando principem, et Ecclesiam, salva gratia sua, multipliciter onerando. In fine sermonis, nobiles pro munienda civitate ad subsidium operis invitavit. Raumer B. III. S. 440 — 441.

II. 14

gelegen hatte, — die Erlösung des heiligen Landes aus der Ungläubigen Gewalt, die Errettung der geheiligten Stadt, die Befreiung des heiligen Grabes und der Christen aus ihren bangen Bedrängnissen und Bedrückungen; das alles war dem Kaiser gelungen, mit einer Kriegsmacht, die an Stärke früheren zu demselben Zwecke herbeigekommenen Kriegsheeren nicht im mindesten zu vergleichen war. Dieser große glänzende Erfolg, meinte Hermann, müsse ohne Zweifel auch den tiefsten Zorn des Papstes endlich versöhnen. Und aus der Fülle seiner Seele und mit dem lebendigsten Feuer seines Geistes schrieb er von Jerusalem aus an den Papst und schilderte mit aller Beredsamkeit, die ihm eigen war, was durch den Kaiser Friederich im heiligen Lande geschehen sey [1]. Allein des Papstes Seele hatte keinen Raum für Versöhnung mehr und Hermanns Bericht blieb auch schon deßhalb ohne die erwünschte Wirkung, da zu gleicher Zeit in einem ganz andern Geiste der gegen den Kaiser schwer erbitterte Patriarch von Jerusalem an den Papst schrieb [2] und dieser nach des Patriarchen Darstellung des Verlaufes der Dinge das Schreiben Hermanns nur für eine erdichtete Lobeserhebung nahm [3].

Hierauf verließ der Kaiser, nachdem er für die Herstellung

---

1) *Raynald.* an. 1229. Nro. I.: Quamvis vero, sagt der Päpstler Raynald, adeo turpiter deserta Christiani nominis causa fuerit a Friderico, non defuere tamen illius studiosi, qui hoc facinus velut aeterna memoria celebrandum efferrent. Quo argumento Hermanni religiosorum equitum S. Mariae Theutonicorum *pompaticae*, ac Friderici ad Gregorium fucis plenae litterae, ut ipsum eonvenirent, extant exaratae. Dieses sind die Briefe, welche Raumer B. III. S. 440 in den Reg. Gregor. IX. wieder fand und zum Theil im Auszuge liefert.

2) *Raynald.* an. 1229. Nro. 3.

3) Der Papst schrieb an den Erzbischof von Mailand: Ne interim vobis suggeri valeant falsa pro veris, ea quae dictus Fridericus et Hermannus magister domus Theutonicorum nobis suis litteris intimarunt, vobis duximus referenda. *Raynald.* I. c. Nro. 2.

der Mauern gesorgt, die heilige Stadt, und begab sich in Be=
gleitung des Meisters des Deutschen Ordens und seiner Ritter
nach Akkon zurück [1]). Je strenger aber hier der Kaiser in
seinen Verordnungen gegen die Ritter des Tempel= und Jo=
hanniter=Ordens war, da sie in gehässigster Leidenschaft ihn
gefangen zu nehmen, den Türken zu überliefern und zu tödten
trachteten [2]), um so mehr glaubte Friederich die Treue und
Ergebenheit des Deutschen Ordens und den Eifer, die Liebe
und die innige Anhänglichkeit seines edlen Meisters belohnen
zu müssen. Er wies ihm nicht bloß bedeutendere Einkünfte
im Gebiete und an dem Hafen von Akkon an und sprach
ihm eine ansehnliche Landbesitzung in der dortigen Gegend
zu [3]), sondern er schenkte ihm auch das dem Könige Balduin
in Jerusalem einst gehörige, prächtige Haus in der Straße
der Armenier nahe an der S. Thomaskirche mit der ganzen
umhegten Besitzung und dem dazu gehörigen Garten; über=
wies ihm ferner noch sechs Morgen Landes vom königlichen
Eigenthum an der Stadt und endlich auch das Haus, wel=
ches in Jerusalem einst vor Verlust des heiligen Landes die
Deutschen im Besitz gehabt, mit seinen Thürmen, Besitzungen
und sonstigen Zubehörungen, und alles dieses frei von allen
Lasten oder üblichen Leistungen [4]).

Nun eilte aber der Kaiser nach dem Abendlande zurück,

---

1) *Mathaeus Paris* p. 345. *Raynald.* ann. 1229 Nro. 14.
Naucler. p. 818.

2) *Mathaeus Paris* p. 346.

3) Die Urkunde hierüber steht in Abschrift im kleinen Privilegien=
buche p. 176. Die neuen Einkünfte des Ordens betrugen 7000 By=
zantiner. Die neue Besitzung hieß Maronum. Gegeben ist die Ur=
kunde zu Akkon im Monat April 1229.

4) Die Urkunde über diese Schenkung befindet sich in einem Be=
stätigungs=Instrument des Königes Conrad, dat. Nürnberg im Dec.
1243. Die Schenkungsurkunde selbst ist ausgestellt zu Akkon im Monat
April 1229. Merkwürdig ist darin die Erwähnung des Deutschen Hau=
ses: domus, quam olim Theotonici ante amissionem terre sancte
in civitate Ierosolymitana tenebant cum omnibus turribus,
possessionibus et pertinenciis suis.

14 *

denn der Fortgang des Krieges, welchen der Papst gegen des
Kaisers Staaten in Italien angezettelt, der Eifer, mit welchem dieser auch die Lombarden gegen Friederich wieder auf-
zuhetzen suchte, die Bemühungen päpstlicher Unterhändler, um
in Deutschland Unruhen und Empörungen gegen das Kaiser-
haus anzustiften, die gehässige Art, mit welcher der Papst
durch seine zornigen Briefe den Haß und die Verachtung der
Welt gegen den Kaiser aufzuregen bemüht war [1]): alles forderte Friederichs eiligste Rückreise. Hermann von Salza begleitete ihn [2]). Kaum war der Kaiser an Italiens Küste ge-
landet und die Nachricht seiner Wiederkunft verbreitet, als die
päpstlichen Kriegshaufen sich aus Furcht und Muthlosigkeit
zerstreuten, die entrissenen Lande schnell wieder gewonnen wurden und für Friederich überall die glücklichsten Aussichten sich
eröffneten [3]).

Damals war es, als Hermann von Salza vom Ufer der
Weichsel her durch Hermann Balk Nachrichten über die Lage der
Dinge im Kulmerlande und in Preussen erhielt. Für solche
Verhältnisse aber, wie er sie vernahm, mußte er durchaus Frieden
und Versöhnung zwischen dem Kaiser und dem Papste wünschen. Gewiß trug er daher nicht wenig dazu bei, daß Friederich den Weg der Sühne versuchte, denn Hermann selbst
und die beiden Erzbischöfe von Reggio und Bari waren es,
die von ihm an den Papst gesandt wurden, um den Frieden
zu vermitteln [4]). Da jedoch Gregorius im Vertrauen auf die

---

1) Darüber *Raynald.* an. 1229.

2) *Naucler.* p. 818.

3) Hierüber das Nähere bei Raumer B. III. S. 448 ff.

4) *Richard. de S. Germano* p. 1013. Nach Richards Bericht
war eine andere Gesandtschaft an den Papst schon vorangegangen; er
sagt: Necessario de Syria rediit Imperator, statim Nuncios
suos misit ad Papam, quosdam fratres de domo Theutonicorum,
per quos ipsius habere gratiam supplicat, et esse velle ad
suum et Ecclesiae mandatum exponit. *Raynald.* an. 1229 Nro.
43. Frederici II. vita vor der Baseler Ausgabe der Epistol. *Petri de Vineis* p. 18. *Meichelbeck* Histor. Frising. T. II. p.
6 nennt außer dem Ordensmeister noch einige andere Fürsten und Bi-

Hülfe der Lombarden alle Anträge zur Versöhnung schnöde und trotzig zurückwies, so kehrten die beiden Erzbischöfe zum Kaiser zurück, und alle Hoffnung zum Frieden zwischen den Häuptern der Christenheit schien verloren. Hermann von Salza aber war in Rom geblieben, um vielleicht bei einer günstigeren Gelegenheit auf des Papstes Gesinnung einzuwirken. Und in der That wurde bald auch alles anders, als Gregorius es berechnet hatte. Die päpstlichen Heerhaufen, durch des Kaisers Waffenglück und kriegerischen Ernst in Schrecken gesetzt, entliefen ihren Anführern; die Führer wurden muthlos; die Lombarden säumten mit der Beihülfe; die Römer, schon längst mit dem Papste in Zwiespalt, traten jetzt mit dem Kaiser selbst in Unterhandlungen; überhaupt wandte sich die ganze Stimmung der Christenheit, die nur eine Zeit lang durch die Schmähsucht und Verläumbung des Papstes für seine Sache gewonnen worden war, wieder mehr dem Kaiser zu.

Das alles erfuhr, bedachte und berechnete der Papst. Hermann von Salza benutzte es mit aller seiner Klugheit und Umsicht, und im November des J. 1229 kehrte er zum Kaiser nach Aquino mit der erfreulichen Botschaft zurück, daß jetzt der Papst zur Versöhnung geneigt sey [1]). Zugleich überbrachte er auch einen Entwurf der Friedenspunkte, auf welche Gregorius die Versöhnung gründen wollte. Es war zu vieles auszugleichen, als daß das erwünschte Ziel schnell hätte erreicht werden können. Keiner aber war eifriger und thätiger bemüht, es bald zu erreichen, als Hermann von Salza, der bald vom Kaiser beauftragt nach Rom zurückeilte, um alle noch vorliegenden Hindernisse aus dem Wege zu räumen [2]).

Damals, noch in den letzten Tagen des Jahres 1229, war es, als der Meister des Deutschen Ordens an den Papst auch die Bitte richtete, daß er zur Aufhülfe seiner entsandten

---

schöfe, die den Papst zu milderen Gesinnungen zu bewegen suchten. *Naucler.* l. c.

1) *Richard. de S. Germano* p. 1016. *Raynald.* an. 1230. Nro. 3.

2) *Richard de S. Germano* p. 1017.

Des Papstes Versprechen, die Unternehmungen des Or=
dens in Preussen durch einen Kreuzzug bald noch thätiger zu
fördern, war für den Meister ein neuer Antrieb seines leben=
digsten Eifers zur Wiederherstellung der Einigkeit zwischen der
Kirche und dem Kaiserthrone. So schwierig die Aufgabe, so
verwickelt die auszugleichenden Verhältnisse und so hinderlich
und mühsam zu beseitigen bei der Spannung der Gemüther
eine Menge von Umständen bei der Sache auch war, so wuchs
doch mit jeder Schwierigkeit und jeglichem Hindernisse Her=
manns Muth und Eifer. Fast ohne Unterbrechung war er
als Botschafter und Vermittler auf Reisen bald zum Kaiser,
bald zum Papste, stets beschäftigt mit Entfernung von Hem=
mungen und Hindernissen, mit Ausgleichung von Mißverständ=
nissen oder was sonst in der Verwirrung der Dinge dem Frie=
den noch entgegenstand [1]). Und beide, der Kaiser sowohl als
der Papst, so verschieden und widersprechend auch Anfangs

---

sollte es verschont bleiben? Was hatte der Bischof hier gethan? Alles
Fragen, die ihre Auflösung vielleicht im Vatican zu Rom finden wür=
den. Vgl. *Raynald.* an. 1230. Nr. 24. Daß der Bischof Wilhelm
von Modena aus dem Norden nach Rom im Jahre 1228 zurückkehrte,
wissen wir aus *Godefrid.* Annal. an. 1228. p. 296. *Estrup.* Idea
Hierarchiae Roman. p. 26 — 29.

1) Vielfache Beweise hiezu liefert vorzüglich *Richard. de S. Ger=
mano* p. 1017 — 1024. So überwies der Kaiser dem Hochmeister
zur Verwaltung das berühmte Kloster Monte Cassino mit allen seinen
Gütern bis zum völligen Austrage der Streitsache, und der Meister setzte
den Deutschen Ordensbruder Leonhard als Verwalter daselbst ein. —
Ueber die Hin= und Herreisen Hermanns zum Papst und zum Kaiser
finden sich genaue Angaben bei *Richard.* l. c. Im Decemb. 1229
war er beim Papst; im Januar 1230 kehrte er zum Kaiser zurück; im
nämlichen Monat reiste er wieder zum Papst; im Februar zurück zum
Kaiser; im März abermals zum Papst; im April Reginus Archi=
piscopus et Magister domus Theutonicorum redeuntes a Papa
cum tractatu et forma concordiae in Apuliam ad Caesarem
vadunt; im Mai kehrte Hermann abermals vom Papste zum Kaiser
zurück; so ferner fort bis zum August. Einige Monate später begab er
sich nach Deutschland. Am 4. Decemb. 1230 finden wir ihn in Würz=
burg; s. *Lang* Regesta Boica T. II. p. 193.

ihre Bestrebungen und Interessen einander gegenüber waren, beide schenkten dem biedern und edelsinnigen Ordensmeister ein so unbedingtes Vertrauen und eine so offene Freundschaft, wie in solcher Art in einem Streite zwischen Thron und Kirche fast kein Beispiel ist. Endlich waren im August des Jahres 1230 mit unsäglichen Mühen und Beschwerden die Hinder-nisse sämmtlich beseitigt.

Der Friede von S. Germano glich allen Zwist und Ha-der zwischen Kaiser und Papst aus und versöhnte eine Zwie-tracht, die bis zum Höchsten getrieben gewesen war. Hermann von Salza aber durfte sich rühmen, daß dieser Friede vor al-len und am meisten sein Werk sey, denn solches rühmten von ihm auch die beiden versöhnten Häupter der Christenheit [1]. Zur Bürgschaft des Friedens räumte der Kaiser dem Hoch-meister als Pfand mehre Schlösser bis zur Erfüllung aller Bedingungen ein [2] und als darauf am ersten September 1230 der Tag der persönlichen Versöhnung erschien und der Kaiser und der Papst zu Anagni zusammenkamen, ward weder ein Kardinal, noch einer von des Kaisers Reichsbeamten zu ihrer Tafel oder zu ihren geheimen Gesprächen zugelassen. Nur dem von beiden gleich hochgeachteten und mit gleichem Ver-trauen beehrten Meister des Deutschen Ordens ward die hohe Auszeichnung, mit den beiden Häuptern der christlichen Welt an einem Tische zu sitzen und an ihren Gesprächen Theil zu nehmen [3]. Es war der glänzendste Beweis der überaus ho-

---

1) Ueber den Inhalt des Friedens vgl. Raumer B. III. S. 459.
2) *Raynald.* an. 1230. Nr. 6. 7.
3) *Richard. de S. Germano* p. 1024: Caesar invitatus a Papa, cum esset in castris in pede Anagniae magnifice comi-tatus a Cardinalibus et Nobilioribus civitatis intravit Anag-niam, et eo die cum Papa sedit in mensa, et solus cum solo, Magistro tamen Theutonicorum praesente, in Papali Camera consilio longo se tenuere diu. *Godefrid. Monach.* p. 297. *Raynald.* an. 1230. Nr. 15. Hermanns Gegenwart zu Anagni be-zeugt auch eine Urkunde in *Lünig* Spicileg. eccles. T. XVII. p. 236. ferner eine kaiserliche Urkunde bei *Meichelbeck* Histor. Frising. T.

hen Achtung, des innigsten Vertrauens, der ausgezeichneten
Gunst und Liebe, mit welchen der Kaiser und der Papst den
großen Meister beschenkten, die ruhmvollste Belohnung, welche
sie seiner Einsicht, seinem edlen Streben, seinem redlichen
Willen und seinen offenen und biederen Gesinnungen vor der
Welt darbrachten; es war der ehrenvollste Tag in Hermanns
Leben!

In denselbigen Tagen aber gab der Papst dem Meister
des Deutschen Ordens auch noch manche andere Beweise seiner
Huld und Zuneigung [1]). Vor allem bestätigte er in einer an
den Meister und den Orden gerichteten Bulle die vom Her=
zoge Conrad geschehene Schenkung der Burg Kulm mit ihrem
ganzen Gebiete, sowie die Zueignung alles dessen, was der
Orden an Land den Ungläubigen entreißen werde und geneh=
migte somit den zwischen dem Herzoge und dem Orden ge=
schlossenen Vertrag [2]). Kurz zuvor hatte Gregorius auch die
Schenkung bestätigt, welche derselbe Herzog und der Bischof
von Plocžk dem Orden der Dobriner=Brüder im Dobrinischen
Gebiete gemacht hatten [3]).

II. p. 8, wo unter den Zeugen Frater Hermannus *Rector* domus
Deuthunicorum genannt wird.

1) Schon im Sommer des J. 1230 erließ Gregorius eine Bulle
an alle Christgläubigen, worin er sie mit Verheißung einer besondern
Gnadengabe aufforderte, dem Orden zum Aufbau der Burg Monfort
in der Nähe von Akkon auf einem vom Herzoge von Oesterreich einst
geschenkten Landgebiete mit reichlichen Beisteuern zu Hülfe zu kommen. Es
ist dieses ein Beweis mehr, daß man jetzt noch keineswegs daran dachte,
den Orden aus dem Morgenlande ganz abzurufen. Die Bulle im gro=
ßen Privilegienbuche p. 46 ist datirt: Lateran. VI Idus Jul. p. n.
an. IV.

2) Die Bulle befindet sich in mehren Transsumten im geh. Ar=
chive Schiebl. II. Nr. 11 — 14 XVII. 2. 3, gedruckt bei *Dreger*
Nr. 85. p. 145. *Dogiel* Nr. 15. p. 11. Acta Boruss. B. I. p.
415. Sie ist datirt: Anagnie II. Idus Sept. p. n. an. IV. (12.
Sept. 1230).

3) Die Bulle in den eben erwähnten Werken. Es ist anderwärts
(Abhandl. über den Dobriner=Orden in d. Gesch. d. Eidechs. Gesellsch.

Nun gedachte der Papst auch seines dem Hochmeister ge= gebenen Versprechens wegen eines Kreuzzuges nach Preussen. In einem Schreiben, gerichtet an die Christen in den Gebie= ten von Magdeburg und Bremen, in Polen, Pommern, Mähren, Sorabien, Holstein und Gothland, forderte er sie alle auf, das Schwert zu erheben gegen den Feind des Evan= geliums, zu dessen Bekämpfung Herzog Conrad von Maso= vien schon die Ritterbrüder des Deutschen Ordens an die Gränzen des Preussenlandes gerufen habe. „Bei Gott dem Allmächtigen ermahnen und ermuntern wir euch, schrieb der Papst, wir empfehlen es euch zur Vergebung euerer Sünden, hinzublicken auf die Liebe, mit welcher Christus euch geliebt und noch liebet, und ihm etwas wieder zu leisten für alles, was er euch geleistet. Umgürtet euch mächtig und männlich mit dem Schwerte, im Eifer für Gottes Sache die Unbill seines Namens zu rächen und euere Mitchristen aus den Hän= den der Heiden zu befreien, indem ihr hinziehet und handelt nach dem Rathe der Ordensbrüder, auf daß euch selbst ein ewiger Lohn werde, die Ungläubigen aber sich nicht ferner rühmen können, ungestraft den Namen Gottes zu befeinden [1].“ Hierauf wandte sich der Papst auch an den Orden der Predi= gerbrüder in den genannten Landen mit dem Auftrage, das Werk durch Verkündigung der verheißenen Belohnungen in jeder Weise zu fördern und im Namen der Apostel denen, welche in eigener Person und durch Beisteuern auf die Frist eines Jahres dem Unternehmen Hülfe leisten oder zum Auf= kommen der Gläubigen aus ihren Mitteln beisteuern würden, nach Verhältniß ihrer Leistung Vergebung der Sünden zu ge= währen, also daß solche, die in jenem Kampfe den Tod fän= den, denselben Erlaß ihrer Sünden erhalten sollten, wie die Pilgrime im Streite für das heilige Land [2]. — Das verkün=

S. 268) schon erwiesen, daß diese Bulle fälschlich auf den Deutschen Or= den bezogen worden ist.

1) *Raynald.* an. 1230. Nr. 23. Dieses Schreiben des Papstes ist datirt: Anagniae Idus Septem. p. n. anno IV. (13. Septem= ber 1230).

2) Original=Bulle im geh. Archive Schiebl. II. Nr. 15, datirt:

digte Wort that auf die Gemüther der Menschen bedeutende
Wirkung. Manche bewog schon zur Bezeichnung mit dem
Kreuze die Nähe des Landes, wo jetzt dasselbige Verdienst
um Himmel und Seligkeit erworben werden konnte, zu dessen Erreichung sonst die Pilgrime unter Leiden und Mühen
über Meere und Gebirge in andere Welttheile hatten wal-
fahrten müssen.

Bevor indessen die in den erwähnten Ländern sich sam-
melnden Schaaren von Kreuzfahrern herbeizogen, beschloß Hermann Balk im Rathe mit seinen Ordensbrüdern und in Verbindung mit Herzog Conrad das Werk zu beginnen, vorerst
wenigstens den sicheren Eingang ins Kulmerland zu gewinnen
und dieses Gebiet von den unbedeutenden Heerhaufen von
Preussen zu säubern, die sich dort zu Raub und Plünderung
in einige Burgen gelagert hatten. Die eine dieser Burgen
war jenes Rogow, am Weichsel-Ufer, unfern von Thorn [2]).
Seit die Burg Nessau am linken Ufer des Stromes errichtet
war, hatten, wie schon erwähnt, die ins Culmerland einbrechenden Preussen jene schon früher vorhandene Burg wieder
mehr befestigt und einen Kriegshaufen hineingelegt, der jeden
Tag zu Raub und Krieg bereit war. Eine andere Burg, die

Anagnie XV Cal. Octob. p. n. an. IV (17. Sept. 1230). Auch
Dusburg P. II. c. 11 sagt: Peregrinis Pruschiam et Livoniam
visitantibus privilegia et indulgentias, sicut cuntibus Hieroso-
lymam conceduntur.

1) Dieses schon einigemal erwähnte Rogow und das alte Ruch
ist wahrscheinlich dasselbe. Als eine alte verwüstete Burg kommt dieses
Ruch in einer Urkunde vom Jahre 1222 vor, wie früher schon angeführt ist. Wenn *Dusburg* P. III. c. 7 sagt: Prutheni habebant
supra Thorum in littore Wiselae castrum dictum Rogow, so
müssen wir diese Burg nothwendig nahe am Weichsel-Strome suchen
und können daher füglich das nordöstlich von Thorn an einem kleinen
Flusse gelegene Dorf Rogow, nicht aber das bei Neu-Leßlau liegende
und in einer Urkunde vom Jahre 1233 vorkommende Dorf Rogowe
(s. *Dreger* Nr. 93) darin finden. Es gab ohne Zweifel damals
mehre Orte dieses Namens. - Unser Rogow oder Ruch war aber sicherlich eine bloße Burg am Weichsel-Ufer. Es haben sich ohnedieß

einem zweiten räuberischen Heerhaufen als Zufluchtsort diente,
lag unfern von Kulm, von einigen Chelmo genannt, da wo
nachmals Althaus erbaut ward, vielleicht die alte Burg Colno,
deren früher schon Erwähnung geschah [2]). In der Mitte dieser beiden Burgen hatte sich in einer starken Befestigung ein
Pomesanischer Edler — Pipin nennt ihn die Chronik — mit
einem zahlreichen Kriegshaufen eingelagert, rings durch einen
See geschützt, der seinen Namen trug. Von hier aus überzog
er die ganze Umgegend mit Raub und Plünderung, also daß
kein Christ gegen Tod oder Gefangenschaft vor seiner Kriegsschaar sicher war [2]). So war das ganze Gebiet am Weichsel-

_____

auch bei dem Dorfe Rogow nordöstlich von Thorn noch Spuren einer
alten Befestigung gefunden.

1) *Dusburg* l. c. giebt nur die Lage, nicht den Namen dieser
Burg an; er sagt bloß: infra in descensu aliud (castrum) circa
locum illum, ubi nunc situm est Castrum antiquum. Eben so
Lucas David B. II. S. 60; er nennt sie aber bald nachher „die
Feste Kulmen," als habe er darunter die Burg Kulm gemeint. Es
ist schwer, hier Namen und örtliche Lage mit einander zu vereinigen.
Alt-Kulm liegt allerdings bei dem nachmaligen Althaus. Die Burg
Kulm bei der jetzigen Stadt Kulm ward erst im J. 1232 erbaut. Die
alte Burg der Preussen müßte also Alt-Kulm oder das Kulmische alte
Haus gewesen seyn. Kannte aber Dusburg die Lage nicht mehr ganz
genau und war es vielleicht die alte Burg Colno, in welcher sich die
Preussen hielten, so könnte das etwas nördlich von Kulm liegende Dorf
Köln darauf hinweisen. Als alte Burg kommt Colno unter denen vor,
die 1222 dem Bischof Christian geschenkt wurden; s. *Dreger* Nr. 58.

2) Ueber die Lage dieser Befestigung oder, wie Lucas David
B. II. S. 60 sie nennt, dieses Bergfrieds sagt *Dusburg* P. III. c.
7: fuit in medio horum (i. e. castrorum) quidam Nobilis de
Pomesania Pipinus, qui circa stagnum, quod a nomine suo
dicitur stagnum Pipini, habitabat in quodam propugnaculo
cum multis infidelibus latrocinia exercens. Der Name Pipin ist
etwas befremdend; er klingt nicht recht Preussisch. Verschiedene haben
diese Befestigung Schlemmo (verdorben auch Stemmo) genannt. Dann
könnte man den Namen im Dorfe Slomowo, einige Meilen von Kulmsee, darunter finden und die Lage würde nicht unpassend seyn. Aber
mit Beweisen läßt sich hier nichts darthun. Nahe liegt hier auch
der Name der alten Burg Pin, die schon in der erwähnten Urkunde

Strome den räuberischen Auszügen und Verheerungen dieser drei feindlichen Haufen Preis gestellt und den Ordensrittern auch der Uebergang über den Strom und die Vertheidigung des Kulmerlandes höchst schwierig und fast unmöglich gemacht.

Diese Burgen beschloß Hermann Balk anzugreifen, zu vernichten, und so dem Raubvolke seine festen Haltpunkte im Kulmerlande zu entreißen. Verstärkt durch einiges Hülfsvolk aus den nächsten Ländern setzte er mit seinen Rittern und Reisigen im Frühlinge des Jahres 1231 über den Weichsel-Strom und Herzog Conrad, der des Landes Beschaffenheit schon hinlänglich kannte, begleitete ihn. Sonder Zweifel geschah die Ueberfahrt von der Burg Nessau aus und die Landung erfolgte am rechten Weichsel-Ufer bei einem Dorfe, damals Qwercz, jetzt mit etwas verändertem Namen Gurske genannt. Hier aber fanden sie noch die Ueberbleibsel der alten Burg Turn, welche früher schon zerstört Herzog Conrad im Jahre 1222 dem Bischofe Christian geschenkt hatte und jetzt als trefflich gelegener Haltpunkt und sicherer Zufluchtsort von den Rittern mit Wall und Mauer stärker befestigt und zur Vertheidigung eingerichtet ward. In solcher Weise entstand nahe am Ufer der Weichsel die erste Ritterburg im Kulmerlande, mit dem alten Namen Turn oder Thorn genannt [1]).

---

vom J. 1222 vorkommt und auch in einer Urkunde vom J. 1248 genannt ist, in welcher Herzog Suantepolc Verzicht leistet auf locum, iu quo fuit castrum dictum Pin et omnes villas sitas juxta villam, quae vocatur Culmen.

1) Diese Darstellung der Gründung von Thorn weicht von der gewöhnlichen Erzählung sehr ab. Gemeiniglich wird nach *Dusburg* P. III. c. 1 und Lucas David B. II. S. 46 berichtet: Der Landmeister habe am rechten Ufer des Stromes auf einem Hügel eine ungeheuere Eiche stehen gesehen, die den Preußen für heilig gegolten. Sie habe ihm zu einer Befestigung sehr passend geschienen, sey von den Rittern durch Wälle und Pfahlwerk befestigt, die Aeste stark verhackt und der Raum rings um den Eichbaum durch Blockwerk so fest verwahrt worden, daß das Ganze zum sichersten Wehr- und Vertheidigungsplatze habe dienen können, indem nur gegen den Strom hin ein schmaler Gang von Pfahlwerk offen geblieben sey, um von da her sichere Zufuhr in die Befesti-

In jenem Dorfe aber hielten sich die Ritter mit ihrem Heer=
haufen, die Bauleute beim Aufbau der Burg gegen den Ueber=

---

gang zu bringen. — Die ganze Erzählung, wie sie Lucas David
und andere weitläuftig liefern, beruht auf Dusburgs Worten: Haec
aedificatio facta fuit in quadam arbore quercina, in qua propugnacula et moenia fuerunt ordinata. Dieser Darstellung der
Chronisten liegt aber höchst wahrscheinlich ein sonderbares Mißverständ=
niß zum Grunde, welches zuerst Dusburg verschuldete. Seine Worte
geben kaum einen vernünftigen Sinn; denn was soll es eigentlich hei=
ßen *in* quadam arbore quercina seyen propugnacula et moenia
errichtet worden? Unter einem Eichbaume hat Dusburg offenbar nicht
sagen wollen, dann hätte er sich gewiß anders ausgedrückt. Daher
sagt auch Lucas David: „sie baueten zum ersten auf die großen und
starken Aeste der eichen, weil die in zimlicher Höhe waren, auf die vier
Orte, gleich als vier Aercker mit Zinnen." Und dann *wie* konnte dort,
so nahe an Masovien noch eine heilige Eiche der Preußen stehen, jetzt
noch nachdem Herzog Conrad das Kulmerland schon so lange besessen?
— Die Sache verhält sich nach unserem Bedünken auf folgende Weise.
Es lag ein Dorf mit Namen Qwercz an der Weichsel. Dieses beweiset
eine bei Ploczk im Jahre 1228 ausgefertigte Urkunde, *worin es heißt:*
Villa, quae vocatur Quercus *ultra* Wizlam; s. *Dreger* Nr.
72 oder wie die Worte bei *Dogiel* T. IV. Nr. 7 lauten: Villa, quae
vocatur Qwercz *inter* Vistulam. Ueber die Wahl der Lesart *ultra*
oder *inter* kann kaum ein Zweifel herrschen, da die Stelle bei *Dogiel*
überhaupt verdorben ist. Da nun die Urkunde ausgestellt ist „in ripa
fluminis dicti Wissle contra civitatem Ploceke, also am linken
Ufer der Weichsel, Ploczk gegenüber, so bezeichnen die Worte ultra
Wizlam die Lage des Dorfes auf dem rechten Ufer. Es wurde den
Brüdern von Dobrin verschrieben, ehe noch der Vertrag über das Kul=
merland zwischen Herzog Conrad und dem Orden geschlossen ward. In
dem jetzigen Namen des Dorfes Gurske scheint noch die alte Benennung
Qwercz oder Quercus versteckt zu seyn, denn seine Lage nahe bei
Alt=Thorn paßt vollkommen auf die Darstellung der Sache. Wenn
nun Dusburg vernahm oder in einer alten Quelle las: die erste Befe=
stigung der Ritter sey geschehen in Quercu oder in Qwercz, d. h.
in dem sogenannten Dorfe, so konnte daraus bei ihm sehr leicht arbor
quercina entstehen. Nimmt man dieses an, so erklärt sich auch, war=
um er schrieb: *in* arbore quercina etc. Bei diesem Dorfe lag nun
die alte Burg, welche schon vor der Ritter Ankunft im Kulmerlande
unter dem Namen Turno vorkommt; s. *Dreger* Nr. 58. Sie war
Eigenthum des Bischofs Christian gewesen und gehörte jetzt nach dessen

fall der Preussen schützend, bis der Bau vollendet war, wes=
halb man vorsichtig am Ufer die Fahrzeuge stehen ließ, auf
denen die Kriegerschaar über den Strom gekommen war, um
bei dringender Noth die Mannschaft schnell wieder nach Neß=
au retten zu können. Ohne Zweifel verfuhr man bei dem
Aufbau dieser Burg, die alten Ueberbleibsel der früheren Feste
benutzend, nur nach den ersten Maßregeln der nöthigen Si=
cherheit und Vertheidigung, zumal da der Bau eiligst vollen=
det werden mußte.

Wichtig aber war es, daß nun die Ordensritter im
Lande Kulm selbst einen festen Punkt gewonnen hatten, in
welchem sie sich gegen des Feindes nächsten Ansturm verthei=
digen konnten.' Und so schritt Hermann Balk zum ferne=
ren Werke. Rogow war die nächste und die gefährlichste der
feindlichen Burgen und ihre Vernichtung deshalb am noth=
wendigsten. Wenige Ritter in der Wehrburg Thorn zu ihrer
Vertheidigung und zur Sicherheit der am Ufer liegenden Fahr=
zeuge zurücklassend, zog Hermann Balk mit seinem übrigen
Kriegshaufen gegen sie an. Die Preussen kamen zum Kampfe
entgegen. Aber der Streit war bald entschieden. Viele von
ihnen wurden erschlagen; ihr Hauptmann ward gefangen ge=
nommen und um das Leben zu retten, verhieß er den Rittern
seine Burg zu übergeben. So fiel eine zweite Burg im Kul=
merlande in des Ordens Hände [1]). Von jenem Hauptmanne
geleitet brach Hermann Balk nun gegen die andere Burg auf,

Schenkung dem Orden. Auch Lucas David B. II. S. 46 deutet
schon darauf hin, daß es die alte Burg des Bischofs Christian war,
welche der Orden jetzt befestigte. Der Name ist wohl schwerlich Deutsch,
obgleich man ihn öfter so erklärt hat. Auch in Pommern gab es ein
Dorf Thure oder Thurn, welches Suantepolc den Johannitern verlieh;
s. *Dreger* Nr. 183. Sell B. I. S. 331. Wer Lust hat, die wun=
derlichsten Etymologien über den Namen Thorn nachzulesen, findet sol=
che in der Anmerk. Hartknoch zu *Dusburg* p. 67 A. u. N. Preuß.
S. 366. *Jaenichii* Meletemata Thorunens. p. 25 — 26.

1) *Dusburg* P. III. c. 7. Lucas David B. II. S. 61.
Schütz p. 18, der die Burg Rogosno nennt, sie an die Ossa versetzt
und das spätere Roggenhausen seyn läßt.

welche unfern von Kulm lag. Hier aber zog man List und Verrath dem offenen Kampfe vor. Hermanns Heerhaufe hielt sich im Hinterhalte verborgen, bis jener verrätherische Hauptmann die Nachricht brachte, daß die Kriegsleute der Burg nach Landesart bei einem fröhlichen Trinkgelage berauscht, in tiefen Schlaf versunken und die Umgebungen der Burg völlig unbewacht seyen. So ward die Mannschaft plötzlich überfallen, bis auf den letzten Mann erschlagen und die Burg, weil die Ritter bei ihrer geringen Kriegsmacht sie nicht besetzen und vertheidigen konnten, durch Feuer vernichtet [1]).

Sofort zog Hermann Balk mit seiner Schaar wieder in die Burg Thorn zurück ohne Versuch zur Eroberung der dritten Burg, in deren Besitz der Pomesanier Pipin war. Vielleicht meinte man, er werde, erschreckt durch das Schicksal der beiden andern Heerhaufen, in seine Landschaft zurückeilen und das Kulmerland in solcher Weise ohne weitern Kampf vom lästigen Feinde völlig befreit werden. Durch die Vorgänge in seiner Nähe aber nur um so mehr erbittert und zur Rache entflammt, blieb jener Kriegshauptmann nicht bloß ferner noch im Lande, sondern seine Ausfälle zu Raub und Plünderung wurden für die Christen noch um so gefahrvoller und grausamer, je mehr er sich durch die Ermordung seiner Landsleute in der zweiten Burg zur rächenden Vergeltung aufgefordert fühlte. So geschah, daß Christen, die in die Hände seines Heerhaufens fielen, am Feuer langsam verbrannt, andere mit Keulen erschlagen oder mit den Beinen aufwärts an Bäumen aufgehängt wurden. Etlichen ließ der ergrimmte Hauptmann den Nabel ausschneiden, diesen an einen Baum nageln und die unglücklichen Opfer seiner Wuth so lange mit Peitschenhieben um den Stamm treiben, bis die Eingeweide aus dem Leibe herausgewunden waren [2]). Da berieth sich Hermann Balk mit jenem Hauptmanne der Burg Rogow,

---

1) *Dusburg* l. c. Lucas David a. a. O.

2) Eine Grausamkeit, welche von den Preußen späterhin noch öfter an den Christen ausgeübt wurde. Ordens=Chron. Mscr. S. 25; bei *Matthaeus* p. 698. Lucas David B. II. S. 62.

aber der Papst den Orden wie im Morgenlande, so im Abendlande in der Vertheidigung der Kirche und für des Glaubens Verbreitung wirken sah und je eifriger sich der Meister in den Streithändeln Italiens auch um den Papst verdient gemacht hatte, um so mehr hielt es dieser für seines Amtes große Pflicht, stets als Schirmherr und Vertheidiger des Ordens gegen die Belästigungen und Befeindungen der Geistlichkeit dazustehen [1]).

Wir sahen schon, daß auch der Bischof Christian von dem Geiste nicht ganz frei geblieben war, der in der Geistlichkeit in diesen Zeiten allgemein durchherrschte. Ohne Zweifel lag schon in jenen erwähnten Vorfällen bei der Verleihung des bischöflichen Besitzes im Kulmerlande der erste Keim zur Unzufriedenheit beider Theile. Nun hatte freilich der Bischof durch die Abtretung seines Besitzthums an den Orden nachgegeben; allein er hatte auch nur nachgegeben in der Hoffnung, daß bei fortschreitendem Glücke des Ordens ihm größere Gewinne und ein reicher Ersatz für jenes Opfer zufallen werde. Die Zeit hiezu schien jetzt heranzukommen; der Kreuzzug war in Deutschland in Bewegung und es trat nun auch die Frage näher: Wem sollten die Lande als Eigenthum zugehören, welche mit Hülfe des Kreuzheeres in den Gebieten der Preussen erobert werden konnten? Hier glaubte der Bischof jenen Ersatz zu finden, behauptend, daß er auf den Grund früherer

---

welche auf den Ordenskirchhöfen begraben seyn wollten, zufrieden zu seyn, auch deren Waffen und Pferde herauszugeben und den Orden nicht zu behindern, daß er die Eingepfarrten durch seine Priester von heimlichen Sünden absolviren, mit der letzten Oelung versehen und mit Kreuz und Procession begraben lasse. Original-Bulle datirt Lateran. IV. Cal. April. p. n. anno V. (29. März 1231).

1) Daher sagt er auch in einer Bulle: Paci et quieti religiosorum virorum fratrum Hospitalis S. M. Th. 3. apostolica nos convenit sollicitudine providere et tam ipsos, quam eorum bona tanto solicitius a malignorum incursibus et rapinis tenemur protegere, quanto pro fide christiani nominis se diuturnioribus exponunt periculis et adversus pravas et exteras naciones labores subeunt graviores.

Papst den Predigerbrüdern die Vollmacht, die Gelübde der Armen und Unbemittelten, die von diesen für das heilige Land gethan seyen, in Gelübde für Hülfe und Errettung der Christen in Preussen zu verwandeln [1]).

Doch auch diese Ermunterung hatte keineswegs den schnellen Erfolg, welcher vom Bischofe Christian und von den Ordensrittern erwartet wurde. Eine merkliche Ursache hievon war sonder Zweifel die fortdauernde Mißgunst und feindliche Eifersucht gegen den immer mächtiger aufstrebenden Orden in allen Landen. Davon zeugen die auch jetzt noch fortgesetzten Bemühungen des Papstes, den Orden gegen die vielfältigen Befeindungen der Geistlichen, welche er von diesen bald mittelbar, bald unmittelbar zu erleiden hatte, in aller Weise in Schutz zu nehmen [2]). Noch immer war es der Neid und die Mißgunst wegen gewisser Einkünfte, die sonst ihnen zufallend von den Päpsten dem Orden zugewiesen waren, wegen verschiedener Vorrechte der Ordensritter, durch die sie ihre Rechte geschmälert meinten, oder wegen sonstiger Begünstigungen, welche in den Geistlichen die feindselige Gesinnung gegen den Orden nicht ruhen ließen [3]). Je thätiger

---

1) Die Bulle im Original im geh. Archive Schiebl. II. 19; datirt: Reate XV Cal. Aug. p. a. V. (18. Juli).

2) Wir haben noch mehre Bullen von Gregorius aus dem Jahre 1231, die uns hierüber Beweise geben. So fängt eine, an die hohe Geistlichkeit gerichtet, mit den Worten an: Si diligenter attenditis, quanta dilectis filiis fratribus Hospitalis S. M. T. I. reverencia debeatur, nunquam inveniemini hiis graves existere aut molesti, qui sustentacioni et refrigerio pauperum pia noscuntur sollicitudine mancipati. Dann heißt es: Universitatem vestram monemus attencius et per apostolica vobis scripta precipiendo mandamus, quatenus ab eorum gravaminibus abstinentes ad solacia, que pro pauperum consolacione requirunt, vestram pocius curam et sollicitudinem convertatis.

3) In dieser Hinsicht betreffen die Bullen dieser Zeit an die Geistlichkeit fast dieselben Gegenstände wieder, welche den Inhalt der Bullen früherer Päpste ausmachten. So wird z. B. den Geistlichen auch jetzt wieder verboten, sich von den dem Orden zufallenden Geschenken etwas zuzueignen, mit dem vierten Theile des Nachlasses ihrer Eingepfarrten,

aber der Papst den Orden wie im Morgenlande, so im
Abendlande in der Vertheidigung der Kirche und für des
Glaubens Verbreitung wirken sah und je eifriger sich der
Meister in den Streithändeln Italiens auch um den Papst
verdient gemacht hatte, um so mehr hielt es dieser für
seines Amtes große Pflicht, stets als Schirmherr und Vertheidiger des Ordens gegen die Belästigungen und Befeindungen
der Geistlichkeit dazustehen [1]).

Wir sahen schon, daß auch der Bischof Christian von dem
Geiste nicht ganz frei geblieben war, der in der Geistlichkeit
in diesen Zeiten allgemein durchherrschte. Ohne Zweifel lag schon
in jenen erwähnten Vorfällen bei der Verleihung des bischöflichen Besitzes im Kulmerlande der erste Keim zur Unzufriedenheit beider Theile. Nun hatte freilich der Bischof durch
die Abtretung seines Besitzthums an den Orden nachgegeben;
allein er hatte auch nur nachgegeben in der Hoffnung, daß
bei fortschreitendem Glücke des Ordens ihm größere Gewinne
und ein reicher Ersatz für jenes Opfer zufallen werde. Die
Zeit hiezu schien jetzt heranzukommen; der Kreuzzug war in
Deutschland in Bewegung und es trat nun auch die Frage
näher: Wem sollten die Lande als Eigenthum zugehören,
welche mit Hülfe des Kreuzheeres in den Gebieten der Preussen erobert werden konnten? Hier glaubte der Bischof jenen
Ersatz zu finden, behauptend, daß er auf den Grund früherer

---

welche auf den Ordenskirchhöfen begraben seyn wollten, zufrieden zu
seyn, auch deren Waffen und Pferde herauszugeben und den Orden
nicht zu behindern, daß er die Eingepfarrten durch seine Priester von
heimlichen Sünden absolviren, mit der letzten Oelung versehen und mit
Kreuz und Procession begraben lasse. Original-Bulle datirt Lateran.
IV. Cal. April. p. n. anno V. (29. März 1231).

1) Daher sagt er auch in einer Bulle: Paci et quieti religiosorum virorum fratrum Hospitalis S. M. Th. 3. apostolica nos
convenit sollicitudine providere et tam ipsos, quam eorum
bona tanto solicitius a malignorum incursibus et rapinis tenemur protegere, quanto pro fide christiani nominis se diuturnioribus exponunt periculis et adversus pravas et exteras naciones labores subeunt graviores.

päpstlicher Verheißungen ein Recht auf den Besitz habe [1]. Der Orden dagegen wies auf seine Zusagen durch den Kaiser und den Papst hin. Wie sollten solche entgegensprechende Ansprüche nun ausgeglichen werden? Wir kennen die Verhandlungen nicht mehr, die über diese Frage geführt wurden. Aber so viel ist gewiß, daß man schon im Jahre 1231 über diesen Gegenstand eine Ausgleichung versuchte und daß der Bischof sich erbot, dem Orden in den zu erobernden Gebieten Preussens den dritten Theil abzutreten und diesen durch eine hiezu entworfene Urkunde auch wirklich übergab [2]. Allein der Orden scheint sich mit diesem Erbieten keineswegs begnügt zu haben und wahrscheinlich wandte sich Hermann Balk deshalb an den Hochmeister Hermann von Salza, um durch ihn eine Entscheidung am Hofe zu Rom zu erwirken, denn hier ließ sich ein weit günstigerer Ausgang der Sache erwarten, zumal wenn man den Eifer wahrnahm, mit welchem Gregorius durch die kräftigsten Ermahnungen an Bela, des Königes Andreas von Ungern ältesten Sohn, dem Deutschen Orden das ihm entnommene Land Burza wieder zu verschaffen suchte [3], wodurch er ja aufs klarste zu erkennen gab, daß ihm die Be=

---

1) Der Bischof gründete ohne Zweifel sein Recht auf die ersten Verheißungen, welche ihm bei seiner Ernennung zum Bischofe gegeben waren. In den uns aufbehaltenen Urkunden hierüber in den Actis Boruss. B. I. S. 263 ff. ist zwar nirgends ausdrücklich gesagt, daß dem Bischofe das für das Christenthum gewonnene Land eigenthümlich zugehören solle; Christian aber behauptete wirklich im J. 1231, daß ihm eine solche Zusage gegeben sey, denn er sagt jetzt in einer Urkunde (s. Kotzebue B. I. S. 378): in terris Pruzie, que ad nos ex jure et gratia sedis apostolice spectare videntur. Es bleibt dabei freilich unbestimmt, ob in den Worten: in terris Prucie bestimmte Landgebiete, die ihm zugehören sollten, oder die Preussischen Lande überhaupt bezeichnet seyn sollen.

2) Dieses weiset schon die Urkunde aus, welche Kotzebue B. I. S. 378 im Auszuge mitgetheilt hat.

3) Die Bulle des Papstes an Bela befindet sich im geh. Archiv Schiebl. II. 18; abgedruckt in *Dreger* Nro. 90 p. 154. Der Orden gelangte jedoch auch durch diese Bemühungen Gregors noch nicht zum Ziele.

reicherung des Ordens durch ländliches Besitzthum sehr am
Herzen liege. Indessen gelangte die Streitsache auch durch
den Papst jetzt noch zu keiner festen Entscheidung.

Mittlerweile aber hatten sich in Deutschland [1] und in
den Nachbarländern die Heerhaufen der Kreuzbrüder gerüstet
und gesammelt. Außer denen, welche waffenfähig zum Kampfe
gegen die Heiden herbeizuziehen gedachten, hatte sich den
Kriegshaufen auch eine bedeutende Zahl andern Volkes angeschlossen, denn der Meister Hermann von Salza [2] hatte in
Deutschland die Nachricht verbreiten lassen: des Ordens Waffen an Preussens Gränzen seyen durch die Gnade des Herrn
vom Glücke sehr begünstigt worden und eine große und schöne
Landschaft sey bereits gewonnen. Aber entvölkert und verwüstet bedürfe sie neuer Bewohner; wer dahin ziehe, solle sich
ansehnlichen Besitzthums mit mancherlei Freiheiten und Gerechtsamen erfreuen und das Land zu erblichem Eigenthum
und Besitz erlangen. [3]. Daneben betrieb auch noch im Anfange des Jahres 1232 der Papst Gregorius die Sache des
Kreuzzuges nach Preussen mit kräftigem und lebendigem Eifer. Wie er überhaupt mit Freude erfüllt war [4], wenn er
die begonnenen Versuche zur Verbindung der Kirche in Rußland mit der Römischen sich als gelungen dachte [5], oder wenn
er in Kurland, Semgallen, Esthland und andern Ländern des
Nordens den gedeihenden Aufwuchs des Evangeliums wahrnahm und sonach des Römischen Stuhles Herrschergebiet im-

---

1) Nach Lang Baier. Jahrbücher S. 77. 92 soll unter andern in
Baiern besonders der Graf Albert von Bogen zu einem Kreuzzuge ge-
worben haben.

2) Hermann befand sich im April des J. 1232 zu Aquileja, wie
eine Urkunde in *Lünig* Spicileg. eccles. T. XVI. p. 33 ausweiset.

3) Lucas David B. I. S. 63, der dieses, wie er selbst sagt,
aus alten Urkunden entnahm.

4) „Ingenti perfusus gaudio Pontifex" nennt ihn deshalb
Raynald. an. 1232 Nro. 1.

5) *Raynald.* an. 1232 Nro. 43. Karamsin B. III. S. 207.

an die Brüder des Prediger = Ordens im Magdeburgischen
Gebiete, welche gegen die Preussen das Kreuz predigten, die
Verordnung, denjenigen, welche, ihren Kreuzprebigten beiwoh=
nen würden, zwanzig Tage der ihnen obliegenden Sünden=
buße zu erlassen und benen, welche für Brandstiftungen oder
gewaltthätige Vergreifung an Geistlichen oder andern geweih=
ten Personen mit der Excommunication bestraft seyen, den
Erlaß dieser Strafe zu verkündigen, sobald sie auf eine genü=
gende Zeit das heilbringende Unternehmen gegen die Preus=
sen mit befördern würden [1]).

Aus diesen Gegenden zogen nun im Sommer des Jah=
res 1232 einzelne Heerhaufen der Kreuzbrüder gegen Preussen
heran. Der eble Burggraf Burchard von Magdeburg [2]), der
zuvor schon im heiligen Lande auf einer Wallfahrt gewesen
war und dessen Vorgänger sich immer als große Gönner des
Ordens bewiesen, war an der Spitze von fünftausend waffen=

---

1) Doch heißt es in der Bulle noch ausbrücklich: Proviso ut pas-
sis dampna et injurias satisfaciant competenter, illis dumtaxat
exceptis, quorum excessus adeo sunt difficiles et enormes,
quod merito sint ad sedem apostolicam destinandi. Außerbem
erfahren wir durch diese Bulle, baß auch quidam pseudopredicato-
res, que sua sunt, non que iebsu cristi querentes et intendentes pocius voluptatibus corporum, quam profectibus animarum
pro redempcione votorum pecuniam vel questum a crucesignatis accipiunt. Der Papst will, ut eos tanquam fraudulentos
nuntios verbi dei et fidelium deceptores ab huiusmodi errore
desistere per censuram ecclesiasticam appellacione postposita
compellatis. Datirt ist diese Bulle: Reate III. Februar. p. n.
an. V. (3. Februar 1232, benn wahrscheinlich muß es heißen III.
Non. Februar.) Das Original im geh. Archive Schiebl. II. 21.

2) *Dusburg* P. III. c. 9. Er hieß Burchard mit der kleinen
Hand, „dictus cum parva manu." Lucas Davib B. II. S.
69. Er war schon ziemlich lange Burggraf von Magbeburg, boch barf
er nicht mit einem frühern gleiches Ramens verwechselt werben; f.
Schultes Director. diplom. B. II. S. 638. *Ludewig* Reliqu.
Mscr. T. V. p. 44. Rathmann Geschichte der Stadt Magbeburg
B. II. S. 31. 61. Dreyhaupt Beschreib. des Saal = Kreises Th.
II. S. 461.

fähigen Pilgerbrüdern und einer andern Schaar Deutscher
Einzöglinge herbeigekommen, der erste unter den Führern der
Kreuzheere, welcher das Kulmerland betrat ¹). Hermann Ball
beschloß, die Ankunft der übrigen Heerhaufen nicht zu erwarten, sondern Burchards Kriegsmacht ohne Verzug zur Förderung seines Werkes zu benutzen. Vor allem jedoch wies er
der Schaar der Deutschen Einzöglinge, die mit dem Burggrafen gekommen war, zur heimatlichen Niederlassung die Gegend an, welche durch die Nähe der Burgen Nessau und
Thorn gegen feindlichen Anfall schon am meisten gesichert,
zugleich durch ihre höhere Lage gegen die Ueberschwemmung
des Weichselstromes geschützt war, durch freundliche Umgebung
und des Bodens Fruchtbarkeit sich auszeichnete ²) und mit
den nachbarlich befreundeten Landen am leichtesten in Verbindung stand. Hier begannen nun die Deutschen Einzöglinge die Gründung der ersten Stadt, die ihr Daseyn dem
Deutschen Ritterorden verdankt. Den Namen Thorn erhielt
sie von der nahen schützenden Burg. Sie entstand aber ohne
Zweifel sogleich bei ihrem Aufbaue an demselben Orte, wo
noch heutiges Tages Thorn liegt; und in der Mitte der errichteten Wohnungen erhob sich bald auch eine Kirche, die
man dem Apostel Johannes weihte ³).

---

1) Daß Burchard mit seinem Heerhaufen früher als die andern
Fürsten ankam, geht aus *Dusburg* P. III. c. 9 — 10 klar hervor.

2) Daß die Gegend um Thorn zur Zeit des Ordens sehr fruchtbar
war, werden wir später sehen.

3) Ueber die Zeit der Gründung von Thorn und die von einigen
alten Geschichtschreibern angenommene Verlegung der Stadt von der
Gegend bei Alt-Thorn nach dem Orte, wo Thorn jetzt liegt, ist in
früherer Zeit viel gestritten worden. Ueber die erstere kann aber nach
Erwägung aller Verhältnisse kaum ein Zweifel obwalten, da zu erweisen ist, daß im Jahr 1231 die Stadt noch nicht vorhanden war, aber
im December des Jahres 1233 schon genannt wird. *Dusburg* P. III.
c. 1 sagt ausdrücklich: Im J. 1231 sey die Burg Thorn (Alt-Thorn)
erbaut worden und in successu vero temporis instituerunt circa
castrum civitatem, que postea manente castro translata fuit
propter continuam aquarum inundationem ad eum locum,

Hermann Balk aber zog mit der streitbaren Mannschaft des Burggrafen von Magdeburg von Thorn aus hinab bis an die alte Burg Kulm. Sie ward neu aufgebaut oder stärker befestigt und unter ihren schützenden Mauern gründete eine andere Schaar Deutscher Einzöglinge, die dem Kreuzheere bis hieher gefolgt war, eine zweite Stadt, gleichfalls nach dem Namen der Burg Kulm genannt, Anfangs gering in der Zahl ihrer Bewohner, bald aber vergrößert durch den Heranzug neuer Deutscher Ankömmlinge, der alten Bewohner des Kulmischen Gebietes und anderer naher Gegenden. Auch ihre Gründung geschah noch im Laufe des Jahres 1232 und der tapfere Ordensritter Berlewin erhielt die Obhut und Vertheidigung als erster Verweser der Burg Kulm [1]).

So war nun auch durch die Gründung zweier Städte das Kulmerland dem Orden mehr gesichert und in der jungen Bürgerschaft blühte den Ordensbrüdern schon die Hoffnung, in ihrer frischen anwachsenden Kraft bald eine neue Schutzwehr zu des Landes Vertheidigung und Sicherheit zu finden. Bevor jedoch der Landmeister seine weitere Sorgfalt auf ihr weiteres Gedeihen verwenden konnte, hielt er im Beirathe mit dem tapfern Burggrafen von Magdeburg es für

---

ubi nunc sita sunt et castrum et civitas Thuraniensis. Diese Worte sind zugleich die Quelle der Meinung über die Verlegung der Stadt. Diese soll nach mehren Angaben erst im Jahre 1235 geschehen seyn. Allein die schwachen Gründe für diese Meinung sind sehr leicht zu widerlegen und bereits von Prätorius in Thorn auf nichts zurückgewiesen. Dusburg beweiset mit seiner Angabe nichts weiter, als daß er mit seiner Sage von der Eiche und der Lage der Stadt Thorn in Widerspruch gerieth und ihm auszuweichen suchte. Auch wäre es ja sehr sonderbar, wenn man erst nachher eingesehen hätte, daß die Stadt propter continuam aquarum inundationem verlegt werden müsse. Kannten denn der Bischof Christian und der Herzog Conrad die Beschaffenheit der Gegend so wenig und wurden sie nicht befragt?

1) *Dusburg* P. III. c. 8. Ordens-Chron. S. 26 und bei *Matthaeus* p. 698. Auch hier wiederholt sich die Nachricht von der spätern Verlegung der Stadt. S. Hartknoch A. u. N. Preuß. S. 373. Hier aber ist Simon Grunau die Hauptquelle dieser Nachricht.

aufgebaut sollte sie nur zur Abwehr der ersten, nächsten Gefahr dienen und nur den Eingang in das Land eröffnen, denn bald nachher erschien der Landmeister von dem Burggrafen und einer starken Schaar Kriegsvolkes begleitet von neuem bei der Burg und versetzte sie an den Ort hinüber, wo jetzt Marienwerder liegt [1]). Der Ordensritter Ludwig, welcher sich nachmals den Namen des Werders zueignete und Ludwig von Quiden oder Queden hieß, ward zum ersten Verweser der Burg eingesetzt [2]).

Das war der erste Eintritt des Ordens in das heidnische Land. Wie hier in der Landschaft Pomesanien, so verfuhr der Orden im Plane seiner Eroberungen auch in den nachfolgenden Zeiten. Zuerst legte er meistens eine Burg an einen passenden Gränzpunkt des Landes, dessen er sich zu bemächtigen strebte, um hieburch vor allem den christlichen Kämpfern einen festen Rückhalt und sichern Zufluchtsort zu gewinnen. Hiemit wurden außerdem immer noch zwei Vortheile erreicht; denn einmal lenkte der Orden in solcher Weise die Aufmerksamkeit, die Theilnahme und die Kraft des Volkes der Landschaft von dem schon gewonnenen Lande hinweg und beschäftigte sie in dem eigenen Gebiete, also daß das Nachbarland, welches schon gewonnen war, somit an Sicherheit gewann, und zweitens zog er hieburch die Volkskräfte auf einen festen, bestimmten Punkt hin, von welchem aus sie um so leichter gebrochen und vernichtet werden konnten. Erst wenn solches geschehen war, begann er den eigentlichen Eroberungskampf mit dem umherwohnenden Volke. Beim Aufbau solcher Schutz= und Wehrburgen, meist in großer Eile vollendet,

---

1) So *Dusburg* P. III. c. 9. Die Versetzung kann jedoch nur auf die Burg als Ordensbehausung bezogen werden, denn nach der eben erwähnten Urkunde bei Kotzebue a. a. O. befand sich noch im J. 1236 eine Burg Klein=Quidin daselbst.

2) Daß dieser Ludwig von Quidin derselbige ist, welcher nachmals Landmeister ward, Ludwig von Queden hieß und in der Kulmischen Handfeste Ludewicus in Quidin provisor genannt wird, ist nicht zu bezweifeln.

ger Zeitrechnung im Anfange des Jahres 1233, nach der un=
serigen dagegen in den letzten Tagen des Jahres 1232 zu
Thorn [1] verliehen ward im Beiseyn der Ordensritter Poppo
von Osterna, Albrechts von Langenberg, des Marschalls Die=
terich von Bernheim, der beiden Pfleger Berlewin von Kulm
und Ludwig von Quidin, ferner des Burggrafen Burchard
von Magdeburg, der Ritter Johannes von Pach, Friederich
von Scherwest oder Zerbst, Bernhards von Kamenz [2] und
mehrer andrer Personen.

---

1) Das Datum dieser berühmten Urkunde ist: Thorun anno incarnat. domin. Millesimo ducentesimo triccsimo tercio, quinto
Calendas Januarii. Man hat bisher ganz allgemein angenommen,
dieses Datum bedeute den 28. Decemb. 1233, da man meinte, den an=
gegebenen Tag quinto Calend. Januar. nach unserer Zeitrechnung in
das Jahr 1233 versetzen zu müssen. Allein es bezeichnet jenes Datum
den 28. Decemb. des Jahres 1232. Folgendes sind hiezu die Gründe:
1. Folgte der Orden der damals schon fast allgemein üblichen Sitte,
das Jahr mit dem angenommenen Tage der Geburt Christi, also mit
dem 25. Decemb. anzufangen. Die Urkunde wurde also gegeben am
britten Tage (28. Dec.) nach dem Neujahr des Jahres 1233 nach da=
maliger Zeitrechnung, nach unserer heutigen Zählung aber am 28. De=
cemb. des Jahres 1232. Es bestätigt sich dieses 2. auch durch die An=
gabe der Zeugen. Der Burggraf von Magdeburg war nach Angabe
der Quellen im Jahre 1232 nach Preussen gekommen. Sein Aufent=
halt dauerte aber nach *Dusburg* P. III. c. 9 nur ein Jahr. Er
blieb demnach in Preussen nur bis zum Frühling oder Sommer des
Jahres 1233 und für eine spätere Anwesenheit fehlt es an allen
Beweisen. Ohnebieß würde auch der im J. 1233 erfolgte Tod des Erz=
bischofs Adalbert von Magdeburg ihm einen längern Aufenthalt schwer=
lich erlaubt haben. Nun war aber Burchard bei der Ausstellung der
Urkunde gegenwärtig und es kann also diese nicht am 28. Decemb.
1233, sondern muß 1232 erfolgt seyn. 3. Wird es bei dieser Annahme auch
begreiflich, warum nur Burchard, der Burggraf, und nicht auch die
im Jahre 1233 in Preussen angekommenen und bei *Dusburg* P. III.
c. 10 genannten Fürsten als Zeugen angegeben sind. Wäre die Urkunde
wirklich erst am 28. Decemb. 1233 gegeben, so wäre es doch sonderbar,
daß von jenen Fürsten nicht ein einziger als Zeuge bei der so äußerst
wichtigen Urkunde genannt ist.

2) Dieses waren Ritter, die den Burggrafen von Magdeburg be=
gleitet hatten. Die Familie von Pach oder Pak kommt damals in den

wurden jedoch bis zur Hälfte gemindert und zugleich verord=
net, daß wenn irgend bei der Anwendung dieses Rechts über
einzelne Punkte Zweifel entstehe, darüber bei den Richtern in
Kulm um Rath gefragt werden solle, weil diese Stadt im
ganzen Kulmerlande für die Hauptstadt gelten sollte.

Der Orden versprach, in den beiden Städten keine Häu=
ser anzukaufen und solche, die ihm von den Bürgern etwa
als fromme Gabe zugewiesen würden, zu keinen andern Zwe=
cken umzubauen, als wozu sie von den Bürgern selbst errich=
tet seyen; dabei aber auch zugleich alle Leistungen und Ver=
pflichtungen zu übernehmen, zu welchen andere in Rücksicht
ihrer Häuser verbunden seyen. Doch sollten in diese Bestim=
mungen die Befestigungen, die der Orden bereits in den
Städten hatte, keineswegs mit eingeschlossen seyn.

Die beiden Pfarrkirchen zu Kulm und Thorn begabte
der Orden jegliche mit vier Huben Landes in der Nähe der
Städte und versprach, einer jeden noch vierzig Huben anzu=
weisen. Ueber beide aber behielt sich der Orden das Patro=
natrecht vor, um sie stets mit geschickten Geistlichen zu ver=
sorgen.

Ferner sprach der Orden die Bürger frei von allem un=
gerechten Geschosse; von erzwungenen Bewirthungen und an=
dern nicht gebührlichen Abgaben, und dehnte diese Befreiung
auch zugleich auf alle ihre Besitzungen aus.

Den Bürgern überließ der Orden ihre Güter auf Flä=
misches Erbrecht [1]), also daß sie und ihre Erben beides Ge=
schlechtes ihre Besitzungen mit allen Einkünften für immer
frei behalten sollten; doch eignete sich der Orden in diesen Gü=
tern das Eigenthumsrecht auf alle Seen, auf den Biberfang,
auf Salz, Gold, Silber und jedes andere Metall mit Aus=
nahme des Eisens, in der Art zu, daß bei Auffindung dieser
Metalle das Freibergische und Schlesische Recht in Anwendung
treten solle. Ferner wurde für diese Güter auch das Recht

---

1) S. Schweikart über die in Ost= und Westpreussen geltenden
Rechte S. 18.

des Fischfanges, des Mühlenbaues auf den Flüssen und der
Jagd nach besondern Bestimmungen festgestellt.   Von jedem
erlegten Wilde, mit Ausnahme von Bären, Schweinen und
Rehböcken, sollte der rechte Vorderbug an das nächste Ordenshaus geliefert werden.

Die Bürger erhielten das Freirecht, die vom Orden erhaltenen Güter wieder zu verkaufen, jedoch nur an solche, die
des Landes und des Ordens Vortheile gehörig entsprechen
könnten und nur in der Art, daß der Käufer die erkauften
Güter aus der Hand der Ordensritter empfange und dem
Orden zu derselbigen Leistung und demselbigen Dienste verpflichtet bleibe, wie der bisherige Besitzer sie demselben gethan.   Es ward auch ferner vom Orden zugegeben, daß ein
Bürger im Drange der Noth sein Allode oder aufs höchste
zehn Huben von seinen andern Gütern trennen und verkaufen
könne; er sollte dann aber für den noch übrigen Theil zu der
nämlichen Leistung und dem nämlichen Dienste verbunden bleiben, als er für das Ganze gethan.   Der Käufer des Allode
aber oder der zehn Huben sollte in Rücksicht des erworbenen
Besitzes dem Orden zur Kriegsfolge mit einer Platenrüstung
und andern leichten Waffen nebst einem der Rüstung angemessenen Rosse verpflichtet seyn.   Es sollte jedoch keiner von
den vom Orden so eben mit einem Erbe Begabten mehr als
noch Ein Erbe kaufen können.

Der auf den ausgethanen Gütern ruhende Kriegsdienst
ward nach folgenden Bestimmungen geordnet und geregelt.
Wer vierzig Huben oder mehr vom Orden erworben, sollte
mit voller Waffenrüstung, einem bedeckten und der Rüstung
angemessenen Rosse und wenigstens mit zwei andern Reitern
dem Orden zum Kriegsdienste verpflichtet seyn; wer aber ge-
ringeres Besitzthum habe, sollte nur mit einer Plate oder andern leichten Waffen, nebst einem dazu paßlichen Rosse dem
Orden zur Kriegsfolge gegen die Preussen und alle, die des
Kulmerlandes Ruhe und Sicherheit störten, verbunden seyn,
so oft der Orden dazu aufrufe.   Sobald aber die Pomesanier
im Kulmerlande nicht mehr zu fürchten seyn, sollte die Ver-

pflichtung der Bürger zum Heeresdienſte ſofort aufhören. Doch
zur Vertheidigung des Landes zwiſchen der Weichſel, der Oſſa
und der Drewenz gegen alle Ruheſtörer ſollten ſie ſtets dem
Orden zum Heeresdienſte Folge leiſten.

In Betreff der an den Orden zu leiſtenden Abgabe ward
verordnet, daß ein jeglicher, der von demſelben ein Erbe hatte,
ihm dafür einen Kölniſchen Pfennig oder ſtatt deſſen fünf
Kulmiſche Pfennige nebſt zwei Markgewichten Wachs entrichte
zur Anerkennung der Oberherrſchaft und zum Zeichen, daß er
ſeine Güter vom Orden habe und deſſen Gerichtsbarkeit unterworfen ſey. Dafür verhieß ihm der Orden allen möglichen
Schutz in Fällen, wo er Unrecht leide. Zur Entrichtung jener Leiſtung wurden beſtimmte Friſten geſtellt und für Unter-
laſſung und Verſäumniß der Leiſtung die nöthigen Strafen
angeordnet. Wer auf Heerfahrten dem Orden den ſchuldigen
Heeresdienſt nicht leiſte und nicht perſönlich gegenwärtig ſey,
auf deſſen Güter ſolle der Vorſteher des Landes einen andern
an ſeine Stelle ſetzen, auf daß der Orden an ſeinem Rechte
nicht Schaden erleide.

Es ward ferner feſtgeſtellt, daß von den Gütern der
Bürger auf jeden Deutſchen Pflug ein Scheffel Weizen und
ein Scheffel Roggen nach Leßlauiſchem Maaße, welchem das
Kulmiſche gleichgeſtellt war, und von jedem Polniſchen Pfluge
oder Haken ein Scheffel Weizen jährlich an den Biſchof des
Sprengels als Zehnten geliefert werde. Sofern jedoch der Biſchof die Bürger noch zu andern Zehnten nöthigen werde, wolle
der Orden ſie hiebei zu vertreten verpflichtet ſeyn.

Endlich ward auch angeordnet, daß die Kulmiſche Münze
im ganzen Lande geltend ſeyn, die Denare aus reinem Silber geſchlagen und ſtets in dem Werthe erhalten werden ſollten,
daß ſechzig Schillinge eine Mark wögen. Es ſollte dieſe
Münze nur einmal im Ablaufe von zehn Jahren erneuert
werden. Im Hubenmaaße ſollte die Art der Flämiſchen Beſtimmung beobachtet werden. Das ganze Land aber ſollte
frei ſeyn von aller erzwungenen Zollerhebung.

Dieſes iſt im Weſentlichen der Hauptinhalt der ſ. g.

Kulmischen Handfeste [1]). Sie ist in aller Hinsicht im Fort=
gange des Volkslebens in Preussen von höchster Wichtigkeit
geworden. Sie war der erste Laut, welchen der auch nun
in diesem Lande durch den Orden eingeheimte Deutsche Geist
hier im Norden wieder vernehmen ließ, die erste Pflanze, die
auf dem für Deutsche Bildung, Deutsches Gesetz, Deutsche
Art und Gesinnung bestimmten Boden angepflanzt ward. Von
Deutschen entworfen und verliehen, im Deutschen Geiste ge=
dacht und verfaßt, auf Deutsche Sitte und Deutsches Gesetz
beständig hinweisend, für Deutsche Bürger zur Ordnung und
Feststellung eines Deutschbürgerlichen Lebens gegeben und für
Deutsche Art und Sitte berechnet, mußte sie in aller Weise
äußerst wohlthätig und folgenreich auf die Verbreitung und
Einheimung des Deutschen Geistes überhaupt, wie insbeson=
dere auch auf die Ausbildung eines Deutschen Bürgerthums
und aller städtischen Verhältnisse in Deutscher Weise einwir=
ken. Und sie wirkte in der Folge der Zeit um so eingreifen=
der ins ganze Leben des Volkes und um so allgemeiner, da
ihre erste und nächste Beziehung auf das Kulmerland bald er=
weitert und auf die meisten Städte und Gebiete ganz Preus=
sens ausgedehnt wurde, da sie bald als ein Hauptgrundge=
setz galt, nach welchem fast überall das Leben geordnet, Sitte
und Regel bestimmt, Freiheit und Gehorsam festgestellt, Rechte
und Pflichten, Gaben und Leistungen geltend gemacht wur=
den, da sie die Hauptquelle war, aus welcher das nachmals
so berühmt gewordene Kulmische Recht hervorgegangen ist [2]).
Darum enthält gewiß diese erste Urkunde, durch welche der
Orden das aufblühende Deutsche Leben in Preussens Landschaf=
ten begründete, eine eben so erfreuliche und erhebende, als ge=
schichtlich wichtige und hohe Bedeutung.

---

1) Die Kulmische Handfeste ist schon oft gedruckt. Vollständige li=
terärische Nachweisungen hierüber findet man bei Schweikart Ueber
die in Ost= und Westpreussen geltenden Rechte, besonders über das
Kulmische und Magdeburgische Recht S. 14; auch in den Jahrbüch. der
Preuss. Gesetzgebung H. 52.
    2) Schweikart a. a. O. S. 19 — 20.

Kreuz und Schwert aber sollten der Verbreitung des Deutschen Lebens die Bahn brechen durch Erdrückung des dunkelen Heidenthums und für die edlere Anpflanzung den wildverwachsenen Boden säubern, auf dem das Unkraut des Götzendienstes im Schatten der heiligen Eichen so mächtige Wurzeln geschlagen. Und bald nachdem auf jene Weise das bürgerliche Leben im Kulmerlande geordnet war, erschienen in diesem neue bedeutende Heerhaufen von Kreuzbrüdern. Aus Schlesien zog heran Herzog Heinrich von Breslau an der Spitze von dreitausend Streitern, vom Herzoge Conrad von Masovien noch besonders zur Beihülfe herzugerufen [1]). Herzog Conrad selbst führte eine Schaar von viertausend, und sein Sohn Herzog Casimir von Cujavien einen Heerhaufen von zweitausend Mann herbei. Zweitausend und zweihundert Krieger geleitete Herzog Wladislaus von Großpolen, des Herzogs Otto von Gnesen Sohn, und aus Pommern erschienen die beiden Brüder Herzog Suantepolc und Sambor mit einer Schaar von fünftausend [2]), also daß mit dem Heerhaufen des Burggrafen von Magdeburg, der noch zur Zeit bei Kulm lagerte, ein Heerhaufen von mehr als zwanzigtausend Streitern zum Kampfe bereit stand. Die alten Fehden, in welchen

---

1) Die Quellen stimmen über Herzog Heinrich von Breslau nicht ganz überein. *Dusburg* P. III. c. 10 meint, es sey gewesen de Wratislavia Dux Heinricus, quem Tartari postea occiderunt. Dieß war Herzog Heinrich der Zweite oder der Fromme, welcher im Jahre 1241 in der Schlacht gegen die Tartaren blieb, ein Sohn Heinrichs I. mit dem Barte; diesen nennt auch *Dlugoss*. T. I. p. 651 als Hülfsgenossen des Ordens. Dagegen aber sagt *Boguphal* p. 59: Cunradus Henricum cum barba nepotem suum ducem Slesiae in sui adjutorium evocavit, und dieses war Heinrich der Erste, Gemahl der heil. Hedwig, der sich auch Herzog von Polen nannte. Höchst wahrscheinlich war es dieser letztere, welcher dem Orden zu Hülfe kam. Dafür sprechen auch Lucas David B. II. S. 70. Kantzow B. I. S. 236. *Schütz* p. 19 verwechselt ihn mit dem später kommenden Markgrafen von Meißen.

2) *Dusburg* P. III. c. 10. Lucas David B. II. S. 70 giebt die oben angeführte Stärke der Heerhaufen an. Chron. Oliv. p. 22. Kantzow B. I. S. 236.

Die Preussen aber wurden erschreckt durch die Stärke der Kriegsmacht, die an ihren Gränzen stand, durch die Kühnheit, mit welcher die Burg Marienwerder schon auf dem Boden ihres Gebietes gegründet und bedeutend befestigt worden war, und durch den gebieterischen Ernst, mit welchem ihnen von den Fürsten und den Gebietern des Kreuzheeres begegnet und gedroht ward. Vielleicht nicht ganz unbekannt mit der Verpflichtung der Kreuzfahrer nur für den Kriegsdienst auf die Frist eines Jahres, durften sie die Hoffnung fassen, durch ein für die Annahme des Christenthums günstig scheinendes Versprechen jene gefährliche Kriegsmacht aus ihrer Nähe bald entfernt und in solcher Art ihr Land von dem drohenden Sturme wieder befreit zu sehen. Sie entsandten also eine Anzahl ihrer Edlen und einige ihrer Priester in das christliche Heer mit dem Erbieten, daß das Volk keinen Kampf mit den christlichen Kriegern beginnen wolle, sondern gern die christliche Taufe empfangen werde.

Man traute diesem Vorgeben und der Bischof Christian begab sich unter dem Schutze einer Anzahl rüstiger Kriegsleute ins Gebiet der Pomesanier, um zu predigen und zu taufen. Allein in wenigen Tagen schon ward die den Bischof begleitende Mannschaft plötzlich überfallen, bis auf den Letzten niedergemacht und der Bischof selbst in Gefangenschaft hinweggeführt [1]). Es geschah diese That, wie es scheint, von

---

1) Wir ersehen dieses trügerische Verfahren der Preussen aus einer Bulle des Papstes an den Prediger-Orden, worin er zuerst den Orden in seinem Verdienste rühmt: Dilecti filii fratres hospitalis S. M. Th. in Pruscie partibus fidei negocium magnanimiter assumentes in tantum fidelium suffulti subsidio per Christi graciam profecerunt, quod Prutenis eisdem fugae terga dantibus locorum incolis vicinorum in pace respirant et requie, qui sub illorum tunsionibus et pressuris cogebantur sepius expirare. Quid ultra? operante gracia creatoris usque ad illorum flumina jam suos extendit palmites religio christiana, constructis ibi municiqnibus, per quas hostium adversitati resistitur et fidelium prosperitas procuratur. Dann fährt er fort: Unde fit, quod cum prefati Pruteni demencie spiritu concitati

bei des Landes damaliger Beschaffenheit, besonders zwischen
dem Kulmerlande und Pomesanien, wie früher schon erwähnt
worden [1]), keineswegs zur Kriegsführung günstig, weil das
dortige Sumpfland den Anzug eines großen Heeres nach Pomesanien höchst gefahrvoll, ja fast unmöglich machte [2]). Nicht
minder bedenklich aber wäre ein Einfall ins östlich liegende
Galinderland oder in Pogesanien gewesen, weil dann die
Landschaft Kulm, ihres Schutzes entblößt, dem verheerenden
Ueberfalle der Pomesanier offen gestanden hätte. Vor allem
schien es auch nothwendig, zuerst das rechte Uferland des
Weichsel = Stromes zu gewinnen, weil dieses das weitere Ein-
bringen ins Land in jeder Hinsicht bedeutend erleichtern
mußte.

Mittlerweile aber waren dem Papste Gregorius mancherlei Berichte über diese Ereignisse und Verhältnisse zugekommen [3]). Es schmerzte ihn des Bischofs Christian Gefangenschaft, aber nicht minder auch der Mangel an Einigkeit und
friedlichem Zusammenwirken im christlichen Heere. Daher erließ
er an einem Tage drei Bullen zur Förderung der christlichen
Sache in Preussen. In der einen wandte er sich an das in
Preussen befindliche Kreuzheer selbst [4]), dasselbe erinnernd,
welcher Lohn in den Freuden der Unsterblichkeit solche einst er-
warte, die unter dem Schutze der Hand des Herrn den Ruhm
des Triumphes des Evangeliums erwürben, und welche gna-
benreiche Vergebung der Sünden denen verheißen sey, die mit
standhafter Tapferkeit das übernommene Werk des ewigen
Königes in so lebendigem Eifer vollendeten, daß der Preussen
wilder Geist auf immer darniedergedrückt und gebrochen nie
wieder emporstreben könne. Dann ermahnte aber auch der

---

1) Vgl. was im ersten Bande bei dem Kriegszuge des Poln. Königes Boleslaus im J. 1161 über diese Gegend gesagt ist.

2) *Kadlubeck* L. III. ep. 31 p. 375. *Boguphal* p. 44.

3) „Accepimus ex litteris et relationibus diversorum‟ sagt er
in der Bulle bei Kotzebue B. I. S. 456.

4) „Universis christi fidelibus exercitus christiani contra
Prutenorum perfidiam constituti. ‟

Papst das christliche Heer zum gegenseitigen Vertrauen, zur Einigkeit in seinen Entwürfen und zur Folgsamkeit in den Anordnungen des Landmeisters und der Deutschen Ordens= brüder zur Unterwerfung des heidnischen Volkes, damit der Feind durch seine trügerische List das begonnene Werk nicht zu vernichten vermöge [1]). Eine andere Bulle richtete der Papst an die Brüder des Prediger=Ordens in Preussen, sie zur Be= hutsamkeit ermahnend und zur Vorsicht in der Annahme der Preussen zum Empfange der kirchlichen Sacramente, weil die Erfahrung bewiesen, daß das Volk, den Wunsch der Taufe als List und Betrug gebrauchend, den Christen nur Verderben bereite [2]). Dann muntert er sie auf, nicht bloß selbst in ih= rem Werke mit Eifer und muthigem Vertrauen als getreue Wächter in des Evangeliums und des Kreuzes Verkündigung fortzufahren, sondern auch das christliche Heer in Preussen zur Unterwerfung und Demüthigung der Ungläubigen emsig aufzufordern und die Fürsten und Führer zu ermahnen, den Ordensrittern in ihren Planen und Rathschlägen überall

---

1) Daß der Papst den zwiespältigen Geist im Kreuzheere wohl kannte, geht aus den Worten der Bulle hervor: Ceterum cum in desideriis habeamus, ut vobis una sit fides mencium et pieta- tis accionum, devocioni vestre digne duximus suadendum, ut inter vos mutuam caritatem habentes semper unanimes existatis solliciti ad depressionem barbare nacionis secundum consilia dilectorum filiorum, Preceptoris et fratrum Hospitalis S. M. Th., quos in Pruscie partibus ad reddendum suis hostibus ul- cionem fortis et potens dominus deputavit, ita communiter vota vestra dirigere, quod solitis et exquisitis fallaciis labo- rem vestrum nequeat Prutenorum perfidia vacuare. Die Bulle befindet sich im Original im geh. Archive Schiebl. II. 29 und ist da= tirt: Anagnie Non. Octobr. P. n. an. VII. (7. Octob. 1233). Ihrer erwähnt auch *Raynald. l. c.*

2) „Omne studium et sollicitudinem habeatis, quod in suscipiendis Prutenis ad ecclesiastica sacramenta, que ipsi solo fallendi pretextu diebus quesisse preteritis et presentibus querere convincuntur, cautela tam diligens observetur, ut lu- cis filios sibi non statuant in derisum et fidelibus non indu- cant perniciem, que salvator ipsis disposuit ad salutem.“

Folge zu leisten, damit die zum Lobe Gottes versammelte
Kriegerschaar nicht dem Ansturme der wilden Heiden erliege
und der Triumph des Glaubens verloren gehe [1]). Dieselbige
Ermunterung sprach der Papst endlich auch an den gesammten
Orden der Predigerbrüder zur Belebung seines Eifers noch
in einer besondern Bulle aus, mit dem Auftrage, auch ferner-
hin die Kreuzpredigt zum Besten des Deutschen Ordens in
Preussen mit aller Thätigkeit zu betreiben [2]).

Auch zur Befreiung des Bischofs Christian aus den Händen der Heiden erließ der Papst an den Orden die bringend-
sten Ermahnungen. Wie lange dieser sein trauriges Schicksal
tragen mußte, ob nicht mehrmals Versuche zu seiner Rettung
geschehen sind und ob überhaupt auch der Meister Hermann
von Salza, der jetzt immer noch in Reichsverhältnissen beschäftigt meist am Kaiserhofe lebte, nicht wirksam in die Angelegenheiten seines Ordens in Preussen eingegriffen habe,
darüber lassen die dürftigen Quellen der Geschichte dieser Zeit
fast alles dunkel. Gewiß ist aber, daß der Papst den Zwist
zwischen dem Bischofe und dem Orden, die Quelle so manches Unheils, bald in einer andern Weise auszugleichen beab-
sichtigte, und nicht minder gewiß, daß die päpstlichen Ermahnungen an das Kreuzheer in Preussen nicht ohne bedeutende
Wirkungen blieben.

Bald nämlich nach der Ankunft der päpstlichen Ermun-
terungsschreiben brach der Winter ein. Starke Kälte machte
das Sumpfland nach Pomesanien hinab überall gangbar [3])
und es zog nun gegen den Anfang des Jahres 1234 das ge-

---

1) Die Bulle im Original im geh. Archive Schiebl. II. 27 ist batirt: Anagnie Non. Octob. p, n. an. VII. (7. Octbr. 1233), abgedruckt (wiewohl nicht ganz fehlerfrei) bei Kotzebue B. I. S. 456
— 458. Auch *Raynald.* an. 1233 Nro. 58 erwähnt ihrer.

2) Die Bulle im Original im geh. Archive Schiebl. II. 25 von
dem nämlichen Datum und mit der vorigen Bulle größten Theils
gleichlautend.

3) *Dusburg* P. III. c. 11. „omnia gelu intensissimo in-
durata." Chron. Oliv. p. 22.

sammte Kreuzheer, jedoch ohne den Burggrafen von Magdeburg, der nach Deutschland heimgekehrt war, mit neuerweck-
tem Muthe gegen des Feindes Gränze hin. Schon im Gebiete Resen, wo das tapfere und streitlustige Volk des Landes den Einzug des christlichen Heeres wehren wollte, kam
es zum Kampfe. Doch hier ward die schwächere Macht des
Feindes bald überwältigt; nicht wenige wurden erschlagen, andere gefangen und das Land ringsumher schwer verwüstet [1].
Da aber das christliche Heer weiter in die Gebiete der Pomesanier einrückend am Flusse Sirgune, der jetzt die Sorge
genannt wird, ins Land hinabzog, vernahm es plötzlich, daß
nicht ferne von ihm ein mächtiges feindliches Heer bereit stehe,
zur Wehr des Landes mit ihm den Kampf zu wagen. Für
das Volk Pomesaniens aber war es nicht bloß ein Kampf
zur Vertheidigung von Haus und Herd, den es wagen wollte;
die Götter selbst forderten ihre Verehrer zu ihrer und ihrer
Heiligthümer Rettung auf, denn an der Sirgune rechtem Ufer
lag ein uralter Göttersitz, ein heiliger Wald und ein heiliges
Feld, von Göttern und Priestern zur Wohnung erwählt [2],
und an dem heiligen Walde war auf dem Berge Grewese
wahrscheinlich der Wohnort des Pomesanischen Landes = Griwe.
Hart an dem Eingange dieses heiligen Waldes aber hatte sich
das mächtige Heer der Pomesanier, dem christlichen an Stärke
weit überlegen [3], zum Kampfe aufgestellt, das Heiligthum zu
verwahren und die nahen Götter mit Blut und Leben zu
vertheidigen. Der Aufenthalt der christlichen Krieger im Gebiete von Resen hatte den Pomesaniern Zeit gelassen, eine
zum Widerstande und zur Schlacht günstige Stellung auszuwählen, denn an der Seite ihres Heeres lag ein dichtes Ge-

---

1) *Dusburg* l. c. Chron. Oliv. l. c. Lucas David B. II.
S. 71.

2) Davon ist im ersten Bande der Beweis gegeben.

3) Invenerunt Pruthenorum magnum exercitum congrega-
tum in armis et paratum jam ad proelium, sagt *Dusburg* P.
III. c. 11. *Schütz* p. 19 bemerkt, daß das Heer der Pomesanier
dreimal stärker, aber schlechter gerüstet, als das christliche gewesen sey.

büsch, durch welches, wenn drängende Gefahr zum Rückzuge
zwang, die Flucht aufs trefflichste gedeckt ward.

In solcher Weise fanden die christlichen Fürsten das Po=
mesanische Heer zur Schlacht bereit, als am Mittage der
Streit begann. Es ward viel eingesetzt in diesem ersten gro=
ßen Kampfe der Christen mit den Heiden. Für beide Heere
galt es das Höchste und Heiligste, was das Leben in sich
fasset; es galt für beide den Glauben an das Göttliche. Zum
erstenmal sollte dieser Tag beweisen, wer mächtiger im Leben
wirke und walte, ob der Göttliche am Kreuze oder die schre=
ckenden Götter in der ewig grünenden Eiche. Beide waren
den beiden streitenden Heeren nahe. Darum war es ein
furchtbarer Kampf, der zwischen den Preussen und dem Kreuz=
heere begonnen wurde. Mehre Stunden schwankte der Sieg
bald hiehin, bald dorthin ¹), bis der Abend hereinbrach. Da
raffte Suantepolc, der Pommern Herzog, mit seinem Bruder
Sambor vereinigt und mit der Preussen Kriegsführung schon
aus früher Zeit bekannt, seinen Heerhaufen eiligst zusammen
und gewann während des fortdauernden Kampfes der Pomesa=
nier mit dem übrigen Kreuzheere jenes Gebüsch, welches dem
Feinde zur Seite liegend auf die Deckung seiner Flucht berech=
net gewesen war ²). Von hier aus stürmte nun plötzlich der
Herzog auf das feindliche Heer auch seitwärts ein und schnitt
ihm alle Hoffnung der Rettung ab. So war es jetzt ein
doppelter Kampf, den Pomesaniens Heerschaaren zu kämpfen
hatten. Er konnte nicht lange bestanden werden; der Sieg

---

1) *Schütz* p. 19.

2) *Dusburg* P. III. c. 11: Dux Pomeraniae et Samborius
frater eius magis experti in bello Pruthenorum, vias circa in-
dagines cum suis armigeris occupaverunt, ne quis posset eva-
dere. Chron. Oliv. p. 22. Jeroschin P. III. c. 11 übersetzt:

„Und vorhilbin kegin yn

Die wege vor den hegenyn.“

Dieses Gebüsches und eines Sees, Mosebruch genannt, erwähnt übri=
gens auch noch die Verschreibung über Alt=Christburg vom Jahre 1312.
Das Gebüsch lag nach dieser Angabe zwischen den beiden altpreussischen
Dörfern Mortes und Sampol.

war den Heiden entrissen; die Flucht schien unmöglich. Nun
galt der Streit schon nicht mehr des Heiligthums Vertheidi=
gung, sondern nur noch des Lebens Rettung und Daseyn, und
auch dieses wäre verloren gewesen, wenn nicht die einbrechende
Nacht die blutige Schlacht geendigt und dem noch übrigen
Theile des Pomesanischen Heeres den Rückzug ins Innere der
Landschaft möglich gemacht hätte [1]). Es war ein großer Tag
für Pomesaniens folgendes Schicksal. Das Kreuz und der an
ihm Gestorbene hatten gesiegt, und welche freudige Zuversicht
lag für die Christen in diesem Siege für jeglichen Kampf der
Zukunft! Die Götter im nahen heiligen Walde waren über=
wunden; das Heiligthum war durch den christlichen Fuß ent=
weiht und das Vertrauen der Heiden auf ihrer Götter Macht
und Hülfe erschüttert und gebrochen. Das alles wirkte gewiß
mächtig auf den Geist des Volkes ein. Mehr als fünftausend
Pomesanier, die sich für ihr Heiligthum standhaft geopfert,
lagen auf dem Kampfplatze erschlagen. Aber auch viertausend
Christen hatte der Sieg gekostet [2]). Und noch war der Kampf
nicht völlig beendigt. Ein starker Haufe der flüchtigen Pome=
sanier warf sich zur Nachtzeit in eine nahe gelegene Burg,

---

1) Der Verlauf der Schlacht wird in den Quellen verschieden be=
richtet. Am wahrhaftesten, obwohl nur in wenigen Worten erzählt
ihn *Dusburg* l. c. und nach ihm *Lucas David* B. II. S. 72.
Was von diesem Chronisten aber weiterhin als nach *neueren* Scriben=
ten mitgetheilt wird, ist aus **Simon Grunau** Tr. VII. c. 1 §. 1.
und dessen verwirrte Erzählung verdient keine Berücksichtigung. Er ist
die erste Quelle, welche eine Schlacht bei der Burg Slemmo oder
Slomno, die im Kulmerlande lag, mit in den Kampf an der Sir=
gune hineinzieht. Schon Lucas David selbst zweifelte an der Rich=
tigkeit der Grunauischen Darstellung und gewiß mit allem Rechte. Die
Ordens=Chronik erwähnt dieser Schlacht gar nicht, wohl aber Kan=
zow B. I. S. 236.

2) *Dusburg* l. c. nur des feindlichen Verlustes erwähnend, sagt:
Ceciderunt illo die ultra quinque millia interfecti. Diese Zahl
hat auch Kanzow u. a. D., Lucas David a. a. D. *Schütz* p.
19 läßt in der Hauptschlacht 15,000 und dann noch bei der Burg
Slemmo 5000 Pomesanier erschlagen werden. Aber auch das Chron.
Oliv. p. 22 giebt nur 5000 gefallene Pomesanier an.

vielleicht um des Feindes weiteres Eindringen in Pomesanien zu hindern oder das nahe Heiligthum noch mit der letzten Kraft zu schützen. Allein das Kreuzheer stürmte am nächsten Morgen gegen die Burg an; es kam abermals zur Schlacht und sie entschied von neuem für die Christen, denn die Burg wurde erobert und die feindliche Mannschaft zum größten Theile erschlagen [1]. Die Gegend aber, wo jene Schlacht geschlagen war, hieß lange Zeit nachher immer noch das Todtenfeld [2].

Der Siegesruhm des blutigen Tages gehörte unbezweifelt am meisten dem Herzoge Suantepolc und seinem Bruder Sambor, denn sie hatten die Entscheidung gegeben. Der heldenmüthige Widerstand des Pomesanischen Volkes hatte jedoch den Fürsten den Muth entnommen, weiter in die Landschaft Pomesanien vorzudringen. Auch war in damaliger Zeit die dortige Gegend bis an den Drausen-See hinab und hinüber auf den Höhen von Christburg mit so starker Waldung bedeckt [3], daß der Zug eines durch die Schlacht ermüdeten und

---

1) Daß nach der Hauptschlacht noch eine Burg von dem Kreuzheere belagert und erobert wurde, ist nicht abzustreiten. Diese Burg aber war nicht Slemmo, wie Simon Grunau und Schütz angeben, sondern sie lag zwischen Alt-Christburg, Münsterberg und Altstadt. Dort kommt wirklich in mehren spätern Urkunden z. B. in einer Verschreibung über Alt-Christburg vom Jahre 1312 ein Berg vor, dessen Name Burgwall auf die alte Burg hindeutet. Unfern vom Dorfe Altstadt wird auch einer alten Verschanzung in Urkunden unter dem Namen Landwehr erwähnt, welche die Bewehrung des heiligen Waldes oder des heiligen Feldes bezweckt haben mag; er heißt locus, qui jacet inter Konigsee villam et Antiquam civitatem, quem nos Landwer dicimus in vulgari. Er lag am Flusse Lepitz oder Lonpitz, jetzt Lippitz.

2) Das Feld hieß noch im 14ten Jahrhundert Surkaporn oder Sorkapurn, ein altpreußischer Name. Es lag nahe bei der Stadt Christburg, zwischen den Dörfern Opitten, Kerschitten und Schweibe, wie eine Urkunde vom Jahre 1312 ausweiset. Dorthin wäre denn also auch das Schlachtfeld zu setzen. Kapurn bedeutet im Altpreußischen Todtenhügel oder ein mit solchen Hügeln bedecktes Feld.

3) Dieses beweisen die Verschreibungen der dortigen Ortschaften aus

geschwächten Heeres dorthin eben so mühsam und schwierig,
als gefahrvoll seyn mochte.

Auf die Nachricht aber, daß die Heerschaar der Christen
an die Gränze des Kulmerlandes hinaufgezogen sey und Her=
zog Suantepolc mit seiner Kriegsmacht noch dort verweile,
sammelten schnell die Pomesanier einen neuen Kriegshaufen
und zogen über den Weichsel=Strom, um an dem Herzoge
von Pommern, der ihnen an der Sirgune den Sieg entrissen,
schwere Rache zu nehmen. Mit Feuer und Schwert ward das
Land weit und breit verwüstet. Nur Danzig, des Herzogs
Hofburg, widerstand dem stürmenden Angriffe. Das nahe
Kloster Oliva aber, erst vor Kurzem erfreut, daß der Papst
es mit allen seinen Besitzungen unter den besondern Schutz
des Apostels Petrus und des Römischen Stuhles genommen [1]),
jetzt von Suantepolc nur mit geringer Mannschaft zur Ver=
theidigung besetzt, ward vom racheburstigen Feinde überfallen,
erstürmt und durch Feuer vertilgt. Ein Theil der Mönche
und die Kriegsmannschaft wurden unter grausamen Martern
erschlagen und so die alte heilige Stiftung am zweiten Januar
des Jahres 1234 durch die Preussen gänzlich vernichtet [2]).

Diese Rache des erbitterten Volkes fürchtete der Land=
meister Hermann Balk auch für die junge Pflanzung im Kul=
merlande. Nun lag zwar zwischen diesem Lande und Pome=
sanien jene dichte, schwer zugängliche Waldwildniß, durch
welche die Gränze des Kulmischen Gebietes gen Norden ziem=
lich gesichert war; allein in ihrer Mitte war sie schon so
weit gelichtet, daß dem Feinde aus Pomesanien dort der Ein=
fall ins Kulmerland nicht schwer fiel und oftmals schon ver=

---

dem 13ten und 14ten Jahrhunderte. Aus dem Privilegium von Kö=
nigssee von 1305 und aus dem von Heiligenwalde vom Jahre 1324
geht hervor, daß ein starker Eichenwald, der alte heilige Wald, bis an
den Drausen=See hinablief.

1) Das Original der päpstl. Bulle im geh. Archive Schiebl. LV.
7. datirt: Lateran. IV. Idus Jun. p. n. an. VII.

2) Chron. Oliv. p. 22. *Schütz* p. 19 giebt fälschlich das Jahr
1236 an. Vgl. Voigt Geschichte Marienburgs S. 5.

ʼsucht war.   Hermann Balk ließ deßhalb hier unter der be=
ständigen Schutzwehr einer nahe liegenden Heerschaar eine
starke Burg erbauen, wie es scheint, die Ueberreste einer alten
heidnischen Burg benutzend, um in solcher Weise den Einbruch
der Feinde in das aufblühende Kulmische Gebiet zu hindern,
und als sie im Jahre 1234 vollendet war, ward ihr der Name
Rheden gegeben ¹).   Auch unter dem Schutze dieser Burg sie=
delte sich bald eine Anzahl von Bewohnern an und weil die=
ses dem Landmeister ein Mittel mehr zur Sicherheit des Kul=
merlandes schien, so setzte er in einer Verschreibung zur Grün=
dung einer Stadt hundert Morgen Landes aus und entwarf
für diese Stadt in einem Privilegium die nöthige städtische
Ordnung und Verfassung ²).   Die Burg Rheden aber, schon

1) *Dusburg* P. III. c. 12. Die in der Hartknochischen Ausgabe
dieses Chronisten angegebene Jahrzahl 1233 ist ein bloßer Druckfehler,
denn sowohl die Codd. Berol. und Regiomont. dieser Chronik, als
der alte Uebersetzer Dusburgs Jeroschin haben das richtige Jahr
1234; eben so die Ordens=Chron. (Mscr.) S. 26. Das Chron.
Oliv. p. 22 erwähnt, die Burg sey noch erbaut worden cum auxilio
peregrinorum, also bevor noch das Kreuzheer auseinander ging. Lucas
David B. II. S. 78. Der Zweck des Aufbaues dieser Burg liegt
bei *Dusburg* in den Worten ausgesprochen: Aedificavit castrum
de Redino ante solitudinem, quae fuit inter terram Pomesa-
niae et Colmensem, in illo loco, ubi continuus insultus fuerat
Pruthenorum et introitus ad terram Colmensem. Eben so die
Ordens=Chron. a. a. O.
    2) Dieses Privilegium oder die Gründungs=Urkunde der Stadt
Rheden ist nicht mehr vorhanden. Schon 30 Jahre nach der Grün=
dung war es verloren gegangen. Als das älteste Privilegium über Rhe=
den haben wir jetzt nur noch das vom Landmeister Conrad von Thier=
berg erneuerte, worin es gleich im Eingange heißt: Fideles nostri
Scultetus, Consules et cives plures ad nostram accesserunt
presenciam, humiliter supplicantes, ut privilegium sibi super
fundacione Civitatis Radino a fratre Hermanno dicto Balk,
Magistro Prussie quondam indultum, sibi per negligenciam
perditum, innovare misericorditer dignaremur. Wir lernen in=
dessen doch die alte Gründungs=Urkunde durch diese erneuerte ihrem
wesentlichen Inhalte nach hinlänglich kennen. Gegeben wurde letztere
am 2ten März 1285.

durch ihre Lage faft unzugänglich, ward ftark mit Mann-
fchaft befetzt, um beim etwanigen Einfalle der Pomefa-
nier ins Kulmerland fofort mit aller Macht die nöthige Gegenwehr zu leiften [1].

Solche Vorficht zu des Landes Sicherheit ward um
fo nothwendiger, da nach Verlauf der Jahresfrift, welche der
Papft für den Glaubensdienft zum Erwerb der Seligkeit be-
ftimmt hatte, die Fürften in die Heimat mit ihren Heerhaufen zurückzogen und die Ordensritter mit ihrer eigenen fchwa-
chen Kriegsmacht gegen das aufgehetzte und fchwer erbitterte
heidnifche Volk nun allein das Land zu vertheidigen hatten.
Die Gefahr aber um des Landes Sicherheit ward bald noch
um fo bedenklicher, da nicht bloß der Zwiefpalt zwifchen dem
Orden und dem Bifchofe Chriftian, der um diefe Zeit wieder
frei war, noch immer fortdauerte und in feiner Dauer mehr
und mehr zunahm, fondern auch zwifchen dem Herzoge Conrad von Mafovien und den Ordensrittern eine ärgerliche Spaltung entftand und endlich auch zwifchen dem Herzoge Suantepolc
von Pommern und dem Herzoge Heinrich von Breslau fich ein
Streit erhob [2], der dem Orden vorerft wenigftens alle Ausficht
auf diefer Fürften Beihülfe in bringender Noth verfchloß.

Am wichtigften war der Streit des Ordens mit Herzog
Conrad von Mafovien. Er entftand, als im Jahre 1234
der Plan einer Vereinigung des Ordens der Dobriner-Brüder mit dem Deutfchen Orden ins Werk gefetzt werden follte.
Der Gedanke einer folchen Verbindung beider Orden lag nämlich unter den Verhältniffen, wie die Zeit fie herbeigeführt
und geftaltet hatte, in der That viel zu nahe, als daß er
nicht den Wünfchen der obern Gebietiger beider ritterlichen Vereine völlig hätte entfprechen müffen. Ohne Zweifel hatten
bisher die Ritterbrüder von Dobrin an allen Kämpfen gegen
die heidnifchen Preuffen mit Theil genommen. Für welchen
Gewinn aber hatten fie Blut und Opfer dargebracht? Alles,

---

1) Lucas David B. II. S. 78. 81.
2) *Henelii ab Hennenfeld* Annal. Siles. ap. *Sommersberg*
T. II. p. 247. Kantzow B. I. S. 237.

was bisher errungen war, die Freiheit und Sicherheit des Kulmerlandes, war nur dem Deutschen Orden zugefallen und ohne Preis und ohne Ersatz ihrer Verluste hatten sie Leben und Kraft eingesetzt. Und was anderes war für sie in der Zukunft zu erwarten? Der nächste Zweck ihrer einstigen Stiftung schien bereits erreicht, denn durch die Säuberung und Befreiung der Kulmischen Landschaft waren zugleich auch die Gränzen des Herzogthums Masovien gesichert. Sollte demnach ihr ritterlicher Verein fernerhin noch fortdauern, so schien eine Erweiterung ihrer früheren Bestimmung wohl durch= aus nothwendig. Sobald indessen der erweiterte Zweck die fortdauernde Bekämpfung der Heiden und die Verbreitung und Vertheidigung des Glaubens betraf, so mußte er noth= wendig mit dem des Deutschen Ordens zusammenfallen und somit auch den Gedanken einer Vereinigung beider Orden herbeiführen. Zudem war sicherlich die Brüderzahl des Do= briner Ordens, seitdem der Deutsche Orden in seiner Nähe ihn so bedeutend überschattete, nicht sonderlich vermehrt wor= den. Für den Deutschen Orden aber waren der Gewinn an neuem Güterbesitz, den Herzog Conrad dem Orden von Do= brin ertheilt, die vergrößerte Zahl von Ordensbrüdern, die in= nigere Verbindung zum Kampf und Widerstand gegen die dro= henden Heiden wohl Antriebe und Lockungen genug, die Do= briner Ritterbrüder gerne in sich aufzunehmen. Nur der Her= zog von Masovien trat dem Plane hinderlich entgegen. Zwar stand ihm über die Vereinigung beider Orden selbst wohl schwerlich eine Stimme zu; aber darüber glaubte nur er allein entscheiden zu dürfen, ob die Brüder von Dobrin auch die von ihm erbaute Burg Dobrin und die in seinem Lande lie= genden, dem Orden zugewandten Besitzungen nach ihrer Ver= bindung mit dem Deutschen Orden an diesen mit hinüberbrin= gen könnten; wozu er keineswegs seine Zustimmung geben wollte.

Da beschloß der Papst Gregorius, von diesen Verhält= nissen benachrichtigt, theils zur Beseitigung dieser zwischen dem Bischofe Christian, dem Herzoge von Masovien und dem

Orden entstandenen Irrungen, theils auch zur Anordnung mancher andern sowohl kirchlichen als politischen Verhältnisse in verschiedenen nordischen Ländern, besonders in Livland [1]), einen neuen Legaten zu senden, und erkor hiezu den schon früher hier anwesenden und mit der Lage der Dinge, wie mit der Sitte und Sprache der Völker schon bekannten Bischof Wilhelm von Modena. Er überwies ihm eine sehr ausgedehnte Vollmacht über die Verfassung und Einrichtung des ganzen kirchlichen Wesens, besonders über die Anordnung und Eintheilung der Bisthümer in den nordischen Ländern [2]) und meldete des Legaten Ankunft und seiner Sendung Zweck den Christen in Livland, Preussen, Gothland, Finnland, Estland, Semgallen und Kurland in einem besondern Schreiben [3]), sie alle ermahnend, den ehrwürdigen Bischof, der schon früher viele Bewohner dieser Lande zum Lichte des wahren Glaubens geführt und jetzt um ihres Heiles Willen sein bischöfliches Amt zu Modena verlassen habe, freundlich zu empfangen und seinen Geboten und Anordnungen in aller Weise Folge zu leisten [4]).

So kam im Vorsommer des Jahres 1234 der päpstliche Legat in Preussen an [5]). Die Beseitigung des Streites zwi=

---

1) *Estrup.* Idea Hierarch. Roman. p. 38 seq.

2) „Instruxit auctoritate, ut episcopatus conjungere vel dividere, praeficere episcopos ac consecrare, vel etiam initiatos in alias ecclesias traducere posset." *Raynald.* an. 1234. Nr. 45. Bisher hatte der Bischof von Semgallen Balduin von Alna das Amt eines päpstlichen Legaten in den genannten nordischen Ländern verwaltet; *Gruber* Origin. Livon. p. 183. Vgl. das Schreiben des Papstes an den Legaten Wilhelm von Modena in *Dogiel.* T. V. Nr. 17. p. 12 und Nr. 18. p. 13.

3) Das Schreiben ist gerichtet an Universos Christi fideles per Livoniam, Prussiam, Gothlandiam, Winlandiam, Estoniam, Semigalliam, Curlandiam et caeteras neophytorum et paganorum provincias et insulas constitutos.

4) Das päpstl. Schreiben f. bei *Raynald.* an. 1234. Nr. 45. und *Gruber* Origin. Livon. sylva Document. Nr. 50; es ist datirt: Lateran. IX Cal. Martii p. n. an. VII (21. Febr. 1234).

5) Wenigstens im Vorsommer oder schon im Frühling muß nach des Papstes Schreiben der Legat in Preussen erschienen seyn.

schen dem Orden und dem Bischofe Christian war ohne Zwei=
fel das erste und wichtigste seiner Geschäfte. Er billigte aber
keineswegs die Art und das Verhältniß, nach welchem vor
wenigen Jahren der Bischof die Theilung des Landes vorge=
schlagen und dem Orden nur den dritten Theil hatte überlas=
sen wollen; auch der Meinung des Bischofs, daß das für die
Kirche neugewonnene Land dem Rechte nach ihm zugehöre,
konnte er nicht beipflichten. Er ging vielmehr von der Ueber=
zeugung aus, daß dem höheren Verdienste auch seine höhere
Anerkennung und der Arbeit und Mühe ihr gerechter Lohn zu
Theil werden müsse. Deshalb sprach er bei der Entscheidung
des obwaltenden Streites von allem bisher schon erworbenen
und forthin noch zu erwerbenden Lande dem Orden zwei
Theile mit allem zeitlichen Einkommen, dem Bischofe dagegen
nur den dritten Theil zu, doch dergestalt, daß in den bei=
den Ordens=Theilen das geistliche Recht, welches nur durch
einen Bischof ausgeübt werden könne, auch dem letztern zu=
kommen solle [1]). Christian begnügte sich mit dieser Entschei=
dung, obgleich sie schwerlich seinen Wünschen entsprechen mochte.
Doch späterhin warf man über des Legaten Bestimmung noch

---

1) Ueber diese Entscheidung spricht eine bisher noch ganz unbekannte
Urkunde, die sich im geh. Archive im Folianten: Privilegien des Kul=
mischen Landes p. XI befindet. Sie ist zwar ohne Datum und in et=
was späterer Zeit abgefaßt, berührt aber die um diese Zeit geschehene
Vertheilung des Landes mit folgenden Worten: Cum questio verte=
retur inter Cristianum primum Episcopum Prussie generalem,
et fratres de domo Theutonica super divisione Terrarum et
reddituum et nos in partibus illis tunc temporis plene lega=
tionis officio fungeremur, talem de consensu parcium concor=
diam et transactionem stabilivimus inter eos, quod de terris
tunc acquisitis et in posterum acquirendis fratres, qui portant
pondus diei et estus, duas partes haberent cum omni tempo=
rali proventu, et Episcopus terciam cum omni integritate ha=
beret, sic tamen quod in duabus partibus fratrum illud jus
haberet spirituale, quod non potest nisi per Episcopum exer=
ceri. — Darauf wird auch bei der spätern Anordnung der Bisthümer
in Preussen Bezug genommen; vgl. die Urkunde in der Ausgabe des
Dusburg p. 477.

die neue Streitfrage auf: ob unter dem zeitlichen Einkommen, welches dem Orden in seinen Theilen zuerkannt war, auch der Zehnte zu verstehen sey? Es scheint, daß Christian darauf hinausging, sich diesen als eine kirchliche Abgabe zuzueignen, ohne auf die päpstlichen Bestimmungen zu achten, nach welchen der Orden längst schon von aller Zehnten-Leistung an die Geistlichen frei gesprochen war. Es trat deßhalb der Legat auch hier als Vermittler mit der Entscheidung auf, daß der Zehnte in den beiden Theilen des Ordens nur diesem allein zugehöre, weil hierin ja das wesentliche Einkommen des Ordens in seinen Landestheilen begriffen sey [1]).

Nicht so leicht beseitigt war der Streit zwischen dem Orden und dem Herzoge von Masovien. Die Vereinigung der Ordensbrüder von Dobrin mit dem Deutschen Orden war bereits geschehen. Die Deutschen Ordensritter aber hatten sich zugleich auch der Burg Dobrin und der den Dobriner-Brüdern gehörigen nahe gelegenen Besitzungen bemächtigt [2]), nicht bloß ohne des Herzogs Zustimmung, sondern sogar gegen seinen offen dargelegten Einspruch. Selbst dem päpstlichen Legaten gelang in seiner Vermittlung nicht so leicht eine gütliche Ausgleichung. Für den Herzog aber war gerade jetzt, da die Großen Polens verlangten, er solle der Vormundschaft über seinen Neffen Boleslav entsagen und diesem sein väterliches Erbe zu eigener Verwaltung übergeben [3]), die Sache von um so größerer Wichtigkeit, weil er an seinem eigenen Lande durch die Uebergabe der Besitzungen der Dobriner-Brüder an den Deutschen Orden mindestens ein Gebiet von 24 Meilen in die Länge und 12 bis 15 Meilen in die Breite zwischen der Weichsel und dem Flusse Mene (Mnien) verloren haben würde, denn so viel betrug der Umfang dessen, was er dem Orden von Dobrin übergeben hatte [4]). Außerdem erschwerte die

---

1) Darüber spricht sich die so eben erwähnte Urkunde weiter aus.

2) S. Abhandlung über den Dobriner-Orden in meiner Geschichte der Eidechsen-Gesellschaft S. 270; die Urkunde bei Kotzebue B. I. S. 379.

3) *Boguphal.* p. 58. *Dlugoss.* T. I. p. 651.

4) *Guden.* Codex diplom. T. I. p. 517 — 518 liefert eine

Ausgleichung dieser Streitsache auch noch der Umstand, daß
die Ritterbrüder von Dobrin einige Zeit vor ihrer Vereinigung
mit dem Deutschen Orden einen ansehnlichen Theil des Lan=
des Dobrin mit der Burg Mckgowe an den Propst Eckbert
von Dobrin abgetreten, dieser aber das ihm abgelassene Ge=
biet an die Kirche zu Mainz übertragen und von ihr als
Zinslehen zurückgenommen hatte [1]). Bevor jedoch der päpstliche
Legat in der Streitsache überhaupt einen entscheidenden Schritt
thun konnte, mußte der Papst zuerst die Vereinigung beider
Orden ausdrücklich genehmigen. So ward also vorerst nach
Rom Bericht gesandt.

Wie hartnäckig indessen dieser Streit zwischen beiden Thei=
len geführt ward, mag selbst daraus erhellen, daß der Orden
es sogar für nöthig fand, sich in dem Besitze des Kulmer=
landes noch sicherer zu stellen. Zwar konnte in Conrads Ver=
schreibungen hierüber wohl kaum irgend etwas in Zweifel ge=
zogen werden, zwar war auch von seinen Nachkommen auf
des Landes Besitz für ewige Zeiten Verzicht geleistet, und erst
im letzten Jahre hatte der Landmeister Hermann Balk Con=
rads Schenkung auch durch dessen Sohn den Herzog Casimir
von Lanziz und Cujavien noch einmal feierlich bestätigen las=
sen [2]). Allein der Orden hielt es unter den obwaltenden Ver=

Urkunde des Propstes Eckbert von Dobrin, worin es heißt: Dux Cunradus Mazoviensis totam Terram, quae infra duas aquas, Mene scilicet et Wezele continetur, longitudinis XXIIII miliarium, latitudinis vero alicubi XII, alicubi vero XV miliarum
tradidit Militibus Christi de Prussia inhabitandam et jure do-
minii libere perpetuo possidendam. Der Fluß Mene ist der je=
tzige Mnien, welcher aus der Gegend von Lipno her in die Weichsel
fließt und damals die südliche Gränze des Dobriner=Landes bildete.

1) Dieses geschah erst im J. 1233. Die Urkunde hierüber steht in
Guden. Cod. l. c. Die Burg Mckgowe lag höchst wahrscheinlich bei
dem jetzigen Dorfe Morgowo.

2) Die Urkunde hierüber ist datirt: Strele in caminata patris
nostri in Epiphania dom. anno 1233. Als Zeugen sind unter an=
dern angegeben: Hermannus Balcho, Benedictus, Conradus fratres domus theutonice. Wir besitzen davon noch ein Transsumt

hältnissen doch für nothwendig, den Papst Gregorius noch um
eine besondere feierliche Zusage über das Land zu ersuchen [1]).
Der Papst aber nahm das ganze Land nicht bloß in den be=
sondern Schutz der Römischen Kirche und erklärte es für ein
rechtmäßiges Eigenthum des Apostels Petrus, also daß es nie
wieder der Herrschaft eines andern Herrn unterworfen werden
könne und nur dem Orden als von der Römischen Kirche zu=
rückgeschenkt verbleiben dürfe, sondern er bestätigte diesem zum
voraus auch alle Eroberungen, die er im Lande der Heiden
fortan noch gewinnen werde, doch mit dem Vorbehalte, daß
in den neugewonnenen Landgebieten nach des Papstes Anord=
nung Kirchen errichtet, Bischöfe und Prälaten eingesetzt, diesen ein
Theil des Landes überlassen, die Versprechungen und Verträge,
welche den gegenwärtigen Landesbewohnern gegeben seyen oder
inskünftige gegeben würden, getreu aufrecht erhalten und zur
Anerkennung der Oberherrschaft und der vom Römischen Stuhle
erhaltenen Freiheit an diesen ein jährlicher Zins gezahlt wer=
den solle [2]). Für den Orden war diese Verfügung des Pap=
stes, die sonder Zweifel auf Anlaß und mit Einstimmung des
Hochmeisters Hermann von Salza gegeben ward, in vieler
Beziehung von äußerster Wichtigkeit. Zwar trat er hiedurch
zur Römischen Kirche in Beziehung auf seine Besitzungen in
Preussen in ein förmliches Lehnsverhältniß und ward Vasall

---

bat. Riesenburg d. 9. Aug. 1419, im geh. Archive Schiebl. 57. 7.
Dreger Nr. 93. p. 157.

1) Die frühere pästliche Bestätigungs = Bulle (*Dreger* Nr. 85)
schien gewiß dem Orden auch deswegen nicht ganz genügend, weil vom
Kulmerland im Ganzen darin gar nicht die Rede war, sondern nur
das castrum quod Colmen dicitur cum pertinentiis suis genannt
wurde.

2) Diese Bulle befindet sich in einem Original = Transsumt im geh.
Archive Schiebl. II. 32. Ihr Datum ist: Reate III. Non. Aug. P.
n. an. VIII (3. Aug. 1234). Das Transsumt ist datirt: Riesenburg
den 18ten Nov. 1448. *Dreger* Nr. 160 p. 246 theilt nur die Er=
neuerung derselben durch Innocenz IV mit; diese Bulle Gregorius IX
hat er nicht gekannt, denn er deutet die Beziehung, welche Innocenz
in seiner Bulle auf die Gregorius IX anführt, auf die erste Bestäti=
gungs = Bulle.

des Römischen Stuhles [1]); allein es war solches offenbar das
zuverlässigste Mittel, sich den Besitz seiner Erwerbungen und
Eroberungen gegen jegliche fremde Macht zu sichern. Anfech=
tungen von Seiten des Herzogs von Masovien waren von
jetzt an zugleich Angriffe auf das Eigenthum des heiligen Stuh=
les zu Rom, und der Orden hatte für seine Besitzungen nun
einen Schutzherrn gewonnen, gegen welchen kein Vergehen ohne
schwere Ahndung blieb.

Für die Ausgleichung des Streites zwischen dem Orden
und Herzog Conrad war freilich hiedurch nichts gefördert und
für den glücklichen Fortgang der Unterwerfung und Bekehrung
der Preussen mußte der Zwiespalt natürlich immer verderbli=
cher einwirken, da Conrad alle fernere Theilnahme am Kam=
pfe versagte. Daher erließ der Papst an ihn ein bringendes
Ermahnungsschreiben, ihn auffordernd, den Ordensbrüdern
auch fernerhin mit seiner Gunst, seinem Schutze und seiner
Hülfe in ihren Unternehmungen nicht bloß thätig und theilneh=
mend beizustehen, sondern auch allen Schaden und alles Un=
recht, welches dem Orden widerfahren könne, auf jegliche
Weise abzuwehren, zugleich aber dem Herzoge anzeigend, daß
er das von den Rittern bereits gewonnene und inskünftige
noch zu gewinnende Land zum Eigenthum des Apostels Pe=
trus und in den Schutz der Römischen Kirche aufgenommen
habe [2]. Und eine gleiche Ermahnung richtete der Papst auch

---

1) In der Erneuerungs=Urkunde von Innocenz IV bei *Dreger*
Nr. 160 wird dieses Verhältniß noch klarer durch die Worte ausgespro=
chen: Te dilecte in domino, fili Gerarde magister domus eiusdem annulo nostro de terra investientes eadem, ita quod ista
pro qua fidelitatem sedi apostolice promisisti, per vos aut
alios nullius unquam subjiciatur dominio potestatis. *Dreger*
irrt darin, daß er unter diesem Gerhard den nachfolgenden Landmeister
Gerhard von Hirzberg versteht, der die Verwaltung erst später erhielt.
Der Papst meint den Hochmeister Gerhard von Malberg, welcher die
Meisterwürde seit dem Jahre 1241 hatte.

2) Diese Bulle befindet sich in einem Transsumt vom Jahre 1448
im geh. Archive Schiebl. II. 33; abgedruckt in den Actis Boruss. B.
I. S. 416 — 418 (ziemlich fehlerhaft) und bei *Dogiel* T. IV. Nr. 17.

an die Bischöfe von Masovien und Cujavien, deren Obhut er
den Orden noch besonders empfahl [1]).

Es war also immer noch dieselbe Gunst und die nämliche
Zuneigung, mit welcher der Papst das Wohl und Gedeihen
des Ordens in aller Weise zu fördern strebte, denn so sehr er
in dieser Zeit auch in Italien selbst, in den Römischen und
Lombardischen Streitigkeiten beschäftigt war und so hinderlich
auch mancherlei Unruhen und Bewegungen in Deutschland [*])
den Wünschen des Ordens, von dorther mit stärkerer Hülfe
unterstützt zu werden, entgegen wirkten, so blieb Gregorius
doch fort und fort unermüdlich thätig, das begonnene Werk
der Ordensritter in Preussen auf jede Weise zu begünstigen
und durch sein aufmunterndes Wort zu fördern. „Mit jauch=
zender Freude in dem Herrn — so schrieb er den in Preus=
sen noch zurückgebliebenen Pilgerbrüdern —, daß in euch der
Glaube in solcher Reinheit glänzet, daß ihr ausgezogen aus
euerer Heimat, dem Heeresdienste gegen der Ungläubigen wil=
den Geist euch unterzogen habt und daß durch den Eifer eue=
rer Tugend und Tapferkeit, wie wir aus Berichten vernom=
men, das Gebiet der Gläubigen an den Gränzen Preussens,
durch göttliche Mithülfe, von den Anfällen der Preussen schon
befreit ist, rufen wir euch ermahnend zu, daß Gottes Sohn
dem braven Kämpfer die Krone des Ruhmes verheißen hat
und daß den Mühen kurzer Zeit der ewige Lohn des Lebens
folget. Darum erwäget, daß die Tage der Menschen wie ein
Schatten vorüber gehen und daß ein jeglicher den Lohn der
Herrlichkeit empfangen wird nach dem Maaße seiner Werke.
Also beharret im Dienste des Erlösers; richtet alle euere
Schritte nach dem Rathe des Meisters und der Brüder des
Hospitals der heiligen Maria, die alles, was sie sind und

---

p. 12. Das Datum ist: Spoleto V Idus Sept. p. n. an. VIII.
(9. Sept. 1234). Dogiel hat ein unrichtiges Datum. S. meine Ab=
handlung über den Dobriner=Orden a. a. O. S. 270.

1) Das Original dieser Bulle von demselben Datum im geh. Arch.
Schiebl. II. 36.

2) Vgl. Raumer Hohenstauf. B. III. S. 658 ff. und 685 ff.

was sie haben, für das Heil der Gläubigen eingesetzt in Christi Namen, auf daß in euch, gestärkt durch Einigkeit und Beharrlichkeit, der Glaube den Lohn des Sieges und Triumph erhalte [1]."

Auch an die Neubekehrten in Preussen erließ der Papst ein aufmunterndes Wort: „Mit unendlicher Freude sind wir durchdrungen, daß der glorreiche Sohn des ewigen Vaters, von der Jungfrau geboren, der die Finsterniß des blinden Menschen durch des Lichtes Klarheit auch bei euch durchbrochen hat, euch die Reinheit des wahren Glaubens zu erkennen gegeben, der alle, welche in der Furcht des Herrn standhaft beharren, zum Vaterlande des Himmels führet. Darum ermahnen wir euch im Herrn, mit Verheißung der Vergebung euerer Sünden, erwäget reiflich, wie schnell vergänglich die Mühe ist für den Lohn ewiger Ruhe mit der Freude, wenn ihr männlich beharret in der Beobachtung der Gebote Gottes und keiner Versuchung nachgebet, vom Pfade des Rechten abzuweichen. Damit ihr aber um so leichter im Namen Christi fortschreiten und euer Geist an heilsamen Beispielen sich bilden könne, so ermuntern wir euch: achtet auf die frommen Ermahnungen und Beispiele des Meisters und der Brüder des Hospitals der heiligen Maria, unserer geliebten Söhne, welche die eitle Lust der Welt verlassen, um durch Tugend des himmlischen Reiches Freuden zu erwerben; eifert ihnen nach, die wir um die Menge ihrer Verdienste zu Söhnen unserer Kirche angenommen haben, denn nur so mag es geschehen, daß unter solcher Einigkeit des Willens des Glaubens Erweiterung mit Christi Hülfe fortschreitet und dereinst ihr alle im Reiche der Seligen ruhet [2]."

---

1) Das Original dieses päpstlichen Schreibens, datirt: Spoleti V Idus Septemb. p. n. an. VIII. (9. Sept. 1234) im geh. Archive Schiebl. II. 35.

2) Das Original dieser Bulle, datirt: Spoleti V Idus Sept. p. n. an. VIII. (9. Sept. 1234) im geh. Archive Schiebl. II. 38 und ein Original-Duplicat Nr. 39. Auch *Bsovius* Annal. Eccles. T. XIII. p. 436 erwähnt einer Bulle, worin der Papst Neophytos Pruthenos

Dieselbige Gunst und Zuneigung des Papstes gegen den Orden zeigte sich auch in der unermüdlichen Sorgsamkeit und in dem thätigsten Eifer, um dem Orden die nöthigen Mittel zur weiteren Förderung seines Werkes des Glaubens zur Hand zu stellen [1]). Immer noch wurde auf seinen Betrieb in Deutschland für den Orden das Kreuz geprediget [2]). An die Erzbischöfe und Bischöfe, in deren Kirchengebieten die Kreuzpredigten gegen die Preussen angeordnet waren, erließ er den Befehl, diejenigen, in deren Händen Legate zur Unterstützung des Krieges in Preussen befindlich seyen, zur Auslieferung derselben an die Brüder des Ordens mit Ernst und Nachdruck anzuhalten, damit in solcher Weise das christliche Heer sich um so kräftigerer Beihülfe erfreue [3]). Dieselbige Aufforderung erging an die Brüder des Prediger = Ordens, welche das Kreuz predigten [4]). Und bald nachher ertheilte diesen der Papst auch die Weisung, allen denen, welche den Christen im Kampfe gegen die Preussen in irgend einer Art Beistand leisten würden, mit Gunst und jeder möglichen Hülfe entgegen zu kommen, solche dagegen, die sich ihnen hindernd entgegen setzen würden, ohne weiteres mit dem Banne zu bestrafen [5]).

in tutelam Sedis Apostolicae recepit utque militibus Theutonicis in rebus ad fidem spectantibus obtemperarent, praecipit.

1) Daher sagt er in einer Bulle an die hohe Geistlichkeit: Cum sicut accepimus in Pruscie partibus favoris divini munere ampliata sit gloria fidei christiane, nos exinde in virtutum domino gratulantes, ac ex intimo cupient, ut quod ibi laudabiliter inceptum esse dinoscitur, fine prospero concludatur libenter studium nostre provisionis apponimus et efficaciter in domino procuramus.

2) Unter andern wurde vom Papste auch der Herzog Otto von Baiern zum Kreuzzuge gegen die Preussen aufgefordert; s. Lang Baier. Jahrb. S. 93.

3) Original = Bulle, datirt: Spoleti V Idus Septemb. p. n. an. VIII im geh. Archive Schiebl. II. 34.

4) Die gleichlautende und am nämlichen Tage ausgestellte Bulle im Original im geh. Archive Schiebl. II. 37.

5) Original = Bulle, datirt: Viterbi .... p. n. an. IX im geh.

Mit gleichem Eifer bot der Papst auch alle Mittel auf, durch welche zur Belebung und Förderung des Kampfes die Zahl der Ordensbrüder vermehrt werden konnte. Der Erzbischof von Köln und der Bischof von Merseburg erhielten den Befehl, diejenigen Ordensbrüder, welche vor dem Eintritte in die Verbrüderung wegen gewaltthätiger Handlungen, wegen Raub und Brand mit dem Banne bestraft seyen, sofort frei zu sprechen, sofern den Benachtheiligten der erlittene Schade gut gethan sey [1]). Zu dem nämlichen Zwecke erließ der Papst bald darauf an alle Erzbischöfe, Bischöfe und sämmtliche Prälaten der Kirche eine Bekanntmachung aller den Deutschen Ordensrittern als geistlichen Personen von ihm verliehenen Vorzüge, Gerechtsame und Freiheiten, mit dem Befehle, in ihren Kirchensprengeln jedermann davon in Kenntniß zu setzen [2]).

Und auch diese Bemühungen des Papstes hatten für den Orden den günstigsten Erfolg. Von allen Seiten her meldeten sich Burgherren und Ritter zur Aufnahme in den ritterlichen Brüderverein. Der Landgraf Conrad von Thüringen fand sich geehrt, als er um diese Zeit mit vierundzwanzig seiner Edlen den Ordensmantel erhielt [3]), und er bewies so=

Archive Schiebl. II. 41. Das Datum des Tages und mehre Worte sind ausgefressen.

1) Die Bulle an den Erzbischof von Köln, datirt: Reate XIV Calend. Jun. p. n. an. VIII steht im großen Privilegienbuche p. 67; die an den Bischof von Merseburg, datirt: Reate XIII Calend. Julii p. n. an. VIII im kleinen Privilegienbuche p. 173.

2) Die Original=Bulle, datirt: Perugia IV Idus Februar. p. n. an. VIII (10. Febr. 1235) im geh. Archive Schiebl. II. 40.

3) Nach der Urkunde bei *Guden.* Cod. diplom. T. IV. p. 876 war Conrad im Jahre 1234 unbezweifelt schon Deutscher Ordensbruder, denn sein eigener Bruder Heinrich sagt darin ausdrücklich: Cum dilectus frater noster Conradus, divino accensus zelo legeque privata sancti Spiritus ductus et inspiratus, se Ordini fratrum Domus Theutonice devovisset. — Auch *Rohte* Chron. Thuring. ap. *Mencken* T. II. p. 1731 giebt jenes Jahr als die Zeit des Eintrittes in den Orden an. Das Chron. Erfurd. ap. *Schannat.* Vindem. Litter. p. 95 sagt: Hoc etiam anno (1234) XIV Calend. Decembr. Cunradus Saxoniae Comes Palatinus cum duobus Clericis et

gleich seine hohe Geneigtheit für den Orden auch noch dadurch,
daß er mit seinem Bruder Heinrich und seinem Neffen Hermann denselben mit einer bedeutenden Güter = Schenkung
bereicherte [1]). So bethätigte das edle Haus der Landgrafen
von Thüringen aufs neue und auf die ausgezeichnetste Weise
die hohe Zuneigung und Liebe, die schon seit des Ordens
Stiftung die Häupter dieses Hauses vor allem gegen diesen
Ritterverein gehegt hatten. Doch übertrafen die erwähnten
beiden Brüder Heinrich und Conrad an Milthätigkeit und
Freigebigkeit alle ihre Vorfahren, denn durch sie geschah die
Begründung einer der wichtigsten Besitzungen des Ordens in
Deutschen Landen. Die fromme Elisabeth nämlich, des Landgrafen Ludwig Gemahlin, hatte das Krankenhospital und die
Kapelle, welche sie zu Marburg erbaut und ihr Leben lang
mit aller Liebe ihrer milden und reinen Seele an zeitlichen
Gütern versorgt hatte, am Ende ihrer Tage in die Hände
des Deutschen Ordens übergeben [2]). Als nun die edle Für-
stin in frommer Duldung starb, drohte ihrer Stiftung zwar
schon die Gefahr des Unterganges; allein die fürstlichen Brü-

---

IX Militibus contulit se Ordini Domus Theutonicae in Mar-
burc, cum annuis redditibus M et C maldrorum annonae et
.... argenti. Hier ist aber der Tag des Eintrittes etwas zu spät
angegeben. Vgl. Rommel Geschichte von Hessen B. I. S. 248 und
Historisch = diplomat. Unterricht und gründliche Deduction u. s. w. S.
21. Alle Quellen stimmen jedoch mit dieser Zeitbestimmung nicht über`
ein. Siffridi Presbyt. Epitome ap. Pistor. T. I. p. 1043 läßt
Conraden erst im Jahre 1238 das Ordenskleid annehmen, offenbar eine
viel zu späte Zeit; ebenso andere Chronisten. Dagegen sagt die Historia de Landgrav. Thuring. ap. Pistor. T. I. p. 1325, der Eintritt Conrads sey schon im Jahre 1232 geschehen; so auch die Monumenta monaster. Reinhardborn. in Thuringia Sacra p. 110.
wo auf Tenzelii Biblioth. curiosa p. 1073 hingewiesen ist.

1) Guden l. c. p. 877. Historisch=diplom. Unterricht und gründliche Deduction Nr. 45.

2) Rohte Chron. Thuring. ap. Mencken T. II. p. 1735.
Ayrmann Nachricht von der ersten Ankunft des Deutschen Ordens
zu Marburg in Rotters Hessischen Nachrichten Samml. II. Rommel a. a. O. S. 291 — 292.

der Conrad und Heinrich hielten sie mit wohlthätiger Hand auch fernerhin nicht bloß aufrecht [1]), sondern erhoben sie erst zu ihrer ganzen Blüthe, denn indem sie dem Deutschen Orden die Aufsicht über die Stiftung nebst dem Patronate über die Kirche zu Marburg übertrugen und ihm zur Erhaltung des Hofpitals und der in ihm dienenden Ordensbrüder einen bedeutenden Güterbezirk in der Nähe von Marburg übergaben, erhielt Marburg in der Geschichte des Ordens seine erste große Wichtigkeit als der Hauptsitz des Landkomthurs von Hessen, dem mehre Komthureien in Thüringen und andern Gebieten Deutschlands untergeben waren [2]).

Aber nicht allein in Thüringen und Hessen, auch in andern Deutschen Landen erweckte der Papst den regsten Sinn der Wohlthätigkeit gegen den Deutschen Orden und überall fanden bedrängte Gemüther seligen Trost für ihr einstiges Heil in frommen Spendungen an die ritterliche Stiftung, deren Verdienste um Kirche und Christenthum Gregorius nie genug zu erheben wußte. Und je mehr das schwere Werk des Ordens für die Verbreitung des Glaubens in Preussen gelang und des Ordens Verdienst durch die That bewährt wurde, um so lebendiger fanden frommgesinnte Seelen sich auch aufgefordert, durch Wohlthaten und Spenden an den Orden zugleich jenes Werk für Glauben und Evangelium zu fördern. Wo aber Kaiser und Könige vorangingen, da folgten Fürsten und Edle gerne nach. Schon im J. 1232 hatte Kaiser Friederich dem Orden durch die Schenkung der Burg Monticelli und aller ihrer Zubehörungen, die Wasser=, Wiesen= und Holz=Freiheit in seinen Domainen, so wie durch die Zollbefreiung in seinem ganzen Reiche einen neuen Beweis seiner fortdauernden kaiserlichen Huld gegeben. Im Jahre 1235 beschenkte er ihn ferner mit ei=

---

1) Histor.=diplomat. Unterricht und gründl. Deduction Nr. 7.

2) Die hierauf bezüglichen Urkunden f. in Historisch=diplomat. Unterricht und gründliche Deduction p. 21 — 22 und Nr. 45. 46. 47.

alle Zeitereignisse des Landes eben so thätig und gewichtvoll einwirkend, als am kaiserlichen und am päpstlichen Hofe mit hoher Auszeichnung beehrt. Fast nichts von Wichtigkeit und Einfluß ward unternommen, verhandelt und beschlossen, wobei nicht Hermann von Salza zur Theilnahme bald vom Kaiser, bald vom Papste aufgefordert und sein Rath vernommen wurde. Nur einmal, im Jahre 1231, hatte er Italien verlassen und in Angelegenheiten seines Ordens eine Reise nach Deutschland unternommen, von woher er aber schon im April zum Kaiser nach Italien wieder zurückkehrte ¹). Da bewogen den Kaiser die noch immer fortdauernden bedenklichen Unruhen unter den Städten Lombardiens, deren Beschwichtigung er für den Frieden und die Ordnung Italiens für so äußerst nothwendig hielt, den Hochmeister Hermann zur Berathung an den Papst zu senden, mit welchem dieser auch in Begleitung des Erzbischofs von Bari zu Reate im Juni eine wichtige Unterredung hielt ²), in deren Folge er dann mit Aufträgen des Kaisers nach Lombardien reiste ³), denn ungeachtet im Frieden zu S. Germano aller Zwist zwischen Friederich und den Gliedern des Lombarden=Bundes beseitigt schien, so hatten sich unter den letztern doch wieder mancherlei Besorgnisse erhoben, das alte Bündniß unter ihnen war wieder neu bestätigt, ja selbst mit König Heinrich, des Kaisers Sohn, eine bedenkliche, dem Vater gefährliche Unterhandlung angeknüpft worden ⁴). So sehr nun Hermann auch bemüht war, den Lombarden Vertrauen zu des Kaisers Wort einzuflößen

---

1) *Richard de S. Germano* p. 1026. Im Juli dieses Jahres finden wir ihn beim Kaiser zu Amalfi, nach einer Urkunde in *Goldasti* Comment. de jurib. regni Bohem. T. I. Docum. Nro. XV. p. 31.

2) *Richard de S. Germano* p. 1027.

3) *Richard de S. Germano* l. c.

4) *Rolandini* Chron. ap. *Muratori* T. VIII. p. 203. Monachi Patavini Chron. ibid. p. 674. *Gerardi Mauris.* Histor. ibid. p. 29. Chron. Patavin. ap. *Muratori* Antiquit. T. IV. p. 1132.

burg, wo sich eine bedeutende Zahl von Reichsfürsten und hohen Geistlichen zu des Kaisers Empfang versammelt, ward Heinrich des Verrathes gegen seinen Vater für schuldig erkannt, seiner Würde als König in Deutschland förmlich entsetzt und sofort mit Unterstützung der Reichsfürsten durch Krieg heimgesucht [1]). Da trat Hermann von Salza abermals als Friedensstifter zur Vermittelung zwischen Vater und Sohn, begab sich in Heinrichs feste Burg Trifels, wohin sich dieser vor des Kaisers größerer Kriegsmacht geflüchtet hatte, und es gelang seinem ermahnenden Worte, den Sohn zu bewegen, des Vaters Gnade um Verzeihung anzuflehen [2]). Zu Worms geschah die Aussöhnung; aber freilich nur auf kurze Zeit, denn Heinrich, welcher Trifels nicht übergeben wollte und bald sogar beschuldigt ward, er habe seinem Vater mit Gift nach dem Leben gestrebt, wurde gefangen genommen und später auf ein festes Schloß nach Apulien abgeführt [3]).

Als hierauf der Kaiser unter Jubel und Festlichkeiten, denen auch Hermann beiwohnte [4]), seine Vermählung mit des Königs von England Schwester gefeiert, ließ er am funfzehnten August 1235 einen Reichstag nach Mainz berufen, um seinem Sohne Conrad die Deutsche Königswürde ertheilen zu lassen. Dort fand Hermann von Salza alle Reichsfürsten und eine bedeutende Zahl von hohen Geistlichen und

---

1) *Godefrid. Monach.* p. 299. Chron. Erfurd. ap. *Schannat.* Vindem. litter. p. 95.

2) Chron. Hirsaug. T. I. p. 562: Consilio tamen Hermanni Magistri Hospitalis Theut. S. Mariae, quem Imperator ad filium miserat, Henricus Rex persuasus, ad patrem venit in Wormatia. Chron. Erfurd. p. 95.

3) Chron. Wormat. ap. *Ludewig* Reliq. T. II. p. 119. Raumer B. III. S. 696. Chron. Elwang. in *Freher.* script. rer. Germ. p. 456.

4) *Raynald.* an. 1234, Nr. 30, liefert einen Brief des Kaisers an den Papst, woraus hervorgeht, daß auch Hermann von Salza bei dieser Vermählung mit thätig gewesen war. *Muratori* Antiq. Ital. T. VI. p. 86.

Edlen aus ganz Deutschland versammelt [1]). Für die Ver=
hältnisse des Ordens in Preußen war es aber vor allem wich=
tig, daß der Hochmeister auch den edlen Markgrafen Heinrich
von Meißen auf dem Tage zu Mainz sah [2]) und mit ihm
einen Kreuzzug zur Hülfe der Ordensritter in Preußen be=
sprach, denn ohne Zweifel geschah es damals, daß Markgraf
Heinrich dem Ordensmeister das Versprechen gab, sogleich im
nächsten Jahre den Zug nach Preußen anzutreten. Auch
manche von den auf dem Reichstage versammelten Edlen mag
der von allen so hoch geachtete und durch des Kaisers Gunst
so ausgezeichnete Meister zur Theilnahme an der Heerfahrt
gegen die Preußen gewonnen haben.

Kaum war nun Markgraf Heinrich von Meißen in die
Heimat zurückgekehrt, als er sogleich mit allem Eifer die nö=
thigen Vorbereitungen zum Heereszuge begann. Auch Her=
mann von Salza, obgleich er meist in des Kaisers Um=
gebung mit Berathung der Angelegenheiten des Reiches
beschäftigt war und sich im Laufe dieses Jahres 1235
theils in Regensburg, theils in Hagenau aufhielt [3]), war
für den Kreuzzug unablässig aufs eifrigste thätig. Und
als er darauf im Sommer des Jahres 1236 auf des Pap=
stes Verlangen vom Kaiser sich trennend in Sachen des
Reiches und der Kirche wieder nach Italien zurückging [4]),

---

1) Ueber Hermanns Anwesenheit auf dem Reichstage s. *Godefrid.
Monach.* Ducat. Brunsw. erect. ap. *Meibom.* T. III. p. 203.
Antiquit. Goslar. p. 250. Daß sich der Hochmeister noch am 24sten
August zu Mainz befand, beweiset eine Urkunde von diesem Tage, worin
er als Zeuge aufgeführt ist; s. Wencks Hessische Landesgeschichte B.
II. Urkundenbuch S. 153.

2) Chron. Luneburg. ap. *Leibnitz* T. III. p. 175.

3) Auch schon im August des J. 1235 befand sich Hermann bei
dem Kaiser zu Hagenau; s. *Ludewig* Reliqu. T. II. p. 217. Han=
selmann B. I. Nr. XXII. S. 399.

4) *Rajnald.* an. 1236, Nr. 6, führt den Brief des Papstes an
Hermann von Salza an, worin er ihn einlud, nach Italien zurückzu=
kehren ad ea, quae ad ecclesiam et imperium spectant, tractan-
da. *Herrgott* Monumenta domus Austr. T. I. p. 231 führt zwar

trat der Markgraf Heinrich den Heereszug gen Preus=
sen an [1]).

Mittlerweile aber hatten sich in Preussen die früheren
Verhältnisse merklich verändert. Die Vereinigung des Ordens
der Brüder von Dobrin mit dem Deutschen Orden war am
neunzehnten April des J. 1235 durch eine besondere Bulle
vom Papste förmlich genehmigt und die Einheit beider Or=
den bestätigt, vorzüglich auf Einwirkung des Bischofs von
Ploczk [2]). Dieser und der päpstliche Legat Wilhelm von Mo=
dena hatten hierauf im Laufe des Sommers auch den Streit
beizulegen gesucht, der noch immer zwischen dem Herzoge von
Masovien und dem Orden wegen der Besitzungen des Do=
briner = Ordens fortgedauert und durch eine gerichtliche Ver=
handlung nicht hatte geschlichtet werden können [3]). Erst im
October glückte ihrer eifrigen Vermittelung eine Ausgleichung
der streitigen Verhältnisse. Der Orden nämlich trat dem
Herzoge die Burg Dobrin mit ihren zugehörigen Landen,
das vormalige Besitzthum des Ordens von Dobrin, wieder
ab. Dagegen versprach Conrad von Masovien den Bewoh=
nern der Stadt, die unter den Mauern der Burg entstanden
war, alle Rechte und Verheißungen zu halten und zu ge=

eine Urkunde an, nach welcher Hermann im Januar 1236 in Wien ge=
wesen seyn müßte; allein die Urkunde hat die falsche Jahrzahl 1236
statt 1237.

1) Der Kriegszug des Markgrafen von Meißen kann nicht früher
als ins Jahr 1236 fallen, wie aus obigen Ursachen schon klar ist. Wir
haben auch Urkunden aus den Jahren 1234 und 1235, die des Mark=
grafen Anwesenheit in seinem Lande beweisen; s. *Ludewig* Reliqu.
T. I. p. 49. 52.

2) Das Original der päpstlichen Bulle befindet sich im National=
Archive zu Warschau. Einen Abdruck derselben s. in meiner Abhand=
lung über den Dobriner = Orden S. 272.

3) S. die Urkunde bei Kotzebue B. I. S. 379. Von einer sol=
chen gerichtlichen Verhandlung spricht auch die nachfolgende Vertrags=
Urkunde, indem sie sagt: es sey gestritten worden *super pluribus ca-
pitulis et specialiter super castro de Dobrin, de quo eciam
sub judice iam lis erat.*

18*

ſich dem Bannſpruche des Römiſchen Hofes und der Biſchöfe
von Cujavien und Maſovien, ſobald irgend einer dieſer Aus=
gleichung entgegen handeln werde [1]). — Dieſen Vergleich be=
ſtätigte bald nachher auch der Papſt [2]). In ſolcher Weiſe hatte
alſo der Orden außer der Vermehrung ſeiner Brüderzahl auch
ſein Gebiet anſehnlich erweitert, wiewohl er keineswegs zu
dem Ziele kam, dem er bei dem erſten Gedanken der Vereini=
gung beider Orden nachgegangen war. Bei dieſer Verbindung
aber ſcheinen nicht alle Glieder des Ordens von Dobrin in
die Deutſche Ordensverbrüderung übergegangen zu ſeyn. Durch
lockende Verſprechungen bewogen wandten ſich mehre von ih=
nen und namentlich auch der Meiſter des Ordens an ihren alten
Herrn, den Herzog Conrad, und erhielten von ihm bald dar=
auf die alte Burg Drohiczyn mit einem bedeutenden Landge=
biete zwiſchen den Flüſſen Bug und Nur bis an die Grän=
zen der Ruſſen, mit der Verpflichtung, dort Maſoviens Grän=
zen gegen die Angriffe ſeiner Feinde zu vertheidigen [3]). Da=

---

1) Dieſe Vertragsurkunde befindet ſich im Original im geh. Ar=
chive Schiebl. 57. 11 und in einem Vidimus des päpſtl. Legaten Opizo
von Meſſina mit dem Datum: Wladislavia IV Calend. Octob.
pontif. domini Inuocencii pape IIII anno undecimo ebendaſ.
Nr. 12. Im Abdrucke ſteht ſie bei Kotzebue B. I. S. 379, aber ſo
fehlerhaft, daß ſie an mehren Stellen kaum zu verſtehen iſt.

2) Die Urkunde in *Dogiel* Cod. diplom. T. IV. Nr. 18. p. 12.

3) Dieſe Nachricht giebt eine mir durch den Herrn Kriegsrath
Wohlbrück aus dem geh. Archive zu Berlin mitgetheilte Urkunde,
worin Herzog Conrad von Maſovien mit Einſtimmung ſeiner vier
Söhne erklärt: Conferimus et donamus magistro H. et fratribus
suis ordinis militum xpi domus quondam Dobrinensis castrum
Drohicin et totum territorium, quod ex eadem parte castri
continetur a medietate fluminum Bug et Nur usque ad metas
ruthenorum salvo jure ecclesie Mazovien. et nobilium, si quid
in predictis fluminibus hactenus habuerunt; die Ritter erhalten
es iure hereditario perpetuo possidendum, ut xpo sub ordinis
sui debito militantes ab instantia paganorum defendant populum xpianum. Idem vero H. videlicet magister ordinis ante-
dicti cum fratribus nobis et nostris filiis promiserunt, preci-
pue duci Mazovie ius patronatus fideliter observare. Prefa-

ſich dem Bannſpruche des Römiſchen Hofes und der Biſchöfe
von Cujavien und Maſovien, ſobald irgend einer dieſer Aus=
gleichung entgegen handeln werde [1]). — Dieſen Vergleich be=
ſtätigte bald nachher auch der Papſt [2]). In ſolcher Weiſe hatte
alſo der Orden außer der Vermehrung ſeiner Brüderzahl auch
ſein Gebiet anſehnlich erweitert, wiewohl er keineswegs zu
dem Ziele kam, dem er bei dem erſten Gedanken der Vereini=
gung beider Orden nachgegangen war.   Bei dieſer Verbindung
aber ſcheinen nicht alle Glieder des Ordens von Dobrin in
die Deutſche Ordensverbrüderung übergegangen zu ſeyn. Durch
lockende Verſprechungen bewogen wandten ſich mehre von ih=
nen und namentlich auch der Meiſter des Ordens an ihren alten
Herrn, den Herzog Conrad, und erhielten von ihm bald dar=
auf die alte Burg Drohiczyn mit einem bedeutenden Landge=
biete zwiſchen den Flüſſen Bug und Nur bis an die Grän=
zen der Ruſſen, mit der Verpflichtung, dort Maſoviens Grän=
zen gegen die Angriffe ſeiner Feinde zu vertheidigen [3]).   Da=

---

1) Dieſe Vertragsurkunde befindet ſich im Original im geh. Ar=
chive Schiebl. 57. 11 und in einem Vidimus des päpſtl. Legaten Opizo
von Meſſina mit dem Datum: Wladislavia IV Calend. Octob.
pontif. domini Innocencii pape IIII anno undecimo ebendaſ.
Nr. 12. Im Abbrucke ſteht ſie bei Kotzebue B. I. S. 379, aber ſo
fehlerhaft, daß ſie an mehren Stellen kaum zu verſtehen iſt.

2) Die Urkunde in *Dogiel* Cod. diplom. T. IV. Nr. 18. p. 12.

3) Dieſe Nachricht giebt eine mir durch den Herrn Kriegsrath
Wohlbrück aus dem geh. Archive zu Berlin mitgetheilte Urkunde,
worin Herzog Conrad von Maſovien mit Einſtimmung ſeiner vier
Söhne erklärt: Conferimus et donamus magistro H. et fratribus
suis ordinis militum xpi domus quondam Dobrinensis castrum
Drohicin et totum territorium, quod ex eadem parte castri
continetur a medietate fluminum Bug et Nur usque ad metas
ruthenorum salvo jure ecclesie Mazovien. et nobilium, si quid
in predictis fluminibus hactenus habuerunt; die Ritter erhalten
es iure hereditario perpetuo possidendum, ut xpo sub ordinis
sui debito militantes ab instanſia paganorum defendant populum xpianum. Idem vero H. videlicet magister ordinis ante-
dicti cum fratribus nobis et nostris filiis promiserunt, preci-
pue duci Mazovie ius patronatus fideliter observare. Prefa-

dern auch aus andern Deutschen Gebieten, besonders aus dem Norden Deutschlands manche Pilgrime herbei, zum Theil an= gelockt durch die Aufforderung des päpstlichen Legaten Wil= helm von Modena, der außer denen, welche dem Orden als Kreuzbrüder mit den Waffen zu Hülfe eilten, auch solchen, die auf den Besitzungen oder Höfen der Ordensbrüder um Gottes Lohn dienen würden, dieselbige Gnadenverleihung ver= heißen hatte, wie sie den Streitern im Kampfe zugesichert war [1]). Wie der Markgraf selbst vor allen durch ritterlichen Geist, durch Tapferkeit und Kühnheit, durch frommen Sinn und hohe Rechtlichkeit hervorglänzte, weshalb er den Ehren= namen des Erlauchten erhalten hat, so zeichnete sich auch das Heer der Kriegsleute, die ihn begleiteten, durch Pracht und Reichthum in der Rüstung und durch die zweckmäßigste Ver= sorgung mit allem zum Kriege Benöthigten vor allen bisheri= gen Kreuzheeren aus [2]). Ob außerdem auch die Fürsten der Nachbarlande den Orden um diese Zeit wieder mit ihren Krie= gerschaaren unterstützt haben, ist ungewiß, doch wahrschein= lich [3]).

─────────

1) Die Urkunde des Legaten im Original im geh. Archive Schiebl. XLVIII. 6; es heißt darin: Cum fratres domus S. Marie Theut-in Chulmine et in Cuiavia constituti conservacioni et profec-tui negocii sancte crucis in Pruscie partibus vigilanter inten-dant et ad hoc crucesignatorum, qui eis serviant, auxilio indi-geant, omnibus qui in curiis eorumdem fratrum servire pro deo voluerint, eandem indulgenciam concedimus, quam ha-bent stantes in Pruscia vel in expedicionem euntes. Die Ur= kunde ist ohne Datum, scheint aber nach obiger Bezeichnung des Ordens aus dieser Zeit zu seyn.

2) *Dusburg* P. III. c. 13: multo diviiarum apparatu ve-nit ad terram Prussiae. Chron. Oliv. p. 22. Lucas David B. II. S. 82.

3) Das Chron. Hirsaug. T. I. p. 559 sagt: Dux quoque Mo-raviae, qui cum mille sexcentis viris armatis ad praeliandum contra infideles terram suam egressus est. Die übrigen Quellen wissen durchaus nichts von einem Herzoge von Mähren in Preußen. Es ist also wahrscheinlich, daß hier eine Verwechselung Statt findet und daß die Angabe des Chronisten sich auf den Markgrafen von Mei=

erbaut ward [1]). Wo die Mannschaft in der Vertheidigung
der Burgen Widerstand leistete, war Tod oder Gefangenschaft
ihr Loos. Die sich den Siegern freiwillig ergaben, empfan=
den Schonung und milde Behandlung und erhielten sofort
von den Priestern, welche dem Heere folgten, die Taufe und
die Weihe in das Christenthum [2]). Da nun das in die Wäl=
der geflüchtete Volk Pomesaniens vernahm, welche Milde und
freundliche Aufnahme den Neubekehrten widerfuhr, faßte es
Vertrauen zu dem im Kampfe so gefürchteten Markgrafen.
Es kam in Schaaren sammt den Edlen des Landes herbei,
untergab sich dem Orden zu Gehorsam, empfing die Taufe
und erhielt die Zusicherung gewisser Rechte und Freiheiten, die
ihm der Orden bei fernerer Treue und Ergebenheit fest zu
halten versprach [3]).

In solcher Art war die erste Landschaft Preussens für
den Orden gewonnen, das ganze östliche Weichsel=Ufer war
errungen. Die Verbindung durch diesen Strom mit dem Fri=
schen Haff und mit der offenen See schien in aller Hinsicht
von äußerster Wichtigkeit, zumal sobald die an Pomesanien
ostwärts angränzende Landschaft Pogesanien des Ordens Ge=
boten unterworfen war. Diese Wichtigkeit entging auch dem
Markgrafen von Meißen nicht. Zu Pogesaniens Eroberung
aber schien es ihm um so nothwendiger, sich zuerst des Drau=
sen=Sees zu bemächtigen, weil dieser, wie an Pomesaniens
westlicher Gränze der Weichsel=Strom, gleichsam eine Vor=
mauer der Landschaft bildete. Damals in ungleich größerer
Ausdehnung, gen Süden bis nach Dollstädt hinauf, wo er
bis an den heiligen Wald fortlief, dann in östlicher Richtung

---

1) *Dusburg* l. c. Lucas David a. a. O. *Schütz* p. 19.
Tiedemanns Chron. S. 36.

2) Chron. Oliv. p. 22. Tiedemanns Chron. S. 36.

3) *Dusburg* l. c. sagt: Et secundum pacta et libertates,
quae ipsis *tunc* dabantur, alii Neophyti *postea* regebantur.
Daraus geht hervor, daß man im Jahre 1236 den Pomesaniern schon
die Rechte zusicherte, welche man später im Privilegium von 1249 den
bekehrten Preussen überhaupt verlieh. Darauf deuten auch die Anfangs=
worte dieses Privilegiums selbst hin. Vgl. Baczko B. I. S. 186.

mung und Vernichtung einer Burg erleichtert, die auf der Pomesanischen Seite bei dem jetzigen Dorfe Thiergarth gelegen, das damalige Ufer des Sees deckte und zugleich zum sicheren Rückzuge diente [1]).

Unter diesen Ereignissen aber war die Zeit vorübergegangen, welche Markgraf Heinrich als die Frist seines Gelübdes für den Kreuzzug bestimmt hatte, und abgerufen durch Verhältnisse seines Landes eilte er im Jahre 1237 der Heimat zu. Doch von dem Wunsche beseelt, das Werk noch weiter zu fördern, in dessen Beginn er mit so großem Eifer und mit so vielem Glück und Erfolg gewirkt, ließ er einen ansehnlichen Theil des herbeigeführten Kreuzheeres zur Hülfe des Ordens in Preussen zurück [2]). Da rüstete sich der Landmeister zur Eroberung der Landschaft Pogesanien. Nach gewohntem Plane, zuvor an des Landes nächster Gränze eine Burg zu errichten als festen Haltpunkt und sicheren Zufluchtsort der kämpfenden Heerhaufen, ließ er mit Umsicht alles vorbereiten, was zu ihrem Aufbaue nöthig schien. Mit diesen Bauwerken beladen fuhren dann die beiden Schiffe den Drausen-See hinab bis in die Gegend, wo er sich in den Fluß Elbing mündet. Dort landend fand man in dieses Flusses Mitte nicht fern von dem Orte, wo er sich ins Frische Haff ergießet, eine Insel, die für die Gründung einer Burg um so passender schien, weil das ringsum strömende Gewässer schon von selbst eine gewisse Schutzwehr bildete [3]). Mittlerweile war auch

---

1) Die Lage dieser Burg bezeichnet zwar *Dusburg* P. III. c. 14 nur allgemein durch die Worte: circa stagnum Drusne. Aber es befindet sich noch jetzt zwischen den Dörfern Güldenfelde und Thiergarth eine sehr deutliche Spur einer alten Befestigung. Daß sie im Munde des Volkes eine Schwedenschanze genannt wird, rührt von der gewöhnlichen Sitte her, alles was den Charakter einer Befestigung trägt, den Schweden zuzueignen.

2) *Dusburg* l. c. Chron. Oliv. p. 23.

3) *Dusburg* P. III. c. 16 sagt: Venit ad terram Pogesaniae, ad insulam illam, *ut quidam dicunt*, quae est in medio fluminis Elbingi, in illo loco, ubi Elbingus intrat recens mare. Der Chronist schrieb also nach aufbehaltenen mündlichen Sagen. Dem-

glich der Krieg mit den Pogesaniern im Ganzen allen Kämpfen, die sonst in Preussen um Vertheidigung und Eroberung
eines Landes gefochten wurden. Während die beiden bewehrten Schiffe, bald auf dem Drausen-See, bald auf dem Gewässer des Haffes segelnd, die nachbarlichen Bewohner in
solche Furcht setzten, daß keiner zum Fischfang oder Raub
auszufahren wagte [1]), während also die beiden Gewässer von
feindlichen Fahrzeugen gesäubert, für die bezweckte Verbindung
der Ordensritter in den Burgen am Weichsel-Strome mit dem
kämpfenden Heere in Pogesanien immer mehr gesichert und benutzt wurden, wechselte im Kampfe gegen die Pogesanier selbst
unaufhörlich Angriff und Vertheidigung, Flucht und Plünderung, Raub und Vernichtung durch Feuer und Schwert. Nun
geschah aber einst, daß ein mächtiger Schwarm von Pogesaniern zu Raub und Plünderung heranzog. Der Landmeister
brach mit einer kleinen, in Eile zusammengerufenen Schaar
gegen den Feind auf, um ihn ins Dunkel seiner Wälder zu-
rückzutreiben. Als er dem feindlichen Heerhaufen aber nahe
war und der Kampf beginnen sollte, ergriff plötzlich das heidnische Volk ein solcher Schrecken, daß es in eiligster Flucht
in seine Burgen und Waldungen zurückstürmte und nur ein
Einziger von den Rittern gefangen ward. Von diesem vernahm man, daß die Seinen das ganze Feld mit Kriegern
in Waffenrüstung, wie die Ordensritter, angefüllt gesehen
und aus Furcht vor dieser gewaltigen Macht in die ferne
Heimat zurückgeflohen seyen [2]). Mag es nun seyn, daß in
irgend einer Weise die Täuschung durch die Ordensritter geschah, oder daß die durch die ewigen, fruchtlosen Kämpfe ent-
muthigten und verzagten Pogesanier eine größere Schaar ihrer
Feinde vermutheten, als wirklich vorhanden war, oder mag
es seyn, daß vielleicht aus ihrer eigenen Mitte ein Vornehmer, trostlos und verzweifelnd an seines Volkes Rettung, den

---

1) *Dusburg* P. III. c. 16. Lucas David B. II. S. 85.
2) Die Sache erzählen *Dusburg* P. III. c. 17. Chron. Oliv.
p. 23. Lucas David B. II. S. 85 — 86.

Sieges und das Vertrauen auf Errettung. Da verlor das alte Romowe seine Bedeutung, der heilige Göttersitz seine Wichtigkeit für den Menschen; je mehr und mehr ward das alte Leben trostlos und leer, als in den Seelen die Fülle der Freude und das Gefühl des Werthes jenes Lebens unterging. Und in solcher inneren Zerrissenheit stürmte außerdem alles, was Elend, Jammer und Verderben heißt, aus dem Leben auf den Menschen ein; da ergriff mancher gerne, mancher ver= zweifelnd, mancher gezwungen den ihm neu gebotenen Glau= ben, den Lebendigen am Kreuze statt der alten hinsterbenden Götter. So die Pogesanier. Ermüdet endlich durch das Un= glück ihres Kampfes, verzweifelnd an ihrer Götter Macht und Beistand und an des Potrimpos Gegenwart im Kriege, hülflos in sich selbst und verlassen von der Theilnahme der andern Landschaften, deren keine an eine gemeinsame Verbin= dung zur Vertheidigung und Rettung dachte, unterwarfen sie sich der Herrschaft des Ordens, huldigten dem Christenthum im Empfange der Taufe, stellten Geißeln zu ihres Gelübdes Sicherheit und erhielten von den Ordensrittern dieselbigen Rechte und Freiheiten, welche man den Pomesaniern zugesi= chert [1]).

So war Preussens zweite Landschaft für den Glauben und für Deutsches Leben gewonnen. Es knüpften sich aber an diese Gegenden manche alte Erinnerungen, die auf die künftige Gestaltung und Ordnung der Dinge, wie auf den Charakter der gesammten Lebensverhältnisse in dieser Landschaft nicht ohne besondere Wirkung blieben. Am Draußen=See lag

---

1) *Dusburg* P. III. c. 17. — Lucas David B. II. S. 86 — 87 berichtet hier weitläuftig von einer vorhergegangenen Berathung der Pogesanier über die Ergebung an den Orden und dann von Ver= handlungen mit dem Landmeister und den Ordensrittern über die Be= dingungen bei der Unterwerfung. Wir würden mehr Gewicht auf diese Nachricht legen, wenn der Chronist die Quelle nennte, aus der er hier geschöpft hat. Eben so dürfte es noch zweifelhaft seyn, ob auch in diesem Kriege der Herzog Suantepolc und sein Bruder Sambor den Orden unterstützt haben, denn wir haben darüber nur die spätern Zeugnisse von Rantzow B. I. S. 236, und *Miechow* p. 129.

getrieben zu dem Streben, auf den Baltischen Küstenlanden
hie und da Verbindungen anzuknüpfen, ward aber Lübeck, be=
sonders seit der Zeit, als Köln mehr und mehr dahin arbeitete,
den Handel auf dem Deutschen Meere sich ausschließlich zu=
zueignen und die Verbindungen Lübecks mit England durch
Ränke und Bedrückungen wieder zu zerreißen. Lübeck fand
sich seitdem immer mehr auf das Baltische Meer und auf die
Baltischen Küstenländer hingewiesen, wo es noch keinen Ne=
benbuhler, wie im Westen an Köln, neben sich stehen sah [1]).

Gerne benutzten daher auch jetzt die aufgeweckten Lübe=
cker die günstige Gelegenheit zu einer förmlichen Niederlas=
sung in dem durch den Deutschen Orden dem Christenthum
neu zugewiesenen Lande; und ohne Zweifel benutzten sie solche
auch um so lieber, da es der Deutsche Orden war, diese im
Morgenlande vor einigen vierzig Jahren durch Lübeckische Bür=
ger mit begründete Stiftung, welche jetzt als Herr des neu=
erworbenen Landes dastand, und Kaiser Friederich, der hohe
Gönner und Beschützer des Ordens, auch ihnen schon manche
Beweise seiner Gunst gegeben [2]). Sey es nun, daß schon
dem Kreuzheere des Markgrafen von Meißen sich eine Schaar
von Bewohnern der Gegend von Lübeck und aus der Han=
delsstadt selbst angeschlossen, um in Preussen sich anzuheimen,
oder daß die bald nach Lübeck gelangte Kunde dessen, was
dem Deutschen Orden im Lande des alten Truso gelungen
war, handelslustige Bürger herbeilockte, um hier neues Glück
zu suchen [3]): es waren vorzüglich Lübecker und Menschen aus

dictam veniant et recedant. Dieses deutet auf den schon damals
regen Verkehr Lübecks auf der Ostsee hin.

  1) Vgl. Hüllmann a. a. O. S. 164 ff.

  2) Hüllmann a. a. O.

  3) Wir sind hierüber nicht genau unterrichtet. Vielleicht aber mö=
gen früher und später auch manche unruhige Verhältnisse Lübecks, z.
B. die Fehden, welche es gegen den Grafen Adolf von Holstein, den
König Waldemar von Dänemark u. a. zu bestehen hatte, — *Corneri*
Chron. ap. *Eckard.* T. II. p. 878 — 879 — manche Auswande=
rungen veranlaßt haben. S. *Bangerti* Origines Lubecens. ap.
Westphalen Monumenta inedita T. I. p. 1304.

II.   19

auch den zu ihrem Betrieb und Verkehr nöthigen Schutz. Da sandten die jungen Bürger Elbings, von dem Wunsche beseelt, auch in der neuen Heimat nach den gewohnten Gesetzen und Rechten der Vaterstadt zu leben, schon im Jahre 1237 eine Botschaft nach Lübeck und erbaten sich dort das Lübeckische Recht zur Grundlage ihrer städtischen Verfassung [1], wie denn dieses Recht im Laufe der Zeit in sehr vielen Städten an der Ostsee geltend geworden ist [2].

So kehrte nach den Stürmen des Krieges auch bald in diese Landschaft friedlicher Verkehr und mit dem Frieden die Arbeit des Ackers und des Hauses zurück. Nicht mit dem Schwerte allein, auch mit dem christlichen Kreuze, dem Zeichen christlicher Liebe und Erlösung, christlicher Erbarmung und Menschlichkeit, mit dem heiligen Sinnbilde des Glaubens und der Liebe Christi war der Orden ins Land getreten und die hohe Bedeutung jenes Zeichens für ihre Bestimmung und ihre Pflichten war noch keineswegs vergessen und ausgestorben in den Gemüthern der Ordensbrüder. Am lebendigsten lebte sie in dem Geiste Hermann Balks, des edlen Landmeisters. Sie war der Quell der milden und menschenfreundlichen Behandlung, mit welcher man in den gewonnenen Landen den Neubekehrten fast überall begegnete. Man stellte diesen so gelinde Bedingungen bei ihrer Unterwerfung unter des Ordens Herrschaft, daß in den Preussen die Meinung: man gebe mit dem Glauben an die alten Götter auch des Lebens alte Freiheit auf, sich bei der Schonung und Milde, die ihnen widerfuhr, beinahe ganz und gar verlor. Freilich war der Orden

---

also 1239 geschehen seyn. *Dusburg* l. c. hatte offenbar über die Sache keine ganz sichere Nachrichten; das beweisen schon seine Worte: „quidam dicunt, aliqui referunt." Wäre wirklich diese Versetzung der alten Burg erst im Jahre 1239 erfolgt, so wäre Elbing als Stadt älter, als die zweite Ordensburg.

1) Altes Mscr. des Lübeckischen Rechts in der Bibliothek des Gymnasiums zu Elbing, Vorrede. Fuchs a. a. D. S. 16 — 17.

2) Hüllmann Städtewesen des Mittelalt. B. I. S. 155. Raumer B. V. S. 289.

Auch in den übrigen Verhältnissen des Lebens war es milde Schonung, Freundlichkeit und Menschenliebe, mit welcher der fromme und freundliche Landmeister und mit ihm auch die Ordensbrüder den Neubekehrten entgegenkamen. Nicht wie Herren, sondern wie Väter und Brüder ritten sie, wie ein Chronist berichtet, im Lande hin und her zu Vornehmen und Armen, luden die neuen Christen zu Gast, nahmen Theil an ihren Gastgelagen, pflegten willfährig und mitleidig arme und kranke Preussen in ihren Hospitälern, versorgten die Wittwen und Waisen, deren Männer und Väter im Kriege erschlagen worden waren, schickten talentvolle Knaben und Jünglinge nach Deutschland, besonders nach Magdeburg in die Schulen zum Unterricht im Christenthum und in der Deutschen Sprache, um solche nachher in Preussen als christliche Lehrer zu gebrauchen. So ward um diese Zeit der nachmals so ausgezeichnete Heinrich Monte zu Magdeburg in der berühmten Klosterschule gebildet [1]. Zum Unterhalt dieser Jünglinge verwandte man die in Deutschland eingesammelten Almosen. Sich begnügend mit dem mäßigen Einkommen, welches sie vorerst in dem neu gewonnenen Lande fanden, veranstalteten die Ordensritter zur Pflege armer und kranker Preussen in ihren Hospitälern milde Sammlungen in Deutschland, also daß „um solcher Sitten willen die Deutschen Ordensbrüder auch von solchen Preussen, die noch abgöttisch waren, großes Lob empfingen." So geschah, daß der Orden sich bald allgemeine Achtung und ein gewisses Vertrauen selbst bei solchen zu erwerben wußte, die dem Christenthum noch nicht ergeben waren [2].

Dieselbe Milde und Schonung, verbunden mit kluger Vorsicht, bewiesen die Ordensritter auch in ihren Bemühungen um die Verbreitung des Glaubens und um die Beleh-

---

1) *Dusburg* P. III. c. 86. Simon Grunau Tr. VII. c. 1. §. 2.

2) So schildert Lucas David B. II. S 88 — 89 das Benehmen der Ordensritter gegen die Neubekehrten. Simon Grunau Tr. VII. c. 1. §. 2.

ſtelln in Pomeſanien ſchon im Jahre 1236 erwähnt [1]).

In chriſtlicher Belehrung des Volkes waren mehre fromme Männer mit großem Eifer thätig. Der freundliche Biſchof Wilhelm von Modena hatte ſich während ſeines Aufenthalts in Preuſſen faſt unaufhörlich mit der Predigt des Evangeliums beſchäftigt, und wie ſchon früher, ſo war auch jetzt ſein eifriges Bemühen mit ſchönen Erfolgen belohnt worden. Ihn unterſtützten die ins Land mit dem Orden eingezogenen Dominicaner, welche Herzog Conrad von Maſovien nicht ohne den rühmenden Beifall des Papſtes gleich im Beginne des Unternehmens in ſein Herzogthum gerufen hatte, um durch das Wort ihrer chriſtlichen Belehrung den ſtürmiſchen Geiſt des heidniſchen Volkes zu zügeln [2]). Ihnen hatte dann der Papſt auch ganz beſonders das Geſchäft der Bekehrung und des Unterrichts der Heiden in den Grundlehren des Glaubens übertragen [3]). Am meiſten wirkte unter ihnen wie in den Ländern des Nordens überhaupt, ſo insbeſondere auch unter den Preuſſen der Krakauiſche Domherr Hyacinth, welcher,

---

1) In der Verſchreibungs = Urkunde an Dieterich von Tiefenau bei Kotzebue B. I. S. 447.

2) *Raynald.* an. 1230 nr. 24 erwähnt eines päpſtlichen Schreibens an die Deutſchen Ordensritter, worin der Papſt Mazoviae ducem laudibus extulit, Praedicatorum familiae alumnos in ditionem suam excivisse, quo grassantes Prutenos coercerent.

3) *Raynald.* an. 1234 nr. 58 ſagt: Eorundem Praedicatorum opera usus est Pontifex ad Prutenos fide Christiana imbuendos. Dabei wird eines päpſtlichen Schreibens an die Dominicaner in Beziehung auf dieſe Sache erwähnt. Auch ein anderes Schreiben des Papſtes an die Dominicaner, welches *Raynald.* l. c. anführt, gehört hieher. Lucas David B. II. S. 121 ſagt: „Rhun hatte Biſchof Chriſtianus, auch die bruder D. Ordens, beſtalt etliche monche Prediger Ordens, deren etliche Polniſche, auch etliche Preuſche Sprache konden oder gelernt hatten. Von benen wurden die Preuſſen geleret ins erſte die zehn gebot, darnach der algemeine Apoſtoliſche glauben, barnach von der Taufe und Sacrament des allars, auch von der buſſe und bekerunge zu Gotte und vorgebung der Sünden." *Leo* Hist. Pruss. p. 72.

Jahr hindurch unter Menschen und Thieren furchtbar wüthete.
Gefunde fielen plötzlich sterbend nieder und über das ganze
Land verbreitete sich Trauer und Elend. Die Ordensritter
hielten sich meist in ihren Burgen, jede Gemeinschaft mit den
Neubekehrten meidend, weil das schreckliche Uebel unter diesen
gerade am fürchterlichsten herrschte. Ganze Schaaren von
neuen Christen flüchteten alles verlaffend in die Wälder, so
gewaltig war das Entsetzen und der Schrecken vor dem nie
gekannten Elende. Da traten heidnische Priester, aus ihrem
verborgenen Aufenthalte hervorkommend, unter die bestürzten
Haufen und deuteten die über das Land verhängte Plage als
den Zorn und die Strafe der verlaffenen Götter. Die er=
schreckten Gemüther wankten und viele gelobten, zwar mit
dem neuen Gotte auch fernerhin noch Friede zu halten und
dem neuen Herrn gehorsam zu seyn, aber auch den alten schü=
tzenden Göttern forthin noch getreu zu bleiben und mit Opfer
und Gebet Perkunos Zorn zu besänftigen. So sah man bald
manchen der Bekehrten heute am christlichen Altare und mor=
gen im heidnischen heiligen Haine und vor der heiligen Eiche [1]).

Durch die Opfer aber, welche dieser Seuche so zahlreich
fielen, war auch die Bevölkerung der drei christlichen Land=
schaften Kulm, Pomesanien und Pogesanien bedeutend ver=
mindert worden. Ohnedieß mochte wohl auch mancher, des=
sen Gemüth durch das Unglück und Verderben erschüttert, im
Zweifel an der Hülfe des neuverkündigten Gottes, Trost und
Erhebung suchte im Dienste seiner alten Götter, nicht wieder
zurückkehren in die verlaffene Hütte und auf den traurigen
Boden, von welchen der Schrecken der Seuche ihn vertrieben.
Diese Verlufte in der Bevölkerung und was außerdem zuvor
der Krieg theils hinweggerafft, theils aus der Heimat in ent=
ferntere Landschaften verscheucht hatte, konnten durch die Deut=
schen Einzöglinge wohl schwerlich auch nur zur Hälfte ersetzt
werden. Daher war der Landmeister mit allem Eifer be=

---

1) Diese Nachricht giebt uns Lucas David B. II. S. 94 —
96, der als seine Quelle die Chronik des Bischofs Christian nennt.

Zehnten an den Orden verpflichtet [1]). Nach eines Ritters Tode
sollte das erbliche Lehngut zuerst an seinen Sohn, in deſſen
Ermangelung aber an seinen Bruder unter Verpflichtung der
auf dem Gute ruhenden Dienstleistungen übergehen, die fah-
rende Habe dagegen zur Hälfte der hinterlaſſenen Wittwe und
den Töchtern [2]) und zur andern Hälfte dem Orden zufallen.
Mehre Söhne auf dem hinterbliebenen Erbgute sollten insgesammt nur den einen auf dem Gute liegenden Dienst leisten.
Bei des Gutes Theilung aber sollte auch jeder auf dem ihm
mit Recht zufallenden Theile, sofern er wolle, eines Ritters
Würde behalten, wo nicht, sich zu den Diensten verpflichten,
die auf der Ritter Unterſaſſen ruheten. Die niedere Gerichtsbarkeit erhielt auf seinem Gute der ritterliche Besitzer, die hohe
dagegen der Orden. Es ward ferner den Rittern eine bestimmte Frist gesetzt, binnen welcher sie das ihnen zuertheilte
Land frei an neue Bewohner und Ackerleute austhun konnten;
was aber späterhin noch unbesetzt gefunden werde, sollte dem
Orden anheim fallen, der es an andere vergeben oder auch
dem Ritter zu den nämlichen Verpflichtungen wie dieſen verleihen konnte. Auf ihren Gütern erhielten die Besitzer freie
Jagd und Fischerei zu ihres Tisches Bedarf, doch nach den
Bestimmungen der Kulmischen Handfeste. Zur Förderung der
Bienenzucht ward ihnen erlaubt, Bäume auszuhöhlen und die
auf ihren Gütern gefundenen Bienen als ihr Eigenthum zu

---

1) Mit näherer Bestimmung heißt es in der Urkunde: „Ouch ſecze
wir wellende, das Beyde by gedachten Ritther und ouch Ire undirſaſen
noch den vorgangen tagen unde cziet Irer fryheit von alle dem, das In
gewachſen iſt uff den ackern, die ſy mit eigener erbeit unde czerung ge-
ackert haben, unſerm huſe den zehenten bovon geben an des Ezinſes
ſtad unde dorumbe ouch die undirſaſſen der vorbedachten Ritther uns
gebin ſollen von iclichem hoken eyn ſcot, und ouch ſo. vil flachſes als
eyn Twitich Polniſch iſt genant und von iclichem Pfluge II ſcot und
glicher wies czwei Twitich, die Ritther abir czu gebung der vorgenan-
ten ſcot unde flachſes nicht ſollen ſcholdig ſyn.“

2) Ausgenommen waren von dieser Theilnahme die schon verhei-
ratheten oder ſonſt vor dem Tode des Vaters von ihm getrennten
Töchter.

Fünftes Kapitel.

Einen neuen mächtigen Fortschritt zu seiner Größe that der Orden im Jahre 1237 durch seine Vereinigung mit dem Ritterorden der Schwertbrüder in Livland. Es ist früher die Geschichte dieses Ordens fortgeführt worden bis zu der Zeit, als der Meister Volquin an seine Spitze trat; mit dem Jahre 1211 aber mußten wir den Faden der Erzählung fallen lassen, um ihn hier am passenden Orte wiederum aufzugreifen. Wir sahen damals, wie der Zwist zwischen dem gefährlichen Gegner der Ordensherrschaft, dem Großfürsten von Polozk und dem Bischofe von Livland Albert durch einen Vertrag beigelegt ward und wie der Streit zwischen diesem Bischofe und dem Orden über die Landestheilung durch die Vermittlung einiger Deutschen Bischöfe vorerst völlig ausgeglichen war [1].

So herrschte auf kurze Zeit Friede in des Landes inneren Gebieten; aber nicht so gegen außenhin. Noch stand dem Orden ein sehr mächtiger Feind im Volke der Esthen gegenüber, schon schwer gereizt und erbittert durch die früheren Kriege, welche der Orden zu ihrer Unterwerfung geführt, jetzt aber um so gefährlicher, da ein durch die Ordensritter zu Wenden veranlaßter Aufstand unter den bekehrten Letten und Liven dem Orden nur zu deutlich bewies, wie wenig er der

----

1) S. B. I.

pfe gegen die chriſtliche Herrſchaft in Livland zuſammen trat [1]), und fünf Jahre hindurch waren nun faſt unaufhörlich die Waf= fen in Bewegung zur Entſcheidung, ob forthin Chriſtus oder Tharapilla, der Eſthen mächtigſter Gott [1]), im Lande angebe= tet, ob der Altar der chriſtlichen Kirche oder jenes Götzen Bild im dunkelen heiligen Haine mit den Opfern der Verehrung bedacht werden ſolle. Schwerlich würden der Orden und der Biſchof von Livland dieſen entſchloſſenen Gegenkampf des Fein= des, der ſelbſt von Rußland aus nicht ſelten unterſtützt wur= de, mit ſolchem Glücke, als er geführt ward, beſtanden haben, wäre nicht dadurch, wenigſtens auf einige Zeit, der Gedanke recht nahe gelegt und die Ueberzeugung aufs lebendigſte rege geworden, daß Einheit im Plane, Einigkeit in Geſinnungen, Vergeſſen alles bisherigen Zwiſtes und einſtimmiges Handeln und Zuſammenwirken nach Einem Ziele hin die erſte und wich= tigſte Bedingung eines glücklichen Kampfes gegen das heidni= Volk ſey, denn vor dieſem gefahrvollen Sturme war durch neue Begünſtigungen, mit welchen der Papſt den Ritterorden erfreut hatte, auch ſchon wieder eine neue feindliche Span= nung zwiſchen dem Biſchofe und dem Orden eingetreten [3]). Die Gefahr aber verhinderte ihren Ausbruch; auch hatten wohl die ernſten Ermahnungen des Papſtes zur Eintracht und zum Frieden, wie an den Biſchof, ſo an den Orden [4]) auf die friedlichere Geſinnung beider eingewirkt. So geſchah es durch dieſe Einigkeit zwiſchen den hohen Geiſtlichen und den Ordensrittern, durch den Eifer des Papſtes, mit welchem er immer neue Haufen von Kreuzfahrern aus Deutſchlands nörd=

---

1) „Tota Estonia saevire coepit contra Livoniam“ Ebendaſ. p. 98.

2) *Gruber* Origin. Livon. p. 149.

3) Die Gegenſtände, worüber der Biſchof mit dem Orden haderte, waren zum Theil allerdings nicht von bedeutendem Gewichte; allein ſie ſind doch immer Zeugniſſe für den feindlichen Geiſt, der zwiſchen beiden herrſchte. Vgl. darüber Arndt Livl. Chronik Th. I. S. 111.

4) *Raynald.* ann. 1213. Nr. 9. Gadebuſch Livl. Jahrb. B. I. S. 101.

Kriegshülfe die Erhaltung und Behauptung des Eroberten faſt noch ungleich ſchwieriger, als die Eroberung ſelbſt. Und die Gefahr vermehrte ſich noch, als die bei den Herrſcherfürſten Rußlands entſtandenen Beſorgniſſe wegen des immer mehr be=feſtigten und erweiterten Aufbaues der Deutſchen Herrſchaft in Livland und Eſthland immer höher ſtiegen, die Verbindun=gen dieſer Fürſten mit des Ordens Feinden immer mehr Sy=ſtem wurden [1]) und der Fürſt Mſtiſlav von Novgorod, ein ta=pferer Krieger, verbunden mit mehreren anderen ſchon auf nichts eifriger ſann, als die Deutſche Ritterherrſchaft in ihrem Aufſtreben auf jede Weiſe niederzuhalten oder aus der Nähe ſeines Fürſtenthums ganz zu verdrängen [2]). An den Eſthen aber durfte er ſicher hoffen für ſeinen Plan beſtändig Verbün=dete zu finden.

Dieſe bedenkliche Lage der Dinge bewog den Biſchof Al=bert von Livland in Verbindung mit dem Biſchofe Dieterich von Eſthland und dem Abte Bernhard von Dünamünde, der noch im Laufe des Jahres 1217 zum Biſchof von Semgallen ernannt ward, den ſo mächtigen, als kriegeriſchen König Wal=demar den Zweiten von Dänemark, damals der gewaltigſte Herrſcher und Eroberer im Norden, zur Hülfe gegen die na=hen Feinde und zur Vollendung der Eroberung Eſthlands her=beizurufen. Die Biſchöfe begaben ſich ſelbſt zum Könige, ihm ihre dringende Bitte vorzulegen [3]) und er verſprach, im näch=ſten Jahre mit einem Heere in Eſthland zu erſcheinen „ſo=wohl zur Ehre der heiligen Jungfrau, als zur Vergebung ſei=ner Sünden [4])." Daneben aber lagen in des Königes Seele

---

1) Karamſin B. III. S. 122.

2) Karamſin B. III. S. 123.

3) Nach Heinrich dem Letten p. 122 — 123 geſchah dieſes im J. 1217. Graf Albrecht von Orlamünde, der aus Livland zurück=kehrte, war mit in Begleitung der Biſchöfe. Hiärn S. 125. Gade=buſch B. I. S. 123 ſetzt die Reiſe nach Dänemark erſt ins J. 1218.

4) Promisit, se anno sequenti cum exercitu suo in Esto-niam venturum, tam ad beatae Virginis honorem, quam in peccatorum suorum remissionem. Heinrich der Lette p. 123

der Taufe und der Untergebung sicher stellend, brach dann
plötzlich in fünf Haufen in des Königs Lager, drang bis zum
Zelte des Esthnischen Bischofs Dieterich, meinend, es sey
der König, erschlug ihn, ermordete eine bedeutende Zahl der
Dänischen Krieger und würde vielleicht das ganze durch den
unvermutheten Ueberfall bestürzte Heer zerstreut und vernichtet
haben, wäre nicht der Slaven Fürst Wizlav, davon benach=
richtigt, eiligst zur Rettung herbeigekommen [1]). Da brach der
König schwer erzürnt mit seiner und der Deutschen gesammten
Kriegsmacht zur Rache gegen die Esthen auf. Ein blutiger
Kampf entschied für die Christen; der König ernannte seinen
Kapellan Wesselin zum neuen Bischof von Esthland, bestellte
mehre ihn begleitende Geistlichen zur Bekehrung des heidni=
schen Volkes, versah das stark befestigte Reval mit zahlreicher
Besatzung und kehrte dann nach Dänemark zurück [2]). Die
Dänischen Krieger aber, welche der König zurückgelassen, ver=
bunden mit den Deutschen und mit den Pilgerschaaren waren
in Kämpfen mit den Heiden das ganze Jahr hindurch so rast=
los thätig, daß sich endlich alle Bewohner der nahen Land=
schaften der Taufe und dem Gehorsam untergaben und selbst
ein Theil der Semgallen die Deutsche Herrschaft mit dem
christlichen Glauben anerkannten [3]).

So wenig aber war man erhaben über die Leidenschaft
der Herrschlust und so wenig durchdrang die Menschen die
reine Idee des Kreuzes, daß jedes Glück der Waffen auch
neuen Stoff zum Zwiste bot. Bald stand alles wieder in
Hader und Zwietracht gegen einander und nur zu bald ward

---

1) Heinrich der Lette p. 129. Hiärn S. 126 — 128.
Mallet B. I. S. 375 — 376. Ersterer nennt den Slavischen Für=
sten Wenzeslaus; *Gruber* p. 129 not. d. will zwar nicht zugeben,
daß dieser Wenzeslaus kein anderer seyn könne, als Wizlav I. von
Rügen; die Gründe indessen, welche Gadebusch B. I. S. 131 hie=
für anführt, sind doch von entscheidendem Gewichte.

2) Heinrich der Lette p. 130 — 131. Ueber den Aufbau von
Reval s. Gadebusch B. I. S. 133.

3) Heinr. der Lette p. 131. Hiärn S. 130.

fremde Hülfe suchen, denn Hülfsvölker sind jederzeit nur dem
nützlich, welcher sie giebt, dem aber immer zum Verderben,
welcher sie empfängt [1]).

Aber selbst auch der Sache des Christenthums war dieser
Zwist, besonders in Esthland, äußerst nachtheilig, denn während der Bischof von Livland durch ausgesandte Geistliche in
Esthland in größter Eile durch Taufe und Bekehrung die Bewohner der einzelnen Landschaften für die Livländische Kirche
zu gewinnen suchte, ließ es auch der Dänische Erzbischof an
keinem Mittel der Ueberredung und des Schreckens fehlen, um
die Neubekehrten der Herrschaft Dänemarks zuzueignen; ja er
verbot nicht bloß dem Bischof Albert, seine Priester fernerhin
zur Bekehrung der Esthen auszusenden, sondern er ließ sogar
einen Esthnischen Landesältesten, der die Taufe der Rigaischen
Priester angenommen und den Ordensrittern seinen Sohn
als Geißel übergeben hatte, öffentlich mit dem Tode bestrafen [2]).

Während aber dieser ärgerliche Zwist noch fortdauerte
und die Gemüther mehr und mehr verwirrt wurden, während
der Dänische König den Bischof Albert und die Gebietiger
der Ordensritter vor sich forderte und Esthland, da der Bischof, nach Rom eilend, um den Papst zur Entscheidung aufzurufen, nicht erschien, zwischen dem Könige und dem Orden
förmlich schon getheilt wurde, trat noch ein neuer Bewerber
um Esthlands Besitz auf. Der König Johann von Schweden
landete um dieselbe Zeit mit einem starken Heere an Rotalien,
um sich gleichfalls wenigstens einen Theil des Landes zuzueignen [3]), sey es, daß auch er, wie der Dänen König alte

---

1) *Macchiavelli* Principe. c. XIII.

2) Heinrich der Lette p. 143 erzählt, wie leichtsinnig die Priester mit der Taufe verfuhren. Biörn S. 131. Gadebusch B. I.
S. 141 — 142.

3) Heinrich der Lette p. 144. Schon Gadebusch B. I.
S. 143 bemerkt, daß Heinrich der Lette der einzige Chronist sey, welcher diese Begebenheit deutlich und richtig beschreibe. Er beweiset zugleich, daß diese Unternehmung des Königes von Schweden ins Jahr
1220 falle.

So schien Alberts charakterfester Geist gebrochen und gebeugt; allein nur schwere Bedrängnisse, getäuschte Hoffnungen bei dem Kaiser, wie bei dem Papste, und die seiner Kirche drohenden Gefahren hatten ihn zu diesem demüthigenden Schritte bewegen können, denn früher war er selbst des Königes Nachstellungen zu Lübeck nur durch die Flucht ausgewichen [1]), und nachmals waren vom Könige in alle Häfen der Ostsee die strengsten Verbote ergangen, weder den Bischof auf seiner Heimkehr von Rom, noch sonst einen Priester oder Kreuzfahrer nach Livland fernerhin überzusetzen [2]). Gewiß aber that der Bischof diesen Schritt auch nur, nachdem er die Wirkung davon in Livland schon berechnet hatte. Alles widersetzte sich bei seiner Rückkehr der Untergebung in Dänemarks Oberherrschaft. Die Prälaten und Lehnsleute der Kirche traten vor dem Bischofe auf, erklärend: nur für den Glauben und zur Ehre der gebenedeiten Jungfrau sey von ihnen der Kampf gegen die Heiden begonnen und geführt worden, nicht für des Dänischen Königes Herrschgier und Ländersucht; lieber werde man das Land wiederum verlassen, als Dänischen Geboten gehorchen [3]). In diesem Geiste ward die Gährung immer allgemeiner und bedenklicher. Da trat endlich der Erzbischof von Lund, der bisher zu Reval die Anordnung und Leitung des Kirchenwesens in der neuen Eroberung besorgt hatte, unter den bewegten Gemüthern mit dem Versprechen auf: er werde bei seinem Könige die Sache in der Weise zu vermitteln suchen, daß Livland vom Einflusse der Dänischen Macht völlig frei sey und zwischen den Dänen und den Deutschen gemeinsamer Friede, gegen die Heiden aber und Russen auch gemeinsamer Krieg Statt finden solle [4]).

---

rum, necnon et viri sui et Rigenses omnes cum Livonibus et Letthis in hanc formam consensum suum praeberent. Ueber die Zeit vgl. Gabebusch B. I. S. 145.

1) Heinrich der Lette p. 147.
2) Heinrich der Lette p. 148.
3) Heinrich der Lette in Arndts Livländ. Chronik Th. I. S. 169.
4) Arndt a. a. O. S. 172 ff. Karamsin B. III. S. 135. 155.

So hatte der mächtige König das höchste Ziel erreicht, dem er Jahre hindurch nachgetrachtet; er galt für den größten Beherrscher des nördlichen Europa's; aber es waren auch die letzten großen und glücklichen Tage seines thatenreichen Lebens, denn von nun an sank die Macht der Dänen wie überall, so auch in Livland und Esthland mit jedem Jahre tiefer und tiefer. Schon bald nach des Königes Heimkehr ging Oesels Besitz durch die Empörung der Bewohner für die Dänen wiederum verloren. Dann brach ein wilder Aufstand im Esthnischen Volke aus, in welchem nicht bloß viele Ordensritter und andere Deutschen ein Opfer der Rachwuth der erbitterten Bewohner wurden, sondern auch die Dänische Kriegsmannschaft im Lande außerordentlich geschwächt ward [1]), ohne daß von Dänemark aus neuer Ersatz herbeikam. Am meisten aber wirkte zum Verfalle der Dänischen Herrschaft auch in diesem Lande des Königs Waldemar Gefangenschaft durch den Grafen Heinrich von Schwerin [2]), denn nun erwachte auch hier in den gebeugten Gemüthern das Gefühl der Kraft und der Gedanke der Befreiung von Dänemarks drückendem Joche. Kaum war daher des Königs Unglück durch den mit vielen Kreuzfahrern zurückkehrenden Bischof Albert und seinen Bruder Hermann, nunmehr anerkannten Bischof von Esthland, in Livland bekannt geworden [3]), als man beschloß, sich des lästigen Druckes des Dänischen Gebotes gänzlich zu entledigen. Man schritt sogleich zu einer neuen Theilung des eroberten Esthlands. Der Ritterorden erhielt die ganze Landschaft Saccala; dem Bischofe Hermann fiel das Gebiet Ungannien zu und der Kirche zu Riga die Esthländische Strandwyck [4]). So hatte sich alles im Jahre 1223 plötzlich umgewandelt.

----

1) Heinrich der Lette p. 152 — 153.
2) Vgl. Mallet B. I. S. 379.
3) Nach Heinrich dem Letten p. 163 hatten beide den König in seiner Gefangenschaft besucht und Alberts Bruder war von ihm nun auch als Bischof von Esthland anerkannt worden. Hiärn S. 139.
4) So giebt die Theilung Heinrich der Lette p. 164 — 165 an. Arndt a. a. O. S. 192 — 193.

geordneten mit Geschenken des Friedens und der Ergebenheit
an den Bischofsstuhl nach Riga. Im Lande selbst kehrte wie
nach wilden Wetterstürmen die Sonne des Friedens und der
Ruhe zurück. Mit Eifer ging der Landmann und der Bür=
ger wieder den stillen Arbeiten des Feldes und des Hauses
nach. Kirchen und Dörfer stiegen von neuem schnell empor
und das Land erholte sich durch Emsigkeit und Betrieb bald
wieder von seiner furchtbaren und schauderhaften Eroberung [1]).

Da erschien noch in dem nämlichen Jahre auf Alberts
Bitte auch in Livland jener päpstliche Legat, dessen wir früher
schon gedacht haben, der Bischof Wilhelm von Modena, vom
Papste beauftragt, auch in jenen neuen Pflanzungen des Glau=
bens alles anzuordnen, was nur irgend zum Heil und Ge=
deihen der Kirche dienen könne [2]). Fünf Bisthümer fand der
Legat in jenen nordischen Landen schon eingerichtet: das von
Riga, welchem Bischof Albert vorstand, war das vornehmste;
das von Leal, nachmals das Oeselsche genannt; das von
Semgallen, welches auch das Seleburgische hieß; das von
Ungannien oder Dorpat, wo noch Alberts Bruder Hermann
Bischof war, und das von Reval, welches nicht wie die er=
steren dem Bischofe von Riga, sondern dem Erzbischofe von
Lund untergeben war [3]). Der päpstliche Legat bereisete den
größten Theil jener Lande, das Volk durch seine Predigten
im Glauben belehrend, ermunternd und über das neue Licht
des Evangeliums erfreuend, deshalb auch überall, wo er er=
schien, mit Jubel und Vertrauen empfangen; die Geistlichen
aber und die Ordensritter ernst und väterlich ermahnend, den
Neubekehrten das aufgenommene sanfte Joch des Glaubens

---

1) Vgl. die Schilderung des emsigen friedlichen Betriebs bei Hein=
rich dem Letten p. 170.

2) *Raynald.* ann. 1224. Nr. 38. Daß das Jahr 1224 die rich=
tige Zeit der Ankunft des Legaten im Norden ist, hat schon *Estrup*
in s. Abhandlung: Idea Hierarchiae Romanae etc. p. 16 — 17
erwiesen. Vgl. Gadebusch B. I. 183 — 184.

3) *Gruber* Origin. Livon. p. 173 in der Anmerk. zu Heinrich
dem Letten.

wirklich vom Römischen Könige Heinrich eine Urkunde zu er=
werben wußte, nach welcher das Bisthum Livland mit den
dazu gehörigen Gebieten zu einem geistlichen Lehnfürstenthum
erhoben und er unter Zusicherung aller in solchem Verhältnisse
geltenden Vorrechte zum Reichsfürsten erklärt wurde [1]), so
wäre doch sicherlich ein solcher Schritt nicht außer seinen Be=
strebungen und außer seinem Geiste; gewiß ist aber, daß er
noch im Jahre 1224 dem Orden eine Anzahl Ländereien nur
unter der Bedingung abtrat, daß die Ordensritter ihm hiefür
zu lehnspflichtigem Gehorsam verbunden seyn sollten [2]). So=
mit trat also der Orden und sein Meister eine Zeitlang gegen
den Bischof in das förmliche Verhältniß der Vasallenschaft
und Albert schien seinem Ziele näher und näher zu kommen.
Allein schon im Frühling des Jahres 1226 wirkte sich der
Orden bei dem Kaiser Friederich dem Zweiten eine Urkunde
aus, die ihm nicht bloß den unmittelbaren kaiserlichen Schutz
zusicherte und ihm alle von den Bischöfen überlassenen Land=
besitzungen förmlich bestätigte, sondern in diesem seinen Ge=
bieten auch sämmtliche Oberhoheitsrechte bewilligte [3]).

In diesen Verhältnissen lag wieder reicher Stoff zum
Zwiespalte und zur Feindschaft, und bei des Bischofs Streben,
den Orden stets im Joche seiner Dienstbarkeit zu halten,
würde es auch nicht an Anlaß zu neuem Hader gefehlt haben,
hätten nicht äußere Unruhen vorerst sowohl den Bischof, als
den Orden anderwärts beschäftigt. Aufgefordert durch den
päpstlichen Legaten, dessen Gegenwart ohnedieß das glimmen=
de Feuer nicht zum Ausbruche kommen ließ, beschloß man im
Anfange des Jahres 1227 das heidnische Volk der Oeseler,
von deren Raubfahrten und Gräueln an christlichen Priestern
und Kirchen der Legat zum Theil durch eigenen Anblick sich
überzeugt hatte [4]), mit Krieg heimzusuchen, die Insel zu un=

---

1) Vgl. Arndt B. I. S. 209. B. II. S. 14. Hiärn S. 144.
2) Arndt B. II. S. 15. Gadebusch B. I. S. 180.
3) Arndt B. II. S. 19.
4) Heinrich der Lette p. 178. Arndt B. I. S. 210.
Hiärn S. 144.

Glück nicht mehr bot, das sollte das Schwert und die Gewalt ersetzen. Sie hatten sich daher ohne weiteres bereits einiger Gebiete bemächtigt, die unter den Schutz des Römischen Stuhles gestellt waren und schon hiedurch den Zorn der Kirche erregt, als im Jahre 1227, von ihnen ausgesandt, bei dem Ordensmeister ein falscher päpstlicher Legat erschien mit dem Befehle, die Heiden forthin nicht weiter zu bekämpfen, sofern sie nicht das christliche Gebiet mit Raub überfallen würden [1]). Das listige Spiel ward aber bald enthüllt und der Papst Gregorius der Neunte, erzürnt über den Mißbrauch seines Namens zu Arglist und Betrug, forderte den Ordensmeister auf, die Dänen aus Esthland gänzlich zu vertreiben. Gern ergriff der Orden die Waffe gegen den schwachen, neidischen Nachbar. Mit ihm verbanden sich, durch den Druck der Dänischen Auflagen erbittert, auch die sämmtlichen Bewohner des Dänischen Esthlands. Reval, der Dänen festester Waffenplatz, ward schnell gewonnen, das ganze Dänische Gebiet erobert und alles, was der Dänen Waffen trug, aus dem Lande hinweggetrieben [2]). Sofort ertheilte dem Orden der Römische König auch einen Schenkungsbrief über die neugewonnenen Lande, über Jerwen, Harrien, Wirland und das Gebiet von Reval [3]).

Mit diesem Glücke aber häuften sich auch die Gefahren, die aller Seits den Ritterorden bedrohten. Kaum benachrichtigt von der Schmach, die seinem Namen und seinen Waffen in Esthland widerfahren war, rüstete König Waldemar zur Rache wegen dieses Schimpfes ein mächtiges Heer und nur die unruhigen Verhältnisse in Holstein, wohin er eiligst diese Kriegsmacht wenden mußte, verhinderten ihn, den Ritterorden sogleich seinen schweren Zorn fühlen zu lassen [4]).

---

1) *Estrup* Idea Hier. Rom. p. 25.

2) Chron. Ordin. Theut. ap. *Matthaeus* p. 706. Hiärn S. 146 — 147. Gadebusch B. I. S. 206.

3) Arndt Th. II. S. 22 — 23 führt als Datum dieser Schenkungsurkunde den 1. Juli 1228 an. Gadebusch B. I. S. 209.

4) *Petri Olai* Excerpt. ap. *Langebeck* T. II. p. 260. Ban-

terwerfen und auch hier die alten Götter aus ihren heiligen
Hainen zu vertreiben. Aus Gothland sandte Wilhelm von
Modena selbst bedeutende Hülfe herbei; der Bischof von Riga
und Volquin sammelten ihre ganze Macht; ein Heer von
zwanzigtausend Deutschen und Liven, Letten und Esthen, an
seiner Spitze der Bischof und der Meister, brach auf der gefrorenen See in das Gebiet der Insel ein. Es erhob sich
ein äußerst blutiger Kampf, besonders um die feste Burg
Mone. Als aber diese erstürmt und mit allen ihren Bewohnern und Vertheidigern vernichtet war, ergab sich alles auf
der Insel in die Hände der Christen, und Tharapilla, der alte,
mächtige Gott der Oeseler, ward in die See versenkt [1]. Ein
Graf von Arnstein am Harz und der Herzog Barnim von
Pommern, die mit Pilgerhaufen zugegen waren, theilten das
Verdienst der Bezwingung des räuberischen Heidenvolkes.

Mittlerweile aber waren die Litthauer und Semgallen,
die Zeit der Abwesenheit des Bischofes und des Ordensmeisters benutzend, mit Mord und Verheerung bis zur Düna
vorgestürmt. Volquin zog ihnen mit seiner Mannschaft entgegen, schlug sie mit einem starken Verluste zurück und setzte
den Kampf gegen den Semgallischen Oberfürsten Westhard
auch noch im nachfolgenden Jahre nicht ohne Glück fort. Und
kaum war dieser Feind, dessen Bekämpfung dem Orden gegen
neunhundert seiner besten Streiter gekostet hatte [2], überwältigt, so folgte ein harter Streit mit den Dänen. Je mehr
seit Jahren die Herrschaft der Letztern beschränkt, zurückgedrängt
und in sich selbst gesunken war, um so lebendiger erwachte
in ihnen Neid und Eifersucht gegen die glücklichen Fortschritte
der Deutschen und besonders des tapfern Ritterordens in der
Bezwingung der Ueberreste der Heiden. Was ihnen aber das

---

1) Heinrich der Lette p. 179 — 182. Alnpeck S. 28 — 29
giebt die Zahl der in der Burg Mone erschlagenen Oeseler auf 2500
an. Hiärn S. 144 — 145. Gadebusch B. I. S. 203 ff. Auch
Albert. Stadens. p. 305 erwähnt der Sache.
2) Alnpeck S. 29 — 30. Hiärn S. 145 — 146. Arndt
Th. II. S. 19.

Glück nicht mehr bot, das sollte das Schwert und die Gewalt ersetzen. Sie hatten sich daher ohne weiteres bereits einiger Gebiete bemächtigt, die unter den Schutz des Römischen Stuhles gestellt waren und schon hiedurch den Zorn der Kirche erregt, als im Jahre 1227, von ihnen ausgesandt, bei dem Ordensmeister ein falscher päpstlicher Legat erschien mit dem Befehle, die Heiden forthin nicht weiter zu bekämpfen, sofern sie nicht das christliche Gebiet mit Raub überfallen würden [1]). Das listige Spiel ward aber bald enthüllt und der Papst Gregorius der Neunte, erzürnt über den Mißbrauch seines Namens zu Arglist und Betrug, forderte den Ordensmeister auf, die Dänen aus Esthland gänzlich zu vertreiben. Gern ergriff der Orden die Waffe gegen den schwachen, neidischen Nachbar. Mit ihm verbanden sich, durch den Druck der Dänischen Auflagen erbittert, auch die sämmtlichen Bewohner des Dänischen Esthlands. Reval, der Dänen festester Waffenplatz, ward schnell gewonnen, das ganze Dänische Gebiet erobert und alles, was der Dänen Waffen trug, aus dem Lande hinweggetrieben [2]). Sofort ertheilte dem Orden der Römische König auch einen Schenkungsbrief über die neugewonnenen Lande, über Jerwen, Harrien, Wirland und das Gebiet von Reval [3]).

Mit diesem Glücke aber häuften sich auch die Gefahren, die aller Seits den Ritterorden bedrohten. Kaum benachrichtigt von der Schmach, die seinem Namen und seinen Waffen in Esthland widerfahren war, rüstete König Waldemar zur Rache wegen dieses Schimpfes ein mächtiges Heer und nur die unruhigen Verhältnisse in Holstein, wohin er eiligst diese Kriegsmacht wenden mußte, verhinderten ihn, den Ritterorden sogleich seinen schweren Zorn fühlen zu lassen [4]).

---

1) *Estrup* Idea Hier. Rom. p. 25.

2) Chron. Ordin. Theut. ap. *Matthaeus* p. 706. Hiärn S. 146 — 147. Gadebusch B. I. S. 206.

3) Arndt Th. II. S. 22 — 23 führt als Datum dieser Schenkungsurkunde den 1. Juli 1228 an. Gadebusch B. I. S. 209.

4) *Petri Olai* Excerpt. ap. *Langebeck* T. II. p. 260. Ban-

Damit war jedoch die Gefahr für den Orden noch keineswegs vorüber; der drohende Sturm hatte sich vorerst nur verzogen und es war zu befürchten, daß er bald mit seiner ganzen Gewalt zurückkehren werde. Ein anderer alter Feind war nach kurzer Ruhe im Osten wieder erwacht und drohte dem Orden Krieg und Verderben von dieser Seite her. Dieß war die kriegerische Macht der Russen, zunächst der feindlich gesinnte Fürst Jaroslav von Novgorod. Den äußeren Verhältnissen nach herrschte zwischen ihm und dem Orden zwar noch der vor wenigen Jahren geschlossene Friede und der Papst hatte erst vor kurzem die Fürsten Rußlands dringend ersucht, die friedlichen Nachbarlande, Livland und Esthland, mit keiner Fehde zu bedrohen [1]); selbst Kaiser Friederich hatte erst im Jahre 1227 verfügt, daß niemand bei einer Strafe von funfzig Mark reinen Goldes die Gebiete des Ordens beunruhigen solle [2]). Wie wenig aber jenes mahnende Wort des fremden Kirchenhauptes und dieses Gebot des Kaisers bei Rußlands Fürsten Eingang fanden und wie bald ein schwerer Krieg an die Stelle des Friedens treten könne, bewies schon des Fürsten Jaroslav Aufruf an die Bewohner von Pleskow und Novgorod, ihm zum Kriege gegen den Ritterorden in Livland zu Hülfe zu kommen [3]). Außerdem durfte der Orden auch den Kampf mit den nahen heidnischen Völkern noch keineswegs als beendigt betrachten. Kaum war unter den räuberischen Litthauern, des Ordens alten Feinden, der junge Fürst Uten zur Herrschaft gelangt, als er im Jahre 1227 die wilden Raubfehden und Verheerungszüge in Livlands Gebiet in alter Weise fortsetzte und den Ritterorden von Jahr zu Jahr unter den Waffen beschäftigt hielt. So eben hatte er erst

---

gert Orig. Lubicens. ap. *Westphalen* T. I. p. 1299. 1302. *Corneri* Chron. ap. *Eccard.* T. II. p. 860.

1) *Raynald.* ann. 1227. Nr. 8. 9. *Gruber* Orig. Livon. in sylva Document. Nr. 44 p. 266.

2) Gadebusch B. I. S. 205.

3) Karamsin B. III. S. 206. Gadebusch B. I. S. 210 — 211.

von neuem fast ganz Livland mit seinen rohen Kriegshaufen unter Raub und Verheerung durchzogen und alles vernichtet, was ihm entgegen stand [1]). Zwar war die Schlacht, zu welcher der ritterliche Meister Volquin den Fürsten zwang, mit großen Verlusten der Litthauer begleitet gewesen und mehre Tausende hatten die Wahlstatt bedeckt [2]); allein für immer zurückgeschreckt war das Volk noch keineswegs und für neuen Raub hatten Litthauens Fürsten stets noch neues Blut auszubieten.

So drohten dem Ritterorden nach außenhin von allen Seiten große Gefahren. Und warf der Ordensmeister einen Blick auf Livlands und der Nebenländer innere Verhältnisse, so war die Aussicht in die Zukunft nicht minder trüb und unerfreulich. Eine übermächtige und herrschlustige Geistlichkeit, die stets nur im Blute der Ordensritter und ihrer Kriegsleute ihren Schutz und ihre Rettung suchte, stand dem Orden zur Seite, verlangend, daß mit dem Leben der Ritter bezahlt werde, was sie an neuem Besitzthum gewann; an ihrer Spitze ein Bischof, der sich brüstend mit dem Verdienste der Stiftung des Ordens, in den Rittern auch nichts weiter sah als seine Geschöpfe, als Werkzeuge zu seinen Bestrebungen, der dem Orden kaum etwas mehr gönnte, als was zur spärlichen Erhaltung nöthig war und im hierarchischen Dünkel gerne jedes kräftige Emporstreben mit der Gewalt des Bischofstabes darnieder drückte, der erst kürzlich wieder den Meister mit seinem Orden zu strengem Gehorsam und zur Ergebenheit in seinen Willen zu verpflichten gesucht, und für alles dieses ihm nichts weiter entgegenbot als seine väterliche Liebe. Und in dasselbige Verhältniß setzte der Bischof von Livland den Orden auch gegen den Bischof von Esthland, um so von allen Seiten die Ketten enger und enger zu ziehen [3]).

---

1) *Kojalowicz* Histor. Litthuan. p. 76 — 77.

2) **Alnpeck** S. 31 giebt an, diese Schlacht sey im Gebiete von Alsen geschlagen worden. **Hiärn** S. 146.

3) So heißt es unter andern in einer urkundlichen Bestimmung des Bischofs von Riga über die Gränzen des Esthländischen Bisthums

Wie solchem Drucke der geistlichen Macht unter Verhält=
nissen, die nun schon fast unauflöslich waren, zu entkommen
und jenen Gefahren von außenher mit Glück zu begegnen sey,
war für den Ordensmeister kaum irgend eine Aussicht. Die
Kämpfe gegen die Litthauer hatten seine Streitkräfte bereits
bedeutend geschwächt und verminderten sie noch fort und fort.
Die Zahl der ankommenden Kreuzfahrer war immer geringer
geworden, seitdem Bischof Albert nicht mehr selbst in Deutsch=
land zum Kreuze für Livland aufforderte und besonders seit
der Papst und der Bischof Christian von Preussen bemüht
waren, alles was zum Empfange des Kreuzes geneigt schien,
an die Ufer der Weichsel zu ziehen, wohin ohnedieß auch der
Weg zu Land durch christliche Gebiete weit mehr lockte und
bequemer war, als die mühsame und gefahrvolle Seefahrt nach
Livland.

Da stieg in dem Ordensmeister Volquin der Gedanke
auf, seine ritterliche Stiftung mit dem Orden der Deutschen
Ritterbrüder zu vereinigen ¹). Das große Ansehen und der

---

vom Jahre 1224: Ex terris eisdem magister et fratres milicie
tenebant de manu ipsius (sc. Episcopi) et cuiuslibet suorum
successorum medietatem cum ecclesiis, decimis et omni tem-
porali proventu, impensuri ei providere debitam suo Episcopo
obedienciam et obsequium et vigilanciam nihilominus solicci-
tudine intendentes ad promocionem, defensionem et conserva-
cionem sue ecclesie. Ipse quoque vice versa fratres eosdem
paterna affectione honorabit diligenter et defendet. Verum
magister, qui ibi pro tempore fuerit, semper obedienciam ipsi
Episcopo repromittet. Urkunde im geheim. Archive und bei *Dogiel*
Cod. diplom. T. V. Nr. XII. p. 8.

1) Daß in dem Ordensmeister Volquin zuerst der Gedanke einer
Verbindung seines Ordens mit dem der Deutschen Ritterbrüder erwacht
sey, wird einstimmig anerkannt; *Dusburg* P. III. c. 28. Alnpeck
S. 31. Hiärn S. 147. Die Ordens=Chronik bei *Matthaeus* p.
707 sagt ausdrücklich hierüber: „Dese Meyster Volquyn is diegeen, die
met gebuerich anhouben, arbeyt, vlyt, en moeyte, verkregen heeft van
den Paus en met tusschen spreken van vele Heeren en Princen, dat
die Oirden von Lyflant, hoewel niet eer als na syn boot, is ingelyft
ende vereniecht mitten Ridderlycken buytschen Oirden onser Liever Brou=

wichtige Einfluß seines Hochmeisters Hermanns von Salza, die hohe Gunst und Gewogenheit, welche dieser und sein gan= zer Orden beim Kaiser und am Hofe zu Rom genossen, die allgemeine Zuneigung, welche die Fürsten und Edlen des Reiches ihm durch Wort und That bewiesen, die ausgezeich= neten Begünstigungen und Vorrechte, mit welchen ihn Kaiser, Könige und Päpste beschenkt hatten, die Freiheit, in welcher er durch die Verordnungen des Römischen Stuhles gegen die hohe Geistlichkeit dastand, und das gleiche Streben zur Ver= breitung des Glaubens und zur Vertheidigung der Kirche: alles dieses war dem Livländischen Meister Lockung und Reiz genug, an dem starken und fest eingewurzelten Stamme des Deutschen Ordens Schutz und Halt zu suchen. Da starb ge= rade der Bischof Albert von Riga im Jahre 1229 [1]) und ein Streit in der neuen Bischofswahl war um so sicherer zu er= warten, weil der Erzbischof von Bremen das frühere Recht seiner Kirche, nach welchem die drei ersten Bischöfe Livlands vom erzbischöflichen Stuhle zu Bremen ernannt und nach Liv= land gesandt worden waren, noch keineswegs aufgegeben hatte, die Stiftsherren in Riga dagegen nach päpstlichen Bewilli= gungen [2]) das Recht der eigenen Bischofswahl zu besitzen mein= ten. In der That ernannte auch bald der Erzbischof von Bremen den Scholasticus des Stiftes zu Bremen Albert zum Bischofe von Livland, während das Kapitel zu Riga aus seiner Mitte den Stiftsherrn Nikolaus von Magdeburg er= wählte [3]).

---

wen van Jerusalem." Lucas David B. III. S. 2 nennt den Mei= ster Volquin in dieser Beziehung „des Raths ersten angeber."

1) *Albert. Stadens.* p. 306. Arndt B. II. S. 33. Gade= busch B. I. S. 211. Der Todestag Alberts ist unbekannt. *Corneri* Chron. ap. *Eccard.* T. II. p. 864 setzt den Tod des Bischofs erst ins Jahr 1234, also viel zu spät.

2) *Gruber* Origin. Livon. in silva Document. Nr. XX. p. 244, vorzüglich Nr. XLV. p. 266 — 267.

3) *Albert. Stadens.* p. 306. *Alberic.* p. 536. *Gruber* l. c. p. 183. Arndt B. II. S. 216. *Corneri* Chron. l. c.

Diese Zeit der Erledigung des bischöflichen Stuhles zu Riga und des Streites wegen seiner neuen Besetzung war es, welche der Ordensmeister wahrnahm, um in seinem Plane den ersten Schritt zu thun [1]): gewiß die günstigste Gelegenheit zu seiner Ausführung, denn so lange der Bischof Albert noch lebte, würde schwerlich hierin etwas haben geschehen können, da dieser die Verhältnisse und die Stellung des Deutschen Ordens zur hohen Geistlichkeit auf seinen öftern Reisen in Deutschland ohne Zweifel ganz genau kennen gelernt und sicherlich auch die päpstlichen Bestimmungen hierüber nicht unbeachtet gelassen hatte. Jener Schritt aber geschah dadurch, daß Meister Volquin noch im Laufe des Jahres 1229 einige seiner Ordensritter mit dem Vorschlage zur Vereinigung seines Ordens mit dem der Deutschen Ritterbrüder an den Hochmeister Hermann von Salza nach Italien sandte.

---

1) In Rücksicht der Zeit, in welcher Volquin seinen Plan auszuführen begann, herrschen verschiedene Meinungen. Gabebusch B. I. S. 211 nimmt an, daß der Ordensmeister sich mit dem Bischofe über die Vereinigung beider Orden berathen habe; allein es fehlen zu dieser Annahme die nöthigen Beweise und an sich ist sie sehr unwahrscheinlich. Gebhardi und Schlözer in der Geschichte von Litthauen S. 366 sprechen die Angabe von Gabebusch ohne Prüfung nach. Dagegen lassen die älteren und bewährteren Quellen den ersten Versuch zur Ausführung dieses Planes durch den Meister Volquin allein und erst nach des Bischofs Tode geschehen. Der Reimchronist Alnpeck, welcher seine Chronik im Jahre 1296 zu Reval schrieb, weiß nichts von des Bischofs Theilnahme in der Sache; eben so wenig *Dusburg* P. III. c. 28. Russow S. 7 setzt sogar den ersten Versuch zur Verbindung ins J. 1234. Arndt B. II. S. 33 sagt: „Der tödtliche Hintritt des Bischofs Albert sey eine mit der Ursachen, welche den Meister Volquin bewogen, die Vereinbarung des Schwertbrüder=Ordens mit dem in dem benachbarten Preussen in Aufnahme gekommenen Deutschen Orden zu suchen. Er läßt daher die Botschaft an den Hochmeister ebenfalls erst nach dem Tode des Bischofs erfolgen. So auch die Ordens=Chronik bei *Matthaeus* l. c. *De Bray* in f. Essai critique sur l'histoire de la Livonie T. I. p. 164 hat daher Unrecht, wenn er die Angaben Arndts und der Ordens=Chronik einander gegenüber stellt. Nach Hiärn S. 147 fertigten zwar die Ordensritter für sich allein, aber noch zu Alberts Lebzeit die Boten an Hermann von Salza ab.

Dieser Meister war damals eben erst aus dem Morgenlande zurückgekehrt und in den wichtigsten Verhältnissen des Streites zwischen dem Papste Gregorius und dem Kaiser Friederich beschäftigt, als die Livländischen Ordensritter bei ihm eintreffend ihres Meisters Auftrag vorlegten [1]). So nothwendig indessen gerade jetzt die baldige Ausführung seines Gedankens und so günstig hiefür auch die Zeit dem Ordensmeister Volquin geschienen, so unangemessen fand sie jetzt Hermann von Salza für die neuen, so eben erst eingeleiteten Verhältnisse seines Ordens. Erst jüngst hatte er einen schwachen Zweig dieses Ordens auf dem verheerten Boden des Kulmerlandes eingepflanzt, und dieser Zweig, vorerst weder tief gewurzelt, noch gehegt durch schützende Umgebung, konnte nur gar zu leicht durch die Stürme wieder zerknickt und zerschlagen werden, die vom Westen her und vom Osten gegen Livland drohten. Wie wenn durch die Vereinigung beider Orden die Litthauer und Preussen zu dem Gedanken einer gemeinsamen Verbindung gegen die Ordensritter gelangten und die Erbitterung der erstern auch gegen die Ritter im Kulmerlande aufgereizt wurde? Es war ferner auch noch zweifelhaft, ob der Orden in Livland und die Brüder des Deutschen Ordens im Kulmerlande durch Preussens Gebiete hindurch sich je würden die Hände bieten können, denn kaum war das letztere Land vom Orden erst betreten. Zum Könige Waldemar von Dänemark stand Hermann von Salza allerdings in ganz anderen Verhältnissen, als der Ordensmeister Volquin. Nicht bloß persönliche Bekanntschaft, als Hermann den König in seiner Gefangenschaft beim Grafen Heinrich von Schwerin vor

---

1) Daß die Ordensritter den Hochmeister zu Venedig gefunden, wie Arndt a. a. O. behauptet, ist nicht erweislich. So viel wir wissen, befand sich Hermann damals bald bei dem Kaiser in Unteritalien, bald bei dem Papste wegen der wichtigen Unterhandlungen zur Aussöhnung beider. Die gesandten Ritter können den Hochmeister auch wohl nicht früher als im September in Italien getroffen haben, denn erst um diese Zeit kehrte er aus dem Morgenlande zurück. Vgl. Raumer B. III. S. 455.

fünf Jahren besuchte, hatte beide einander näher gebracht, son=
dern der Meister durfte sich auch wohl mit unter des Königes
Befreier zählen, denn wie früher in diesem Buche berichtet ist,
hatte vorzüglich er im Auftrage des Kaisers zu seiner Be=
freiung mitgewirkt. Auch diese Verhältnisse berücksichtigte
Hermann von Salza; denen kaum hatte Waldemar von dem
Plane des Livländischen Ordensmeisters Kunde erhalten, als
er zur Verwahrung seiner Rechte auf Esthland die Ver=
einigung beider Orden auf jede Weise zu, hindern suchte [1].
Auch der Papst, vom Hochmeister in dieser Sache um Rath
gefragt und über die Verhältnisse in Livland erst vor kurzem
durch den Legaten Wilhelm von Modena genauer unterrichtet,
scheint für jetzt wenigstens die Verbindung beider Orden der
Lage der Dinge nicht angemessen gefunden zu haben [2].

Also hinreichend Gründe für Hermann von Salza, in
den Plan des Ordensmeisters von Livland vorerst noch nicht
einzugehen. Indessen scheint er den zurückkehrenden Ordens=
rittern doch nicht alle Hoffnung zur einstigen Ausführung des
gehegten Wunsches entnommen zu haben. Bald aber gestal=
teten sich auch die Verhältnisse sowohl des Ordens in Livland,
als der Ordensritter im Kulmerlande schon in den nächsten
Jahren in solcher Weise, daß eine Vereinigung beider Orden
weit weniger Bedenklichkeiten gegen sich hatte und aus man=
chen Gründen dem Hochmeister selbst wünschenswerth seyn
mußte. Jene streitige Bischofswahl in Riga war durch den
Papst dahin entschieden worden, daß der vom Kapitel zu
Riga erkorene Stiftsherr Nikolaus von Magdeburg den bi=
schöflichen Stuhl einnahm, dem Erzbischofe von Bremen ewi=

---

1) Hiärn S. 147. Gadebusch B. I. S. 211 nach Brandis
Livländ. Geschichte B. V. S. 437 — 438.

2) Daß die Livländischen Ritter sich auf ihres Meisters Befehl auch
zum Papste begaben, sagt der Reimchronist Alnpeck S. 31:

    Des sante er an den pabest hin
    So lange das sin wille ergienc
    Das sie das dütsche hus entpfienc.

Dasselbe erwähnt auch Lucas David B. III. S. 2.

ges Schweigen über sein vermeintes Recht anbefohlen [1] und
somit aller fernere Einfluß auf die kirchlichen Verhältniße Livlands aufgehoben war. Noch erfreulicher aber war die zwar
durch die Furcht vor der Herrschaft der Dänen erfolgte, sonst
jedoch ganz freiwillige Bekehrung der Kuren und ihre Ergebung an den Bischof von Riga und an den Orden [2].

Freilich trübten dieses Glück nach wenigen Jahren schon
wieder neue unglückliche Ereigniße. Zuerst entspannen sich im
Jahre 1234 abermals feindselige Verhältniße mit dem kriegerischen Fürsten Jaroslav von Novgorod, weil die Livländischen
Ritter einige Meuterer gegen seine Herrschaft unterstützt hatten. Bis nach Dorpat drang das blutige Schwert des Fürsten vor und nur ein erbetener, ihm äußerst vortheilhafter
Friede that der allgemeinen Verheerung Einhalt [3]. An Frevel aber und Gräuel gegen Göttliches und Menschliches übertraf nichts die noch immer fortdauernden heillosen Raubzüge
des rohen Volkes der Litthauer, deshalb stets um so gefahrvoller und verderblicher, weil sie es selten zu einem förmlichen
gerechten Kampfe kommen ließen, weil man keinen Tag gegen
ihre Einfälle sicher war und des Landes Gränzen auf keine
Weise geschützt werden konnten, indem das kriegerische Raub-
volk heute hier, morgen anderswo seine Beute suchte [4]. Nun
geschah, daß der Papst, jüngst erst wieder über die Lage der
Dinge im Norden, besonders in Preussen und Livland genauer unterrichtet, für nothwendig fand, den Bischof Wilhelm von Modena abermals als päpstlichen Legaten im Jahre
1234 in die nordischen Lande zu senden [5], zugleich mit dem

---

1) *Albert. Stadens.* p. 306 sagt: Tandem Papa Bremensibus silentium imposuit pro sua, ut dicitur, voluntate. *Alberic.*
p. 536. *Gruber* Origin. Livon. p. 183. *Corneri* Chron. l. c.
p. 864.

2) *Gruber* l. c in silva Document. Nr. XLVII. p. 268.
Gabebusch B. I. S. 213.

3) Karamsin B. III. S. 219 — 220.

4) *Kojalowicz* Histor. Litthuan. p. 78 — 79.

5) *Raynald.* an. 1234. Nr. 45. *Gruber* Origin. Livon. silva Document. Nr. L. p. 270. *Estrup* p. 28. 39.

Auftrage, den König Waldemar von Dänemark, welcher mit Lübeck im Kriege durch versenkte Schiffe den Hafen dieser Stadt versperrt und den Kreuzfahrern die Seefahrt nach Livland theils hieburch, theils auch durch Angriffe auf der offenen See schon mehre Jahre lang fast ganz unmöglich gemacht hatte, aufs ernstlichste zu ermahnen, von diesem Frevel an der Sache der Kirche abzustehen [1]). Der König gehorchte und es langten nun wieder einzelne Haufen von Kreuzfahrern in Livland an [2]), die den Anfällen der Litthauer einigen Widerstand zu leisten vermochten. Inzwischen fand doch der päpstliche Legat diese vereinzelte und nur zuweilen herbeikommende Hülfe gegen die tägliche Gefahr der Kirche in keiner Weise zureichend, also daß er nun sich bald selbst überzeugte, wie heilsam und nothwendig eine Vereinigung des Livländischen Ritterordens mit dem der Deutschen Ordensritter sey.

So geschah es höchstwahrscheinlich auf Anrathen des päpstlichen Legaten, daß der Ordensmeister Volquin, von des Hochmeisters Anwesenheit in Deutschland unterrichtet, im Jahre 1235 eine neue Botschaft an ihn absandte, um sein Gesuch zu erneuern [3]). Die Zeit schien jetzt in aller Hinsicht günstiger, denn die Verhältnisse hatten sich im Verlaufe einiger Jahre im Norden bedeutend verändert. Rußlands Fürsten vernahmen schon seit dem Jahre 1229 mit Schrecken den Einbruch des neuen Chans der Tartaren Batu in ihre Gränzen an der Spitze einer Horde von sechsmalhundert tausend Kriegern und richteten auf diesen furchtbaren, gewaltigen Feind ihre ganze Kraft und Aufmerksamkeit, so daß Livland von dorther weit mehr gesichert war [4]). Die Kuren waren Christen geworden und standen mit dem Ritterorden in Livland im friedlichsten Verhältnisse. Die Macht Waldemars von Dänemark auf der See, wie in den Küstenländern war

1) *Raynald.* an. 1234. Nr. 46. *Bangert* Origin. Lubec ap. *Westphalen* T. I. p. 1304.
2) *Corneri* Chron. p. 864.
3) Arndt B. II. S. 35.
4) Karamsin B. III. S. 229.

schon seit Jahren nichts weniger als furchtbar, denn Holstein,
Mecklenburg, Pommern und die Städte Hamburg und Lü=
beck hatten der Dänen Joch abgeworfen; die Flotte war in
dem letzten Kriege mit Lübeck fast gänzlich vernichtet worden [1])
und der König vom Gram über sein Unglück und durch das
Alter seiner Tage darniedergedrückt, hatte gerne das lange
geführte Kampfschwert hinweggelegt, um Ruhe auf dem Throne
zu finden [2]). Eine Ausgleichung seiner Rechte auf Esthland
schien demnach jetzt auch ungleich leichter. In Preussen waren
für den Deutschen Orden schon manche günstige Aussichten er=
öffnet. Die ganze Landschaft Kulm und Löbau gehörten schon
den Ordensrittern; auch Pomesanien war durch die Schlacht
an der Sirgune eigentlich schon gewonnen; bereits war der
Deutsche Orden auch mit dem der Dobriner=Brüder ver=
einigt und an dem fernern glücklichen Fortgange der Erobe=
rung Preussens durfte man kaum noch zweifeln.

Dieses alles erwägend und mit der Vorsicht, die ihm
eigen war, die Zukunft berechnend ging jetzt Hermann von
Salza weit mehr als früher in den Gedanken des Ordens=
meisters Volquin ein. Bevor er indessen die entscheidende
Zustimmung gab, wünschte er über alle Verhältnisse in Liv=
land selbst, über die Stellung des dortigen Ordens zur Geist=
lichkeit, über Leben und Verfassung der Ordensritter und über
manches andere noch genauere Belehrung und entsandte des=
halb im Laufe des Jahres 1235 noch von Deutschland aus
zwei Deutsche Ordensritter, den klugen und erfahrenen Kom=
thur von Altenburg, Ehrenfried von Neuenburg, seinen Ver=
wandten, und den edlen Komthur von Nägelstädt, Arnold von
Dorf, nach Livland [3]). Im Spätsommer mit Volquins Ab=

---

1) *Corneri* Chron. p. 879.

2) *Petri Olai* Excerpt. ap. *Langebeck* T. II. p. 260. Wie
umgewandelt der König war, liefet man in *Gheysmeri* Comp. Histor. Dan. ibid. p. 387. Mallet B. I. S. 389.

3) So werden die beiden Ritter bei Lucas David B. III. S. 2
(wo Meuburgk statt Neuenburg nur ein Schreibfehler ist), bei Wai=
ßel S. 58, Arndt B. II. S. 35, Hiärn S. 150 und einigen an=

gesandten in Livland angelangt, zogen sie über alle Verhältnisse die genauesten Nachrichten ein. Der früh eintretende
Winter verhinderte aber ihre Rückkehr, so daß sie erst im
Frühling des nächsten Jahres die Rückreise zur See antreten
konnten. Mit ihnen entsandte der Ordensmeister Volquin drei
seiner angesehensten Gebietiger, den Ordensmarschall Johannes Salinger, den Komthur von Wenden Raimund und Johannes von Magdeburg, nachmaligen Komthur in Riga 1).

Diese Abgeordneten langten aber zu Marburg, wohin sie
beschieden waren, um mit dem Meister Hermann von Salza
selbst die Sache zu berathen, erst so spät an, daß dieser mittlerweile seine Rückreise nach Italien hatte antreten müssen.

---

dern Chronisten genannt. Ehrenfried von Reuenburg war ohne Zweifel aus dem Geschlechte der edlen Herren von Reuenburg, Ruenburg
oder Naumburg, die sich öfter auch Burggrafen von dem neuen Schlosse
nennen und in Sächsischen Urkunden nicht selten vorkommen; vgl.
Schultes Direct. diplom. B. II. S. 689. Schöttgen und Kreysig diplomat. Nachlese Th. V. S. 683. Oder war er vielleicht aus der
Familie der von Reuenburg in Franken? *De Wal* Recherches T.
I. p. 401. Lucas David a. a. O. nennt ihn des Hochmeisters an-
geborenen Freund, „der den namen erlangt hatte, daß er ein sehr
weiser man were.“ Arnold von Dorf soll nach Arndt a. a. O. auch
von Reuendorf geheißen haben. Daß er ein Sachse war, sagt Lucas
David. Er könnte aus dem Geschlechte stammen, dem das Dorf Reuendorf oder Rauendorf in Sachsen gehörte; s. Schöttgen und Kreysig
a. a. O. Th. IX. S. 71. Th. I. S. 121. Nägelstädt, wo er Komthur
war, eine alte Komthurei an der Unstrut, gehörte zur Balei von
Thüringen, s. Falkensteins Thür. Chron. S. 925. Nach einem
spätern Verzeichnisse (im geh. Archive) hatte es fünf Ordensbrüder, von
denen der eine Geistlicher war. Auch Altenburg gehörte mit unter die
ältesten Komthureien, hatte eine Ordenskapelle mit zehn Ordensbrüdern.
Es stand ebenfalls unter dem Landkomthur von Thüringen. *Rudolphi*
Gotha diplom. T. V. p. 196. *Guden*. Cod. diplom. T. IV. p.
871. *De Wal* Recherches T. II. p. 11.

1) Lucas David B. III. S. 3. Waißel S. 59. Hiärn
S. 150. Arndt B. II. S. 35. Des Ordensritters Johannes von
Magdeburg erwähnt in dieser Sendung auch *Dusburg* P. III. c. 28.
Als Komthur von Riga kommt er in einer Urkunde im Jahre 1277,
bei Arndt B. II. S. 65 vor.

Auch der damalige Deutschmeister Heinrich von Hohenlohe war nicht anwesend; indessen hatte Hermann dem Stellvertreter des Deutschmeisters Ludwig von Oettingen [1]) den Auftrag ertheilt, die Berichte der zurückkehrenden Ordensritter in einem versammelten Kapitel zu vernehmen, mit den angesehensten Ordensbrüdern die Sache nach ihrer Wichtigkeit zu berathen und ihm des Kapitels Beschluß nach Italien nachzusenden. Sofort berief dieser im Jahre 1236 ein allgemeines Ordenskapitel nach Marburg, zu welchem sich siebenzig der vornehmsten Ordensbrüder einfanden. Da sprachen die Livländischen Abgeordneten zuerst von ihres Ordens Verfassung, Gesetzen, Rechten, Lebensordnung, Besitzungen und Verhältnissen zur Geistlichkeit. Dann aber erhob der Komthur von Altenburg Ehrenfried von Neuenburg das Wort: „Die Ritter dieses Ordens sind eigensinnige und muthwillige Köpfe, die sich ungerne an ihres Ordens Regel binden. Sie sehen mehr nur auf eigenen Vortheil, als auf gemeine Wohlfahrt, und diese hier — er deutete mit dem Finger auf zwei der Gegenwärtigen — nebst vier andern, die ich kennen gelernt, sind unter allen die ärgsten.“ — „Er redet wahr, dieser Ordensbruder, — erwiederte Arnold von Dorf, der Komthur von Nägelstädt,“ doch wenn jene Ritter unsern Orden annehmen werden, so ist gewiß, sie werden die Untugenden ablegen. So wollen wir das Beste hoffen und ihnen ein schöneres Muster im Wandel seyn [2]).“

Da befragte Ludwig von Oettingen die anwesenden Brüder um ihre Meinung wegen der Verbindung. Allein sie

---

1) Dieser Ludwig von Oettingen war sonst bloßer Ordensbruder im Convente zu Marburg. Als solcher kommt er auch noch in einer Urkunde vom Jahre 1245 vor, in welchem Jahre Conrad von Bubingen Komthur dieses Convents war; s. *Guden.* Cod. diplom. T. IV. p. 881. Er war einer der ausgezeichnetsten Deutschen Ordensritter; auf dem großen Reichstage zu Mainz 1235 befand er sich bei dem Hochmeister; s. Ducat. Brunsvic. erect. ap. *Meibom.* T. III. p. 203.

2) Lucas David B. III. S. 4.

war einstimmig dem Wunsche des Meisters Volquin entgegen; nur Hartmann von Heldrungen [1]), noch ein jüngerer Ordensbruder, rieth zum Aufschub der Entscheidung bis zu des Hochmeisters Rückkehr aus Italien. Ihm stimmte hierin auch Arnold von Dorf bei. Als jedoch des Meisters Zurückkunft nicht erfolgte, so traten zwei der Livländischen Abgeordneten, Johannes Salinger der Ordensmarschall und der Komthur von Wenden die Rückreise nach Livland an, und nur Johannes von Magdeburg verweilte noch zu Marburg. Auf die Nachricht aber, daß der Hochmeister noch auf lange Zeit Italien nicht verlassen könne, reiste Ludwig v. Oettingen, begleitet von jenem Livl. Ordensritter und dreien seiner Ordensbrüder, Ulrich v. Durne [2]),

---

1) Nicht Hermann von Heldrungen, wie Arndt B. II. S. 36 ihn nennt. Der Name Hartmann war überhaupt in diesem Geschlechte gewöhnlich; mehre dieses Namens findet man in den Urkunden bei *Schultes* Direct. diplom. B. II. S. 679. Ein Hartmann von Heldrungen und dessen Sohn Heinrich kommen noch im Jahre 1225 vor, s. S. 604. Diplomat. Unterricht und Deduction u. s. w. Urk. Nr. 43, auch noch im Jahre 1235 in einer Urkunde in *Rudolphi* Gotha diplomat. T. V. p. 195. Da Hartmann von Heldrungen zugleich mit dem Landgrafen Conrad von Thüringen (1234) in den Orden trat, so kann dieser schon aus diesem Grunde nicht der nämliche seyn. Unser Hartmann war der Sohn Heinrichs von Heldrungen, der in einer Urkunde vom Jahre 1203 (bei *Ludewig* Reliq. T. V. p. 118) mit seinen Söhnen als Zeuge vorkommt; sie hießen Heinrich, Hartmann, Hermann und Otto. Vgl. Leben und Thaten Hartmanns von Heldrungen in den Histor. Sammlungen für Deutsche Staats- und Kirchengeschichte. Halle 1751. Erstes Stück S. 486.

2) Kommt als Ordensbruder in einer Urkunde vom J. 1234 vor, wo er Ulricus de Durne genannt wird, und wonach Arndts falsch geschriebener Name „von Döre" zu verbessern ist. S. diplomat. Unterricht und Deduction Nr. 45. Es war ein Rheinländisches Geschlecht; Hanselmann a. a. O. S. 588 nennt es ein sehr mächtiges Herren- und Grafen-Geschlecht, welches vom Kocher an bis an den Main und durch den ganzen Odenwald mächtige Güter, auch den Schirm über das Kloster Amorbach hatte. In Urkunden des 13ten Jahrhunderts kommt es ziemlich zahlreich vor; einen Ulrich von Durne finden wir 1260 bei *Guden.* Cod. diplom. T. II. p. 675 und 733. Unseres Ulrichs von Durne wird als Ordensbruder auch in einer Urkunde Dieterichs von

Wichmann von Würzburg [1]) und Hartmann von Heldrungen, selbst zum Meister nach Italien [2]).

Sie fanden Hermann von Salza wieder mit den wichtigsten Verhältnissen Italiens im Streite des Kaisers mit den Bundesstädten Lombardiens beschäftigt [3]), denn auch dieser war im Sommer des Jahres 1236 dahin zurückgekehrt. Der Hochmeister nahm die Ordensbrüder freundlich auf und zeigte sich den Bitten Johanns von Magdeburg jetzt um so mehr geneigt, da er nach der jüngst erst aus Preussen erhaltenen Nachricht von den Fortschritten seines Ordens aus einer Verbindung beider Orden neue Hoffnungen zu noch schnellerem Gedeihen seiner dortigen Schöpfung fassen konnte. Ohne des Papstes Zustimmung aber schien jeder weitere Schritt bedenklich und ohne seine Mithülfe und Einwilligung war eine Ver-

---

Grüningen mit Ludwig von Oettingen im J. 1245 erwähnt. Eine genealogische Uebersicht dieses Geschlechtes findet man in *Guden.* T. III. p. 668, woraus erhellt, daß Ulrich der Sohn Ruprechts von Durne war. *Muratori* Antiq. Ital. T. I. p. 846. Ein C. de Durne befindet sich mit Hermann von Salza im April 1232 am Kaiserhofe; vgl. *Lünig* Spicileg. Eccles. T. XVI. p. 33. In einer Urkunde in *Lang* Regesta Boica T. II. p. 213 wird im nämlichen Jahre aber auch ein W.... de Durne als Deutscher Ordensbruder zugleich mit Wichmann von Würzburg genannt, woraus zu vermuthen ist, daß dieses W.... Ulricus heißen müsse.

1) Wird auch noch im Jahre 1239 als Ordensbruder genannt. In einer Urkunde von diesem Jahre bei *Hanselmann* a. a. O. Beil. Nr. 30. S. 404 kommt frater Wichmann de Herbipoli als Zeuge vor. Früher, vielleicht auch noch im Jahre 1237, als er in diesen Geschäften des Ordens begriffen war, war er Komthur des Ordenshauses zu Würzburg; wenigstens wird er in einer Urkunde des Jahres 1231 frater Wicmannus domus Theutonicae in Wirceburg Commendator genannt; s. *Lang* Regesta Boica T. II. p. 205; freilich wird er im Jahre nachher bei *Lang* l. c. p. 213 nur unter der einfachen Bezeichnung frater eiusdem domus in Wirceburg erwähnt.

2) Nach *Arndt* B. II. S. 36. *Waißel* S. 60. *Lucas David* B. III. S. 5 — 6. *Hiärn* S. 152. *Dusburg* P. III. c. 28.

3) *Raynald.* an. 1236. Nr. 10. *Raumer* B. III. S. 737.

einigung beider Orden auch nicht einmal ins Werk zu stellen. Da übertrug zur glücklichen Stunde der Kaiser dem Hochmeister und seinem vertrauten Geheimschreiber, dem berühmten Peter von Vinea eine Verhandlung über die Lombardischen Verhältnisse mit dem Papste, der sich damals zu Viterbo aufhielt [1]). Die Ordensritter aus Deutschland und Johannes von Magdeburg begleiteten ihn. Allein sie fanden am päpstlichen Hofe schon Gesandte des Königes von Dänemark, die alles aufgeboten hatten, nicht bloß die Burg Reval, deren sich der Ordensmeister Volquin bemächtigt, sondern auch alle andern, den Dänen entnommenen Gebiete durch des Papstes gewichtigen Ausspruch ihrem Könige wieder zuzubringen [2]). Diese Gesandten hatten ohne Zweifel bei dem Papste auch schon einer Vereinigung beider Ritterorden entgegen zu wirken gesucht. Andere Schwierigkeiten lagen in den vom Papste bereits geschehenen Schritten. Schon hatte er auf die Klagen des Erzbischofs von Lund seinem Legaten, dem Bischofe Wilhelm von Modena den Befehl ertheilt, mit Ernst dahin zu wirken, daß dem Könige von Dänemark seine Besitzungen in Esthland und namentlich auch die Feste Reval zurückgegeben und in solcher Weise Friede und Einigkeit zwischen ihm und dem Orden wieder hergestellt werde [3]). Dieses hinderte den Papst, der Sache jetzt die Entscheidung zu geben, welche des

---

1) *Richard. de S. Germano* p. 1037. *Raynald.* an. 1237. Nr. 4. 5.

2) *Raynald.* an. 1236. Nr. 62. Arndt B. II. S. 36. Hiärn S. 153.

3) *Raynald.* an. 1236 Nr. 65 sagt: Ad ea dissensionum (sc. inter Regem Daniae et fratres militiae Christi) praefocanda semina, Gregorius reddendam (arcem Revaliensem) Dano, expensasque a fratribus factas refundi, ac firmam in eos legati opera pacem conjungi astringique jussit, ut datae litterae ad Guillelmum episcopum olim Mutinensem testantur. Vorher aber heißt es: Episcopatus tres in Estonia, nimirum Lealensem Wironensem et Revallensem Gregorius datis ad Guillelmum legatum apostolicis litteris archiepiscopo Lundensi restitui imperavit. *Estrup* l. c. p. 40 — 41. Hiärn S. 153.

Hochmeisters Wünschen gemäß war. Gregorius indessen war schon aus alter Gunst und in Erwägung der neuen Verdienste des Ordens auf jede Weise bemüht, dem Meister einen neuen Beweis seiner Huld zu geben und die Verbindung der Orden, die ohnedies dem Interesse der Kirche völlig entsprach, zu bewirken, knüpfte deshalb auch neue Verhandlungen mit den Dänischen Gesandten an und schlug neue Wege ein, um in irgend einer paßlichen Art eine Ausgleichung zu vermitteln. Die Entscheidung erfolgte bald auf die Nachricht von dem schreckensvollen Ereignisse, welches mittlerweile den Orden in Livland getroffen hatte.

Die Berichte, welche der päpstliche Legat im Jahre 1236 über die Gefahren der Kirche und des Christenthums in Livland und den Nachbarländern nach Rom gesandt, hatten die Theilnahme und den Eifer des Papstes für das christliche Werk in jenen Landen von neuem belebt. Er hatte deßhalb schon damals an den Legaten den Befehl ergehen lassen, für den Schutz und die Erhaltung des dort ausgestreueten und gebiehenen Samens des Glaubens auf jegliche Weise die größte Sorgfalt zu hegen, sowohl in den nahen christlichen Ländern, als in den nördlichen Theilen Deutschlands zur Aufhülfe der dortigen bedrängten Christenheit unter Zusicherung aller gewöhnlichen Gnadenspenden das Kreuz predigen zu lassen, mit allem Fleiße dahin zu wirken, daß die Neubekehrten sich einer billigen Freiheit zu erfreuen hätten, nicht durch drückende Abgaben belastet, vielmehr im erkannten Worte Gottes mehr und mehr bestärkt und alle, denen des Glaubens Erhaltung Pflicht und Freude sey, mit Fleiß ermuntert würden, durch den Aufbau neuer Burgen und auf jede andere Weise für des Landes Schutz und Sicherheit bemüht zu seyn [1]).

Des Legaten Bemühungen waren auch keinesweges ohne Erfolg geblieben. Nicht unbedeutende Pilgerschaaren waren unter

---

1) Das Schreiben des Papstes an den Legaten Wilhelm s. bei *Raynald.* an. 1236 Nr. 62 — 64. *Gruber* Origin. Livon. silva Document. Nr. LII. p. 272. Gadebusch B. I. S. 220. *Estrup* l. c. p. 41.

der Führung des edlen Grafen von Dannenberg [1]) und des tapfern Ritters Dieterich von Haselдорf zum Kampfe für den Glauben nach Livland gezogen [2]) und weil nun das größte Verderben und die meisten Gefahren dem Lande und der Kirche bisher immer noch die raubsüchtigen Litthauer gebracht, so hatte der Ordensmeister Volquin mit den Haufen der Kreuzfahrer alles zu vereinigen gesucht, was in den Gebieten des Ordens und der Bischöfe nur irgend zu den Waffen taugte [3]), und war mit einem Heere gegen Litthauen aufgebrochen, hoffend, das wilde feindliche Volk für immer zurückzuschrecken durch eine solche Kriegsmacht. Unter großen Gefahren und Beschwerden war das christliche Heer ins unwegsame und verwilderte Land eingefallen; weit und breit hatte es alles verheert, verwüstet, vernichtet und nirgends einen Widerstand des Feindes gefunden. Mittlerweile aber hatten die Litthauer in verborgenen Wäldern sich äußerst zahlreich versammelt und plötzlich stand nun in Einer Stunde am Tage des heiligen Mauritius — es war am zwei und zwanzigsten September des J. 1236 — dem christlichen Heere der gewaltige Schlachthaufe der Heiden an einem Flusse zum Kampfe entgegen. Vielen, sonst ritterlichen Helden und tapfern Streitern entsank fast der Muth bei dem grausen Anblicke des rohen, wil-

---

1) Dieses Geschlecht kommt auch sonst vor; s. Scheidt Nachrichten vom hohen und niederen Adel S. 137. *Herm. Corner.* p. 830. Den Taufnamen des Grafen wissen wir nicht. Ein edles Geschlecht von Tannenberg finden wir in Baiern; *Aventini* Excerpt. diplom. Passav. ap. *Oefele* T. I. p. 714.

2) Alnpeck S. 32. Lucas David B. III. S. 6. Ordens-Chronik bei *Matthaeus* p. 707. *Cranzii* Wandalia L. VI. c. 13. Russow S. 7. *Kojalowicz* Histor. Litthuan. p. 89.

3) Alnpeck a. a. O. singt vom Meister:

Er sante boten kegen rufen lant
Nach helfe. Die quamen in zu hant
Die eisten mit vil mancher schar
Quamen willenclichen dar
Die letten und die liven
Zu hus nicht wolden bliven.

den Volkes mit seinen schrecklichen Waffen. Da trat der un=
erschrockene Ordensmeister unter die Führer seines Heeres mit
dem ermuthigenden und aufmunternden Worte: „Nun ist es
Zeit zum Kampfe; unsere Ehre heischt ihn; wir schlagen sie
nieder und friedlich kehren wir dann heim [1).“ „Hilf uns,
heiliger Mauritius!“ erwiederte im Ausrufe das ganze christ=
liche Heer und die Schlacht ward beschlossen und begonnen.
Und es war ein furchtbarer Todeskampf, der von beiden
Heeren gewagt wurde. Lange ward um den Sieg fürchterlich
gerungen. Beide Heermassen stritten viele Stunden lang mit
der äußersten Tapferkeit; aber je länger das grausamste Wür=
gen und Schlachten, um so schwächer die Kraft bei den Chri=
sten, um so minderer ihre Hoffnung, um so wankender ihr
Muth, um so verzagter ihr Glaube an Sieg und Errettung.
Da raffte Volquin, der ritterliche Held, die Schaar seiner
Brüder noch einmal zusammen und stürzte in den Feind. Aber
er fiel unter den feindlichen Keulen mit achtundvierzig der
Seinen und nun erfolgte im christlichen Heere eine allgemeine
Flucht, denn auch der ritterliche Graf von Dannenberg und
der tapfere Held Dieterich von Haseldorf und mit ihnen mehre
Tausende waren erschlagen. Die wilden Litthauer stürmten den
Resten des flüchtigen Heeres nach und da es ihnen an Ge=
schossen gebrach und die Waffen zum Kampfe nicht mehr brauch=
bar waren, so wurden Bäume aus der Erde gewunden und
was vom christlichen Heere noch erreichbar war, damit ohne
Schonung niedergestreckt. Nur wenige kamen zum Schrecken
des Landes in die Heimat zurück und ohne Führer und Ge=
fährten eilten die einzelnen Pilgrime in ihre Lande heim [2).

---

1) Alnpeck S. 32.

2) Schon Gadebusch B. I. S. 222 — 223 klagt über die Dürre
der Livländischen Geschichtschreiber in Rücksicht dieses wichtigen Ereig=
nisses. Alnpecks Reimchronik, welche S. 32 — 33 diese Schlacht
besingt, kannte er noch nicht. Auch über die Zeit dieses Heereszugs
herrscht in vielen Chroniken große Verschiedenheit. Russow S. 7 setzt
ihn ins Jahr 1238; ebenso *Kojalowicz* p. 89 nach Livländischen
Quellen. Hiärn S. 153 nimmt das Jahr 1237 an. Es läßt sich

Da ging Furcht, Entsetzen und allgemeiner Jammer durch alle Länder des Nordens, die sich bereits zum Christenthum bekehrt hatten. Allen schien der Untergang der jungen christlichen Kirche und die Vertilgung des Glaubens unvermeidlich, wenn nicht eiligst neue Hülfe herbeikomme und Rettung bringe. Aber woher diese Hülfe in dem Drange der Noth? Es war die Zeit gekommen, in welcher selbst die Geistlichkeit klar einsah, daß solche nur vom Deutschen Orden für die Dauer zu erwarten sey. Daher sandte nun der Bischof von Riga im Einverständnisse mit den noch übrigen Ordensrittern in aller Schnelle den Ordensbruder Gerlach Rothe [1]) nach Italien zu Hermann von Salza und zum Papste, dringend bittend, daß ihnen Beistand geschehe in ihrer Noth durch die Verbindung ihres Ordens mit dem der Deutschen Ritter. Als jener Rit-

---

indessen sicher beweisen, daß der 22. September 1236 der Schlachttag war. Die Annal. *Albiani* ap *Langebeck* T. I. p. 208 sagen ausdrücklich bei dem Jahre 1236: In Livonia strages peregrinorum multa circa festum Mauritii. Genaue Nachrichten konnte der ungenannte Verfasser um so eher haben, da er um das Jahr 1265 und zwar an der Elbe, zu Lübeck, Hamburg oder in der Nähe gelebt haben muß. Ihm stimmt wie in vielem, so auch in dieser Sache *Albert. Stadens.* p. 308 wörtlich bei. Diese Zeitangabe des J. 1236 bestätigt auch der Papst in einem Schreiben bei *Raynald.* ann. 1237 Nr. 64, wo er am 14. Mai von dieser Schlacht sagt: Die Livländischen Ritterbrüder casum lugubrem in occasu Magistri et quinquaginta fratrum eiusdem militiae ac peregrinorum plurium, paganorum saeviente perfidia, *noviter* pertulerunt. Das konnte der Papst im Jahre 1237 nicht schreiben, wenn nicht die Schlacht im Herbst des J. 1236 vorgefallen war. Den Tag des heil. Mauritius als Schlachttag nannte auch das Chron. Canonici Sambiens. mit den Worten: fuit magna expeditio in Littowia in die Mauritii; es giebt aber auch das falsche Jahr 1237 an. *Herman. Corner.* p. 883 versetzt die Begebenheit nach Preußen; facta fuit pro eodem tempore (1242) maxima caedes peregrinorum et exercituum Christi contra barbaros illos transeuntium de Alemannia in Prutziam, ubi Theodericus de Haseldorp occubuit cum tribus milibus armatorum.

1) Lucas David B. III. S. 7 nennt ihn Gerlach von Gernrode; sonst heißt er Gerlach Rufus, so bei *Dusburg* P. III. c. 28. Alnpeck S. 33.

ter bei dem Hochmeister am Kaiserhofe mit der Trauernach-
richt anlangte [1]), war die Entscheidung in der Sache noch
nicht weiter gediehen. Jenes Ereigniß aber führte sie jetzt
um so schneller herbei. Das jammervolle Schicksal, welchem
die Christen in den bedrängten Landen, wie an den Enden
der christlichen Welt mit einemmale Preis gegeben waren, der
drohende Untergang der christlichen Kirche in allen jenen Gebieten, deren zunehmendes Gedeihen in seinen Zeiten der Papst
nie ohne Freude und Stolz erwähnte, die er gerne und oft
seine geliebte Pflanzung nannte, die Schwierigkeit, schnell neue
Kreuzheere dorthin in Bewegung zu bringen und die Gefahren,
welche selbst dem Ritterorden in Preussen bevorstanden, sofern
Livland und die übrigen Länder von den Heiden wieder gänzlich überzogen und überwältigt würden: das alles machte auf
Gregorius Seele den tiefsten Eindruck und nicht ohne schwere
Betrübniß las er die klagevollen Briefe, in denen die Bischöfe
Livlands und Esthlands flehentlich um Rettung und Hülfe baten [2]). Da trat Hermann von Salza, wohl einsehend, daß
der Papst nach den bereits von ihm geschehenen Schritten des
Dänischen Königes Anrechte auf die Esthländischen Besitzungen
nie ganz unbeachtet lassen könne, vielmehr diesen Beherrscher
gerne inniger mit der Kirche zu Rom verbinden zu wollen
scheine, mit dem Antrage vor ihm auf: man wolle die Vereinigung beider Orden durch des Königes Ansprüche nicht län-

---

1) Hermann von Salza hielt sich auch jetzt meistentheils beim Kaiser auf; *Richard. de S. Germano* p. 1038. Nach urkundlichen
Beweisen befand er sich mit dem Kaiser im Januar und Februar des
J. 1237 in Wien. Vom Januar führt *Herrgott* Monumenta do-
mus Austriae T. I. p. 231 eine Urkunde an, in welcher unter den
Zeugen auch der Hochmeister Hermann genannt wird. Vom Februar
steht eine Urkunde in *Hormayr* Geschichte von Wien B. I. Heft 3. S.
LXXVI. im Urkundenbuche. Unter andern befanden sich damals bei
dem Kaiser der Patriarch von Aquileja, die Erzbischöfe von Mainz,
Salzburg und Trier, die Bischöfe von Regensburg und Bamberg, der
Herzog O. von Baiern, der Landgraf H. von Thüringen, Herzog B.
von Kärnthen, Gottfried von Hohenlohe u. a.

2) *Raynald.* an. 1237. Nr. 63 — 64.

22 *

ger mehr behindern laſſen; ſey ſolche erfolgt und könne er ſich auch Meiſter des Ordens in Livland nennen, ſo werde es un= gleich leichter ſeyn, des Königes Forderungen in dem, was billig, Genüge zu leiſten [1]).

Da der Papſt dieſen Vorſchlag genehmigte, ſo erſchien eines Tages der Hochmeiſter mit den beiden Livländiſchen Rit= tern im päpſtlichen Palaſte. In Gegenwart des Patriarchen von Antiochien, des Erzbiſchofs von Bari, des päpſtlichen Marſchalls Conrad von Straßburg, eines Deutſchen Ordens= bruders, und des päpſtlichen Kämmerlings, eines Johanniter= Ritters ſtellte Hermann von Salza dem Papſte die Ritter aus Livland vor. Sie mußten vor dem Stuhle des Papſtes niederknien; er vergab ihnen alle Sünden, ſprach ſie los von dem Eide und der Regel ihres Ordens, ermahnte ſie zur Ta= pferkeit für den Glauben und ſegnete ſie nun in den Deut= ſchen Orden ein. Darauf legten ſie ihren Rittermantel mit dem Schwerte ab und empfingen das ſchwarzbekreuzte Deutſche Ordenskleid. Jener aber fiel nach üblicher Sitte dem Kämmer= ling des Papſtes zu [2]).

So ward die Verbindung beider Orden vollzogen: ein wichtiger Augenblick für die Schickſale der Länder, die nun= mehr auf Jahrhunderte hindurch unter der Herrſchaft des Deut= ſchen Ordens ſtanden, in ihm ihre Rettung und bald auch neues Gedeihen und neue Blüthe fanden. Erſt nach der Rück= kehr der beiden neugeweihten Ritter an den Kaiſerhof wurde ihnen kund, daß der Papſt die Burg Reval dem Könige von Dänemark bereits zugeſprochen habe, dieſer jedoch die

---

1) Hiärn S. 153. Arndt B. II. S. 37.

2) Hiärn a. a. O. Arndt B. II. S. 38. Gadebuſch B. I. S. 225. *Dusburg* P. III. S. 28 beſtätigt den Bericht dieſer Liv= ländiſchen Geſchichtſchreiber durch die Worte: Dominus Pápa dictum negotium terminavit et fratrem Gerlacum et fratrem Johannem praedictos ad Ordinem Hospitalis S. Mariae domus Teutoni- corum investivit, dans eis album pallium cum nigra cruce, in- jungens eis et aliis fratribus eiusdem Ordinis militum Christi in Livonia existentibus in remissionem omnium peccatorum, ut Ordinis domus Teutonicae susciperent habitum regularem.

vom Orden zur Vertreibung der Heiden verwandten Kosten zuvor erstatten solle. Des entsetzten sich die Ritter im Hasse gegen der Dänen Herrschaft und Gerlach Rothe voll Unwillens an die Brust schlagend brach gegen Hartmann von Heldrungen in die Worte aus: „Wäre es nicht geschehen, es geschähe nun und nimmermehr, das sage ich fürwahr [1]!"

Diese Vereinigung beider Orden erfolgte im Monat März oder April des Jahres 1237 [2]) und sofort entsandte nun der Hochmeister den Ordensbruder Hartmann von Heldrungen und den neuen Bruder Gerlach Rothe nach Marburg, wohin Ludwig von Oettingen, der stellvertretende Deutschmeister schon im Winter zurückgekehrt war, mit dem Befehle an diesen, eiligst sechzig tapfere Ritter nach Livland zu senden an die Stelle der Erschlagenen. Er selbst wollte bald zu weiterer Berathung und Ordnung der wichtigen neuen Verhältnisse des Ordens im Norden nach Marburg zu einem allgemeinen Ordenskapitel kommen. Bald darauf trat Hermann diese Reise an, begab sich zuvor aber mit dem Ordensbruder Johannes von Magdeburg an den Hof des Kaisers, der sich damals in Deutschland aufhielt, theils seinem erhabenen Gönner die auch von diesem gewünschte Vereinigung der beiden Orden mündlich zu melden, theils sich seines Schutzes und seiner Unterstützung auch für die neuerworbenen Länder zu versichern. Erfreut durch des Kaisers Geschenke zur Aufhülfe des Ordens in Livland [3]) begab er sich dann nach Marburg, wohin be-

---

1) Hiärn a. a. O. Arndt a. a. O. Lucas David B. III. S. 7 — 8.

2) Im März dieses Jahres muß sich Hermann von Salza in der Absicht, mit dem Papst über die Vereinigung der Orden das Weitere zu verhandeln, an den päpstl. Hof begeben haben, denn seit dem März und April finden wir ihn nicht mehr in des Kaisers Umgebung; s. Monumenta Boica T. III. p. 135 und IV. p. 344. Im Mai aber war, wie das bald weiter erwähnte päpstliche Schreiben ausweiset, die Verbindung der Orden schon geschehen.

3) Nach Arndt a. a. O. betrug die Summe des kaiserlichen Geschenkes nur 60 Mark Goldes; eben so nach Hiärn S. 155. Nach Lucas David B. III. S. 8 und Waißel S. 61 spendete dagegen der Kaiser 1500 Mark Goldes.

reits die vornehmsten Gebietiger des Ordens aus ganz Deutschland zum Kapitel zusammengekommen waren. Die Verhältnisse in Livland waren der wichtigste Gegenstand der Berathungen und da vor allem für die dortigen Ordensritter ein neuer Meister erkoren werden mußte, so schlug Hermann von Salza als solchen den jungen und rüstigen Ordensbruder Dieterich von Grüningen ¹), dem er großes Vertrauen schenkte, den versammelten Brüdern vor. Allein das Kapitel fand nicht rathsam, so tapfern und versuchten Rittern in so schwierigen Verhältnissen einen noch so jungen Ordensbruder als Haupt und Befehlshaber vorzusetzen. Daher beschloß der Hochmeister mit des Kapitels Beistimmung, den so tapfern als gewandten und erfahrenen Landmeister von Preußen Hermann Balk zugleich zum Meister von Livland zu ernennen und zur ersten Einrichtung und Anordnung der neugestalteten Verhältnisse dorthin zu senden, ihm aber' als Gefährten und Gehülfen den aufgeweckten und thätigregsamen Dieterich von Grüningen beizugesellen, damit dieser späterhin dort ins Meisteramt eintreten könne ²). Daneben mußte im Kapitel auch

---

1) Ueber das Geschlecht der von Grüningen in Schwaben und Hessen findet man Nachricht in Wenck's Hessisch. Landesgeschichte B. III. S. 57 — 58 und in Rommels Geschichte von Hessen B. I. S. 198 ff. Dieterich von Grüningen wird mit unter den Rittern genannt, welche zugleich mit dem Landgrafen von Thüringen in den Orden getreten waren.

2) Arndt a. a. O. Hiärn S. 155. Lucas David a. a. O. Waißel S. 61. — Hier endigt der Bericht, den uns diese Chronisten über die Vereinigung beider Orden geben. Er gründet sich, wie schon Gadebusch Livl. Jahrb. B. I. S. 224 und in seiner Abhandl. von Livländ. Geschichtschreibern S. 11 — 12 bemerkt, auf eine alte Erzählung über diese Vereinigung, als deren Verfasser Brandis in s. Livländ. Geschichte den Ordensbruder Hartmann von Heldrungen nennt und dabei ausdrücklich sagt: er habe aus diesem alten Berichte seine Erzählung entnommen. Man hat indessen die jemalige Existenz dieser alten Schrift in Zweifel gezogen und Arndt B. II. S. 37 behauptet geradezu: Brandis habe die Geschichte der Ordensvereinigung aus Waißel entlehnt und nur weitläufig ausgeputzt. Gadebusch suchte früher in seiner Abhandl. über Livl. Geschichtschreiber die Exi-

manches andere, was die Regel und innere Lebensordnung
der Livländischen Ordensbrüder betraf, näher berathen und

stenz jenes Berichtes festzuhalten, änderte indeſſen ſpäterhin in ſeinen
Livl. Jahrb. B. I. S. 224 dieſe Meinung und fügt, wie er meint, einen ſehr wichtigen Grund hinzu, der die Nicht-Exiſtenz jenes Berichtes
erweiſe. Wir werden ihn ſogleich näher prüfen. Der älteſte Chroniſt,
welcher dieſen alten Bericht benutzt haben müßte, iſt ohne Zweifel
Lucas David. Mit dieſem ſtimmen in allem die andern in der
Hauptſache überein; doch nennt er nirgends die Quelle, aus welcher er ſchöpfte. Soll über die Exiſtenz und die Autenticität des
alten Berichtes entſchieden werden, ſo kommt es meines Erachtens
mehr auf die inneren, in der Sache ſelbſt liegenden Beweiſe, als auf
äußere Auctoritäten an und nach jenen Beweiſen ſcheinen wir an der
ehemaligen Exiſtenz eines ſolchen alten Berichtes auf keine Weiſe zweifeln zu dürfen. Sehr wichtig iſt nämlich 1) der Umſtand, daß faſt von
allen in dieſem Berichte vorkommenden Perſonen urkundlich zu erwei-
ſen iſt, daß ſie damals gelebt und das geweſen ſind, wofür der Bericht
ſie ausgiebt. Von Ludwig von Oettingen, Hartmann von Heldrungen,
Ulrich von Durne, Wichmann von Würzburg u. a. iſt dieſes dargethan.
2) Verſetzt der Bericht den Hochmeiſter und den Papſt immer auch dahin, wo ſie ſich nach ſicheren Quellen wirklich auch aufhielten. Der Bericht läßt z. B. im J. 1236 den Hochmeiſter in Deutſchland und namentlich in Marburg ſeyn und Urkunden, ſo wie chroniſtiſche Angaben
beſtätigen dieſes. Daher iſt die ſo eben erwähnte Behauptung von Gadebuſch in Livl. Jahrb. B. I. S. 224, daß ſich der Hochmeiſter um
jene Zeit zu Venedig aufgehalten habe, völlig grundlos und weit entfernt, daß der von Gadebuſch hervorgehobene Hauptumſtand den Bericht verdächtig macht, iſt er für deſſen Wahrhaftigkeit vielmehr eine
neue Beſtätigung. 3) Stimmt der Bericht auch völlig mit *Dusburg*
P. III. c. 28 überein; die von dem Berichte genannten beiden Livländiſchen Ritter Johannes von Magdeburg und Gerlach Rothe erſcheinen
auch wieder im Dusburg. 4) Ob Hartmann von Heldrungen, wie
Brandis behauptet, dieſen Bericht verfaßt habe, kann freilich nicht
mehr bewieſen werden, da weder das Original, noch eine getreue Abſchrift davon vorhanden ſind. Gründe zu dieſer Annahme muß Brandis gewiß gehabt haben. Innere Beweiſe ſprechen ihr wenigſtens nicht
entgegen und es läßt ſich wohl denken, daß der vom Hochmeiſter ſo ge-
ſchätzte und an der Ordensverbindung ſelbſt ſo thätig theilnehmende
Ordensbruder von ſeinem Meiſter ſogar den amtlichen Auftrag erhalten
haben könnte, den Verlauf dieſes für den Orden ſo wichtigen Ereigniſſes
ſchriftlich abzufaſſen.

als Gesetz und Verfassung festgestellt werden. Nur zum
Kampfe gegen die Ungläubigen und zur Bekehrung der Hei=
den war der Orden in Livland vor nunmehr sechs und drei=
ßig Jahren gestiftet worden, und gebildet nach der Regel des
Ordens der Tempelherren war er nicht, wie die Brüder des
Deutschen Ordens zur Pflege der Armen und Kranken in
Spitälern verpflichtet gewesen. Diese letztere war aber so innig
mit der ganzen Verfassung und dem inneren Wesen des
Deutschen Ordens verbunden, daß sie nothwendig nun auch
auf die neuen Ordensbrüder in Livland übertragen und
ihre Lebensweise in dieser Hinsicht wesentlich verändert werden
mußte.

Ein anderer wichtiger Punkt der Berathung dieses Kapi=
tels war höchst wahrscheinlich die Stellung und das Verhältniß
der Ordensritter in Livland gegen die dortige hohe Geistlich=
keit. Der Ursprung des Livländischen Ordens durch den Bi=
schof von Riga und mancherlei Ereignisse, die sich im Laufe
der Zeit ergeben, hatten ihn immer in einer gewissen Unter=
gebenheit und unterwürfigen Abhängigkeit von den hohen
Geistlichen gehalten und es ist uns erinnerlich, daß er gegen
den Bischof von Riga nicht allein förmlichen Gehorsam hatte
angeloben müssen, sondern zu diesem mächtigen Prälaten auch
selbst in das Verhältniß der Vasallenschaft getreten war.
Diese Stellung zur Geistlichkeit aber, so unvereinbar sie auch
immer mit der des Deutschen Ordens zu den neben ihm ste=
henden Prälaten war, ließ um so weniger eine durchgreifende
Veränderung zu, da sie in die ganze Lage der Dinge in Liv=
land gleichsam schon hineinverwachsen und durch päpstliche Ver=
fügungen bekräftigt und bestätigt war. Dieser wichtige Punkt
war daher ohne Zweifel auch schon Gegenstand der Verhand=
lung zwischen dem Hochmeister und dem Papste gewesen,
denn in der Bulle, welche am vierzehnten Mai 1237 ausge=
stellt und an die Bischöfe von Riga, Dorpat und Oesel ge=
richtet diesen Prälaten die päpstliche Bestätigung der Verei=
nigung beider Orden kund that, ward über dieses Verhältniß
ausdrücklich festgestellt, daß die Deutschen Ordensritter in Liv=

land, des vom päpstlichen Stuhle erhaltenen Befreiungsbriefes
ungeachtet, noch forthin unter der Gerichtsbarkeit der Bischöfe und Prälaten des Landes stehen und derjenige der Ordensbrüder, welchen der Bann der Prälaten treffe, von aller
Brüder Gemeinschaft so lange ausgeschlossen seyn solle, bis die
Freisprechung durch die Geistlichen erfolge [1]). Ferner ward
vom Papste auch bestimmt, daß durch beider Orden Vereinigung zwar auch alle Güter und Besitzungen der ehemaligen Livländischen Ordensritter an den Deutschen Orden
übergehen sollten, dieser jedoch das Land, als ein Eigenthum
und rechtlichen Besitz des heiligen Apostels, niemals einem andern Oberherrn zuwendend unterwerfen könne. Dem Legaten
Wilhelm aber ertheilte der Papst, dieses alles in gleicher Weise
meldend, noch den besondern Auftrag, eines Theils darauf
zu achten, daß die vom päpstlichen Stuhle verfügten Verordnungen für die Freiheit der Kirchen oder der Neubekehrten
oder für den sonstigen Zustand des Landes auch von den
Deutschen Ordensrittern unverbrüchlich gehalten würden, andern Theils aber auch darüber zu wachen, daß die den
Ordensbrüdern vor der Vereinigung ertheilten Freiheiten und

---

1) Die päpstliche Bulle bei *Raynald.* an. 1237 Nr. 64. *Gruber.*
Origin. Livon. silva Document. p. 270. *Dogiel* Cod. diplom·
Polon. T. V. Nr. 19 p. 13, Deutsch bei Arndt B. II. S. 39.
Es heißt darin: Ipsorum (i. e. fratrum Teutonicorum) ordini
memoratos praeceptorem et fratres, de fratrum nostrorum
consilio, *uniendos* duximus *cum bonis omnibus eorundem*
auctoritate apostolica statuentes, ut ipsi et caeteri fratres praedicti hospitalis sanctae Mariae Theutonicorum, qui pro tempore fuerint in Livonia, sicut hactenus, sub dioecesanorum et
aliorum praelatorum suorum jurisdictione consistant; in dem
Schreiben des Papstes an den Legaten Wilhelm wird hier noch hinzugefügt: non obstantibus indultis memoratis Magistro et Fratribus privilegiis libertatis, et si forte aliquis eorundem Fratrum per aliquem jam dictorum Dioecesanorum vel Praelatorum sententia excommunicationis vel suspensionis astrictus
in locum alium transferatur, tam diu vitetur a Fratribus, et
. suspensus etiam habeatur, donec excommunicatori vel suspen-
denti satisfaciat, ut tenetur.

Begünstigungen in gültiger Kraft verblieben [1]). So meinte
der Papst in schönen Hoffnungen, die er auf diese brüderliche
Umarmung beider Orden bauete, allem weislich vorgebeugt
zu haben, was zwischen den Ritterbrüdern und den Geistlichen nur irgend Zwist und Unfrieden erzeugen könne. Und
doch ward nachmals alles anders, denn alle Weisheit ging
zu Schanden an der Leidenschaft der Menschen.

In solcher Weise war das Werk vollendet, an welchem
gegen sechs Jahre lang gearbeitet worden war. Freudig und
hoffnungsvoll sah der Papst Gregorius auf dasselbe hin, denn
eine neue mächtige Säule schien der wankenden Kirche des
Norden gegeben [2]), die sie aufrecht halten sollte gegen die
Stürme, welche von Osten her so gefahrvoll gedroht hatten.
Auch der edle Meister Hermann von Salza hatte in den letztern Zeiten mit großem Eifer und mit hohen Hoffnungen das
Werk befördert und nicht ohne einen freudigen Hinblick auf
seines Ordens Verherrlichung, wachsende Größe, erweitertes
Ziel und edle Bestrebung für Kirche und Glauben im neuen
Lande that er auf dem Kapitel zu Marburg den letzten Schritt
zu seiner Vollendung [3]). Preussen erobert, dem Heidenthum
entrissen, der Kirche Christi zugeeignet, zu Bildung und

1) Das Schreiben des Papstes an Wilhelm bei *Dogiel* T. V. p.
13, zum Theil bei *Raynald* au. 1237 Nr. 65. Durch die eine Vorschrift: ut quae ibidem pro libertate Ecclesiarum vel Neophito-
rum, aut pro statu terrae sunt per Sedam Apostolicam ordinata, vel per ipsam in posterum ordinari contigerit, ab eisdem
in Livonia constitutis inviolabiliter observentur, wollte der Papst,
wie man klar sieht, die Geistlichkeit und die neubekehrten Bewohner des
Landes gegen den Orden in Sicherheit setzen, und durch die andere Verfügung: ut indulta supradictis Praeceptori et Fratribus a Sede
Apostolica ante huiusmodi unionem in suo robore perseverant, wollte er offenbar den Orden gegen die Anmaßungen der Bischöfe und Prälaten verwahren.

2) S. das erwähnte Schreiben des Papstes an Wilhelm von Modena bei *Dogiel* l. c.

3) Ueber die goldene Kette, welche als Symbol dieser Ordens-Ver-
einigung das Andenken an dieses Ereigniß verherrlichen sollte, vgl.
De Wal Recherches T. I. p. 354.

Menschlichkeit gebracht, dem Deutschen Volke, dem Deutschen Reiche angeheimt, unter eine ritterliche Verwaltung gesetzt, welche eblen Brauch, eble Sitte und eblen Sinn mit christlicher Liebe und christlicher Milde vereinen sollte, und mit diesem Lande nun auch die ferneren Gebiete des hohen Nordens verbunden, um auch dort den schon keimenden und auffprossenden Samen zu hegen und zu eblen Früchten für Bildung und christliche Erkenntniß neue Saaten zuzubereiten: — dieß war ein Gedanke, es war ein Ziel, nicht zu groß für Hermanns eblen Geist, erhaben genug für den reinen Adel seines Herzens, würdig seiner großen, auffstrebenden Seele. Doch von andern ward dieser Gedanke nicht immer aufgefaßt in seiner Größe und Erhabenheit. Schon die nächsten Zeiten gingen schwanger mit Unfrieden und Haber, mit Zwietracht und Zerwürfniß, mit gräuelvollem Aergerniß und ekelhafter Gemeinheit, und der Same zu diesem Unwesen war gleichfalls schon in diesen Tagen ausgeworfen und bald sproßte er üppig und wild empor.

schwierigen Verhandlungen schon auf mancherlei Weise vorgearbeitet. Vor allem war Wilhelm, wie Gregorius ihm schon
im Mai dieses Jahres aufgetragen [1]), aufs eifrigste bemüht
gewesen, den König Walbemar von Dänemark zu friedlichen
Gesinnungen zu stimmen und zu einer billigen Ausgleichung
mit dem Deutschen Orden geneigt zu machen. Der König
nämlich war bereits wirklich mit der Rüstung einer starken
Flotte beschäftigt und entschlossen, seine selbst vom Papste anerkannten Rechte in Esthland mit Gewalt der Waffen gültig
zu erhalten [2]). Dieser drohende Sturm, um so gefahrvoller
unter den neuen Verhältnissen und bei der Unsicherheit des
Landes gen Osten hin, mußte vor allem beschwichtigt werden.

Kaum hatte daher der Landmeister, unter Freuden und
frohen Hoffnungen in Livland mit seiner Ritterschaar empfangen, die nöthigsten Anordnungen für die Lande entworfen
und in feierlicher Versammlung die dortigen Ritterbrüder
durch Ueberreichung des Deutschen Ordenskleides in die Deutsche
Ritterbrüderschaft aufgenommen [3]) als er sich mit dem päpstlichen Legaten eiligst zum Dänischen Könige begab, um in
mündlichen Verhandlungen die Streitsache desto schneller zu
beseitigen [4]). Doch erst am neunten Mai des J. 1238 ward
die Friedensurkunde in Gegenwart des Königes, seines Sohnes des erwählten Königes Erich, mehrer Reichsgroßen, des
päpstlichen Legaten und des Landmeisters Hermann Balk ab-

---

1) Der Papst schrieb dem Legaten: Illustrem Regem Daciae
per te, si facultas obtulerit, vel per litteras et nuntios speciales ad hoc, juxta scientiam tibi desuper attributam, inducas
studio, quod cum fratribus hospitalis, postquam ad partes ipsas pervenerint, sublata cuiusque materia quaestionis, quae
sunt pacis et tranquillitatis habeat, et eosdem devotione perpetuo sibi constituat obligatos. *Raynald.* an. 1237 Nr. 65.
Gruber. Orig. Livon. p. 273. Wir finden dieses Schreibens auch
im Bullenverzeichnisse Gregorius IX. erwähnt.
2) Hiärn in der Vertrags-Urkunde S. 161. *Pontanus* l. c.
p. 319. *Estrup* l. c. p. 43.
3) Arnpeck S. 34. Russow S. 8. Hiärn S. 160.
4) *Estrup* p. 44. 47.

leute zu dieser Heerfahrt aufgerufen. So vereint brach das
mächtige Heer in die Gränzen Rußlands ein. Die Feste Ise=
burg ward dem Feinde abgewonnen; sechshundert seiner Krie=
ger blieben bei dem Kampfe. Da das Heer wenig Wider=
stand fand, zog es gegen Pleskow hin; Hermann Balk, der
ernste, tapfere und erfahrene Kriegsmann führte überall den
Heerbefehl. Als aber die Bewohner Pleskows vernahmen,
daß das vor ihrer Stadt gelagerte starke Heer sich zum Sturme
rüste, erboten sie Friede und Ergebung in des Ordens Ge=
walt. Auch der Fürst Gerpold, durch den kriegerischen Ernst
des Feindes entmuthigt, willigte ein. So zog der Landmeister
mit seinen Streitern in Pleskow ein, nahm die Burg in sei=
nen Besitz, ließ die Stadt stark befestigen, versah sie dann
mit einer zureichenden Besatzung und kehrte darauf nach Liv=
land mit dem übrigen Heere zurück [1]).

Hier hatte mittlerweile der päpstliche Legat zwar manches
im kirchlichen Wesen und in den Verhältnissen des Ordens
und der Geistlichkeit angeordnet und eingerichtet, vor allem
auch nach des Papstes Befehl dahin zu wirken gesucht, daß
die Neubekehrten nicht durch Knechtschaft und harte Dienst=
barkeit belastet, sondern im Bekenntnisse des Evangeliums auch
durch Freiheit und milde und menschliche Behandlung erfreut
und im Glauben bestärkt würden [2]); doch forderte auch des
Landmeisters Gegenwart noch manches unerörterte Verhältniß,
dessen geregelte Feststellung die Unruhe der Zeit bisher noch
nicht zugelassen. Hermann widmete nun der inneren Anord=
nung, der Gesetzgebung und Verfassung des Landes seine

---

1) *Pontanus* p. 319. Alnpeck S. 35 — 36 giebt die Zahl
der bei Iseburg Gebliebenen auf 800 an; Hiärn S. 162 — 163.
Gadebusch B. I. S. 237 setzt diese Begebenheit, an welcher auch er
noch den Landmeister Hermann Balk Theil nehmen läßt, ins Jahr 1243,
also einige Jahre nach Hermann Balks Tod. Sie kann indessen nicht
später, als ins J. 1238 fallen, indem der Landmeister in diesem Jahre
schon nach Preussen zurückkehrte und dann nach Deutschland ging. Hie=
nach ist auch Arndt B. II. S. 44 — 45 zu berichtigen, wie denn al=
les, was dieser in der Anmerk. S. 45 sagt, voll Irrthümer ist.

2) *Gruber* Origin. Livon. p. 273. Lange war der Legat auch

ten sich viele wieder zu ihren alten Göttern, brachten Sühn=
opfer in heiligen Hainen und suchten Trost und Erhebung im
Unglück bei den alten Priestern, meinend, allem zu genügen,
wenn an den Ihrigen die verlangte Form der Taufe vollzo=
gen war, wenn sie den Ordensherren den Zins entrichteten
und sonst den Befehlen der Ordensgebietiger mit Gehorsam
nachkämen [1]). Hermann von Altenburg aber, in der Ueber=
zeugung, es müsse das wilde Unkraut vertilgt werden, wenn
reine Saat und reine Frucht emporwachsen solle, ließ mit al=
lem Eifer dem abgöttischen Dienste der Neubekehrten nachspü=
ren und kein Mittel unversucht, die Reste des alten Heiden=
lebens bis auf die Wurzel auszurotten. Die Bestrafung Ein=
zelner brachte wenig Erfolg; sie duldeten und kehrten dennoch
immer wieder zurück in ihre heiligen Haine. Da begab es
sich einst, daß Hermann von Altenburg gemeldet ward: die
Bewohner eines ganzen Dorfes seyen zum Heidenthum zurück=
gekehrt und mit Opfern und Gaben vor ihrem alten Gotte
erschienen. Voll Zornes sandte er sogleich die Seinigen aus,
ließ das Dorf anzünden und heidnische Priester und Einwoh=
ner in dem Feuer umkommen. Die grausame That verbreitete
schnell durchs ganze Land neuen Ingrimm und neue Erbitte=
rung; in allen Gemüthern erwachten Erinnerungen an das
alte freie Leben; man suchte Rache an den verhaßten Ordens=
herren; nirgends waren diese gegen die Neubekehrten mehr si=
cher; der friedliche Geist, der durch Hermann Balks Scho=
nung und Nachsicht eine Zeitlang herrschend war, hatte von
neuem überall dem Hasse, dem Zorne und der Rachlust wei=
chen müssen [2]) und so schien mit einem Jahre aller Gewinn
verloren, um welchen seit zehn Jahren so rastlos gerungen, ge=
arbeitet und gekämpft worden war.

Außerdem war inzwischen über die Ordensritter noch man=
ches andere Unglück hereingebrochen. Als Hermann Balk die
beiden Landschaften Pomesanien und Pogesanien der Herrschaft

1) Lucas David B. II. S. 97.
2) Lucas David a. a. O.

des Ordens und der Kirche für immergesichert zu haben glaubte
und der Verlauf der Ereignisse ihn nun nach Livland rief,
trug er dem Verweser seines Amtes in Preussen auf, die Waf=
fen mit dem Kreuze gegen die nächsten Landschaften War=
mien oder Ermland, Natangen und das Barterland zu wen=
den [1]). Nach gewohnter Weise fand man auch jetzt für noth=
wendig, an der Küste Warmiens, der nächsten an Pogesa=
nien gränzenden Landschaft, zuerst einen günstig gelegenen Ort
zum Aufbau einer Burg auszuwählen, welche beim Angriffe
und während der Bekämpfung der Bewohner jener Gebiete
den Ordensrittern und ihrem Kriegsvolke zu Schutz und Wehr
dienen könne. Man bemannte zu solchem Zwecke die beiden
Schiffe, welche der Markgraf von Meißen auf dem Drausen=
See erbaut, mit den nöthigen Kriegsleuten, und segelte durch
den Elbing in das Frische Haff hinaus. An Warmiens Küste
hin gewahrten die Ritter auf dem hohen Uferlande des Binnen=
Sees eine Burg der Preussen, an dem Orte, wo späterhin
die Ordensburg Balga stand. Diesen Namen hatte damals
auch die Burg der Preussen und Honeda hieß in ihrer Sprache
die ganze Umgegend [2]), an deren westlichen Gränze sie lag.

---

1) *Dusburg* P. III. c. 18; nach ihm könnte es scheinen, als
habe Hermann Balk selbst diese Unternehmung geleitet; allein die fort=
gehende Erzählung bei ihm giebt deutlich an die Hand, daß der Land=
meister zur Zeit dieses Ereignisses nicht in Preussen anwesend war. Lu=
cas David B. II. S. 102.

2) Es ist auf keine Weise wahrscheinlich, daß, wie die gewöhnliche
Annahme ist, die alte Burg selbst Honeda geheißen habe. Weber *Dus=
burg*, noch die Ordens=Chronik kennen sie unter diesem Namen; jener
bezeichnet ihre Lage nur durch die Worte: circa illum locum, ubi
nunc situm est castrum Balga. Es scheint kaum einem Zweifel un=
terworfen, daß Honeda der Name des um die Burg liegenden und
auch in die Landschaft sich östlich hinein erstreckenden Gebietes war und
damals etwas anders klang. Wir finden nämlich auf alten Karten
südlich am Flüßchen Frisching das Gebiet Huntau. Es dürften sich
Gründe finden, jenes Honeda und dieses Huntau für eins und dasselbe
zu halten. Honeda, wie Lucas David B. II. S. 102 den Namen
giebt, entspricht durchaus nicht der sonstigen Namenbildung im Alt=
preussischen, weit mehr dagegen Huntowe, Hunetowe, Hontow,

Nicht fern von dieser Burg stiegen die Ritter ans Land und nahten sich derselben. Allein sie fanden sie viel zu stark besetzt, als daß bei ihres Kriegsvolkes geringer Zahl auch nur ein Versuch zu ihrer Erstürmung möglich gewesen wäre. Um so mehr aber lockten die nahe liegenden Dörfer zu Raub und Plünderung, vielleicht um auf diese Weise die Wehrmannschaft der Burg ins Freie zur Schlacht zu locken. So ging das übrige Kriegsvolk, nur wenige zur Hut der Schiffe zurücklassend, auf Beute und Raub aus' und zerstreute sich sorglos theils hiehin, theils dorthin. Unterdessen aber sammelte sich das geflüchtete Landvolk zu einem starken Heerhaufen und, vermehrt durch die Mannschaft aus der Burg, stürzt es plötzlich über die zerstreuten Plünderer her; alle Ordensritter und Kriegsleute erliegen den Keulen der erbitterten Warmier; nur die wenigen, welche zur Bewachung der Schiffe zurückgeblieben, retten sich eiligst durch die Flucht und verkünbigen den Ordensbrüdern in Elbing. das erlittene Unglück [1]).

. Bedeutender aber noch war die Gefahr, welche um dieselbige Zeit sich gegen den Orden im westlichen Nachbarlande Pommern erhob. Sie kam gerade von dem Fürsten, der Jahre lang des Ordens Freund und Gönner gewesen war, vom Herzoge Suantepolc, dem Sieger am Sirgunen=Flusse, der noch jüngst erst die Ritter auch zur Eroberung Pomesaniens und Pogesaniens mit einem Hülfshaufen unterstützt hatte. Seitdem aber schien er wie mit sich selbst zerfallen;

Hontau und Huntau. Die Silbe owe für Aue ist in altpreußischen Namen, besonders in Natangen und Samland so sehr gewöhnlich, daß man unbedenklich annehmen darf, der Endlaut a in Honeda ist aus au, wie dieses aus owe entstanden. Es kommt hinzu, daß auch die in der Nähe von Balga liegenden altpreußischen Dörfer Fedderau, Pakerau, Blabiau ursprünglich Fedderowe, Pakerowe, Blabiowe klangen. So ist also der Name Honeda wohl offenbar aus Honetowe, Honedawe oder Hunebowe entstanden. Vielleicht mag auch der Name Balga ursprünglich Balgowe, Balgawe und Balgau gewesen seyn.

1) *Dusburg* P. III. c. 18. Lucas David B. II. S. 102 — 103.

und das Aufleben der Deutschen, einer ihm und seinem Volke ganz fremden Volkseigenthümlichkeit, die in einem großen Theile des westlichen Pommernlandes die alteingeborene Sprache, Sitte, Verfassung und Gesetz schon längst verdrängt oder doch bedeutend verändert hatte: — dieß alles mußte unzweifelhaft dem Herzoge Suantepolc für seines Landes Sicherheit und Ruhe und für seines Volkes Wohlfahrt und Gedeihen nicht wenig gefahrdrohend scheinen. So ward er scheu vor dem Glücke, welches die Waffen des Ordens bisher begleitet; so ward er mißtrauisch gegen die Ordensherren, in deren Sache er bis jetzt mit solchem Eifer gefochten; so mußte er, wünschend, daß die Eroberung der Ritter nun ihr Ziel finde, in den Bewohnern Warmiens, Natangens und Samlands durch gemeinsames Interesse gegen die Ordensritter mehr und mehr Freunde und Genossen finden. In der That deuten auch Spuren darauf hin [1]), daß der Herzog mit diesen Landschaften schon in Einverständniß und in Verbindungen gestanden habe, um in solcher Weise der Erweiterung der Ritterherrschaft und der Verbreitung des Deutschen Wesens baldigst Ziel und Gränze zu setzen, denn sah er, der Slave, hin auf das, was vor noch nicht hundert Jahren im Lande der Obotriten, der Lutizier und anderer Slavischer Zweige durch das Eindringen des Deutschen Wesens unter dem Schwerte der Deutschen geschehen war [2]), so mußte er diesem wohl offenbar mehr abgeneigt als zugethan seyn, wenn gleich in manchen Gebieten und Städten seines Herzogthums auch Deutsches Gesetz und Recht galt [3]).

---

1) Vgl. die Urkunde bei Kotzebue B. I. S. 403. *Lucas* De bellis Suantopolci Ducis Pomeranor. adversus Ordin. gestis Teutonicum liber. p. 16.

2) Vgl. was *Helmold.* Chron. Slavor. an verschiedenen Orten, unter andern L. II. c. 5 über das Schicksal dieser Völker und ihrer Länder sagt. Ueber das Eindringen der Deutschen als Colonisten und ihre Begünstigungen Seil Geschichte Pommerns B. I. S. 227 ff.

3) In mehren Verschreibungs = Urkunden des Herzogs Suantepolc wird die Verleihung auf das jus Teutonicum gegeben. Spätere Verleihungen an Deutsche bei *Dreger* Nr. 213. 230. Nach einer Urkunde in *Herzberg* Recueil T. I. p. 378 sollte auch Danzig vom Herzoge schon 1235 das jus Theutonicum erhalten.

So war längst schon zwischen ihn und den Orden ein böser
Geist des Mißtrauens und der Eifersucht, Spannung und ver=
haltene Feindschaft eingetreten und Verletzungen der Länder=
gränzen, Beleidigungen der beiderseitigen Unterthanen, klein=
licher Hader und Zwist, sonst leicht zu beschwichtigen und zu
übersehen, hatten die feindliche Stimmung reichlich ge=
nährt und vielfältig kund gethan. Das Feuer glimmte und
es schien, der Herzog lauere nur auf den Angriff des Ordens
gegen jene Landschaften im Osten, um im Westen das Kriegs=
banner gegen die Ritter emporzuheben.

Im Einverständnisse gegen den Orden stand Herzog Suan=
tepolc damals offenbar auch schon mit Herzog Casimir von
Cujavien und mit seinem Eidam dem Herzog Wladislav dem
Speier, Herrn von Großpolen, denn mit jenem verbunden
hatte er diesem im Kriege gegen Herzog Heinrich den Bär=
tigen von Breslau, der sich, seit der junge, aus Conrads
von Masovien Haft entflohene Herzog Boleslav bei ihm Schutz
und Hülfe gesucht, schon gerne Herzog von Groß= und Klein=
polen nannte, mit seiner Kriegsmacht beigestanden, Heinrichs
Kriegshaufen aus Großpolen vertrieben und sich auf mancher=
lei Weise den Herzog Wladislav verpflichtet [1]). Darum hatte
Suantepolc, wie es scheint, diesen Fürsten auch leicht ver=
mocht, dem Orden auf alle Art hinderlich entgegen zu treten,
die Kreuzfahrer, welche durch sein Gebiet nach Preussen zie=
hen wollten, mit hohen Zöllen und Abgaben im Durchzuge
zu beschweren, dem Handel und Wandel in die Lande der
Ordensritter allerlei Hemmungen entgegen zu legen [2]) u. s. w.
Herzog Casimir von Cujavien hegte gegen die nahe ge=
fährliche Ritterherrschaft dieselbige Gesinnung, wie Herzog
Suantepolc und war für dessen Plane auch schon deshalb
nicht schwer zu gewinnen, weil der Orden immer mehr seine
entschiedene Anhänglichkeit an Herzog Heinrich von Breslau

---

1) *Henelii ab Hennenfeld* Annal. Siles. ap. *Sommersberg*
T. II. p. 247. *Boguphal* ibid. p. 59. Chron. princip. Palon.
T. I. p. 41.

2) Urkunde bei *Dogiel* T. IV. Nr. 19.

deutlich zu erkennen gab [1]). Nun hatte zwar Herzog Wladislav von Großpolen schon im Frühling des Jahres 1238
auf die nachdrücklichen Beschwerden des Ordens jene Beschrän-
kungen und Hemmungen theils ganz aufgehoben, theils wenigstens der Willkühr der Beamten durch gesetzliche Bestimmungen vorgebeugt, den Kreuzfahrern und fremden Einzöglingen auch ganz freien Durchzug durch sein' Gebiet gestattet
und die Abgaben im Handel und Wandel für des Ordens
Unterthanen in seinem Lande gemäßigt und geregelt [2]).   Allein noch standen die übrigen Gegner und Widersacher der Ordensritter fast rings um deren Gebiet drohend und gefährlich
da; der Orden durfte es nicht wagen, seinen Kampf gegen
die Preußen fortzusetzen, ohne befürchten zu müssen, Herzog
Suantepolc werde verheerend in Pomesanien und Herzog Casimir aus Cujavien ins Kulmerland einfallen.

Diese Verhältnisse des Landes, jene gefährliche Gährung
unter den Neubekehrten, jenes Unglück der Ordensbrüder bei
der Burg Balga, die Verzögerung des Kampfes mit den nahen Heiden und die drohende Stellung der Herzoge von Pommern und Polen waren es, welche, dem Landmeister Hermann Balk im Vorsommer des Jahres 1238 nach Livland
gemeldet, ihn bringend mahnten, nach Preußen zurückzukehren.
Wahrscheinlich vom Hochmeister schon früher dazu beauftragt,
setzte er dort in des Landes Verwaltung den thätigen und tapferen Ordensritter Dieterich von Grüningen als Landmeister

---

1) Kantzow Pomerania B. I. S. 237.

2) Die Urkunde hierüber im *Dogiel* T. IV. Nr. 19; sie ist datirt: in Gnesna, quinto decimo Kaleud. Martii anno 1238. Sie
ist auch in Hinsicht des Handels nach Polen von Wichtigkeit und wird
in dieser Beziehung anderwärts berücksichtigt werden. Ueber den Durchzug der Kreuzfahrer heißt es hier: Statuimus, ut omnes tam peregrini cruce signati, quam qui cum familiis et suppellectilibus
transeunt ad Prutiam vel ad terram Culmensem, omnimoda
gaudeant libertate, nisi si in reditu talia duxerint, de quibus
negotiatores evidens suspicio habeatur. Si vero evidens non
extiterit, is, cuius sunt illa, juramenti cautione praestita,
quod ad usus proprios habere proposuit, se absolvat.

von Livland ein [1]). In Preussen angelangt, bot Hermann
sofort alles auf, die Gefahren zu beseitigen, welche den Orden
von Pommern und Polen aus bedrohten; und manches wirkte
hier in seine Bestrebungen günstig ein. Herzog Heinrich der
Bärtige von Breslau hatte so eben von neuem seine Waf=
fen gegen Suantepolc erhoben und bereits dessen Burg Büh=
gost erobert und besetzt. Polens Herzoge hatten ihm Hülfe
geleistet; selbst Herzog Casimir von Cujavien hatte es nicht
gewagt, sein Hülfsvolk zu versagen. Da war ihm Suante=
polc mit wilder Verheerung ins Land gefallen, hatte Leßlau
aufgebrannt und die feste Burg Nakel gewonnen, um von
da aus sein Land zu vertheidigen. Auch der Orden, scheint
es, war in dem Kriege für Herzog Heinrichs Sache nicht
ganz ohne Theilnahme geblieben [2]).

In solcher Bedrängniß war Herzog Suantepolc nicht
schwer zu einer Ausgleichung der feindlichen Spannung gegen
den Orden zu gewinnen. Auf seiner Burg Schwez am Weich=
sel=Strome, schon im vorigen Jahrhundert zur Hut seines
Landes erbaut [3]), geschahen die Verhandlungen, in deren Folge

---

1) Nach den vorhandenen Urkunden und dem Zusammenhange der
Ereignisse muß Dietrich von Grüningen nicht erst im Jahre 1239, wie
bisher angenommen worden ist, sondern schon im J. 1238 zum Mei=
ster in Livland erwählt worden seyn. Die Urkunde, in welcher Her=
mann Balk zuletzt als Meister in Livland vorkommt, ist vom 28. Fe=
bruar 1238; es ist die nämliche, deren Arndt B. II. S. 41 unter
dem 1. März d. J. erwähnt. (Sie befindet sich in einer alten Abschrift
im Livland. Privilegienbuche des geh. Archivs). Bald nach dieser Zeit
also im Frühling oder Vorsommer muß Hermann Balk, wie daß wei=
ter zu erweisen ist, nach Preussen gegangen seyn und Dietrichen von
Grüningen zu seinem Nachfolger in Livland ernannt haben. Als solcher
kommt er schon in einer Urkunde vom 19. April 1239 vor und nur mit die=
ser Bestimmungen verbindet sich nach der Zusammenhang der Ereig=
nisse, wie sie oben dargestellt sind.

2) Kotzebue Pommern B. I. S. 25. Auch Henneil ab Hen=
nenfeld l. c. p. 38 deutet auf diesen Krieg hin.

3) Die Burg Schwez, nachmals ein Ordenshaus, ist nicht, wie die
meisten Chronisten angeben, im Jahre 1198 erbaut. Bei Dreger Nr.
38 kommt schon 1198 Schwez, ein Palatinus in Swecze und als

er dem Orden gelobte: er wolle stets des Ordens Ehre treu
bewahren und in Schutz nehmen, also daß weder von ihm,
noch seinen Erben oder Unterthanen den Ordensrittern oder
ihren Landen und Unterthanen irgend ein Unrecht oder Glimpf
widerfahren solle, so viel irgend zu verhüten in seiner Macht
stehe. Sofern von ihnen oder ihren Unterthanen Klagen er=
hoben würden gegen des Herzogs Land oder seine Unterthanen,
so wolle er nach Rechtsgewohnheit seines Landes darin Ge=
nugthuung verschaffen. Gränzzwiste sollten nach redlicher und
der Sache kundiger Leute Erkenntniß freundlich berichtiget und
geschlichtet werden. Mit den heidnischen Völkern in Samland,
Warmien und Natangen versprach der Herzog ohne den Or=
den niemals Waffenruhe oder Frieden zu schließen. Sofern er
aber irgend einem dieser Punkte mit Absicht entgegenhandele
oder auf Ermahnung binnen Jahr und Tag den Fehltritt
nicht ausgleiche, so wolle er, sobald man ihn darin überwei=
sen könne, sich freiwillig dem Banne des Papstes unterwer=
fen, ohne Lossprechung zu erwarten, bis er den Ordensrittern
nach gerichtlicher Entscheidung oder nach ihrem Gefallen hin=
länglich Genugthuung erwiesen. Der Bischof von Preussen
solle des Papstes Bannspruch verkündigen und in gleichen Fäl=
len dieselbe Strafe auch über des Herzogs Erben verhängt
seyn [1]). Denselbigen Vertrag fast in gleichem Laute schloß
kurze Zeit nachher der Orden auch mit dem Herzoge Casimir
von Cujavien, nur daß dort der Bischof Michael von Cuja=
vien die Verkündigung des Bannes übernehmen solle [2]).

Zeuge Wilhelmus de Swecze vor; es wird in diesem Jahre dort
eine Kirche geweiht. Ferner wird der Burg Schwez auch im Jahre
1209 in einer Urkunde des Herzogs Mestwin von Pommern erwähnt.

1) Dieser Vertrag befindet sich im geh. Archive Schiebl. 48. Nr.
9; abgedruckt im Kotzebue B. I. S. 403, aber fehlerhaft. Die Ur=
kunde ist datirt: Actum apud Swez an. gr. M. CC. XXXVIII,
Indictione undecima, tercio Idus Junii (11. Juni 1238).

2) Die Urkunde bei *Dogiel* T. IV. Nr. 20 ist datirt: Actum in
territorio villae, quae Piskowe dicitur, an. gr. M. CC. XXXVIII.
Indictione undecima, tercio Calend. Julii (29. Juni 1238). Im
geh. Archive befindet sich von dieser Urkunde ein Vidimus in Schiebl.
58 Nr. 2

So hatte Hermann Balk, mit Klugheit die Verhältnisse benutzend, die Gefahren beseitigt, welche bisher des Ordens weitern Fortschritt in seinem Werke des Glaubens und der Eroberung verhinderten. Da kam aus Deutschland vom Hoch=meister der Auftrag, der Landmeister möge die Verwaltung im Ordenslande in der Weise anordnen, daß er selbst ohne Verzug bei ihm in Deutschland zu einer wichtigen Berathung mit den übrigen Gebietigern des Ordens erscheinen könne. Hermann von Salza nämlich war im Januar des Jahres 1238 [1]) vom Kaiser Friederich in Kriegsgeschäften für dessen Heere in Italien nach Deutschland gesandt worden [2]). Er hielt sich bis in die Mitte des Sommers [3]) in verschiede=nen Theilen Deutschlands auf, theils mit den Aufträgen sei=nes Herrn, des Kaisers, theils in den Angelegenheiten seines Ordens beschäftigt [4]). Bevor nun Hermann Balk des Mei=sters Ruf folgen konnte, traf er für die Verwaltung des Lan=des noch manche Anordnung, die ihm zur Ruhe und zum Ge=deihen desselben heilsam schienen. Den stellvertretenden Land=meister Hermann von Altenburg entließ er seines Amtes, um ihn als Gefährten mit nach Deutschland zu nehmen [5]). An

---

1) Im November des Jahres 1237, wenige Tage vor der Schlacht vor Kortenuova hatte Hermann von Salza zwischen dem Kaiser und den Lombarden noch für den Frieden unterhandelt; s. *Petri de Vincis* Epistol. L. II. c. 35. p. 219, und im December dieses Jahres befand er sich noch bei dem Kaiser zu Lobi; vgl. *Guden.* Cod. di=plom. T. II. p. 74.

2) *Richard. de S. Germano* p. 1039 sagt in seinem Berichte vom Januar 1238: Imperator in Alemaniam remeat, et ibi pro facto Lombardiae exercitum congregat, Magistrum domus Ale=mannorum ultra montes dirigit pro soldariis retinendis etc. Dieses „etc.“ mag darauf hindeuten, daß der Hochmeister auch noch andere Aufträge vom Kaiser erhalten hatte.

3) *Richard de S. Germano* p. 1040.

4) Daß Hermann von Salza im J. 1237 schon in Deutschland war, kann durch die Urkunde in *Schannat.* Vindem. literat. Nr. 27 p. 121 nicht bewiesen werden, denn, wie schon früher erwähnt ist, war der darin vorkommende Hermannus de Salza, Ministerialis Domini Landgravii nicht der Hochmeister.

5) Nach *Lucas David* B. III. S. 11. — Die diesem Chronisten

seine Stelle ernannte er den Ordensbruder Friederich von Fuchsberg, der in seiner Behandlung der neubekehrten Preussen von weniger strengen Grundsätzen geleitet wurde, selbst wenn er hie und da auch noch einige Hinneigung zum alten heidnischen Glauben wahrnahm [1]). Indessen verwaltete dieser sein Amt nur auf kurze Zeit, denn er scheint bald nachher gestorben oder wenigstens aus aller Thätigkeit getreten zu seyn. Ihm folgte im Jahre 1239 in des Landes Verwaltung der Ordensritter Berlewin [2]). Seine Tage waren voll der wichtigsten Ereignisse, doch keineswegs der erfreulichsten weder für den Orden überhaupt, noch für Preussen insbesondere.

Mittlerweile aber war der edle Meister Hermann von Salza unter-der Menge seiner Geschäfte in Deutschland erkrankt. Es ist ungewiß und aus manchen Gründen sehr zu bezweifeln, ob Hermann Balk ihn in Deutschland noch gefunden habe, denn schon im Juli des Jahres 1238 trat der Hochmeister seine Rückreise nach Italien an, vielleicht deshalb eilend, um zur Wiederherstellung seiner Gesundheit die geschickteren Aerzte Italiens zu gebrauchen. In Verona empfing ihn sein hoher Gönner, der Kaiser, mit gewohnter Freundlichkeit und Theilnahme [3]). Die Reise hatte jedoch auf seine Ge-

---

so oft nachgesprochene Anklage einer absichtlichen Grausamkeit Hermanns von Altenburg müßte durch Beweise belegt werden, wenn sie gerecht seyn sollte. Sein Verfahren gegen die dem alten Götterdienste ergebenen Neubekehrten beruhete sicherlich auf Glaubensgrundsätzen; aber eben so gewiß handelte er unklug und verkehrt.

1) Wir kennen diesen Vice = Landmeister nur aus Lucas David, welcher seiner an zwei Stellen B. II. S. 124 und III. S. 11 gedenkt. In Urkunden kommt er nirgends vor.

2) Dieser bis jetzt noch ganz unbekannt gewesene Vice = Landmeister kommt vor in einer Urkunde, die sich in dem Buche Privilegia Marienwerd. et Pomesan. p. 22 befindet und in welcher nobili viro Theoderico de Tyfenow 22 Huben Landes auf dem Wege von Marienwerder nach Christburg am See Wurkus verschrieben werden. Sie ist datirt: in Elbingo an. gr. M. CC. XXXIX. Cal. Octobr. Indict. XII. Demnach mag Berlewin sein Amt als Stellvertreter des Landmeisters schon im Sommer des J. 1239 angetreten haben.

3) *Richard. de S. Germano* p. 1040 sagt: Apud Veronam

Das ist fürwahr das Erfreulichste in der Betrachtung
der Erscheinungen des Menschenlebens, das ist das wahrhaft
Belohnende in den Forschungen der Geschichte, wenn der den=
kende Geist gehoben wird zur Verehrung und Bewunderung
und das fühlende Herz von Liebe ergriffen und durchdrungen
von Begeisterung bei dem Hinblicke auf den Lebensgang ei=
nes Mannes, der die ihm vom Schicksale gestellte Aufgabe
mit so hoher Weisheit verfolgt und mit so reiner Tugend ge=
löst hat, daß ihn einmüthig die richtende Nachwelt zu den
seltensten und erhabensten Erscheinungen der Menschengeschichte
zählen kann; denn gewiß so selten als erhaben ist die Erschei=
nung, wenn der Mann, dem der helle Blick seines Geistes,
das klare Licht seines Verstandes, die Kraft seiner Seele, die
Festigkeit und der Feuereifer im Wollen und Wirken die
Herrschaft und Gewalt über Tausende um ihn her so leicht
möglich machten, der bei der großen geistigen Uebermacht, die
ihm über viele seiner Zeitgenossen zu Gebote stand, bei dem
gewaltigen Einflusse, die ihm die innigste Freundschaft und
höchste Gunst des mächtigen Kaisers und das große Vertrauen
des allgewaltigen Papstes an die Hand gaben, der außerdem
durch seine Stellung über Freiheit und Verfassung, über Ge=
setze und Staatenordnung, über Krieg und Frieden mit rathen
und mit entscheiden durfte, — wenn ein solcher Mann so
mäßig blieb und so weise in allen seinen Bestrebungen, so
rein von den Leidenschaften der Selbstsucht und Herrschbegierde,
so erhaben über die Anwandlungen des Stolzes, des Dünkels
und der Eigenliebe, so entfernt von allen den Fehltritten, die
sich dem Menschen im Besitze solcher Macht, solchen Einflusses
und solcher Stellung immer so nahe darbieten. Und ein sol=
cher Mann war Hermann von Salza. Mit dem Gelübde

---

des vignes: voilà donc le tombeau du célèbre Grand‑Maître
Herman de Salza que l'on dit avoir été inhumé á Barlette,
qui se trouve en plein champ. — Will man sich von der entsetz=
lichen chronologischen Verwirrung über die Todesjahre sowohl Hermanns
von Salza als seiner Vorgänger, wie sie sonst herrschte, überzeugen,
o vgl. man *Jaenichii* Meletemata Thorunens. p. 188 seq.

der Entsagung der Welt, der Armuth, des Gehorsams, der
Demuth vor Gott und Menschen, alles dahingebend, was die
Welt Freude und Glück, Gut und Reichthum, Ehre und
Größe unter den Menschen nennt, war er, ein geringer Ritter aus dem Thüringerlande, in den Verein der ritterlichen
Verbrüderung eingetreten, die damals nur am Krankenlager
unglücklicher Leidenden und in den Mühen des Kampfes mit
wilden Christenfeinden ihres Lebens erstes Gebot und ihre
höchste Pflicht erfüllte. Und so klein war diese Verbrüderung, so wenig hervortretend ihre Wirksamkeit in den großen
Kreisen, in denen sie sich bewegen mußte, so still waren ihre
Verdienste um Milderung und Beseitigung menschlichen Elends,
daß die Geschichte das Leben und Wirken der Ordensbrüder
kaum hat beachten wollen. Hermanns Geist aber durchbrach
die Schranken, die bis auf ihn die Zeit mit ihren Verhältnissen seinem Orden gesetzt hatte. Als Ritter eröffnete er durch
kühne Thaten und Tapferkeit die erste Bahn zu seinem großen Lebenslaufe, als Meister bestieg er schon im Morgenlande
die ersten Stufen des Ruhmes und der Größe; dort ward
sein Andenken zuerst in das Buch der Geschichte aufgenommen.
Sein Geist aber strebte immerdar höher und höher hinauf,
nicht in die Gebiete des Menschenlebens, wo Durst nach hohen Würden gestillt wird, wo glänzende Ehrenzeichen locken,
wo die Selbstsucht in hoher Macht befriedigt, der Ehrgeiz
mit Prunk und Glanz, der Eigennutz mit Reichthum und
großen Gütern gesättigt werden konnten, sondern in die Kreise
des menschlichen Wirkens, wo dem Frieden und der Versöhnung unter Völkern und Fürsten das Wort gesprochen, das
Wohl der Menschen berathen, die Ehre der Kirche erhalten,
der Schutz, die Vertheidigung und die Verbreitung des Glaubens beschlossen und das Gesetz und die Ordnung für Staat
und Kirche, für Volk und Christenheit entworfen wurden. Und
in diese Kreise trat Hermann von Salza als Fürst, als der
Freund des Kaisers, als der Vertraute des Papstes ein. Hier
aber war die Zeit der Probe für seinen Geist, für seine wahrhafte
Größe, für seinen Charakter, für den wahren Adel seiner Gesin-

nung, die Zeit der Prüfung seiner Tugend. Manche, die mit ihm
in denselbigen Kreisen standen und auf gleicher Höhe glänzten,
sanken und fielen in der Schuld ihrer Leidenschaft und Sünde. So
steht Peter von Vinea, von seinem Gönner und Freunde, dem
Kaiser, zu den angesehensten Würden im Staate erhoben,
mit einem schweren Schmachflecken in der Geschichte da und
er ist noch nicht frei gesprochen von dem Verdachte, daß er,
der vertrauteste Rath und Liebling des Kaisers, auf dem Gip-
fel seines Glückes mit Theil genommen habe an dem scheuß-
lichen Plane der Vergiftung dieses seines Herrn und größten
Wohlthäters. Nicht so Hermann von Salza. Auf der Höhe,
zu welcher nur seltene Menschen durch ihres Geistes Größe
emporsteigen, auf welcher noch seltener einzelne durch Kraft
der Seele, durch Besiegung der Leidenschaft und durch Herrschaft über Lockungen und Begierden sich rein zu erhalten vermögen, bleibt Hermann einer der edelsten und liebenswürdig-
sten Menschen seines Jahrhunderts, immer derselbe in seiner
Größe, nie umgewandelt in dem Adel seines Geistes, in der
Reinheit seines Lebens, in der Großmuth seiner Seele, in der
strengen Sittlichkeit seines Wandels, in der Demuth seiner
Gesinnung, in seiner Frömmigkeit und Gottesfurcht. Nicht
ein tadelndes Wort weiß die Geschichte, die strenge Richterin,
über sein Leben auszusprechen. Selten hat sich die Tapferkeit des Ritters, die Geistesgröße des Staatsmannes, die Tugend und Frömmigkeit des Christen, der Seelenadel des Menschen in solchem Einklange in einem Manne zusammengefun-
den und so innig und tief durchdrungen und so herrlich im
Leben offenbart. Aber auch die Achtung und Verehrung seiner Zeitgenossen, die Bewunderung und Hochschätzung bei
Hohen und Niedern, die Liebe seiner Ordensbrüder, das seg-
nende Andenken bei allen, die nach seinen Zeiten die Regel
des Ordens bekannten, die Anerkennung der Nachwelt und der
Ruhm und Glanz seines Namens, der über ihn von Geschlecht
zu Geschlecht sich ungetrübt fortgepflanzt hat: — das ist die Krone,
die ewig Hermanns Namen schmückt im Buche der Geschichte,
der Preis, den Hermanns Tugend und Größe erworben haben.

So war längst schon zwischen ihm und den Orden ein böser Geist des Mißtrauens und der Eifersucht, Spannung und verhaltene Feindschaft eingetreten und Verletzungen der Ländergränzen, Beleidigungen der beiderseitigen Unterthanen, kleinlicher Hader und Zwist, sonst leicht zu beschwichtigen und zu übersehen, hatten die feindliche Stimmung reichlich genährt und vielfältig kund gethan. Das Feuer glimmte und es schien, der Herzog laure nur auf den Angriff des Ordens gegen jene Landschaften im Osten, um im Westen das Kriegsbanner gegen die Ritter emporzuheben.

Im Einverständnisse gegen den Orden stand Herzog Suantepolc damals offenbar auch schon mit Herzog Casimir von Cujavien und mit seinem Eidam dem Herzog Wladislav dem Speier, Herrn von Großpolen, denn mit jenem verbunden hatte er diesem im Kriege gegen Herzog Heinrich den Bärtigen von Breslau, der sich, seit der junge, aus Conrads von Masovien Haft entflohene Herzog Boleslav bei ihm Schutz und Hülfe gesucht, schon gerne Herzog von Groß= und Kleinpolen nannte, mit seiner Kriegsmacht beigestanden, Heinrichs Kriegshaufen aus Großpolen vertrieben und sich auf mancherlei Weise den Herzog Wladislav verpflichtet [1]. Darum hatte Suantepolc, wie es scheint, diesen Fürsten auch leicht vermocht, dem Orden auf alle Art hinderlich entgegen zu treten, die Kreuzfahrer, welche durch sein Gebiet nach Preussen ziehen wollten, mit hohen Zöllen und Abgaben im Durchzuge zu beschweren, dem Handel und Wandel in die Lande der Ordensritter allerlei Hemmungen entgegen zu legen [2] u. s. w. Herzog Casimir von Cujavien hegte gegen die nahe gefährliche Ritterherrschaft dieselbige Gesinnung, wie Herzog Suantepolc und war für dessen Plane auch schon deshalb nicht schwer zu gewinnen, weil der Orden immer mehr seine entschiedene Anhänglichkeit an Herzog Heinrich von Breslau

---

1) *Henelii ab Hennenfeld* Annal. Siles. ap. *Sommersberg* T. II. p. 247. *Boguphal* ibid. p. 59. Chron. princip. Palon. T. I. p. 41.

2) Urkunde bei *Dogiel* T. IV. Nr. 19.

deutlich zu erkennen gab ¹). Nun hatte zwar Herzog Wladislav von Großpolen schon im Frühling des Jahres 1238
auf die nachdrücklichen Beschwerden des Ordens jene Beschrän-
kungen und Hemmungen theils ganz aufgehoben, theils wenigstens der Willkühr der Beamten durch gesetzliche Bestimmungen vorgebeugt, den Kreuzfahrern und fremden Einzüg-
lingen auch ganz freien Durchzug durch sein' Gebiet gestattet
und die Abgaben im Handel und Wandel für des Ordens
Unterthanen in seinem Lande gemäßigt und geregelt ²). Allein noch standen die übrigen Gegner und Widersacher der Ordensritter fast rings um deren Gebiet drohend und gefährlich
da; der Orden durfte es nicht wagen, seinen Kampf gegen
die Preussen fortzusetzen, ohne befürchten zu müssen, Herzog
Suantepolc werde verheerend in Pomesanien und Herzog Casimir aus Cujavien ins Kulmerland einfallen.

Diese Verhältnisse des Landes, jene gefährliche Gährung
unter den Neubekehrten, jenes Unglück der Ordensbrüder bei
der Burg Balga, die Verzögerung des Kampfes mit den nahen Heiden und die drohende Stellung der Herzoge von Pommern und Polen waren es, welche, dem Landmeister Hermann Balk im Vorsommer des Jahres 1238 nach Livland
gemeldet, ihn dringend mahnten, nach Preussen zurückzukehren.
Wahrscheinlich vom Hochmeister schon früher dazu beauftragt,
setzte er dort in des Landes Verwaltung den thätigen und tapferen Ordensritter Dieterich von Grüningen als Landmeister

---

1) **Kantzow** Pomerania B. I. S. 237.

2) Die Urkunde hierüber im *Dogiel* T. IV. Nr. 19; sie ist datirt: in Gnesna, quinto decimo Kaleud. Martii anno 1238. Sie
ist auch in Hinsicht des Handels nach Polen von Wichtigkeit und wird
in dieser Beziehung anderwärts berücksichtigt werden. Ueber den Durchzug der Kreuzfahrer heißt es hier: Statuimus, ut omnes tam peregrini cruce signati, quam qui cum familiis et suppellectilibus
transeunt ad Prutiam vel ad terram Culmensem, omnimoda
gaudeant libertate, nisi si in reditu talia duxerint, de quibus
negotiatores evidens suspicio habeatur. Si vero evidens non
extiterit, is, cuius sunt illa, juramenti cautione praestita,
quod ad usus proprios habere proposuit, se absolvat.

von Livland ein ¹). In Preussen angelangt, bot Hermann
sofort alles auf, die Gefahren zu beseitigen, welche den Orden
von Pommern und Polen aus bedrohten; und manches wirkte
hier in seine Bestrebungen günstig ein. Herzog Heinrich der
Bärtige von Breslau hatte so eben von neuem seine Waf=
fen gegen Suantepolc erhoben und bereits dessen Burg Bid=
gost erobert und besetzt. Polens Herzoge hatten ihm Hülfe
geleistet; selbst Herzog Casimir von Cujavien hatte es nicht
gewagt, sein Hülfsvolk zu versagen. Da war ihm Suanté=
polc mit wilder Verheerung ins Land gefallen, hatte Leßlau
aufgebrannt und die feste Burg Nakel gewonnen, um von
da aus sein Land zu vertheidigen. Auch der Orden, scheint
es, war in dem Kriege für Herzog Heinrichs Sache nicht
ganz ohne Theilnahme geblieben ²).

In solcher Bedrängniß war Herzog Suantepolc nicht
schwer zu einer Ausgleichung der feindlichen Spannung gegen
den Orden zu gewinnen. Auf seiner Burg Schwez am Weich=
sel=Strome, schon im vorigen Jahrhundert zur Hut seines
Landes erbaut ³), geschahen die Verhandlungen, in deren Folge

_____

1) Nach den vorhandenen Urkunden und dem Zusammenhange der
Ereignisse muß Dieterich von Grüningen nicht erst im Jahre 1239, wie
bisher angenommen worden ist, sondern schon im J. 1238 zum Mei=
ster in Livland erwählt worden seyn. Die Urkunde, in welcher Her=
mann Balk zuletzt als Meister in Livland vorkommt, ist vom 28. Feb=
ruar 1238; es ist die nämliche, deren Arndt B. II. S. 41 unter
dem 1. März d. J. erwähnt. (Sie befindet sich in einer alten Abschrift
im Livländ. Privilegienbuche des geh. Archivs). Bald nach dieser Zeit,
also im Frühling oder Vorsommer muß Hermann Balk, wie bald wei=
ter zu erweisen ist, nach Preussen gegangen seyn und Dieterichen von
Grüningen zu seinem Nachfolger in Livland ernannt haben. Als solcher
kommt er schon in einer Urkunde vom 19. April 1239 vor und nur mit die=
sen Bestimmungen vereinbart sich auch der Zusammenhang der Ereig=
nisse, wie sie oben dargestellt sind.

2) Kantzow Pomerania B. I. S. 237. Auch *Henel. ab Hennenfeld* l. c. p. 247 deutet auf diesen Krieg hin.

3) Die Burg Schwez, nachmals ein Ordenshaus, ist nicht, wie die
meisten Chronisten angeben, im Jahre 1246 erbaut. Bei *Dreger* Nr.
32 kommt schon 1198 Schwez, ein Palatinus in Swecze und als

er dem Orden gelobte: er wolle ſtets des Ordens Ehre treu
bewahren und in Schutz nehmen, alſo daß weder von ihm,
noch ſeinen Erben oder Unterthanen den Ordensrittern oder
ihren Landen und Unterthanen irgend ein Unrecht oder Glimpf
widerfahren ſolle, ſo viel irgend zu verhüten in ſeiner Macht
ſtehe. Sofern von ihnen oder ihren Unterthanen Klagen er=
hoben würden gegen des Herzogs Land oder ſeine Unterthanen,
ſo wolle er nach Rechtsgewohnheit ſeines Landes darin Ge=
nugthuung verſchaffen. Gränzzwiſte ſollten nach redlicher und
der Sache kundiger Leute Erkenntniß freundlich berichtiget und
geſchlichtet werden. Mit den heidniſchen Völkern in Samland,
Warmien und Natangen verſprach der Herzog ohne den Or=
den niemals Waffenruhe oder Frieden zu ſchließen. Sofern er
aber irgend einem dieſer Punkte mit Abſicht entgegenhandele
oder auf Ermahnung binnen Jahr und Tag den Fehltritt
nicht ausgleiche, ſo wolle er, ſobald man ihn darin überwei=
ſen könne, ſich freiwillig dem Banne des Papſtes unterwer=
fen, ohne Losſprechung zu erwarten, bis er den Ordensrittern
nach gerichtlicher Entſcheidung oder nach ihrem Gefallen hin=
länglich Genugthuung erwieſen. Der Biſchof von Preuſſen
ſolle des Papſtes Bannſpruch verkündigen und in gleichen Fäl=
len dieſelbe Strafe auch über des Herzogs Erben verhängt
ſeyn [1]). Denſelbigen Vertrag faſt in gleichem Laute ſchloß
kurze Zeit nachher der Orden auch mit dem Herzoge Caſimir
von Cujavien, nur daß dort der Biſchof Michael von Cuja=
vien die Verkündigung des Bannes übernehmen ſolle [2]).

Zeuge Wilhelmus de Swecze vor; es wird in dieſem Jahre dort
eine Kirche geweiht. Ferner wird der Burg Schwez auch im Jahre
1209 in einer Urkunde des Herzogs Meſtwin von Pommern erwähnt.

1) Dieſer Vertrag befindet ſich im geh. Archive Schiebl. 48. Nr.
9; abgedruckt im Kotzebue B. I. S. 403, aber fehlerhaft. Die Ur=
kunde iſt batirt: Actum apud Swez an. gr. M. CC. XXXVIII,
Indictione undecima, tercio Idus Junii (11. Juni 1238).

2) Die Urkunde bei *Dogiel* T. IV. Nr. 20 iſt batirt: Actum in
territorio villae, quae Piskowe dicitur, an. gr. M. CC. XXXYIII.
Indictione undecima, tercio Calend. Julii (29. Juni 1238). Im
Geh. Archive befindet ſich von dieſer Urkunde ein Vidimus in Schiebl.
58 Nr. .2

So hatte Hermann Balk, mit Klugheit die Verhältnisse benutzend, die Gefahren beseitigt, welche bisher des Ordens weitern Fortschritt in seinem Werke des Glaubens und der Eroberung verhinderten. Da kam aus Deutschland vom Hoch=meister der Auftrag, der Landmeister möge die Verwaltung im Ordenslande in der Weise anordnen, daß er selbst ohne Verzug bei ihm in Deutschland zu einer wichtigen Berathung mit den übrigen Gebietigern des Ordens erscheinen könne. Hermann von Salza nämlich war im Januar des Jahres 1238 [1]) vom Kaiser Friederich in Kriegsgeschäften für dessen Heere in Italien nach Deutschland gesandt worden [2]). Er hielt sich bis in die Mitte des Sommers [3]) in verschiede=nen Theilen Deutschlands auf, theils mit den Aufträgen sei=nes Herrn, des Kaisers, theils in den Angelegenheiten seines Ordens beschäftigt [4]). Bevor nun Hermann Balk des Mei=sters Ruf folgen konnte, traf er für die Verwaltung des Lan=des noch manche Anordnung, die ihm zur Ruhe und zum Ge=deihen desselben heilsam schienen. Den stellvertretenden Land=meister Hermann von Altenburg entließ er seines Amtes, um ihn als Gefährten mit nach Deutschland zu nehmen [5]). An

---

1) Im November des Jahres 1237, wenige Tage vor der Schlacht vor Kortenuova hatte Hermann von Salza zwischen dem Kaiser und den Lombarden noch für den Frieden unterhandelt; s. *Petri de Vincis* Epistol. L. II. c. 35. p. 219, und im December dieses Jahres befand er sich noch bei dem Kaiser zu Lodi; vgl. *Guden.* Cod. diplom. T. II. p. 74.

2) *Richard. de S. Germano* p. 1039 sagt in seinem Berichte vom Januar 1238: Imperator in Alemaniam remeat, et ibi pro facto Lombardiae exercitum congregat, Magistrum domus Alemannorum ultra montes dirigit pro soldariis retinendis etc. Dieses „etc.“ mag darauf hindeuten, daß der Hochmeister auch noch andere Aufträge vom Kaiser erhalten hatte.

3) *Richard de S. Germano* p. 1040.

4) Daß Hermann von Salza im J. 1237 schon in Deutschland war, kann durch die Urkunde in *Schannat.* Vindem. literat. Nr. 27 p. 121 nicht bewiesen werden, denn, wie schon früher erwähnt ist, war der darin vorkommende Hermannus de Salza, Ministerialis Domini Landgravii nicht der Hochmeister.

5) Nach Lucas David B. III. S. 11. — Die diesem Chronisten

seine Stelle ernannte er den Ordensbruder Friederich von
Fuchsberg, der in seiner Behandlung der neubekehrten Preus=
sen von weniger strengen Grundsätzen geleitet wurde, selbst
wenn er hie und da auch noch einige Hinneigung zum alten
heidnischen Glauben wahrnahm [1]). Indessen verwaltete dieser
sein Amt nur auf kurze Zeit, denn er scheint bald nachher ge=
storben oder wenigstens aus aller Thätigkeit getreten zu seyn.
Ihm folgte im Jahre 1239 in des Landes Verwaltung der
Ordensritter Berlewin [2]). Seine Tage waren voll der wich=
tigsten Ereignisse, doch keineswegs der erfreulichsten weder für
den Orden überhaupt, noch für Preussen insbesondere.

Mittlerweile aber war der edle Meister Hermann von
Salza unter-der Menge seiner Geschäfte in Deutschland er=
krankt. Es ist ungewiß und aus manchen Gründen sehr zu
bezweifeln, ob Hermann Balk ihn in Deutschland noch gefun=
den habe, denn schon im Juli des Jahres 1238 trat der Hoch=
meister seine Rückreise nach Italien an, vielleicht deshalb ei=
lend, um zur Wiederherstellung seiner Gesundheit die geschick=
teren Aerzte Italiens zu gebrauchen. In Verona empfing
ihn sein hoher Gönner, der Kaiser, mit gewohnter Freundlich=
keit und Theilnahme [3]). Die Reise hatte jedoch auf seine Ge=

---

so oft nachgesprochene Anklage einer absichtlichen Grausamkeit Hermanns
von Altenburg müßte durch Beweise belegt werden, wenn sie gerecht
seyn sollte. Sein Verfahren gegen die dem alten Götterdienste ergebe=
nen Neubekehrten beruhete sicherlich auf Glaubensgrundsätzen; aber eben
so gewiß handelte er unklug und verkehrt.

1) Wir kennen diesen Vice = Landmeister nur aus Lucas David,
welcher seiner an zwei Stellen B. II. S. 124 und III. S. 11 gedenkt.
In Urkunden kommt er nirgends vor.

2) Dieser bis jetzt noch ganz unbekannt gewesene Vice=Landmeister
kommt vor in einer Urkunde, die sich in dem Buche Privilegia Marien=
werd. et Pomesan. p. 22 befindet und in welcher nobili viro Theode=
rico de Tyfenow 22 Huben Landes auf dem Wege von Marienwerder
nach Christburg am See Wurkus verschrieben werden. Sie ist datirt:
in Elbingo an. gr. M. CC. XXXIX. Cal. Octobr. Indict. XII.
Demnach mag Berlewin sein Amt als Stellvertreter des Landmeisters
schon im Sommer des J. 1239 angetreten haben.

3) *Richard. de S. Germano* p. 1040 sagt: Apud Vɛronam

nesung so wenig eingewirkt, daß er sich im August nach Salerno begab [1]), wo damals eine berühmte hohe Schule für
Arzneikunde bestand. Hier durchlebte Hermann noch den Winter des nächsten Jahres unter Beihülfe und Pflege der geschick-
testen Aerzte, immer hoffend, daß die geschwächten Kräfte seines Körpers wieder erstarken würden. Allein die Hoffnung
täuschte mehr und mehr; die Kunst der Aerzte blieb wirkungs-
los. Die Macht der Krankheit überwältigte die irdische Hülle.
Da entschwand der große Geist zu einem andern Leben. Es
war am zwanzigsten März des Jahres 1239, als der große,
edle Meister zu Salerno verschied [2]). Seinen Leichnam brachte
man nach Barletto in Apulien, wo er in der Kapelle des
dortigen Ordenshauses zur Ruhe beigesetzt wurde [3]).

---

etiam Magistrum domus Theutonicorum infirmum redeuntem
de partibus Ultramontanis recepit Imperator.

1) *Richard. de S. Germano* ibid. erwähnt im August: Magister domus Alemannorum Salernum se confert pro sanitate
recuperanda.

2) Ueber diese Zeitbestimmung vgl. die Beilage Nr. II.

3) Hermann starb ohne Zweifel zu Salerno, nicht aber, wie
manche annehmen, zu Barletto oder auf der Reise dahin; Baczko B.
I. S. 199. Hennig zu Lucas David B. III. S. 21. Sein Begräbnißort Barletto hat Anlaß zu dieser Verwechselung gegeben. Daß
er hier begraben liege, sagen einstimmig alle Chronisten, *Dusburg* P.
I. c. 5. Lindenblatts Verzeichniß der Hochmeister in s. Jahrbüchern S. 359. *Bzovius* Annal. Eccles. ann. 1240 p. 494. Ordens-Chron. bei *Matthaeus* p. 708. In dieser letzteren Quelle finden wir auch die Nachricht, daß er in der Ordenskirche zu Barletto begraben wurde. Daß hier eine Kirche oder Kapelle dem Orden zuge-
hörte, geht auch aus dem Verzeichnisse der Ordensbesitzungen (im geh.
Archive) hervor, denn unter den Besitzungen in Apulien steht auch Barletto capella, fratres V., quorum unus presbiter. *De Wal* Recherches T. II. p. 348 sagt hierüber: D'après des recherches que
l'on a bien voulu faire à ma demande, et suivant le rapport
de Mr. François Paul de Léon, citoyen de Barlette, il y a
dans les archives de cette ville un acte de l'an 1294, dans le-
quel on voit que la maison des Teutoniques étoit dans une rue
nommée de St. Thomas: ce lieu est actuellement éloigné d'un
demi-mille de la ville, et l'on ny voit que des arbustes et

Das ist fürwahr das Erfreulichste in der Betrachtung
der Erscheinungen des Menschenlebens, das ist das wahrhaft
Belohnende in den Forschungen der Geschichte, wenn der den=
kende Geist gehoben wird zur Verehrung und Bewunderung
und das fühlende Herz von Liebe ergriffen und durchdrungen
von Begeisterung bei dem Hinblicke auf den Lebensgang ei=
nes Mannes, der die ihm vom Schicksale gestellte Aufgabe
mit so hoher Weisheit verfolgt und mit so reiner Tugend ge=
löst hat, daß ihn einmüthig die richtende Nachwelt zu den
seltensten und erhabensten Erscheinungen der Menschengeschichte
zählen kann; denn gewiß so selten als erhaben ist die Erschei=
nung, wenn der Mann, dem der helle Blick seines Geistes,
das klare Licht seines Verstandes, die Kraft seiner Seele, die
Festigkeit und der Feuereifer im Wollen und Wirken die
Herrschaft und Gewalt über Tausende um ihn her so leicht
möglich machten, der bei der großen geistigen Uebermacht, die
ihm über viele seiner Zeitgenossen zu Gebote stand, bei dem
gewaltigen Einflusse, die ihm die innigste Freundschaft und
höchste Gunst des mächtigen Kaisers und das große Vertrauen
des allgewaltigen Papstes an die Hand gaben, der außerdem
durch seine Stellung über Freiheit und Verfassung, über Ge=
setze und Staatenordnung, über Krieg und Frieden mit rathen
und mit entscheiden durfte, — wenn ein solcher Mann so
mäßig blieb und so weise in allen seinen Bestrebungen, so
rein von den Leidenschaften der Selbstsucht und Herrschbegierde,
so erhaben über die Anwandlungen des Stolzes, des Dünkels
und der Eigenliebe, so entfernt von allen den Fehltritten, die
sich dem Menschen im Besitze solcher Macht, solchen Einflusses
und solcher Stellung immer so nahe darbieten. Und ein sol=
cher Mann war Hermann von Salza. Mit dem Gelübde

---

des vignes: voilà donc le tombeau du célèbre Grand-Maître
Herman de Salza que l'on dit avoir été inhumé á Barlette,
qui se trouve en plein champ. — Will man sich von der entsetz=
lichen chronologischen Verwirrung über die Todesjahre sowohl Hermanns
von Salza als seiner Vorgänger, wie sie sonst herrschte, überzeugen,
o vgl. man *Jaenichii* Meletemata Thorunens. p. 188 seq.

nung, die Zeit der Prüfung seiner Tugend. Manche, die mit ihm
in denselbigen Kreisen standen und auf gleicher Höhe glänzten,
sanken und fielen in der Schuld ihrer Leidenschaft und Sünde. So
steht Peter von Vinea, von seinem Gönner und Freunde, dem
Kaiser, zu den angesehensten Würden im Staate erhoben,
mit einem schweren Schmachflecken in der Geschichte da und
er ist noch nicht frei gesprochen von dem Verdachte, daß er,
der vertrauteste Rath und Liebling des Kaisers, auf dem Gip-
fel seines Glückes mit Theil genommen habe an dem scheuß-
lichen Plane der Vergiftung dieses seines Herrn und größten
Wohlthäters. Nicht so Hermann von Salza. Auf der Höhe,
zu welcher nur seltene Menschen durch ihres Geistes Größe
emporsteigen, auf welcher noch seltener einzelne durch Kraft
der Seele, durch Besiegung der Leidenschaft und durch Herrschaft über Lockungen und Begierden sich rein zu erhalten vermögen, bleibt Hermann einer der edelsten und liebenswürdig-
sten Menschen seines Jahrhunderts, immer derselbe in seiner
Größe, nie umgewandelt in dem Adel seines Geistes, in der
Reinheit seines Lebens, in der Großmuth seiner Seele, in der
strengen Sittlichkeit seines Wandels, in der Demuth seiner
Gesinnung, in seiner Frömmigkeit und Gottesfurcht. Nicht
ein tadelndes Wort weiß die Geschichte, die strenge Richterin,
über sein Leben auszusprechen. Selten hat sich die Tapferkeit des Ritters, die Geistesgröße des Staatsmannes, die Tugend und Frömmigkeit des Christen, der Seelenadel des Menschen in solchem Einklange in einem Manne zusammengefun-
den und so innig und tief durchdrungen und so herrlich im
Leben offenbart. Aber auch die Achtung und Verehrung seiner Zeitgenossen, die Bewunderung und Hochschätzung bei
Hohen und Niedern, die Liebe seiner Ordensbrüder, das seg-
nende Andenken bei allen, die nach seinen Zeiten die Regel
des Ordens bekannten, die Anerkennung der Nachwelt und der
Ruhm und Glanz seines Namens, der über ihn von Geschlecht
zu Geschlecht sich ungetrübt fortgepflanzt hat: — das ist die Krone,
die ewig Hermanns Namen schmückt im Buche der Geschichte,
der Preis, den Hermanns Tugend und Größe erworben haben.

thätigen Lebens hatten zuletzt die Kräfte in ihm geschwächt, mit denen er ein Jahrzehend hindurch zum Heile des Landes gewirkt und reichen Samen zu künftigen Saaten ausgestreut. Nur ein Jahr hatte Livland sich seiner Gegenwart erfreut [1]).

So stand der Orden da verwaiset und ohne Haupt und Führer, die gewonnenen Lande Preussens ohne die kräftig thätige und sorgsam pflegende Hand, die bisher alles geleitet, gefügt und geordnet. Diese Zeit aber, in welcher jener hochgeschätzte Freund und Vertraute des Kaisers, jener Günstling des Papstes, Hermann von Salza nicht mehr für seinen Orden sprechen, keiner ihn recht vertreten und vertheidigen konnte,

---

sey von Livland nach Preussen krank zurückgekommen und am Michaelistage zu Zantir 1238 gestorben und dort auch begraben. Dieser höchst uncritischen Quelle ist man gemeinhin ohne weiteres gefolgt, obgleich schon *Hartknoch* ad *Dusburg* p. 62 daran zweifelte, daß Zantir der Ort des Todes und des Begräbnisses des Landmeisters seyn könne. *Dusburg* P. II. c. 10 hatte ohne Zweifel viel genauere Nachricht, wenn er schrieb: gravatus senio et labore reversus fuit in Almanniam ibique mortuus et sepultus, und P. III. c. 28: cum dictus Fr. Hermannus Balke praefuisset fere sex annis rediens in Almanniam in pace quievit. Daß Hermann nach Deutschland ging, ist außer Zweifel, denn es wird dieses auch durch eine Urkunde bei Hanselmann von der Hohenlohischen Landeshoheit Nr. 30 S. 404 bestätigt, indem aus ihr hervorgeht, daß sich der Landmeister am 13ten Februar 1239 zu Würzburg in dem dortigen Ordenshause befand und unter den Zeugen Frater Hermannus preceptor Livonie genannt wird. Ungewisser aber ist, wie lange er dort noch gelebt habe. Den 5ten März 1239 haben wir deswegen als Todestag angenommen, weil das liber Anniversar. etc. bei Bachem Chronol. der HM. S. 15 diesen Tag als Hermanns Sterbetag bezeichnet und seit dem Jahre 1239 Hermann Balks in keiner Urkunde mehr erwähnt wird. Indessen wäre möglich, daß der alte Landmeister noch einige Jahre in Ruhe und Zurückgezogenheit hingelebt habe. *De Wal* Histoire de l'Ord. T. l. p. 426 nimmt 1248 als Todesjahr an, nach der Ordens-Chron., aber ohne sonstige Beweise.

1) Die Angaben in *Dusburg* P. II. c. 10, daß er zwölf Jahre in Preussen und fast sechs Jahre in Livland die Verwaltung geführt habe, bedürfen bei den urkundlichen Beweisen für die obigen Bestimmungen keiner weiteren Berichtigung.

II. 24

sondern auch ungeachtet des päpstlichen Befehles zu seiner
Auslösung sich um seine Befreiung in keiner Weise bemüht,
vielmehr einige edle Preussen, die durch Hülfe der Pilgrime
in die Gefangenschaft des Ordens gekommen, statt der hiedurch möglichen Auslösung des Bischofs für Lösegeld frei gegeben; ja man habe selbst einen bekehrten Preussen, welcher
dem Bischofe für sein Beharren im Glauben seinen Sohn
zum Pfande überliefert, deshalb umbringen lassen." Ferner
trat der Bischof gegen den Orden mit der Beschuldigung auf,
daß die Ordensherren während seiner Gefangenschaft seine bischöfliche Kirche, das ganze bischöfliche Land, die Stadt und
Burg Kulm mit den Neubekehrten feindlich überfallen, ihn
alles seines Eigenthums beraubt und sich aller bischöflichen
Einkünfte gewaltthätig bemächtigt hätten und noch in ihrem
Besitze hielten; daß sie in Anordnung des Kirchenwesens, in
Anstellung und Entlassung der Geistlichen gegen Recht und
Gesetz sich in des Bischofs Amt gewaltthätigen Eingriff er-
laubten, gegen eidlich bestätigte Verträge das ganze Kulmerland in Besitz genommen und die bischöflichen Rechte zum
Nachtheile und schweren Verderben der Kirche in Preussen sich
angemaßt. Somit laste auf dem Orden nicht allein das La-
ster des Undankes, sondern selbst des Eidbruches. So stehe
des Landes Bischof alles Schutzes und aller Hülfe entblößt
da, denn selbst auch die Pilgrime, die er mit eigener Mühe
aufgebracht habe, seyen verhindert worden, zu dem Bischofe
ihre Zuflucht zu nehmen. Endlich schloß Christian seine Klagschrift mit der Bitte an den Papst, ihn aus diesen Bedrängnissen und seine Kirche von dem drohenden Verderben zu
befreien. [1]).

---

1) Wir kennen diese Anklagen des Bischofs Christian nur noch
aus dem Schreiben des Papstes an den Bischof von Meißen (nicht an
den von Minden, scriptis Mindensi episcopo litteris, wie *Raynald.* ann. 1240 Nr. 35 sagt), welches sich in den Actis Boruss.
T. I. p. 430 und bei Baczko B. I. S. 256 — 257, im Lucas
David B. II. S. 91 — 92 und bei *Raynald.* l. c. aber nur im

Der Papst aber, nicht im Stande, die Lage der
Dinge gründlich zu erforschen, trug sofort dem Bischofe von
Meißen und dem Probste des dortigen Klosters S. Afra auf,
die Klagpunkte genau zu untersuchen, den durch den Zwist
veranlaßten Schaden auszugleichen und die Ordensritter zu
ermahnen, den Bischof in keiner Art weiter zu beschweren.
Welchen näheren Erfolg indessen die Bemühung jenes Bischofs gehabt habe, ist nicht bekannt; ohne Zweifel war er
nicht von sonderlicher Bedeutung; die Geschichte würde nicht
ganz schweigend an der Sache vorübergehen. Ob aber der
Orden wirklich die Vergehungen und Verbrechen, wie sie der
Bischof Christian schilderte, auf sich geladen habe, ob die einzelnen Klagepunkte in jeder Weise nach strengster Wahrheit
dargestellt seyn mögen, ob nicht der Bischof, vielleicht noch
von altem Groll getrieben, hier gelästert, dort vielleicht aber
auch die Ordensherren Regel und Gesetz mit Uebermuth und
aus Zorn gegen den Bischof verletzt haben, das zu entscheiden
vermochte damals nicht einmal der Papst, viel weniger vermag es der Geschichtforscher nach dem Ablaufe so vieler Jahrhunderte und bei dem Mangel der Nachrichten über die einzelnen zur Anklage erhobenen Begebenheiten. Der Orden hat
hierin schon seinen gutmüthigen Vertheidiger, wie seinen feindseligen Tadler und Richter gefunden. Wir nehmen es nicht
über uns, mit ins Richteramt zu treten, da ein gerechtes Gericht hier wohl ganz unmöglich, Anklage aber und Verdam-
mung um nichts schwerer ist, als Vertheidigung und Rechtfertigung. Tritt der forschende Betrachter in den Lauf der Erscheinungen und der Verhältnisse der Zeit, so weit sie der Geschichte bekannt sind, mit prüfendem Blicke hinein, so mag er

---

Auszuge befindet. Nirgends ist diese päpstliche Bulle vollständig gedruckt; überall fehlt ihr das Datum. Nach der Stelle indessen, die ihr
Raynald. l. c. anweiset, gehört sie in den Anfang des Jahres 1240
und der Bischof Christian muß demnach seine Anklage beim Papste im
Laufe des Jahres 1239 angebracht haben. Mit den Zeitverhältnissen
scheint dieses auch wohl übereinzustimmen.

gerne eingestehen, daß in dem Sturme wilder Kriegsereignisse
unter dem Geräusche der Waffen, im Freudentaumel über
Sieg und Eroberung, im Drange des Glaubenseifers, im
Hasse gegen Heidenthum und abgöttisches Wesen, im Gefühle
der Uebermacht und wohl auch im Triebe mancher Leiden=
schaft durch die Ordensritter bald dieses bald jenes geschehen
seyn kann, was weder der Billigkeit, noch dem Gesetze und
Rechte entsprach, daß hier zorniger Eifer an die Stelle der
Mäßigung, dort schonungslose Härte an die Stelle milder
Nachsicht und menschenfreundlicher Geduld getreten seyn mag.
Aber auch die bedenklichen Fragen drängen sich dem denken=
den Betrachter in die Seele: Warum trat erst jetzt, warum
gerade jetzt der Bischof Christian als Kläger gegen den Or=
den auf? Warum erwartete er die Zeit, da Hermann von
Salza gestorben und Hermann Balk vom Schauplatze abge=
treten war? Warum duldete die schwere Klage, sofern sie ge=
recht war, so lange Säumniß? Betraf sie nicht Ereignisse,
die vor Jahren schon geschehen waren, nicht Thaten, über
welche damals der Hochmeister und Hermann Balk Antwort
und Rechenschaft hätten geben müssen? Fürchtete der Bi=
schof des Meisters hohe Gunst beim Kaiser und beim Papste
in so gerechten Dingen? Warum ging er an den Hof zu
Rom, wo niemand wußte, was wahr, was falsch sey?
War nicht der päpstliche Legat mit unbegränzter Voll=
macht hier im Lande oder in nachbarlichen Gegenden? Ent=
schied nicht dieser auch sonst in Sachen von gleicher Wich=
tigkeit? Oder waren absichtlich die Zeit erwartet und der
Ort gewählt, wo sich manches durch einander werfen, anders
deuten und anders stellen ließ? Wenn des Bischofs Seele
rein war von aller Verläumdungssucht, frei von dem Neide
und von der feindseligen Gesinnung so vieler Geistlichen gegen
den Orden, wenn er tadellos in seinem Charakter und un=
bescholten in seinem Wandel war, warum erhielt er nach=
mals vom Papste die ernstliche Weisung, daß er sich in
aller Hinsicht so benehmen möge, wie es die priesterliche
Würde und die geistliche Ehrbarkeit fordere, ihm zum Ver=

Siebentes Kapitel.

Vor Allem bedurfte jetzt der Orden eines neuen Oberhaup=
tes. Da traten die Gebietiger, von dem Deutschmeister Hein=
rich von Hohenlohe [1]) wie es scheint nach Marburg berufen,
zur Wahl eines Meisters zusammen und in der Berathung
fiel die Stimme aller versammelten Ordensritter auf den Land=
grafen Conrad von Thüringen, welcher seit fünf Jahren das
Kleid des Deutschen Ordens trug. Der jüngste von den drei
Söhnen des Landgrafen Hermanns des Ersten von Thürin=
gen, vor dem einst die süßen Lieder der Minnesänger auf der
Wartburg erklangen, hatte er, wie zu vermuthen ist, eine Er=
ziehung und Jugendbildung genossen, wie sie dem Fürsten=
sohne anstand und dem Ritter ziemte. In den Jahren ju=
genblicher Männlichkeit indeß durchbrach der Drang ungezü=
gelter Kampflust, der Sturm ungezähmter Leidenschaft und
das Gefühl der Jugendkraft bei ihm nicht selten die Regeln
der Mäßigung, der Besonnenheit und Schonung. Der Geist
des Zeitalters lebte, wirkte und äußerte sich in solcher Weise
auch in ihm. Als nun sein ältester Bruder, Ludwig der
Fromme, der Gemahl der heil. Elisabeth, im Jahre 1228

---

1) Kein anderer als der Deutschmeister und der vielleicht noch le=
bende Landmeister von Preussen konnte die Ordensgebietiger zum Wahl=
kapitel zusammenberufen. Im Februar 1239, also noch vor des Hoch=
meisters Tod waren sie mit mehren angesehenen Ordensrittern in
Würzburg versammelt; vgl. Hanselmann a. a. O. Urkunde Nr.
XXX. S. 404.

auf einer Pilgerfahrt nach dem heiligen Lande in Italien starb, übernahm Conrad mit seinem Bruder Heinrich Raspe die Vormundschaft über Ludwigs vierjährigen Sohn Hermann, jener zugleich die Verwaltung der Erbgrafschaft Hessen, dieser die Regierung über Thüringen [1]). Obgleich tief durchdrungen von Achtung gegen die Kirche, fromm bis zur Schwärmerei beim Gottesdienste und mildthätig gegen geistliche Stiftungen, verfolgte, haßte und züchtigte er doch die Geistlichen, sobald die Leidenschaften des Menschen in ihnen den Priester entwürdigten, Stolz, Anmaßung und Habsucht ihre Schritte leiteten und sobald sie vom hierarchischen Geiste getrieben die Achtung und das Recht zu verletzen wagten, die ihm als Fürsten gebührten.

Nun geschah einstmals, daß der Erzbischof Siegfried von Mainz, ein kühner und unternehmender Prälat, um seines Vorgängers Schulden zu Rom zu bezahlen, die geistlichen Stiftungen seines Sprengels mit einer starken Abgabe belegte [2]). Da wurde auch der Abt zu Reinhartsbronn, dessen Kloster von des Landgrafen Conrads Vorfahren von aller Steuerleistung befreit worden war, mit Strenge zur Entrichtung aufgefordert. Er verweigerte sie indessen kraft seines Freibriefes und vertrauend auf des Landgrafen Schutz [3]). Erzürnt hierüber verhängte der Erzbischof über ihn den Bann, und drohte mit Entsetzung seines Amtes, sofern er sich nicht der Strafe seines Ungehorsams unterwerfe. Dieses Strafurtheil aber lautete: der Abt solle drei Tage hindurch in des Erzbischofs Gegenwart auf entblößten Rücken mit Ruthen gepeitscht werden und dann den Forderungen desselben Gnüge leisten. Der Abt unterwarf sich dem Richterspruche, und zwei Tage war an ihm die Bußstrafe schon vollzogen.

---

1) *Rohte* Chron. Thuring. ap. *Mencken.* T. II. p. 1729. Rommel Geschichte von Hessen B. I. S. 307.

2) Chron. Erford. ap. *Schannat.* Vindem. litter. p. 93.

3) Nach *Rohte* Chron. Thuring. l. c. hatte der Landgraf Conrad dem Abte ausdrücklich verboten, dem Erzbischofe die Auflage zu entrichten.

Da kam von ungefähr am dritten Tage der Landgraf Con=
rad, auf einer Reise nach der Wartburg über Erfurt gehend,
in die Kirche des dortigen Marienstifts, die Frühmesse zu hö=
ren. Staunend fand er in der Kirchenhalle den Abt entklei=
det vor dem Erzbischofe knieend und neben ihm die geistli=
chen Züchtiger mit den Ruthen in den Händen. Conrad er=
grimmte von Zorn, fuhr auf den Erzbischof los, riß ihn zur
Erde nieder und wollte ihn durchbohren, wenn nicht die Be=
gleiter ihn daran verhindert hätten. [1]

So begann zwischen dem Erzbischofe und dem Landgra=
fen eine lange, ärgerliche Fehde. Da zog einst Conrad auch
vor Fritzlar, brannte die Vorstädte nieder, verheerte die Um=
gebungen mit Feuer und Schwert und wollte, verzweifelnd
an der Eroberung der tapfer vertheidigten Stadt, mit seinem
Heerhaufen eben wieder zurückziehen, als der schnöde Hohn
der Frauen auf den Mauerzinnen seinen Zorn von neuem
entflammte. Es geschah ein neuer Angriff auf die Stadt;
die Mauern wurden von den ergrimmten Kriegern erstürmt
und die Bewohner büßten nun mit dem schrecklichsten Schick=
sale. Es ward nicht Göttliches, noch Menschliches geschont;
während alles umher in Flammen stand und hie und da
Frauen und Kinder verbrannten, erbrach der rauhe Ritter
Friederich von Treffurt [2] Klöster und Kirchen, raubte die
Heiligthümer und Kirchenschätze, entheiligte die Reliquien,
vernichtete die Bücher und kirchlichen Gewande und mißhan=
delte die Geistlichen ohne Schonung und Erbarmen. In die=
sem Gräuel ging die ganze Stadt in Feuer auf und ein gro=

---

1) *Rohte* l. c. p. 1729 — 1730. Falkenstein Thüring. Chron.
S. 680 — 681.

2) Nicht Hermann von Treffurt, sondern Friederich von Treffurt,
wie ihn *Rohte* Chron. l. c. *Schannat.* Vindem. litter. p. 92. 93
nennen, wonach Rommel a. a. O. S. 309 zu verbessern ist. Dieser
Friederich von Treffurt (de Drifurte) kommt auch in einer Urkunde
der Landgrafen Heinrich, Conrad und Hermann vom Jahre 1234 un=
ter den Zeugen vor; f. *Guden.* Cod. diplom. T. IV. p. 878. Hi=
stor. diplomat. Unterricht und Deduction u. f. w. Beil. Nr. 45.

So voll Reue und zerknirscht in seinem Innern traf den Landgrafen von Rom aus der durch den Erzbischof von Mainz bewirkte Bann. Tief erschüttert und zerrissenen Herzens wanderte er nach Fritzlar, dort wo die Sündenlast auf ihn gefallen war, mit Gott und Welt sich auszusöhnen. Unbedeckten Hauptes, mit bloßen Füßen, eine Bußruthe in der Hand bat er vor den Kirchenthüren knieend die unglücklichen, tief gekränkten Bewohner der Stadt um Verzeihung und Vergebung seiner schweren Schuld. Tage lang flehte er umsonst bei den Vorübergehenden um Züchtigung zur Buße; es jammerte die edlen Bürger von Fritzlar des Fürsten unglückliches Schicksal; kein einziger nahm Rache an dem Gedemüthigten. Nur ein Weib gab ihm einige Streiche. So versöhnt mit den Schwerbeleidigten und ihnen Vergütung alles Schadens verheißend wanderte Conrad im Jahre 1233 nach Rom, um an den Gräbern der Apostel sich seiner Schuld zu entladen [1]). Der Papst aber stellte ihm die Bußbedingungen, daß er durch Pflege der Armen, durch Versöhnung mit dem Erzbischofe von Mainz und mit allen seinen Feinden, durch den Eintritt in den Deutschen Orden, durch Beschenkung der geplünderten Kirchen und durch den Aufbau eines Klosters vor Fritzlar seine Reue bethätige und dem Himmel genug thue. Conrad verhieß dem Papst, dieses alles zu erfüllen. In Rom selbst speisete er täglich mit eigener Hand vier und zwanzig Arme; dann kehrte er zurück, schloß Friede mit dem Erzbischof von Mainz unter Vermittlung des berühmten Conrads von Marburg, ging nach Fritzlar, that nochmals Buße, be-

ter in s. Thüring. Geschichte B. II. S. 338 diese Erzählung Dusburgs für ein bloßes Mährchen hält. Uebrigens ist Wachters Darstellung der Geschichte Conrads in Rücksicht der Chronologie nicht die richtigste. Da der Deutsche Orden auch Besitzungen in der Nähe von Fritzlar hatte, welche im Kriegssturme vielleicht verwüstet und geplündert worden waren, so ist möglich, daß auch daher der Rath entsprang, Conrad möge in den Orden treten und durch Beschenkungen an diesen Versöhnung suchen.

1) *Rohte* p. 1731. Histor. de Landgrav. Thuring. p. 1325. Falkenstein a. a. O. S. 682.

schenkte die Kirchen, erbauete ein neues Münster und trat hierauf im Jahre 1234 mit Hartmann von Heldrungen, Dieterich von Grüningen und vier und zwanzig andern Rittern im Hospitale zu Marburg in den Deutschen Orden [1]. Auch durch fromme Gaben und Beschenkungen, welche er dieser geistlichen · Brüderschaft in reichem Maaße zuwies, suchte er den erzürnten Himmel zu versöhnen und Ruhe für seine Seele zu gewinnen [2].

Zu Marburg, wie es scheint, wo Conrad sonst als Landesfürst Befehle ertheilt, lebte er nun im dortigen Ordensconvente als Ordensbruder nach den strengsten Regeln des Gehorsams, treu den Pflichten und gewissenhaft in Beobachtung der Gesetze, die er als Ritterbruder übernommen hatte. Kam Hermann von Salza nach Deutschland, so zog er gerne Conraden in seine Begleitung; so war dieser im Jahre 1235 mit jenem zu Mainz [3]. Es geschah vorzüglich auch durch Conrads Bemühen, daß die fromme Landgräfin Elisabeth durch die Kirche heilig gesprochen ward. [4] Er feierte ihr Andenken auf jede mögliche Weise und wohnte nicht bloß der hohen Feierlichkeit bei, als der Leichnam der Heiligen an den heiligsten Ort der Kirche versetzt wurde [5], sondern er selbst

---

1) Chron. Hirsaug. an. 1232. *Raynald.* an. 1232. Nr. 11. Historia de Landgrav. p. 1325. Manche geben die Zahl der mit Conrad in den Orden tretenden Ritter g⬤ er an; die Histoire généalog. de la maison souveraine de ⬤esse T. I. p. 262 zählt nur neun Edle und zwei Priester. *Sifrid* Presbyt. Epitome ap. *Pistor.* T. I. p. 1043.

2) *Guden.* Cod. diplom. T. IV. p. 877. Histor. diplomat. Unterricht und Deduction u. s. w. Beil. Nr. 45.

3) Wenck Hess. Landesgeschichte B. II. Urkundenbuch Nr. 117, S. 153; er steht unter den Zeugen als frater Conradus quondam Lantgravius.

4) Historia de Landgrav. Thuring. p. 1325. c. 45. Rommel a. a. O. B. I. S. 290.

5) Historia de Landgrav. Thuring. p. 1326. Daß er hiebei (1235) schon als Hochmeister angeführt wird, ist Irrthum der Chronisten.

war auch Mitgründer der herrlichen Elisabethen-Kirche, noch
bis diesen Tag Marburgs schönster Schatz im Gebiete der
Kunst [1]). Gewiß hatte der Hinblick auf das fromme, gotter=
gebene Leben, auf den tugendreinen Wandel dieser Wohlthä=
terin ihrer Zeit auf Conrads Inneres tief eingewirkt, denn
seit sein ganzes Wesen so völlig umgewandelt war, schien sie
ihm im Wirken für die Welt, wie im Streben um den Him=
mel das höchste und schönste Vorbild und Muster zu seyn.

Als daher im Jahre 1239 des Ordens vornehmste Ge=
bietiger zur Kür eines neuen Meisters versammelt waren,
fanden sie in ihrer ganzen Zahl keinen würdigeren, der dem
edlen Hermann von Salza im Meisteramte folgen könne, als
den einstigen Landgrafen Conrad [2]). Einmüthig wurde ihm
die Meisterwürde zuerkannt, zumal da er auch beim Kaiser
Friederich in Gunst stand und der Papst längst völlig mit

---

1) Rommel a. a. O.: „Ueber ihrem (Elisabeths) Grab legte
Landgraf Conrad mit den Deutschen Herren den Grund zu einem herr=
lichen Dom." Also ist die Elisabethen=Kirche eigentlich ein Werk des
Deutschen Ordens.

2) Ueber dieses wahrscheinlich zu Marburg gehaltene Wahlkapitel
ist sonst nichts bekannt. Daß die Wahl Conrads schon ins Jahr 1239
fallen muß, kann nach den früher erwähnten Angaben über Hermanns
von Salza Todesjahr und nach den Untersuchungen in der Histoire
de l'Ordre Teut. T. I. p. 478 seq. nicht mehr bezweifelt werden.
Urkunden bezeugen auch, daß Conrad im Frühling des Jahres 1240
schon wirklich Hochmeister war. So nennt er sich selbst in einer Ur=
kunde vom 8. Mai 1240. schon Hospitalis S. Mariae Theutonicorum in Jerusalem Minister; cf. Lang Regesta Boica T. II. p.
299. 301. Auffallend ist, daß in einer zu Würzburg am 14. Mai
1240 ausgestellten Urkunde, in welcher sich auch Conrad schon Hoch=
meister nennt, neben ihm steht Frater Henricus de Hohenloch, vices ejusdem (sc. Conradi) per Allemaniam gerens. De Wal
Histoire etc. T. I. p. 313. Die Ungewißheit, in welcher Rommel
a. a. O. B. I. S. 248 hierüber noch war', ist somit gehoben. Dassel=
bige beweiset die Histoire. généalog. de la maison souveraine de
Hesse T. I. p. 263, wo einer in der Collect. de Schöttgen et
Kreyssig T. II. p. 589 befindlichen Urkunde erwähnt wird, nach wel=
cher Conrad am 14. Mai 1240 Hochmeister genannt ist. Es ist dieselbe,
welche De Wal l. c. anführt.

ihm verſöhnt war. In demſelbigen Kapitel aber ward der
Ordensritter Heinrich von Wida, wahrſcheinlich aus dem
Sächſiſchen Zweige dieſes weit verbreiteten Geſchlechtsſtam=
mes [1]), zum Landmeiſter in Preuſſen ernannt, denn man
fand für gut, die Landmeiſterwürde über Preuſſen und Liv=
land nicht ferner zu vereinigen. In dieſem letzteren Lande
behielt auch forthin noch Dieterich von Grüningen die Ver=
waltung.

In Preuſſen aber war die balbige Anweſenheit eines
neuen Meiſters von höchſter Wichtigkeit. Das Jahr 1239
war voll unruhiger Kriegsbewegung. Um die Schmach zu
tilgen und den Verluſt zu rächen, welchen die Ordensritter
vor kurzem bei Balga erlitten, brach bald nachher faſt die
ganze Kriegsmacht des Ordens auf und das Friſche Haff hin=
abfahrend umlagerte der Ordensmarſchall Dieterich von Bern=
heim [2]) die feſte Burg zu Waſſer und zu Land. Das um=
herwohnende Volk aber, erſchrocken durch die Wiederkunft der
fremden Kriegsleute in ſo großer Zahl, war weit in die Wäl=
der entwichen, den Rittern das ganze Gebiet um die Burg
frei gebend. Der Marſchall indeſſen war nicht unbelehrt ge=
blieben durch die Vorgänge der letzten Zeit; plötzlichen Ueber=
fall befürchtend, legte er überall zum Schutze des Belage=
rungsvolkes an paßliche Orte erleſene Haufen von Schützen

---

1) In Sachſen war dieſe Familie alt und zahlreich; *Schultes* Di-
rector. diplom. B. II. S. 703. Sie wird bald Wiba, Wita, Vita,
bald Weida geſchrieben und ·der Taufname Heinrich war gewöhnlicher
Familienname. Die Herren von Wiba kommen als Reichsminiſteriale,
Burgherren und Vögte vor. Schötrgen und Kreyſig diplomat.
Nachleſe B. I. S. 62. Chron. Citizens. ap. *Pistor.* T. I. p. 1160.
Wir finden ſie auch öfter in Begleitung des Kaiſers; *Lindenbrog*
Lambec. p. 25. Ein anderer Zweig war im Osnabrückiſchen anſäſſig;
ſ. Möſer Osnabrück. Geſchichte B. III. S. 245. 247. 269. 284.

2) Lucas David B. II. S. 103. Der Landmeiſter, deſſen hier
und bei *Dusburg* P. III. c. 19 erwähnt wird, muß wohl noch der
Vice=Landmeiſter Berlewin geweſen ſeyn, denn ſchwerlich war Heinrich
von Wiba im Laufe dieſer Ereigniſſe ſchon im Lande. Hermann Balk,
den manche hier noch handelnd auftreten laſſen, war in Deutſchland.

aus, die den anstürmenden Feind zurückhalten konnten. Darauf begann er die Belagerung der Burg, die, wie man auskundschaftete, mit starker Mannschaft besetzt war, über welche der edle Preusse Kobrune den Befehl führte [1]). Dieterich von Bernheim versuchte zuerst durch einen unter das Bereich der Burg vorausgesandten Haufen von Schützen das dortige Kriegsvolk zum Kampfe aufs offene Feld herauszulocken. Allein vergeblich; die Preussen hielten sich fest hinter ihren Wehrmauern, erwartend, daß der Feind näher komme, um ihn dann durch einen plötzlichen Ausfall zu verwirren und zu zerstreuen. Und als der Ordensmarschall nun mit dem gesammten Kriegsvolke heranzog und Leitern und anderes Sturmgeräthe zum ernsten Angriffe vor den Mauern zu ordnen begann, da öffnete sich schnell das Thor der Burg und ein starker Haufe rüstiger Wehrmänner stürmte zum Kampfe hervor, immer sich noch vermehrend durch neue Schaaren, die aus der Burg den Ihrigen zu Hülfe eilten. Da aber der Sieg im blutigen Gewühle für die Ritter bald entschieden war und der Preussen immer mehre und mehre verwundet und erschlagen wurden, stürzten schnell die noch Uebrigen in die Burg zurück. Zwar folgten die Deutschen eiligst nach, um mit den Preussen zugleich das Burgthor zu gewinnen und es begann ein neuer Kampf, „da noch gar mancher feine Held fiel;" allein die Preussen retteten die Burg und vertheidigten sie auch ferner noch mit männlichem Muthe [3]).

Die Besatzung aber stellte sich nun nicht wieder zum

---

1) *Dusburg* l. c.: positis sagittariis ad loca competentia. Lucas David B. II. S. 104.

2) Codruno nennt ihn *Dusburg* l. c. Lucas David B. II. S. 105 Kobrin. Waißel S. 51 verstümmelt den Namen in Podaw. *Dusburg* kommt offenbar am nächsten. Die Silben „une" sind in Preussischen Familiennamen charakteristisch, wie in den Namen Wodune, Tyrune, Gedune, Scardune, Bygune u. a. Kreuzfeld über den Adel der alten Preussen S. 6.

3) Lucas David B. II. S. 104 — 105. Simon Grunau Tr. VII. c. 3. §. 2 weicht im Einzelnen ab. Waißel S. 51. Schütz S. 20.

Balga ein Ritterhaus des Ordens und der Wohnort eines bedeutenden Convents [1]).

In solcher Weise war den Ordensrittern ein neuer, äußerst wichtiger Schritt gelungen. Balga bildete das Thor zum Eintritt in die nordöstlichen Landschaften und war für das Kriegsvolk der Ritter ein eben so günstig gelegener, als fester und sicherer Haltpunkt, für ihre Kriegsweise aber und für ihr ferneres Streben ein um so glücklicherer Vorschub, da sie, mit ihren Schiffen das Frische Haff beherrschend, die Verbindung mit· den gewonnenen westlichen Landschaften leicht unterhalten und das neu erkämpfte Standlager· mit den nöthigen Bedürfnissen immer hinlänglich versorgen konnten. Zugleich war in den Seelen der Ordensritter neues Vertrauen auf das Gelingen ihrer Sache erweckt und die Zuversicht, daß nun bald auch die ganze Landschaft Warmien in des Ordens Besitz seyn werde, verstärkte sich noch durch den Umstand, daß es schien, als sey die wichtige Balga von des Landes Bewohnern in sorglofester Leichfertigkeit ihren Feinden zum Preise gegeben, als habe sich unter den Verscheuchten

---

Nachricht über das Einzelne, indem er sagt: „Die alten Schreiber haben nur die schlechte (d. h. einfache) that oder geschicht mit wenigk worten anzuzeichnen sich beflissen, auf die umbstende daran offt am meisten gelegen wenig oder keine acht geben." Waißel S. 51.

1) Ueber den Namen Balga ist in älterer und neuerer Zeit viel Unkluges gefabelt worden. Lucas David und andere Chronisten machten sich die Erklärung dadurch am leichtesten, daß sie meinten, der Name komme daher, weil die Eroberung der Burg den Rittern „so manchen Balg" gekostet oder so manches Ringen und Balgen veranlaßt habe. Andere erklärten den Namen aus dem Altdeutschen, wo Balg einen Wasserort bezeichnen soll. Auch das Altpreußische Peil, Pil, eine Burg, ist damit verglichen worden. Hennig in Lucas David B. II. S. 106 leitet den Namen ab vom Altpreußischen und Litthauischen bala, ein Bruch oder Sumpf, weil der Ort an einem großen Sumpfe oder Bruche lag. Dieß läßt sich hören; denn balja bedeutet noch jetzt im Litthauischen eine Balge oder sumpfige Gegend. Dürfte man dem *Dlugoss.* T. I. p. 263 trauen, so wäre der Name schon 1015 vorhanden gewesen. Ohne Zweifel ist derselbe älter, als die Ankunft der Ritter.

und Geflüchteten nicht einmal der Gedanke zur Rettung der
vaterländischen Burg gezeigt und als sey nirgends eine Spur
zu finden von einer gemeinsamen Verbindung unter den bedrohten Landschaften zur Erhaltung der urväterlichen Freiheit
und zur Abwehr der allgemeinen Gefahr.

Aber dem war nicht also. Die Ritter auf Balga ahneten nicht, welche Bewegung im Inneren des Landes vor-
ging; denn als die Nachricht vom Verluste der wichtigen Landesfeste den Bewohnern Warmiens kund ward, verbreitete sich Schrecken und Bangigkeit durch die ganze
Volksmenge. Alles, was zu den Waffen tüchtig war, strömte
nahe und ferne zusammen, und als die Zahl der Krieger sich
schon bedeutend vermehrt hatte, trat der Landeshauptmann oder
der Reiß von Warmien, Piopso war sein Name [1]), unter dem
versammelten Volke auf, mahnend an die schwere Gefahr des
Landes, an die Freiheit des Lebens, an das Schicksal der
Nachkommen, an das Vertrauen auf den Beistand der Götter [2]). Ein wildes Gemurmel war des Beifalls und des Zornes allgemeines Zeichen. Alles rief, Leib und Leben an den
Wiedergewinn der Burg zu setzen. Den Hauptmann an seiner Spitze brach darauf das erbitterte Kriegsvolk gegen Balga auf und umlagerte die Burg, welche mittlerweile, so viel
die Zeit gestattet, von den Ordensrittern stärker befestigt worden war. Die Aufforderung der Preussen zur Uebergabe
ward von den Rittern in stolzem Trotze zurückgewiesen. Da
rückte der Hauptmann näher, die Burg mit Sturm zu gewinnen. Wie er gesprochen, so wollte er handeln. Der Oberste
unter den Kriegern wollte er auch der nächste an den Burg-
mauern den Uebrigen durch Muth und Kühnheit Muster und
Beispiel seyn [3]), als er plötzlich von der Burg aus durch das

---

1) *Dusburg* P. III. c. 20: Pyopso quidam Pruthenus Capitaneus Warmiensium; auch *Schütz* p. 20 schreibt den Namen
so. Lucas David B. II. S. 109 hat Piopse; Waißel S. 51 verstümmelt Proffa.

2) Lucas David B. II. S. 109.

3) „Quia caput fuit aliorum, ipse ut 'Dux belli prae aliis
in proelio se voluit ostentare." *Dusburg.*

Geschoß eines Ordensritters tödtlich getroffen niedersank. Ein
grausenvoller Schrecken ergriff den ganzen Haufen und das
gesammte Kriegsvolk floh eiligst zurück in seine düsteren
Wälder [1]).

Der Schrecken aber ging mit ihnen tief in das innere
Land. Es waren nicht wenige, welche verzagten und wankten
in dem Vertrauen auf die Hülfe der Götter und in der Hoff=
nung, gegen die wackeren geharnischten Ritter und ihr geübtes
und gut bewaffnetes Kriegsvolk auf die Länge mit ihrer Kraft
bestehen zu können. Vor allen waren es die Edlen, die Vor=
nehmeren, Männer aus der reicheren Klasse des Volkes [2]),
welche vielleicht aus Besorgniß um die Erhaltung des Ihri=
gen, theils wohl auch verlockt durch verführerische Verheißun=
gen von Seiten der Ordensritter, theils getrieben durch irgend
eine Leidenschaft oder durch Schwäche [3]) sich den Rittern
auf Balga zuwandten, mit Weib und Kind sich ihrem Schutze
vertrauten, den christlichen Glauben bekannten und der Sache
des Ordens mit Rath und That zu Hülfe standen. Wohl
mögen schon jetzt die Ritter, wie nachmals auch in Samland
geschah, nicht selten die verführerische Kunst geübt haben, zu=
erst vorzüglich die Angesehensten und die Mächtigsten im Volke
durch Versprechungen, Belohnungen und Gewährung ausge=
zeichneter Vorzüge für sich zu gewinnen und von den Ihrigen
zu trennen. Für die Plane des Ordens war solches immer
in vieler Hinsicht von äußerster Wichtigkeit. Die Verstär=
kung ihrer Kriegsmannschaft, die ihnen in solcher Weise zu=
wuchs, kam hiebei wohl am wenigsten in Betracht [4]), denn

---

1) *Dusburg* l. c. Lucas David B. II. S. 110 — 111.
Henneberger Erklär. der Landtaf. S. 24. Schütz p. 20.

2) „Plures nobiles et potentes viri de Warmia." *Dusburg*
P. III. c. 21.

3) Fromm, aber nicht glaublich sagt *Dusburg* l. c.: sie hätten
sich dem Orden ergeben „videntes Deum." Wer hätte ihnen so
schnell diesen Gott kennen gelehrt?

4) Wiewohl *Dusburg* l. c. diesen Gewinn am meisten hervor=
hebt.

weit mehr trug es 'aus, daß ihnen durch solche flüchtige
Schützlinge des Volkes innere Verhältniſſe, ſeine Verfaſſung
und Kriegsart, ſeine Lebensweiſe, die Geſinnungen der Volks-
führer, die Beſchaffenheit und Lage des ganzen Landes nunmehr viel bekannter wurden. Durch ſie vernahmen auch die
Ritter auf Balga, daß im Volke Warmiens die Hoffnung
auf Balga's Wiedergewinn noch keineswegs erſtorben und nach
ſeines Hauptmanns Tod das ſo mächtige, als dem Orden
höchſt feindliche Geſchlecht der Glottiner [1]) an ſeine Spitze getreten ſey, um Land und Freiheit, Götter und Prieſter gegen
die Ordensherren zu vertheidigen.

Um Balga gegen den neuen drohenden Sturm zu ſichern,
ſchien das Nothwendigſte, dem Feinde den nahen Zugang zur
Burg zu verſperren. Dieſes aber konnte um ſo leichter geſchehen, da die Natur des umliegenden Landes ſchon ſelbſt das
Wichtigſte im Plane vorgearbeitet. Das ganze Gebiet nämlich,
auf welchem Balga ſtand, war nach der Landſeite gen Oſten
hin faſt ringsum von tiefem Geſümpfe, Moraſt und Brüchen
umgeben, ſo daß bei milder Jahreszeit der Zugang zu der
Burg hier für ganz unmöglich galt. Der Aufenthalt einer
zahlloſen Menge wilder Sumpfvögel bildete dieſer grundloſe

---

1) Es iſt von dieſem Geſchlechte ſchon im erſten Bande dieſes Werkes die Rede geweſen. Aber ſchwerlich iſt der Name aufs Reine zu
bringen. Die Lesarten der Chroniſten ſind zu verſchieden. *Dusburg*
P. III. c. 23 nennt ſie viri praepotentes dicti Gobatini; ſpäter
aber P. III. c. 258 erwähnt er ein territorium Glottoviae Warmiensis dioecesis. Dieſes iſt jedoch offenbar das Gebiet des nachmaligen Kirchdorfes Glottau bei Guttſtadt oder des Dorfes Glautienen
bei Zinten. Andere haben den Namen Glottiner, ſo Waißel S. 51.
Henneberger S. 141 und nach dieſem Namen könnte Glautienen
bei Zinten wohl als das alte Beſitzthum dieſes Geſchlechtes angeſehen
werden. Der Name Gobatini bei *Dusburg*, welchen auch Lucas
David B. II. S. 112 aufgenommen, jedoch Gobetiner ſchreibt, iſt
höchſt wahrſcheinlich verdorben. Die Mſcr. des Dusburg weichen ſehr
ab; das Regiom. hat Gobotini; ſo auch das Berolin.; das Elbing.
Glottini. Dusburgs Epitomator hat ſogar Goltinyn. Im Ganzen
ſcheint der Name Glottiner der richtigere zu ſeyn. Jeroſchins Reimchronik P. III. c. 23 hat Golotinyn.

Moraſt für die Burg die allerſicherſte Schutzwehr. Nur nach
Süden hin hatte man durch eingelegte Baumſtämme einen
Damm befeſtigt und über dem Geſümpfe eine Art von Brücke
verfertigt, auf welcher auch zur Sommerzeit zur Burg zu
gelangen war [1]). Dieſer einzige Zugang durfte nur verſperrt
werden, um Balga gegen jeglichen Angriff vom Lande her
völlig ſicher zu ſtellen. Alſo erbaueten die Ordensritter am
ſüdlichſten Ende jenes Dammweges an dem Flüßchen, welches
von Hoppenbruch her in das Friſche Haff einfließet, eine
Mühle, die ſie wie eine Burg auf jede Weiſe bewehrten und
befeſtigten, mit Wall und Graben umzogen und zu Schutz
und Vertheidigung mit einer hinlänglichen Schaar von Bewaffneten unter dem Befehle zweier Ordensbrüder beſetzten [2]).

Kaum aber war das Werk vollendet, als aus dem Innern Warmiens und aus der Landſchaft Natangen eine mächtige Schaar von Kriegsleuten heranzog, die Glottiner als
Führer an ihrer Spitze. Der erſte Angriff mit friſcher Kraft
und zornigem Muthe geſchah auf jenes Außenwerk und das
Glück begleitete ihn. Nach kurzer Belagerung wurde die Mühle
erſtürmt, die ſämmtliche Mannſchaft ermordet und die Feſte
durch Feuer vernichtet [3]). Schwerer aber und faſt unmöglich
ſchien den ungeübten Kriegern die Eroberung der ſtark befeſtigten Burg. Daher auch nicht einmal ein Angriff auf ihre
ſtarken Mauern gewagt wurde. Man hielt für zweckmäßiger,
ſie rings umlagert zu halten, die Ritter mit ihren Kriegsleuten nur auf den engen Bereich ihrer Burg zu beſchränken, die
Zufuhr aller Lebensmittel abzuſchneiden und ſo die Uebergabe
durch Noth und Hunger zu erzwingen. Von Balga aus gen
Oſten hin lag jenſeits des Gebrüches ein weites Feld Par-
tegal genannt [4]), durch welches, wenn zur Winterzeit der

1) *Dusburg* P. III. c. 21 nennt ſie pons paludis. Lucas
David B. II. S. 108: „einen langen Knotteltham über das ge-
bruche und eine lange Knottelbrucke des großen Gekwebbes."

2) *Dusburg* l. c. Lucas David a. a. O. *Schütz* p. 20
nennt die Mühle eine „Paſtey."

3) *Dusburg* P. III. c. 21. Lucas David B. II. S. 112.

4) So iſt der Name richtig bei *Dusburg* l. c.; ſo hat ihn auch

Burgwehre errichtet und diese mit einer bedeutenden Schaar
rüstiger Kriegsleute unter dem Befehle mehrer Ordensbrüder
und eines tapfern Kriegers, Hartwichs von Pokarben [1] —
wahrscheinlich einer von den zu den Rittern geflüchteten Edlen
der nahen Gegend — so trefflich bemannt, daß der Zugang zu
der Hauptfeste Balga hiedurch versperrt war. Freilich war
auf die Länge dadurch nicht viel gewonnen, denn die Kühnheit der Preußen durchbrach bald diese Hemmung; in Kurzem
war die Burgwehr von allen Seiten eingeschlossen und keiner
von den Kriegsleuten durfte es wagen, im Freien zu erscheinen. Gelang es den Belagerern auch nicht, die Befestigung
zu erstürmen, so wurden sie doch bald wieder Meister des
Dammweges nach Balga hin und täglich trieb kecke Kampflust und Raubgier einzelne starke Heerhaufen bis unter die
Mauern der Burg, so daß die Ritter auf Balga keine Stunde
vor dem Feinde sicher waren und keiner die Wehren der Burg
verlassen konnte [2]. Jeder Tag aber steigerte die Gefahr und
jeder Tag verminderte die Hoffnung auf Hülfe und Errettung. Nun drohte auch schon Mangel an den nothwendigsten
Bedürfnissen, denn selbst die Verbindung zu Wasser auf dem
Haffe mit den westlichen Landschaften war, wie es scheint,
lange unterbrochen, sey es durch die Jahreszeit oder durch den
Feind, der vielleicht mittelst Besetzung des Uferlandes unter-
halb der Burg die Anfahrt verhinderte [3]. Immer näher
rückte die Stunde des Verderbens; es schien keine Rettung
möglich; man dachte bald schon an das Aeußerste: die Burg
zu verlassen, durch Feuer zu vernichten und jeden sich Hülfe
und Befreiung suchen zu lassen, wie er sie finden könne.

---

1) „Virum nobilem Hertwigum patrem Hertwigi de Po-
carwis“ *Dusburg* l. c. Der Chronist erwähnt dieses Pokarben auch
c. 86. Es liegt bei Brandenburg, also in Natangen, wohin der Orden damals noch nicht vorgedrungen war.

2) *Dusburg* P. III. c. 23. 24. Lucas David a. a. O.

3) Freilich sagen uns die Chronisten fast gar nichts hierüber. Aber
wie hätte die Gefahr und Noth so hoch steigen können, wenn die Verbindung auf dem Haffe Statt gefunden hätte?

Da kam auf unerwartete Weise rettender Beistand. Aber er kam diesesmal nicht, wie früherhin durch den Papst, denn am Hofe zu Rom waren es für den Orden nicht mehr die glücklichen Tage Hermanns von Salza. Seit dieser Meister durch Krankheit gehindert in die Verhandlungen des Kaisers und des Papstes nicht mehr thätig eingreifen und die noch immer feindlichen Verhältnisse Lombardiens mit so geschickter, als glücklicher Hand leiten und lenken konnte, war die alte Spannung zwischen dem Kaiser und dem Römischen Hofe, der sich schon immer entschiedener zu Friederichs Feinden hinwandte, von Tage zu Tage höher gestiegen. Das Schicksal fügte es, daß an demselbigen Tage und in denselbigen Stunden, als Hermanns friedsamer und versöhnlicher Geist dem Irdischen entschwand, ein furchtbarer Fluch des Papstes den Kaiser Friederich in den Bann erklärte. Am zwanzigsten März des Jahres 1239 [1]) ward dieser aus der Gemeinschaft der Kirche durch den Bannspruch ausgeschlossen: ein schrecklicher Tag für Friederichs Seele, die in Einer Stunde den biedern, wahrhaften und treuliebenden Freund und den Frieden der Kirche sich entrissen sah. Aber auch für den Deutschen Orden trat eine betrübte, schwerbedrängte Zeit ein, denn wie der zornerfüllte Papst Fürsten und Völker vom Kaiser loszureißen und alle Banden der Treue, des Gehorsams und der Liebe zum Oberhaupte des Reiches durch die Gewalt der Kirche zu zersprengen alle Drohungen seiner Macht aufbot, um das Haus der Hohenstaufen für immer in den Staub zu treten [2]), so erließ er auch an den Deutschen Ritterorden das strenge Gebot: er solle und müsse sofort alle Verbindung und jegliche Gemeinschaft mit dem gebannten und der Kirche entfremdeten Kaiser aufgeben, wofern er nicht alle Freiheiten, Vorrechte und Begünstigungen, die ihm je der Stuhl zu Rom verliehen, vernichtet sehen wolle [3]). So schreckend indessen die Drohung

---

1) *Richard. de S. Germano* p. 1041. *Raynald.* an. 1239. Nr. 14. Raumer B. IV. S. 20.

2) Vgl. Raumer B. IV. S. 43 ff.

3) *Raynald.* an. 1239. Nr. 36: „Ad revocandos pariter

war, so hatte sie doch keineswegs die erwartete Wirkung; denn wie sich der Papst in allem, was er als Folge seines Bannstrahles in Italien und Deutschland bezweckte, in dem Sturme seiner Leidenschaft gewaltig verrechnete und weder Fürsten noch Völker, selbst nicht einmal alle hohen Geistlichen in ihrer Treue gegen den Kaiser wankend wurden, so stand auch fernerhin der Deutsche Ritterorden unerschütterlich fest in seiner Anhänglichkeit zu seinem hohen Gönner, keine Schrecken der Kirche brachen seine Treue, und der Papst, durch diesen Ernst und diese Beharrlichkeit in der Gesinnung wie entwaffnet, wagte es nicht einmal, seine Drohung zu vollziehen. Seinen Groll indessen gegen den Orden legte er dadurch an den Tag, daß er, so lange er lebte, der Deutschen Ordensbrüder mit keinem gütigen Worte mehr gedachte [1]) und wie zur Rache an ihrer Sache in Preussen nur zu einem Kreuzzuge nach Esthland aufmunterte [2]).   So war es ohne Zweifel auch eine nur erzwungene Mäßigung, wenn nicht die Klugheit es gebot, daß er die damals gerade vom Bischofe Christian bei ihm angebrachte Anklage gegen den Orden nicht ganz anders benutzte, als es geschah.

Sanken aber auch in solcher Weise die Ordensritter in der Gunst und Zuneigung des Papstes wegen der Deutschen biederen Gesinnung, wegen der treuen Anhänglichkeit gegen ihren Herrn, ihren Wohlthäter und Mitstifter ihrer Größe, wegen der ritterlichen Treue und Liebe zu ihrem Kaiser, so stieg der Orden doch in gleichem Maaße in Werthschätzung und Achtung bei dem Kaiser, in Liebe und Zuneigung bei Köni=

---

ad officium religiosos equites domus S. Mariae Theutonicorum, qui Friederici partes erant amplexi, justissimas illis minas incussit, si in tyranni obsequio perstarent, omnia privilegia iis concessa rescissurum." Raynald bezieht sich hiebei auf eine ihm vorliegende päpstliche Bulle, welche aber im geh. Archive nicht vorhanden ist.

1) Es findet sich daher seit dieser Zeit von diesem Papste auch keine einzige Bulle mehr für den Orden.

2) *Raynald.* an. 1240 Nr. 34.

Verwandtschaft beide Fürsten verband [1]). Nach trefflicher Rüstung trat er im Winter des Jahres 1239 den Zug nach Preussen an, an der Spitze von siebenhundert Lanzen und einer grossen Schaar von Pilgern [2]). Ihn begleitete ohne Zweifel auch der neue Landmeister Heinrich von Wida [3]).

An der Weichsel angelangt, fanden sie den Orden in neuen Misshelligkeiten mit dem Herzoge Conrad von Masovien. Das Gebiet von Löbau, an seiner westlichen Gränze das Kulmerland berührend, war des Zwistes Ursache. In Conrads Schenkungsbriefen war dieses Gebietes nie erwähnt worden. Vor fünf und zwanzig Jahren hatte der Papst Innocenz der Dritte bei dem Uebertritte des damaligen Landesfürsten Suavabuno zum Christenthum das ganze Land Löbau dem Bischofe Christian zugesprochen [4]). An Rechte, welche über dieses Gebiet etwa dem Herzoge von Masovien zustehen könnten, war damals nicht gedacht worden. Als der Orden ins Kulmerland trat, war das matte Licht des Christenthums auch dort wieder gänzlich verloschen. Erst unter den Waffen der Ritter war es wieder angezündet und das Gebiet konnte daher mit allem Rechte nach den geschehenen Verheissungen für ein Besitzthum des Ordens gelten. Nun geschah aber im Jahre 1239, da Berlewin noch die Statt-

---

1) Conrads Brudersohn Hermann, Sohn des Landgrafen Ludwig und der heiligen Elisabeth, hatte die Tochter des Herzogs Otto von Braunschweig Helena zur Gemahlin. *Albert. Stadens.* p. 310. Wenck Hess. Landesgeschichte B. II. S. 728. Rommel Gesch. von Hessen B. I. S. 304. 243.

2) *Dusburg* P. III. c. 25: „venit cum multitudine copiosa peregrinorum. *Naucler.* p. 822. Lucas David B. II. S. 114. *Schütz* p. 20.

3) Der Landmeister war, wie sogleich erwiesen werden wird, in der Mitte des Februars 1240 schon in Preussen. *Naucler.* l. c. lässt den Herzog Otto den Zug nach Preussen ebenfalls schon im Winter des J. 1239 antreten. Dass auch noch im Mai des J. 1240 in Deutschland, namentlich in der Diöcese von Olmütz gegen die Preussen das Kreuz geprediget wurde, bezeugt *Aventin.* Excerpt. ex Alberti Bohemi Actis ap. *Oefele* T. I. p. 789.

4) Vgl. Lucas David B. II. S. 23.

Mittlerweile war Otto von Braunschweig mit allem Eifer bemüht gewesen, den Belagerten auf Balga zu Hülfe zu kommen. Aber es hielt schwer, die Hartbedrängten und Hoffnungslosen von seiner Ankunft zu unterrichten, denn wachsam, wie die Preußen im Kriege beständig waren, ließen sie auf dem Haffe kein Fahrzeug der Burg irgend nahe kommen. Dennoch gelang es einem kleinen Boote, der Wachsamkeit des Feindes zu entgehen und sich zur Nachtzeit dem Ufer unter der Burg zu nähern. Ein Vertrauter des Herzogs schlich sich an die Burg, den Rittern die frohe Botschaft von der nahen Hülfe verkündigend. Man berieth mit ihm den Plan, wie die Heerschaar der Preußen zu gleicher Zeit von der Mannschaft der Burg angegriffen und von des Herzogs Kriegshaufen überfallen werden könne, und entließ dann den Botschafter an den Herzog zurück. Ein vornehmer Preuße, der früher unter den Warmiern in hoher Achtung gestanden, sich aber zu den Ordensrittern nach Balga geflüchtet und dort die Taufe erhalten hatte, — Pomande war sein Name [1] —

---

teutonicorum et fratribus eius de Pruscia. Diese Bezeichnung muß im ersten Augenblick sonderbar scheinen; da es um diese Zeit schon fünf bis sechs Komthure in Preußen gab, so dürfte man zweifelhaft bleiben, welcher von diesen unter jenem gemeint sey. Betrachtet man die Sache aber genauer, so ist es außer allem Zweifel, daß es der Landmeister Heinrich von Wida war, den der Legat damit bezeichnen wollte. Das Wort commendator wurde in dieser Zeit noch für gleichbedeutend mit der Bezeichnung provisor gebraucht, wie aus den Zeugenangaben des Kulmischen Privilegiums klar zu ersehen ist; s. *Hartknoch* ad Dusburg p. 460 — 461. Provisor nannte sich mit Hinzufügung von Prussiae auch der Landmeister; aber auch Commendator terrae war dafür gewöhnlich und Hermann Balk selbst gebrauchte von sich diese Bezeichnung im Kulm. Privilegium. So kann also auch commendator domus teutonicorum de Prussia schwerlich etwas anderes bezeichnen, als den Landmeister, der also im Winter 1239 — 40 schon in Preußen war. — Daß der Orden auch nach der Entscheidung des päpstlichen Legaten im Besitz des Landes Löbau blieb, geht aus den Schlußworten der Urkunde hervor: et sic fratribus et prutenis possidentibus negocium indeterminatum permansit.

1) So ist der Name richtig; so haben ihn auch Jeroschin P.

boten in die nahen Landschaften und nach wenigen Tagen
erhielten sie die Nachricht, daß eiligst alles tüchtige Kriegsvolk aufbrechen und sich im Heerlager vor Balga mit ihnen
vereinigen werde.

Da ging Pomande in die Burg zurück. Während nun
im Heerlager der Preussen alles sich zum Kampfe rüstete und
die Kriegshaufen aus Natangen, Warmien und Barterland
herbeizogen, erhielt Herzog Otto die heimliche Botschaft aus
der Burg. Eiligst macht er sich auf, nähert sich zur Nachtzeit dem Ufer, verbirgt einen Theil seines Kriegsvolkes im
dichten Gebüsche, welches damals noch unter der Burg stand,
den kleinern Theil entsendet er auf die Burg und in die
Wehrfeste Schneckenberg und erwartet nun das verabredete
Zeichen. Da bricht am Morgen das feindliche Heer der
Preussen aus seinem Lager auf, stark an Zahl, eine auserle-
sene Mannschaft, voll Siegeshoffnungen, an seiner Spitze die
Mächtigsten und Edelsten der Landschaften. Der Herzog ge-
wahrt das Zeichen; doch wie die Ritter auf der Burg, so
verhält auch er sich in Ruhe, bis sich der Feind den Mauern
Balga's ganz genähert. Da öffnen sich plötzlich die Thore
der Burg; in wenigen Augenblicken steht das Kriegsvolk der
Ritter zum Kampfe bereit und zieht dem Feinde entgegen.
Die Heerhaufen der Preussen wichen bestürzt etwas zurück,
um ihre Schlachtreihen zu ordnen; darauf aber rückten sie
kecken Muthes und meinend, daß nur Noth und Hunger den
Feind zum offenen Kampfe herausgetrieben, der feindlichen
Schaar entgegen. Es kam zum blutigen Streit auf freier
Ebene. Die Preussen kämpsten mit außerordentlicher Tapferkeit, die Deutschen wie Verzweifelte; der letzteren bessere Rüstung und Waffenart und eine Schaar trefflich geübter Bogenschützen brachten dem Feinde große Verluste; aber immer
hielt in diesem den Muth und durch den Muth auch den
Kampf noch der Gedanke aufrecht, daß die Kraft der schon
durch Hunger und Leiden ermüdeten Deutschen sich im Getümmel der Schlacht schnell verzehren müsse. Da bricht plötzlich der Braunschweiger aus dem Hinterhalte mit wildem

schönere Früchte wollte Herzog Otto in Preussen noch ernd=
ten. Balga blieb ein ganzes Jahr hindurch sein Aufenthalt[1]).
Von hier aus brach er vereint mit dem Kriegsvolke des Or=
dens bald in Warmien, bald nach Natangen, bald ins tie=
fere Barterland ein[2]). Und da aus allen diesen Gebieten
die rüstigsten Krieger, die Hauptleute, vielleicht auch die Reiks
oder die Fürsten im Kampfe vor Balga gefallen waren und
überall Schrecken und Angst den Waffen des Herzogs unter
dem verlassenen Volke vorangingen, so fand nirgends bedeu=
tender Widerstand Statt; keiner wagte es, an die Spitze der
zaghaften Bewohner der Landschaften zu treten, um dem
Kriegshaufen des Herzogs Raub und Plünderung zu weh=
ren. Da ergaben sich endlich, um der täglichen Angst und
dem Jammer zu entgehen, die Preussen aus diesen Gegenden
in ihr Schicksal, versprachen Gehorsam gegen die Herrschaft
des Ordens und die Annahme des Christenthums, stellten
Geißeln zur Versicherung ihrer Treue und erhielten vom Her=
zoge das verbürgte Versprechen, daß ihre Freiheit nicht unter=
drückt, ihr Landbesitz ihnen gelassen und nur ein jährlicher
Zins von ihnen an den Orden entrichtet werden solle[3]).

Nun war der Ordensritter erste Sorge, das Erworbene
zu erhalten und den Gewinn gegen die Gefahr des Verlustes
sicher zu stellen. Man kannte in damaligen Zeiten keine an=
dern Mittel der Sicherheit, als feste Burgen an wohlgelege=
nen Orten mit hinreichender Kriegsmannschaft, welche das
umwohnende Volk bei jedem Versuche des Ungehorsams und
des Abfalles in Schrecken setzen und in die Bahn der Gesetze

---

1) *Dusburg* P. III. c. 26.

2) *Dusburg* P. III. c. 27. Lucas David B. II. S. 120.

3) *Dusburg* l. c. sagt nur ganz kurz: Datis obsidibus se fi=
dei et fratrum imperio subdiderunt. Lucas David B. II. S.
120 fügt hinzu: „Sie ergaben sich den Brüdern Deutschen Ordens,
also doch das die Inen vorsprechen solten, das die Preussen bei voriger
Freiheit solten bleiben und Inen nicht mehr zu thun schuldig sein, noch
zu geben dann einen jhärlichen zins, wie sie des zu der zeit einst (eins)
wurden vom acker.

II. 26

ten sich anfangs, in der Nähe der Ritter zu wohnen. So war nun Natangen durch Balga [1]) und durch die Kreuzburg von den Ufern des Haffes an bis tief hinein ins Innere ge= schützt.

Weiter hinauf im Barterlande wurden drei Burgen zur Wehr des Landes aufgerichtet. Auch hier wählten die Or= densritter mit Vorsicht zur Anlegung ihrer Schutzfesten vor allen solche Orte aus, wo die Natur ihren Zwecken vorgear= beitet und das Wichtigste der Befestigung schon vollendet hatte. Da wo sich die Alle, aus dem südöstlichen Warmien herabströmend, im Barterlande aus ihrem Laufe von Süden her plötzlich nach Osten krümmt, umschließet sie in der Hälfte eines Bogens eine bedeutende Anhöhe und trennt solche von dem umhergelegenen Flachlande. Auf drei Seiten war die Berghöhe vom Wasser umspült und zugleich gegen den An= fall feindlicher Macht gesichert. Im Norden am höchsten und bei der schroffen Steile schwer ersteigbar senkt sich der Berg gen Süden hin in mehren Abtheilungen. Hier erhoben die Ritter die Burg Bartenstein als erste Wehrburg der Land= schaft; auch sie stand lange allein da ohne die gegenwärtig ihr nahe liegende Stadt gleiches Namens [2]).

Dem raschen Gewässer der Alle in ihrer östlichen Rich= tung von Bartenstein aus weiter folgend, trafen die Ordens= ritter, da wo der Fluß sich plötzlich wieder nordwärts wen= det, dann östlich einbiegt und in südlicher Krümmung die aus

---

man den Aufbau der Burgen und die spätere Anlegung der Städte im= mer unterscheiden. So wurde die Burg Kreuzburg offenbar schon im Jahre 1240 erbaut und wird im Privilegium der Stadt als längst vor= handen erwähnt. Diese dagegen erhielt ihre Gründung erst im Jahre 1315, wie das erwähnte Privilegium klar ausweiset.

1) Nach der ältesten Eintheilung gehörte freilich Balga noch zu Warmien.

2) Das Privilegium der Stadt Bartenstein weiset aus, daß ihre Gründung erst unter dem Hochmeister Lutherus von Braunschweig im Jahre 1332 geschah.

gespendet wurden [1]). Diese Bedeutung des Ortes hatte auch
für die Ritter eine besondere Wichtigkeit. Es war nothwen=
dig, daß sich die Ordensgebietiger dieser heilig verehrten Göt=
terwohnung bemeisterten, an welche die Andacht und Fröm=
migkeit der Menschen Jahrhunderte lang sich geknüpft, und
zu welcher auch nach des Landes Eroberung gerne noch man=
cher alte Bewohner des Barterlandes im Stillen hineilte zu
Opfer und Gebet im Schmerze um das alte verlorene Leben
und um den vertilgten Götterglauben. Schon deshalb mußte
es den christlichen Rittern heilsam scheinen, in festverwahrter
Burg dort eine kriegerische Wache aufzustellen, um in solcher
Weise die Sehnsucht der Bewohner nach dem alten Heilig=
thum, den Besuch der alten verehrten Orte, den Götzendienst
im nahen heiligen Walde, die Weihgaben auf den heiligen
Opfersteinen um so leichter unterdrücken zu können [2]).

Weiter ins Barterland hinauf erbauten die Ordensritter
die dritte Burg, Rössel genannt. Was zu ihrer Gründung
den nächsten Anlaß gegeben, ob dort vielleicht schon eine alte
heidnische Burg mit den nöthigen Befestigungen gestanden
und die Grundlage für die neue Ritterburg dargeboten habe,
ist unbekannt. Die Natur hatte hier weniger als anderswo
für Sicherheit und Festigkeit des Ortes vorgearbeitet, denn
nur ein unbedeutendes Gewässer umfloß die Anhöhe, auf
welcher die Burg emporstieg, um die aufgeworfenen Graben
im Bereiche der Burg zu füllen. Dagegen erhoben sich nach

---

1) Die nöthigen Beweise hierüber — so weit solche hier möglich
sind — findet man im ersten Theile in dem Abschnitt über die Religion
der alten Preussen.

2) Dieses erläutert uns auch den blutigen Kampf, der späterhin
nach *Dusburg* P. III. c. 109 — 112 um den Besitz dieser Gegend
zwischen dem Orden und den Preussen gekämpft wurde. Daß es förm=
licher Plan der Ordensritter war, vorzüglich solche heilige Orte des
Landes in ihren Besitz zu bringen, deutet *Dusburg* im Prologus p.
7 mit den Worten an: Attende qualiter fratres, ut Judas Mac-
chabaeus, loca sancta terrae Pruschiae, quae gentes prius per
idololatriam polluerunt, mundaverunt et sacrificatur in eis quo-
tidie Deo sacrificium laudis et honoris.

derung ihrer Schönheit. Mit hohem Gebirge wechselt das
liebliche Thal, mit fruchtreicher Ebene der fischreiche See, mit
buntem Wiesenlande und ergiebigem Ackerfelde der lebendige,
liebliche Fluß. Kaum weiß das Auge, wo es länger verwei=
lend in seinem Genusse ruhen soll, ob in den Ebenen, wo
sich das rasche, spielende Gewässer durch das blumenreiche
Geländ hindurchwindet, oder auf den Höhen, wo menschlicher
Fleiß in schönen Anpflanzungen den Reiz der Natur noch zu
erhöhen gewußt. Hier war es, wo die Ordensritter vielleicht
aus ähnlichen Gründen wie bei Waistote=Pil und Walle=
wona eine Burg erbauten, welche Heilsberg genannt wurde [1]),
denn es wäre nicht unwahrscheinlich, daß hier der Wohnort
des Landesfürsten oder der Gebietersitz des Landes = Griwen
für Warmien gewesen sey. Zur Befestigung der neuen Or=
densburg ward das Gewässer der Alle benutzt; es umströmte
die Burgmauer im Westen und füllte zugleich die rings um
die Burg gezogenen Graben. Starke Wehrthürme, auf al=
len Seiten hoch empor gebaut, gaben den starren Mauern zu=
gleich erhabene Schönheit und dem Ganzen die nöthige Si=
cherheit.

Wie diese Burg dem Orden Warmiens inneres Gebiet
verwahren und schützen sollte, so ward zu gleichem Zwecke
für den nordwestlichen Theil der Landschaft unfern von dem
Gestade des Frischen Haffes die Burg Braunsberg erbaut.
Hier lud aber zur Gründung einer Burg nicht besondere
Schönheit der Umgebung ein, sondern mehr nur die Nähe
des erwähnten See=Gewässers, die Verbindung mit diesem
und mit dem inneren Lande durch den an der Burg vorüber=
fließenden Passarge=Fluß und die erkannte Nothwendigkeit
eines näheren Zusammenhanges mit der Ordensburg zu El=
bing und den westlichen Landschaften überhaupt. Auch hier

---

1) Woher der Name Heilsberg komme, ist ungewiß, und es ist
überhaupt oft eben so schwer, als fruchtlos, über die Städte=Namen
Erklärungen zu geben. Heilsberg wird übrigens von *Dusburg* c.
27 Helsberg, c. 89 Helisberg, von Jeroschin Heilisberg, von
Dusburgs Epitomator Heydilsberg geschrieben.

Land verließ, versorgte er die Ordensritter auf ihren Burgen
mit allem, was irgend zu ihrer Erhaltung nöthig schien. Auf
ein ganzes Jahr versah er sie mit Lebensmitteln, ließ ihnen
Waffen, Pferde und was er sonst zur Kriegsführung mitge-
bracht, zudem auch Jagdzeug, zwei seiner Jäger, Jagdhunde
und Federspiel. Wer sonst von seinem Gefolge im Lande zu-
rückbleiben wollte, blieb und ward gerne vom Orden aufgenommen. Auch mancher andere, der dem Herzoge zum Kampfe
gegen die Heiden gefolgt und durch nichts an die Heimat geknüpft war, kehrte nicht wieder zurück[1]). Viele waren dem
Heerhaufen des Herzogs mit Weib und Kind schon in der
Absicht nachgezogen, neue Niederlassungen zu suchen, und
blieben gleichfalls im Lande. Den Ordensrittern aber waren
diese neuen Einzöglinge immer um so erwünschter, als sie an
ihnen stets getreue Unterthanen fanden, die mit ihnen gleiches

---

wieder in Deutschland war. Vgl. Wenck's Hess. Landesgeschichte B.
II. S. 727. Einen Theil der Rückreise machte der Herzog zu Schiff,
wie Dusburgs Epitomator und andere sagen.

1) *Dusburg* in der Ausgabe von Hartknoch hat am Ende des
26sten Kapitels eine Lücke, wie schon das „ etc." andeutet. Wir können sie aus dem Epitomator ergänzen; dieser sagt: Anno completo
dux gaudens navigio repatriavit, relinquens fratribus arma,
equos, victualia et omnia, que asportabat et canes venaticos
et que ad venacionem spectabant, et duos suos venatores, unde
post hec semper in domibus fratrum venatici carnes inventi
sunt, quos vario modo venabant, que ars est eciam fratribus
indulta, quod nemo miretur. In den neueren Codd. der Chronik
steht dieser Satz ebenfalls nicht. Aber Jeroschin übersetzte ihn und
schließt mit folgenden Versen:

> Alfuß man von des Ottin Zit
> Und hüte großer Jait pflit
> Im Pruzin lande manchir weyn
> Und das die bütschen brüder pfleyn
> Sulchir jagit bi sunbirn
> Des darf nymande wunbirn
> Wann yn irloubit ist die Jait
> Oy andrin Ordyn ist vorsayt.

Vgl. auch Lucas David B. II. S. 121. Waißel S. 52.

den Landeseingeborenen nicht selten mit feindlichem Auge be=
trachtet, beneidet, verfolgt und in ihren neuen Besitzthümern
auf mancherlei Weise beunruhigt werden mußten, weshalb
auch sie es nöthig fanden, ihre Wohnungen zu ihrer und der
Ihrigen Sicherheit stark zu befestigen, so daß auch diese mehr
und mehr die Gestalt eigentlicher Burgen mit Wehren und
Wällen erhielten [1]).

Ohnedieß aber mußte auch den bezwungenen Preussen,
sobald der wilde Sturm des Krieges sich gelegt hatte, die
erste Bestürzung vorüber war und in den Seelen die klare
und ruhige Besinnung über das Geschehene mehr und mehr
erwachte, das gefallene Loos in jeder Weise schrecklich und un=
erträglich erscheinen. Durchs ganze Volk der neubezwungenen
Lande ging bald ein Geist des Ingrimms und der Erbitte=
rung und von Tage zu Tage fraß in das Herz der Ueberwäl=
tigten der Haß und die Feindschaft immer tiefer ein. Zwar
sah man, daß der Orden auch die alten Landesbewohner, die
Neubekehrten, sobald sie ihm Treue und Ergebung bewiesen,
nicht minder als die Deutschen mit Gut und Eigenthum, mit
Vorrechten und Begünstigungen beschenkte; man sah, wie die
Ritter die Edlen des Landes an sich zogen und auf jede Art
zu gewinnen suchten; man sah, wie eifrig durch Priester und
Mönche für die Belehrung und Bildung des Volkes gesorgt
wurde, wie thätig die Ordensritter waren, um die Geschäfte
des Friedens, vor allem den Ackerbau und mit ihm den Wohl=
stand des Landes wieder herbeizuführen [2]). Aber war dieses alles
irgend ein Ersatz für das Verlorene und Entrissene? Galten
jene Neubekehrten, jene Getreuen des Ordens nicht für Ver=
räther des Volkes, für Verbrecher am Vaterlande, für Ab=
trünnige der alten Götter? Gab der Orden an den geschenk=
ten Gütern nicht nur belastet und beschwert zurück, was man
zuvor frank und frei besessen hatte? Waren die Priester und
Mönche mit allem ihren Eifer nicht immer die Widersacher

---

1) Daher sagt *Dusburg* l. c.: plura alia Castra aedificaverunt Nobiles et Foeodatarii.
2) Lucas David B. II. S. 122.

Bekenntniß, die Lehren von der Buße und von Vergebung der Sünden [1]) das leere Herz und die verzweifelte Seele für Recht und Pflicht erfüllen sollten? Es ging eine Verwirrung durch das Leben hindurch, es war eine Leere und Trostlosigkeit in demselben eingetreten und ein Widerspruch zwischen dem, was man wünschte und ersehnte, und dem, was mit Strenge gefordert und verboten ward, die alle Banden auflösen mußten, welche das alte Leben in seinen Verhältnissen geknüpft hatte. Da kam noch hinzu, daß diese Menschen zerknirschten Herzens, gebrochener Seele, unbekannt mit dem Werthe dessen, was ihnen durch den Orden im neuen Glauben zugebracht wurde, in Erinnerung der freien und fröhlichen Vergangenheit, unter dem Unglück und der Last der beknechteten und traurigen Gegenwart, jene Zwingburgen mit aufbauen mußten, die sie selbst im Zügel und Zaum halten und das alte freie Leben für ewige Zeit unmöglich machen sollten. Mit tiefstem Groll und Ingrimm, mit brennender Erbitterung fällten sie die Bäume in ihren heiligen Hainen und trugen sie die Steine zusammen, die im Aufbau jener Burgfesten der Sarg und das Grab ihrer Freiheit, ihrer Freude, ihres Glaubens und alles Schönen und Heiligen im Leben seyn sollten. So ist begreiflich, daß bald im ganzen Volke nur Ein Gedanke der Rache und Vergeltung, nur Eine Sehnsucht nach Erlösung aus dem Elende lebte. Und es kam diese Zeit der Rache und Vergeltung.

Das Jahr 1241 begann unter schwerdrohenden Ereignissen. Ein wildes, ekelhaftes Völkergeschlecht, die Mongolen, aus Asiens inneren Steppenländern aufgebrochen, hatte sich seit fünf Jahren über Rußland hergestürzt und im Strome die unterjochten Völker mit sich fortreißend und immer mehr verstärkt wälzte sich der unermeßliche Schwarm im Jahre 1240 in die Ebenen von Polen. Furchtbare Gerüchte und Sagen zogen ihm voran; der ganze Norden war erschüttert

---

1) Lucas David B. II. S. 121 nennt diese Lehren wenigstens als die wesentlichsten der christlichen Belehrung, die man den Heiden gab.

tender Macht zur Abwendung des Unglücks nach Schlesien hätten eilen können. Also geschah dort auf der Ebene von Wahlstadt die große Mongolen = Schlacht ohne des Ordens Beihülfe [1]).

Aber auch für die Ordens = Herrschaft in Preussen hatte dieser schreckensvolle Völkerzug bedeutende Folgen. Während die Ritter den größten Theil ihrer Streitmacht aus Natangen, Warmien und Barterland hatten entfernen müssen, um im Süden des Landes Gränzen gegen den heranstürmenden Feind bei seinem etwanigen Einbruch möglichst zu vertheidigen, war die Gährung in jenen Landschaften mit jedem Tage höher und höher gestiegen und das Volk bei der Schwäche der Burgbesatzungen immer kühner und kecker, immer muthiger und entschlossener geworden. Zwar bemühten sich die Ordensritter auch jetzt, die Vornehmeren und Angesehenen unter dem bezwungenen Volke auf jegliche Weise, durch Gastgelage, durch Begünstigungen und wie sie sonst vermochten, zu gewinnen und an sich zu ziehen, um durch diese auch auf das Volk zu wirken [2]), und hie und da mochte es wohl gelingen, einzelne zu verlocken; allein in der Gesammtheit des Volkes entsprach die Folge den Erwartungen in keiner Weise. Der Haß gegen die Deutschen, gegen Ritter und Einzöglinge war zu tief in die Seele eingewurzelt und offenbarte sich bei jeglicher Gelegenheit. So geschah es nicht selten, daß die Deutschen bei Bestellung ihrer Aecker überfallen und erschlagen wurden, weshalb viele diese Arbeit nur zur Nachtzeit zu unternehmen wagten [3]). Waren dann aber auch die Felder be=

---

1) Ich widerspreche hiebei fast allen, selbst den neuesten und gründlichsten Geschichtschreibern dieser Zeit — Schlosser B. III. Th. 2. Abth. 1. S. 313 — 316; Raumer B. IV. S. 67 — 79 —, welche behaupten, daß der Deutsche Orden aus Preussen dem Herzoge Heinrich von Schlesien Hülfe zugesandt und Poppo von Osterna in der Schlacht gegen die Mongolen mitgekämpft habe. Ich läugne die Theilnahme des Ordens an diesem Kampfe aus mehren Gründen, deren Erörterung ich in der Beilage Nr. III. zu diesem Werke mitgetheilt habe.

2) Lucas David B. III. S. 12.

3) *Dusburg* P. III. c. 30. Der Epitomator giebt diese Stelle

Spannung der Gemüther immer höher; eine Lösung mußte
nothwendig bald erfolgen und der Anlaß fand sich an dem
westlichen Nachbar des Ordensgebietes.

Herzog Suantepolc von Pommern war der friedlichen
Zusage, die er dem Orden im Jahre 1238 gegeben, bis jetzt
allerdings pünktlich nachgekommen. Er hatte des Ordens
Unternehmung zur Eroberung der drei erwähnten Landschaften zwar in keiner Weise unterstützt, denn es drang ihn hiezu keine Verpflichtung, aber er hatte sie auch nicht gehindert. Vielleicht glaubte er kaum an die Möglichkeit des
Gelingens, denn so lange nur das einzige Balga in des Ordens Gewalt war und dort die Hoffnung des günstigen Erfolges bei dem Unglück selbst den Ordensrittern mehr und
mehr entsank, konnte die Unternehmung keine Besorgnisse erregen; sie schien in sich selbst unterzugehen. Im Jahre 1241
aber sah Herzog Suantepolc das ganze Werk nicht nur gelungen und den Orden aufs eifrigste thätig und mit allen
Mitteln bemüht, die Pfeiler zum Aufbau seiner Herrschaft auf
jede Weise fest zu stellen, sondern er sah nun auch das ganze
Gebiet des kriegerischen Nachbars vom Ufer des Weichsel-
Stromes, von den Gränzen seines Herzogthums an längs
den Küsten des Frischen Haffes hin nahe an zwanzig Meilen
und von jenem Strome an ins Innere des Landes nach
Osten hin fast auf dreißig Meilen weit ausgedehnt. Fürwahr
es wäre wunderbar und unbegreiflich, wenn Herzog Suantepolc bei diesem Glücke, bei dieser anwachsenden Macht des
nachbarlichen Ritterordens ganz sorglos, kaltsinnig und gleich-
gültig geblieben wäre, wenn nicht der alte Argwohn, die alten Besorgnisse, das kaum beschwichtigte Mißtrauen in des
Fürsten Seele von neuem Keim und Wurzel gefunden hätten.
Und wer verargt ihm dieses Mißtrauen? War die Zukunft auch
nur auf einige Jahre zu berechnen? War da ein Ziel, wo
jetzt der Orden seine Eroberung beendigt hatte? Mußte nicht
vielmehr das Ziel der Eroberung und der Herrschaft immer weiter hinausgesteckt werden, je mehr das Glück den
Ordenswaffen blühete? Durfte der Orden überhaupt ein Ziel

anerkennen, ſo weit noch Heiden im Norden lebten? Stand
es alſo nicht eigentlich ſchon über Kurland und Livland hin=
aus und an der Gränze der Ruſſen? Und wenn nun der
mächtige Aufbau der Ordensherrſchaft auf dieſem weiten Ge=
biete vollendet und feſt gegründet daſtand, wenn die bisher
vereinzelten, locker verbundenen Landſchaften zu Einem Gan=
zen vereinigt waren und dann alle Kräfte dieſer Länder Ei=
nem Willen, Einem Befehle, Einem Herrn zu Gebote ſtan=
den, gab da der Weichſel = Strom eine Sicherheit gegen den
gefährlichen Nachbar? Schützten die Gewäſſer gegen Angriff
und Eroberung ſeines Landes? Verbürgten ihm Pergamente
Frieden mit den gewaltigen Ordensherren?

Bei ſolchen Betrachtungen — und ſie lagen ſo nahe in
den Verhältniſſen der Zeit und der Länder, daß wir ſie wohl
in die Seele des Herzogs Suantepolc hineindenken dürfen —
konnte es den Wünſchen deſſelben nicht anders als entſpre=
chen, wenn ſich die Preuſſen, wie uns berichtet wird, klagend
über die Bedrückung, Härte und grauſame Herrſchaft des
Ordens, zu ihm wandten und er auf ſolche Weiſe es auf
ſich nehmen konnte, den Ordensrittern mit der Miene des
Schirmherrn der Schutzflehenden gegenüber zu treten [1]). Wer

_____

1) Die Quellen ſind hier allerdings ſehr zweideutig und ſelbſt un=
einig, was das Erſte und was das Letzte bei dem Friedensbruche zwi=
ſchen Suantepolc und dem Orden geweſen ſey. *Dusburg* P. III. c.
31 macht ſich die Sache etwas leicht; er giebt die meiſte Schuld dem
leibigen Teufel — serpens antiquus, draco venenosus, humani
generis inimicus, — ſchiebt aber die teufliſche Geſinnung gegen den
Orden, Neid und Haß wegen Ausbreitung des Chriſtenthums in Preuſ=
ſen, nicht undeutlich dem Herzog Suantepolc in den Buſen und im
Sinne des Chroniſten iſt dieſer des Teufels Werkzeug. Allein der wahre
Sinn blickt auch hier aus Dusburgs Worten vor. Der Herzog, heißt
es, habe nicht ertragen können tantam prosperitatem fidei et fidelium, ecclesiam sanctam in Pruschiae partibus dilatari, cultum divinum ampliari, infideles confundi, exaltari Christianos
etc. Nimmt man die religiöſe Hülle hinweg, mit welcher der fröm=
melnde Chroniſt hier alles umzieht, ſo heißen die Worte offenbar nichts
anders als: Herzog Suantepolc habe mit Mißgunſt und Mißtrauen
des Ordens Fortſtreben und Fortſchritte in Preuſſen geſehen und habe

von beiden, ob Suantepolc den Preußen oder diese dem Herzoge zuerst die Hand gereicht, vermag keiner mehr mit Sicherheit zu sagen. Gewiß aber erfuhr Suantepolc sehr bald, in welcher bedenklichen Stellung der Orden zu den über ihr Loos ergrimmten Preußen stand und daß diese gerne Schutz und Hülfe annehmen würden, sobald man sie ihnen böte, und eben so gewiß war auch den Preußen gar nicht unbekannt, mit welchem Mißtrauen und mit welcher feindlichen Gesinnung gegen den Orden des Herzogs Seele erfüllt war. Schon in dieser Gesinnung begegneten sie sich als Freunde und Verbündete und es ist daher nicht unglaublich, daß Suantepolc insgeheim eine Gesandtschaft der unterdrückten Preußen an seinen Hof, die ihn um Schutz und Hülfe anflehen mußte, mit schlauer Klugheit veranlaßt habe, denn hierin sah er offenbar das schicklichste Mittel, dem Orden unter dem Scheine des Rechts offen entgegen zu treten [1]). Der Papst hatte ja ausdrücklich verordnet, daß die Neubekehrten nicht mit dem Joche der Knechtschaft belastet, nicht unterdrückt oder mit hohen Anforderungen beschwert, sondern mit der Milde und Liebe des Evangeliums behandelt werden sollten. Trat also jetzt der Herzog als Schirmherr und Be-

deshalb angefangen, mille modis cogitare et variis machinationibus procurare, qualiter venenum suum posset latenter infundere, vineam Domini demoliri et in agro Domini zizaniam superseminare, d. h. er suchte auf jede Weise die steigende Macht des Ordens niederzuhalten und zu beschränken, wo möglich den gefährlichen Nachbar aus der Nähe wieder zu entfernen. Kantzow B. I. S. 237 spricht es geradezu aus, der Orden habe auch etwas von Hinterpommern unter sich bringen wollen. „Das besorgte Herzog Schwantepolc und verbant sich heimlich mit den Preußen." Schütz p. 21.

1) Darauf deuten die Quellen auch klar hin. Dusburg c. 32 sagt: Coepit (Dux) cum Pruthenorum gente jam noviter conversa ad fidem Christi (also Warmier, Natanger, Barter) habere verba pacifica in dolo. Fast scheint es, als habe der Herzog die Rolle des Vermittlers und Versöhners zwischen dem Orden und den Preußen nur deshalb gespielt, um so die Gesandtschaft der Preußen und ihre Anklage gegen den Orden bei ihm zu veranlassen. Nach Schütz p. 21 reizt der Herzog die Preußen zuerst auf.

ſchützer der Unterdrückten auf, ſo handelte er gleichſam nur
im Sinne des Papſtes.

So war alles vorbereitet. Geſichert gegen die Beſchul-
digung, daß er den Frieden mit dem Orden (1238) zuerſt
gebrochen habe, nahm er die Geſandten der Preuſſen und
ihre Klagen über Bedrückung und Beknechtung unter den Ordensherren gerne bei ſich auf. Die Rolle des Vermittlers
ſchützte vor dem Urtheile der Welt und verdeckte ſeine Geſinnungen. Darum ſandte er an den Landmeiſter Heinrich von
Wida eine Botſchaft und bat mit Darlegung der Beſchwer-
den der bedrückten Preuſſen um Abſtellung und mildere Behandlung. Die Sache aber ward vom Landmeiſter mit Kälte
aufgenommen und die Klage blieb ohne Erfolg [1]. Da ſoll,
wie uns berichtet wird, der Herzog ſich ſelbſt zum Landmeiſter begeben, das Unbillige im Verfahren des Ordens gegen
die Preuſſen ihm vorgehalten und mit warmem Eifer für die
Freiheit der Neubekehrten geſprochen, der Landmeiſter aber,
des Herzogs Geſinnung und Plan durchſchauend, dieſen in
zorniger Rede einen Meuterer geſcholten haben [2]. Wie dem
jedoch auch ſeyn mag, Herzog Suantepolc vertrauend auf die
den Rittern vom Papſte ertheilte Vorſchrift über die milde
Behandlung der Neubekehrten, auch wohl nicht unbekannt mit
der damaligen Stimmung des päpſtlichen Hofes gegen den
Orden, veranlaßte die Preuſſen zu einer Geſandtſchaft nach
Rom, um ihre Klagen dem Papſte ſelbſt vorzulegen. Zugleich aber ſchickte er auch ſelbſt ſeine eigenen Botſchafter
dahin ab [3].

---

1) Lucas David B. III. S. 13.

2) So Lucas David B. III. S. 15, der hier freilich keine
Chronologie kennt, wenn er vom Landmeiſter Poppo von Oſterna
ſpricht. Eben ſo Simon Grunau Tr. VII. c. 3. §. 1.

3) Lucas David B. III. S. 13. Simon Grunau a. a. O.
Es iſt hiebei allerdings ſehr befremdend, daß der päpſtliche Legat, Bi-
ſchof Wilhelm, der damals noch im Lande war, ſich gar nicht in die
Angelegenheit eingemiſcht haben ſollte. Darum möchte die Nachricht
bei Simon Grunau Tr. VIII. c. 1. §. 2., Lucas David B.
III. S. 19, Kantzow B. I. S. 237, nach welcher Wilhelm mit

Ohne Zweifel ward alsbald durch den Landmeister der
Hochmeister Conrad von Thüringen von dem neuerwachten
Zwiste mit dem Herzoge von Pommern und von dessen Stel=
lung zu den Preußen und gegen den Orden benachrichtigt.
Bei der jetzigen Gesinnung des päpstlichen Hofes gegen die
dem Kaiser so treu ergebenen Ordensritter war jedoch eine
solche Anklage vor des Papstes Richterstuhl um so mehr be=
denklich und gefährlich, weil damals am Römischen Hofe kein
Sprecher war, der die Vertheidigung des Ordens führen und
die Verhältnisse seiner Herrschaft gegen die Neubekehrten ins
klare Licht setzen konnte. Daher machte sich der Meister Con=
rad auf und begab sich selbst nach Rom, um dort als Sach=
walter seines Ordens gegen die Kläger aufzutreten [1].

Außerdem war es noch ein anderer bei weitem wunder=
barerer Zwist, welcher den Hochmeister zur Reise nach Rom
bewog. Der Johanniter = Orden trat nämlich plötzlich mit
der Behauptung hervor: er habe ein Recht, von den Rittern
des Deutschen Ordens Gehorsam und Unterthänigkeit zu for=
dern und über sie Recht und Gericht zu üben, und es streite
gegen alte Satzungen und Vorrechte, daß der Deutsche Or=
den sich seiner Aufsicht und Gerichtsbarkeit entzogen habe.
Die Begründung dieser Behauptung fanden die Johanniter
in jener Anordnung des Papstes Cölestin des Zweiten, nach

Suantepolc in Verhandlungen gestanden haben soll, nicht unwahrschein=
lich seyn. Freilich wirren hier die Chronisten alles unter einander, da
sie nicht wissen, daß der Legat wirklich noch im Lande war. Sie las=
sen ihn daher erst aus der Mark herzu kommen. Vgl. *Lucas* de bel=
lis Suantopolci p. 17 — 18.

1) Außer diesen Ordensangelegenheiten soll Conrad nach dem Chron.
Erford. ap. *Schannat.* Vindem. litter. T. I. p. 99 auch in Reichs=
verhältnissen, im Auftrage der Deutschen Fürsten die Reise nach Ita=
lien unternommen haben; es heißt dort: Anno domini 1240 perni=
ciosa adhuc Ecclesiae inter Papam et Imperatorem discordia,
cunctis fidelibus non modicum incussit timorem, maxime cum
frater Cunradus Magister Domus Teutonicae, qui Principum
Alemanniae consilio ad ipsos concordandos missus, occulto
dei judicio Romae VI Kal. Augusti diem clauserit extremum.

welcher gerade vor hundert Jahren das Marien = Hospital zu
Jerusalem unter die Aufsicht und Obhut des Großmeisters
des Johanniter = Ordens gestellt worden war ¹). Seit jene
Marien = Brüder vor Akkon zu einem Ritterorden erhoben
und als Ordensritter vom Kaiser und Papst bestätigt worden,
ward jenes alte Verhältniß von diesen als völlig gelöst und
aufgehoben betrachtet und selbst der Johanniter = Orden hatte
bis zu dieser Zeit nie von einer ihm zuständigen Aufsicht oder
Gerichtsbarkeit über den Deutschen Orden etwas vernehmen
lassen. Um so befremdender war es, als die Johanniter im
Jahre 1240 plötzlich mit jener Behauptung als einer Klag=
sache gegen die Deutschen Ordensritter vor dem Papste er=
schienen, verlangend, daß er entscheide, ob jene Verordnung
Cölestins jemals förmlich aufgehoben oder noch bis zur Stunde
gültig sey. Es ist wohl kaum zu zweifeln, daß Gregorius
selbst, der ja erst kürzlich den Deutschen Ritterbrüdern wegen
ihrer treuen Anhänglichkeit gegen den Kaiser mit Vernichtung
aller ihrer Freiheiten gedroht hatte, der Anstifter dieser wun=
derlichen Streitsache gewesen sey ²). Er nahm die Klage der
Johanniter wenigstens auf, theilte die Anforderung derselben
den obersten Gebietigern des Deutschen Ordens mit und lud
sie zur Entscheidung vor sich nach Rom. Dieser Streit war
höchst wahrscheinlich auch im Jahre 1241 noch nicht beendigt
und bewog den Hochmeister nun um so mehr zu einer Reise
an den Römischen Hof, um auch diese Sache vor dem Rich=
terstuhle des Papstes selbst zu führen ³).

---

1) S. oben S. 421.

2) *De Wal* Recherches sur l'ancienne constitut. T. I. p.
XXI sagt zwar: Il est impossible de diviner ce qui peut avoir
déterminé l'Ordre de S. Jean en 1240, à former une préten-
tion de juridiction sur celui des Teutoniques, ou plutôt à
lui faire cette mauvaise chicane; nimmt man indessen auf des
Papstes Gesinnung und Benehmen gegen den Deutschen Orden in den
letzteren Jahren Rücksicht, so liegt die Vermuthung sehr nahe, daß es
der Papst war, welcher dem Orden „cette mauvaise chicane"
spielte.

3) Diese Streitsache wird erzählt in dem Werke: Dell' origine ed in-

Es war im Hochsommer des Jahres 1241, als Conrad in Rom anlangte. Allein die Verhältnisse, in denen sich bei der Hitze des Streites zwischen dem Kaiser und Papste damals ganz Italien und insbesondere auch Rom befand, waren an sich schon nicht im mindesten geeignet, für raschen Fortgang und schnelle Entscheidung der Streitigkeiten des Ordens irgend Hoffnung zu geben. Es kam aber noch hinzu, daß der Hochmeister bald nach seiner Ankunft in Rom schwer erkrankte, in kurzem ohne alle Hoffnung der Genesung darniederlag und am vier und zwanzigsten Juli des Jahres 1241 schon starb [1]). Nur der fromme Abt von Haina war bei ihm gegenwärtig, als er verschied [2]). Ihm beichtend sprach

stituto del sacro militare ordine di S. Giovanbattista detto poi di Rodi, oggi di Malta dissertazione di *Paulo Antonio Paoli* della congregat. della Madre di Dio. Roma 1781. Ich kenne dieses Buch und die betreffende Sache aber nur aus *De Wal* Recherches T. I. p. III. und XXII. Wie der Streit entschieden worden, ist nicht bekannt. Vielleicht kam es überhaupt nicht zur Entscheidung, und wie Gregors Haß die Sache angeregt, so deckte sein Tod sie zu.

1) Den Todestag Conrads fand Bachem in dem Liber Anniversar.; s. dessen Chronolog. der Hochmeister S. VIII. Das Chron. Exford. in der vorhin angeführten Stelle weicht nur um einige Tage ab, indem es den 27. Juli angiebt. Weit verschiedener sind die Angaben über sein Todesjahr. Sie schwanken zwischen 1240, 1241, 1242, 1243 und selbst 1253. Obgleich *De Wal* Histoire de l'O. T. T. I. p. 478 — 496 über die chronologischen Bestimmungen dieser Zeit eine eigene Abhandlung schrieb, so ist er dennoch nicht zu dem richtigen Resultate gelangt, indem er p. 342 das sicherlich falsche Jahr 1243 oder den Anfang des Jahres 1244 als die Zeit des Todes Conrads annimmt. Das richtige Todesjahr ist unbezweifelt 1241, obgleich manche Quellen auch das Jahr 1240 angeben; Histor. Landgrav. Thuring. ap. *Pistor.* T. I. p. 1326. Chron. Erford. ap. *Schannat.* Vindem. T. I. p. 99. *Rohte* Chron. Thuring. ap. *Mencken.* T. II. p. 1732. *Ursini* Chron. Thuring. ib. T. III. p. 1290. Um Wiederholungen zu vermeiden, werden wir die Beweise zur Annahme des Jahres 1241 in den folgenden Anmerkungen beibringen. Justi Vorzeit 1826. S. 322

2) Daß Conrad weder in Preussen, noch zu Marburg (wie Neuere z. B. Justi Vorzeit Jahrg. 1820 S. 198 behaupten), sondern zu Rom

Conrad in seiner letzten Stunde die Bitte aus, daß er in der von ihm so herrlich begonnenen St. Elisabethen-Kirche zu Marburg, wo schon die heilige Elisabeth ruhete, seine Grabstätte finden möge. Dort wurde auch sein Leichnam hingebracht und zur Ruhe beigesetzt. Ein schönes Grabdenkmal — der Hochmeister in Lebensgröße, mit der Linken das gefaltete Gewand haltend, auf dem Mantel das schwarze Ordenskreuz — bewahrt dort bis diesen Tag das dankbare Andenken, dessen man ihn würdigte [1]).

Conrad hatte keine der Angelegenheiten seines Ordens, weder die Klagsache der Preußen und des Herzogs von Pommern, noch den Streit mit dem Johanniter-Orden beendigen können. Auch nach seinem Tode hatte weder die eine, noch die andere irgend einen Fortgang, denn wenige Wochen nachher, am ein und zwanzigsten August 1241, starb auch der schwerbekümmerte, fast hundertjährige Papst Gregorius, — bei der Gesinnung, die er in den letzten Jahren gegen den Deutschen Orden gehegt hatte, für diesen allerdings ein glückliches Ereigniß. Der Nachfolger Gregors, Cölestin der Vierte, im September nicht ohne vielen Zwist erwählt, erlag schon nach einigen Wochen der Schwäche des Alters und der päpstliche Stuhl blieb unter einem schrecklichen Gewirre von Fehden und Feindseligkeiten, von Ränken und Umtrieben in und außer der Kirche sowohl in diesem, als im nachfolgenden Jahre, ganz unbesetzt [2]).

---

starb, ist nach sicheren Quellen außer Zweifel. Ausdrücklich sagen dieses das Chron. Erford. l. c. und *Mencken* T. III. p. 158. In *Theodorici* vita S. Elisabeth heißt es: Dulcis memoriae frater Conradus, olim Magister domus Theut., qui fuerat Princeps Thuringiae, Romae infirmatus est. Vgl. Rommel B. I. S. 311 Justi Vorzeit Jahrg. 1821. Alle Quellen führen Marburg nur als seinen Begräbnißort an. Vgl. *De Wal* Recherches T. II. p. 256, welcher den Hochmeister in Deutschland sterben läßt.

1) S. Justi Vorzeit Jahrg. 1820, wo eine Abbildung des Begräbnißdenkmals des Landgrafen nebst einer Beschreibung S. 196 befindlich ist.

2) Man mag die den Deutschen Orden nicht unmittelbar betref-

In dem Maaße aber, als des Papstes Gregorius Tod für den Orden günstig wirkte, war er für die Klagsache der Preussen und des Herzogs von Pommern in jeder Weise nachtheilig. Die Gesandten brachten wiederholt ihre Beschwerden vor das Collegium der Karbinäle und baten um Entscheidung. Allein hier waren die Hemmungen und Hindernisse ohne Zahl [1]). Mehre der Karbinäle waren bei Cölestins Tod aus Angst vor dem Kaiser aus Rom entflohen, andere befanden sich in des Kaisers Haft. Im Collegium selbst herrschte die bitterste Zwietracht; die zurückgebliebenen Mitglieder waren theils des Kaisers Freunde, theils doch wenigstens ängstlich besorgt, diesen nicht im mindesten zu beleidigen [2]); und diese Besorgniß verbot es selbst, die Klage gegen die Deutschen Ordensherren, des Kaisers Günstlinge, in der Versammlung der Karbinäle auch nur aufzunehmen. Und überhaupt was kümmerte jetzt die geistlichen Herren der entfernte Norden, da Sturm und Ungewitter so nahe über ihren Häuptern drohten! So traten also die Gesandten des Herzogs mit den Preussen nach langem Hoffen und Harren ohne Erfolg ihrer Bemühungen die Rückreise ins Vaterland an [3]).

Unterdessen dachte man im Deutschen Orden an die Wahl eines neuen Meisters. Wo sich diesesmal des Ordens oberste Gebietiger zur neuen Kür versammelten, darüber fehlen bestimmte Nachrichten; jedoch ist wahrscheinlich, daß die Wahl zu Venedig [4]) gegen Ende des Jahres 1241, wie es

---

senden Verhältnisse und Ereignisse der Zeit aus Raumer B. IV. S. 106 ff. kennen lernen.

1) *Platina* vitae Pontificum p. 208.

2) *Raynald.* ann. 1242. Nr. I. Raumer B. IV. S. 114.

3) Lucas David B. III. S. 13: „Indes ob die armen leute wol offt und schwerlich bei den Carbinelen, so kegenwertig waren, anhielten mit Herzogen Swantopols gesanten, hette doch bei den Carbinalen, so zu der Zeit in kleiner anzal zu Rom waren, des Ordens Procurators rhede mehr ansehen, ban der Armen clage, das sie also ungeschafft widerumb sich in Preussen begeben musten. Simon Grunau Tr. VII. c. 3. §. 1.

4) Es ist wenigstens wahrscheinlich, daß Venedig der Wahlort war.

besonders zur Würde des Meisteramtes empfohlen habe, ist
unbekannt; aber es scheint fast nicht, daß seine Wahl ganz
einstimmig erfolgt sey, denn es erhoben sich im Orden bald
Unruhen und Zwistigkeiten, die durch ihn veranlaßt waren.
Sein Aufenthalt war meistens in Italien, bald zu Venedig,
bald bei dem Kaiser, welcher sich seiner mehrmals in Reichs-
angelegenheiten bediente.   Als unter andern die Wahl eines neuen Papstes durch die Spaltungen unter den Kardi-
nälen sich zum Kummer der ganzen Christenheit immer mehr
verzögerte, alle Ermahnungen der christlichen Fürsten fruchtlos
blieben und selbst des Kaisers dringende und drohende Erinnerungen zu keinem Ziele führten, sandte dieser im Februar
des Jahres 1242 mit dem Erzbischofe von Bari und dem
Magister Roger Porcastrello auch den neuerwählten Hochmeister Gerhard von Malberg als Bevollmächtigte nach Rom,
um das Cardinal = Collegium zur Eintracht und zur Vollzie-
hung der neuen Papstwahl zu bewegen [1]). Aber ohne Erfolg

----

1) *Richard. de S. Germano* p. 1048 schreibt: (Imperator)
ad Romanam Curiam Magistrum domus Theutonicorum *crea-*
tum noviter, Archiepiscopum Barensem et Magistrum Roge-
rium Porcastrellum pro pace Legatos mittit. *Raynald.* ann.
1242. Nr. 4. Wiewohl nun bei diesen Worten dem Unbefangenen gar
kein Zweifel beikommt, daß der Magister d. Th. creatus noviter
der neuerwählte Hochmeister Gerhard von Malberg sey, so hat sich *De*
Wal Histoire de l'Ord. Teut. T. I. p. 482 seq. doch alle mögliche
Mühe gegeben, nicht ihn, sondern den schon vor einigen Jahren erwählten und im Jahre 1241 bereits gestorbenen Conrad von Thüringen darunter zu finden. Später indessen hat *De Wal* in s. Recherches T. II. p. 257 diesen Irrthum selbst widerlegt und jene Behauptung zurückgenommen. Wenn er aber in Justi's Vorzeit Jahrg.
1824 S. 313 behauptet, der in jenen Urkunden genannte Gerhard von
Malberg sey nicht der Hochmeister, sondern nur ein Halbbruder des
Ordens gewesen, so können wir uns davon nicht überzeugen, denn die
Bezeichnung frater und confrater ist nach unserem Dafürhalten noch
kein hinlänglicher Beweis für die von *Wal* aufgestellte Meinung. Uebrigens bestätigen die Worte „creatum noviter," daß Gerhard am
Schlusse des Jahres 1241 erwählt wurde, denn die Sendung des neuen

kehrte der Hochmeister mit den übrigen Gesandten an den Kaiserhof zurück [1]).

Für den Orden in Preussen war es eine schwerdrohende Zeit, da Gerhard als Haupt desselben an die Verwaltung trat. Denn als die Gesandten des Herzogs Suantepolc und der Preussischen Lande heimgekehrt berichteten, wie hülflos, ohne Rath und ohne Theilnahme sie den Hof zu Rom verlassen, mit welcher Kälte und Sorglosigkeit ihre Sache dort aufgenommen sey, da gab es kaum noch eine Aussicht zur Erhaltung des Friedens. Doch wie scheu geworden durch den Bericht seiner Gesandten trat Herzog Suantepolc noch etwas zurück, denn er hatte sonder Zweifel auf einen günstigeren Erfolg am päpstlichen Hofe gerechnet. Wie die Sache stand, durfte der offene Krieg von ihm noch nicht angeregt werden. Es fanden also von neuem Unterhandlungen zwischen dem Herzoge, den Preussen und dem Landmeister Statt, wie es scheint, durch Vermittlung des päpstlichen Legaten Wilhelm [2]).

Hochmeisters fällt in den Anfang des Februars 1242. Vgl. Justi Vorzeit 1826 S. 323.

1) Im März des Jahres 1242 befindet sich Gerhard wieder beim Kaiser zu Capua, wo er in einer Urkunde als Zeuge Frater Gerardus Magister Domus sanctae Mariae Teutonicorum in Jerusalem genannt ist; s. Hanselmann von der Landeshoheit des Hauses Hohenlohe S. 124 — 125. Baczko über Gerhard von Malberg S. 20 — 22. *De Wal* Recherches T. II. p. 255.

2) Es ist ein Irrthum, wenn in früheren geschichtlichen Werken auf den Grund der Angaben im *Dusburg* P. III. c. 33, Lucas David B. III. S. 16 und andern Chronisten behauptet wird, der päpstliche Legat sey erst nach dem Ausbruche des Krieges im J. 1243 nach Preussen gesandt worden. Er war vielmehr hier und im Norden schon seit mehren Jahren und daß er sich namentlich im Frühlinge des J. 1242 im Gebiete des Ordens aufhielt, beweiset eine mit seinem Siegel versehene Originalurkunde im geh. Archive Schiebl. XXIII. Nr. 1, worin er dem Orden das Patronatrecht über die Hospitäler zu Thorn und Elbing ertheilt. Sie ist datirt: in Elbing anno dom. incarnat. 1242 octavo Idus April (6. April). In einer andern Urkunde (einem Transsumt vom J. 1415 im geh. Archive Schiebl. XLI. Nr. 13) giebt er den Ordensrittern in Livland die Erlaubniß, an der Semgal-

Suantepolc behielt hiebei eine kluge und in aller Hinsicht
wohl berechnete Stellung; er hatte bereits so viel gethan, daß
er hoffen konnte, die Preussen würden gewiß wünschen, daß
er noch mehr für sie thue. Er nahm die Miene des Partei=
losen an; er schien kälter für die Sache der Preussen, um
wiederholt sich durch neue Gesandtschaften derselben auffor=
dern zu lassen, die ihnen verheißene Freiheit durch seinen Bei=
stand aufrecht zu erhalten und sich ihrer in ihrer Knechtschaft
in aller Weise als Schutzherr anzunehmen [1]). So gab sich
der Herzog hin und hielt an sich, so schien er theilnehmend
und unbekümmert, wie es die Klugheit gebot und wie die
Verhältnisse es verlangten [2]) immer aber wußte er die Hoff=
nung der Preussen empor zu halten und an sich zu knüpfen
und ihr Vertrauen immer mehr und mehr zu gewinnen, also
daß sie bald alle nur auf ihn als ihren Befreier und Erret=
ter hinblickten.

Mittlerweile ließ Herzog Suantepolc seine zwei Burgen
am Weichsel = Strome Schwez und Zartowitz stark befestigen
und zahlreich bemannen. Seiner Hülfsgenossen in Preussen
nun schon völlig sicher und ganz einverstanden mit ihnen in
dem Gedanken, daß nur durch gänzliche Verdrängung der
Ordensherrschaft das Glück der Vorzeit und das Gedeihen
und die Sicherheit des Landes wieder herbeizuführen seyen [3]),

------

ler Aa und am Flusse Windau Burgen zu erbauen. Sie ist datirt:
In castro de Balga anno grat. 1242. XIII Cal. May (19. April).
Daraus geht also hervor, daß sich der Legat im April 1242 theils in
Elbing, theils auf Balga aufhielt. Dieses stimmt im Ganzen auch mit
den Untersuchungen überein, welche *Estrup* in s. Idea Hierarch.
om. über die fortwährende Anwesenheit des Legaten im Norden S. 58
seq. gegeben hat.

1) *Lucas David* B. III. S. 14.

2) Der Ordenschronist *Dusburg* c. 32 konnte ihn daher auch im=
mer schildern als habens cor plenum omni dolo et fallacia.

3) Wenn bei den Worten im *Dusburg* P. III.c. 32: confoede-
rans se cum ipsis (i. e. Prutenis) sub hoc pacto, quod ipsi
fratres domus Teutonicae et alios Christi fideles a terminis
Pruschiae ejicerent violenter, auch wohl nicht gerade an ein förm=

und Mord Heil und Rettung suchet. Keiner blieb zurück, der an dem Tage der Befreiung nicht Theil nehmen und das Joch des Volkes nicht mit zertreten wollte. Alles was Deutsch war oder christlich hieß, erlag der Rache der Ver= zweifelten; nur wehrlose Weiber und Kinder verschonte das Schwert, um sie dem unglücklichen Schicksale der Gefangen= schaft Preis zu geben. Der tapfere Kriegsmann Conrad von Dortmund, der schon in fremden Landen so manche Schlacht mit gekämpft hatte, in jedem Kampfe ein Held, ward mit seiner ganzen Familie erschlagen [1]). Die bewehrten und zum Theile befestigten Wohnungen der Deutschen Einzöglinge ver= zehrte das Feuer und was zum Raube diente, ward in die Wälder gebracht. Auch alle neuerbauten Ordensburgen wur= den vom ergrimmten Volke erstürmt; keine widerstand der Wuth des Angriffes. Die Ordensritter und die übrigen Chri= sten, welche in ihren Mauern Schutz gesucht, wurden jämmer= lich ermordet. Nur das feste Balga und die Burg Elbing trotzten dem Feinde und sicherten den flüchtigen Christen das Leben, aber unter Jammer, Hunger und Noth, da keine reichlich mit Lebensmitteln versehen war [2]).

Noch aber war man nicht am Ziele. Es war für den Orden noch Schrecklicheres zu erwarten. Ging während die= ses wilden Sturmes im Norden und Osten der Herzog von Pommern mit seiner Streitmacht über die Weichsel und griff er die Ritter zu gleicher Zeit auch in den westlichen Land= schaften, im Kulmerlande und in Pomesanien an, so schien

---

1) Es ist ohne Zweifel derselbe, welcher im Jahre 1214 in der Schlacht bei Bouvines auf der Seite des Kaisers Otto IV focht und mit dem Grafen Bernhard von Tecklenburg gefangen ward, *Alberici* Chron. p. 481, und späterhin im Jahre 1225 am Hofe des Erzbischofs Engelbert von Köln lebend diesem einst auf einer Reise das Leben ret= tete, als eine Räuberhorde ihn überfiel; s. *Caesarii* vita S. Engel= berti L. II. c. 6. 7. *Gruber* Origin. Livon. p. 17 ist geneigt zu glauben, daß dieses derselbe Graf Conrad von Dortmund gewesen sey, der schon im Jahre 1199 einen Kreuzzug nach Livland unternahm.

2) *Dusburg* P. III. c. 34. Lucas David B. III. c. 16. Chron. Oliv. p. 28. *Schütz* p. 21.

ſie in dem Herzoge ſchon den entſchloſſenſten Verfechter ihrer
Sache und ihr oberſtes Kriegshaupt [1]). Sie brachen auf und
trugen nun ihre Waffen auch in die Gebiete von Pomeſanien
und Kulmerland. Eine ſchwere Verwüſtung ging ihrem
Zuge nach. Da ſchritt der Herzog mit einem Heerhaufen
über die Weichſel, ſich mit dem Kriegsvolke der Preuſſen zu
Raub und Brand vereinigend. Städte und Burgen, Dörfer
und Weiler erfuhren die Wuth der wilden Krieger, denn al=
les, was der Orden gegründet und aufgebaut, erregte Haß
und Widerwillen. Das flache Land ward völlig veröbet.
Die Burgen zu Stuhm, Marienwerder, Graudenz und an=
dere wurden erſtürmt und meiſtens vernichtet. Die hinter ih=
ren Mauern Schutz und Rettung geſucht, erlagen größten
Theils dem Schwerte; an viertauſend der Deutſchen Einzög=
linge wurden durch die Keulen der Preuſſen erſchlagen, denn
alle ihre Burgwohnungen fielen in Feindesmacht. Faſt nur
noch in den drei Burgen zu Thorn, Kulm und Rheden fan=
den die Ordensritter Rettung ihres Lebens [2]). Es war ein
furchtbarer Sturm, der über den Orden hereinbrach, und da
unter dieſem Schrecken alles wankte und zagte, vergaßen
auch die Preuſſiſchen Edlen, die durch Begünſtigungen gewon=

---

1) *Dusburg* P. III. c. 34: Swentopelcus factus fuit Dux
et Capitaneus eorum. *Naucler.* p. 823. Ob die von Prätorius
Schaubühne B. IX. S. 6. §. 4. XI. 3. 5 aus Roſenzweigs Rhapſodien
entnommene Nachricht von den feierlichen Ceremonien bei Suantepolcs
Erhebung zum Feldherrn der Preuſſen Dichtung oder Wahrheit ſey,
iſt ſchwer zu beſtimmen. Der erſteren ſieht ſie offenbar am ähnlichſten.

2) *Dusburg* P. III. c. 35. Chron. Oliv. p. 28. *Schütz* p.
21. Lucas David B. III. S. 17 berichtet nach einigen alten Chro=
niſten, daß damals der Griwe — welcher? — ein mächtiges Kriegs=
volk dem Herzoge Suantepolc über die Nehring zugeſandt haben ſolle,
mit welchem dieſer im Kulmerland, Pomeſanien und Pogeſanien einge=
fallen ſey. Die Nachricht klingt einem Mährchen ähnlich. Warum regte
ſich dieſer Griwe erſt jetzt? Warum nicht früher, als das Niederland
erobert ward? Und bedurfte der Herzog ſolcher Hülfe? Hatte er nicht
hinreichend Kriegsvolk im eigenen Lande? — Vgl. Kantzow B. I.
S. 238.

ersprießlich für das Heil der Seelen gerade jetzt die Beihülfe unter dem Kreuze sey, da die schöne Pflanzung des Evangeliums durch Frevler und Feinde der Kirche im schnödesten Uebermuthe wieder zertreten und die Säulen des Tempels Christi durch die gottlose Hand des Herzogs von Pommern wieder niedergeworfen und zertrümmert würden [1]); allein so schnell und so stark, als sie nöthig war, ließ sich diese Hülfe auch bei dem günstigsten Erfolge doch auf keine Weise erwarten. So stand den Ordensrittern die schrecklichste Zukunft bevor. Auch fünf Burgen waren sie mit allen denen, die sich zu ihnen geflüchtet, enge eingeschlossen und kaum irgend eine Aussicht zur Errettung, das Land rings umher verheert und vom Feinde überzogen, das Leben eines jeden, der die Mauern einer Burg verließ, in größter Gefahr, alle Gemeinschaft und Verbindung der Burgen unmöglich und so die Besorgniß nur zu gegründet, daß endlich bei Mangel und Hunger auch diese Burgen in des Feindes Gewalt fallen und Alle dem schrecklichsten Schicksale überliefert werden würden.

Doch dieser Tag der Schmach und des Verderbens durfte nicht erwartet werden; keiner aus der Zahl der Ritter wollte ihn erwarten; jeder wollte lieber im Kampfe untergehen, als diese Stunden des Jammers und der Verzweiflung sehen. Der alte Marschall Dieterich von Bernheim [2]), einer der wenigen, welche mit Herrmann Balk das Land zuerst betreten und länger als ein Jahrzehent alle Mühen und Gefahren getheilt hatten, ein Ulysses im Geiste, ein Hector in

---

1) *Dusburg* P. III. c. 33. Jeroschin P. III. c. 33.

2) „Antiquus Marschalkus" *Dusburg* c. 36. Antiquus wird bei den Amtsverwaltungen im Deutschen Orden gemeinhin derjenige genannt, welcher ein Amt niedergelegt hat. Dieterich von Bernheim führte also im Jahre 1242 das Amt des Ordensmarschalls nicht mehr. An seiner Stelle stand jetzt als eigentlicher Ordensmarschall Berlewin, der frühere Vice-Landmeister, wahrscheinlich seit Heinrichs von Wida Ankunft. In einer Urkunde bei *Dreger* Nr. 150 heißt jener Dieterich frater Theodericus *quondam* Marschalcus. Die Urkunde ist aus dem Jahre 1243.

haltenen Kähnen über die Weichsel[1]). Die Bergschluchten er=
steigend gelangte der rüstige Haufe an die Mauern der Burg,
deren Mannschaft in tiefem Schlafe lag. Die Sturmleitern
wurden angelegt und die Burgmauer ohne Widerstand erstie=
gen. Da ging plötzlich durch die Gemache das Geschrei, der
Feind sey innerhalb der Burg. Alles stürzte zu den Waffen.
Funfzig tapfere Krieger, die Besatzung der Feste, stellten sich
zum Widerstande. Es erfolgte ein äußerst heftiger Kampf.
So klein auch die Zahl der Streiter auf beiden Seiten war,
so dauerte er doch mehre Stunden, denn die Besatzung focht
mit höchster Verzweiflung; bald wurden die einen, bald die
andern zurückgedrängt. Der anbrechende Tag aber brachte
die Entscheidung[2]), und sie fiel dem alten Helden des Or=
dens günstig. Fast die ganze Mannschaft der Burg wurde
erschlagen und nur wenige retteten sich durch die Flucht. Eine
große Anzahl Frauen wurden als Gefangene gefesselt[3]), die
Burg dann durchplündert und der beträchtlichen Schätze,
welche der Herzog dort zur Sicherheit niedergelegt, beraubt.
Den kostbarsten Schatz aber fanden die Ordensritter in ei=
nem Gewölbe, wo ein Schrein eine silberne Büchse verwahrte,
welche das Haupt der heiligen Barbara umschloß. Einst in
einem Kriege in Sachsen erobert[4]), hatte es Herzog Suan=

---

1) *Dusburg* P. III. c. 36. Chron. Oliv. p. 28.

2) Im gewöhnlichen Texte des *Dusburg* c. 36 ist ein Fehler,
wenn es heißt: Quod (i. e. bellum) duravit *ab ortu* diei usque
ad horam tertiam. Jeroschin P. III. c. 36 las ohne Zweifel
nicht anders, wenn er übersetzte:

     Suß werte der so herte Pran!
     Von deme daß ufbrach der Tag
     Und daß die Tercie zit gelag.

Der Epitomator giebt es aber deutlicher: quod duravit in ortum
solis et horam terciam. Auch das Chron. Oliv. p. 19 sagt: cum
eis a medio noctis usque ad ortum solis certando. Es muß
also bei *Dusburg* gelesen werden ad ortum.

3) *Dusburg* l. c. Jeroschin a. a. D. und der Epitomator
geben die Zahl auf 150 an. Das Chron. Oliv. p. 28 nennt nur 50
nobiles mulieres.

4) Wie es nach Sachsen gekommen war, erwähnt das Chron.
Citizens. ap. *Pistor.* T. I. p. 1173.

Fielen sie da alle

Mit Gebetes Schalle

Gen dem Haupte frohne [1]).

Darnach in süßem Tone

Erhub die Pfaffheit einen Sang

Unde richten ihren Gang

Wieder gen der Stadt wart [2])

Mit dem Heiligthume zart.

Darumme ward ein michil [3]) Drang

Und ein wonniglicher Klang.

Die Pfaffen süße sungen,

Die Glocken laute klungen,

Die Laien ihre Weise

Sungen die Wege=Reise.

Und da mit solcher Andacht

Ward nun in die Kirche bracht

Das heilige Haupte vorgenannt,

Messe hub man an zur Hand

Mit viel großer Achtbarkeit

Von Sanct Barbaren der Maid.

Das wohl bem Warte eben lag,

Denn das war ihr Marter=Tag.

Und da die Messe vollen kam [4]),

Mit Gesange man aufnahm

Das Heiligthum gebenedeit,

Unde trug es in der Zeit

Auf die Burg durch Sicherheit,

Da es in hoher Würdigkeit

Rastet bis an diese Frist.

Die Burg der alte Kulmen ist.

1) „Frohn“ bekanntlich s. v. a. hehr, heilig. — „Sie fielen da alle vor dem heiligen Haupte nieder.“

2) „Wart“ s. v. a. wärts.

3) „Michil“ s. v. a. sehr groß.

4) „Vollen kam“ d. h. vollendet war.

nen. Der erste stürmische Angriff auf die Burg blieb völlig fruchtlos, in gleicher Weise der zweite und die folgenden. Fünf bis sieben Wochen lang waren die Belagerungswerke abwechselnd in Bewegung und immer ohne Erfolg. Die um zweihundert tüchtige Kriegsleute verstärkte Mannschaft der Burg unter dem Befehle des Ordensritters Conrads von Reineck leistete beständig die tapferste Gegenwehr. Da ermüdete des Herzogs Geduld und Muth in der Belagerung der Burg. Sey es, daß sein Heer im Lager an Lebensmitteln Mangel litt oder daß er den Feind zum offenen Kampfe zu locken suchte: er brach im Februar des Jahres 1243 aus dem Lager auf, ließ nur einen Theil seines Heeres vor der Burg zurück und zog über den gefrorenen Weichsel=Strom zu Raub und Plünderung wieder hinüber ins Kulmerland [1]).

Mittlerweile aber hatte der alte Marschall Dieterich von Bernheim einiges Hülfsvolk aus Cujavien durch Herzog Casimir, Conrads von Masovien Sohn, erhalten, denn dieser hatte längst wegen mancher Beeinträchtigungen, die er durch Suantepolc erlitten [2]), als dessen Gegner dagestanden und ergriff jetzt gerne die Gelegenheit zur Vergeltung. Da brach Dieterich mit seinem Volke auf und traf auf Suantepolcs plündernde Haufen. Es kam zu einem heftigen Kampfe; neunhundert von des Herzogs Kriegsleuten wurden erschlagen; das übrige Heer ergriff die Flucht und nur von Wenigen begleitet rettete sich Suantepolc über die Weichsel in das Lager vor Zartowitz. Die ganze im Kulmerlande zusammengeraffte Beute und vierhundert Pferde des feindlichen Heeres fielen dem alten Marschall in die Hände [3]). Das Wichtigste indessen, was

1) „Relicta in obsidione parte altera et secrete noctis tempore transivit glaciem Wisselae et terram Colmensem multipliciter depraedavit." *Dusburg* l. c.

2) Darauf weiset die Urkunde bei Lucas David B. III. Anh. Nr. III. S. 8 hin und *Schütz* S. 22 erwähnt ausdrücklich, daß Herzog Casimir schon jetzt Hülfsvolk herbeigesandt habe. Ein eigentliches Bündniß zwischen ihm und dem Orden erfolgte erst später. Chron. Oliv. p. 19 spricht ebenfalls von jener Hülfsendung.

3) *Dusburg* l. c. Chron. Oliv. p. 19. *Schütz* S. 22. Lu=

Weichsel mit einem starken Kriegshaufen, den Plan auszu-
führen. Allein des Herzogs Kriegswache, die Ankunft des
Feindes vernehmend, gab eiligst Nachricht. Herzog Suante-
polc hatte jedoch im Laufe so vieler Unfälle Muth und Vertrauen in eben dem Maaße verloren, als die Ordensritter im
Glücke ihrer Waffen sie gewonnen. Zaghaft wich er dem
Kampfe aus und gab das ganze Lager dem Feinde Preis.
Solche Muthlosigkeit war sonst keineswegs in seinem Geiste;
vielmehr suchte er sonst Gefahren auf, um in ihnen männliche
Tugend und Tapferkeit und Beharrlichkeit zu zeigen. Darum
traute der vorsichtige Ordensmarschall, List und trügerische
Plane befürchtend, der schnellen Flucht des Herzogs nicht und
nahete sich nur langsam dem leeren Lager. Er brannte es
auf, zog, ohne den Feind weiter zu verfolgen, in die Burg,
sorgte für ihre stärkere Befestigung, besonders da, wo die Be-
lagerungswerkzeuge ihr bedeutenden Schaden gebracht, verstärkte die Besatzung und ging dann mit dem übrigen Heere
wieder nach Kulm zurück [1]).

Im Laufe dieser Ereignisse war auch Wilhelm, der päpstliche Legat für den Orden mit vielem Eifer thätig gewesen.
Außer dem Herzog Casimir von Cujavien waren auch die
übrigen Herzoge von Polen, Conrad von Masovien, Przemislav und Boleslav, Söhne Wladislavs des Speiers, zwei
rasche Jünglinge, jener Herzog von Groß=Polen, dieser Herzog von Krakau und Sandomir von dem Legaten gewonnen
und Suantepolcs Feinde geworden, denn dem letzteren hatte
dieser erst vor kurzem die Burg Nakel mit List weggenom-

Burg überlassen. So nimmt die Worte auch Jeroschin P. III. c.
37 und der Epitomator. Vgl. Lucas David B. III. S. 62.

1) *Dusburg* P. III. c. 37. Der Text in der Ausgabe von Hartknoch ist etwas unvollständig; die Verbesserung findet man bei *Lucas*
p. 61 und im Epitomator. Lucas David B. III. S. 62 ff. giebt
außer dem Berichte von Dusburg auch den von Simon Grunau
Tr. VIII. c. 3. §. 3., mit welchem aber kein anderer Chronist übereinstimmt. *Schütz* p. 22. Kantzow B. I. S. 240. Nach Dusburg
soll der Marschall noch am nämlichen Abend nach Kulm zurückgegangen seyn.

Pommern erlag einer schrecklichen Plünderung. Feuer und Schwert übten Rache und Vergeltung für die Leiden und den schweren Schaden, die Suantepolc im Uebermuthe seines Glückes in Polen und Preussen veranlaßt hatte. Bis an die Küsten des Meeres ging das verheerende Ungewitter und nichts widerstand dem rachesüchtigen Feinde. Selbst das ehrwürdige Kloster Oliva fand keine Schonung gegen Plünderung und Raub [1]). Schaaren von Gefangenen, Weibern und Kindern wurden aus dem Lande hinweggetrieben und nichts fand Mitleid und Erbarmen vor dem aufgereizten Zorne der Feinde [2]).

Das Verderblichste aber war für Herzog Suantepolc, daß nun auch seine eigenen Brüder Sambor und Ratibor als offene Feinde gegen ihn auftraten und sich mit seinen Widersachern verbanden. Längst waren sie schon des Bruders heimliche Gegner gewesen. Was zuerst Zwist und Haber zwischen die Brüder gebracht habe, ist schwer in klares Licht zu stellen [3]). Herzog Suantepolc hat nachmals seinen Brüdern eine Menge schwerer Verbrechen gegen ihn Schuld gegeben: arglistige Verbindung mit den Preussen, als diese noch seine Feinde waren, Verrätherei gegen sein Land, um dieses der Plünderung der Heiden Preis zu geben, Verhetzung seiner Barone, Verschwörung gegen seine Freiheit, betrügliche Umtriebe mit den Brüdern des Deutschen Ordens, Verfeindung mit den sonst von ihm unterstützten Rittern dieses Ordens, Verwüstung seines Gebietes, Undank nach Verzeihung der härtesten Beleidigungen und Verbrechen und anderes [4]). Al-

---

1) Chron. Oliv. l. c. *Dusburg* c. 38.

2) Lucas David B. III. S. 64 — 65.

3) *Lucas* de bellis Suantopolci p. 23 hat schon gründlich widerlegt, was Sell Geschichte von Pommern B. I. S. 320, Gerken Gründliche Nachricht von den Herzogen von Pommern Danziger Linie S. 37 von dem Eintritte Sambors und Ratibors in den Deutsch. Orden und Kotzebue B. I. S. 175 und 178 von der Brüder Vergehungen und hinterlistigem Verfahren gegen Suantepolc vorbringen.

4) Vgl. die Urkunde bei Kotzebue B. I. S. 396 — 401.

dern eine entschiedene Hinneigung zu den Rittern des Deutschen Ordens, ein immer sichtbarer werdendes nachgiebiges
Eingehen in ihre Entwürfe, selbst willfähriges Begünstigen ihrer Plane bemerkte und hierin offenbar die größte Gefahr für
das väterliche Land erkannte. Wie der Orden nach dem Erwerb des Kulmerlandes, nach der Eroberung Pomesaniens,
Pogesaniens, Ermlands, Natangens, des Barterlandes und
Galindiens gegen Pommern dastand, war in Suantepolcs
Augen auch selbst der Friede gegen den Orden für seine Brüder ein Verbrechen gegen das Vaterland.

Unter solchen Verhältnissen aber konnten Reibungen und
Mißhelligkeiten unter den Brüdern wohl an sich schon gar
nicht fehlen; es konnte nicht fehlen, daß Suantepolcs miß-
trauische Gesinnung gegen den Orden auch auf seine Brüder
überging, daß er bald auch in ihnen, wie in den Ordensrittern seine Gegner erkannte, daß er befangen in seinem Mißtrauen manche ihrer Schritte mißdeutete, manche ihrer Handlungen im düsteren Lichte seiner eigenen Seele betrachtete und
nach dem Maße seiner Gesinnung gegen den Orden beurtheil-
te; es konnte nicht fehlen, daß er den Brüdern hie und da
Absichten und Plane in die Seele legte, an welche keiner gedacht hatte; und so war es endlich sehr natürlich, daß diese
Brüder, lange geneckt und gereizt, oft verkannt und mißgedeu-
tet in ihren Handlungen, dem Bruder immer mehr entfremdet
wurden, in ihm immer entschiedener ihren Gegner sahen und
so zu Schritten getrieben wurden, die keineswegs von brüder-
licher Liebe zeugten, vielmehr aufs klarste ihr Widerstreben gegen des Bruders Plane und Absichten an den Tag legten [2]).

---

1) Vielleicht liegt in dieser Erörterung der Verhältnisse auch die
richtige Würdigung des Inhalts der Urkunde bei Kozebue B. I. S.
396. Streng erwiesene Wahrheit und historische Richtigkeit wird in den
Beschuldigungen Suantepolc's gegen seine Brüder wohl keiner suchen,
welcher die Umstände und die Gesinnung erwägt, in welcher Suantepolc
sie aussprach. Aber auch für völlig ungegründet und erdichtet wird
man sie schwerlich halten können, wenn man bedenkt, daß Suantepolc
zu Zeitgenossen sprach, denen die Ereignisse ihrer Tage nicht unbekannt
waren.

handele, bis er solche Verletzung des Bündnisses auf genü=
gende Weise wieder verbessere [1]).

So hatte sich in Kurzem Alles zum Heil und Besten
des Ordes umgewandelt; so führte die geheime heilige Wal=
tung menschlicher Schicksale Verhältnisse herbei, unter denen
wieder neue Hoffnungen für das Gedeihen des Werkes erwach=
ten, an welches schon Tausende ihr Leben und ihre Kraft ge=
setzt. Wie nun aber schon dieses Bündniß die Sache des
Ordens in eben dem Maße emporhob, als es die Macht des
Gegners niederbrückte, so leuchtete den Ordensrittern auch wie=
der ein freundlicher Stern der Hoffnung von Rom herauf.
Am vier und zwanzigsten Juni 1243 war der Kardinal Si=
nibald Fiesco, Graf von Lavagna, als Papst Innocenz der
Vierte genannt, durch die Wahl der Kardinäle auf den hei=
ligen Stuhl gesetzt worden: für den Orden ein höchst glückli=
ches Ereigniß, denn Innocenz war schon als Kardinal ein
wohlgeneigter Gönner der Deutschen Ordensritter und ein
Freund des Hochmeisters Hermann von Salza gewesen, mit
dem er auch oftmals in den Verhältnissen des Kaisers und
des Papstes Unterhandlungen gepflogen. Er hatte bisher am
päpstlichen Hofe auf der Seite des Kaisers gestanden [2]) und
auch schon deshalb gegen den Deutschen Orden nicht die ab=
geneigte Gesinnung gehegt, wie mancher andere. Kaiser Frie=
derich freute sich der Wahl und sandte die angesehensten Per=
sonen seines Hofes an den neuen Papst, ihm seine freund=
liche und aufrichtig=friedliche Gesinnung durch sie noch näher
bezeugen zu lassen. Es spricht nicht minder für die hohe Ach=
tung und Werthschätzung bei dem Kaiser, als für das Ver=
trauen bei dem Papste, daß neben dem Erzbischofe von Pa=
lermo, dem Admiral Ansald de Mari und den Großrichtern

---

1) Das Original dieser Urkunde befindet sich im geh. Archive Schiebl.
48. Nr. 10. Gedruckt steht der Vertrag im Lucas David B. III.
Anh. S. 7. Vgl. *Lucas* l. c. p. 22 — 23. Das Original der Ur=
kunde ist mit dem Siegel des damaligen Bischofs von Cujavien Michael
versehen.

2) *Platina* vita Innocent. IV. p. 208.

in die nöthigen Verfügungen und Anordnungen zu treffen.
Außerdem aber schilderte er dem neuen Papste auch das bis=
herige Benehmen des Bischofs Christian gegen den Orden als
äußerst verderblich und hinderlich für die Verbreitung und
Begründung des Glaubens unter den heidnischen Preußen [1].
Endlich mochte der Legat dem Papste auch vorgestellt haben,
wie nothwendig es sey, daß ein neues Kreuzheer gegen Preus=
sen in Bewegung gesetzt werde, um die abtrünnigen Land=
schaften für die Kirche von neuem zu gewinnen.

Und kaum war der päpstliche Legat nach Preussen zu=
rückgekehrt [2], so ergingen des Papstes Aufforderungen und
Verordnungen zur Beförderung eines Kreuzzuges nach Preus=
sen und Livland in alle nahe gelegenen Länder. Namentlich
erhielten die Priore und Brüder des Prediger=Ordens den Be=
fehl, allen denjenigen, welche aus Böhmen, aus den Gegen=
den von Magdeburg, Bremen, Regensburg, Passau, Halber=
stadt, Hildesheim und Verden, aus Dänemark, Gothland,
Norwegen und Schweden, aus Pommern und Polen zu einem
Heerzug nach Preußen und Livland das Kreuz nehmen
würden, dieselben Vorrechte und Freiheiten und die nämliche
Gnadenverleihung zuzusichern, wie denen, die gen Jerusalem
pilgerten, sie mit ihren Familien und aller ihrer Habe unter
den Schutz des apostolischen Stuhles zu erklären und ihnen
keine Beschwer in irgend einer Weise entgegen legen zu lassen,
bis sie wieder heimgekehrt oder gestorben seyn würden [3]
An diejenigen aber, welche mit dem Kreuze bezeichnet

---

1) Darauf deuten die Schlußworte des päpstlichen Schreibens bei
Raynald. ann. 1243. Nr. 33 hin.

2) Nur auf die Rückkehr können die Angaben der Chronisten von
der Ankunft des päpstlichen Legaten bezogen werden. *Naucler* p. 823.
Die Stelle im *Dusburg* P. III. c. 33 muß demnach dahin berichtigt
werden, daß statt ex clamosa insinuatione fratris Hermanni de
Saltza zu lesen ist: ex clamosa insinuatione fratris Gerhardi de
Malberg.

3) Die päpstliche Bulle im Original im geh. Archive Schiebl. III.
Nr. 6 ist datirt: Anagnie Calend. Octobr. P. an. I. (1. October
1243).

Mit solchen Gesinnungen für den Orden betrat der neue Papst den heiligen Stuhl und dieser Eifer für die Sache der Kirche in Preussen, den er außerdem um die nämliche Zeit auch noch dadurch aussprach, daß er von neuem das von den Ordensrittern erworbene Land in Preussen für das Eigenthum des Apostels Petrus erklärte, es unter den besondern Schutz und Schirm des Römischen Stuhles stellte und als ewiges Besitzthum dem Deutschen Orden zuschrieb, daß er ferner den Hochmeister Gerhard von Malberg mit dem päpstlichen Ringe als Symbol der Belehnung mit Preussen förmlich investirte, wofür er der Römischen Kirche einen jährlichen Lehnszins als Zeichen der Anerkennung der Oberherrschaft des Römischen Stuhles vorbehielt [1]), alle diese Beweise der Zuneigung und des Eifers, mit welchem Innocenz die Erhebung und das Glück und Gedeihen des Ordens, die Verbreitung und Begründung des Glaubens in Preussen in jeder Weise zu befördern strebte, hatten auf alle Verhältnisse im Gebiete des Ordens sehr bedeutenden Einfluß, den größten aber und den wirksamsten auf Herzog Suantepolc von Pommern.

---

1) Die Bulle ist schon öfter gedruckt, namentlich steht sie bei *Dreger* Cod. diplom. Pomer. Nr. 160. p. 246 und bei Baczko Gerhard von Malberg S. 17. Die Note b) bei *Dreger* p. 247 wird jetzt niemand mehr für nöthig finden, da man zu Dregers Zeit diesen Hochmeister noch gar nicht kannte. Ferner findet man diese Bulle auch im *Dogiel* T. IV. Nr. 21. p. 14 und Acta Boruss. T. I. p. 423. Ein Original-Transsumt vom Bischofe Caspar von Pomesanien, dat. Riesenburg 20. Novemb. 1445 verwahrt das geh. Archiv Schiebl. III. Nr. 4 und eine alte Abschrift in Schiebl. XVII. Nr. 2 und eine andere steht im Fol. Nr. 7 betitelt: Samländ., Pomesan. und Kulmischen Privilegien. Daß die Abdrücke, in welchen „fili Conrade" statt „fili Gerarde" steht, verfälscht sind und an Conrad von Thüringen bei dieser Urkunde gar nicht mehr zu denken sey, hat schon Baczko in obiger Schrift gezeigt und der Verfasser der Histoire de l'Ord. Teut. T. I. p. 490 ist in seinen diesen Gegenstand betreffenden Behauptungen längst widerlegt. In jenen Original-Copien des geh. Archives steht auch ganz klar „fili Gerarde." Später hat *De Wal* in f. Recherches T. II. p. 257 seinen früheren Irrthum auch selbst verbessert, zu welchem ihn *Dogiel* l. c. verleitet hatte.

win [1]), den Burggrafen Gneumar von Danzig und den Heer=
grafen Woiach [2]) nebst mehren anderen Edlen seines Landes
dem Orden als Geißeln und schwur auf das Evangelienbuch
das heilige Versprechen, daß er den Orden im Kampfe gegen
die Ungläubigen, so oft es die Noth erfordere, unterstützen,
nie den Gegnern des Glaubens wieder beistehen und gegen
das Christenthum und seine Bekenner nie in voriger Weise
feindlich auftreten wolle. Ueber dieses alles stellte er den Or=
densrittern eine mit seinem Herzogssiegel bekräftigte Friedens=
urkunde aus, und erhielt darauf vom Orden auch alle Ge=
fangenen zurück, in deren Zahl auch siebenzig edle Frauen
waren [3]).

---

1) Nach Urkunden kann man eben so gut Mistwin, als Mestwin
schreiben; es kommt vor Mestwinus, Mistwinus, Mstywgius,
Msciwgius, Mistugius, Mystiwius. Auf dem Siegel des Herzogs
steht beständig Miecugius oder Miecygius; selten aber ist der Name
ganz leserlich.

2) Die Namen dieser Männer sind fast in allen Chroniken sehr
verstümmelt. *Dusburg* l. c. nennt den einen Winarus, den andern
Woyac; das Chron. Oliv. p. 19 hat Veiadum Comitem Wi-
marumque Burgrabium; Waißel S. 66 Weynare und Imos;
Kantzow B. I. S. 240 Weimar und Graf Veit von Schlage und
Rügenwalde. Urkunden ergeben, daß Gneumar und Woiach die
richtigen Namen sind. So kommen als Zeugen in einer Urkunde Suan=
tepolcs vor Gneumarus palatinus in Gdanzk und Woiach thesaurarius; und so muß auch bei *Dreger* Nr. 188 und 189 statt
Wojath gelesen werden Woiach.

3) Die erwähnte Friedensurkunde ist im Originale nicht mehr vor=
handen. Wir finden nur den mitgetheilten, unvollständigen Auszug bei
Dusburg P. III. c. 39, Schütz S. 22. Kantzow B. I. S. 240.
Es erwähnen übrigens dieses Friedens auch Lucas David B. III.
S. 23. Chron. Oliv. p. 29. Waißel S. 66; dieser theilt den In=
halt vollständiger mit, giebt 70 Geißeln an und läßt diese zu Kulm
stellen. Ueber die historische Zuverlässigkeit dessen, was uns Dusburg
von diesem Frieden sagt, vgl. *Lucas* l. c. p. 25 — 26, wo auch
ganz richtig die Abschließung des Friedens gegen das Ende des Jahres
1243 gesetzt wird. Hist. de l'Ord. Teut. T. I. p. 335. Preuß. Samml.
B. III. S. 701.

handele, bis er solche Verletzung des Bündnisses auf genü-
gende Weise wieder verbessere [1]).

So hatte sich in Kurzem Alles zum Heil und Besten
des Ordes umgewandelt; so führte die geheime heilige Waltung menschlicher Schicksale Verhältnisse herbei, unter denen
wieder neue Hoffnungen für das Gedeihen des Werkes erwachten, an welches schon Tausende ihr Leben und ihre Kraft gesetzt. Wie nun aber schon dieses Bündniß die Sache des
Ordens in eben dem Maße emporhob, als es die Macht des
Gegners niederdrückte, so leuchtete den Ordensrittern auch wieder ein freundlicher Stern der Hoffnung von Rom herauf.
Am vier und zwanzigsten Juni 1243 war der Kardinal Si-
nibald Fiesco, Graf von Lavagna, als Papst Innocenz der
Vierte genannt, durch die Wahl der Kardinäle auf den heiligen Stuhl gesetzt worden: für den Orden ein höchst glückliches Ereigniß, denn Innocenz war schon als Kardinal ein
wohlgeneigter Gönner der Deutschen Ordensritter und ein
Freund des Hochmeisters Hermann von Salza gewesen, mit
dem er auch oftmals in den Verhältnissen des Kaisers und
des Papstes Unterhandlungen gepflogen. Er hatte bisher am
päpstlichen Hofe auf der Seite des Kaisers gestanden [2]) und
auch schon deshalb gegen den Deutschen Orden nicht die ab-
geneigte Gesinnung gehegt, wie mancher andere. Kaiser Friederich freute sich der Wahl und sandte die angesehensten Personen seines Hofes an den neuen Papst, ihm seine freundliche und aufrichtig-friedliche Gesinnung durch sie noch näher
bezeugen zu lassen. Es spricht nicht minder für die hohe Achtung und Werthschätzung bei dem Kaiser, als für das Vertrauen bei dem Papste, daß neben dem Erzbischofe von Palermo, dem Admiral Ansald de Mari und den Großrichtern

---

1) Das Original dieser Urkunde befindet sich im geh. Archive Schiebl.
48. Nr. 10. Gedruckt steht der Vertrag im Lucas David B. III.
Anh. S. 7. Vgl. *Lucas* l. c. p. 22 — 23. Das Original der Urkunde ist mit dem Siegel des damaligen Bischofs von Cujavien Michael
versehen.

2) *Platina* vita Innocent. IV. p. 208.

in die nöthigen Verfügungen und Anordnungen zu treffen. Außerdem aber schilderte er dem neuen Papste auch das bisherige Benehmen des Bischofs Christian gegen den Orden als äußerst verderblich und hinderlich für die Verbreitung und Begründung des Glaubens unter den heidnischen Preussen [1]). Endlich mochte der Legat dem Papste auch vorgestellt haben, wie nothwendig es sey, daß ein neues Kreuzheer gegen Preussen in Bewegung gesetzt werde, um die abtrünnigen Landschaften für die Kirche von neuem zu gewinnen.

Und kaum war der päpstliche Legat nach Preussen zurückgekehrt [2]), so ergingen des Papstes Aufforderungen und Verordnungen zur Beförderung eines Kreuzzuges nach Preussen und Livland in alle nahe gelegenen Länder. Namentlich erhielten die Priore und Brüder des Prediger=Ordens den Befehl, allen denjenigen, welche aus Böhmen, aus den Gegenden von Magdeburg, Bremen, Regensburg, Passau, Halberstadt, Hildesheim und Verden, aus Dänemark, Gothland, Norwegen und Schweden, aus Pommern und Polen zu einem Heerzug nach Preussen und Livland das Kreuz nehmen würden, dieselben Vorrechte und Freiheiten und die nämliche Gnadenverleihung zuzusichern, wie denen, die gen Jerusalem pilgerten, sie mit ihren Familien und aller ihrer Habe unter den Schutz des apostolischen Stuhles zu erklären und ihnen keine Beschwer in irgend einer Weise entgegen legen zu lassen, bis sie wieder heimgekehrt oder gestorben seyn würden [3])

An diejenigen aber, welche mit dem Kreuze bezeichnet

---

1) Darauf deuten die Schlußworte des päpstlichen Schreibens bei *Raynald.* ann. 1243. Nr. 33 hin.

2) Nur auf die Rückkehr können die Angaben der Chronisten von der Ankunft des päpstlichen Legaten bezogen werden. *Naucler* p. 823. Die Stelle im *Dusburg* P. III. c. 33 muß demnach dahin berichtigt werden, daß statt ex clamosa insinuatione fratris Hermanni de Saltza zu lesen ist: ex clamosa insinuatione fratris Gerhardi de Malberg.

3) Die päpstliche Bulle im Original im geh. Archive Schiebl. III. Nr. 6 ist datirt: Anagnie Calend. Octobr. P. an. I. (1. October 1243).

Mit solchen Gesinnungen für den Orden betrat der neue
Papst den heiligen Stuhl und dieser Eifer für die Sache der
Kirche in Preussen, den er außerdem um die nämliche Zeit
auch noch dadurch aussprach, daß er von neuem das von den
Ordensrittern erworbene Land in Preussen für das Eigen=
thum des Apostels Petrus erklärte, es unter den besondern
Schutz und Schirm des Römischen Stuhles stellte und als
ewiges Besitzthum dem Deutschen Orden zuschrieb, daß er
ferner den Hochmeister Gerhard von Malberg mit dem päpst=
lichen Ringe als Symbol der Belehnung mit Preussen förm=
lich investirte, wofür er der Römischen Kirche einen jährlichen
Lehnszins als Zeichen der Anerkennung der Oberherrschaft des
Römischen Stuhles vorbehielt [1]), alle diese Beweise der Zu=
neigung und des Eifers, mit welchem Innocenz die Erhebung
und das Glück und Gedeihen des Ordens, die Verbreitung
und Begründung des Glaubens in Preussen in jeder Weise
zu befördern strebte, hatten auf alle Verhältnisse im Gebiete
des Ordens sehr bedeutenden Einfluß, den größten aber und
den wirksamsten auf Herzog Suantepolc von Pommern.

---

1) Die Bulle ist schon öfter gedruckt, namentlich steht sie bei *Dreger* Cod. diplom. Pomer. Nr. 160. p. 246 und bei Baczko Ger=
hard von Malberg S. 17. Die Note b) bei *Dreger* p. 247 wird jetzt
niemand mehr für nöthig finden, da man zu Dregers Zeit diesen Hoch=
meister noch gar nicht kannte. Ferner findet man diese Bulle auch im
Dogiel T. IV. Nr. 21. p. 14 und Acta Boruss. T. I. p. 423. Ein
Original=Transsumt vom Bischofe Caspar von Pomesanien, dat. Rie=
senburg 20. Novemb. 1445 verwahrt das geh. Archiv Schiebl. III.
Nr. 4 und eine alte Abschrift in Schiebl. XVII. Nr. 2 und eine an=
dere steht im Fol. Nr. 7 betitelt: Samländ., Pomesan. und Kulmischen
Privilegien. Daß die Abdrücke, in welchen „fili Conrade“ statt „fili Gerarde“ steht, verfälscht sind und an Conrad von Thüringen bei
dieser Urkunde gar nicht mehr zu denken sey, hat schon Baczko in
obiger Schrift gezeigt und der Verfasser der Histoire de l'Ord. Teut.
T. I. p. 490 ist in seinen diesen Gegenstand betreffenden Behauptungen
längst widerlegt. In jenen Original=Copien des geh. Archives steht
auch ganz klar „fili Gerarde.“ Später hat *De Wal* in s. Recherches T. II. p. 257 seinen früheren Irrthum auch selbst verbessert,
zu welchem ihn *Dogiel* l. c. verleitet hatte.

win ¹), den Burggrafen Gneumar von Danzig und den Heer=
grafen Woiach ²) nebst mehren anderen Edlen seines Landes
dem Orden als Geißeln und schwur auf das Evangelienbuch
das heilige Versprechen, daß er den Orden im Kampfe gegen
die Ungläubigen, so oft es die Noth erfordere, unterstützen,
nie den Gegnern des Glaubens wieder beistehen und gegen
das Christenthum und seine Bekenner nie in voriger Weise
feindlich auftreten wolle. Ueber dieses alles stellte er den Or=
densrittern eine mit seinem Herzogssiegel bekräftigte Friedens=
urkunde aus, und erhielt darauf vom Orden auch alle Ge=
fangenen zurück, in deren Zahl auch siebenzig edle Frauen
waren ³).

---

1) Nach Urkunden kann man eben so gut Mistwin, als Mestwin
schreiben; es kommt vor Mestwinus, Mistwinus, Mstywgius,
Msciwgius, Mistugius, Mysciwius. Auf dem Siegel des Herzogs
steht beständig Miecugius oder Miecygius; selten aber ist der Name
ganz leserlich.

2) Die Namen dieser Männer sind fast in allen Chroniken sehr
verstümmelt. *Dusburg* l. c. nennt den einen Winarus, den andern
Woyac; das Chron. Oliv. p. 19 hat Veiadum Comitem Wi-
marumque Burgrabium; Waißel S. 66 Weynare und Imos;
Kantzow B. I. S. 240 Weimar und Graf Veit von Schlage und
Rügenwalde. Urkunden ergeben, daß Gneumar und Woiach die
richtigen Namen sind. So kommen als Zeugen in einer Urkunde Suan=
tepolcs vor Gneumarus palatinus in Gdanzk und Woiach thesaurarius; und so muß auch bei *Dreger* Nr. 188 und 189 statt
Wojath gelesen werden Woiach.

3) Die erwähnte Friedensurkunde ist im Originale nicht mehr vor=
handen. Wir finden nur den mitgetheilten, unvollständigen Auszug bei
Dusburg P. III. c. 39, *Schütz* S. 22. Kantzow B. I. S. 240.
Es erwähnen übrigens dieses Friedens auch Lucas David B. III.
S. 23. Chron. Oliv. p. 29. Waißel S. 66; dieser theilt den In=
halt vollständiger mit, giebt 70 Geißeln an und läßt diese zu Kulm
stellen. Ueber die historische Zuverlässigkeit dessen, was uns Dusburg
von diesem Frieden sagt, vgl. *Lucas* l. c. p. 25 — 26, wo auch
ganz richtig die Abschließung des Friedens gegen das Ende des Jahres
1243 gesetzt wird. Hist. de l'Ord. Teut. T. I. p. 335. Preuss. Samml.
B. III. S. 701.

dern eine entschiedene Hinneigung zu den Rittern des Deut=
schen Ordens, ein immer sichtbarer werdendes nachgiebiges
Eingehen in ihre Entwürfe, selbst willfähriges Begünstigen ih=
rer Plane bemerkte und hierin offenbar die größte Gefahr für
das väterliche Land erkannte. Wie der Orden nach dem Er=
werb des Kulmerlandes, nach der Eroberung Pomesaniens,
Pogesaniens, Ermlands, Natangens, des Barterlandes und
Galindiens gegen Pommern dastand, war in Suantepolcs
Augen auch selbst der Friede gegen den Orden für seine Brü=
der ein Verbrechen gegen das Vaterland.

Unter solchen Verhältnissen aber konnten Reibungen und
Mißhelligkeiten unter den Brüdern wohl an sich schon gar
nicht fehlen; es konnte nicht fehlen, daß Suantepolcs miß=
trauische Gesinnung gegen den Orden auch auf seine Brüder
überging, daß er bald auch in ihnen, wie in den Ordensrit=
tern seine Gegner erkannte, daß er befangen in seinem Miß=
trauen manche ihrer Schritte mißdeutete, manche ihrer Hand=
lungen im düsteren Lichte seiner eigenen Seele betrachtete und
nach dem Maße seiner Gesinnung gegen den Orden beurtheil=
te; es konnte nicht fehlen, daß er den Brüdern hie und da
Absichten und Plane in die Seele legte, an welche keiner ge=
dacht hatte; und so war es endlich sehr natürlich, daß diese
Brüder, lange genect und gereizt, oft verkannt und mißgedeu=
tet in ihren Handlungen, dem Bruder immer mehr entfremdet
wurden, in ihm immer entschiedener ihren Gegner sahen und
so zu Schritten getrieben wurden, die keineswegs von brüder=
licher Liebe zeugten, vielmehr aufs klarste ihr Widerstreben ge=
gen des Bruders Plane und Absichten an den Tag legten [1].

---

1) Vielleicht liegt in dieser Erörterung der Verhältnisse auch die
richtige Würdigung des Inhalts der Urkunde bei K o z e b u e B. I. S.
396. Streng erwiesene Wahrheit und historische Richtigkeit wird in den
Beschuldigungen Suantepolc's gegen seine Brüder wohl keiner suchen,
welcher die Umstände und die Gesinnung erwägt, in welcher Suantepolc
sie aussprach. Aber auch für völlig ungegründet und erdichtet wird
man sie schwerlich halten können, wenn man bedenkt, daß Suantepolc
zu Zeitgenossen sprach, denen die Ereignisse ihrer Tage nicht unbekannt
waren.

handele, bis er solche Verletzung des Bündnisses auf genü=
gende Weise wieder verbessere [1]).

So hatte sich in Kurzem Alles zum Heil und Besten
des Ordes umgewandelt; so führte .die geheime heilige Wal=
tung menschlicher Schicksale Verhältnisse herbei, unter denen
wieder .neue Hoffnungen für das Gedeihen des Werkes erwach=
ten, an welches schon Tausende ihr Leben und ihre Kraft ge=
setzt. Wie nun aber schon dieses Bündniß die Sache des
Ordens in eben dem Maße emporhob, als es die Macht des
Gegners niederdrückte, so leuchtete den Ordensrittern auch wie=
der ein freundlicher Stern der Hoffnung von Rom herauf.
Am vier und zwanzigsten Juni 1243 war der Kardinal Si=
nibald Fiesco, Graf von Lavagna, als Papst Innocenz der
Vierte genannt, durch die Wahl der Kardinäle auf den hei=
ligen Stuhl gesetzt worden: für den Orden ein höchst glückli=
ches Ereigniß, denn Innocenz war schon als Kardinal ein
wohlgeneigter Gönner der Deutschen Ordensritter und ein
Freund des Hochmeisters Hermann von Salza gewesen, mit
dem er auch oftmals in den Verhältnissen des Kaisers und
des Papstes Unterhandlungen gepflogen. Er hatte bisher am
päpstlichen Hofe auf der Seite des Kaisers gestanden [2]) und
auch schon deshalb gegen den Deutschen Orden nicht die ab=
geneigte Gesinnung gehegt, wie mancher andere. Kaiser Frie=
derich freute sich der Wahl und sandte die angesehensten Per=
sonen seines Hofes an den neuen Papst, ihm seine freund=
liche und aufrichtig=friedliche Gesinnung dnrch sie noch näher
bezeugen zu lassen. Es spricht nicht minder für die hohe Ach=
tung und Werthschätzung bei dem Kaiser, als für das Ver=
trauen bei dem Papste, daß neben dem Erzbischofe von Pa=
lermo, dem Admiral Ansald de Mari und den Großrichtern

---

1) Das Original dieser Urkunde befindet sich im geh. Archive Schiebl.
48. Nr. 10. Gedruckt steht der Vertrag im Lucas David B. III.
Anh. S. 7. Vgl. *Lucas* l. c. p. 22 — 23. Das Original der Ur=
kunde ist mit dem Siegel des damaligen Bischofs von Cujavien Michael
versehen.

2) *Platina* vita Innocent. IV. p. 208.

in die nöthigen Verfügungen und Anordnungen zu treffen. Außerdem aber schilderte er dem neuen Papste auch das bis= herige Benehmen des Bischofs Christian gegen den Orden als äußerst verderblich und hinderlich für die Verbreitung und Begründung des Glaubens unter den heidnischen Preußen [1]). Endlich mochte der Legat dem Papste auch vorgestellt haben, wie nothwendig es sey, daß ein neues Kreuzheer gegen Preu= ßen in Bewegung gesetzt werde, um die abtrünnigen Land= schaften für die Kirche von neuem zu gewinnen.

Und kaum war der päpstliche Legat nach Preußen zu= rückgekehrt [2]), so ergingen des Papstes Aufforderungen und Verordnungen zur Beförderung eines Kreuzzuges nach Preu= ßen und Livland in alle nahe gelegenen Länder. Namentlich erhielten die Priore und Brüder des Prediger=Ordens den Be= fehl, allen denjenigen, welche aus Böhmen, aus den Gegen= den von Magdeburg, Bremen, Regensburg, Passau, Halber= stadt, Hildesheim und Verden, aus Dänemark, Gothland, Norwegen und Schweden, aus Pommern und Polen zu einem Heereszug nach Preußen und Livland das Kreuz nehmen würden, dieselben Vorrechte und Freiheiten und die nämliche Gnadenverleihung zuzusichern, wie denen, die gen Jerusalem pilgerten, sie mit ihren Familien und aller ihrer Habe unter den Schutz des apostolischen Stuhles zu erklären und ihnen keine Beschwer in irgend einer Weise entgegen legen zu lassen, bis sie wieder heimgekehrt oder gestorben seyn würden [3])

An diejenigen aber, welche mit dem Kreuze bezeichnet

---

1) Darauf deuten die Schlußworte des päpstlichen Schreibens bei *Raynald.* ann. 1243. Nr. 33 hin.

2) Nur auf die Rückkehr können die Angaben der Chronisten von der Ankunft des päpstlichen Legaten bezogen werden. *Naucler* p. 823. Die Stelle im *Dusburg* P. III. c. 33 muß demnach dahin berichtigt werden, daß statt ex clamosa insinuatione fratris Hermanni de Saltza zu lesen ist: ex clamosa insinuatione fratris Gerhardi de Malberg.

3) Die päpstliche Bulle im Original im geh. Archive Schiebl. III. Nr. 6 ist datirt: Anagnie Calend. Octobr. P. an. I. (1. October 1243).

Mit solchen Gesinnungen für den Orden betrat der neue
Papst den heiligen Stuhl und dieser Eifer für die Sache der
Kirche in Preussen, den er außerdem um die nämliche Zeit
auch noch dadurch aussprach, daß er von neuem das von den
Ordensrittern erworbene Land in Preussen für das Eigenthum des Apostels Petrus erklärte, es unter den besondern
Schutz und Schirm des Römischen Stuhles stellte und als
ewiges Besitzthum dem Deutschen Orden zuschrieb, daß er
ferner den Hochmeister Gerhard von Malberg mit dem päpstlichen Ringe als Symbol der Belehnung mit Preussen förmlich investirte, wofür er der Römischen Kirche einen jährlichen
Lehnszins als Zeichen der Anerkennung der Oberherrschaft des
Römischen Stuhles vorbehielt [1]), alle diese Beweise der Zuneigung und des Eifers, mit welchem Innocenz die Erhebung
und das Glück und Gedeihen des Ordens, die Verbreitung
und Begründung des Glaubens in Preussen in jeder Weise
zu befördern strebte, hatten auf alle Verhältnisse im Gebiete
des Ordens sehr bedeutenden Einfluß, den größten aber und
den wirksamsten auf Herzog Suantepolc von Pommern.

---

1) Die Bulle ist schon öfter gedruckt, namentlich steht sie bei *Dreger* Cod. diplom. Pomer. Nr. 160. p. 246 und bei *Baczko* Gerhard von Malberg S. 17. Die Note b) bei *Dreger* p. 247 wird jetzt
niemand mehr für nöthig finden, da man zu Dregers Zeit diesen Hochmeister noch gar nicht kannte. Ferner findet man diese Bulle auch im
Dogiel T. IV. Nr. 21. p. 14 und Acta Boruss. T. I. p. 423. Ein
Original-Transsumt vom Bischofe Caspar von Pomesanien, dat. Riesenburg 20. Novemb. 1445 verwahrt das geh. Archiv Schiebl. III.
Nr. 4 und eine alte Abschrift in Schiebl. XVII. Nr. 2 und eine andere steht im Fol. Nr. 7 betitelt: Samländ., Pomesan. und Kulmischen
Privilegien. Daß die Abdrücke, in welchen „fili Conrade" statt „fili Gerarde" steht, verfälscht sind und an Conrad von Thüringen bei
dieser Urkunde gar nicht mehr zu denken sey, hat schon Baczko in
obiger Schrift gezeigt und der Verfasser der Histoire de l'Ord. Teut.
T. I. p. 490 ist in seinen diesen Gegenstand betreffenden Behauptungen
längst widerlegt. In jenen Original-Copien des geh. Archives steht
auch ganz klar „fili Gerarde." Später hat *De Wal* in s. Recherches T. II. p. 257 seinen früheren Irrthum auch selbst verbessert,
zu welchem ihn *Dogiel* l. c. verleitet hatte.

win ¹), den Burggrafen Gneumar von Danzig und den Heer-
grafen Woiach ²) nebst mehren anderen Edlen seines Landes
dem Orden als Geißeln und schwur auf das Evangelienbuch
das heilige Versprechen, daß er den Orden im Kampfe gegen
die Ungläubigen, so oft es die Noth erfordere, unterstützen,
nie den Gegnern des Glaubens wieder beistehen und gegen
das Christenthum und seine Bekenner wie in voriger Weise
feindlich auftreten wolle. Ueber dieses alles stellte er den Ordensrittern eine mit seinem Herzogssiegel bekräftigte Friedensurkunde aus, und erhielt darauf vom Orden auch alle Gefangenen zurück, in deren Zahl auch siebenzig edle Frauen
waren ³).

---

1) Nach Urkunden kann man eben so gut Mistwin, als Mestwin
schreiben; es kommt vor Mestwinus, Mistwinus, Mstywgius,
Msciwgius, Mistugius, Mysciwius. Auf dem Siegel des Herzogs
steht beständig Miecugius oder Miecygius; selten aber ist der Name
ganz leserlich.

2) Die Namen dieser Männer sind fast in allen Chroniken sehr
verstümmelt. *Dusburg* l. c. nennt den einen Winarus, den andern
Woyac; das Chron. Oliv. p. 19 hat Veiadum Comitem Wi-
marumque Burgrabium; Waißel S. 66 Weynare und Imos;
Kantow B. I. S. 240 Weimar und Graf Veit von Schlage und
Rügenwalde. Urkunden ergeben, daß Gneumar und Woiach die
richtigen Namen sind. So kommen als Zeugen in einer Urkunde Suantepolcs vor Gneumarus palatinus in Gdanzk und Woiach thesaurarius; und so muß auch bei *Dreger* Nr. 188 und 189 statt
Wojath gelesen werden Woiach.

3) Die erwähnte Friedensurkunde ist im Originale nicht mehr vorhanden. Wir finden nur den mitgetheilten, unvollständigen Auszug bei
Dusburg P. III. c. 39, *Schütz* S. 22. Kantow B. I. S. 240.
Es erwähnen übrigens dieses Friedens auch Lucas David B. III.
S. 23. Chron. Oliv. p. 29. Waißel S. 66; dieser theilt den Inhalt vollständiger mit, giebt 70 Geißeln an und läßt diese zu Kulm
stellen. Ueber die historische Zuverlässigkeit dessen, was uns Dusburg
von diesem Frieden sagt, vgl. *Lucas* l. c. p. 25 — 26, wo auch
ganz richtig die Abschließung des Friedens gegen das Ende des Jahres
1243 gesetzt wird. Hist. de l'Ord. Teut. T. I. p. 335. Preuss. Samml.
B. III. S. 701.

Achtes Kapitel.

Der päpstliche Legat benutzte jetzt die vornehmlich durch sein Bemühen herbeigeführte Friedenszeit zur Anordnung einer geregelteren Verfassung und besseren Einrichtung des Kirchenwesens in den erworbenen Landen. Längst war ihm klar geworden, welchen großen Nachtheil nicht allein für die Befestigung und sichere Begründung des Glaubens und der Kirche, sondern auch für Geist und Gesinnung und für das ganze innere Leben der Neubekehrten der alte Zwiespalt und Groll zwischen dem Orden und dem Landesbischofe Christian, der Mangel an festen Bestimmungen und Gesetzen im kirchlichen und bürgerlichen Leben, die Ungewißheit und das Schwanken über die Gränze dessen, was dem Orden zustand und was dagegen dem Bischofe gebührte, also das Regellose und Unbestimmte in der bischöflichen Amtsgewalt und in der Oberherrschaft des Ordens über Land und Leute nothwendig nach sich ziehen mußten. Und es mußte diese Regellosigkeit und Unbestimmtheit in den wichtigsten Verhältnissen des kirchlichen und bürgerlichen Lebens natürlich um so verderblicher wirken, da dem Neubekehrten das ganze frühere Leben gleichsam aus der Seele gerissen war, da er am Alten, an Sitte und Gebrauch, an Gesetz und Ordnung, an Verfassung und Herkommen, an der Religion der Vergangenheit keinen Halt und keine Stütze mehr hatte, die Gestaltung der neugeschaffenen Verhältnisse aber in aller Weise so wenig fest, so unbestimmt und unsicher dalag, daß das ganze Leben wie in eine Wüste

den vor Augen, und diese Stellung schien ihm als Bischof
Preußens auch die seinige zu seyn, ohne darauf Rücksicht zu
nehmen, daß der Deutsche Orden mit seinen eigenthümlichen
Rechten, Begünstigungen und Freiheiten zu ihm allerdings
ganz anders stand, als die Herzoge von Polen und Pommern und die Fürsten in Deutschland zu ihren Landesbischö-
fen und daß in Livland, Esthland und Kurland, die Stellung
des Ordens zu der Geistlichkeit schon gleich im Anfange sich
ganz anders gestaltet hatte, denn die Gränzen der bischöflichen Gewalt in Preußen waren durch die Vorrechte und Freiheiten des Deutschen Ordens offenbar weit mehr beengt als
anderswo, und der Wirkungskreis der clericalischen Macht nach
allen Seiten viel beschränkter.

Endlich aber war auch Christians Charakter und Gesin-
nungsart wohl keineswegs ganz fleckenlos; er war nicht frei
von jenem Neide, von jener hierarchischen Herrschlust, von jener Selbstsucht und jenem Eigennutze, die damals fast durch
den ganzen geistlichen Stand gingen; er war selbst nicht rein
von Verläumdungssucht und einem gewissen böswilligen Streben, auch das Heilsame und das anerkannte Gute zu hindern,
sobald seine Selbstsucht und sein Eigennutz dadurch vom be-
absichtigten Ziele zurückgehalten wurden. Auf daß jedoch dieses
Urtheil über den in der Geschichte bisher immer hoch gefeierten Mann nicht ungerecht und hart scheine, mögen Thatsa-
chen und Zeugnisse des Oberhauptes der Kirche zum Beweise
und zur Bestätigung dienen.

Wir ahneten schon bei jener schweren Anklage des Ordens durch Bischof Christian unter dem Papste Gregorius
dem Neunten, daß sie keineswegs aus ganz reiner Seele und
nicht aus christlich edler Gesinnung hervorgegangen sey. Auch
entsprach die Wirkung, so viel wir wissen, auf keine Weise
der Wichtigkeit der Sache. Von jener Zeit an bis jetzt steht
Bischof Christian immer wie im Hintergrunde der Geschichte,
als scheue sie sich, des einst gefeierten Apostels ferner zu erwähnen oder ihn ans Licht zu führen. Erst jetzt, am spä-
sten Abend seines Lebens, bringt sie ihn noch einmal auf die

dem dieses alles berichtet wurde, konnte es kaum glauben, daß sich der Bischof in seiner Würde so gänzlich vergessen habe und die Sache der Kirche und des Glaubens, die ihm vor allem heilig und theuer seyn solle, durch ihn so großen Nachtheil erleide. Er trug daher dem Prior des Prediger-Ordens zu Magdeburg in einer besonderen Bulle auf, den Bischof mit Ernst auf seine Pflicht und seinen Beruf hinzuweisen, nach welchem er streben solle, daß die Gemeinde Gottes in Preussen durch den Eifer der Ordensbrüder im Wachsthum immer mehr gedeihe, ihn mit Nachdruck zu ermahnen und unter dem Gebote des Gehorsams ihm zu befehlen, forthin jede Verfolgung der Ordensbrüder zu unterlassen, die Lösungsgelder ungeschmälert dem Orden frei zu geben und sich ferner nicht zu unterstehen, die Gnadenverleihungen in so verschwenderischer Weise auszutheilen. Diese Bulle erließ der Papst am ersten October des J. 1243 und am fünften des-

---

beati Petri suscipiens eam dictis fratribus et eorum domui cum omni iure ac proventibus suis, certa parte ipsius terre Episcopo vel Episcopis, qui pro tempore fuerint reservata, concessit in perpetuum libere possidendam. Et quod efficacius in eiusdem posset acquisitione procedi, redemptionem votorum crucis assumpte a pauperibus et debilibus in subventionem fidelium de Livonia et Pruscia mandavit dictis fratribus assignari, per manus ipsorum in idem subsidium convertendam. Prefatus quidem Episcopus (Pruscie), sicut accepimus, licet credere vix possimus, tam sanctum et pium negotium sub pretextu iuvaminis subiciens gravibus detrimentis ac redemptiones easdem contra mandatum apostolicum sibi usurpare presumens, patenter in populo de fratribus ipsis obloquitur et fideles a prestando ipsis solite caritatis auxilium non absque dei et hominum offensa seducit, ad illum excessum sue pertrahens arbitrium voluntatis, quod pro acquirendo sibi ad ipsorum fratrum dispendium populari favore se prodigum super indulgentiarum gratia tribuit contra statuta concilii generalis. Dann folgt der erwähnte Auftrag an den Prior. Man hat bisher diese Bulle, wie es scheint, absichtlich unbeachtet gelassen, um das gemeinhin so rein gehaltene Bild dieses Bischofs (S. Kotzebue B. I. S. 166 — 167) nicht in Schatten zu bringen. Allein die Geschichte ist ein Gericht, welches keine gerechte Klage zurückweisen darf.

äußerung, welche der Bifchof am Lande Preußen oder am
Kulmergebiete oder an feinen Einkünften etwa fchon vorge=
nommen haben möge, für völlig nichtig und ungültig. So=
fern der Bifchof Chriftian das Kulmifche Bisthum für fich
wählen werde, hieß ihm der Papft fich mit dem Sike zu
begnügen, welches fchon in dem durch den Legaten zwifchen
ihm und dem Orden gefchloffenen Vertrage hinlänglich be=
ftimmt fey [1]).

Wäre es auch · nicht die fo fehr empfindliche Kälte und
der gebieterifche, von aller Liebe· und Zuneigung entfernte
Ton der Sprache des Papftes in jener Bulle gewefen, wel=
cher den Bifchof in diefen hohen Jahren feines Lebens aufs
tieffte erfchüttern, kränken und niederbeugen mußte, fo konnte
fchon die ganze Anordnung und. diefe ganze neue Verfaffung
ihn mit einer Betrübniß und einem Kummer erfüllen und
feine Seele mit einem Schmerze beladen, den er nicht zu er=
tragen vermochte. Nicht ohne Stolz und Selbftgefühl hatte
er fich bisher „erfter Bifchof von Preußen“ genannt. [2]).
Jetzt fah er mit allen feinen vermeinten Anfprüchen fich auf

---

men. In einem alten Verzeichniffe der Bullen diefes Papftes (auf Per=
gament im geh. Archiv Schiebl. XVII) wird unter andern auch eine
Bulle mit den Worten bezeichnet: Episcopo Pruscie de non alie_
nandis proventibus terrarum Pruscie et Culmensis. Wahrfchein=
lich ging alfo der Bifchof mit diefen Einkünften nicht zweckmäßig um.

1) Die Bulle des Papftes in der erwähnten Stelle bei *Raynald*; fie
ift datirt: Anagnie III Cal. Aug. P. a. 1. (30. Juli 1243). Cf. Pri=
vilegia quaedam Prussica ap. *Dusburg* p. 480. Das Original
befindet fich im geh. Archive Schiebl III. Nr. 2. Eine fehr alte Ab=
fchrift auf Pergament fteht in dem Copienbuche: Privilegia im Marien=
werd. und Pomefan. p. III — IV. In dem eben erwähnten Verzeich=
niffe der Bullen diefes Papftes fteht eine mit den Worten bezeichnet:
Magistro et fratribus hospitalis S. M. Th. super ·confirmatione
limitacionis Pruscie et conjuncte sibi terre Culmensis; eine
andere mit den Worten: Magistro et fratribus etc. super investi-
tura terre Culmensis.

2) „Primus Prussiae Episcopus; primus Pruthenorum episcopus;“ *Dreger* Nr. 70. 79. 81. 83.

überging, so mußte allerdings auf sie ein Gram und ein Kummer fallen, für den sie nicht mehr stark genug war. Sie ertrug ihn nicht. „Er ist in Mühe gefallen,“ schreibt eine Chronik, „und bald nach diesen Begebenheiten gestorben“ [1]. Er hatte besser begonnen, als er geendigt hat. Mit Schmerz spricht die Geschichte von den Flecken seiner Seele; aber er ist einer der vielen seiner Zeit, die sie trugen und nimmer darf die Nachwelt vergessen, was er durch Wort und That dem Lande gewesen, was er wirkte und vollbrachte, was er duldete und opferte, um da Licht zu entzünden, wo vorher in der Erkenntniß des wahrhaft Göttlichen Alles dunkel war.

Der Tod des Bischofs Christian mußte allerdings dem päpstlichen Legaten die neue Anordnung und Verfassung des Kirchenwesens bedeutend erleichtern, denn nunmehr fielen auch selbst die Rücksichten noch hinweg, welche man doch immer auf ihn als den ersten Apostel und als den Gründer der Kirche in Preussen hatte nehmen müssen. Mit einer Vollmacht des Papstes versehen, nach welcher der Legat völlig unbeschränkt ganz nach seiner Einsicht in der Sache verfahren durfte [2], griff er das Werk nun an. Er hatte nämlich schon

---

1) Die Zeit des Todes des Bischofs Christian ist in keiner alten chronistischen Quelle richtig angegeben. Daß er nicht im Jahre 1241 gestorben seyn kann, wie Lucas David B. II. S. 94. Simon Grunau Tr. IX. c. I. §. 4. Henneberger Landtaf. S. 263 und andere wollen und spätere nachgeschrieben haben, ist ohne Mühe zu erweisen und liegt im Zusammenhange der obigen Erzählung. Weit mehr Gewicht hat die Angabe des Lucas David B. III. S. 28, daß er im Jahre 1243 gestorben sey, wie der Chronist in mehren seiner Quellen fand. Nach der Bulle in Act. Boruss. B. II. S. 624 kann sein Tod nicht viel später fallen, denn dort heißt es: Ecclesia Prussiae non modico pastore vacavit; beziehen wir diese Worte auf den Tod Christians, so würde auch nach dem Datum dieser Bulle das Jahr 1244 wohl passend seyn. Daß er zu Marburg gestorben sey, wie Hartknoch Kirchengesch. S. 161 und Arnold Kirchengesch. S. 118 angeben, ist eine spätere Annahme.

2) Das Original dieser Bulle befindet sich im geh. Archive Schiebl. III. Nr. I. und ist datirt: Anagnie IV Cal. Aug. P. n. an. I (29. Juli 1243). Es erwähnt derselben auch *Raynald.* an. 1243.

Das zweite Bisthum sollte das Land umfassen, welches die Ossa, die Weichsel und der Drausen = See umgränzen und dann weiter hinaufgehen bis zum Flusse Passaluc oder Passarge[1]); die beiden Werder Quidin und Zanthir an der Weichsel sollten in dieses Bisthum mit eingeschlossen seyn. — Es ward nach seinem Hauptlande das Pomesanische genannt. Indem es in seinem nördlichen Theile weit enger begränzt war, lief es im Südosten von der südlichen Spitze des Drausen aus am Flusse Weseke hin bis an die Passarge und zog sich dort an diesem Flusse aufwärts bis an die Gränze des Kulmischen Bisthums[2]). Es umfaßte sonach im Allgemeinen die ganze Landschaft Pomesanien, einen Theil von Pogesanien und das sogenannte Hokerland.

Das dritte Bisthum sollte begränzt seyn im Westen durch das Frische Haff, im Norden durch den Pregel = Strom oder die Lipza, im Süden durch den Drausen = See und am Flusse Passaluc oder Passarge hinauf; gen Osten hin aber sollte es sich ausdehnen bis an die Gränzen der Litthauer. — Nach dieser Bestimmung hatte das Ermländische Bisthum, nach seinem Hauptlande Ermland so benannt, einen sehr bedeutenden Umfang, denn es umfaßte einen Theil vom alten Pogesanien, Ermland, Natangen, das Barterland nebst dem südlichen Theil von Nadrauen und Galindien bis nach Sudauen hinein.

Ein viertes Bisthum sollte aus dem für das Christenthum noch nicht gewonnenen Lande gebildet werden und das

---

1) Flumen de Passaluc oder flumen Passalucense wird die Passarge in der erwähnten Urkunde genannt. Sonst ist Seria der gewöhnliche Name, den dieser Fluß um diese Zeit in den Urkunden führt.

2) In den Worten der Urkunde „ascendendo per flumen de Passaluc" liegt eine gewisse Dunkelheit, die dadurch entstehen mochte, daß der Legat diese geographischen Bestimmungen in Italien aus dem Gedächtnisse gab. Sieht man auf die Sache selbst, so liegt in „ascendendo" die Bezeichnung der Höhe, welche das Land in der südlichen Richtung vom Drausen = See aus hat und ascendendo per flumen de Passaluc soll also nichts anders heißen, als „längs der Passarge aufwärts."

denn schon im Jahre 1236 hatte er von Gregorius dem
Neunten den Auftrag erhalten, das für den Glauben gewonnene Land in Preussen in Diöcesen einzutheilen und sobald
dieses geschehen sey, drei verdiente Brüder aus dem Prediger-
Orden auszuwählen, sie als Bischöfe einzusetzen und ihnen
die Weihe zu ertheilen [1]).   Damals mögen vielleicht die ver-
wickelten Verhältnisse, in welchen der Bischof Christian zu
dem Orden stand, oder auch die stürmischen Ereignisse des
Jahres 1237 die Ausführung der Sache verhindert haben.
Jetzt berief Wilhelm zur näheren Berathung über die kirchliche Verfassung in den neuen Bisthümern auf den Sonntag
Quasimodogeniti — 10 April — des Jahres 1244 [2]) die
vornehmsten Geistlichen der umliegenden Länder, als den Erzbischof von Gnesen, die Bischöfe von Breslau, Leßlau und
Ploczk, viele Aebte aus Polen, auch die angesehensten Ritter
des Deutschen Ordens und andere ehrenwerthe Männer aus
Preussen nach Thorn.   Zwar sind wir über die Verhandlungen dieser Versammlung fast gar nicht unterrichtet [3]); ohne

---

1) Wir ersehen dieses aus einem Schreiben des Papstes an den
Legaten bei *Raynald.* ann. 1236. Nr. 61.   Wenn es in diesem
Schreiben aber heißt: Praesentium tibi auctoritate concedimus,
ut Deum habendo prae oculis, de consilio et assensu dilecti
filii praeceptoris et fratrum hospitalis S. M. Th. in partibus
illis morantium, in eisdem partibus limitare dioeceses, et des
de fratribus ordinis praedicatorum dumtaxat ibidem instituere
valeas ac eosdem etiam adscito episcoporum numero, consecrare, so ist die Frage: sollte damals auch schon ein Bischof für
Samland ernannt werden? Sollte oder konnte der Bischof Christian
nicht Bischof für ein Bisthum bleiben? Offenbar hoffte man damals
eine schnelle Eroberung Samlands und der andern nördlichen Landschaften.

2) Wir finden dieses Tages bei Lucas David B. III. S. 42 erwähnt. Jedoch ist wahrscheinlich, daß er einige Monate später fiel, denn
sicherlich wurde diese Versammlung erst nach Christians Tod gehalten.

3) Lucas David B. III. S. 42 und *Treter* de Episcopatu
et episcopis eccles. Warmiens. p. 4 lassen in dieser Versammlung
die bereits geschehene Eintheilung in vier Bisthümer vornehmen.
Wenn indessen vielleicht auch noch manches über sie berathen wurde,
so konnte sie doch schwerlich der Hauptgegenstand der Verhandlungen
seyn.

gleichfalls schon viele Jahre sich als einen der würdigsten
Geistlichen des Landes bewährt [1]).

Für das dritte Bisthum Ermland ward ein gewisser
Heinrich zum Bischof erkoren. Allein die Geschichte hat von
ihm nichts weiter als seinen Namen aufbehalten, vielleicht
weil sie nichts von ihm berichten konnte, denn bei den wil=
den Stürmen, die bis zu seinem Tode in dem ihm zugewiese=
nen Sprengel herrschten, mag er wenig oder nicht nach War=
mien gekommen und so als Bischof auch kaum viel thätig ge=
wesen seyn [2]).

Diese Bischöfe traten indessen nicht sogleich nach ihrer
Wahl in ihren Aemtern in Thätigkeit; es standen vielfache
Hindernisse entgegen. Der Bischof Heidenreich von Kulm
und mit ihm vielleicht auch die beiden andern begaben sich
erst an den päpstlichen Hof, um von dem Papste selbst die
Weihe zu erhalten. Dort aber waren die Verhältnisse der
schnellen Förderung dieser Sache nichts weniger als günstig
und es scheint, daß die Weihe erst im Laufe des Jahres 1245
zu Lyon, wohin der Papst geflüchtet war, erfolgen konnte [3]).

---

1) *Leo* l. c. p. 69.

2) Wir finden seinen Namen nur einmal in einer Urkunde des geh.
Archivs Schiebl. XLI. Nr. I., welche Baczko B. I. S. 259 hat. Wenn
demnach *Treter* l c. Hartknoch Kirchengesch. S. 150. Arnold
a. a. O. S. 145 den Bischof Anselm als den ersten Ermländischen Bischof
anführen, so ist dieses ein Irrthum.

3) Daß der Bischof Heidenreich vom Papste selbst die Weihe erhielt,
bezeugen seine eigenen Worte, indem er vom Papste sagt: Cum Dominus Papa terrae Culmensi et conjunctae sibi terrae Lubaviae
nos curasset praeficere, *propriis manibus consecrans* in Episcopum etc. Acta Boruss. B. II. S. 721. Dieses gilt sehr wahr=
scheinlich auch von den beiden andern Bischöfen; denn was hatte der
Kulmer für ein besonderes Interesse, sich durch den Papst selbst weihen
zu lassen, welches die beiden andern nicht mit ihm theilten? Machte
der päpstliche Legat von seiner Erlaubniß, die Preussischen Bischöfe auch
weihen zu dürfen, bei dem Kulmer keinen Gebrauch, warum bei den
beiden andern? Demnach scheint es, daß sie sich alle drei mit dem
Legaten an den päpstlichen Hof begaben; sie konnten aber den

Mäßigung und Festigkeit in Gesinnung, wie nicht minder
wegen mancher andern Tugenden und Eigenschaften in sehr
hoher Achtung und in der ausgezeichnetsten Gunst stand [1]).
Ihn erkor der Papst an Wilhelms Stelle zu seinem Legaten
im Norden, und um sein Ansehen und seinen Einfluß zu erhöhen, verlieh er ihm den Titel eines Erzbischofs von Preussen, Livland und Esthland. Gerne wies er ihm diesen bedeutenden Wirkungskreis an, um seinem Geiste Gelegenheit zu
geben, die ausgezeichneten Gaben und Anlagen, die er in sich
vereinte, zum Besten der Kirche in aller Weise nützlich anzu-
wenden. Auch mochte es ihm gerade jetzt sehr heilsam scheinen, einen Mann an die Spitze der kirchlichen Verwaltung
in den Ordensländern zu stellen, der nicht minder den Ordensrittern und den Geistlichen, als den Neubekehrten wegen
seines Geistes und seiner Tugenden hohe Achtung und Ehrfurcht einzuflößen und so auch manches Schwankende und
Regellose in festere Ordnung und Verfassung zu bringen im
Stande war [2]). Diese Auszeichnung des Bischofs Albert hob
daher Innocenz auch ganz besonders hervor, als er in einem
Schreiben den Suffraganen desselben, den sämmtlichen Prälaten und Geistlichen in Preussen, Livland, Esthland, Semgallen und Kurland die Erhebung Alberts in den Rang eines
Erzbischofs im Jahre 1245 bekannt machte, ihnen anzeigend,
daß er ihm nicht nur die Erlaubniß, sich nach Preussen zu
begeben, sondern auch dort das Verwaltungsrecht in geistlichen
und weltlichen Dingen verliehen und forthin alle Bischöfe
Preussens, Livlands und Esthlands unterworfen habe, weshalb
sie ihm auch wie einem Vater und Hirten aller Seelen vol-

---

1) Alle diese Tugenden rühmt der Papst selbst an ihm; vgl. die
Bulle bei Lucas David B. III. S. 30 In einer andern Bulle in
Gruber Orig. Livon. Sylva Document. Nr. 57. p. 277. nennt er
ihn virum utique secundum cor nostrum, morum honestate
decorum, literarum scientia praeditum et consilii maturitate
praeclarum.

2) Dieß ergiebt sich aus der erwähnten Bulle bei Lucas David
a. a. O. Acta Boruss. B. II. S. 624. Sie befindet sich auch in
einer Abschrift im geh. Archive Schiebl. XVII.

Preussen zugehören: so viel ist klar, daß es die ersten Stützen waren, auf welche die freie Stellung der Landesbischöfe zu dem Orden gebaut war.

So viel uns die geschichtliche Forschung möglich macht, finden wir den Bischof Heidenreich von Kulm unter den andern Bischöfen zuerst in seinem Amte. Er verwaltete dieses wahrscheinlich schon im Jahre 1245, sicherlich wenigstens schon im J. 1246 [1]). Ohne Zweifel war auch sein Verhältniß zu dem Orden am leichtesten auseinander zu setzen. Letzterer hatte ja bereits mit dem Bischofe Christian im Kulmerlande eine Landestheilung vorgenommen und wir finden nicht, daß sie unter diesem seinen Nachfolger verändert worden sey; ohnedieß hatte der Papst schon im Jahre 1243 den Bischof Christian darauf hingewiesen, daß im Falle er die Diöcese vom Kulmerlante als die seinige wähle, er sich mit dem Landestheile begnügen müsse, welcher in dem zwischen ihm und den Ordensrittern geschlossenen Vertrage durch den päpstlichen Legaten schon fest bestimmt sey [2]). Diese Bestimmung aber galt nun wohl natürlich auch für den neuen Bischof des Kulmerlandes. Zwar sind wir über das Einzelne dieses Theilungsvertrages nicht genau unterrichtet [3]); aber nicht ohne Klugheit und bedächtige Umsicht hatte damals [4]) Bischof Christian für sich den mittlern Theil des

---

Daß der Papst dem Erzbischofe damals mancherlei auftrug, was das Kirchenwesen in Preussen betraf, sehen wir aus dem schon erwähnten Verzeichnisse der Bullen Innocenz IV, worin einer Bulle mit folgenden Worten gedacht ist: Archiepiscopo Prutie etc., ut fratres hospitalis etc. congruis honoribus supportemus mandamus ut unum ex fratribus cessante (?) uni diocesi Prutie preficias in episcopum.

1) Wir finden ihn zuerst als Zeuge im Privilegium der Stadt Elbing vom 10. April 1246; s. Crichton Urkunden zur Preuß. Gesch. S. 17.

2) *Raynald.* an. 1243. Nr. 33.

3) Es muß hierüber allerdings eine Theilungsurkunde vorhanden gewesen seyn; sie ist indessen nicht bis auf uns gekommen.

4) Nämlich offenbar erst im Jahre 1244.

anzuziehen und das verheerte Land wieder in Anbau zu brin=
gen. Wer wüstes Gebiet von neuem anbaute, sich eine Woh=
nung darauf errichtete und so die Gründung eines Dorfes
veranlaßte, erhielt vier Freijahre, in deren Verlauf der neue
Einsasse auch nicht einmal den Getreide = Zins an den Bi=
schof zu entrichten hatte, welchen sonst, nach dem unter dem
Bischofe Christian festgesetzten Vertrage, jeder Bewohner des
Bischoftheiles jährlich an ihn abtragen mußte. Wer dann
nach jenen Freijahren in dem neugegründeten Dorfe sich nie=
derließ, hatte auf ein Jahr Befreiung vom gewöhnlichen Ge=
treide = Zins [1]). Diese Begünstigungen und die anderweitigen
Bemühungen des Bischofs begleitete auch bald der erfreulichste
Erfolg, denn binnen fünf und sechs Jahren hatte sich die Be=
völkerung in dem bischöflichen Landestheile so bedeutend ver=
mehrt und der neuaufgebauten Kirchen waren bald so viele
geworden, daß der Bischof schon auf die Errichtung einer
Kathedrale denken mußte.

Diese erfolgte auch im Jahre 1251. Die Sage aber
knüpft die Gründung an ein grauses, unheilvolles Ereigniß.
Schon Bischof Christian — so erzählt sie — hatte in dem
Städtlein Kulmsee [2]) ein Mönchskloster erbaut, welches die

1) Den Beweis hierüber giebt eine Urkunde im Fol. betitelt: Ellen,
Hubenmaaß u. s. w. im geh. Archive, wo es heißt: Nos. omnibus,
qui deserta, que temporibus modernorum nunquam fuerunt
exculta inhabitare incipiunt et excolere, hanc dedimus libertatem, ut a proximo festo sancti Martini, ex quo villa est in-
cepta, post quatuor annos primo nobis solvant illas mensuras,
quas ex pacto cum *predecessore nostro* beate memorie Christiano episcopo inito et postmodum a sede apostolica confir-
mato, singulis annis nobis tenentur. — Es wird hiedurch zugleich
auch die Meinung Leo's p. 80 widerlegt, daß zwischen dem Bischofe
Christian und Heidenreich ein gewisser Johannes die bischöfliche Würde
in Kulm gehabt habe. Obgleich schon Lucas David B. III. S. 38
diese Annahme als einen Irrthum Simon Grunau's widerlegte, so
war ihr doch noch Arnold Kirchengeschichte S. 145 nicht ganz abge=
neigt.

2) Vorher soll Kulmsee ein Dorf, Loza genannt, gewesen seyn; s.
Hartknoch Kirchengeschichte S. 161.

eingesetzten Domherren zu ewigen Zeiten die Regel des heil. Augustinus als Gesetz ihres Lebens und ihrer Pflichten beobachtet werden solle. Zu ihrem Unterhalte verlieh ihnen der Bischof einen Theil seines Getreide=Zinses im Kulmerlande, dazu eine Anzahl Dörfer [1]) und im Gebiete von Löbau beträchtliches Ackerland, alles dieses mit vollkommener Gerichtsbarkeit und allem Rechte und Einkommen [2]); endlich auch die Fischerei in mehren Seen und zur Viehzucht Wiesen und Weideland. Es ward zugleich bestimmt, daß, sobald die verliehenen Dörfer und Ländereien zur Zinszahlung gelangten, hinfort im Domstifte stets vierzig Domherren gehalten werden sollten, bis dahin jedoch nur so viele, als die Einkünfte gestatteten. Außerdem wies der Bischof dem Domstifte auch noch sechs Orte an, an welchen die Domherren sechs Stiftskirchen [3]) errichten konnten, vier davon im Löbauischen Lande. Jedoch in allen diesen verliehenen Gütern behielt er sich das Recht vor, daß die Einsassen ihm stets zum Dienste der Landesvertheidigung verpflichtet bleiben sollten [4]).

So waren in Heidenreichs bischöflicher Verwaltung des Landes kaum sechs Jahre verflossen, als die Ordnung und Verfassung des kirchlichen Wesens zu immer größerer Vollendung gedieh. Sein Eifer war unermüdlich, sein thätiger Geist

---

1) Die Stiftungsurkunde nennt die Dörfer Rassai, Hermannsdorf, Arnoldsdorf, et Grangia, Sunenwerde cùm villa adjacente.

2) Bei Kulmsee verlieh ihnen der Bischof zwölf Huben Landes und die Pfarrkirche der Stadt; an Getreide=Zehnten 2000 Scheffel Roggen und Weizen; im Löbauischen Gebiete 600 Huben Landes.

3) Ecclesiae conventuales. Die eine davon sollte in Vambresia, germ. Wredeck oder Frydeck (Briesen) erbaut werden.

4) „In omnibus autem bonis omnium supra dictarum Ecclesiarum nobis specialiter retinemus, quod homines eorum in eis, quae ad defensionem terrae pertinent, nobis maneant obligati. — Die Stiftungsurkunde mit dem Datum: In Culmensee an. dom. 1251, die Mariae Magdalenae (22. Juli) steht in den Actis Boruss. II. S. 721; zum Theil auch bei Baczko B. I. S. 363 Vgl. Lucas David B. III. S. 37. 132 — 133.

fehden mit Herzog Suantepolc von Pommern bei, benn sie
verhinberten unb erbrückten das friebsame Wirken, in welchem
des Bischofs Amt für Volk und Land so großen Segen schaf=
fen konnte, in dem Maaße, daß kaum eine Spur davon zu
entbecken ist. Nur so viel wissen wir bestimmt, daß Bischof
Ernst von Pomesanien im Jahre 1247 schon im Besitze sei=
ner Würde war und im Jahre 1249 mit den beiden andern
Bischöfen des Landes die Vermittlung eines Streites zwi=
schen Albert, dem Erzbischofe von Preussen und dem Orden
übernommen hatte [1]). Lange Zeit durch die Kriege mit Her=
zog Suantepolc und manche andere Umstände gehindert konnte
die Landestheilung zwischen dem Bischofe und dem Orden
hier erst im Jahre 1250 erfolgen. Nachdem man das ganze
Land in drei Theile zu gleichen Größen abgesondert [2]),

---

1) Urkunde bei Baczko B. I. S. 260. Wir werden diesen Streit
späterhin näher kennen lernen.

2) Wir erfahren bei dieser Theilung Pomesaniens ziemlich genau,
wie überhaupt bei diesen Landestheilungen verfahren wurde. Der Land=
meister Ludwig von Queden machte in einer Urkunde bekannt, daß er
die ganze Diöcese Pomesanien in drei Theile getheilt habe de consensu
fratris Henrici Stangonis Commendatoris in Cristisburg et fratrum Castri eiusdem et fratrum seniorum nostri ordinis in
Pruscia und zwar so, quod una tercia pars incipiat a Castro
Dypenowe et trans Nogatam directe versus Wixlam hauc illam partem Insule que est versus Insulam sancte Marie, inde
ascensus fiat per ripam Wizle usque dum perveniatur ad
bona, que comparavimus a domino Bernhardo de Cameniz.
Item a predicto Castro ascendendo in Prusciam, ita quod
Resia includatur eidem parti secundum quod signa iam facta
ostendunt, et ulterius versus stagnum quod vocatur Bucho-
thin in loco, ubi Lyva primo effluit et ulterius secundum disterminium Prezle usque ad Protest ubi est disterminium inter
Prezlam et Rudenz, hoc modo Prezla tota inclusa est usque
ad Ossam, preter illam partem, quam ut diximus comparavimus, et aliam partem, quam dominus Episcopus Culmensis
asserit esse suam, addicimus eciam predicte parti hoc quod
bona hospitalis, que sunt inter Dypenow et Insulam sancte
Marie diocesano Episcopo, si eam elegerit, libera faciemus,
et hoc ideo ut ipse tam pro se, quam pro suis successoribus

lehrten in jenen Gegenden diese Verhältnisse benutzen wür-
ben, vom Glauben wieder abzufallen und das unbeschützte
Land des Bischofs feindlich zu überziehen [1]). Solches erwägend und dabei bedenkend, daß durch des Papstes Verordnung die Last des Kampfes gegen die Heiden zunächst dem
Orden übertragen sey, gab Bischof Ernst im Jahre 1255
diesen Landestheil wiederum auf, und nahm mit Zustimmung
der Ordensritter abermals ben Theil als den seinigen an, in
welchem Marienwerder, Resien und Presla lagen, wozu jetzt
noch der dritte Theil des Landes kommen sollte, welchen früher der Ritter Bernhard von Camnitz besessen, und der bisher noch ungetheilt geblieben war. Marienwerder, als hiezu
am bequemsten gelegen, bestimmte der Bischof zur Errichtung
einer Kathedrale [2]). Bei dieser Theilung verblieb es nun

---

1) Merkwürdig sind die Worte des Bischofs: Er habe ben Theil
von Christburg gewählt inexperti, quod illa tercia pars frequenter exponitur insultibus paganorum; unde metuentes pericu-
lum subversionis noviter conversorum quod occasione predicte
electionis foret futurum ut a viris prudentibus didicimus et
ex situatione ipsius opidi oculata fide perpendimus cum ipsum sit quasi in ore positum paganorum. Aber erkannte dieses
der Bischof erst nach so vielen Jahren?

2) Das Original der Urkunde, worin der Bischof diesen Tausch
vornimmt, ist doppelt im geh. Archiv Schiebl. L. Nr. 1 und 2. In
bem einen aber, obgleich beide vom einem Tage datirt sind, nämlich
Grudenz a. d. 1255 XI Cal. Januar. (22 Decemb.), fehlt eben
so, wie bei *Dreger* Nr. 257 und 259, wo sie gedruckt stehen, der
Satz: qua parte continente predictam Insulam et Resiam et
Presel contenti sumus cum adicione tercie partis terre, quam
nobilis vir Bernhardus dictus de Camniz olim possidebat,
quam fratres hactenus pro indivisa tenebant. Außerdem unterscheiden sich beide Urkunden auch dadurch, daß die eine ben Gegenstand
der zu Graudenz gepflogenen Verhandlung (Acta sunt hec in Grudenz), die andere sich auf jene beziehend ben wirklichen, durch die
Urkunde selbst vollzogenen Abschluß der Sache (Datum in Grudenz)
barlegt. Beide Urkunden sind also gleich wichtig. Die erstere hat nur
bas Siegel des Bischofs von Pomesanien, die andere bagegen die Siegel aller drei Preußischen Bischöfe nebst dem des Landmeisters. Vgl.
Lucas David B. V. S. 16.

Ueber die ersten Jahre des Bisthums Ermland geht die
Geschichte fast ganz schweigend vorüber. Bevor das Volk,
über welches der Bischof Heinrich die geistliche Obhut führen
sollte, noch nicht von neuem überwunden und für das Evan=
gelium fest gewonnen war, konnte natürlich von einer bischöf=
lichen Verwaltung überhaupt gar nicht die Rede seyn. Und
als nun die Bewohner jener Gebiete sich dem Glauben wie=
der zuwandten, starb jener erste Bischof Warmiens im Jahre
1249 oder im Anfange des Jahres 1250, so daß kaum nur
sein Name der Geschichte aufbehalten ist. Da benutzten die
Ordensgebietiger die Gunst des Bischofs Peter von Albanien,
der damals päpstlicher Legat war, zu einem Schritte, der für
die Stellung und das Verhältniß des Ordens in Preussen zu
den Bischöfen des Landes bald von äußerst wichtigen Folgen
seyn mußte. Sie suchten zu bewirken, daß ein Deutscher
Ordensbruder zum Bischof in Warmien ernannt werde und
der Versuch gelang. Anselm, ein Bruder des Ordens ward
vom Bischofe von Albano in das Bisthum eingesetzt, vom
Papste bestätigt und geweiht [1]). Er soll aus Meißen gebür=

_____

pitulum hiis terminis contenti nomine tercie partis dyoecesis
Pomesaniensis nichil sibi juris in aliis duabus partibus, que ad
nos (an den Orden) pertinent, vendicabunt. — Die Urkunde befindet
sich in den Privileg. Capituli Pomesan. p. II. und im Copien=
buche Privileg. des Marienwerb. und Pom. p. V.

1) Wir besitzen noch das Original der päpstlichen Bestätigungs=
Bulle im geh. Archive Schiebl. III Nr. 49, datirt: Lugduni II
Non. Octobr. p. n. an. VIII. (6 Octob. 1250), worin zugleich
das Schreiben des päpstlichen Legaten P. Bischof von Albano über die
dem Papste bekannt gemachte Wahl und Weihe des Ordensbruders
Anselm zum Ermländischen Bischof aufgenommen ist. Dieses Schreiben
des Legaten ist gegeben: apud Valencenas V Calend. Septembr.
(28. August) an. dom. M⁰. CC⁰. quinquagesimo und eben daselbst
(zu Valenciennes) und an dem nämlichen Tage war, wie das Schrei=
ben sagt, auch die Weihe Anselms geschehen. Sie erfolgte assistenti-
bus vererabilibus patribus Cameracensi, Tornacensi et Atre-
batensi Episcopis (von Cambray, Tournay und Artois), also nicht
im Ordensgebiete selbst. Daraus wird wahrscheinlich, daß der damalige
Hochmeister Heinrich von Hohenlohe die Wahl Anselms am päpstlichen

die Freiheit zugestand, in seinem Theile des bischöflichen
Sprengels so viel Güter zu erwerben, als sie auf rechtlichem
Wege erlangen könnten, doch unbeschadet des Rechtes, welches
er selbst oder seine Nachfolger auf diese Güter geltend machen
möchten. Er ertheilte ihnen ferner auch das Recht, in den
dem Orden zugehörigen Dörfern Schullehrer ein= und abzu=
setzen, und bestätigte alle Freiheiten, welche der vormalige päpst=
liche Legat Wilhelm den Ordensrittern für die Einrichtung ih=
rer Hospitäler bewilligt hatte. Zur Förderung des Handels
und Verkehrs im bischöflichen Lande vereinigten sich die Or=
densritter und der Bischof auch dahin, daß die bischöfliche und
die Ordens=Münze immer zu gleicher Zeit und nach gleichem
Werthe und Gehalt umgeprägt werden solle [1]).

Es blieb aber diese freundliche Gesinnung zwischen dem
Bischofe und dem Orden und dieses einmüthige Zusammen=
greifen ihrer Bestrebungen auch nicht ohne die erfreulichsten
Erfolge für Bildung und Christenthum. Daß man mit Eifer
für die erstere bemüht war, beweiset schon die Erwähnung
der eingerichteten Schulen, für welche der Orden die Lehrer
bestimmte und wohl meist aus Deutschland herbeizog. Glei=
chen Eifer verwandte der Bischof Anselm auch auf den Bau
von Kirchen, deren bereits im Jahre 1251 mehre im Lande
dastanden und auch schon mit den nöthigen Geistlichen be=
setzt waren; wir finden solche in Braunsberg, in dem Dorfe
Lemtenburg in Natangen und an manchen andern Orten [2]).
Freilich reichten diese wenigen für das Bedürfniß bei weitem
noch nicht hin [3]); aber das Einkommen des Bischofs war in

tung mit dieser und mündet bei Ruhnenberg ins Frische Haff.

1) Das Original dieses urkundlichen Vertrages mit dem Siegel
des Bischofs liegt im geh. Arch. Schiebl. LI. Nr. 1; gedruckt steht es bei
Dreger Nr. 221. p. 331. Baczko B. I. S. 389. Ausgefertigt ist
die Urkunde in Elbing. Merkwürdig ist darin das Datum in Rücksicht
der Zeitangabe: quinto Calend. May pontificatus nostri anno
primo indictione nona.

2) So stehen schon in der eben erwähnten Urkunde vom J. 1251
Fridericus in Brunsberg, Radolfus in Lemetenburch plebani.

3) Der Bischof sagt selbst, daß, als er das Land mit dem Orden

gend südwärts von Bartenstein.   Hier nahm sie eine süd=
östliche Richtung nach einem Walde hin, Lindenmedien ge=
nannt, und dann weiter südlich zu einem andern Walde
Krakotin, da wo nun zwischen den Städten Rössel und Ra=
stenburg das Dorf gleiches Namens liegt.   Dieses war die
nördliche und östliche Gränze.   Die südliche begann am Fri=
schen Haffe an dem Orte, wo das Flüßchen Narusse bei dem
Dörfchen Narz ausmündet und lief ostwärts fort bis zu
dem kleinen Fluß Banda und von diesem dann weiter bis
zur Passarge.   Da nahm dieser Fluß die Gränze auf und
führte sie bis zu seinem Ursprunge mitten durch das gemein=
schaftliche Gebiet des Bischofs und des Ordens.   Von der
Quelle der Passarge an ging sie dann östlich hinüber nach
dem Felde Kurchsadel [1]) und wandte sich von da' hinauf nach
dem Walde Krakotin zwischen den Städten Rössel und Ra=
stenburg.   Alles, was in diesen Gränzen begriffen war, mit
Ausnahme des Landes zwischen der Rune und Passarge und
des Frischen Haffes gehörte zu dem Landestheile des Bischofs,
also daß er das Gebiet umfaßte, in welchem jetzt die Städte
Braunsberg , Frauenburg, Melsack, Wormditt, Heilsberg,
Allenstein, Seeburg, Wartenburg, Bischofsburg, Rössel und
Bischofsstein liegen [2]).

Diese zu Kulm in der freundlichsten Gesinnung beider
Theile vorgenommene Theilung des Landes ward hierauf auch
dem Papste zugesandt und er bestätigte sie noch in dem näm=

_____

1) Bei *Dreger* p. 366 steht unrichtig Cuphsadel.   Der richtige,
häufig in Urkunden vorkommende Name ist Kurkosadel oder Kurchsadel.   Er ist für uns in der Religionsgeschichte der alten Preussen von
Wichtigkeit gewesen.

2) Dieser Theilungsvertrag befindet sich in einem Transsumt vom
Jahre 1370 im geh. Arch. Schiebl. IV. Nr. 2; auch in mehren alten
Abschriften, unter andern im großen Copienbuche p. LXXI; gedruckt
steht er bei *Dreger* Nr. 257. p. 365 — 366. *Leo* p. 93 bezeichnet die
Besitzungen des Bischofs etwas oberflächlich in folgender Art: Habet
dictus Episcopatus partem aliquam ex Hockerlandia, alteram
ex Varmia, tertiam ex Galindia, quartam ex Bartelandia.

So war die Gestaltung der drei Bisthümer in Preussen in ihren äußern Verhältnissen bis zum Jahre 1255. Die Päpste aber ließen es nie an Sorgfalt fehlen, das Aufkommen und Gedeihen der jungen Kirche in Preussen sowohl in geistiger, als in weltlicher Beziehung auf jede Weise zu fördern[1]). Sie forderten nicht bloß fort und fort Geistliche und Mönche auf, nach Preussen zu ziehen und dort das Unkraut, das noch üppig unter dem Weizen wuchere und die Pflanzung des Herrn in ihrem Wachsthum hindere, völlig auszutilgen, sondern sie suchten auch in anderer Weise die christliche Bildung der Geistlichen und des Volkes immer mehr zu heben und zu begründen. So erließ der Papst Innocenz im Jahre 1246 an die Aebte und Prioren der Mönchsorden eine Bulle, worin es hieß: „Da unsere Schwester=Kirche, die unser Herr in Preussen, Livland und Esthland an Kindes Statt angenommen, noch sehr klein ist und ihre Brust den Säuglingen die Nahrung der Lehre noch nicht reichen kann, da sie auch der nöthigen Bücher entbehrt, so ermahnen und ersuchen wir euch, ihr mit dem Ueberflusse euerer Bücher zu Hülfe zu kommen, ihrem Mangel somit abzuhelfen oder auch Bücher für sie schreiben zu lassen[2])." Und wie in solcher Weise der Eifer des Papstes

---

Lucas David a. a. O. geweiht gewesene Eiche bei Heiligenbeil noch gestanden und Anselm sie umgehauen haben?

1) Dieß bezeugt der Bischof Anselm von Ermland selbst, indem er in einer Urkunde vom Jahre 1264 sagt: Licet tunc (bei seiner Bischofswahl) parochiales Ecclesiae nullae vel paucissimae essent, tamen divina mediante clementia et *promotione sedis apostolicae*, ad cuius dominium supra dictae terrae cum ceteris Prussiae partibus spectare noscuntur, adeo sunt auctae, quod necesse habeant exigere sibi matricem Ecclesiam. S. Preuss. Samml. B. III. S. 32.

2) Das Original dieser Bulle, datirt: Lugdun. VI Calend. May p. n. an. III. (26. April 1246) im geh. Arch. Schiebl. LV. Nr. 14. Die obige Stelle heißt wörtlich: Sane cum soror nostra ecclesia, quam in partibus Pruscie, Livonie, et Estonie sibi dominus adoptavit, adhuc parvula sit et ubera non habeat, quibus lac doctrine valeat parvulis exhibere, utpote cui etiam libri de-

Befehl der Landesherrschaft aufstehen und die Ordensritter im Kampfe unterstützen. Daher behielt sich auch, wie wir gesehen, der Bischof von Kulm in dem seinem Domstifte übergebenen Lande des Löbauischen Gebietes das Recht vor, die Bewohner desselben zur Landesvertheidigung auffordern zu können. In gleicher Weise waren auch in dem Landestheile des Pomesanischen Bischofs die Einsassen dem Bischofe zu allen Lehnspflichten. und Leistungen, also auch zum Kriegsdienste verpflichtet, sobald das Land Vertheidigung verlangte [1]). Es kamen Zeiten, in denen der Papst die Bischöfe auch noch besonders zu thätiger Unterstützung des Ordens in seinen Kriegen aufforderte [2]).

.Im übrigen war jeder Bischof in dem ihm zugehörigen Landestheile in aller Hinsicht vollkommener Landesherr, und Land und Volk ihm und seinem Kapitel allein unterthan. Er that Lehen aus, erhob Zins und Steuer, bestimmte die Lehendienste, übte die Gerichtsbarkeit, ließ Münze schlagen [3]), ertheilte Vorrechte und handhabte Gesetz und Ordnung, wie der Orden in seinen Theilen. Doch mußte er die Verleihungen an Gütern und Besitzthum, die der Orden vor der Theilung im bischöflichen Theile Einzelnen bewilligt hatte, unangetastet lassen [4]). Wie aber sonst die Ordensritter sich in dem Bi=

---

1) Daher heißt es auch in der schon erwähnten Urkunde, worin die Gränzen des Bischofstheiles von Pomesanien bezeichnet werden: Hii denique homines feoda sive bona amodo nomine predictorum Episcopi, ecclesie et capituli tenebunt eisque debita et consweta servitia omniaque alia iura facient, que nobis (sc. fratribus ordinis) de illis antea facere consweverunt.

2) Davon werden späterhin mehre Beispiele folgen.

3) Dieß geht schon aus der Urkunde des Bischofs Anselm bei *Dreger* Nr. 221. p. 331 hervor.

4) Der Landmeister Ludwig von Queden sagt daher in der früher schon erwähnten Urkunde vom Jahre 1250 in Beziehung auf den Bischof von Pomesanien: Determinamus eciam, quod idem Episcopus et sucessores sui universam Collacionem bonorum, quam fecimus diversis hominibus in feodo vel in pacto secundum concessionem sedis apostolice ratam habere debeant atque velint eo iure, quo fratres ea singulis contulerunt.

Neuntes Kapitel.

Diese Verfassung des kirchlichen Wesens würde sonder Zweifel weit früher geregelt und weit eher fest begründet, die Bildung des Volkes weit gedeihlicher gefördert, die heilbringende Lehre des Evangeliums weit schneller und allgemeiner verbreitet und alles, was durch den Orden und durch die Bischöfe für das Aufkommen und die Wohlfahrt des Landes und seiner Bewohner geschah, von viel erfreulicheren Erfolgnissen begleitet gewesen seyn, wenn nicht so bald aus glimmender Asche das Feuer des Krieges über Land und Volk von neuem aufgeschlagen und zu beider Unheil und Verderben die Werke der kurzen Friedenstage so schnell wieder vernichtet worden wären. Aber gab es für Herzog Suantepolc von Pommern irgend einen festen Frieden in seinem Verhältnisse zu dem Orden? Sah er in demselbigen Frieden, in welchem des Ordens Glück blühete, nicht sein eigenes Unglück? Erkannte er in Preussens Aufblühen unter dem Ritterorden nicht Pommerns höchste Gefahr und endliches Verderben unter seiner Herrschaft? Nun gab es für seine Seele schon keine Ruhe, so lange der gefährliche Ritterorden im Aufstreben ihm zur Seite stand. Nur Noth und Bedrängniß hatten ihn im Laufe des Jahres 1243 dahin gebracht, den Waffen Ruhe zu geben und nur im Drange harter Bedrohungen war ihm damals das Wort des Friedens aus dem Munde gepreßt; allein seine Brust kannte es nicht. Jene Tage waren nun vorüber mit ihrer Noth, ihren Gefahren und mit allen ihren Bedrängniß-

diesem Bündnisse Gefahr, so konnte er um so weniger auch
dem Herzoge die feste Burg Zartowitz um die vielleicht im
Friedensvertrage näher bestimmte Zeit zurückgeben und die ge=
stellten Geißeln frei lassen [1]). Und wie nun dieses Zögern
der Ordensritter des Herzogs Besorgnisse noch vermehrte, das
feindselige Mißtrauen noch bedeutend verstärkte und die Span=
nung von Tag zu Tag sich steigerte, so kam auch die Gele=
genheit erwünscht, dem Orden die kampfbereiten Waffen von
neuem zu zeigen.

Diese Gelegenheit aber, die den Waffen des Herzogs
neues Glück verhieß, lag in folgenden Verhältnissen. Herzog
Boleslav von Polen, der Schamhafte genannt, welchen früher
Conrad von Masovien aus dem Besitze Krakau's vertrieben
hatte, um sich des Landes zu bemächtigen, war im Jahre
1243 aus Ungern zurückgekommen und die Verwalter und
Kriegsleute des Herzogs von Masovien mit Unterstützung der
Vornehmeren aus seinem Besitzthum vertreibend, bereits wie=
derum Herr des Landes geworden. Da hatte Conrad von
Masovien, nie im Stande seinen Geist zu zügeln, mit einem
starken Kriegsheere, aus kriegslustigen Horden von südöstli=
chen Preussen, vielleicht Galindern und Sudauern, Jaczwin=
gern, Litthauern und Samaiten zusammengesetzt, das Gebiet
von Krakau verheerend überzogen und er wiederholte diesen
Heereszug auch im Jahre 1244 [2]). Dadurch aber waren
nicht bloß jene östlichen Völker in Unruhe und Bewegung

---

zog der Slaven, Dux Slavorum, s. *Dreger* Nr. 164. 166. Bei
Boguphal p. 62 steht Barnyn dux Slavorum seu Caschuba-
rum; vgl. Sell Gesch. v. Pom. B. I. S. 202 — 203. — Jaromar
Fürst von Rügen hatte Suantepolc's Tochter Elisabeth schon 1241 ge=
heirathet.

1) Dieses wenigstens könnte von Kantows Nachricht B. I. S.
240 das Wahre seyn.

2) *Boguphal* p. 61. *Dlugoss.* T. I. p. 694 und 698 nennt
als Kriegsvölker des Herzogs Conrad Masoviti, Lithuani, Jaczwingi
et caeteri barbari. Daß aber unter den caeteris barbaris auch
Preussen zu suchen sind, ersehen wir aus *Raynald.* ann. 1244 Nr. 51,
wo ihrer ausdrücklich erwähnt wird.

Das ganze flache Land ward abermals wie eine Einöde, und
was nicht zum Raube diente, ward mit roher Wuth vertilgt
und durch Feuer vernichtet; je wilder und grausamer jene östlichen Völker als Feinde waren, um so jammervoller das
Schicksal der Bewohner des Kulmischen Gebietes, die sich
nicht in die wenigen Burgen des Landes hatten flüchten können.
So wurden die meisten vom Feinde erschlagen oder in Heerden von Gefangenen hinweggetrieben. Nur was sich in die
drei festen Burgen zu Thorn, Rheden oder Kulm hatte retten können, entging dem schrecklichen Loose [1]).

Dieser Einfall ins Kulmerland war so schnell und unerwartet geschehen und die Kriegsmacht des Ordens auch jetzt
noch so gering und zerstreut, daß es den Ordensrittern nicht
möglich gewesen war, dem Feinde sogleich mit der nöthigen
Kraft entgegen zu treten. Zwar war nach jener Kreuzpredigt
im Jahre 1243 ein neuer Haufe von Kreuzfahrern schon im
Frühling des Jahres 1244 herangezogen; allein dieser lag
lange Zeit unthätig im Lande des Herzogs von Cujavien, im
Mai dieses Jahres durch die Begünstigung des Papstes erfreut, daß während ihres Kampfes mit den ungläubigen
Preußen die Familien und Güter aller Pilgrime unter dem
Schutze der Römischen Kirche stehen und gegen allen Schaden gesichert bleiben sollten [2]). Dieses Kriegsvolk, vielleicht
bisher bestimmt, Cujavien gegen jene Raubhorden zu schützen,
wurde erst herbeigerufen, sollte bei Thorn über die Weichsel
ziehen und mit den Kriegsleuten aus Thorn vereinigt gegen
Kulm eilen, um dort den Heerhaufen der Ordensritter ver-
stärkend dem Feinde entgegen zu gehen.

Mittlerweile aber war Suantepolc, mit diesem Plane des

---

1) *Dusburg* l. c. Chron. Oliv. p. 19. Lucas David B.
III. S. 67. Ordens=Chron. S. 39. *Schütz* p. 22. *Boguphal.* p. 61.
2) Die Bulle hierüber im Original im geh. Arch. Schiebl. III.
Nr. 16. Sie ist datirt: Lateran. XIIII Cal. Junii p. n. an. I.
(19. Mai 1244) und zugeschrieben Nobili viro Kazimiro Duci
Cuiavie et aliis crucesignatis contra Prutenos per Ducatum
Cuiavie constitutis.

Sûden herabfließt. Im Oſten dieſes Sees [1]) ſteigt aus der
Ebene eine Anhöhe empor, die einzig in der Umgegend einſt
weit beträchtlicher geweſen ſeyn mag, da ſie jetzt als Acker=
land bepflügt noch von Jahr zu Jahr an ihrer Höhe verliert.
Sûdwärts von ihr breitet ſich ein weiter Wieſengrund aus,
der weſtlich hin an dem See endigt, noch jetzt faſt überall
moraſtiges Bruchland und in jener Zeit von modigem, faulem
Waſſer tief durchfreſſen. Weiter hinauf gen Süden zieht ſich
in einer großen Ebene feſtes Erdreich, in der Ferne von einer
ziemlich hohen Bergkette begränzt [2]), die ſich von Oſten her
bis gegen die Weichſel ausdehnt. Hier, auf dieſem feſten
Gelände hatte ſich ohne Zweifel Herzog Suantepolc durch
nahe Waldungen umſchloſſen mit ſeinem Kriegsvolke gelagert:
im Weſten der breite Weichſel = Strom und zunächſt der See
Renſen, vor ihm gen Norden das moraſtige Bruchland, im
Oſten mehre Seen, von denen der Rudnicker der bedeutendſte
war, wenige Meilen entfernt die Burg Rheben, deren Kriegs=
mannſchaft leicht zu Hülfe gerufen werden konnte. In ſol=
cher Lage des Feindes vertrauten die Ordensritter mit aller
Sicherheit auf den Sieg.

Eiligſt hatte der Ordensmarſchall das Aufgebot zum
Kampfe auch an die Kriegsleute in Thorn ergehen laſſen.
Ihre Ankunft aber ward nicht erwartet. Die glückverheißende
Stunde mußte benutzt werden. Noch in derſelbigen Nacht
bricht der Ordensmarſchall Berlewin mit vierhundert Mann
und ſeinen Ordensrittern aus Kulm auf und eilt dem Feinde
nach, begleitet von dem alten, tapferen Marſchall Dieterich
von Bernheim, dem Sieger bei Zartowitz, der auch an die=
ſem Siege den Ruhm mit erndten wollte. Als ſie jene ſüd=
liche Bergreihe überſtiegen hatten und des Feindes Lager
ſchon ziemlich nahe waren, hielt man eine Berathung, wie
der Angriff am glücklichſten geſchehen könne. Da war der
alte, erfahrene Dieterich der Meinung, man müſſe vor allem

---

1) Sûdwärts von dem jetzigen Dorfe Rondſen.
2) Dieſer Bergkette erwähnt bei dieſer Gelegenheit auch die Or=
bens = Chron. S. 39.

des gestanden. Sie hatten Zeit gewonnen, hindurch zu kom=
men, und als die Ordensritter den Sieg schon vollendet glaub=
ten und ihr Heerhaufe noch hie und da zerstreut war, traf
der Ordensmarschall auf jener Anhöhe neben dem Gebrüche
eine feindliche Schaar von viertausend Preussen zum Kampfe
geordnet. Sobald sie den Marschall mit der Heerfahne von
nur drei und zwanzig Kriegsmännern begleitet gewahrten,
stürzten sie im wildesten Sturme auf ihn ein und erschlugen
ihn mit all den Seinen. Dadurch ermuntert wandten sie
sich eiligst auch gegen die übrige Mannschaft, die zerstreut
und ermüdet keinen Widerstand mehr leisten konnte, so daß
sie von des Feindes stärkerer Macht in kurzem völlig aufge=
rieben, auch der andere Marschall, der tapfere Dieterich von
Bernheim, erschlagen und nicht mehr als zehn [1]) von der gan=
zen Schaar durch die Flucht in die nahe Waldung gerettet
wurden.

Nun erst kamen die Ordensritter aus Thorn heran mit
zweihundert Kriegsleuten. Es war die Stunde, welche der
Ordensmarschall ihnen vorgeschrieben hatte. Und als sie dem
Kampfplatze näher rückten, hörten sie ein wildes Schlachtge=
schrei. Da sprach ihr Anführer: „Das sind unsere Herren,
die mit den Heiden streiten. Lasset uns auf seyn, noch Theil
zu nehmen am Kampfe!" Sie zogen schnell heran. Als sie
aber keinen der Ihrigen mehr fanden und alle erschlagen sa=
hen, ergriffen sie eiligst die Flucht, erschreckt durch das jam=
mervolle Schicksal der Besiegten. Doch die Feinde wurden
ihrer gewahr; ein starker Heerhaufe von Preussen setzte ihnen
nach; ein großer Theil ward auf der verwirrten Flucht er=
schlagen und nur eine geringe Zahl kam gerettet nach Thorn
zurück [2]).

---

1) Die Ordens = Chron. bei *Matthaeus* l. c. hat hier die Zahl
LXX, das Mscr. dagegen nur zehn. Kantzow B. I. S. 241
giebt 20 an.

2) Den vollständigsten und gewiß auch wahrhaftesten Bericht über
die Schlacht giebt *Dusburg* P. III. c. 40, ihn ergänzend und im
einzelnen verdeutlichend sein Epitomator und Jeroschin L. III. c. 40.

Allein er fand es anders; denn als er der Stadt näher kam, sie zu erstürmen, sah er die Mauern Kulms ringsum von Vertheidigern besetzt, die mit kräftigem Muthe dem Anfturm widerstanden. Es waren die Frauen von Kulm, welche die zurückgelassene Rüstung und Kleidung ihrer gefallenen Männer angethan, sich unter die übrigen Krieger gestellt hatten und mit männlichem Heldengeiste die Stadt vertheidigten [1]). Da verzweifelte der Herzog an der Eroberung derselben, ließ im Zorne die Gefangenen, von welchen er sich getäuscht hielt, sämmtlich ermorden und griff zum Mittel der List und des Verrathes, um sich der Stadt zu bemeistern und seinen Sohn zu befreien.

Es war am vierten Tage nach dem Kampfe beim Rensen=See, als er heimlich einen Boten in die Stadt entsandte mit Briefen an den Schultheißen Reinecke [2]) und einige andere vornehmere Bürger, denen der Herzog hohe Belohnungen entbieten ließ, sofern sie seinen Sohn ihm frei stellen würden. Man nahm den Boten mit seinen Briefen auf, ohne daß der Komthur der Burg Eberhard um Erlaubniß gefragt oder auch nur davon benachrichtigt ward. Da ließ ein betagter Bürger

---

1) Die Sache berichtet *Schütz* S. 22, der sie ohne Zweifel aus alten Quellen hatte und außer ihm Henneberger p. 50. Wir finden keinen Grund, an ihrer Wahrheit zu zweifeln. Daß *Dusburg* sie nicht berührt, zeugt nicht wider sie; er ist häufig sehr unvollständig. Er schiebt hier c. 41 lieber eine Wundererzählung an ihrer Stelle ein. Uebrigens lebt die Erzählung von der heldenmüthigen Vertheidigung der Stadt durch die Frauen auch noch jetzt im Munde des Volkes von Kulm.

2) Die Ordens=Chron. S. 39 und Lucas David B. III. S. 76 nennen den damaligen Schultheißen von Kulm Reinecke. In Urkunden finden wir zwar den Scultetus Civitatis Culmensis Bertoldus genannt und zwar auch noch im Jahre 1244; allein dieser war der Vorgänger des Bürgermeisters Reinecke und um diese Zeit seines Amtes bereits entlassen. In der Urkunde bei Kotzebue B. I. S. 422 kommt unser Reineco Scultetus Culmensis auch noch im Jahre 1246 vor und es ist also gewiß, daß er die Bürgermeisterwürde schon im Laufe des Jahres 1244 erhalten hatte.

Es schien allen am heilsamsten, Suantepolc's Sohn in fol=
gender Nacht heimlich nach der Burg Zartowitz zu bringen,
damit niemand wisse, wo er hingekommen sey, denn sie trau=
ten der Treue der Bürger nicht. Der Rath ward ausgeführt.
Mit dem Tode bedroht, wofern er einen Laut wage, wurde
der junge fürstliche Sohn im Dunkel der Nacht über die
Weichsel gesetzt und dem Hauptmanne auf Zartowitz zu siche=
rem Verwahrsam übergeben. Niemand als die Ritter zu Kulm
und auf Zartowitz wußte, wo Mistwin hingebracht sey. Und
als nun des andern Tages der Schultheiß von Kulm wieder
auf der Burg erschien, gab ihm der Komthur die Antwort:
„Haltet euch mit eueren Bürgern, wie es ehrbaren und ge=
treuen Leuten ziemt; stellt euch zur Wehr gegen die Heiden,
wie euere Vorfahren gethan. Neiget ihr euch aber zu Her=
zog Suantepolc, so wisset, daß wir die ersten sind, die euere
Stadt verderben. Bewahret euere Mauern, wie wir die Burg
bewahren! Bald wird uns Hülfe aus Deutschland kommen,
wohin der Landmeister gezogen ist. Wisset übrigens, Herzog
Suantepolc's Sohn ist nicht mehr hier auf der Burg; wir
haben ihn nach fremden Orten entsandt, wo weder ihr, noch
wir ihn haben können." Als solches der Schultheiß vernahm,
bat er den Komthur, daß er dieses auch dem Herzoge melden,
und sobald als möglich Friede schließen möge. Dann ging er
in die Stadt zurück und ließ die Mauern mit neuen Verthei=
digern stark besetzen [2]).

---

1) Diese ganze Erzählung giebt nicht bloß die Ordens=Chron. S.
39 — 41, bei *Mathaeus* p. 718 — 721 und aus ihr fast wörtlich
Lucas David B. III. S. 76 — 80 und Waißel S. 67 — 70,
sondern sie findet auch eine Bestätigung bei *Boguphal* p. 61, wo es
heißt: Anno MCCXLIV Swanthopelk dux et proditor memo-
ratus Zarthaniam Culmensem dolo quorundam pecunia cor-
ruptorum succendi fecit. Diese Stelle aber ist offenbar verdorben
und giebt so, wie sie ist, keinen Sinn; denn was soll Zarthania
Culmensis eigentlich seyn? Wir kennen im Kulmerlande weder eine
Stadt, noch einen Landstrich unter dem Namen Zarthania. Aufschluß
hierüber giebt uns ein altes Manuscript des *Boguphal* (im geh. Arch.)
worin es statt Zarthaniam Culmensem heißt: Zarthaniam et Culmensem. Zarthania soll nun ohne Zweifel Zartowitz seyn, und es

mand, scheint es, stellte sich ihm zur Gegenwehr. Während
er somit dort das ganze Land mit gewohnter Verheerung
heimsuchte, die heidnischen Preussen weder Göttliches noch
Menschliches schonten, viele Christen ermordeten, andere in
Heerden als Gefangene mit sich fortschleppten und Brand
und Verwüstung das allgemeine Loos war [1]), dem nichts
entgehen konnte, durften es die Ordensritter im Kulmerlande
zuerst wiederum wagen, ihre Burgen zu verlassen. Ueberall
aber, wo sie hin kamen, begegneten ihnen nur Bilder des
Elends und des Jammers, entvölkerte Gebiete, verwüstete
Felder, vernichtete Dörfer, zerstörte Kirchen und wo noch
Menschen waren, diese mit Hunger und Verzweifelung käm-
pfend. Die ganze Blüthe des Kulmischen Landes war dahin,
alle Keime des Wohlstandes waren zertreten [2]) und alle An-
fänge christlich-deutscher Bildung wie in Nichts verwandelt.
In Kulm selbst waren fast nur allein noch Greise, Knechte,
Wittwen und Kinder vorhanden, so daß der Bischof Heidenreich die Frauen ermahnen mußte, sich mit ihren Knechten zu
verehelichen, damit die Stadt gegen den Feind neue Vertheidiger und Bürger gewinne [3]).

Bald aber kehrte der Herzog mit seiner wilden Schaar
aus Cujavien ins Kulmerland zurück und durchzog es von
neuem bis herab unter Kulm, wo er mit seiner Beute über
die Weichsel zu gehen gedachte. Mit zweitausend Mann an
dem Strome gelagert, erwartete er die Fahrzeuge, die von
Thorn herabkommend ihn nach Pommern übersetzen sollten.
Da ermannte sich das Volk im Kulmerlande; Edle und Bürger traten in Kulm zusammen mit dem Verlangen an die Or-

---

1) *Boguphal* p. 61 nennt vorzüglich die Preussen als des Herzogs Heer; *Dlugoss.* T. I. p. 700 — 701 giebt auch Litthauer und
Jaczwinger an. *Schütz* p. 22. Lucas David B. III. S. 83.

2) *Dusburg* P. III. c. 40 am Ende.

3) Chron. Oliv. p. 29: Ex hac caede multae factae fuerunt
viduae in Culmen, sed ne civitas destituta viris in manus hostium devolveretur, mulieres servos suos duxerunt in maritos.
Dusburg P. III. c. 42. Lucas David B. III. S. 75.

Der Sieg jedoch, so erfreulich und ermuthigend er auch war, konnte noch keineswegs mit leichtem Herzen gefeiert werden. Er hatte das Land und den Orden nur aus der nächsten Bedrängniß gerettet, aber bei weitem noch nicht von aller Gefahr befreit. Vielmehr wie konnte der ergrimmte Her=zog die erlittene Schmach ohne Rache und ohne eine blutigere Vergeltung lassen, als er sie jemals an den Ordensrittern ge=übt hatte? Und wie konnten diese Ritter ohne Kriegsvolk, ohne Führer, ohne Beihülfe, fast ohne Land in ihrer schwa=chen Zahl solcher Rache nur irgend lange widerstehen? War es nicht wunderbar, daß sie jetzt so noch bastanden? Schon in dem letzten Streite hatten sie das Aeußerste auf das Spiel gesetzt; fast war nichts mehr zu verlieren, als Leben und Da=seyn und nur noch eine verlorne Schlacht — und Preussen mußte für sie verloren seyn [1]). Das erkannten Alle und man hielt deshalb auf der Burg zu Kulm eine Berathung, zu welcher die angesehensten und erfahrensten Ritter aus Thorn und Rheden berufen waren. Da trat zuerst der Ordensbruder Rabe von Rheden, dessen Klugheit und Umsicht allbekannt war und dessen Urtheil und Meinung man immer gerne befolgt hatte, mit dem Rathe auf: Es sey nicht gut, daß die wich=tige Geißel, Herzog Suantepolc's Sohn länger auf Zarto=witz bleibe; wie leicht werde das Geheimniß verrathen; besser, man sende ihn nach Deutschland, am besten in den Verwahr=sam des Herzogs Friederich des Streitbaren von Oesterreich, dieses hohen Gönners des Ordens [2]). Aber zugleich müsse man auch Boten nach Deutschland, Böhmen und Polen aus-

---

ante civitatem Colmensem vor et factum est proelium magnum inter eos pluribus cadentibus ex utraque parte. Chron. Oliv. p. 29. Lucas David B. III. S. 81 — 82. *Schütz* p. 22.

1) „Fratres attendentes, quod si iterum invaderent exer-citum illum et perderent victoriam, sine spe recuperationis amitterent terram Pruschiae, et fides Christi ibi per conse-quens deleretur. *Dusburg* l. c.

2) Herzog Friederich hatte sich schon im Jahre 1240 als Gönner des Ordens bewiesen; s. *Duellius* P. III. p. 6.

meister Gerhard von Malberg war nämlich im Orden viel
Unheil und arge Feindschaft und Hader erregt worden. Wäh=
rend der ersten Jahre seines Meisterthums hatte er sich fast im=
mer in Italien aufgehalten; und wenn wir auch über seine Wirk=
samkeit in Beziehung auf den Orden nur äußerst wenig un=
terrichtet sind, so finden sich doch Spuren, daß ihn in den
ersten Zeiten seines Meisterthums nicht bloß der Kaiser in
hoher Achtung hielt und ihn öfter mit wichtigen Aufträgen
beehrte, sondern auch die Zuneigung und das Vertrauen des
Römischen Hofes ihm keineswegs entging.

Der Papst nämlich hatte seit seiner Wahl dem Meister
und dem Orden die manchfaltigsten Beweise seiner besonderen
Theilnahme, seiner Gunst und Zuneigung und seiner hohen
Achtung gegeben. Er hatte nicht nur des Ordens Gesetze und
Verfassung besser geregelt und näher bestimmt, manches in
veralteter Form nach den neuen Verhältnissen verändert, son=
dern auch seine Freiheiten und Gerechtsame in vielen Fällen
in Schutz genommen, mit kräftigem Willen vertreten und
aufrecht erhalten. So schrieben die Ordensgesetze manche Be=
stimmungen vor, deren Befolgung den Ordensbrüdern jetzt
theils kaum mehr möglich, theils wenigstens höchst schwierig
und lästig war. Dahin gehörten z. B. die Verordnungen,
daß jeglicher, der in den Orden aufgenommen seyn wollte,
zuvor dem Orts=Bischofe vorgestellt werden und dann auch
noch eine Pilgerfahrt ins Morgenland unternehmen mußte,
um sich so als des Ordens würdig zu beweisen [1]); daß ferner
die Ordensbrüder am vierten Wochentage Fleisch essen, wo=
fern sie sich dessen am vorhergehenden Tage wegen eines Fe=
stes enthalten hatten, an drei Tagen der Woche dagegen nur
Hülsenfrüchte und Milchspeisen in zwei oder drei Gerichten ge=
nießen durften [2]). So war in der frühesten Zeit des Ordens, als

---

1) In der päpstlichen Bulle heißt es: In vestra sicut audivimus
regula continetur, quod hii qui volunt in vestra fraternitate
recipi, debent locorum Episcopis presentari et tandem partes
transmarinas adire, ut si eorum vita sit digna collegio a Magistro et fratribus admittantur.

2) Ebendaselbst heißt es: Dicitur etiam in eadem (regula),

des Ordens genauer [1]). — Was des Ordens Freiheiten und Gerechtsame anlangte, so bestätigte er sie nicht bloß in ihrem ganzen Umfange, wie Kaiser, Könige und Päpste sie gegeben hatten [2]), sondern er nahm den Orden auch gegen die noch immer fortdauernden Befehdungen und Eingriffe der Geistlichkeit in seine Rechte bei jeglicher Gelegenheit in Schutz, verbot z. B. aufs neue allen Prälaten, die Brüder des Ordens oder dessen Priester mit kirchlicher Ausschließung und mit dem Interdict zu bestrafen, indem der Orden keinen andern Richter über sich zu erkennen habe, als nur allein den Papst [3]). So drang er bei der hohen Geistlichkeit auch auf ernstlichere und strengere Bestrafung aller derer, welche dem Orden in irgend einer Weise Schaden und Unrecht zugefügt [4]); und da seit einiger Zeit es Sitte geworden war, daß vornehme

---

1) Das Original dieser Bulle, datirt: Lateran. Idib. Febr. p. n. an. I. (13. Febr. 1244) im geh. Arch. Schiebl. III. Nr. 12; in Abschrift im großen Privilegienb. p. 36. 67; im kl. Privilegienb. p. 89. 123. Der Inhalt wird späterhin näher berücksichtigt werden. Gedruckt steht jene Bulle bei *De Wal* Recherches T. II. p. 351.

2) Die Bulle hierüber in einem Transsumt vom J. 1412 im geh. Arch. Schiebl. III. Nr. 13 und im großen Privilegienb. p 37; sie ist datirt: Lateran. III. Calend. April. p. n. an. I. (30 März 1244).

3) Die Bulle in einem Transsumt vom Jahre 1278 im geheimen Arch. Schiebl. III. Nr. 14, datirt Lateran. Id. Maii p. n. an. I. (15. Mai 1244); Abschrift im großen Privilegienb. p. 19, hier aber mit dem Datum: Lateran. XII. Calend. Maii p. n. ann. I. (20. April). Mit diesem Datum auch in einem Transsumt in der Schiebl. XVII. Nr. 12.

4) Ein Transsumt von dieser Bulle im geh. Arch. Schiebl. XVII. Nr. 12 und 14; eine Abschrift im kleinen Privilegienb. p. 41. datirt: Lateran. X. Cal. Maii p. n. an. I. (22. April 1244). — Daß auch jetzt wieder von betrügerischen Menschen das schwarze Ordenskreuz der Deutschen Ritter gemißbraucht wurde, um Almosen zu sammeln und den Orden wie den Geber zu hintergehen, sehen wir aus einer Bulle dieses Papstes bei *Duellius* P. II. p. 6 — 7, worin er diesen Mißbrauch streng untersagt. Ein Transsumt dieser Bulle vom J. 1418 befindet sich im geh. Arch. Schiebl. XVII. Nr. 12.

mung des Ordens im Abendlande gegen ihn auszuweichen. Aber auch dort erlaubte er sich Vergehungen und ließ sich zu Handlungen hinreißen, die dem Orden nicht bloß zu bedeutendem Schaden gereichten, sondern selbst der Ehre und dem guten Rufe der Ordensritter großen Eintrag thaten.[1]). Da traten die Vornehmsten unter diesen zu einem Kapitel zusammen, erklärten ihn des hehren Meisteramtes für unwürdig und nöthigten ihn auf der Ordensburg Montfort, wo sich Gerhard hingeflüchtet hatte, durch die Aushändigung seines hochmeisterlichen Siegels sein Meisteramt niederzulegen[2]). Für den Augenblick fügte sich Gerhard in die Verhältnisse. Bald darauf aber ließ er sich ein neues Amtssiegel verfertigen, um sich in solcher Weise neue Geldsummen zu verschaffen[3]), erwarb sich Anhang unter den dortigen Ordensbrü-

---

1) Wir wissen nicht genau, welche Vergehungen sich Gerhard zu Schulden kommen ließ; wenn aber der Papst in der Bulle bei *De Wal* l. c. p. 366 sagt: sine vestro gravi scandalo non poterat in Ordine remanere, und dann: Vos itaque de huiusmodi duri casus angustia feliciter expediti, so dürfen wir auf starke Gesetzwidrigkeiten schließen, welche Gerhard begangen haben muß.

2) Frater Gerardus quondam magister - vobis in castro vestro Monteforti suum magisterium resignavit, autentico et perpetuo sigillo Magistri, quod habuerat, juxta morem super altari dimisso, heißt es in der päpstlichen Bulle Nr. 4 bei *De Wal* l. c.; aber gewiß geschah die Abdankung nicht freiwillig; das beweiset der weitere Verlauf der Sache. Ohne Zweifel geschah die Absetzung in Uebereinstimmung mit den Ordensbrüdern im Abendlande; doch ist es nicht erweislich, daß in dem nämlichen Ordenskapitel auch sogleich Gerhards Nachfolger erwählt worden sey, wie *De Wal* l. c. p. 268 anzunehmen scheint. Möglich aber wäre, und nach der Bulle Nr. 4 bei *De Wal* (besonders wegen der letzten Worte über die Zahlung der 400 Mark) ist es selbst das Wahrscheinlichste, daß Gerhard schon in einem Kapitel in Deutschland für abgesetzt erklärt wurde und darauf erst ins Morgenland entfloh, wo er gezwungen ward, sein Amtssiegel auszuliefern.

3) Darüber die päpstliche Bulle bei *De Wal* l. c. Nr. 4. Wir finden sie auch in dem Bullenverzeichnisse im geh. Arch. Schiebl. XVII. Nr. 30 mit den Worten angegeben: De magistro Gerardo magistro vestro, qui resignavit, ut non teneamini solvere debita

zum Schaden des Ordens von jenem unrechtmäßigen Siegel
Gebrauch gemacht und der Orden erhob nachmals mancherlei
Ansprüche an Gerhards Söhne Dieterich und Otto wegen
Rückzahlung einer gewissen Geldsumme. Die Söhne dagegen
machten Ansprüche an den Orden wegen verschiedener Güter,
welche der Vater jenem beim Eintritt in den Orden überge=
ben hatte; so entstand zwischen ihnen ein Streit, der erst
funfzehn Jahre nach Gerhards Austritt aus dem Orden durch
einen schiedsrichterlichen Ausspruch des Bischofs Heinrich von
Lüttich beigelegt werden konnte [1]) Ob Gerhard damals selbst
noch gelebt habe, ist ungewiß [2]). Er hat sich, so viel die Ge=
schichte von ihm weiß, wenige Verdienste um den Orden er=
worben, denn die Gunst, welche Friederich des Zweiten Sohn,

---

litie Templi de vestra domo *confugiens,* sibi de novo *temere*
fecit fabricari sigillum. Vgl. hierüber *De Wal* l. c. p. 271.

1) Auszüge aus den diesen Streit betreffenden Urkunden theilt
Bachem in der Vorzeit von Justi Jahrg. 1824 S. 311 — 316 mit.
Aufschluß über diese mageren Auszüge erhält man aber nicht. Entwe=
der betraf der Streit die Schulden, welche Gerhard nach seiner Abban=
kung noch gemacht hatte und um die man sich nun an seine Söhne
hielt, oder der Orden verlangte die 400 Mark zurück, von denen es in
der Bulle bei *De Wal* l. c. Nr. 4. p. 368 heißt: presertim cum
tu fili magister sibi (Gerardo) apud sedem apostolicam qua-
dringentas marcas argenti dederis pro suis debitis persol-
vendis.

2) Bachem in s. Chronol. der Hochmeister p. VIII. und *De
Wal* Recherches T. II. p. 247 liefern aus dem Liber Anniversar. die Angabe: 29. Novembr. obiit frater Gerardus de
Malberg, Magister Sextus. Das Jahr ist dabei, wie gewöhnlich,
nicht angegeben. Baczko a. a. O. S. 15 scheint geneigt, das Jahr
1244 als Gerhards Todesjahr anzunehmen; unmöglich! Sollte denn
der Papst am 17ten Januar (nicht am 1sten Januar, wie Baczko
hat) 1245, an welchem er für Gerhard die Bulle ausfertigte, den Tod
desselben noch nicht gewußt haben? Ohnedieß streitet gegen das Jahr
1244 auch jene päpstliche Bulle super receptione, denn sie ist im
dritten Jahre des Pontificats des Papstes, also 1245 — 1246, gege=
ben, als Gerhard in den Tempelorden aufgenommen war. Es ist wahr=
scheinlich, daß Gerhard im Morgenland blieb und dort auch starb.

Dieſer Heinrich von Hohenlohe war der Sohn des Gra=
fen Gottfried von Hohenlohe, welcher vom Kaiſer Heinrich
dem Sechsten immer mit ausgezeichneter Gunſt beehrt, mit
reichen Gütern in Italien beſchenkt, zum Vollſtrecker ſeines
Teſtamentes und zum Vormunde ſeines Sohnes Friederich,
des nunmehrigen Kaiſers erwählt worden war. Seine Mut=
ter war Anne, eine geborene Landgräfin von Leuchtenberg [1]).
Zwei Brüder, Gottfried und Conrad, der Stifter der Braun=
neckiſchen Linie dieſes Hauſes [2]), ſtanden ihm an Jahren vor;
ein dritter Bruder Friederich war jünger als er [3]). Schon
in ſeinen Jünglingsjahren erfüllten die Ritter vom Deutſchen
Orden ſeine ganze Seele, denn ſein Stammhaus zeichnete
ſich von jeher durch hohe Gunſt und Zuneigung gegen den
Orden aus. Da ſein Vater ſtarb und er zu dem Alter her=
angereiſt war, welches die Geſetze des Ordens zur Aufnahme
in die Zahl der Ritterbrüder feſtgeſtellt, beſchloß er mit ſeinem
jüngeren Bruder Friederich und ſeinem Brudersſohne Andreas,
in den ritterlichen Verein der Ordensbrüder einzutreten. So
ſchenkten ſie im Jahre 1219 mit Einwilligung ihrer älteren

Bertha war die Schweſter des Großvaters unſeres Heinrichs von Ho=
henlohe.

1) Hanſelmann a. a. O. S. 352.

2) Es iſt unrichtig, wenn Bachem Chronol. der HM. S. 16
Heinrich von Hohenlohe aus der Braunneckiſchen Linie abſtammen
läßt, wie ſchon *Conr. Hess* Disc. inaug. histor. pol. vitis Magi-
stror. Ordinis Teut. nach den Preuſſ. Samml. B. II. S. 212 und
Duellius P. I. p. 15 ausweiſen. Conrad von Hohenlohe nennt ſich
zuerſt Conrad von Brauneck, weil er nach der Landestheilung auf
Brauneck wohnte; ſo in einer Urkunde vom J. 1245 bei *Lang* Regesta Boica T. II. p. 363, wo Gotefridus de Hohenlohe et frater eius Cunradus de Brunecke unter den Zeugen ſtehen; vgl.
ibid. p. 415. Die Bemerkung in *Guden.* Cod. diplom. T. II. p.
281, auf welche ſich Bachem bezieht, beweiſet nichts.

3) Man darf ſich in der Geſchichte dieſer Familie durch die Menge
gleicher Taufnamen nicht irre führen laſſen. So iſt der bei *Lang* l.
c. T. I. p. 361. II. p. 33. 35. 41 in den Jahren 1194 — 1209 vor=
kommende Heinrich von Hohenlohe nicht der unſerige, ſondern der
Sohn des Crafto von Hohenlohe. S. Hanſelmann B. I. S. 360.

Komthurs vom Deutschen Hause in Deutschland seit dem
Jahre 1231 oder 1232 verwaltete [1]) In diesem Amte hätte
er drei Hochmeister des Ordens vor sich vorüber gehen gesehen
und die wichtigsten Zeitereignisse durchlebt. Sie waren nicht
ohne großen Einfluß geblieben auf seine Erfahrung in den
Welthändeln, auf die Reife seines Urtheils, auf die Gewandtheit und Klugheit seines Geistes; dabei aber war ihm stets
die Biederkeit des Charakters und die Bescheidenheit und Demuth der Gesinnung eigen geblieben, die dem geweihten Ordensritter geziemte; und diese Eigenschaften hatten ihm beim
Kaiser und bei dem Papste, bei Königen und Fürsten, wie
nicht minder bei seinen eigenen Ordensbrüdern Liebe und
Verehrung erworben.

Als daher im Jahre 1244 durch Gerhards von Malberg
Abdankung der Stuhl des Hochmeisters erledigt war, fand
man unter der Zahl der vornehmsten Ordensritter keinen
würdigeren für das hohe Amt als den Meister von Deutschland, und die Stimmen der Wählenden fielen ihm in ungetheilter Zahl zu [2]). So ward Heinrich von Hohenlohe als

---

1) Wir finden Heinrichen zuerst im J. 1232 als Deutschmeister
unter der Benennung Commendator domus Theutonicae per
Alemanniam bei *Lang* l. c. p. 215, dann öfter bei Hanselmann
Beil. Nr. 21 S. 396. Nr. 31. p. 404 u. f. w. Früher war der Titel
Praeceptor Alemanniae noch nicht gewöhnlich; aber Heinrich führte
ihn. Den Titel Archi - Commendator, welchen Hanselmann S.
359 anführt, haben wir in Urkunden nicht gefunden. Vgl. über diese
Amtsbenennungen *De Wal* Recherches T. I. und II. p. 275.

2) Die abgeschmackte Mönchserzählung, welche von Simon Grunau Tr. V. c. 11. §. 1 und 2 über die Uneinigkeit und Spaltung
bei der Wahl Heinrichs von Hohenlohe zuerst beigebracht und dann von
allen Preussischen Geschichtschreibern nachgeschrieben worden ist, würde
längst als eine Erdichtung des Mönchs aus der Geschichte ausgestrichen
seyn, hätte man nur irgend Simon Grunau's kritischen Werth einigermaßen würdigen wollen. Wer jene Erzählung kennen lernen will,
findet sie im Wesentlichen bei Pauli B. IV. S. 77. Preuß. Sammlung. B. II. S. 199. Baczko B. I. S. 215. Histoire de l'Ord.
Teut. T. I. p. 356. Kotzebue B. I. S. 191. Sie vereint aber
alles in sich, was sie zu einer von Simon Grunau erdichteten Fabel

Brüder und unter Bestätigung des Kaisers Friederich, dessen Beifall sie hiedurch erwarben, dem Orden alle ihre Besitzungen [1]), übergaben ihm dann auch Mergentheim [2]) und
traten darauf nach der damals noch bestehenden Forderung [3])
eine Pilgerschaft ins Morgenland an. Nach ihrer Heimkehr
im Jahre 1220 wurden sie mit dem Ordensmantel bekleidet [4]). Bei dem Hochmeister Hermann von Salza stand
Heinrich von Hohenlohe in vorzüglicher Liebe und Achtung;
es beweiset dieses schon seine baldige Erhebung zum Meister
in Deutschland, welche Würde Heinrich nach dem Abgange
des Deutschmeisters Dieterich [5]) unter dem Namen eines

1) Urkunde bei Hanselmann B. I. Beil. Nr. 13. S. 373. Die
Schenkung wurde vom Kaiser und vom Bischofe Otto von Würzburg
durch besondere Urkunden bestätigt. Jener nennt die beiden Brüder
dilecti nostri Nobiles Pueri. S. die Urkunde bei Hanselmann
a. a. D. Auch über die Schenkung des Andreas von Hohenlohe ist
eine kaiserl. Bestätigungsurkunde von dem nämlichen Datum: Hagenau 1220, mense Januar. vorhanden. Die Schenkung geschah also
schon 1219; aber im Mai 1219 war Heinrich von Hohenlohe noch
nicht Ordensbruder, wie aus Lang. l. c. T. II. p. 95 hervorgeht.

2) Duellius P. I. p. 16 nach Conr. Hess l. c., welcher das
Mergentheimer Archiv benutzte. Hanselmann B. I. S. 247. De
Wal Histoire de l'Ord. Teut. T. I. p. 473.

3) Die päpstl. Bulle sagt von den in den Orden Aufzunehmenden:
debent partes transmarinas adire, und für die ersten Zeiten galt
diese Bestimmung ziemlich streng.

4) Hanselmann B. I. S. 358. Einige nennen statt Friederichs den Andreas von Hohenlohe einen Bruder Heinrichs, der ihn ins
Morgenland begleitet habe. Dieser Andreas aber war ein Sohn Conrads, des Stifters der Braunockischen Linie. Wir wissen aus Urkunden, daß er ebenfalls 1220 in den Orden trat und diesem seine Güter
schenkte; er kommt in den Jahren 1230 — 1247 in Urkunden bei
Hanselmann B. I. Nr. 21. 30. 269 vor, und war zuletzt Komthur
in Mergentheim, wo er 1269 starb und begraben liegt; s. Hanselmann B. I. S. 360.

5) Dieser Dieterich kommt als Deutschmeister im J. 1231 in einer
Urkunde bei Lang. l. c. T. II. p. 205 vor; er war wahrscheinlich der
nächste Nachfolger Hermann Balks. De Wal Recherches T. I.
p. 402.

Komthurs vom Deutschen Hause in Deutschland seit dem Jahre 1231 oder 1232 verwaltete[1]) In diesem Amte hätte er drei Hochmeister des Ordens vor sich vorüber gehen gesehen und die wichtigsten Zeitereignisse durchlebt. Sie waren nicht ohne großen Einfluß geblieben auf seine Erfahrung in den Welthändeln, auf die Reise seines Urtheils, auf die Gewandtheit und Klugheit seines Geistes; dabei aber war ihm stets die Biederkeit des Charakters und die Bescheidenheit und Demuth der Gesinnung eigen geblieben, die dem geweihten Ordensritter geziemte; und diese Eigenschaften hatten ihm beim Kaiser und bei dem Papste, bei Königen und Fürsten, wie nicht minder bei seinen eigenen Ordensbrüdern Liebe und Verehrung erworben.

Als daher im Jahre 1244 durch Gerhards von Malberg Abdankung der Stuhl des Hochmeisters erledigt war, fand man unter der Zahl der vornehmsten Ordensritter keinen würdigeren für das hohe Amt als den Meister von Deutschland, und die Stimmen der Wählenden fielen ihm in ungetheilter Zahl zu[2]). So ward Heinrich von Hohenlohe als

---

1) Wir finden Heinrichen zuerst im J. 1232 als Deutschmeister unter der Benennung Commendator domus Theutonicae per Alemanniam bei *Lang* l. c. p. 215, dann öfter bei Hanselmann Beil. Nr. 21 S. 396. Nr. 31. p. 404 u. s. w. Früher war der Titel Praeceptor Alemanniae noch nicht gewöhnlich; aber Heinrich führte ihn. Den Titel Archi- Commendator, welchen Hanselmann S. 359 anführt, haben wir in Urkunden nicht gefunden. Vgl. über diese Amtsbenennungen *De Wal* Recherches T. I. und II. p. 275.

2) Die abgeschmackte Mönchserzählung, welche von Simon Grunau Tr. V. c. 11. §. 1 und 2 über die Uneinigkeit und Spaltung bei der Wahl Heinrichs von Hohenlohe zuerst beigebracht und dann von allen Preussischen Geschichtschreibern nachgeschrieben worden ist, würde längst als eine Erdichtung des Mönchs aus der Geschichte ausgestrichen seyn, hätte man nur irgend Simon Grunau's kritischen Werth einigermaßen würdigen wollen. Wer jene Erzählung kennen lernen will, findet sie im Wesentlichen bei Pauli B. IV. S. 77. Preuss. Sammlung. B. II. S. 199. Baczko B. I. S. 215. Histoire de l'Ord. Teut. T. I. p. 356. Kotzebue B. I. S. 191. Sie vereint aber alles in sich, was sie zu einer von Simon Grunau erdichteten Fabel

Hochmeister des Deutschen Ordens ausgerufen. Seine Wahl
und der Antritt seines Amtes fallen unzweifelhaft in den Sommer des Jahres 1244 [1]).

---

stempelt. Wir verweisen hiebei, um die Reihe der Lügensünden des
Mönchs hier nicht wieder aufzuzählen, auf die Anmerkung bei Pauli
a. a. O. b), obgleich dieser Autor eine, freilich sehr schwach ausgefal-
lene Vertheidigung der Grunau'schen Erzählung zu geben sucht. Wir
können auch hier nicht verhehlen, daß wir Grunau's Nachrichten, die
nur allein bei ihm zu finden sind und durch keine andern bewährten
Quellen bestätigt werden, in der Regel für Erdichtungen halten. Daß
die Wahl Heinrichs in Palästina erfolgt sey, wie De Wal Recherches T. II. p. 277 will, ist nicht erweislich. Daselbst hat De Wal
die Mönchserzählung Grunau's gründlich widerlegt.

1) Ueber die Ermittlung der Zeit, wann Heinrich von Hohenlohe
zum Hochmeister erwählt worden, ist früher viel geschrieben worden; s.
Preuss. Sammlung, B. II. S. 198. Bayer im gelehrt. Preuss. Th.
IV. S. 199. De Wal Histoire de l'Ord. Teut. T. I. p. 478.
Jetzt ist nach den mitgetheilten Urkunden gar kein Zweifel mehr, daß
das schon von Pauli B. IV. S. 77 angenommene Jahr 1244 das
richtige ist. Die Hauptursache der früheren Verwirrung lag darin, daß
man den Vorgänger im Amte Gerhard von Malberg gar nicht kannte
und diese Lücke ausfüllen wollte. So viel scheint indessen gewiß, daß
Heinrich von Hohenlohe im Augenblick seiner Wahl nicht mehr Meister
von Deutschland war. Schon Bachem Chronol. der HM. p. X.
machte auf eine Urkunde aus dem Jahre 1243 aufmerksam, in welcher
ein Frater Bertholdus de Thannenrode, Preceptor domus Teu-
tonice in Alemannia genannt wird; er trug freilich Bedenken, diesen Berthold von Tannenrode als Nachfolger Heinrichs von Hohenlohe
in die Zahl der Deutschmeister aufzunehmen, weil nur eine Abschrift der
erwähnten Urkunde aufgefunden war. Mein geehrter Freund indessen,
der Herr Pfarrer Jäger in Bürg bei Heilbronn, der mir mit gefäl-
liger Güte manche sehr schätzbare Nachrichten über den Deutschen Orden mitgetheilt hat, erwähnt in seiner Mittheilung zweier Original=Ur-
kunden von diesem Deutschmeister Berthold von Tannerode aus dem
Jahre 1243, die eine datirt: Kalend. Maii, die andere XIII. Kalend. Maii, beide die Ordenskirche zu Ellingen betreffend, wonach es
also keinem Zweifel mehr unterliegt, daß Heinrich von Hohenlohe im
Frühling des J. 1243 das Deutschmeisteramt nicht mehr verwaltete.
De Wal Recherches T. II. p. 276 vermuthet, daß Berthold von
Tannerode schon im J. 1240 ins Deutschmeisteramt eingetreten sey. In

In demselbigen Wahlkapitel ward auch zugleich ein neuer Landmeister von Preussen ernannt. Ob Heinrich von Wida die Würde selbst niederlegte, oder ob er vielleicht dem neuen Hochmeister für die stürmische und gefahrvolle Zeit in Preussen nicht passend schien, oder ob er zu andern Angelegenheiten des Ordens anderswohin gesandt worden, ist nicht zu bestimmen. Vielleicht aber lag in folgendem Ereignisse der Anlaß zu seiner Entlassung vom landmeisterlichen Amte.

Um die Zeit, als Herzog Suantepolc von Pommern im Westen des Ordensgebietes voll Mißtrauen in der Seele dastand und durch manche Beweise seiner feindlichen Gesinnung gegen die Ordensbrüder große Besorgnisse erregte, im Osten aber der feindselige Geist der drei unterworfenen Landschaften immer bedenklicher ward und eine Annäherung zwischen dem Herzoge und den bezwungenen Preussen schon nicht mehr zu verkennen war, also etwa in den Jahren 1239 und 1240 waren die beiden Landmeister des Ordens, Dieterich von Grüningen in Livland und Heinrich von Wida in Preussen darauf bedacht, jene gefährliche Annäherung und eine mögliche Verbindung zwischen dem Herzoge und den Preussen dadurch zu verhindern, daß sie die nachbarlichen Samländer, welche nur der Pregel=Strom von den Natangern schied, theils zur Eroberung ihrer Landschaft, theils auch zugleich zum Einschrecken der nahen, schon bezwungenen Lande mit einem Kriegsheere heimsuchen wollten. Viel zu schwach aber in ihrer eigenen Kriegsmacht, traten sie mit Lübeck, dessen Kaufleute und Seefahrer wir schon längst mit diesen ostseeischen Ländern im Verkehr sahen, in nähere Verbindung. Sie kamen der bestrebsamen Handelsstadt mit dem lockenden Anerbieten entgegen: man wolle ihr den dritten Theil von Samland und Withland, einen Theil von Warmien und einige andere Gebiete mit dem Rechte des Eigenthums abtreten und

---

Justi's Vorzeit 1326 S. 325 erkennt Bachem Berthold von Tannenrode auch an. Nach ihm folgte zunächst erst Albert von Bastheim, nach einer Urkunde vom 27sten April 1247.

außerdem auch erlauben, am Ausflusse des Pregel = Stromes
eine freie Handelsstadt zu erbauen, sofern sie eine hinläng=
liche Kriegsmannschaft herbeisenden werde, um Samland er=
obern zu können. Lübeck nahm das Anerbieten gerne an und
der Landmeister Heinrich von Wida stellte ihr über das gege=
bene Versprechen eine urkundliche Zusicherung aus. So er=
freut indessen Lübeck diese neue Verbindung mit dem Orden
anknüpfte und so große Hoffnungen auch für Handel und
Betrieb blüheten, wenn die neuzugründende Handelskolonie
im bernsteinreichen Samland die Erzeugnisse dieses Gebietes
und der Nachbarländer der Mutterstadt unmittelbar zuführen
konnte, so scheint von dorther doch keineswegs die nöthige
Kriegsmacht gekommen zu seyn, um etwas von bleibendem
Erfolge bewirken zu können. Es segelte zwar allerdings eine
Anzahl rüstiger und kriegslustiger Jünglinge herzu; sie ver=
banden sich mit den Ordensrittern von Livland, brachen in
Samland ein, kamen mit ten Bewohnern in Kampf und ent=
führten in Begleitung des Landmeisters von Livland eine An=
zahl der Vornehmsten als Gefangene mit nach Lübeck, wo sie
einige Zeit nachher auf den Rath des genannten Landmeisters
durch eine feierliche Taufe unter dem Zuströmen von vielen
Tausenden in der S. Marienkirche in das Christenthum ein=
geweiht wurden. Das aber war auch alles, was von Lübeck
aus für die wichtige Unternehmung geschah. Man meinte,
auf einem leichteren Wege zum Ziele zu kommen, denn man
hoffte, durch di: Bemühungen dieser Neubekehrten vielleicht
am ersten auch das übrige Volk Samlands für den christli=
chen Glauben gewinnen zu können; deshalb behandelte man sie
auch mit der äußersten Gefälligkeit und Güte und der Land=
meister sicherte den Vornehmeren und Angesehensten unter ih=
nen nicht nur alle ihre früheren Besitzungen und Erbtheile für
ewige Zeiten völlig zinsfrei zu, sondern er verlieh ihnen noch
außerdem in ihren Dörfern und Gebieten lehnsherrliche Rechte,
weil auch er glaubte, daß jene milde Behandlung und diese
Begünstigung wie auf sie selbst, so auf die übrigen Landesbe=
wohner einen für das Christenthum sehr günstigen Eindruck

machen würden. Mit dem Versprechen, daß sie die em=
pfangene christliche Lehre forthin in sich bewahren wollten,
wie sie solches dem Landmeister auch durch Geißeln verbürg=
ten, kehrten die Samländer von Lübeck zu den Ihrigen zu=
rück [1]).

Es giebt Gründe zu der Vermuthung, daß der größere
Theil dieser gefangenen, nun in den Glauben eingeweihten,
mit Vorrechten und Begünstigungen ausgezeichneten und nach=
mals dem Orden auch so treu ergebenen Vornehmeren aus
Samland keine andern gewesen, als alte Withinge, die wir
schon früher als Bewohner des Landes kennen gelernt [2]).

---

1) Zwei Urkunden, deren Originale im geh. Arch. Schiebl. I. Nr.
1. und Schiebl. 59. Nro. 5 befindlich sind, dienen uns als die vorzüg=
lichsten und fast einzigen Quellen über diese Begebenheit. Sie stehen
gedruckt bei Kotzebue B. I. S. 416 — 422, freilich äußerst fehlerhaft.
Auch die Zeit, in welche Kotzebue das Ereigniß setzt, ist ganz un=
richtig. Die Gründe, nach welchen wir die Jahre 1239 oder 1240 als
die Zeit dieser Begebenheit angenommen haben, sind aus den Urkunden
selbst entnommen. 1. Nämlich sprechen beide Urkunden nicht von der
Zeit, in welcher sie abgefaßt sind (1246), sondern von einer früheren,
in welcher Heinrich von Wida Landmeister in Preußen und Dieterich
von Grüningen Landmeister in Livland waren. Jener stellt den Lübe=
ckern eine Urkunde über den versprochenen Landestheil aus, denn es
heißt in der einen Urkunde: ex privilegio eis collato a fratre H.
de Wida *tunc* Magistro pruscie; und dieser scheint die Unterneh=
mung gegen Somland geleitet zu haben und begleitet die gefangenen
Preußen nach Lübeck, denn es heißt: *tunc* de consilio fratris Th.
de Groninge magistri domus theut. in Livonia baptizari pecie=
runt. 2. Diese Zeit kann nur in die Jahre 1239 und 1240 fallen.
Heinrich von Wida ward 1239 Landmeister in Preußen; dagegen trat
Dieterich von Grüningen im J. 1240 oder im Anfange des Jahres 1241
sein Amt ab, denn Andreas von Velven ist nach der Urkunde bei Arndt
B. II. S. 42 in dem Jahre 1241 als sein Nachfolger genannt. Dem=
nach bleibt keine andere Zeit übrig, in welcher vor dem Jahre 1246
beide zugleich Landmeister waren, als die Jahre 1239 und 1240. 3.
Wahrscheinlich ging Dieterich von Grüningen auf seiner Rückreise nach
Deutschland über Lübeck und wohnte dort der Taufe der Samländer bei.
Dann würde diese in das Jahr 1240 oder in den Anfang des Jahres
1241 fallen.

2) Von ihnen ist mehrmals im ersten Bande die Rede gewesen.

Allein die Bemühungen der Heimgekehrten, sofern wir' solche
voraußsetzen dürfen, hatten keinen günstigen Erfolg. Weder
der christliche Glaube fand bei den Samländern Eingang,
noch war im mindesten an eine Unterwerfung des Landes un=
ter des Ordens Gehorsam zu benken. Ohne Zweifel hatten
die stürmischen Ereignisse, welche in den Jahren 1242 und
1243 in den nachbarlichen Landschaften Natangen und War=
mien geschahen, auch auf die Gesinnung und Stimmung des
Volkes in Samland den größten Einfluß. Allein Lübeck for=
berte dessen ungeachtet, obgleich die Unternehmung gegen Sam=
land für den Orden ohne Frucht und Erfolg geblieben war,
balb die Erfüllung der gegebenen Versprechungen. Der Or=
den verweigerte sie, weil ihm von der Handelsstadt die gestell=
ten Bedingungen in Rücksicht der Hülfsleistung, zu welcher
sie sich verbinblich gemacht, keineswegs erfüllt schienen und
erklärte demnach den ganzen Vertrag für nichtig und aufge=
löst [1]). In solcher Weise entstand zwischen Lübeck und dem
Orden ein Streit, der mehre Jahre dauerte und auch damals
noch nicht beigelegt war, als im Jahre 1244 der neue Hoch=
meister erwählt wurde.

Es ist nicht unwahrscheinlich, baß dieser Streit auch ein
Gegenstand der Berathung auf dem versammelten Kapitel war.
Hier mochten die Fragen erhoben werden: Wie konnte Hein=
rich von Wiba den Lübeckern jene Zusicherung geben über ein
Landgebiet, welches, sobalb es erobert war, nur allein dem
Orden zugehören durfte? Ging die Vollmacht eines Land=
meisters auch selbst so weit? Hatte bei einem solchen Schritte

---

Vorzüglich beuten auf die obige Vermuthung auch die Begünstigungen,
beren biese Urkunden erwähnen und in beren Besitz wir später auch bie
Withinge wirklich wieder finden; s. meine Geschichte der Eibechsenge=
sellschaft S. 223.

1) „Predictis Magistro et fratribus e contrario asserenti-
bus, quod in eis nichil iuris habere deberent, quia ut privilegium dicere videbatur non exstante conditione de servitio,
ad quod se adstrinxerant in potestate magistri et fratrum fuit
totum pactum in irritum revocare" heißt es in der Urkunde.

nicht auch der Papft oder der Kaifer darein zu fprechen? Wie
dem auch feyn mochte: es ward in dem Kapitel für gut be=
funden, Heinrich von Wida nicht wieder als Landmeifter nach
Preuffen gehen zu laffen. Außerdem forderte ohne Zweifel
auch der Krieg mit Herzog Suantepolc, dem jetzt kein Die=
terich von Bernheim oder ein anderer erfahrener Marfchall ent=
gegenftand, von neuem einen Mann, der mit des Landes Be=
fchaffenheit genau bekannt, im Kriegswefen tüchtig und erprobt,
in der Art und Lebensweife, wie in der Kriegsfitte und
Kriegsverfaffung der Preuffen wohl bewandert, die drohenden
Gefahren leichter befeitigen konnte. Und welchen Mann hätte
wohl in folchen Verhältniffen die Wahl füglicher treffen kön=
nen, als den vielerfahrenen und tapferen Ordensritter Poppo
von Ofterna!

Entfproffen war Poppo von Ofterna aus dem edlen Ge=
fchlechte der Grafen von Wertheim, deren Stamm fchon feit
mehren Jahrhunderten im Frankenlande geblüht und dem Rei=
che manchen ritterlichen Helden, wie der Kirche mehre ver=
diente Männer gegeben hatte. Der Vater Poppo's war wahr=
fcheinlich jener Graf Poppo von Wertheim, der in den letzten
Zeiten des zwölften Jahrhunderts oft als einer der angefehen=
ften Herren des Frankenlandes genannt wird [1]). Die einzel=

---

1) Vgl. *Guden.* Cod. diplom. T. I. p. 107. 159. 166. 243.
Ein „Bobpo Comes de Wertheim" im J. 1189 als Zeuge in ei=
ner Urkunde bei *Lang* Reg. Boica T. I. p. 347. 351. 359. 361.
381. 385. *Aventini* Excerpt. diplom. Passav. ap. *Oefele* Scr.
rer. Boicar. T. I. p. 712. *Lünig* Cod. German. diplom. T. II.
p. 1070. Diefer mag der Vater unferes Poppo von Ofterna gewefen
feyn. In einer Urkunde des Kaifers Friederichs I kommt er fchon im
J. 1165 vor; f. Pütter Auserlefene Rechtsfälle S. 97. §. 59. Wa=
chem Chronol. der Hochm. Vorr. S. XI. Daß auch unfer Poppo von
Ofterna ein Graf von Wertheim war, fand fich in dem Liber Anniversar., wo es hieß: Frater boppo, Comes de Wertheim magister IX, qui resignavit officium suum. Vgl. hierüber das Nähere
in *De Wal* Recherches T. H. p. 249 seq. Conrad von Ofterna,
welcher im Jahre 1247 Landkomthur in Oefterreich war, mag ein na=

nen Glieder dieses gräflichen Hauses nahmen öfter auch den Namen eines den Grafen von Wertheim zugehörigen Gutes Osterna an [1]), wie denn schon im Jahre 1212 ein Graf Poppo von Osterna Domherr zu Würzburg war [2]). Ueber die Jugendzeit unseres Ordensritters Poppo von Osterna sind wir nicht weiter unterrichtet. Nur so viel ist gewiß, daß er mit in der Zahl der ersten Ritter war, welche Hermann von Salza nach Preussen entsandte und daß er schon im Jahre 1233 eine wichtige Stelle im Orden verwaltete [3]). Wie lange er aber damals in Preussen verweilt, ist nicht zu ermitteln [4]), eben so wenig, welches Amt er während seines Aufenthaltes in Deutschland bekleidet habe. Durch seine Erfahrung im Kriegswesen, durch seinen ritterlichen Muth und durch seine Vorsicht und Bedächtigkeit im Handeln hatte er das Vertrauen des neuen Hochmeisters in solchem Maaße erworben, daß dieser unter den so schwierigen Verhältnissen der Zeit keinem lieber als ihm die Landmeisterwürde in Preussen anvertraute [5]).

---

 her Verwandter, vielleicht ein Bruder gewesen seyn; *Duellius* P. III. p. 41. 97.

1) Bachem a. a. O. S. XII nennt ein im Fürstenthum Baireuth gelegenes Amt und Pfarrdorf Osternohe, ist aber ungewiß, ob dieses wirklich den Grafen von Wertheim gehört habe. *De Wal* Histoire de l'Ord. Teut. T. II. p. 1 sagt: il tiroit vraisemblablement son nom du château d'Osternohe, situé dans le pays de Bareyth, sur les confins du territoire de Nuremberg. Vgl. Recherches l. c.

2) *Guden.* Cod. diplom. T. II. p. 31, wo er als Zeuge vorkommt.

3) S. Kulmisch. Handfeste, wo er als der erste unter den Zeugen angegeben ist. Ein Boppo de Wertheim kommt zwar auch im J. 1234 noch in Franken vor; es ist aber nicht klar, in welcher nahen Verwandtschaft er mit diesem Poppo von Osterna gestanden habe; s. *Lang* Reg. Boica T. II. p. 233.

4) Daß er so wenig, als überhaupt der Orden an der Schlacht gegen die Tartaren mit Theil genommen habe, ist in der Beil. Nr. III. erwiesen.

5) Was *Dusburg* P. III. c. 29 über die Zeit seines Landmeister-

Es war im Herbst des Jahres 1244, als Poppo von Osterna seinen Zug nach Preussen antrat, begleitet von vier Ordensrittern, denen sich noch sechs aus den Ordenshäusern in Thüringen und Meißen zugesellten und an der Spitze eines bewaffneten Heerhaufens, unter welchem auch dreißig reitende Bogenschützen waren, welche Herzog Friederich der Streitbare von Oesterreich auf seine Kosten nach Preussen sandte [1]. Es scheint, daß dieser Fürst sich außerdem noch selbst zu einer eigenen Kriegsfahrt nach Preussen rüstete, wobei ihn auch der Papst unterstützte, indem dieser allen denen, welche des Herzogs Heerfahne nach Preussen folgen würden, dieselbigen Gnadenverleihungen verhieß, wie sie den ins heilige Land Pilgernden ertheilt wurden [2]. Hiedurch erschreckt und scheu gemacht, als er den Heerhaufen unter Poppo's Führung herannahen sah, ergriff Herzog Suantepolc wiederum das schlaue Mittel, den Frieden entgegen zu bieten, bis der drohende Sturm vorüber sey. Die Ordensritter bewilligten ihn auf die früheren

---

thums sagt, läßt sich mit den Angaben der Urkunden in keiner Weise vereinigen und widerspricht ihnen vielmehr geradezu. Nach dem Chronisten soll Poppo von Osterna unmittelbarer Nachfolger Hermann Balks gewesen seyn und das Amt sieben Jahre verwaltet haben. Allein den Landmeister Heinrich von Wida setzt *Dusburg* P. III. c. 56 als dritten Landmeister offenbar in eine viel zu späte Zeit.

1) *Dusburg* c. 44 sowohl, als sein Epitomator und Jeroschin L. III. c. 44 geben nur 30 von Oesterreich her gesandte Bogenschützen an. Lucas David B. III. S. 83 nennt dagegen eine Zahl von 300, und diese möchte wohl auch wahrscheinlicher seyn, wenn nicht das Chron. Oliv. p. 30 ebenfalls nur 30 hätte. Daß außer den eigentlichen Ordensrittern auch noch „ein guter Haufe Kriegsvolk" mit herbeizog, sagt Lucas David a. a. O.

2) *Raynald.* ann. 1244 Nr. 52 sagt in Beziehung auf ein päpstliches Schreiben: Nec pacatior erat Prussia, in quam cum Austriae princeps dilatandae fidei studio accensus expeditionem ornaret, Pontifex ea ex sanctiore Ecclesiae aerario illius signa secuturis sacra stipendia ad delendas reliquas criminum maculas contulit, quae ex oecumenici concilii liberalitate Terram sanctam petentibus proposita fuerant.

Bedingungen [1]); und statt des Herzogs von Oesterreich zogen nun vom Papste gesandt von neuem fromme Predigermönche, unter andern Dominicus aus Aragonien ins Land herein, um den Ungläubigen das Licht des Evangeliums zu bringen [2]).

Vielleicht aber hatte schon die Leichtigkeit, mit welcher ihm die Ordensritter den Frieden wieder zugestanden, den Herzog Suantepolc bald von neuem ermuthigt und die nicht erfolgte Ankunft des Herzogs Friederich von Oesterreich diesen Muth verstärkt; denn er zeigte dem Orden nur gar zu bald, daß er keineswegs den alten Haß und die tiefe Feindschaft, sondern nur auf einige Zeit die offenen Waffen durch jenen Frieden hatte niederlegen wollen. Und da seine Ansicht von der Gefahr der Zeit und von der Bedrohung seines Landes noch durch nichts geändert war, wie konnte seine Gesinnung und seine Stellung gegen den Orden eine andere seyn? [3]). Wie er daher auch nur irgend vermochte und so oft er konnte war er fort und fort auf des Ordens Nachtheil, Schaden und Verderben bedacht, und selbst die stille Feindschaft im verschlossenen Busen zu nähren, ertrug seine Seele nicht lange. Er griff bald selbst wieder zu den offenen Waffen, zuerst jedoch nicht unmittelbar gegen den Orden selbst.

Mit einem starken Heere brach er plötzlich in Cujavien ein. Herzog Casimir, des Ordens Verbündeter, war nicht im Stande, in solcher Schnelle mit der nöthigen Kraft entgegen zu treten. Mit Brand und Plünderung ward das Land durchzogen und verheert, und eine große Schaar von Gefangenen

---

1) *Dusburg* c. 44: gratiam quaerens iterum a fratribus obtinuit et *vetus pax innovatur.* Chron. Oliv. p. 30. Lucas David B. III. S. 83.

2) *Raynald.* an. 1244. Nr. 52.

3) *Dusburg* l. c. Wenn dieser Chronist von einer „innata malitia" des Herzogs spricht, so war er als Ordensbruder allerdings wohl nicht im Stande, Suantepolc's Gesinnung politisch zu beurtheilen. In dieser Hinsicht bedarf der Herzog gewiß gar keiner Rechtfertigung. Rein politisch betrachtet kann er wohl schwerlich - mit Grund getadelt werden.

und eine bedeutende Beute waren der Lohn des Raubzuges, mit welchem der Herzog heimkehrte [1]). Da sandte der Land= meister eine Botschaft an ihn, und sprach es tadelnd als Ver= letzung des angelobten Friedens aus, daß er den Verbündeten des Ordens feindlich überzogen habe, hinweisend auf die Er= mahnungen des Papstes zu Friede und Ruhe. Suantepolc aber antwortete die trotzigen Worte: „Weder Papst, noch Kaiser oder irgend ein Mensch der Welt soll mich abhalten, meine Feinde zu verfolgen. Wollet ihr aber Friede mit mir, so stellet mir vor allem den Sohn frei [2])!"

Darauf ersann der Herzog gegen den Orden einen neuen feindlichen Plan. Seit Jahren hatte der Krieg stets am mei= sten in der Nähe der Ordensburgen gewüthet und so das Land umher auch am schwersten verödet. Der beständige Kampf hatte es nicht einmal gestattet, weiter entfernte und größere Landesstrecken anzubauen, denn meist waren von den Deut= schen Einzöglingen nur vorerst die näheren Umgebungen der schützenden Burgen zur Gewinnung der nöthigsten Bedürfnisse eingenommen und benutzt worden. Wie nun um Kulm, Thorn und Rheden, so waren seit dem Aufstande der untern Lande auch die Gebiete um Elbing und Balga vielfach mit Brand und Verheerung heimgesucht worden, also daß die Deutschen Einsassen sich in die Burgen hatten flüchten müssen, die Um= gebungen fast nichts mehr zum Unterhalt der Burgbewohner darboten und alles, was zum Leben erforderlich war, aus Polen, Cujavien und Kulmerland auf dem Weichsel=Strome zugeführt werden mußte. Herzog Suantepolc kannte ohne Zweifel diese Lage der Dinge; er kannte auch überhaupt die Wichtigkeit der Verbindung, welche die Weichsel zwischen den westlichen Gebieten des Ordens und jenen Burgen darbot. Wurde es ihm nun möglich, diese Verbindung zu hemmen

---

1) *Dusburg* c. 44. Ordens=Chron. S. 42, bei *Matthaeus* p. 722. Chron. Oliv. p. 30.

2) *Dusburg* l. c. Ordens=Chron. a. a. O. Lucas David B. III. S. 83.

und somit jenen Burgen in den untern Landen die Zufuhr
der Lebensmittel auf diesem Strome abzuschneiden, so schien
der Orden in jenen Theilen des Landes dem völligen Verder=
ben unmöglich entgehen zu können.

Sollte dieses Ziel aber erreicht werden, so mußte der
Herzog suchen, den Weichsel=Strom wie vormals durch die
Burg Zartowitz durch eine neue Burg zu beherrschen. Und
dieser Gedanke lag ohne Zweifel in des Herzogs Seele, als er
auf der Insel Zantir, da wo sich die Nogat und die Weich=
sel vereinigen, eine Burg, Zantir von ihm genannt, befestigte
und sie mit kühnen und muthigen Kriegsleuten besetzte, welche
alle Fahrzeuge der Ordensritter auf der Weichsel auffingen,
ausplünderten und die Leute auf denselben gefangen nahmen
oder erschlugen [1]). Weiter hinauf, nicht ferne von der Stadt
Kulm, wo das Schwarzwasser in die Weichsel fließet, lag
schon die alte Burg Schwez, welche Suantepolc jetzt gleich=
falls stärker befestigte und mit zahlreicherer Kriegsmannschaft
belegte, um dort die Zufuhr aus den südlichen befreundeten
Nachbarlanden zu hindern [2]).

---

1) Die Burg Zantir scheint allerdings jetzt erst erbaut zu seyn,
gleichsam als Ersatz für das verlorene Zartowitz. Früher wird ihrer
wenigstens nicht erwähnt, denn daß Hermann Balk auf der Burg Zantir
gestorben seyn soll, ist von uns schon genügend widerlegt. Aus *Dusburg*
P. III. c. 44 und dem Chron. Oliv. p. 30, welche beide nur einfach
sagen: aedificavit castrum, ist freilich kein triftiger Grund zur An=
nahme eines ganz neuen Aufbaues zu entnehmen, denn beide Chronisten
bedienen sich dieses Wortes nachher auch von Schwez, obgleich dieses er=
weislich nicht neu erbaut, sondern nur stärker befestigt wurde. Wäre
aber früher Zantir schon dagewesen, so würde sich in den Pommerischen
Urkunden gewiß eine Spur davon finden. Daß die Burg den Namen
von der Insel erhielt, scheint aus der Urkunde bei Lucas David
B. III. Anh. S. 22 hervorzugehen. Bei Dusburgs Epitomator heißt
es: Post hec *cito* castrum Czantir edificavit in loco, ubi Wisla
et Nogat confluunt. *Schütz* p. 22 nennt Zantir ebenfalls ein
„neues Schloß.“ Vgl. Ordens=Chron. S. 42 bei *Matthaeus* p. 722.
Lucas David B. III. S. 83. Uebrigens wurde schon 1243 die In=
sel Zantir zum Besitzthum des Ordens gerechnet, denn sie sollte zur
Pomesanischen Diöcese gehören.

2) Daß die Worte bei *Dusburg* P. III. c. 45; „incepit ae=

So begann das Jahr 1245 mit allerlei feindlichen Begegnungen. Längst aber hatte man den Papst von des Herzogs feindseligen Gesinnungen und von seinen Befehdungen
und Verheerungen des Landes unterrichtet. Innocenz war
schwer erzürnt. Die Gebiete, welche das Schwert Suantepolc's wiederholt so schrecklich heimgesucht, waren ja nach ausdrücklicher Erklärung des päpstlichen Stuhles das erbliche und
ewige Besitzthum der Römischen Kirche und unter Schutz und
Schirm des Apostels Petrus gestellt [1]). Daher erging am
ersten Februar dieses Jahres an den Herzog ein sehr ernstes,
drohendes Schreiben [2]): „Du solltest die Stärke deiner Macht,
schrieb ihm der Papst, am meisten darin beweisen, was Gott
wohlgefällig ist und dem Glauben Zuwachs bringt. Allein
dein ganzes Streben, wir haben es mit Verwunderung gehört, zielt auf das Gegentheil, indem Du nicht ohne schwere
Schmähung Deines Schöpfers seine Gläubigen und die geliebten Söhne, die Brüder des Hospitals der heiligen Maria
im Kulmerlande und in Preussen mit grausamen Beschwe-
rungen heimsuchest und, was noch schrecklicher ist, sie mit den
Heiden oftmals überfällst. Es staunen, die diesen Ausbruch
der Verwirrung hören, zumal da es alles, was Tyrannei
und Wildheit heißt, übertrifft, mit Litthauern und Preussen

---

dificare castrum aliud ex opposito civitatis nunc Culmensis,
quod dicitur Sweza" nicht von einem jetzt erst geschehenen neuen
Aufbau dieser Burg zu verstehen sind, ist urkundlich zu beweisen. Schon
im Jahre 1198 wird in Schwez eine Kirche eingeweiht und eines Palatinus in Swecze erwähnt; s. *Dreger* Nr. 32. p. 61. Dann
kommt es auch schon in einer Urkunde des Herzogs Mistwin im Jahre
1209 vor. Vgl. Lucas David B. III. S. 84, wo Hennig die
Vermuthung äußert, daß Schwez ein uralter, von den Gothen
angelegter Ort seyn könne, wie schon *Erasmus Stella* p. 45
meinte.

1) Daher sagt auch *Raynald.* an. 1245 Nr. 82: In eam te-
meritatem infoelix princeps se conjecerat, ut — *in bona Ecclesiae* invaderet.

2) Die Zuschrift lautet: Nobili viro Swantopelco duci Pomeraniae *spiritum consilii sanioris.*

die Gemeine des Erlösers anzufechten und gegen unschuldige
Pilgrime das Schwert des gottlosen Volkes aufzureizen und
das Werk des Glaubens wieder niederzustürzen, um welches
seit langen Zeiten die Kirche so viel Sorge getragen und die
Christenheit unter vielen Blutvergießen so vielfältige Mühen
erduldet. Siehe zu, daß du dadurch nicht Gottes Zorn wider
dich aufreizest und dem apostolischen Stuhle die Vermuthung
darbietest, es gehe dir die Reinheit des Glaubens gänzlich
ab und es mache dir Freude, die Schlüssel der Kirche zu ver=
achten, wie offenbar schon daraus zu entnehmen ist, daß du
wegen Befehdung der Geistlichkeit, wegen vielfältiger Verwü=
stung der Kirchen und wegen vieler Ausbrüche schrecklicher
Gottlosigkeit, wie versichert wird, schon acht Jahre mit dem
Kirchenbanne beladen [1] dich nicht bemühest, zum Gebote der
Kirche zurückzukehren. Wir ermahnen dich daher beim Kreuze
und Blute Christi, daß du ohne Versäumniß in den Schooß der
Kirche zurückkommest, das Werk Christi, welches in Preussen aufge=
richtet wird, dir wirksam empfohlen seyn lässest, indem du den Or=
densbrüdern und allen Gläubigen dich gefällig und aus Achtung
gegen uns günstig und förderlich zeigest, damit du dadurch den Kö=
nig des Himmels dir geneigt machen und dem apostolischen Stuhl,
der das Kulmerland und die gewonnenen Gebiete Preussens
zum Eigenthume des Apostels Petrus angenommen hat, zu
besonderer Gunst verbinden mögest. Widrigenfalls werden
wir, da wir die Sache Gottes aufrechthalten müssen und jeg=
lichem sein Recht zu bewahren bemüht sind, gegen dich bei
fernerem Beharren in solchen Unthaten, was ferner sey, in
solcher Weise verfahren, daß du nothwendig empfinden wirst,

---

1) Die Worte des Papstes sind: Jam per octo annos, ut asseritur, excommunicatione ligatus redire ad mandatum Ecclesiae non curasti. In der Bulle bei Lucas David B. III. Anh.
S. 10 heißt es ebenfalls: sicut dicitur excommunicatione ligatus
jam per octo annos claves contempsit ecclesie. Es bezieht sich
dieses auf die Vorfälle im Jahre 1238. Bis dahin sind freilich nur
sieben Jahre; allein die Worte: ut asseritur, sicut dicitur beweisen,
daß der Papst hier nach mündlichen Mittheilungen schrieb und so leicht
ein Jahr zu viel zählen konnte. S. *Lucas* de bellis Swant. p. 17.

wie tief die Kirche angegriffen ist, wenn durch dich das Werk des Glaubens auf eine so verdammungswürdige Art gestört wird [1]."

An demselbigen Tage erließ der Papst auch ein Schreiben an den Erzbischof von Gnesen und an dessen Suffragane mit dem Auftrage, den Herzog Suantepolc und seinen Anhang, „den Feind Gottes und Verfolger des Glaubens," innerhalb vierzehn Tagen nach Empfang des Schreibens auf die wirksamste Weise zu ermahnen, von seinem gottlosen Verfahren abzustehen; widrigenfalls sofort den Bann gegen ihn und seine Anhänger auszusprechen, solchen in den einzelnen Städten und Kirchensprengeln am Sonntage bei Glockengeläute und brennenden Lichtern öffentlich zu verkünbigen, darauf zu achten, daß aller Umgang und alle Gemeinschaft mit den Gebannten vermieden werde und, wofern der Herzog diesen Bann nicht achten und die Verfolgung der Ordensritter und der Gläubigen nicht unterlassen würde, die Hülfe weltlicher Macht gegen ihn als Feind des Glaubens aufzurufen [2].

Die Hülfe des weltlichen Armes sollte der Erzbischof von Gnesen zunächst bei den Herzogen von Polen suchen. Darum erging vom Papste auch an diese eine kräftige und bringende Ermahnung, den Ordensbrüdern in Preußen gegen die Preußen und die Feinde des Glaubens mit Rath und That beizustehen, auf daß sie mit Triumph über das gottlose Vorhaben der Widersacher, die Gemeine Gottes aus dem Lande wieder zu vertreiben, obsiegen möchten [3].

1) *Raynald.* an. 1245. Nr. 85 — 86. Das Datum dieses Schreibens ist: Lugdun. Cal. Februar. p. n. an. II (1. Februar 1245).

2) Das Original dieser Bulle befindet sich im geh. Arch. Schiebl. III. Nr. 19, gedruckt bei Lucas David Anhang Nr. IV. S. 9, zum Theil bei *Raynald.* an. 1245. Nr. 88.

3) Unter andern heißt es in der Bulle: Sane per subsidium divine gratie iam grande ipsarum terrarum spatium est christiano nomini subiugatum, quod sollicitudine vigili sub multis Dilectorum filiorum fratrum Hospitalis S. Mariae Theutonicorum oportet expensis et laboribus conservari. Maxime cum

Endlich richtete der Papst auch ein ermunterndes Wort an den Meister und die Brüder des Ordens und an das Kreuzheer in Preussen. Nicht ohne tiefe Erschütterung des Herzens habe er vernommen, daß einige, die nur mit dem christlichen Namen Christum bekennten, mit dem wilden Volke der Litthauer und Preussen den Orden aufs grausamste zu unterdrücken und das mit seinem Blute erworbene Land der christlichen Kirche wieder zu entreißen strebten. Da solches gottloses Sinnen mit aller Kraft unterdrückt und der Verein des Ordens gegen alle Anfechtung aufrecht erhalten werden müsse, so fordere er sie auf, so treulose Christen, Litthauer und Preussen, welche die Sache Gottes auf eine so verdammliche Weise verfolgten, mit dem weltlichen Arme darnieder zu drücken und mit wachsamer Sorgfalt ihren Uebermuth zu brechen [1]). — Um aber den Muth derer, welche dem Orden zu Hülfe kamen in seiner schweren Bedrängniß, auf jede Weise zu beleben, ertheilte der Papst hundert Rittern aus Deutschland, die mit ihren Knappen und Beigehörigen auf seine Aufforderung das Kreuz für die Ordensritter in Preussen genommen hatten, dieselbigen Vor-

---

horrenda crudelitas partis opposite vires semper acuat, dei familiam quod absit deiciat et extinguat. Das Original der Bulle, datirt: Lugdun. Cal. Februar. p. n. an. II. (1. Febr. 1245) im geh. Arch. Schiebl III. Nr. 23, steht auch gedruckt bei *Lucas* de bellis Swantop. p. 53.

1) Vielleicht blieb diese Bulle auch nicht ohne Einfluß auf die theilweise harte Behandlung der unterworfenen Preussen in nachfolgender Zeit; denn statt der früheren Ermahnungen zur Milde und Schonung gegen die Unterworfenen heißt es hier: Volumus et mandamus in remissionem vobis peccaminum iniungentes, quatinus huiusmodi perfidos christianos, ac Letoinos et Prutenes dei causam sic dampnabiliter persequentes brachio potenti deprimere et ipsorum infringere cornua vigilanti sollicitudine studeatis. Das Original der Bulle, datirt: Lugdun. Calend. Februar. p. n. an. II. befindet sich im geh. Arch. Schiebl. III. Nr. 21; gedruckt bei *Lucas* l. c. p. 52. Ein Transsumt vom Jahre 1335 in der Schiebl. XVII. Nr. 3.

rechte und Gnadenverleihungen, wie denen, die mit dem Kreuze ins Morgenland zogen [1]).

Aufs neue angeregt war dieser thätige Eifer des Papstes für die Glaubenssache in Preussen, vorzüglich auch durch die Berichte mehrer Ordensritter, welche sich damals· auf der von Innocenz ausgeschriebenen großen Kirchenversammlung zu Lyon eingefunden hatten; denn nicht bloß der Deutsche Or=densritter Hugo befand sich mit unter den Abgesandten, welche der Kaiser Friederich zur Vertheidigung seiner Sache dahin gesendet [2]), sondern bald nachher erhielt auch der Hochmeister Heinrich von Hohenlohe vom Kaiser den ehrenvollen Auftrag· mit dem Bischofe ·von Freisingen und dem Großrichter Peter von Vinea mit Zuziehung der früheren Gesandten auf der Kirchenversammlung für seine Sache zu reden [3]). Erschienen diese vor dem Papste auch allerdings· als Sachwalter seines Gegners, des Kaisers, so trennte Innnocenz doch, wie es

---

1) Das Original dieser Bulle, datirt: Lugdun. Non. May p. n. an. II. (7. Mai 1245) im geheim. Archive Schiebl. II. Nr. 24.

2) *Malespini* Istoria Fiorent. ap. *Muratori*. Script. rer. Ital. T. VIII. p. 965 nennt ausdrücklich auch „fratre Ugo della Magione di Santa Maria degli Alamanni. Sonst ist dieser Hugo nicht genauer bekannt.

3) *Petri de Vineis* Episc. L. I. ep. 3. p. 103; der Kaiser selbst nennt unter seinen Gesandten auch „dilectum principem nostrum, fratrem honorabilem, magistrum domus sanctae mariae Theutonicorum." Raumer B. IV. S. 168. Das Chron. Hirsaug. an. 1246. p. 579 erwähnt gleichfalls des Hochmeisters unter den Sendboten, nennt ihn aber unrichtig Hermann, wie es auch statt des Bischofs von Frei=singen den von Strasburg anführt und die Sendung ins Jahr 1246 setzt. Das Chron. German. ap. *Pistor*. T. II. p. 823 nennt eben=falls den Bischof von Strasburg, den Hochmeister aber Hugo, s. p. 824, ihn mit jenem Ordensritter verwechselnd. Während dieser Zeit war in Deutschland Statthalter des Hochmeisters Dieterich von Grünin=gen und verhandelte mit dem Komthur von Marburg wegen Tilgung der Schulden, welche der Hochmeister bei der Abdankung Gerhards von Malberg am Römischen Hofe gemacht hatte, indem er ihm, wie erwähnt ist, 400 Mark zur Tilgung seiner Schulden verliehen; s. *Guden*. Cod. diplom. T. IV. p. 881. *De Wal* Recherches T. II. p. 274.

scheint, das was den Orden und die durch ihn bewirkte Erweiterung der Kirche betraf, von dem, was seinen Zwist mit
dem Kaiser belangte. Wenigstens handelte Innocenz in keiner Weise in dem Geiste Gregorius des Neunten gegen den
Deutschen Orden, obgleich dieser jetzt noch dieselbige Stellung
gegen den Papst behauptete, wie in damaliger Zeit.

Welche Wirkungen nun aber auf Herzog Suantepolc jene
ernsten Ermahnungen des Papstes und jene Bemühungen des
Erzbischofs von Gnesen gehabt haben mögen, hat die Geschichte
zwar nicht ausdrücklich aufbehalten; allein wir ersehen aus
dem Verlaufe der Ereignisse, daß der Erfolg von keiner besondern Bedeutung war. Zwar übergab der Orden, vielleicht
auf des Erzbischofs Anrath, um den Ausbruch eines förmlichen
Krieges zu verhindern, die Burg Zartowitz Suantepolcs Bruder Sambor unter Verzichtleistung auf ferneren Besitz [1]).
Doch bei der feindlichen Gesinnung, die zwischen den Brüdern
herrschte, hatte dieser Schritt auf des Herzogs Handlungsweise
nicht den mindesten Einfluß. Seinen Sohn hatte man vor
der Uebergabe zur Sicherheit wiederum nach Kulm gebracht [2]).

Da nun der Herzog fortfuhr, nicht nur die Burg Schwez
sehr stark zu befestigen, sondern auch im Laufe des Sommers bald
die Schiffahrt auf der Weichsel durch feindliche Angriffe zu
verhindern, bald auch in anderer Weise den Orden zu beseh-
den, so sandte der Landmeister Poppo von Osterna Botschaft
an den Hochmeister und an den päpstlichen Legaten, um beide
von Suantepolcs fortdauernder kriegerischer Gesinnung und
von dem drohenden Ausbruche eines neuen Kampfes zu unterrichten [3]). Der Papst nämlich war schon im Sommer

---

1) *Dusburg* P. III. c. 45 sagt: Die Burg sey übergeben worden Samborio *filio* Svantopolci; auch der Epitomator, Jeroschin
P. III. c. 45 und Lucas David B. III. S. 84 nennen Sambor
einen Sohn Suantepolc's. Allein Hennig zum Lucas David a. a.
D. verbesserte den alten Fehler schon; das Chron. Oliv. p. 30 hat
auch ganz richtig Sambaria *fratri* suo. Kantzow B. I. S. 240.

2) Ordens-Chron. S. 42.

3) *Dusburg* c. 45. Lucas David B. III. S. 84. Ordens-
Chron. S. 42.

des Jahres 1245 durch den Hochmeister benachrichtigt worden, welche Gefahr den Ordenslanden in Preussen und der in ihnen aufgerichteten Kirche bevorstehe, wenn nicht schnelle und bedeutende Hülfe durch den päpstlichen Stuhl bewirkt werde [1]). Vor allem hatte Heinrich von Hohenlohe den Papst ersucht, er möge auch solchen Rittern und Kriegern aus Deutschland, die nur auf die Aufforderung der Ordensbrüder, ohne durch eine öffentliche Kreuzpredigt bewogen zu seyn, zu ihrer Hülfe gegen das Volk der Preussen ausziehen würden unter dem Zeichen des Kreuzes, das nämliche Vorrecht wie den ins Morgenland Pilgernden zugestehen.   Gerne willigte der Papst ein und trug dem Erzbischofe von Mainz auf, diese Zusage aller Orten, wo er es für gut finden möge, bekannt zu machen [2]). Dann erließ er auch Befehle an die hohe Geistlichkeit verschiedener Länder, daß für das heilige Werk in Preussen und Livland von neuem das Kreuz gepredigt werden solle, sie zugleich ermahnend, daß, obgleich auch überall zur Hülfe des heiligen Landes das Wort des Kreuzes verkündigt werde, doch der Eifer für die Sache Preussens und Livlands bei ihr nicht minder thätig und lebendig seyn möge [3]).

Solches that der Papst, um mit der Schärfe des Schwertes zu drohen und zu schrecken, und so ging der Kriegsruf des Kreuzes von neuem durch die Länder. Zuvor aber wollte der Papst auch noch einmal durch das Wort des Friedens zur

1) „Quod sit in discrimine, nisi velox et grande prestetur sibi subsidium providente sedis apostolice pietate."

2) Das Original dieser Bulle, datirt: Lugdun. Idus Aug. p. n. an. III. (13. Aug. 1245) im geh. Arch. Schiebl. II. Nr. 27.

3) „Licet pro subsidio terre sancte predicari ubique mandaverimus verbum crucis, tamen nostre intentionis existit, ut pro Livonie ac Pruscie negotio in locis suis prout in aliis litteris nostris apparet, crux nichilominus predicetur. Quocirca discretioni vestre per apostolica scripta mandamus, quatinus cum utrumque sit necessarium, utrique studiose ac efficaciter verbo et opere insistatis. Das Original dieser Bulle im geh. Arch. Schiebl. III. Nr. 28.

Versöhnung ermahnen. Er sandte im October des Jahres 1245 den frommen Abt des Klosters Mezano als Legaten nach Preussen mit dem Auftrage, die streitigen Verhältnisse beider Theile, über welche Innocenz bei den so sehr verschiedenartigen Berichten nicht zur Klarheit kommen konnte [1]), mit aller Sorgfalt zu untersuchen und dann mit Umsicht und Klugheit „wie ein Friedensengel [2])" mit dem Worte der Versöhnung und des Friedens zwischen die Streitenden zu treten; ihm selbst aber, sofern er den Zwist nicht zu vermitteln vermöge, über alle Streitpunkte den treusten Bericht zu erstatten, und den streitenden Theilen eine bestimmte Frist vorzuschreiben, binnen welcher sie durch ihre Sachwalter vor dem päpstlichen Stuhle erscheinen sollten, um dort die Entscheidung zu erhalten [3]). Dieser Legat war es, dem noch auf der Hinreise nach Preussen begriffen der Landmeister Poppo von Osterna durch eine Botschaft Nachricht von Suantepolcs fortdauernden Feindseligkeiten geben ließ. Da der Abt aber voraussah, daß seinem mahnenden Worte bei dem Herzoge nur das schreckende Schwert den nöthigen Nachdruck werde geben können, so predigte er nicht bloß selbst das Kreuz in allen Gegenden, die er durchzog, sondern er ließ es nach des Papstes Befehl auch überall in Deutschland, Böhmen, Mähren und Polen durch andere verkündigen [4]).

Mittlerweile beschloß Poppo von Osterna ans Werk zu greifen; er hatte dem Herzoge tief genug in die Seele gesehen, als daß er nicht klar hätte erkennen sollen, mit Unter-

---

1) Der Papst gesteht dieses selbst; er sagt: nec super hiis, que pro utralibet partium fuere proposita coram nobis plene scire potuerimus veritatem.

2) „Tanquam pacis angelus."

3) Das Original dieser Bulle, datirt: Lugdun. II Idus Octobr. p. n. an. III. (14. Octob. 1245) im geh. Arch. Schiebl. III. Nr. 29; abgedruckt im Lucas David B. III. Beil. Nr. V. S. 11; auch im Raynald. an. 1245. Nr. 90.

4) *Dusburg* P. III. c. 45. Lucas David B. III. S. 85 und 87. Ordens-Chron. S. 42, bei *Matthaeus* p. 723.

handlungen und Friedensbedingungen sey immer nur eine einzelne ruhige Frist, aber nie ein fester Friede zu gewinnen; auch
lag es nur zu hell am Tage, daß mit des Ordens ruhiger
Nachsicht des Herzogs kecker Muth immer höher und höher
steige. Darum ermaß der Landmeister die Streitkraft, welche
ihm bereits zu Gebote stand; und die Kreuzfahrer, die
jetzt schon im Lande lagen, die Ordensritter aus den Burgen
des Kulmerlandes mit ihren Kriegsleuten und eine Hülfsschaar aus Cujavien bildeten ein hinlängliches Heer, um der
Macht des Herzogs entgegen zu treten [1]). Die Burg Schwez
zu gewinnen oder doch deren Befestigung zu hindern, war
des Landmeisters nächstes Ziel. Daher theilte Poppo seine
Kriegsmacht. Die Ordensritter aus Kulm mit ihrer reisigen Mannschaft mußten zu Schiff die Weichsel hinabfahren,
während er selbst die Ritter aus Thorn mit ihren Kriegsleuten und mit dem Heerhaufen des Herzogs von Cujavien, meistens berittenen Kriegern [2]), längs dem linken Weichsel-Ufer
gegen Schwez hinabführte, um den Herzog Suantepolc, welcher damals selbst zu Schwez lag, von zwei Seiten zugleich
anzugreifen. Doch als dieser die Fahrzeuge mit bewaffneter
Macht herankommen sah, ließ er in Eile die Brücke brechen,
welche den Zugang zur Burg möglich machte und während
die feindliche Mannschaft am Ufer landete, zog er schnell da-

---

1) Wir können dem Lucas David B. III. S. 85 hier keinen
vollen Glauben schenken, wenn er uns erzählt, daß schon jetzt in Wirkung der Kreuzpredigten des päpstlichen Legaten 7000 Mann in Preussen
angekommen und darunter ein Herr v. Stramborg, ein Herr v. Tusts, ein
Herr v. Westerborg und ein Herr v. Melbingen gewesen seyen, denn diese
Nachricht ist wörtlich aus Simon Grunau Tr. VIII. c. 4. §. 1
entnommen und hat ganz den Charakter der Grunauischen Berichte.
Weder Dusburg, noch die Ordens-Chronik, noch das Chron. Oliv. oder
irgend eine andere bewährte Quelle wissen etwas hievon. Auch kann nach
Dusburgs Darstellung die Macht des Ordens bei weitem nicht so groß
gewesen seyn. Nach ihm kommen auch die vom Legaten aufgerufenen
Kreuzbrüder erst später an; cf. cap. 54.

2) *Dusburg* c. 45. Der Epitomator sagt: Magister fratribus
praecepit de Thorun, ut parati equestres venirent.

von, unfern auf einer Anhöhe sich lagernd, von welcher aus die Bewegungen des Feindes übersehen werden konnten. Und da er bemerkte, daß die reisige Mannschaft, welche der Meister zu Lande geführt, sich mit den Kulmern wegen der Tiefe des zwischen ihnen befindlichen Flusses Bda[1]) nicht vereinigen konnte, so kehrte er mit neuem Muthe zurück, um den getheilten Feind aufzureiben. Die Bda trennte ihn noch von des Landmeisters Heerhaufen, den er eifrigst beschäftigt sah, um einen Sturm auf die Burg zu wagen. Da eilte der Herzog, die abgebrochene Brücke aus den bereit liegenden Bauwerken schnell wieder herzustellen und die Besatzung der Burg mit dreihundert Mann zu verstärken. Dann zog er selbst mit dem übrigen Theile seines Heeres wieder zurück. Nun begannen zwar der Landmeister und Herzog Casimir einen heftigen Angriff auf die Burg, allein sie fanden bei der zahlreichen Besatzung den tapfersten Widerstand; von beiden Theilen wurden viele getödtet, viele schwer verwundet, und doch ersetzte den Ordensrittern den bedeutenden Verlust kein günstiger Erfolg, denn die Befestigung der Burg war schon viel zu weit vollendet, als daß die starren Mauern hätten erstürmt werden können. Da zog der Landmeister wieder über die Weichsel zurück, und der Herzog begab sich von neuem auf die Burg, um ihre Befestigung noch weiter fortzusetzen[2]).

_____

1) Vgl. Hennebergers Landtafel und Erklärungen derselben von Seen und Flüssen S. 9.

2) *Dusburg* P. III. c. 45 und nach ihm *Lucas David* B. III. S. 86. *Schütz* p. 23; nach dessen Bericht blieb der Herzog in der Burg und leitete die Vertheidigung gegen den Landmeister. Daß dieser am linken Ufer der Weichsel, am Flusse Bda stand, sagt Dusburgs Epitomator und Jeroschin c. 45, so daß es scheint, der bei *Dusburg* l. c. ausgelassene Name des Flusses habe ursprünglich im Texte gestanden. Die übrigen Quellen stimmen damit überein; Ordens-Chron. S. 42, bei *Matthaeus* p. 723; *Kantzow* B. I. S. 242 sagt: Der Landmeister sey mit „vielen Schiffen" gegen Schwetz hinabgefahren; nicht glaublich! Daß diese Begebenheit in den Preuß. Samml. B. II. S. 206 in das Jahr 1246 gesetzt wird, ist unrichtig. Vgl. *Lucas* de bellis Suant. p. 37 — 38.

Es konnte aber dem Blicke des Landmeisters in des Herzogs Plane wohl schwerlich entgehen, daß diese außerordentliche Befestigung der Burg Schwez ohne Zweifel auch noch auf ganz andere Zwecke hindeutete. Die Schmach vor Kulm hatte Suantepolc noch keineswegs vergessen und der Wunsch nach rächender Vergeltung an den Bürgern der Stadt war gewiß noch wach und lebendig in seiner erbitterten Seele. Die nahe Burg Schwez aber schien der Punkt zu seyn, von welchem aus nach des Herzogs Plan Kulm die Rache erfahren sollte. Poppo von Osterna, klug und umsichtig, erkannte bald, was der Feind erstrebte und mit Vorsicht und Sorgfalt dachte er auf Mittel, die feindlichen Plane im voraus zu vereiteln [1]. An der Abendseite ist Kulm von alter Zeit her durch die Natur so stark geschützt, ein bedeutender, fast schroffer Abhang, der in das Weichsel-Thal hinabläuft, bildet dort eine so treffliche Vertheidigungsmauer, daß es schon in alten Tagen fast unnütz geschienen hat, durch menschliche Kunst die Festigkeit noch zu verstärken. Die auf andern Seiten der Stadt tief gezogenen Graben und hochgeschütteten Wälle hören hier gänzlich auf, und der schützenden Wehrthürme, sonst überall in so großer Zahl vorhanden, zählt man hier nur vier. Gen Morgen liegt gleichfalls ein ziemlich hoher Abhang, so daß auch hier der natürlichen Befestigung die menschliche Hand nicht viel zu Hülfe kommen durfte und Wall und Graben nicht nöthig schienen: zudem schützten die Mauer auf dieser Seite elf starke Wehrthürme. Anders aber gegen Mittag hin. Dort ist zwar jetzt das Land durch starke Wasserströmungen sehr zerrissen; aber von jeher scheint die Stadt nach dieser Seite hin der meisten Befestigung durch Graben, Wälle und Wehrthürme bedurft zu haben; der letzteren trug die Mauer zehn, und Wall und Graben waren hier theilweise doppelt aufgeworfen. Von dieser Befestigung aus südwärts hin breitet sich zuerst eine Niederung oder ein ziemlich weites Thal aus; dann erhebt sich eine Anhöhe, die durch Wasser-

---

1) *Dusburg* P. III. c. 46.

strömungen sehr zerrissen von Osten nach Westen zieht und
jenseits hinüber läuft sofort flaches und ebenes Land bis über
Althaus hinaus. Hier war es, wo ein Feind der Stadt am
meisten Gefahr bringen, die Zufuhr hindern und die Verbin=
dung mit Thorn und Rheden unterbrechen konnte. Schon
deßhalb und vielleicht auch darum, weil Herzog Suantepolc
erst im verflossenen Jahre von hieraus die Stadt am meisten
bedrängt hatte, ließ der Landmeister zwischen Kulm und Alt=
haus auf einer Berganhöhe, die man den Potterberg nannte,
eine alte Befestigung benutzend eine neue Wehrburg erbauen [1]),
die mit dem Berge gleiches Namens von zwölf Ordensrittern
und vierzig andern Kriegsleuten besetzt wurde. So ward
durch Poppo's Vorsicht verhindert, daß Suantepolc hier je
wieder Kulm gegenüber festen Fuß fassen konnte [2]).

Während aber in solcher Weise des Landmeisters Thätig=
keit fast ausschließlich nur auf die Sicherheit des Kulmerlan=
des gerichtet war, erfuhren die Ordensburgen in den untern
Landen, vor allem Elbing und Balga alle gefürchteten Fol=
gen der Sperrung der Zufuhr auf dem Weichsel=Strome.

---

1) Der Name lautet verschieden. *Dusburg* P. III. c. 46 und
208 hat Potterberg und eben so *Schütz* p. 23. Der Epitomator
Dusburgs schreibt Putirberg und Buttirberg, Jeroschin Puttir-
berg. Könnte man auf die früher versuchte Ableitung von podas,
im Litthauischen ein Topf, eine Urne, etwas bauen, so müßte der Berg
ein alter Begräbnißplatz gewesen seyn. Kantzow B. I. S. 242. Lu=
cas David B. III. S. 88 bemerkt, daß auch noch zu seiner Zeit der
Berg der Putterberg genannt worden sey.

2) *Dusburg* c. 46 sagt: Haec aedificatio facta fuit, ne Suan-
tepolcus dictum montem aedificiis occuparet. Demnach müßte
der Herzog diesen Gedanken gehabt, oder der Landmeister wenigstens vor=
ausgesetzt haben, jener werde sich hier eine feste Wehrburg errichten
wollen. Lucas David a. a. O. sagt dieses ausdrücklich. Es wird
aber auch dadurch noch um so wahrscheinlicher, da Suantepolc
nicht bloß im Besitze der alten Burg Pin am rechten Ufer der Weich=
sel war, sondern sogar in der Nähe von Kulm mehre Dörfer besetzt
hielt, wodurch Kulm selbst sehr gefährdet war. Ohne Zweifel hatte die neue
Wehrburg zugleich auch den Zweck, die Stadt gegen diese Gefahr sicher
zu stellen.

Ueberall gebrach es an den nöthigsten Lebensmitteln und man
mußte auf Streifzügen in den nahen Gebieten unter Gefahr
und Blutvergießen Alles zusammenrauben, um nur die drin=
gendsten Bedürfnisse zu befriedigen. Auf die Vernichtung die=
ser Burgen aber hatte Herzog Suantepolc seinen ganzen Plan
gestellt und er schien seinem Ziele hier immer näher und nä=
her zu kommen. Um so mehr wandte er nun auch hieher
seine meiste Kraft. Einst durch Kundschafter benachrichtigt,
daß die Ordensritter aus Elbing und die Bürger der Stadt
in einen Heerhaufen vereinigt, durch Hunger getrieben, einen
Zug tief ins Land gewagt und die Stadt ohne Vertheidiger
gelassen, erschien er plötzlich mit einer Schaar vor ihren Mau=
ern, der gewissen Hoffnung, sie ohne Mühe gewinnen zu kön=
nen. Allein er sah die Zinnen rings mit Kriegern besetzt,
die jeden Angriff mit männlicher Tapferkeit zurückwiesen. Es
waren die Frauen von Elbing, die nach dem Beispiele der
Heldinnen von Kulm den Harnisch ihrer Männer angethan
und zur Vertheidigung der Stadt die Waffen ergriffen hatten.
Da zog der Herzog, meinend, die Ritter und Bürger seyen
wieder heimgekehrt, in sein Land zurück. Aber es rühmt es
der Chronist, daß solche Thaten weiblicher Kühnheit und weib=
lichen Muthes nicht selten in der Geschichte des Landes ge=
wesen [1]).

Um indeß auch solche Züge der Ordensritter in des Lan=
des innere Gebiete zu erschweren und die Bewohner der Burg
und Stadt Elbing immer mehr nur auf die nächste Umge=
bung zu beschränken, schritt jetzt der Herzog mit seinem ver=
derblichen Plane weiter vor. Von Elbing südwärts hinauf
traf man in der Gegend, wo nun Alt=Christburg liegt und
später noch ein alter Burgwall den Ort bezeichnete [2]), auf

---

1) „Nec credas, hoc solum hic factum, sed pluries in aliis
locis, ubi in absentia virorum munitiones fuissent periclitatae,
si non restitisset audacia mulierum" sagt *Dusburg* c. 47. Lu=
cas David B. III. S. 87 — 88.

2) *Dusburg* P. III. c. 57 nennt es ein castrum Pomezanorum,

eine ziemlich bedeutende Anhöhe. Es war jener Berg Gre=
wose, in deffen Namen wir schon früher den Wohnsitz eines
Landes=Griwen angedeutet vermutheten, welcher einst dort im
heiligen Walde der Landschaft Recht und Gericht gesprochen
und im heiligen-Haine des Gottesdienstes gewartet haben
mochte. Es waren zehn Jahre vorüber, seitdem in dieser Ge=
gend Herzog Suantepolc, damals mit den Ordensrittern ver=
eint, die wichtige Schlacht an der Sirgune gegen die Pome=
sanier geschlagen hatte. Wie nun im Barterlande an dem
heiligen Walde zu Wallewona eine Ritterburg zur Abwehr
und Vertilgung des heidnischen Götterdienstes errichtet ward,
so war auch hier bald nach dem Gewinne des Landes auf
jener Berghöhe eine Burg erbaut worden, wahrscheinlich auch
hier um die Diener des alten Heidenthums vom Besuche des
heiligen Waldes abzuwehren. Wenigstens prangte schon im
Jahre 1239 auf jener Höhe eine Burg, die damals Kirsburg
hieß [1]). Herzog Suantepolc fand diese Burg sehr passend ge=
legen, um von da aus die Streifzüge der Ordensritter in El=
bing zu verhindern, raffte schnell einen neuen Heerhaufen von
Preussen zusammen, befestigte und bemannte den Ort mit ei=
ner bedeutenden Zahl von Kriegsleuten, die bei jedem Aus=
zuge der Elbinger diese überfallen oder die Stadt in Gefahr

---

quod situm tunc fuit in loco, qui nunc dicitur Christburg
antiquum. Noch etwas genauer sagt Jeroschin c. 57:

> Eyne Burg die was gesat
> Zu Pomezenen da noch stat
> Das burgwal offenlich irkant
> Und albe Criftburg genant.

1) Die Behauptung, daß die Burg Kirsburg (Chriftburg) weit
früher vorhanden gewesen sey, als man nach Lucas David B. III.
S. 87 gemeinhin annimmt, stützt sich auf eine Urkunde vom Jahre
1239 in dem Buche: Privileg. Marienwerd. p. 22 im geh. Archiv,
in welchem dem schon früher erwähnten Dieterich von Tiefenau verliehen
werden XXII mansi flamingiales apud viam, qua itur de Insula
sancte Marie *in Kirsburg* a sinistris prope stagnum, quod
Wurkus vocatur.

setzen konnten [2]). So ging auch hier Suantepolc seinem
Ziele näher und seine Hoffnung, die Burg und Stadt Elbing
durch Hunger und Noth in seine Gewalt zu bringen, schien
fast schon erfüllt.

Das vernahm der Landmeister und beschloß, den Seinen
zu Elbing in ihrer harten Bedrängniß unter jeglichem Opfer
Hülfe und Beistand zuzubringen. Drei Lastschiffe ließ er
reichlich mit Lebensmitteln beladen und mit starker Kriegsmannschaft besetzen; den tapferen und kühnen Ordensritter
Conrad Bremer stellte er dieser als Hauptmann an die Spitze,
mit dem Auftrage, die Fahrzeuge nach Elbing zu führen. Als
diese sich aber der Burg Zantir näherten, lauerte auf sie der
Herzog schon mit zahlreicher Maunschaft auf nicht weniger
als zwanzig Schiffen. Bald vernahm die Ordensschaar die
Größe der Gefahr; aber keiner war unerschrockener, als der
entschlossene Ritter. Mehr auf Gott vertrauend, als die un-
gleiche Kraft erwägend, sprach er den Seinigen Muth ein,
gebot den Ruderern, mit möglichster Anstrengung die Schiffe
in schnellsten Lauf zu bringen und fuhr so mitten in die
Reihe der feindlichen Schiffe hinein. Da begann ein männlicher Kampf. Viele von des Herzogs leichteren Fahrzeugen
wurden von den schwereren Schiffen der Ordensritter unterge-
senkt, andere zerschellt und so beschädigt, daß ein bedeutender
Theil des feindlichen Schiffsvolkes in den Wellen unterging [2]).
Ein feindlicher Haufen aber war am Ufer aufgestellt und, da
er die Schiffe der Ordensritter näher kommen sah, flog ein
Steinregen auf diese ein, so daß dem Ritter Conrad Bremer

---

1) Lucas David B. III. S. 87.

2) *Dusburg* P. III. c. 49 ist hier wieder nicht ganz vollständig.
Vom Ertrinken des Schiffsvolkes erwähnt der gewöhnliche Text nichts.
Der Epitomator aber sagt schon: ubi piscati sunt plures Poloni,
und Jeroschin P. III. c. 49 übersetzt:

> Da sach man vischen uf den Grunt
> Bil manchin Polen in der Stunt.

Auch Lucas David B. III. S. 90 führt diesen Umstand an; er
sagt: „das volck fast alles in der Weichsel vortarb."

ein Zahn aus dem Munde geworfen und mehre andere Krie=
ger verwundet wurden. Doch das Ziel ward erreicht; die
Schiffe langten in Elbing an und erfreuten die tapferen Be=
wohner mit den zugebrachten Gaben [1]).

Nicht minder groß war die Gefahr auf der Rückkehr der
Schiffe. Der Komthur von Elbing bemannte sie mit seinen
eigenen Kriegsleuten [2]) und gab diesen den tapferen Ordens=
ritter Friederich von Wida, einen nahen Verwandten des vor=
maligen Landmeisters, zum Hauptmanne. Bis an die Burg
Schwez hinauf war die Fahrt glücklich. Dort aber griff sie
Suantepolc mit einer zahlreichen Schaar auf zehn Schiffen
an, und es kam abermals zu einem heftigen Kampfe. Mitten
im Streite gerieth das Schiff, auf welchem sich Friederich
von Wida befand, dem des Hauptmanns des Herzogs so
nahe, daß dieser dem Ritter mit einer Lanze die Backe durch=
stach, worauf Friederich den Gegner zu Boden streckte. Ein
anderes von den Ordensschiffen lief im Getümmel des Ge=
fechtes auf eine Sandbank; die Mannschaft schien verloren,
da die feindlichen Fahrzeuge es schnell umzingelten und zwei
von den Ordensrittern waren schon erschlagen, als der ritter=
liche Held Friederich von Wida, obwohl schwer verwundet,
mit seinem Schiffe herbeisteuernd die Feinde auseinander
sprengte und die noch übrige Mannschaft des gestrandeten
Schiffes in das seinige aufnahm. So entkam er nach Kulm;
fünf von seinen Kriegsleuten waren im Gefechte geblieben;
der Verlust des Feindes aber stieg auf zwanzig Mann [3]).

---

1) *Dusburg* l. c. Lucas David a. a. O.

2) *Dusburg* c. 50 sagt hier: naves cum suis initiis remise-
runt. Der Text ist offenbar verdorben; es muß statt initiis heißen
militibus. Doch könnte aus den hier etwas unleserlichen Codd. auch
gelesen werden nunciis, denn so scheint auch Jeroschin gelesen zu
haben.

3) *Dusburg* l. c. Lucas David B. III. S. 92 — 93. Be=
zeichnend ist es für Simon Grunau, wie dieser Tr. VIII. c. 5. §.
2 die Sache verwirrt und verdreht. Dem Conrad Bremer wird der
Kopf mitten durchgehauen und ein Ordensritter Bongolffo von Schle=

Waren auch diese Ereignisse an sich wohl nicht von großer Wichtigkeit, so stärkten sie doch den Muth, erfüllten das Herz mit festerem Vertrauen und trieben zu neuen kühnen Thaten. So geschah, daß ein reicher Bewohner aus Krakau, vielleicht von Deutschem Blute, der die Noth der Ordensritter erfuhr, drei große Schiffe mit Wein, Meth und Schlachtvieh belud und die Weichsel hinab nach Thorn fahren ließ. Er selbst folgte bald nach und seine Belohnung soll die gewünschte Aufnahme in den Orden gewesen seyn [1].

Bald aber erkannte der Landmeister, daß es nothwendig und für des Landes Sicherheit weit heilsamer sey, den Herzog in seinem eigenen Lande anzugreifen, dorthin seine ganze Kraft zu ziehen und so am leichtesten den Quell alles Unglücks zu verstopfen. Während demnach Kundschafter ausspähen mußten, wo sich der Herzog zur Zeit befinde, führte Poppo einen Heerhaufen, verstärkt durch eine Hülfsschaar des Herzogs Casimir von Cujavien, gegen die Burg Wissegrod und schlug ein Lager, um sie zu erstürmen [2]. Dort ward

---

dorf (?) bekommt den Backenstich; dafür sticht dieser den andern Ritter durch den Bauch. Sehr anschaulich! auch wahr?

1) *Dusburg* c. 51 nennt ihn bloß nobilis vir de Cracovia, und Lucas David B. III. S. 93 einen reichen Edelmann, der bei Krakau war gesessen. *Schütz* p. 23 sagt geradezu: es seyen „etliche von Krakau gutes deutsches Adels" gewesen, die gewünscht hätten, in den Orden aufgenommen zu werden. Es ist also keineswegs zu beweisen, daß es ein Polnischer Edelmann war, wie Baczko B. I. S. 219 und Kotzebue B. I. S. 185 behaupten, und noch weniger ist hieraus zu folgern, daß auch jetzt schon Nichtdeutsche in den Orden aufgenommen worden seyen, wie *Hartknoch* ad Dusburg p. 152 und A. und N. Preuß. S. 261 annimmt. Den Namen Johann Sandomirski oder Szandemjeski geben ihm nur neuere Chronisten. Nach Henneberger Landtaf. S. 42 soll aus seinem Namen Johann — Jan, Jaën und seiner Ordensbenennung Bruder — brat im Polnischen, die Burg Bratean oder nachmals Bretchen den Namen erhalten haben. Fabelei! Der Name Bratean ist offenbar Preußisch.

2) Der Name der Burg ist bei *Dusburg* P. III. c. 52 verdorben Wischerot. Der Epitomator und Jeroschin haben richtig Wissegrod oder Wyschegrod; der cod. Berolin. Wysscheroth. Es

er aber benachrichtigt, der Herzog sey auf die Kunde, daß
ein bedeutendes Kreuzheer den Rittern zu Hülfe im Anzuge
sey, mit einer starken Heeresmacht nach Schwez gezogen und
wende Alles auf zu dessen Befestigung. Er beschloß, ihn
dort anzugreifen und brach von Wissegrod auf. In nächtlicher Weile in der Nähe der Burg anlangend legte er sein
Heer in Hinterhalt und sandte am Morgen zehn Reiter
aus Kulm gegen die Burg hinan, den Feind auf jede Weise
zu necken und zu reizen. Da läßt ihnen der Herzog eine
Rotte von zwanzig Mann entgegen ziehen, und als einer aus
dieser Zahl erschlagen wird und die Uebrigen die Kulmischen
Reiter in die Flucht treiben und verfolgen, gewahren sie plötz-
lich die Heerfahne der Ordensritter und eilen mit Furcht und
Schrecken zum Herzog zurück. Ihr Kriegsgeschrei setzt hier
Alles in Angst und Entsetzen, weil keiner diese Nähe des
Feindes geahnet; Alles sucht sich zu retten vor dem heranstür-
menden Schwerte. Es war dem Herzoge nicht möglich, die
Krieger zu sammeln und schnell zur Schlacht zu stellen; ein
Theil stürzt nach der Burg hin und findet Schutz hinter den
Mauern; ein anderer Haufe wird von dem Feinde gegen den
Strom getrieben und findet seinen Untergang in den Wellen;
eine bedeutende Zahl erreicht auch das feindliche Schwert, und
so geschah es in dem Verlaufe einer Stunde, daß des Herzogs Streitmacht um funfzehnhundert Krieger vermindert
ward. Groß war die Freude des Ordensheeres und mit
jauchzendem Siegesgesange kehrten die Ritter in ihr Land
zurück [1]).

Nicht wenig erhöht ward diese Freude bald darauf auch
durch die Ankunft eines bedeutenden Kreuzheeres. Unermü-
det im Eifer hatte der päpstliche Legat sammt den von ihm

---

ist dieselbige Burg Wissegrod in Pomerellen, von welcher schon früher
die Rede war.

  1) *Dusburg* P. III. c. 52. Lucas David B. III. S. 94.
Jeroschin P. III. c. 52 hat der Todten nur 1050 Mann; dagegen
giebt die Ordens-Chron. S. 42 und bei *Matthaeus* p. 723 ebenfalls
1500 an. *Schütz* p. 23.

beauftragten Geiftlichen in Deutſchland und mehren andern
Reichen im Herbſt des Jahres 1245 für Preuſſen das Wort
des Kreuzes verkündigt. Ohne Zweifel würde im Deutſchen
Reiche die Theilnahme an der Sache des Ordens zugleich als
Sache des Glaubens noch größer geweſen ſeyn, hätte der
Deutſche Ordensritter die hohe Geiſtlichkeit mehr zu Gönnern
und Freunden gehabt und wäre nicht damals zugleich für drei
verſchiedene Zwecke, gegen das Haus der Hohenſtaufen, gegen
den Glaubensfeind im heiligen Lande und gegen den Herzog
Suantepolc und die Ungläubigen in Preuſſen und Livland
die Kreuzpredigt ausgerufen worden [1]). Zudem war alles im
Deutſchen Reiche im größten Zerwürfniſſe: Kaiſer Friederich
war vom Papſte Innocenz für abgeſetzt erklärt; es war eine
neue Königswahl im Schwange; die geiſtlichen Fürſten hin=
gen hiehin, die weltlichen dorthin [2]); keiner kannte noch den
Ausgang; daher war kein Deutſcher Fürſt zu bewegen, ſich
ſelbſt an die Spitze eines Kreuzheeres zu ſtellen. Doch ent=
ſchied ſich für den Heereszug nach Preuſſen eine anſehnliche
Zahl Deutſcher Ritter und edler Herren. Die bedeutendſte
Hülfe aber, eine Schaar der auserleſenſten und geübteſten
Krieger ſandte der edle Herzog Friederich der Streitbare von
Oeſterreich [3]). Wie man ſagt, löſete hiemit der Fürſt ein Ge=
lübde, welches er in einer Stunde der tiefſten Betrübniß ſei=
nes Herzens für die Kirche gethan. Zwei edle Jünglinge,
Adalbert von Zelking [4]) und Hermann von Wolkensdorf [5]),

1) *Corneri* Chron. p. 886. *Raynald.* ann. 1246. Nr. 6.
2) Vgl. vorzüglich Raumer B. IV. S. 212. ff.
3) *Dusburg* P. III. c. 54.
4) So nennt ihn zwar die Chron. Austral. ap. *Freher* p. 323
nicht, ſondern Albertus de Zelting; allein wir tragen kein Bedenken,
ihn Adalbert de Zelking zu ſchreiben, denn ſo finden wir ihn in ei=
ner Oeſterreichiſchen Urkunde vom Jahre 1260 bei *Duellius* P. III.
p. 55. Ueber ihn und ſein Geſchlecht vgl. beſonders *Hanthaler* Recensus diplomat. genealog. T. II. p. 371 — 375.
5) Dieſer Hermann von Wolkensdorf kommt noch im Jahre 1290
als Zeuge in einer Oeſterreichiſchen Urkunde bei *Duellius* P. III. p.
59 Nr. 19 vor. Sonſt könnte man auch glauben, der Name werde richti=

welche der Herzog von früher Jugend an seinem Hofe erzo-
gen und mit innigster Wärme liebte, waren im Jahre 1244
in einem Kampfe so schwer verwundet worden, daß die Aerzte
an aller Genesung verzweifelten. Tief ergriffen von Schmerz
und Kummer ließ Friederich öffentliche Gebete für ihre Rettung anstellen; er selbst aber that das Gelübde, einen ansehnlichen Heerhaufen zur Bekämpfung der heidnischen Preußen
dem Deutschen Orden zuzusenden, sofern die Jünglinge gene-
sen würden. Seine Bitten wurden erfüllt; die Lieblinge ge-
nasen, und in diesem Jahre bezahlte der Herzog das Gelübbe [1]). An die Spitze der gesandten Schaar stellte er seinen Truchses Drusiger als Hauptmann [2]). Neben ihm hatte
auch „der tapfere Degen" Ritter Heinrich von Lichtenstein,
nachmals Oberfeldherr des Herzogs Friederich, ein Verwandter Ulrichs von Lichtenstein, der den Frauendienst gesungen
hat [3]), einen Pilgerhaufen gesammelt, der unter seinen Fah-

---

ger Hermannus de Wolfgersdorf geschrieben; s. *Hanthaler* l. c.
T. II. p. 365. Fast scheint dieses richtiger.

1) Chron. Claustro-Neoburg. ap. *Pez* Script. rer. Austr.
T. I. p. 460. Anonymi Leobiens. Chron. ibid. p. 818. Chron.
Austral. ap. *Freher.* p. 323.

2) *Dusburg* l. c., der Epitomator und Jeroschin nennen ihn
Drusiger, ebenso Lucas David B. III. S. 97. Kantzow B. I.
S. 244 hat den Namen Drusleff. Simon Grunau Tr. VIII. c.
5. §. 1 nennt ihn Drusiger einen Herrn von Schreitenthal. Möglich
wäre es, daß er so geheißen hätte, denn im J. 1298 kommt in einer
Urkunde ein Fuchs von Schrättenthal im Oesterreichischen vor, s. *Duellius* P. III. p. 61. Nr. 26.

3) Dieser Heinrich von Lichtenstein war ein sehr berühmter Oester-
reichischer Ritter, aus dem hochangesehenen Geschlechte der Lichtensteine.
S. Hormayr und Medmyansky Histor. Taschenbuch auf 1822
und Hormayr Geschichte von Wien B. II. H. 3. S. 137. Besonders
Hanthaler Recensus diplom genealog. T. II. p. 75, wo über
Heinrich von Lichtenstein die gründlichsten Nachrichten zu finden sind.
Der Verfasser scheint ihn für einen Deutschen Ordensritter (Eques
Teutonicus) zu halten. Vielleicht war er Halbbruder des Ordens.
Als Oberfeldherrn des Herzogs erwähnt er seiner S. 176. Auch in
Ulrich von Lichtensteins Frauendienst, herausgegeb. von Tieck, erscheint

nen mit nach Preußen zog. Demnach scheint die größere
Zahl der Kreuzfahrer diesesmal aus den Oesterreichischen Lan=
den herbeigekommen zu seyn. Es war der letzte Beweis der
Gunst und hohen Geneigtheit, die Herzog Friedrich gegen die
Ritter des Deutschen Ordens sein ganzes Leben hindurch
gehegt hatte [1]).

Mit diesen Kreuzfahrern oder doch bald nach ihnen kam
in den ersten Monden des Jahres 1246 auch der Hochmei=
ster Heinrich von Hohenlohe nach Preußen [2]), der erste unter
den bisherigen Ordensmeistern, welcher das neuerworbene
Land des Ordens besuchte. Mancherlei Ursachen hatten ihn
hiezu bewogen. Eine der wichtigsten war sonder Zweifel der
Streit mit Herzog Suantepolc von Pommern. Gegen diesen
schritt man auch sogleich zum Werke. Der Landmeister, er=
freut durch die Ankunft des Kreuzheeres, berief sofort die
Brüder des Ordens und alles streitrüstige Volk aus dem
Lande zusammen; auch Herzog Casimir von Cujavien hatte

---

er öfter; so S. 237. 245. 259. In Urkunden kommt er vor bei *Mei=*
chelbeck Historia Frising. T. II. p. 19, bei *Herrgott* Monum.
domus Austr. T. I. p. 212. *Duellius* P. III. Nr. 6. p. 55. Nr.
20. p. 59. Vgl. auch Beiträge zur Lösung der Preisfrage des Erz=
herzogs Johann H I. S. 158. Nach S. 126 war Ulrich ein Steyerer,
Heinrich dagegen ein Oesterreicher.

1) Er starb in einer Schlacht gegen den König Bela von Ungern
am 15. Juni 1246. Nach dem Chron. Salisburg. ap. *Pez* T. I. p.
359 sollen in dieser Schlacht auch Preußen mit auf der Seite des Un=
gern=Königs gefochten haben; denn es heißt dort: Rex Ungariae collecta magna multitudine pugnatorum, simul cum Brusciae et
Rusciae Regibus confinia Austriae invaserunt. Von den Russen,
gegen welche damals Heinrich von Lichtenstein tapfer stritt, spricht al=
lerdings auch Ulrich von Lichtenstein im Frauendienst von Tieck Kap.
28. S. 259; aber der Preußen erwähnt so wenig er, als andere alte
Quellen.

2) Es läßt sich aus Urkunden entnehmen, daß der Hochmeister im
März und April 1246 schon in Preußen war. So setzt die Urkunde
bei Kotzebue B. I. S. 418 vom 10. März seine Gegenwart in Preu=
ßen schon voraus und am 10. April d. J. giebt er das E.bingische Pri=
vilegium. Vgl. Hanselmann a. a. O. B. I. S. 577.

bereits frische Mannschaft herbeigeführt. Diese Streit=
kräfte mit der Heeresmacht des Kreuzheeres vereinigend brach
nun Poppo von Osterna eiligst über die Weichsel in Pom=
mern ein. Jetzt vergalt man Alles, was das Ordensland
durch Suantepolcs Waffen erlitten und in harter Noth er=
duldet. Neun Tage lang ward Pommern von dem einen
Ende bis zum andern mit Brand und Raub und Verhee=
rung durchzogen, so daß kaum ein Dorf war, welches des
Feindes Zorn, Rache und Wuth nicht erfuhr [1]). Bis an
die Meeresküste hinab trieb Raubgier und Erbitterung die
bekreuzten Krieger. Dort ward im Kloster Oliva Alles, was
an Getreide, Pferden und Vieh zu finden war, hinweggeführt
und dann das ehrwürdige Gebäu auch selbst durch Feuer so
verwüstet, daß die alte fromme Stiftung in die drückendste
Armuth verfiel [2]); und als das feindliche Heer zurückkehrte,
ward eine große Zahl Gefangener wie eine Heerde vorange=
trieben.

Mittlerweile aber hatte Herzog Suantepolc, unerschrocke=
nen Geistes, wie er immer war und nie im Unglücke am
Glücke verzagend, ein sehr bedeutendes Heer theils aus seinem
eigenen Volke, theils aus Preussen zusammen gebracht und
folgte nun im Rückzuge dem feindlichen Heere Schritt vor
Schritt nach. Wo der Feind in der Nacht zuvor sein Lager
gehabt, da schlug er am nächsten Abend das seinige, und da
für sein Heer der vom Feinde vorher besetzte Lagerplatz immer
viel zu beschränkt war, so entnahm er hieraus, daß seine
Streitmacht fast ums Doppelte stärker, als die der Gegner sey.
Da erwuchs ihm neuer Muth und erfreut durch diese bedeu=
tende Ueberlegenheit beschloß er, dem Feinde eine Schlacht zu
bieten. Am Abend zuvor trat er vor seinem Kriegsvolke auf,
sprach von der Stärke seiner Macht und des Feindes Schwäche,

---

1) „Sic quod non erat in ea (Pomerania) angulus aliquis,
quem non rapina et incendio visitassent." *Dusburg* P. III.
c. 54. Lucas David B. III. S. 97.

2) Chron. Oliv. p. 21.

ermunterte zur Tapferkeit im Kampfe und, der Knechtschaft
gedenkend, mit welcher die Ordensherren das Nachbarland
umstricket und gefesselt, endigte er die Rede mit dem erheben=
den Worte: „Am morgenden Tage werden wir es erringen,
daß die Pommern und Preussen auf immerdar von der Deut=
schen Joche erlöset werden [1]."

Am andern Morgen begann der Kampf. Zuerst ent=
sandte der Herzog eine Reiterschaar auf des Feindes zahl=
reiche Beute, die bei den großen Heerden von Vieh und
Pferden eine Strecke von zwei Meilen Wegs einnahm [2].
Die Pommerischen Reiter überwältigten bald die Mannschaft,
welche die Beute bewachte und dreißig von dieser wurden
durch jene erschlagen. Sobald der Landmeister des Herzogs
Angriff vernahm, sandte er eiligst den Truchses Drusiger mit
einem reisigen Streithaufen aus, um dem Herzoge den Raub
wieder zu entreißen. Als dieser aber an die Stelle kam, wo
die Leichname der dreißig Erschlagenen lagen und Suante=
polcs starkes Heer im Anzuge sah, ergriff er die Flucht und
eilte aus aller Kraft, Thorn zu erreichen [3]. Das schien dem

---

1) „Crastina die faciemus, quod Pomerani et Prutheni
a jugo Teutonicorum in perpetuum absolventur." *Dusburg*
l. c.

2) *Dusburg* l. c. sagt: Occupavit (spolium) duas leucas;
der Epitomator deutlicher: rapina latitudinem duorum miliarium
occupabat. *Schütz* p. 24 nimmt duas leucas für eine Deutsche
Meile.

3) Der Text bei *Dusburg* l. c. ist, wie jeder sieht, sehr unvoll=
ständig. Der Epitomator schreibt: Quod audiens Magister in suc-
cursum eorum destinavit Drusigerum, videns hinc inde corpora interfectorum, velut profugus fugit. Der letzte Satz bezieht
sich auf Drusiger. Am klarsten giebt den Sinn Jeroschin P. III.
c. 54:

Do dem Meistir dise Mer
Quomin, do war Drusiger
Von dem here ouch zu hant
Yn zu hülfe hingesant
Und do er des wart gewar
Das der Brande hir und bar

tapfern Heinrich von Lichtenstein des Namens Oesterreichs
unwürdig. Um seines Fürstenhauses und seines Landes Ehre
zu retten, raffte er seine Schaar zusammen, warf sich in Hast
auf den Feind, sprengte ihn auseinander und nahm ihm so
die sämmtliche Beute wieder ab. Da stürmte auf die Kunde
der Herzog selbst mit drei Schaaren herbei, um den Raub
wieder zu gewinnen und kaum war er dem Feinde nahe ge=
kommen, so ergriff die Polen in des Lichtensteiners Heerhau=
fen eine solche Furcht, daß sie alle entflohen, und nur ihr
Bannerführer, der Ritter Martin von Kruswitz blieb bei dem
Hauptmanne zurück [1]. Herzog Casimir aber gab den Rath,
eiligst nach Heinrich von Lichtenstein zu senden mit dem Be=
fehle, sich zu dem Hauptheere zurückzuziehen; und so ge=
schah es.

Mittlerweile ordneten die Ritter ihre Schlachtreihen.
Herzog Suantepole aber zog heran, und da er sah, daß das
feindliche Heer die Schlacht annehmen wolle, hieß er einer
Schaar von tausend seiner rüstigsten Reiter von den Rossen
abzusitzen, mit Lärm und Feldgeschrei gegen das Ordensheer
einzustürmen und durch ihre Schilde gedeckt mit ihren Lan=
zen vorzüglich die Rosse der Reiterei zu durchbohren, meinend,
die schwergerüsteten Feinde würden zu Fuß nicht streiten kön=
nen. Da sprengte der tapfere Lichtensteiner mit seiner Schaar
herbei und als er das feindliche Heer schon in Schlachtord=
nung gestellt sah, rief er den Ordensrittern entgegen: „Wohl=
an! Es ist Gefahr im Verzuge; lasset uns angreifen!" So

Also vil irslagin lag
Sam ein Zage er irschrack
Unde hub von bannen sich.

1) *Dusburg* l. c. schreibt ihn Martinus de Crudewitz; der
Epitomator hat M. de Crutzewitz, Jeroschin Mertin von Cru=
schewitz. Es ist offenbar derselbe, welcher in der Urkunde bei *Dogiel*
Cod. diplom. T. IV. Nr. 20. p. 14 Martinus Castellanus Krus=
wicensis, im Original dieser Urkunde aber Martinus castellanus
Cruswicie genannt wird. Eben so kommt er in der Urkunde von
1243 bei Lucas David B. III. Beilage Nr. III. S. 8 vor.

begann die ernste Schlacht. Mit wildem Ungestüm brach
das Ordensheer auf die Feinde ein; es war ein furchtbares
Zusammentreffen. Stunden lang schwankte der Kampf hin
und her, ohne Entscheidung. Die Preussischen Reiter, die
nach des Herzogs Befehl als Fußvolk fechten sollten, entwi=
chen in das nahe Gebüsch und Strauchwerk, wohin die feind=
lichen Reiter nicht folgen konnten; dadurch wankte schon die
Sache der Pommern. Da ward mitten im Schlachtgetüm=
mel Herzog Suantepolc im Zweikampfe mit einem Deutschen
Ritter vom Streitrosse geworfen und schwer verwundet. Das
gab den Ausschlag; denn das Heer der Pommern, nun ohne
Haupt und Führung und durch die Nachricht erschreckt, der
Herzog sey erschlagen, ergriff allgemein die Flucht und nur mit
Noth retteten einige Begleiter den Herzog aus der Gefahr
der Gefangenschaft. Man brachte ihn in eine nahe Burg,
in welche sich viele der Seinigen geflüchtet hatten. Aber
funfzehnhundert seiner Krieger lagen auf dem Kampfplatze,
während, wie die Ordens = Chronik kaum glaublich berichtet,
aus dem Heere der Ritter kein einziger tödtlich verwundet
worden und gegen zehn von feindlichen Lanzen durchbohrte
Rosse sechzehnhundert vom Feinde erbeutet seyn sollen [1].

Darauf zog das Ordensheer mit Siegesjubel über die
Weichsel gen Thorn. Hier war, bevor es ankam, Alles
in Jammer und Trauer versenkt; denn als am Tage zuvor
der Truchseß Drusiger hieher geflüchtet war, hatte er, um so
sein Fliehen zu entschuldigen, die Nachricht verkündigt, alle
Ordensritter und Kreuzfahrer und das gesammte Heer sey in
einem schrecklichen Kampfe mit dem Herzoge aufgerieben wor=
den, und die traurige Kunde hatte schon im Kulmerlande und

---

1) So *Dusburg* P. III. c. 54 und nach ihm Jeroschin a. a.
O. Die Berichte stimmen allerdings nicht alle überein. Der Epitoma=
tor giebt den Verlust des Herzogs nur auf 1050 Mann an; von dem
des Ordens schweigt er. Lucas David B. III. S. 100 hat Dus=
burgs Bericht, mit welchem auch die Ordens = Chron. S. 42 zusam=
mentrifft. *Schütz* p. 34 giebt zehn Todte auf der Seite des Ordens
an, sagt aber dabei, daß andere 95 zählten.

bis an die Gränzen Masoviens Schrecken und Entsetzen ver=
breitet. Um so größer war am Abend des andern Tages
die Freude und der Jubel bei dem Einzuge des siegreichen
Heeres in Thorns Mauern [1]).

Da neigte sich Herzog Suantepolc wiederum zum Frie=
den. Seine Macht war zu sehr geschwächt und der Muth
und das Vertrauen seines Volkes viel zu tief erschüttert, als
daß er hoffen durfte, das Schwert auch ferner noch mit eini=
gem Glücke führen zu können. Er bat die Obersten des Or=
dens um Waffenruhe; sein Bruder Sambor und der Bischof
Wilhelm von Kamin übernahmen die Vermittlung [2]). Auch
der päpstliche Legat, Opizzo Abt von Mezano, der mit dem
Kreuzheere ins Land gekommen, war für die Herstellung des
Friedens mit allem Eifer thätig. Allein sie fand in dem ge=
rechten Mißtrauen der Gebietiger des Ordens gegen des Her=
zogs Versprechungen, selbst gegen seine eidlichen Versicherun=
gen erhebliche Schwierigkeiten. Nur zu oft war der Orden
überlistet und des Herzogs Eid und fürstliches Wort gebro=

---

1) Die Hauptquelle über diese Ereignisse ist *Dusburg* c. 54; der
Text Hartknoch aber ist nicht vollständig und es muß manches aus
den Codd., dem Epitomator und aus Jeroschin ergänzt werden.
Nach ihm hat Lucas David B. III. S. 97 — 101 seinen Bericht
geliefert. Wie verwirrt, unrichtig und unkritisch Simon Grunau
Tr. VIII. c. V. §. 2. die Sache darstellt und wie wenig ihm auch
hier zu trauen ist, hat bei dieser Gelegenheit schon Lucas David ge=
zeigt. Die Ordens=Chron. S. 42 und bei *Malthaeus* p. 723 erzählt
hier nur kurz. Vollständiger ist *Schütz* p. 24 mit Angabe einiger be=
sondern Umstände. Kantzow B. I. S. 244 läßt auch den Ritter Hein=
rich von Lichtenstein mit dem Truchses in die Flucht geschlagen werden,
wovon andere nichts wissen.

2) So sagt Lucas David B. III. S. 101. Daß Herzog Frie=
derich von Oesterreich den Frieden vermittelt habe, wie Kotzebue B.
I. S. 187. Sell B. I. S. 328 u. a. einigen unzuverlässigen Chro=
nisten nacherzählen, ist schon deshalb nicht richtig, weil dieser Herzog
gar nicht gegenwärtig war. Ihn beschäftigten damals nach dem Chron.
Salisburg. p. 359 ganz andere Dinge; vgl. Hormayr Geschichte
von Wien B. II. H. 3. S. 172. Zu jener Angabe hat vorzüglich die
Ordens=Chron. S. 42 Anlaß gegeben.

chen worden. Man erwog, daß auch jetzt nur Bedrängniß, Verlust und neue drohende Gefahr in des ergrimmten Feindes Seele die Bitte um Frieden erzeugt habe. Es fanden vielfache Unterhandlungen Statt. Doch endlich in den ersten Monaten des Jahres 1246 kam es zum neuen Friedensschluß auf den Grund der früheren Bedingungen, nach welchen des Herzogs Sohn und die übrigen Geißeln, auch die Burg Zartowitz ferner noch in des Ordens Gewalt blieben und Herzog Suantepolc mit Eidschwur gelobte, daß er forthin mit dem heidnischen Volke der Preussen in keiner Gemeinschaft mehr stehen wolle. Und als er dieses feierliche Versprechen abgelegt, entband ihn der Legat auch von der Strafe des Bannes, welche der frühere Legat Wilhelm über ihn verhängt hatte [1]).

---

1) Das Friedensinstrument ist nicht mehr vorhanden. Wir kennen die Hauptbedingungen nur aus *Dusburg* c. 55. Ordens = Chron. S. 42. Lucas David B. III. S. 101. Kantzow B. I. S. 244. *Bzovius* Annal. Eccles. T. XIII. ann. 1246 Nr. 18 sagt: Per idem quoque temporis in Poloniam adveniens Oppisso Abbas Messanensis ab Innocentio Pontifice legatus pacem inter Suentopelcum Pomeranie et Casimirum Cuiaviae Lenciciaeque Duces atque Cruciferos redintegravit, exacto a Suentopelco iurejurando, quod nihil deinceps commune cum Prussis paganis habiturus esset, quibus factis, a censuris Guillelmi prioris legati in eum prolatis, ipsum absolvit.

Zehntes Kapitel.

Eine andere Ursache, welche den Hochmeister Heinrich von Hohenlohe im Jahre 1246 zu einer Reise nach Preußen bewogen hatte, lag in dem von uns schon früher berührten Streite des Ordens mit Lübeck wegen des Landesbesitzes, den man dieser Handelsstadt an den Küsten der See versprochen. Dieser Streit hatte sich nämlich durch alle diese Jahre hindurchgezogen ohne Entscheidung. Ob er in dieser Zeit eigentlich mehr geruht habe oder wo er etwa Gegenstand von Verhandlungen und Erörterungen gewesen sey, darüber entgeht uns alle weitere Kenntniß. Nur so viel ist gewiß, daß die Streitsache im Ganzen zur Zeit noch auf demselben Punkte stand wie früher, daß Lübeck noch ebenso wie damals den ihm versprochenen Landestheil in Samland, Withland und Warmien und die Gründung einer freien Seestadt zu seinem Handel verlangte, während der Orden das behauptete Recht zu solchem Besitze in Zweifel zog und die Erfüllung verweigerte.

Dieser Streit sollte jetzt bei des Hochmeisters Anwesenheit in Preußen zur Entscheidung gebracht werden. Lübeck hatte deshalb zwei seiner angesehensten Bürger Heinrich Sturemann und Tanquard als Bevollmächtigte gesandt. Im März dieses Jahres zu Thorn angelangt hatten sie mit dem Hochmeister und mit des Ordens übrigen Gebietigern die Unterhandlungen begonnen. Man ernannte einstimmig sieben achtbare Männer zu Schiedsrichtern, den Bischof Heidenreich von

Kulm, den Landmeiſter Poppo von Oſterna, den Ordensrit=
ter Ulrich von Durne, den Schultheiß von Thorn Hildebrand,
den Franciscaner = Mönch Albert aus Thorn, den Ritter Ar=
nold von Mücheln und Heinrich Wüſtehof, Bürger von El=
bing, mit der Beſtimmung, daß wenn dieſe Schiedsrichter zu
keinem einmüthigen Beſchluſſe kommen könnten, der Biſchof
von Kulm als Vermittler die Entſcheidung geben ſolle, mit
welcher die ſtreitenden Theile ſich begnügen müßten. Wirk=
lich konnten auch die verſchiedenen Schiedsrichter zu keinem
Endurtheile gelangen, vielleicht weil die aus den Städten
Thorn und Elbing gewählten Bürger, zum Theil wohl ein=
ſtige Bewohner Lübeck's, ganz andere Rückſichten nahmen,
als die, welche die Sache des Ordens vertraten. Daher be=
diente ſich der Biſchof von Kulm ſeines Entſcheidungsrechtes
und that folgenden Ausſpruch:

Die Ordensritter werden am Hafen Lippe, d. h. an der
Mündung des Pregel = Stromes [1]), eine Stadt erbauen, in

---

[1] „In portu Lipce" heißt es ſchlechthin in der Urkunde. Daß
der Pregel=Strom früher den doppelten Namen Pregora und Lipza
hatte, iſt nach Urkunden nicht zu bezweifeln. In der Theilungsurkunde
des päpſtlichen Legaten Wilhelm vom J. 1243 bei *Dreger* Nr. 158
p. 242 heißt es ausdrücklich: flumen, quod dicitur Pregora sive
Lipza. Acta Boruss. B. II. S. 613. So nahm auch ſchon Hen=
nig zum Lucas David B. IV. S. 10 an. Auf eine ganz eigen=
thümliche Weiſe erklärt Hüllmann Städteweſen des Mittelalters B.
I. S. 148 den Namen Lipza. Er meint nämlich, die neu zugründende
Stadt habe „die Lübeck (Lipec)" heißen ſollen. Wir können indeſſen dieſer
Erklärung keinen Beifall geben; denn erſtens ſtreitet ſie gegen die Schreib=
art des Namens in den Original=Urkunden, in welchen nirgends Li=
pec, ſondern ſtets Lipza oder Lipca ſteht, und hätte der Urkundenſchrei=
ber den Namen Lübeck damit bezeichnen wollen, ſo wußte er dieſen viel
richtiger zu ſchreiben, wie der in der Urkunde vorkommende Name Lu=
becenses beweiſet. Zweitens iſt der Name Lipza auch ſchon früher
da, als die Stadt erbaut werden ſollte, wenigſtens ſchon 1243. Das
Däniſche Reichs=Lagerbuch führt den fluvius Lipz ſelbſt ſchon im J.
1231 an; es iſt auch hier ganz klar der Pregel darunter verſtanden, der
hier zur Baſis der Eintheilung Preuſſens genommen iſt. S. Gebhardi
Genealog. Geſchichte der erbl. Reichsſtände in Deutſchl. B. I. S. 209.

welcher alle Rechte und Gesetze gelten sollen, wie sie zur Zeit in Kulm bestehen. Beim Aufbau dieser Stadt werden die Bürger Lübecks den Orden mit Pferden, Schiffen und wie sie sonst noch können, unterstützen. Den Ordensrittern soll das Recht zustehen, in der Stadt an einem für sie passenden Orte eine Burg zu errichten. Es sollen ferner die Bürger Lübecks auch die Hälfte eines dritten Theiles von Samland, der dem Orden zufällt, als Eigenthum erhalten und diesen Theil sollen die Bürger bei der Theilung der Ordensritter sich auswählen. Außerdem sollen sie zweitausend und fünfhundert Hufen Landes in Warmien von Lemptenburg.[2]) aus gegen die Lipze am Ufer hin und gegen Ratangen zu bis nach Warmien hin erhalten und dieses alles mit eben der Nutznießung, wie solche der Orden in den anliegenden Gebieten hat. Was aber dadurch dem Bischofe von Warmien entzogen wird, das soll der Orden ihm ersetzen. Alle diese Besitzungen erhalten das Kulmische Recht, wenn nicht weiser und achtbarer Männer eingeholtes Urtheil darin Veränderungen für nöthig findet. Demnach sollen die Besitzer dem Orden für ihr ländliches Besitzthum zur gewöhnlichen Zinsleistung verpflichtet seyn. Bis Withlandsort sollen die Bürger freie Fischerei erhalten. Die Burg Lemptenburg soll auch fernerhin den Rittern verbleiben, doch sollen sie den Bürgern erlauben, nach Gutbefinden gemeinschaftlicher Schiedsrichter sie aufzubauen; sie soll dem Orden indessen wieder zurückgegeben werden, bevor der Bau der Stadt beginnt. Neun genannten Deutschen [3]), die sich der Gunst und Gnade der

---

Drittens ist hier von einem Stadtnamen gar nicht die Rede, sondern nur vom Namen eines Flusses, eines portus Lipce. Wir wissen gar nicht, wie die Stadt genannt werden sollte. Auch war der Name Lipza nicht der Name des Hafens selbst, sondern der des Pregel, und es bedeutet demnach portus Lipce eigentlich nur die Mündung der Lipze, wo die nicht in den Strom einsegelnden Schiffe anlegten.

1) In der Urkunde, wie sie Kotzebue B. I. S. 419 giebt, ist dieser Name überall falsch gelesen; es steht im Original nicht „Cemptenbece,“ sondern Lemptenburc.

2) Ihre Namen waren: Wernerus de Quedelingenburch,

Ordensritter überlassen', soll in dem bezeichneten Landgebiete die Wahl ihres Besitzthums frei gestellt seyn. Andere dagegen, die an ihre Stelle treten, soll der Orden belehnen. Ein jeglicher von solchen belehnten Bürgern soll den Ordensrittern durch' alle Landschaften Preussens hindurch zum Roßdienste im Kriege mit voller Waffenrüstung verpflichtet und, so oft ihn der Orden verlangt, zum Dienste bereit seyn, doch so daß bis zum Anfbau der Stadt einige Ermäßigung in diesem Dienste zugelassen seyn soll. Der Versäumliche soll die Strafe von drei Mark büßen, und entrichtet er diese nicht in Jahresfrist und leistet er nicht den pflichtigen Dienst, so sollen alle seine beweglichen Güter dem Orden anheim fallen und ihm soll nur sein Hof in der Stadt verbleiben. Wann aber und in welcher Weise die Bürger zum Kriege ausziehen sollen, das soll allein der Entscheidung der Ordensritter überlassen seyn.

So war der schiedsrichterliche Spruch des Bischofs Heidenreich von Kulm. Zweitausend Mark war die Geldbuße derer, die ihn verletzen und übertreten würden. Er ward von beiden Theilen genehmigt, durch Zeugen bestätigt und besiegelt [1]). Dann kehrten die beiden Abgeordneten nach Lü-

---

Arnoldus de Calve, Burchardus, Johannes Flemingus, Eilemannus de Lunenburch, Siveco de Lunenburch, Hartwicus, Henricus de Beckenheim und Henricus de Lovenburch.

1) Dieß ist die Urkunde bei Kotzebue B. I. S. 418 — 422, deren Original im Arch. Schiebl. 59 Nr. 5 befindlich ist. Es darf übrigens nicht auffallen, daß nur die beiden Lübecker Heinrich Sturemann und Tanquard als Bevollmächtigte die Entscheidung am Schlusse der Urkunde im Namen ihrer Mitbürger ratificiren. Sie waren die Fordernden; der Landmeister Poppo von Osterna ward als Zeuge genannt und in der Urkunde war schon ausdrücklich gesagt, daß omnes sequi sententiam tenerentur. Unter den Zeugen sind auch die drei Schultheiße Gottfried von Elbing, Hildebrand von Thorn und Reinecke von Kulm genannt. (Um die Urkunde bei Kotzebue, wo sie sehr fehlerhaft abgedruckt ist, zu verstehen, müssen folgende wesentliche Fehler verbessert werden: S. 418 Z. 15 statt eis — sibi. S. 419. Z. 10 st. igitur — ergo. Z. 12 st. proinstructi — preinstructi. Z. 18 st.

beck zurück. Da sie aber in ihrem Berichte über den Ver=
lauf der Sache vor dem Rathe der Stadt auch des Einwan=
des der Ordensritter erwähnten, Lübeck sey zur Zeit jener
Unternehmung gegen Samland in keiner Weise allen Ver=
sprechungen nachgekommen, zu denen der geschlossene Ver=
trag über die Hülfsleistung die Stadt verpflichtet habe [1]), so
fand es der Rath von Lübeck nothwendig, den Verlauf der
Sache in einer urkundlichen, beglaubigten Erzählung offen
darzulegen, um auf solche Weise jeglicher ferneren Widerrede
zu begegnen [2]).

Für den Orden war, wie für das aufstrebende Lübeck,
durch diese Entscheidung mancher wichtige Vortheil gewonnen
und manche Hoffnung angeregt. Der erstere erbaute mit Un=
terstützung Lübecks in seinem Lande eine neue Stadt, deren
Bewohner ihm vielfältig verpflichtet blieben, die hier ein ganz
neues Leben begründen, in Noth und Bedrängniß Lübecks
Beistand immer in Anspruch nehmen und, wenn sie blühend

---

recta — modo. Z. 23 ft. ipsorum — ipsum. Z. 30 ft. Cemptenbece — Lemptenburc. S. 420 Z. 3 ft. enim.— etiam. Z. 27
ft. interea — preterea. Z. 30 ft. Siveto — Siveco. S. 421 Z. 3
ft. destinuerant — deserviverunt. Z. 4 ft. destinire — deservire.
Z. 14 ft. dum non ante proximum — dummodo ante primum.
Z. 19 ft. quicunquis — quicunque. Z. 26 ft. habebat — habebit.
Z. 35 ft. arbitum — arbitrium. S. 422 Z. 4 ft. profitemur —
— protestamur. Z. 9 ft. Reineto — Reineco.

   1) S. den Anfang der Urkunde bei Kotzebue B. I. S. 418.

   2) Auch diese Urkunde befindet sich im Original im geh. Arch.
Schiebl. I. Nr. I; und abgedruckt bei Kotzebue B. I. S. 416. Sie
ist aber hier an einzelnen Stellen sehr unverständlich wegen folgender
Fehler; S. 416 Z. 2 ft. pervenit — pervenerit. Z. 5 nach incre-
dule fehlen die Worte: vesania et excecate mentis. Z. 10 nach
executores fehlen die Worte: res et corpora propter cristianum
vinculum exponentes. S. 417 Z. 1 nach ibidem fehlt viriliter;
ft. in pugnacione — inpugnacione. Z. 6 ft. cum — tunc. Z. 13
nach cum — solempnitate. Z. 27 ft. Hee n. sunt pernicie —
Hee enim sunt primicie. Z. 28 ft. invito — merito. Z. 32 ft.
Hoc ideo — Hec inde. Z. 34 nach hominum fehlt inposterum.
S. 418 Z. 5 nach minorum fehlt Nos eciam.

im Glücke emporstieg, den Orden in seinen Bestrebungen durch ihre Bürgerkraft und ihren Reichthum bedeutend unterstützen konnte, während sie sonst in aller Hinsicht ihm untergeben blieb [1]. Für Lübecks Handel und Betrieb aber eröffnete sich auf diese Weise an den südlichen Ostseeküsten eine äußerst günstige Aussicht. Es war gerade die Zeit des frischen Aufblühens der Handelsgenossenschaft, die man die Deutsche Hanse nennt, als Lübeck vor allem überall Verbindungen neuer Gemeinschaft zu kaufmännischem Verkehre suchte und anknüpfte. Jetzt sollte auch Preussen in diese rege Gemeinschaft, in dieses neue Handelsleben mit hineingezogen werden; und es war gerade an der seit Jahrhunderten schon von Westen aus so viel besuchten, reichen Bernsteinküste Samlands, wo die aufgeweckten Lübecker eine freie Handelsstadt errichten und eine besondere Niederlassung gründen durften [2], die unfehlbar in kurzer Zeit den ganzen Handel mit dem hochgeschätzten und viel gesuchten Erzeugnisse des Meeres ausschließlich in ihre Hände bringen mußte. Um so mehr ist zu verwundern, daß die Geschichte uns keine Spur aufweiset von einem Versuche der Lübecker, das ihnen zugesprochene Recht im Aufbau der Stadt oder in Begründung der neuen Niederlassung in Ausführung zu bringen. Erklärlich könnte uns diese Erscheinung nur werden, wenn wir an die Kriege denken, welche Lübeck in den nächsten Jahren mit Dänemark

---

1) Die Lübecker hatten freilich verlangt *liberam* civitatem; allein in diesem Sinne wurde sie ihnen nicht zugestanden.

2) Hüllmann Städtewesen des Mittelalters B. I. S. 148 sagt: Die Lübecker hätten „an dem Ermeländischen Strande" (? — in portu Lipce) eine eigene Stadt erbauen wollen und behauptet, „die Erlaubniß dazu, nebst dem Versprechen einer ansehnlichen Feldmark, von der Ordensregierung erhalten zu haben: welches jedoch bei der hierüber angestellten, urkundlichen Untersuchung nicht so befunden wurde." Da Hüllmann als Beleg zu dieser Angabe den schiedsrichterlichen Ausspruch des Bischofs von Kulm anführt, so begreifen wir nicht recht, was er mit jenen Worten sagen will. Die Urkunde beweiset wenigstens offenbar das Gegentheil von seiner Behauptung.

zu führen hatte [1]) und an das schwere Unglück eines furchtbaren Brandes, durch welchen mehr als die Hälfte der aufblühenden Stadt verzehrt ward [2]). Daher geschah es wohl auch, daß Lübeck sich nach mehren Jahren gerne bereit zeigte, sein Anrecht auf die Besitzungen an Preussens Küsten dem Orden zu verkaufen und somit seinen Plan einer Anheimung an der Bernsteinküste wieder aufzugeben [3]).

Für Preussen indessen war der Verlust, der im Mißlingen dieses Planes lag, bald ersetzt. Bereits vor beinahe einem Jahrzehent war Elbing gegründet; so hart nicht selten die Bedrängnisse und die Noth dieser Zeit für die jungen Bürger gewesen und so schwer sie oftmals mit dem Leben hatten ringen müssen, um das Leben zu erhalten, so war doch in der bestrebsamen Bürgerschaft jener Geist immer noch lebendig, wach und rührig geblieben, der sie aus Lübeck, Bremen, Lüneburg und anderen Orten hieher getrieben hatte. Und er durfte nur genährt, gepflegt und gefördert werden, dieser Geist des Handels, emsiger Thätigkeit und kaufmännischer Betriebsamkeit; der Friede für Land und Volk, die Ruhe für gedeihliche Beschäftigung des Bürgers und des Landman-

---

1) *Bangert* Origin. Lubecens. ap. *Westphalen* T. I. p. 1308. Chron. Erici Regis ap. *Langebeck* T. I. p. 168. Annal. Minor. Wishyens. p. 254. *Hamsfort* Chronol. p. 289. *Pontanus* Rer. Danicar. p. 331.

2) *Bangert* l. c.

3) Wir erfahren nur beiläufig, daß ein solcher Verkauf zwischen dem Orden und Lübeck Statt gehabt haben muß. In einer Sühn-Urkunde zwischen dem Bischofe Heinrich von Samland und dem Vice-Landmeister Gerhard von Hirzberg vom J. 1258, worin die Beilegung mehrer Streitpunkte durch die Bischöfe von Ermland und Kulm vermittelt wird, heißt es unter andern auch: Ceterum questiones omnes que ab utraque parte fuere proposite de incendio curie Nessow, de infeudata per fratres et redempta a civibus Lubicensibus tercia parte Sambie, de expensis in custodia terre factis etc. omnino cessent et cum plena amicicia et concordia utraque pars antedicta super eis omni renunciet accioni. S. Fol. Samländ. Verschreib. Nr. 7 im geh. Archive.

nes durften nur zurückkehren; die geschlagenen Wunden, die auch das aufblühende Elbing hart getroffen, durften nur geheilt seyn, es durften nur Zeiten kommen, in denen die Deutsche Kraft mit Deutscher Emsigkeit und mit Deutschem Fleiße ungestört auf die Geschäfte des Friedens angewandt werden konnte — und gewiß von Elbings jugendlichem Aufstreben und reger Thätigkeit war in der Lage und Natur seiner Umgebung dieselbige Hoffnung für das Land und für den Orden zu fassen, von seiner Blüthe die nämliche erfreuliche Frucht zu erwarten, welche Lübeck sich von jener Handelsstadt an Samlands Küste versprechen mochte. Und wahrscheinlich leiteten den Hochmeister Heinrich von Hohenlohe solche Rücksichten und Betrachtungen, als er einen Monat nach der Entscheidung jenes Streites, am zehnten April des Jahres 1246 der Stadt Elbing ihr wichtiges Privilegium verlieh. Schon das, was Elbings junge Bürgerschaft in den harten Kriegszeiten erduldet und geleistet, und schon der Geist und der Muth, der sich selbst in den edlen Frauen in der Vertheidigung der neuen Heimat offenbart hatte, bewährten ihre Würdigkeit zu solcher Begünstigung [1]). Vor allem erhielt sie jetzt ein sehr ansehnliches Stadtgebiet von mehren Meilen im Umfange zu der Bürger Benutzung in Aeckern, Gärten, Wiesen und Weiden [2]); sie empfing freie Fischerei im Flusse

---

1) Darauf deutet auch das Privilegium selbst hin, indem es da heißt: Quanto maiora quantoque plura cives in Elbingo pro defensione nominis Christiani et promotione domus nostrae discrimina sustinebant, tanto eorum utilitati et commodo intendere volumus et debemus.

2) Bemerkenswerth ist, daß der Hochmeister von diesem Stadtgebiete ausschließt octo mansos, quos Domino Johanni de Pac contulimus. Dieß war der von uns schon früher erwähnte Ritter Johannes von Pach, welcher im Jahre 1232 mit dem Burggrafen von Magdeburg ins Land gekommen war, also einer der ersten Deutschen Bewohner dieser Gegenden. So war auch das im Privilegium vorkommende Dorf Zerewet offenbar von dem Ritter Friederich von Scherweß (Zerbst), dem Begleiter Johanns von Pach, gegründet und also eins der ersten Deutschen Dörfer dieser Landschaft.

Elbing, im Frischen Haffe und im Draußen = See und auf
dem letztern auch freie Fahrt zu Schiffe für Handel und
Wandel. Der Orden ertheilte ferner dem Schultheiß und
den Bürgern der Stadt die Einnahme der verschiedenen Ge=
richtsgefälle, damit die Wachen und andern Bedürfnisse der
städtischen Gemeinde um so leichter bestritten werden könnten.
Kein Mönchsorden sollte sich forthin ohne des Ordens und
der Bürgerschaft besondere Bewilligung in Elbings Mauern
mehr ansiedeln und niemand zu einem Kloster sein Haus
oder seinen Hof oder sein Erbe verkaufen oder verschenken [1]).
Es ward ferner der Stadt, damit auch immer der Deutsche
Geist sich im Deutschen gewohnten Gesetze bewegen könne,
das Lübeckische Recht zugesprochen, nur mit Ausschluß dessen,
was etwa darin gegen Gott, gegen den Orden und gegen
Stadt und Land seyn könne; dafür sollte nach der Ordens=
ritter und anderer weiser Männer Rath ein anderes Recht
gesetzt werden, welches dem Nutzen des Ordens, des Landes
und der Stadt mehr förderlich erfunden werde. Berufung
in Gerichtsfällen nach Lübeck ward den Bürgern dadurch ent=
behrlich gemacht, daß in vier angeordneten Gerichtsbänken in
jeglicher Gerichtssache nach Rath der Ordensritter entschieden
werden sollte. Die Stadt hatte das Münzrecht und es ward
festgesetzt, daß die Münze zu Elbing eben so wie zu Kulm
nur von zehn zu zehn Jahren verändert und mit der Kulmi=
schen von gleicher Reinheit und gleichem Werthe und Ge=
wichte seyn sollte. Endlich sprach der Hochmeister die Stadt
Elbing zu ewigen Zeiten frei von allen Abgaben und Zöllen

---

1) Nur den um Preussen so verdienten Dominicaner = Mönchen er=
theilte der Hochmeister am 14. April 1246 noch die Erlaubniß, in El=
bing ein Kloster mit einer Kirche zu erbauen, zugleich mit der Bewil=
ligung, ut etiam hereditates in terra Elbingensi accipere possint, si eis devotionis affectu et intuitu pietatis dabuntur, ita
ut primum fratribus nostris exhibeant ad emendum, qui si
renuerint, vendant tali vel talibus, qui inde velint vel valeant
debitum servitium adimplere. S. die Urkunde bei *Dreger* Nr.
167 p. 254 und Hanselmann a. a. O. Urkunde Nr. 268. S. 577.

an den Orden, doch also daß nach dem ersten Jahrzehent ih=
rer Gründung von jeglichem Hofe ein bestimmter geringer
Zins an den Orden geleistet werde [1]). Auch sollten die Bür=
ger zur Zeit der Noth nicht bloß ihre Stadt, sondern auch
das Vaterland zu vertheidigen bereit seyn [2]). — Solches wa=
ren die wichtigsten Freiheiten und Begünstigungen, unter de=
nen Elbing in kurzer Zeit zu so erfreulichem Gedeihen in al=
len städtischen Gewerben gelangte und die Kraft der Bürger=
schaft sich so schön entwickelte. Keine der ältern Schwester=
Städte, weder Thorn noch Kulm, war vom Orden so reichlich
bedacht worden.

Aber auch noch mit einem andern Gedanken war Hein=
rich von Hohenlohe hieher nach Preußen gekommen. Die
traurigen Berichte, welche er im Jahre 1245 von den Ver=
hältnissen des Ordens in Livland erhalten hatte, mögen in
ihm die Ueberzeugung erweckt haben, daß dort die Kraft des
Ordens wider die östlichen Feinde aus Litthauen und Ruß=
land wohl schwerlich auf lange Zeiten mehr zureichen könne.
Erst vor kurzem war der so tapfere und kriegslustige, als
männlich=schöne Fürst Alexander Newsky von Novgorod, al=
lerdings gereizt durch die Livländischen Ritter, Novgorods

---

1) Wie äußerst gering diese Abgabe der Stadt im Ganzen und
jeder einzelnen Hofstätte war, ist aus dem Privilegium zu ersehen. Die
Stadt entrichtet nur einen Kölnischen Denar oder dessen Werth und
das Gewicht von zwei Mark Wachs, jeder Hof sechs Denare Elbing.
Münze.

2) Dieses Privilegium von Elbing befindet sich im Original mit
dem Ordenssiegel im Archiv des Rathhauses zu Elbing Nr. I; gedruckt
steht es in Crichtons Urkunden und Beiträgen zur Preuß. Geschichte
S. 14 — 17, doch nicht ganz fehlerfrei; eine Deutsche Uebersetzung in
Preuß. Samml. B. II. S. 30 — 36. Hanow zuverlässige Nachricht
von Elbing im Hamburg. Magazin B. 20. S. 630. Ein Auszug in
Fuchs Beschreib. der Stadt Elbing und ihres Gebietes B. I. S. 28
ff. — Uebrigens kann der demüthige Titel: Minister humilis, mit
welchem sich der Hochmeister bezeichnet, nicht befremden, sobald man
weiß, daß dieser Titel damals sehr gewöhnlich war. Beispiele giebt
Hanselmann a. a. O. B. I. S. 359.

Feinde, gegen Pleskow gezogen. Siebenzig Ordensritter wa=
ren in der Vertheidigung dieser Stadt gefallen, und dennoch
war sie vom kriegerischen Fürsten erobert, und Livland darauf
mit Brand und Verheerung weit und breit überzogen wor=
den [1]. Das entzündete Kriegsfeuer aber brannte auch noch
durchs ganze Jahr 1245 unaufhörlich fort, und am Peipus=
See fielen in einer Schlacht gegen den Fürsten fünfhundert
Deutsche, darunter viele Ritter, und eine große Zahl der Lan=
desbewohner ward gefangen hinweggeführt [2]. Das Endziel
solcher Verluste aber war kaum abzusehen, wenn man die ge=
waltige Länderstrecke ermaß, welche dem Orden in Livland
gen Osten hin im Rücken lag und wenn man bemerkte, daß
auch in manchem Fürsten Rußlands derselbe Gedanke erwacht
und dasselbige Mißtrauen und die nämliche Besorgniß rege
geworden war, die den Pommern=Herzog bisher fort und
fort zum Schwerte getrieben hatte.

Da scheint es der Hochmeister für nothwendig befunden
zu haben, sich zunächst den Besitz jener Länder rechtlich fe=
ster zu sichern, um dann die Kraft des Ordens zu vermeh=
ren mit Vermehrung seines Landgebietes, mit Erweiterung
seiner Herrschaft und der Verwendung der gewonnenen Kraft
eine bestimmtere und festere Richtung zu geben [3]. Es war
im Sommer des Jahres 1245, als er sich mit diesem Ge=
danken zum Kaiser Friederich nach Verona begab und ihn er=
suchte, dem Orden das Recht des Besitzes von Kurland, Lit=
thauen und Semgallen fest und sicher zuzusprechen und die
Verleihung durch eine kaiserliche Urkunde auf ewig zu bestäti=
gen. Der Kaiser, hinblickend auf die Verdienste, die sich der
Deutsche Orden im Norden um Glauben, Kirche und Staat
bereits erworben, und gestützt auf die Ansicht der Welt,

---

1) Ordens=Chron. S. 43, bei *Matthaeus* p. 724.

2) Arndts Livländ. Chron. B. II. S. 46. Gadebusch Livländ.
Jahrb. B. I. S. 240 — 242. Hiärn S. 166. Karamsin B. IV.
S. 24. Vgl. Alnpeck Reimchron. S. 38.

3) In der Urkunde bei Lucas David B. II. S. 127 liegt die=
ser Gedanke nahe.

daß diese Länder noch im Bereiche seiner kaiserlichen Oberge=
walt begriffen seyen und von ihm mit Fug und Recht verlie=
hen werden könnten [1]), erfüllte des Hochmeisters Bitte und
sicherte dem Orden den Besitz jener Länder mit allen Lan=
deshoheitsrechten für ewige Zeiten zu [2]).

Mit dieser wichtigen Verleihung nun war Heinrich von
Hohenlohe nach Preussen gekommen. Sie geltend zu machen,
erhob er den schon erprüften und erfahrenen, in der Verwal=
tung des Landes, wie in der Führung des Krieges von kei=
nem übertroffenen Dieterich von Grüningen abermals zum
Landmeister des Ordens in Livland [3]), und noch in diesem
J. 1246 schritt dieser tapfere Ritter zum Werke, indem er es
unternahm, die abtrünnigen Kuren zum Glauben und Gehor=
sam wiederum zurückzubringen. Er brach mit einem zahlrei=
chen Heere in Kurland ein, und das Volk war durch Raub
und Verheerung bald so geschreckt und bestürzt, daß es dem

---

1) S. die Urkunde bei Lucas David B. II. S. 128, wo der
Kaiser von den genannten Ländern sagt: Attendentes, quod terre
ipse sub monarchia Imperii sint contente. Vgl. Gebhardi
Genealog. Geschichte der erbl. Reichsstände B. I. S. 208 — 209. An=
merk. 9.

2) Das Original dieser Urkunde mit der goldenen Bulle des Kai=
sers befindet sich im geh. Arch. Schiebl. 20 Nr. B; beschrieben und ab=
gedruckt im Lucas David B. II. S. 126 — 131. Nach Baczko
B. I. S. 219 steht sie auch gedruckt in der Reichsfama Th. 23. S. 449.

3) *Gruber* Origin. Livon. in silva document. Nr. 55. Hiär
S. 168. Gadebusch B. I. S. 242. Arndt B. II. S. 47. Die
Ernennung Dieterichs von Grüningen zum Landmeister von Livland
fällt übrigens schon in den Sommer des Jahres 1245. Schon im Juli
dieses Jahres nennt er sich Preceptor Livonie, vices Magistri ge=
rens per Alemanniam. Er hielt sich damals, wie es scheint, zu
Marburg auf. S. die Urkunde in *Guden.* Cod. diplom. T. IV. p.
881. Alnpeck S. 39 sagt von Dieterich:

Einen bruder mon bo kos
Der wart sider wol bekant
Von wisheit über manich lant
Er was grofer tugende rich
Von grüningen bruder Dyterich.

Treuer gegen Glauben und Gehorsam gelobte, um sich des dringenden Feindes hiemit vorerst nur zu entledigen [1]). Dietrich wähnte, Kurland sey bezwungen und ließ Goldingen als Ritterburg befestigen und bemannen [2]). Allein die Hoffnung täuschte ihn. Ueber das Volk der Litthauer gebot um diese Zeit ein eben so tapferer und kriegerischer, als herrschlüstiger Fürst, Mindowe, der Sohn des Großfürsten Ringold. Zu ihm sandten mittlerweile die Kuren eine Botschaft mit der Bitte um Hülfe zur Vertheidigung ihres Glaubens und ihrer Freiheit. Freudig nahm es der herrschbegierige Fürst über sich, in ihrem Kampfe gegen den Orden an ihre Spitze zu treten, denn es lockte ihn nicht nur das Versprechen der Kuren, ihn forthin als ihren obersten Herrn und Beschützer zu erkennen [3]), sondern er hatte auch anderer Seits hinlänglichen Anlaß, die Livländischen Ordensherren mit feindlichem Auge zu betrachten, da seine Neffen, die wider ihn um die ihnen entrissene Herrschaft stritten, bei dem Orden Hülfe gefunden [4]). So ging das Jahr 1246 hin, ohne daß für die Erwerbung jener Länder irgend etwas von bleibendem Erfolge geschehen konnte. Aber es war hiemit ein neuer Feind des Ordens aufgeweckt worden, welcher der Erweiterung und Befestigung der Ordensherrschaft in jenen Landen schwere Hindernisse entgegen zu werfen drohte. Wie also im Westen am Weichsel=Strome Herzog Suantepolc dem Kampfe der Preussen für ihr altes Leben bisher immer festen Halt und sichere Richtung gegeben, so trat nun hier auch im Osten im Großfürsten Mindowe, dem Haupte und Führer der abtrünnigen Kuren, ein Schirmherr und Vertheidiger des alten Le=

---

1) Alnpeck S. 39 — 40.

2) Vgl. vorzüglich Hennigs Geschichte der Stadt Goldingen in Kurland, in den Kurländ. Samml. B. I. Th. 1. S. 10 ff.

3) Arndt a. a. D. S. 47 Ordens=Chron. S. 43. bei *Matthaeus* S. 724. Alnpeck S. 41.

4) *Kojalowics* Histor. Litthuan. p. 91. Alnpeck S. 41 sagt von Mindowe bloß: „Er truc den cristen grofen has." Gadebusch B. I. S. 247.

bens und des alten Glaubens auf. Und beide Fürsten, ob=
wohl verschieden in aller Beziehung, doch gleich getrieben
durch irdische Rücksichten, befangen in menschlicher Leidenschaft
und um weltlichen Besitz und weltliche Herrschaft besorgt,
setzten Jahre hindurch alle ihre Kraft an den Gedanken, die
Schöpfung des Deutschen Ordens in der Nähe ihrer Lande,
das neue christlich=deutsche Leben bis auf die Wurzel wieder
auszutilgen; und gewiß sie waren Hemmungen, wie sie die
Geschichte des Lebens in seinem großen Bildungsgange oft=
mals aufweiset, denn sie hinderten die schnellere Ausbreitung
jenes christlich=deutschen Lebens mit allen seinen Segnungen.
Aber sie erdrückten und erstickten es nicht wieder, dieses für
diese Länder so äußerst wohlthätige und heilbringende Leben.
Ihr Wollen und Streben war viel zu sehr nur Menschen=
wille und Menschenwerk, im Mißtrauen erzeugt, in Leiden=
schaft geboren, durch Neid, Mißgunst und Haß genährt und
unter den Stürmen der Zeit emporgewachsen. Im Buche
des großen Bildungsganges der Menschheit standen andere
Bestimmungen für diese Völker und Länder aufgeschrieben.
Sie sollten aufgenommen werden in den Glauben der Liebe
und der Erlösung, durchdrungen von dem göttlichen Gesetze
des Evangeliums, eingeweiht in Deutsche Bildung und be=
herrscht vom Geiste Deutscher Eigenthümlichkeit, Deutschen
Denkens und Deutschen Lebens. Dem gegenüber bilden jene
Fürsten mit ihrem Dichten und Trachten, mit ihren Hem=
mungen und Vernichtungsplanen nur Gegensätze, die für die
Geschichte ihre wichtige Bedeutung haben. Aber gelingen
konnte und durfte ihr Mühen und Streben in keiner Weise.
Hier wie dort war das alte Leben schon viel zu sehr gerüt=
telt und gestört; der alte Bau, wenn auch einige Zeit festge=
halten durch die Stützen der Leidenschaft, war aus seiner
Grundfeste und seinen Fugen schon viel zu stark herausgeho=
ben, als daß er nicht bald hätte zusammenbrechen müssen, da=
mit die neue Gründung in schönerem Geiste Raum gewinnen
und in erfreulicherem Lichte gedeihen könne.

Noch aber hielt sich dieser alte Bau für einige Zeit auf=

recht; noch stand im Osten Mindowe, wie im Westen Herzog Suantepolc als kräftige Stütze da, ihn gegen den mächtigen Ansturm der Zeiten festzuhalten und vor dem Falle zu
bewahren. Das Jahr 1246 war noch nicht vorüber, als
dieser letztere Fürst schon wieder neue Plane verrieth zu Krieg
und Fehde gegen die Ordensritter. Da faßte der Hochmeister Heinrich von Hohenlohe den Gedanken, wie die westlichen
und östlichen Lande des Ordens Einer Bestimmung entgegen-
gingen, so vorerst beide auch einer gemeinsamen Herrschaft und
Verwaltung zu untergeben; er ernannte den Landmeister von
Livland Dieterich von Grüningen zugleich auch zum Landmeister von Preußen noch im Laufe des Jahres 1246 [1]). Er
selbst aber begab sich hierauf mit dem bisherigen Landmeister
Poppo von Osterna nach Deutschland zurück [2]), um dort

---

1) Es kann dieses erst im Herbst des Jahres 1246 geschehen seyn,
denn so lange Poppo von Osterna noch in Preußen war, verwaltete
dieser auch noch das landmeisterliche Amt in Preußen. Zwar wird
Dieterich von Grüningen schon in der Urkunde bei *Gruber* Orig. Livon. in sylva document. Nr. 55, welche dieser in das Jahr 1245
setzt, Magister domus S. Mariae Theut. in Prussia et Livonia
genannt; allein dieses Jahr ist unstreitig ganz unrichtig und selbst
wenn die Zeitangabe der Urkunde: V Non. Mart. pontif. domini
Innocent. papae IV anno tertio ganz außer Zweifel wäre, so könnte
daraus noch kein strenger Beweis gefolgert werden, daß Dieterich von
Grüningen schon im März 1246 zugleich auch Landmeister von Preußen gewesen sey. Die Urkunde bei Kotzebue B. I. S. 416 kann hier
nichts beweisen, da sie von D. von Grüningen nur in seinen früheren
Verhältnissen als Landmeister von Livland spricht. *Schubert* Dissert.
de gubernatoribus Borussiae p. 16. Das Wahrscheinlichste aber
bleibt immer, daß D. von Grüningen das doppelte Amt im October
oder Novemb. 1246 angetreten habe.

2) Ueber die Zeit der Rückkehr des Hochmeisters sind wir nicht genau unterrichtet. Wenn sie auch wahrscheinlich im Herbst des J. 1246
erfolgte, so haben wir ihn doch erst wieder in einer Urkunde vom 12.
Decemb. 1247 in Mergentheim bei Hanselmann B. I. Nr. 269. S.
578 gefunden. Wir haben noch eine Urkunde vom 10. Oct. 1246, worin sich Albert von Bastheim gerens vicem Magistri nennt; ist dieser
Magister der Hochmeister, so war er wenigstens um diese Zeit noch
nicht wieder in Deutschland.

neues Kriegsvolk für den schon wieder drohenden Kampf in Preussen aufzubringen.

Anderer Ursachen, als die bisher schon immer in Herzog Suantepolcs Seele gewirkt und zur Waffe und Wehr getrieben hatten, bedurfte es bei ihm zur Erneuerung des Krieges wohl keineswegs. Die alte Gesinnung gegen den Orden, der alte Groll, das alte Mißtrauen erfüllten ihn noch fort und fort, und Anlässe, an denen sich diese Gesinnung eben so deutlich kund that, als sie in ihnen neue Nahrung gewann, fanden sich auch immer wieder, weil sie, mit Absicht gesucht und gefunden, gerne ergriffen wurden, um den alten Haß an sie wieder anzuknüpfen. So erhielten um diese Zeit einige Irrungen über Gränzverhältnisse auf der Nehring, da wo die Weichsel den einen ihrer Arme in die See, den andern in das Frische Haff ergießet, und oben im Kulmerlande, wo der Herzog die alte Burg Pin an der Weichsel und einige Dörfer um Kulm noch in Besitz hatte, es erhielten ferner einige Streitigkeiten über die Zölle auf der Weichsel eine Wichtigkeit, aus welcher klar hervorging, daß man den Frieden nicht länger wünsche [1]. Auch mögen ohne Zweifel noch manche andere Reibungen hinzugekommen seyn. Noch immer waren ja des Herzogs Sohn und die übrigen Geißeln in den Händen der Ritter; dadurch bezeugten auch diese immer noch ihr Mißtrauen gegen Suantepolcs Gesinnung; wie mußte da nicht auch er noch stets mit erbitterter Seele ihnen gegenüber stehen!

Die Spannung hielt sich indessen bis in das Jahr 1247 hinein. Aber im Fortlaufe dieses Jahres müssen doch mancherlei Feindseligkeiten vorgefallen seyn, denn man machte gegenseitig Gefangene [2]. Indessen waren die Ereignisse, wie es scheint, nie von solcher Wichtigkeit, daß die Geschichte es

---

1) Wir ersehen dieses aus der Urkunde bei Kotzebue B. I. S. 409. Vgl. *Lucas* de bellis Suantop. p. 41.

2) Da in der eben erwähnten Urkunde von „Captivis, quos supradicti dux et fratres habent," ferner auch von „dampnis hinc inde illatis" die Rede ist, so setzt dieses allerdings feindselige Begegnungen beider Theile voraus.

spruch des Erzbischofs Fulco von Gnesen und des Bischofs Heidenreich von Kulm entschieden werden möchten.

Da thaten die Schiedsrichter am fünf und zwanzigsten October 1247 folgenden Spruch: Die Ordensritter sollen den Strich Landes an der Seeküste über dem östlichen Arm der Weichsel vom Flusse Tiege an und die Nehring bis zum Orte Camzicni hin an den Herzog abtreten [1]). Dagegen soll dieser dem Orden wieder die alte Burg Pin im Kulmerlande und die Dörfer, welche er bei der Stadt Kulm inne hat, auf Lebenszeit überlassen [2]). So nahm man also an beiden Orten den Weichsel-Strom als die natürliche Gränzscheide beider Länder an. Da jener Theil der Nehring aber seine Wichtigkeit vorzüglich im Fischfange und in der Jagd hatte, so ward zugleich auch bestimmt, daß der Herzog auf seinem

---

1) In der Urkunde heißt es: Fratres cedent duci predicto de arenis et nerei ac via usque Çamzicni. Deutlicher wird die geographische Lage dieser Gegenden durch eine Stelle in der Urkunde bei *Dreger* Nr. 184. p. 271, wo es heißt: Concessimus ipsi Suantopolco et heredibus suis insulam, que vocatur Nerei et silvam in eadem insula comprehensam et arenas sitas iuxta eandem insulam a flumine quod dicitur Tuya usque ad locum, qui vocatur Cantzikini. Es ist hier von der östlichen Gegend der Binnen-Nehring, am östlichen Arme der Weichsel, die Rede, wo die verschiedenen Campen liegen. Der Sand muß nach dieser Angabe der am südlichen Ufer des östlichen Weichselarmes gelegene Landstrich geheißen haben, wo die Tiege (Tuya) in die Weichsel fällt. Nerei ist sichtbar die Nehring, die man in früherer Zeit oft so bezeichnet findet. Der Ort Camzicni oder Cantzikini, wie ihn *Dreger* hat, ist nicht mehr zu finden. Die Lesart des Namens Cantzikini ist aber gewiß auch unrichtig, denn im Original der Urkunde bei *Dreger* Nr. 184 steht klar Camzikini.

2) „Ipse e converso cedet eis de Pin et villis, quas habebat iuxta Cholmensem civitatem temporibus vite sue." So hat die Urkunde, nicht aber „Dexin," wie Kotzebue B. I. S. 409 gelesen hat. Ihrer wird als Burg auch in der Urkunde bei *Dreger* Nr. 184 erwähnt. Sie lag, wie früher schon bemerkt ist, an der Weichsel nördlich vom Kirchdorfe Ostrometzko, wo der Name noch jetzt zu finden ist.

Theile der Nehring dem Wilde den Uebergang in den des Ordens nicht versperren solle. Den andern Streitpunkt, den Zoll auf der Weichsel betreffend, entschieden die Richter, daß solcher von der Brücke bei Danzig an Strom aufwärts von Seiten des Herzogs nicht ferner mehr zu erheben sey. Nur jener Brückenzoll bei Danzig solle ihm überlassen seyn, wiewohl mit Ausschluß für die den Ordensrittern unmittelbar zugehörigen Gegenstände. Der Stadt Kulm sprachen die Schiedsrichter an beiden Stromufern der Weichsel freie Ueberfahrt zu. Das Weichselbette aber solle von der Burg und Insel Zantir an Strom aufwärts als die Gränze der Gebiete des Ordens und des Herzogs und der darin liegenden Inseln seyn. Zugleich ward beiden Theilen auch aufgegeben, ihre Gefangenen ohne weiteres frei zu lassen. Der Herzog ward ferner darauf angewiesen, über die früher ihm abgewonnene Burg Wissegrod an den Orden keine Anforderung zu erheben, sondern sich nur an den Inhaber zu halten. Ueber den gegenseitig zugefügten Kriegsschaden wurde beiden Theilen Stillschweigen auferlegt. Die Ordensgebietiger aber wurden endlich von den Schiedsrichtern auch aufgefordert, dem Herzoge seinen Sohn so bald als möglich zurückzugeben, und jener ward verpflichtet, den freigelassenen Sohn gleichfalls zur Beobachtung der festgesetzten Friedenspunkte zu verbinden [1]).

Hiemit schien abermals alles beseitigt, was dem Frieden zwischen dem Orden und dem Herzoge von Pommern bisher noch hinderlich gewesen; die nächsten Anlässe zur Zwietracht waren wenigstens wieder hinweggeräumt und es scheint, daß Suantepolc nach dem Richterspruche auch den Bedingungen Genüge geleistet habe, um derentwillen sein Sohn bisher immer noch in des Ordens Verwahrsam gehalten worden war. Da kam im Spätherbst des Jahres 1247 ein neuer bedeutender Kriegshaufe von Kreuzfahrern, welche der Hochmeister und Poppo von Osterna in Deutschland gesammelt hatten, im

---

1) Das Original dieser Urkunde befindet sich im geheimen Archiv Schiebl. 48. Nr. 11; gedruckt, jedoch nicht fehlerfrei, bei Kotzebue B. I. S. 409 — 410.

Kulmerlande an, an seiner Spitze als neuer Landesverwalter jener Heinrich von Wida [1]), welcher schon früher Landmeister von Preussen gewesen war. Jetzt indessen erschien er nicht in dieser vormaligen Würde, denn das landmeisterliche Amt in Preussen bekleidete, wie schon erwähnt ist, in Verbindung mit dem von Livland zur Zeit der tapfere Dieterich von Grüningen und nur als dessen Stellvertreter übernahm nach des Hochmeisters Verordnung Heinrich von Wida die Landesverwaltung Preussens [2]). Außer der Schaar vieler edler, ritterlicher Krieger aber und außer dem Kriegsvolke, welches er selbst führte, war auch ein anderer Herr von Wida, ein naher Verwandter Heinrichs [3]), herbeigezogen und unter seiner Fahne ein Haufe von funfzig der ausgezeichnetsten, geübtesten und tapfersten Kriegsmänner, deren Ruhm im Kampfe schon in den Landen weil umher bekannt war [4]). So trieb der mächtige Geist, der nun schon Jahrhunderte lang Europa's Völker in Bewegung gesetzt, immer noch Menschen in großen Schaaren aus der Heimat um Gottes Sache hinweg, denn auch diese neuen Heerhaufen hatte der Gedanke hieher ge-

---

1) Die Ankunft Heinrichs von Wida scheint in den November des J. 1247 zu fallen; wenigstens mußte der erwähnte Vertrag mit Herzog Suantepolc am 25. October 1247 wohl vorangegangen seyn, ehe die Unterhandlungen erfolgten, deren *Dusburg* P. III. c. 59 erwähnt.

2) *Dusburg* c. 56 nennt ihn zwar Magister terrae Pruschiae; allein in Urkunden findet man ihn nie anders genannt als Vicemagister domus Theut. in Pruscia. Cf. *Schubert* dissert. de gubernatorib. Borussiae p. 20 — 21.

3) Consanguineum nennt ihn *Dusburg* l. c. Advocatum de Wida das Chron. Oliv. p. 21.

4) *Dusburg* c. 56 sagt von ihnen: in bello adeo viriles fuerunt, quod fama publica de ipsis testabatur, quod hasta eorum nunquam fuerit aversa nec sagitta ipsorum abiit retrorsum. Jeroschin P. III. c. 56:

„Der menlich Tat vil wit
Was irschollin in der zit.“

führt, das geſunkene Werk des Glaubens kräftig wieder auf=
zurichten ¹).

Mit dieſem Kriegshaufen, vereinigt mit der Kriegsmacht
der Ordensritter im Lande und mit einer Heerſchaar, an be=
ren Spitze wiederum der ritterliche Heinrich von Lichtenſtein
erſchien, brach Heinrich von Wida aus dem Kulmerlande auf
und die Heerfahne des Kreuzes ging abermals hinab nach
Pomeſanien. Da er vernommen, welche Bedrängniſſe dieſe
Landſchaft und vorzüglich Elbing durch die Mannſchaft der
nahen Chriſtburg erfahren, ſo ging ſein nächſtes Ziel auf die
Eroberung dieſer erſt vor kurzem wieder ſtark verwahrten
Burg. Es war tiefe Winterzeit. Längſt hatte Herzog Su=
antepolc die Burg den abgefallenen Preuſſen überlaſſen, von
denen ſie um dieſe Zeit auch noch ſtark beſetzt war ²). In
der Mitternacht vor dem Chriſtfeſte zog Heinrich von Wida
in aller Stille gegen die Burg hinan. Die Burgbeſatzung,
durch lange Ruhe ſorglos geworden in Bewachung der Mau=
ern, lag im Schlafe und kein Wächter gewahrte den heran=
nahenden Feind. So gelang es leicht, die Sturmleitern an
paſſenden Orten anzulegen und die Burg zu erſteigen. Die
aus dem Schlafe aufgeſchreckte Mannſchaft wurde gefangen
genommen, die Widerſtrebenden erlagen dem Schwerte ³) und
ſo war die feſte Burg in den Händen des Ordens. Alte
Nachrichten haben den Namen Chriſtburg daher abgeleitet,
weil ihre Erſtürmung in der Nacht des Chriſtfeſtes gelungen
war ⁴). Allein der Name iſt älter als das Ereigniß und

---

1) *Jeroſchin* a. a. O. Der Epitomator Dusburgs ſagt: bel-
lare cupientes pro ſide et nomine Christi.

2) *Lucas* de bellis Suantop. p. 42.

3) *Dusburg* P. III. c. 57; nach ihm *Lucas David* B. III.
S. 105. Ordens = Chron. S. 47, bei *Matthaeus* p. 734. *Schütz*
S. 24.

4) Die Chroniſten erwähnen faſt einſtimmig dieſer Namensverwand=
tung, an ihrer Spitze *Dusburg* P. III. c. 57. Die älteſten Urkun=
den, z. B. eine vom Jahre 1239 in den Privileg. Marienwerd. p.
22., haben den Namen Kirsburg. Wollte man ihn in ſeiner erſten
Sylbe aus dem Altpreuſſiſchen erklären, ſo dürfte man an den öfter

schon in den frühesten Zeiten des Ordens war es seine Sitte, seine neuerrichteten Burgen oft nach heiligen Namen zu benennen [1]).

Als nun die Christburg mit Rittern und andern Kriegsleuten hinlänglich bemannt und mit Lebensmitteln wohl versorgt war, ging Heinrich von Wida weiter, um die abtrünnigen Landschaften von neuem zu unterwerfen, denn gegen den Herzog Suantepolc nach dem letzten Vertrage sich sicher glaubend, wollte er dieses Ziel mit aller Kraft verfolgen [2]). Da kam eine Botschaft des Herzogs zu Heinrich von Wida mit dem Gesuche, Heinrich von Lichtenstein möge zur Unterhandlung zu ihm gesandt werden. Und als dieser vor Suantepolc erschien, erhob der Herzog Klage auf Klage über die Unbilligkeit, mit welcher der Orden ihn behandele. „Ich hege friedliche Gesinnungen," sprach er endlich, „ich bin gerne bereit, alles zu thun, wozu das Recht mich verpflichtet und was die Ordensritter verlangen; aber man gebe mir nur den Sohn zurück, den ich ihnen als Geißel gestellt." Da entgegnete Heinrich von Lichtenstein: „Eueren Sohn könnet ihr noch auf keine Weise zurückerhalten; ihr habt den Frieden, zu dessen Bürgschaft ihr ihn den Rittern übergabt, viel zu

---

vorkommenden altpreußischen Personal = Namen Kerse denken, denn das Geschlecht der Kerse gehörte mit zu den vornehmsten in Preußen; s. meine Geschichte der Eidechsen = Gesellschaft S. 213. Da indessen an dem Orte, auf der Berghöhe Grewose schon in der heidnischen Zeit eine alte Burg stand, die man bei dem Aufbau der neuen benußte, so ist das Wahrscheinlichste, daß man schon diese die Christburg nannte und daß Kirsburg nur eine alte Schreibart für Krisburg oder Kristburg ist. Das Chron. Oliv. p. 21 nennt die Burg ein Castrum Prutenorum situm in loco, qui dicebatur antiquitus Kirsberg. Noch im 14ten Jahrh. schrieb man Kirsmemel statt Christmemel, s. Lindenblatts Jahrb. S. 194.

1) Schon im Morgenlande gaben die Ritterorden ihren Burgen oft religiöse Namen. Man erinnere sich z. B. nur an das castrum filii Dei; *Godefrid. Monach.* p. 286 *Vincent. Belluac.* LXXXI. c. 82.

2) *Dusburg* c. 57. Chron. Oliv. p. 21. Lucas David a. a O.

oft verletzt, habt mit den Abtrünnigen und Ungläubigen im
Bunde das Gebiet der Christen und des Ordens mit Raub
und Brand verwüstet, das unter unendlichen Mühen schon so
herrlich geförderte Werk des Glaubens durch neuere Heeres=
macht wiederum vernichtet; ihr habt manche Christgläubigen
jämmerlich ermordet, andere zu ewiger Knechtschaft hinwegge=
führt. Es ist also nicht das Recht, welches ihr suchen möget,
sondern nur Gnade und Gunst bei den Ordensrittern.[1]"
Als so der kühne Ritter gesprochen, ging der Herzog von dan=
nen, denn es schien ihm nicht geziemend, von einem Haupt=
manne solchen Tadel zu hören. Der Lichtensteiner aber be=
gab sich nach Kulm zurück und berichtete dem Landmeister.[2]
den Inhalt der Verhandlung. Noch entsagte indessen Suan=
tepolc nicht aller Hoffnung. Er bewog bald darauf den
Landmeister selbst zu einer persönlichen Zusammenkunft auf ei=
ner Weichsel=Insel; es fanden lange Unterhandlungen Statt;
allein es kam auch hier zu keiner freundlichen Ausgleichung
und vom alten Zorne tief bewegt kehrte der Herzog heim.

Unter solchen Verhältnissen war das Jahr 1248 an=
gebrochen. Aber es drohte wiederum eine schwere Zeit. Her=
zog Suantepolc hatte nunmehr zu seines Sohnes Befreiung
keine andere Hoffnung mehr, als die in seinen Waffen lag;
und wenn bisher mehr der Fürst für seines Landes Sicher=
heit und Freiheit gestritten hatte, so ergriff nun auch der Va=
ter das Schwert für den Sohn, dessen Befreiung erst vor
kurzem die erwählten Schiedsrichter als Bedingung des Frie=
dens ausgesprochen und die der Orden zugesagt hatte.[3] Jetzt

---

1) So bei *Dusburg* P. III. c. 59. In einzelnen Worten und
Sätzen weicht der Epitomator, wie auch Jeroschin P. III. c. 59.
vom Texte Dusburgs ab.

2) Es mag hier für immer bemerkt werden, daß unter der Be=
nennung Landmeister stets nur der Vice=Landmeister Heinrich von
Wiba zu verstehen ist.

3) Es hieß in der Vertragsurkunde ausdrücklich: Volumus eciam
et mandamus, ut fratres predicto duci restituant filium suum
sicut cicius possunt, nulla fraude vel dolo adhibito et hoc duo
ex eis per ordinem suum promittant.

durfte er die Freilaffung nicht von der Billigkeit der Ordens=
herren, er konnte fie als zugesprochenes Recht erwarten. Sie
ward ihm verweigert und, zurückgewiesen in seiner Forderung,
fuchte er nun fein Recht in der Gewalt des Schwertes.

Zuerst übte fich der alte Groll und Haß des Herzogs
wieder nach alter Weise in allerlei Fehden und Feindseligkei=
ten. Wo fich Gelegenheit bot, wurden die Ordensritter und
die Ihrigen beraubt, gemißhandelt und auf jegliche Art von
des Herzogs Kriegsleuten gereizt, geneckt und beunruhigt.
Der Herzog felbst benutzte diese Zeit des heimlichen, kleinen
Krieges zur Sammlung und Rüstung eines starken Heeres [1]).
Mittlerweile aber waren auch die Ordensritter in regster Thä=
tigkeit, um dem neuerweckten Feinde mit aller Kraft begegnen
zu können. Das Bündniß mit Herzog Casimir von Cuja=
vien ward erneuert. Sambor, Suantepolcs Bruder stand
auch jetzt noch auf der Seite des Ordens, während Ratibor,
der andere Bruder, in Suantepolcs Kerker lag. Im Lande
felbst wurde alles zur Kriegsrüstung aufgeboten. Dieterich von
Gröningen aber, der Landmeister von Livland und Preußen,
war bereits nach Deutschland geeilt, um dort neue Kriegs=
hülfe aufzubringen. Auf der Hinreise hatte er schon die
Markgrafen Johann den Ersten und Otto den Dritten oder
den Frommen von Brandenburg für die Sache des Ordens
gewonnen und von dem Hochmeister, zu welchem fich Diete=
rich begab [2]), wurde nichts unversucht gelassen, um seinen Or=

---

1) *Dusburg* P. III. c. 60. Lucas David B. III. S. 107.

2) Sowohl im Jahre 1247, als 1248 hielt fich der Hochmeister
zu Mergentheim auf. Dieß geht aus Urkunden hervor. Seit der
Rückkehr aus Preussen war Mergentheim überhaupt fein gewöhnlicher
Aufenthaltsort. In der *Succincta equestris Ordinis Historia*,
deren Worte Hanselmann S. 247 anführt, heißt es: Reversus in
Germaniam, ad patrium solum, nempe Mergentheimium ad
Tubarim in Franconia, Domum modernam, magni magistri
principalem residentiam, quam ipse iam ante suum in Palestinam discessum Ordini benigne contulerat, sibi ad dies
vitae in residentiam et post obitum in sepulchrum elegit.
Dort finden wir ihn schon im Decemb. 1247 nach der Urkunde bei

densbrüdern in Preussen bald neuen Beistand zuzusenden. Bevor indessen dieser anlangte, begann Herzog Suantepolc schon den offenen Krieg. Mit einem starken Heerhaufen plötzlich in der Nähe von Thorn die Weichsel überschreitend, überfiel er unvermuthet das Ordensvolk bei Golub an der Drewenz und erschlug eine bedeutende Zahl. Dann stürmte er nach Cujavien ein, hausete mit Feuer und Schwert, durchplünderte fast das ganze Land und kehrte endlich mit großer Beute und einer Schaar gefangener Weiber und Kinder in sein Herzogthum zurück [1]). Niemand hatte dem Feinde widerstanden, so unerwartet war sein Einfall in das Land.

Und nicht lange so brach der Herzog mit gleicher stürmenden Eile auch in Pomesanien ein, um die von den Ordensrittern besetzt gehaltene Christburg wieder zu gewinnen. Seine Kriegsmacht in zwei Haufen theilend griff er die Burg zu gleicher Zeit an zwei Orten an. Er selbst mit einer starken Schaar von Preussen [2]), die er mit seinem Heere vereinigt, bestürmte den vordern schwächeren Theil der Burg, der andere Heerhaufe dagegen den hintern stärker befestigten. Die Besatzung aber ahnete die List nicht, welche in dieser Anordnung lag und wandte wie natürlich fast ihre ganze Kraft auf die Vertheidigung der schwächeren Seite, weil hier zumal auch die größte Stärke des Feindes stand. So gering auch gegen die Schaaren der Belagerer ihre Zahl war, so leistete sie doch mehre Tage hindurch den heldenmüthigsten Widerstand, denn der Feind ließ Tag und Nacht keine Ruhe, da nur in

---

Hanselmann Nr. 269 S. 578, und im Juni 1248, wo sich Dieterich von Grüningen bei ihm befand nach *Lang* Regest. Boica T. II. p. 395 — 397.

1) *Dusburg* P. III. c. 60. Lucas David B. III. S. 107. Kantzow B. I. S. 245. *Schütz* S. 24 führt noch an, daß der Herzog auf dem Rückzuge bei nächtlicher Weile vom Landmeister überfallen und aller Raub ihm wieder abgenommen worden sey.

2) Kantzow B. I. S. 245 sagt, daß Suantepolc auch die Litthauer zum Kriege gegen den Orden aufgefordert habe, und *Lucas* de bellis Suanton. p. 66 vermuthet, daß in illa forsan expeditione Troynatum Samogitum contra ordinem advocaverunt Prutheni; allein an sicheren Nachrichten fehlt es hierüber.

der größten Eile die Eroberung zu hoffen war. Als nun der
Herzog in solcher Weise die ganze Aufmerksamkeit und alle
Kraft der Belagerten auf seinen Theil des Heeres hingezogen
hatte und die andere Seite der Burg oft kaum noch bewacht
wurde, stürmte plötzlich der versteckt gehaltene andere Heerhaufe
auf den hintern Theil der Burg ein. Er fand im Augenblicke fast gar keinen Widerstand, drang in die Mauern ein
und überfiel die Besatzung im Rücken, während sie im vollen
Kampfe mit dem Herzoge selbst begriffen war. Langer Gegenkampf war jetzt unmöglich. Die Zahl der Ordensritter
und ihre ganze Mannschaft ward aufgerieben; kein einziger
entrann dem feindlichen Schwerte und die Burg kam in solcher Weise wieder in die Hände Suantepolcs [1]).

Jetzt erst kam der Landmeister, vielleicht zu spät von der
Bedrängniß der Seinen auf Christburg unterrichtet, vor der
Burg mit seinem Heere an. Die Feste zu bestürmen, schien
bei der Stärke der Besatzung ganz fruchtlos und zum Kampfe
wagte der Feind sich nicht ins Freie. Nun war aber gerade
um diese Zeit dem Orden neue Hülfe gekommen. Außer einer ansehnlichen Schaar von Kreuzfahrern, welche ein Fürst
von Anhalt herzugeführt [2]), zogen auf die Kreuzpredigten in

---

1) *Dusburg*. P. III. c. 61. Lucas David B. III. S. 107—
108. *Schütz* S. 25. Ueber die Quellen in Rücksicht dieser Ereignisse vgl. *Lucas* l. c. p. 44.

2) Die Angaben der Chroniken sind hierüber dunkel. *Dusburg*
c. 58 sagt: Hoc tempore nobilis ille et illustris Princeps de
Antlat cum multa militia venit ad terram Pruschiae; der Epitomator dagegen hat nobilis dux Anlant; Jeroschin: „Der eble
Würste lobesam, der da Anlant was genant.“ Die Mscr. des Dusburg schreiben princeps de Anlant und de Antlant. Pauli Preuß.
Staatsgeschichte B. IV. S. 84 vermuthete, es könne dieser. „Anlant“
wohl kein anderer seyn, als der Probst von Lebus, Fürst Magnus von
Anhalt, Sohn des Fürsten Heinrich I. von Anhalt. Es ist jedoch aus
verschiedenen Gründen viel wahrscheinlicher, daß Heinrich der Erste, der
sich Fürst von Anhalt schrieb, diesen Zug nach Preussen unternahm. An
den Markgrafen Heinrich von Meißen „ohne Land“ oder ane Land,
Anlant genannt, (s. Annal. Vetero-Cellens. ap. *Mencken* T. II.
p. 408) kann hier schon wegen der Zeit nicht gedacht werden.

Deutschland fort und fort auch noch andere Pilgerhaufen ge=
gen Preussen heran [1]). Und diese neuen Streitkräfte glaubte
der Landmeister jetzt um so thätiger benutzen zu müssen, da
der Verlust von Christburg in mancher Beziehung von ver=
derblichem Nachtheile war, denn nun war nicht bloß Elbing
den Anfällen der Preussen und den Raubzügen der Besatzung
auf Christburg wieder eben so wie vordem täglich Preis ge=
stellt und die Verbindung zwischen ihm und Rheden, Kulm
und Thorn durch den dazwischen liegenden Feind gänzlich ge=
stört, sondern es schien auch unmöglich, das abtrünnige Volk
in Pomesanien und Pogesanien von neuem zu unterwerfen,
wenn nicht in der Mitte dieser Landschaften eine Burg in
der Ordensritter Händen war, von welcher aus das Volk täg=
lich bekämpft werden konnte [2]) und hinter deren Mauern die
Kriegsmannschaft des Ordens Schutz und Erholung fand.
Das erwägend beschloß Heinrich von Wida, eine solche Burg
für diese Zwecke aufzurichten; in gewohnter Weise ließ er im
Kulmerlande alles, was zum schnellen Aufbau nöthig war,
vorbereiten und zog dann mit der ganzen gesammelten Macht
der Kreuzfahrer gen Pomesanien hin.

Nordwärts vom Sirgunen-See hinab, wo die Sirgune
dem Drausen-See zufließet, lag hart an ihrem Ufer eine be=
deutende Berghöhe. Von Süden herabeilend wandte sich der
Fluß unfern von dem Berge plötzlich von Westen nach Osten
und bog dann eben so schnell wieder nach Norden ein, gleich
als habe er die Berghöhe nur umarmen wollen. Seine einst=
malige bedeutendere Wasserfluth hat an der Südseite des Ber=
ges ein ziemlich weites Thal gebildet und hier zugleich, wo
der Fluß den Fuß des Berges bespült, den steilen Anhang
noch um so mehr erhöht. Hier hatte also schon die Natur
die Berghöhe hinlänglich geschützt, zumal wenn das aufge=

---

1) *Dusburg* P. III. c. 62.
2) *Dusburg* l. c. „Consideraverunt, quod indomita colla
istarum gentium non possent fidei subjugari, nisi in medio
nationis eius perversae haberent castrum, de quo ipsas quoti-
die impugnarent.„

stauete Wasser der Sirgune das Thal überfüllend hier einen
breiten See erzeugte, der keinen Zugang möglich machte. So
bildete auch die östliche Seite damals einen nicht minder stei=
len und schroffen Abhang, an dessen Fuße ebenfalls ein schö=
nes Thal die Sirgune empfing, und jenseits dieses Thales
ein unebenes Geländ; einem Bergrücken gleich, der in das
Thal bald hereinspringt, bald wieder mehr zurücktritt. Nord=
wärts lag jener Berghöhe zur Seite ein anderer zwar minder
hoher, aber doch nicht unbeträchtlicher Berg, getrennt durch
eine breite und tiefe Bergschlucht. Ueber ihn hinaus ebenes
Flachland bis in die weiteste Ferne. Gegen Abend hin schloß
sich die Berghöhe an ein dahinter liegendes flaches Geländ
in mäßiger Absenkung an. Die Natur hatte hier am wenig=
sten für Schutz und Sicherheit gethan und von dieser Seite
her war der Zugang zur Berghöhe am leichtesten.

Diese Berghöhe, schon von Natur zu einem festen Halt=
punkte gebaut, fand der Landmeister zum Aufbau einer neuen
Burg am trefflichsten gelegen und unter dem Schutze des Pil=
gerheeres ward der Bau im Frühling des Jahres 1248 be=
gonnen und schnell gefördert. Als solle sie in aller Weise
den Verlust der alten Burg ersetzen, ward sie gleichfalls Christ=
burg genannt, stark befestigt und als sie vollendet war, mit
einem so zahlreichen Kriegsvolke besetzt, daß sie gegen jeglichen
Angriff eines Feindes gesichert schien. Auf der westlichen
Seite, wo die Natur die Berghöhe zu wenig geschützt, grün=
dete man wahrscheinlich eine starke Vorburg der Hauptburg
zur Sicherheit. Erst in späterer Zeit erhob sich im Osten am
Fuße der schroffen Berghöhe die Stadt Christburg durch
Deutsche Kreuzfahrer, die hier Hof und Heimat suchten [1]).

_____

1) *Dusburg* P. III. c. 62. Chron Oliv. p. 31. Lucas Da=
vid B. III. S. 108. *Schütz* S. 25 Kantzow B. I. S. 246.
Daß die Erbauung dieser neuen Burg in den Frühling des Jahres
1248 fällt, ist unbezweifelt. Schon Hartknoch bemerkt zu *Dusburg*
p. 163: Castrum hoc jam ante annum 1249 fuisse conditum,
cognoscimus ex privilegio Prussis veteribus dicto anno d. VII.
Id. Februar. a legato Pontificio dato, ubi iam mentio fit novi

Nun hatte längst aber auch der Papst Innocenz schon Nachricht über die neuerweckten Feindseligkeiten zwischen Herzog Suantepolc und dem Orden, denn beide hatten sich mit Klagen an den päpstlichen Hof gewandt und zur Vertheidigung ihrer Streitsache ihre Anwalde dahin gesandt [1]). Es ist denkbar, wie verschiedenartig und entgegengesetzt die Berichte seyn mußten, welche auf solche Art zu des Papstes Kenntniß kamen; daher geschah es auch, daß der Bischof von Porto, welchen Innocenz zum Schiedsrichter in der Sache ernannt hatte, so oft er auch von den Sachwaltern beider Theile Klagen und Gegenklagen, Gründe und Gegengründe über die Streitpunkte vernommen [2]), doch nie eine klare Einsicht in die Verhältnisse erlangen konnte; immer fehlten ihm die nöthigen Beweise, um eine gerechte Entscheidung auszusprechen, und wie konnte überhaupt ein Streit zu Lyon geschlichtet werden, bei dem so vieles auf die genaueste Kenntniß der örtlichen und geschichtlichen Verhältnisse des Landes beider Theile ankommen mußte? Das erkannte der Papst endlich selbst [3]) und

---

et veteris Christburg. Aber auch früher als 1248 kann dieses neue Christburg nicht erbaut seyn, wenigstens spricht dafür weder eine Urkunde, noch eine sonstige bewährte Quelle.

1) Höchst wahrscheinlich geschah dieses auf eine förmliche Vorladung des früher erwähnten Abts von Mezano, denn in der an ihn gerichteten päpstlichen Bulle hieß es: Quodsi forte illas (sc. partes) pacificare nequiveris, tu inquisita super omnibus discordie articulis diligentius veritate, quecunque inveneris, nobis fideliter referre procures, prefigendo eisdem partibus terminum peremptorium competentem, quo per Procuratores idoneos nostro se conspectui representent. S. die Bulle bei Lucas David B. III. Anhang Nr. V.

2) S. die päpstl. Bulle bei Lucas David B. III. Anhang Nr. VII. Wenn der Papst sagt: es sey Streit zwischen den beiden Theilen super quibusdam terris, possessionibus et rebus aliis, so scheint sich dieses auf jenen Zwist über einen Theil der Rehring und die Burg Pin nebst den Dörfern bei Kulm zu beziehen. Aber freilich lag der Grundstoff alles Haders tiefer, als der Papst hier andeutet.

3) S. die eben erwähnte Bulle.

schon im November des Jahres 1247 ernannte er den durch
Geist und Kenntnisse sehr ausgezeichneten Geistlichen Jacob
Archidiaconus von Lüttich zu seinem Legaten über die Lande
Pommern, Preussen und Polen [1]) mit dem Auftrage, den für
Kirche und Christenthum so höchst verderblichen Zwist im Lande
selbst für immer beizulegen. Dieser Mann, Jacob Pantaleon
aus Troyes in Champagne, von sehr geringer Herkunft, eines
Schuhflickers Sohn, aber durch die aufstrebende Kraft seines
Geistes jetzt schon zu einem wichtigen kirchlichen Amte gelangt, nachmals zum Bischofe von Verdün, hierauf zum Patriarchen von Jerusalem erhoben und endlich unter dem Namen Urban des Vierten bis zum päpstlichen Stuhle empor-
steigend [2]), war allerdings am meisten dazu geeignet, den
schon seit zehn Jahren tobenden Sturm im Norden zu beschwichtigen. Er erkannte die Wichtigkeit seiner Aufgabe; sie
war eine neue Probe seiner Kenntnisse und seiner Erfahrung
in Weltverhältnissen.

Um ihm die Schwierigkeiten der Friedensstiftung zu erleichtern, ertheilte der Papst zu gleicher Zeit den Erzbischöfen
Fulco von Gnesen und Albert von Preussen, nebst deren Suffraganen und den Aebten der nahen Cistercienser-Klöster den
Auftrag, mit dem päpstlichen Legaten gemeinschaftlich allen
Fleiß auf die Sache des Friedens zu wenden und mit gan-
zem Eifer für Ruhe und Eintracht zu arbeiten [3]). Der päpstliche Legat ging durch Schlesien und berief dort eine Versammlung von Bischöfen nach Breslau, wo unter andern
auch Heidenreich Bischof von Kulm erschien. Zwar wurden

---

1) *Raynald.* ann. 1247 Nr. 25 führt an, daß der päpstliche
Auftrag an den Archidiaconus von Lüttich am 22. Novemb. 1247 erfolgt sey.

2) Bower Geschichte der Päpste B. VIII. S. 117. Raumer
B. IV. S. 466 — 467.

3) *Raynald.* l. c. fand noch aliae epistolae ad legatum,
Gnesnensem et Prussiae archiepiscopos eorumque suffraganeos,
atque ad abbates Cistercienses exaratae, quibus eos muneris
legato impositi certiores factos, suam illi ad conciliandam
concordiam operam explicare imperavit.

hier, ſo viel wir unterrichtet ſind, mehr nur ſolche kirchliche
Gegenſtände verhandelt, welche zunächſt Polen betrafen [1]); ge=
wiß aber ward damals ſchon der päpſtliche Legat vom Bi=
ſchofe Heidenreich auch über die Verhältniſſe in Preuſſen nä=
her unterrichtet und es geſchah ohne Zweifel auf deſſen Ver=
anlaſſung, daß bald darauf dieſer Biſchof nebſt den beiden
Biſchöfen von Lebus und Kamin von dem Papſte noch be=
ſonders in einer eigenen Bulle beauftragt wurde, die ſchon ſo
lange und unter großen Koſten durch die Sachwalter beider
Theile verhandelte Streitſache an Ort und Stelle fortzuſetzen
und zu beendigen, alſo daß, wie der Papſt mit Nachdruck er=
klärte, ihr Endurtheil unter Strafe des Kirchenbannes fortan
unverbrüchlich aufrecht erhalten werden ſolle. Dieſen Befehl
erließ Innocenz am dreißigſten Mai des Jahres 1248 [2]).

Bevor indeſſen dieſer Auftrag von Lyon her ankam und
in Ausführung gebracht werden konnte, ward durch den Wech=
ſel des Waffenglückes das Werk des Friedens ſchon auf man=
cherlei andere Weiſe vorbereitet. Der Aufbau Chriſtburgs
hatte in den Preuſſen der nahe gelegenen Landſchaften von
neuem große Beſorgniſſe aufgeregt. Auch Herzog Suantepolc
war in ſeinem Lande bemüht geweſen, neues Kriegsvolk zu
ſammeln, um mit den Preuſſen in Verbindung die neue dro=
hende Burg wieder zu vernichten. Es ward beſchloſſen, die
Burg zu belagern und nicht eher wieder von dannen zu zie=
hen, als bis ſie dem Boden wieder gleich gemacht ſey. Be=

---

1) Anonymi Archidiaconi Gnesnens. Chron. ap. *Sommersberg* T. II. p. 81 führt namentlich den Biſchof von Kulm an.
Boguphal ibid. p. 63 ſagt: Henricus Culmensis primus ordinis Cisterciensis, qui de Abbate eiusdem loci de novo in
Episcopum fuit creatus. Was der Chroniſt mit dieſen Worten ſa=
gen will, iſt etwas dunkel. Wie es ſcheint, meint er: Heinrich ſey
vorher Abt eines Kloſters in Kulm geweſen und erſt jüngſt zum Bi=
ſchof erwählt worden. *Raynald.* ann. 1248. Nr. 49. Jahrbücher
der Stadt Breslau S. 62.

2) Das Original dieſer Bulle befindet ſich im geb. Archive Schiebl.
III. Nr. 43, gedruckt bei Lucas David B. III. Anhang Nr. VII.

reits war auch ein ſtarkes Heer von Preuſſen verſammelt [1])
und den Heranzug des Herzogs aus Pommern erwartend,
ſandten die Heeresführer eine Kriegsſchaar mit einer Anzahl
von Wagen voll Lebensmitteln und Waffen voraus. Da aber
der Landmeiſter ihren Anzug erfuhr, brach er ſchnell mit einem
ſtarken Heerhaufen auf, überfiel die feindliche Vorſchaar, rieb
ſie gänzlich bis auf den letzten Mann auf und brachte den
ganzen reichen Wagenzug als Beute nach Chriſtburg [2]). Als
dieſes das übrige Heer der Preuſſen vernahm, bemächtigte ſich
ſeiner ein ſolcher Schrecken, daß es ſich plötzlich zerſtreuend in
die Heimat zurückfloh. Inzwiſchen war Herzog Suantepolc
mit ſeinem Kriegsvolke bis an die Weichſel vorgezogen, von
Zantir aus, wo er ein Lager geſchlagen, eine bedeutende Heer=
ſchaar vorausſendend, um durch ſie auszukundſchaften, ob die
Preuſſen bereits vor der Chriſtburg angekommen ſeyen. Der

---

1) Es iſt von mehren Schriftſtellern, z. B. Pauli a. a. O. S.
85. Kotzebue B. I. S. 187 u. a. behauptet worden, daß damals
auch der Pommeriſche Zweig des Johanniter=Ordens dem Herzoge Su=
antepolc gegen den Deutſchen Orden zu Hülfe geſtanden habe. Allein
es iſt ſchon an ſich höchſt unwahrſcheinlich, daß die Johanniter mit dem
offenen Schwerte die Deutſchen Ordensritter bekämpft und badurch den
Papſt gegen ſich aufgereizt haben ſollten, deſſen Gunſt ihnen doch eben
ſo wichtig ſeyn mußte, wie dem Deutſchen Orden. Es ſtützt ſich aber
zweitens dieſe Behauptung auch einzig nur auf Simon Grunau
Tr. VII. c. 5. §. 3. und was von dieſer mit Widerſprüchen und
Unrichtigkeiten angefüllten Stelle des Mönchs zu halten ſey, haben wir
ſchon in der Recenſion über *Lucas* de bellis Suantop. in der Leipzi=
ger Literat. Zeit. Jahrg. 1824 Nr. 306 — 307 S. 2449 aus einan=
ber geſetzt. Demnach iſt auch vieles unrichtig, was in den Preuſſ.
Samml. B. II. S. 357 ff. auf dieſe Stelle gebaut iſt. Selbſt der
Wahrſcheinlichkeitsgrund, welchen *Lucas* l. c. p. 44 aus der Urkunde
bei *Dreger* Nr. 183 entnimmt, kann nach unſerem Bedünken ſchwer=
lich Anwendung finden. Suantepolc giebt darin den Johannitern nur
einige Güter zurück, die ihnen ſein Bruder Sambor wieder genommen
hatte. Ueber die Urſachen dieſer neuen Verleihung enthält die Urkunde
nichts.
    2) Nach *Schütz* S. 25 ſollen der erſchlagenen Preuſſen 11,000
geweſen ſeyn; eine etwas unglaubliche Zahl. *Dusburg* P. III. c.
64 ſagt bloß: omnes occiderunt.

Landmeister aber, zuvor schon von des Herzogs Ankunft unterrichtet, hatte einen großen Theil seiner tapfersten Kriegs-
mannen in den Hinterhalt gelegt und als nun jene Schaar
des Herzogs ins Land hereinzog, stürzte plötzlich jener Heerhaufe auf sie ein, erschlug die meisten und warf die übrigen
in die Flucht. Mit dem Geschrei des Schreckens stürmten
die Flüchtlinge in des Herzogs Lager zurück und setzten hier
alles in solches Entsetzen, daß das ganze Heer in Angst und
Unordnung das Lager verließ. Viele wurden von den jenen
Flüchtlingen nachgeeilten Ordenskriegern erreicht, theils erschlagen, theils gefangen genommen oder im Getümmel des
Kampfes in die Weichsel getrieben, wo die meisten in den
Wellen ihren Tod fanden [1]). Kaum hatte der Herzog mit
Wenigen seiner Getreuen auf einem Stromschiffe der Gefan-
genschaft entfliehen können. Eine der schwersten Demüthigun-
gen für den stolzen Fürsten, der seit Jahren fruchtlos alle
Kräfte seines Landes aufgeboten hatte, die eingedrungene
Deutsche Ritterherrschaft aus dem Nachbarlande zu vertreiben!
Aber sie ward noch fühlbarer und schmerzlicher, diese Demü-
thigung, als der Landmeister im Siegerstolze gegen die Burg
Zantir heranzog, um sie zu erstürmen und als er sie zu fest
fand, in des Herzogs Land einfiel und es mit Raub und
Brand so furchtbar durchzog, daß Pommern noch nie so
schrecklich verwüstet und verheert und noch nie von solchem
Jammer und Elend heimgesucht worden war [2]).

Das beugte endlich Suantepolcs starken Geist, das brach
seinen festen Muth und entnahm ihm aus der Seele alle Hoffnung und allen Glauben an das Gelingen seiner Entwürfe.
Und was konnte irgend diese Hoffnung jetzt noch aufrecht

---

1) *Dusburg* l. c. und nach diesem Lucas David B. III.
S. 110 — 111. Der Text des Dusburg bei Hartknoch scheint indessen nach dem Epitomator und nach Jeroschin auch hier wieder
nicht ganz vollständig, denn beide enthalten manches Einzelne, was im
Text bei Hartknoch nicht steht. So auch *Schütz* S. 25. Kantow B. I. S. 246.

2) *Schütz* a. a. O. Kantow a. a. O.

halten? Zehn Jahre hatte bereits der wilde Waffensturm
balb in seinem eigenen Lande, bald in den nachbarlichen
Gränzgebieten getobt und manches Schöne und Erfreuliche
darnieder geworfen; die Länder waren verwüstet, die Bewoh=
ner verarmt oder vom heimatlichen Boden hinweggescheucht,
die herrlichsten Jugendkräfte der Völker vergeudet und aufge=
zehrt; und wo waren die Erfolge für diese traurigen Opfer?
wo stand die Erfüllung der Wünsche, wo das Ziel, dem der
Herzog mit so rastlosem Geiste nachgestrebt? Schien es in
solcher Lage nicht nutzlos, schien es selbst nicht frevelhaft an
seinem eigenen Volke, den Kampf mit solchen Blutopfern noch
weiter zu betreiben? Herzog Suantepolc war keineswegs ein
Fürst, der nur des Krieges wegen Krieg führte. Er führte
ihn stets mit Plan und Absicht und mit festem Ziele vor Au=
gen. Darum aber konnte er auch unmöglich mit Dahinopfe=
rung alles Glückes und Wohlstandes, aller Habe und Kraft
seines Volkes das Volk von Gefahr erretten wollen, um dann
vielleicht in seinem Lande über freie Bettler zu gebieten. Die
Freiheit seines Herzogsstuhles war das würdige Ziel, dem
Suantepolc unter Blut und Schweiß entgegengerungen hatte;
aber war dieses Gut noch von Werth in einem Lande, wel=
ches wie eine Wüste da lag, wo alles Menschenglück ver=
scheucht war und nur noch Elend und Jammer wohnte? —
Zudem war auch überhaupt die Zeit nicht mehr geeignet
zur Fortsetzung des unheilvollen Kampfes. Die Preussen
wurden je mehr und mehr zaghaft, verzweifelt und mißtrauisch
gegen ihr Glück unter den Waffen. Der blutige Krieg hatte
auch sie im Laufe der Zeit mürbe gemacht und ihren alten
Muth gebrochen. Die letzte Flucht und Zerstreuung ihres
Heeres in der Nähe der Christburg hatte solches klar bewiesen.
Pommern selbst war in seinen Kräften äußerst erschöpft [1]) und
mehr als je bedurfte es jetzt der Erholung im Glücke friedli=
cher Zeiten. Der Orden konnte — das sah der Herzog klar

---

1) Suantopolcus devictus, quia tota virtus exercitus sui
fuit enervata, a modo conquievit. *Dusburg* c. 64.

— den Kampf noch Jahre hindurch fortführen. Die Quelle
seiner Streitkräfte, der Geist der Kreuzzüge, die Sehnsucht
nach Gnadenmitteln aus dem Schatze der Kirche, die Kampf-
und Fehdelust der Zeit, der Glaube an das seligmachende
Verdienst des Ritterdienstes für Kirche und Evangelium, das
Wohlgefallen am abenteuerlichen Kampfe mit den Heiden,
sie war noch nicht versiegt, diese Quelle der Kriegsmacht des
Ordens, wenn gleich sie auch viel spärlicher floß, als in früheren Zeiten. Das konnte dem Herzoge nicht unbekannt seyn;
auch war er wohl unterrichtet, daß bereits wieder neue bedeutende Heerhaufen in Deutschland zur Hülfe des Ordens
gesammelt und gerüstet wurden. Endlich war im Ausgange
des Sommers auch der päpstliche Legat in Preussen angekommen; er war erschienen mit seinen Geboten über Verdam-
mung und Lossprechung, mit seiner Vollmacht zu lösen und
zu binden, mit seinen Strafgesetzen für Zeit und Ewigkeit
und mit allem dem flößte er Scheu, Furcht und Schrecken
in die Seelen der Menschen.

Da reichte Herzog Suantepolc unter solchen Verhältnissen die Hand zum Frieden [1]). Der päpstliche Legat und die
beiden Bischöfe Wilhelm von Kamin und Michael von Cujavien traten als Vermittler auf. Am zwölften September
1248 hatten sie nebst dem Landmeister mit dem Herzoge eine
Zusammenkunft auf der Schmieds-Insel in dem östlichen,
ins Frische Haff strömenden Weichselarme [2]). Man vereinigte
sich bald dahin, daß die von dem Erzbischofe von Gnesen und
dem Bischofe von Kulm im vergangenen Jahre entworfene
und damals auch schon angenommene Ausgleichung zur Grundlage eines festen Friedens dienen solle. Herzog Suantepolc
verpflichtete sich durch einen feierlichen Eidschwur auf die hei-

---

1) Daß Suantepolc jetzt den Frieden anbot, bezeugt auch die Friedensurkunde ziemlich deutlich selbst, so wie es aus den eben erwähnten
Worten bei *Dusburg* c. 64 hervorgeht.

2) Diese Lage der Schmieds-Insel bezeugen mehre Urkunden; so
heißt es in einer bei *Dreger* Nr. 184: in arena iuxta insulam
Fabri.

ligen Evangelien, daß er jenem Vertrage jetzt und immerdar
pünktlich nachkommen wolle, sobald ihm von den Ordensrit=
tern sein Sohn frei gegeben sey, und daß er hinfüro weder
selbst, noch durch einen andern, weder heimlich und im Stil=
len, noch öffentlich Fehde oder Krieg oder sonst etwas Ver=
derbliches gegen die Ordensritter anregen oder vornehmen,
vielmehr alles, was ihnen Nachtheil bringen könne, nach Kräf=
ten verhindern oder ihnen anzeigen werde, auf daß sie sich
dagegen verwahren und sichern könnten.   Somit gelobte also
der Herzog über alle bisher zwischen ihm und dem Orden
streitig gewesenen Punkte einen festen und vollkommenen Frie=
den.   Desgleichen geschah auch vom Landmeister; doch erklärte
dieser ausdrücklich, daß wenn der Herzog des Ordens Ver=
bündeten, den Herzogen Casimir von Cujavien, Przemislav
und Boleslav von Polen und seinem Bruder Sambor durch
einen Richterspruch oder durch eine freundliche Ausgleichung
nicht Recht widerfahren lassen werde, dem Orden die Erlaub=
niß zustehen solle, ohne des Eides Verletzung die genannten
Verbündeten im Kriege gegen den Herzog auch ferner zu un=
terstützen [1]).

Dieses waren indessen nur die ersten Vorbereitungen
zum Friedenswerke.   Der wichtigsten Bedingung, welche der
Orden zu erfüllen hatte, der Freilassung des herzoglichen Soh=
nes und der übrigen Geißeln genügte der Landmeister noch
im September dieses Jahres.   Auf derselbigen Schmieds=In=
sel übergab Heinrich von Wida den jungen Prinzen dem päpst=
lichen Legaten und dieser stellte ihn dem Vater dort zurück [2]).

----

1) Das Original dieser Friedensurkunde befindet sich im geh. Ar=
chive Schiebl. 48 Nr. 12 und gedruckt bei Kotzebue B. I. S. 411 —
412. Die Schlußworte: Actum in insula fabri bezeugen, daß es den
Inhalt der Verhandlung auf der Schmieds=Insel in sich faßt. Zeit
und Ort, wo die Urkunde ausgestellt ist, wird nicht angegeben. Es ist
übrigens die Zusicherung des Herzogs selbst.

2) Daß die Geißeln dem Herzoge noch vor dem 22sten Septemb.
zurückgegeben seyn müssen, beweiset, wie schon *Lucas* l. c. p. 45 sehr
richtig bemerkt, die Urkunde bei *Dreger* Nr. 188, denn in dieser am
erwähnten Tage ausgestellten Verschreibung des Herzogs Suantepolc

Und nachdem nun so von Seiten des Ordens die wichtigste Forderung des Herzogs erfüllt war, kam es in den letzten Tagen des Novembers 1248 auch zum förmlichen Friedens=schlusse, um dessen Vermittlung der päpstliche Legat vor allen andern die größten Verdienste hatte. Sein wesentlicher In=halt war folgender.

Zur Beilegung alles Zwistes über die irrigen Ländergebiete, über Jagd, Fischerei und Zölle legte man jenen Ver=trag zum Grunde, den der Erzbischof von Gnesen und der Bischof von Kulm am fünf und zwanzigsten October 1247 zwischen dem Herzoge und dem Orden vermittelt hatten. Beide blieben im Besitze alles dessen, was ihnen damals die er=wähnten Schiedsrichter zugewiesen, und verpflichteten sich von neuem zu allen in jenem Vertrage niedergelegten Bestimmun=gen [1]). Eine nähere Erörterung über die Burg Wissegrob, die jetzt im Besitze des Herzogs von Cujavien war, setzte fest, daß Herzog Suantepolc in Rücksicht dieser Burg an den Orden durchaus keine Forderung erheben, der Orden aber, wenn Suantepolc die Burg von Herzog Castimir zurück ver=langen werde, diesem auch keinen Rechtsgrund zum Besitze an die Hand geben solle, doch mit dem Vorbehalt, daß es den Ordensrittern, im Fall sie durch irgend einen Obern ge=

---

wird Woiath subdapifer, der sich unter den Geißeln befand, schon wieder als Zeuge genannt. Daß der junge Prinz dem Vater erst spä=ter und zwar erst im November 1248 zurückgegeben worden sey, wie *Lucas* l. c. p. 46 annimmt, kann nach unserem Bedünken durch die Urkunde bei *Dreger* Nr. 184 p. 273 nicht bewiesen werden. Viel=mehr geht daraus hervor, daß damals der Sohn schon in des Vaters Händen war und also zugleich mit den andern Geißeln schon im Sep=tember frei gegeben wurde. Daß der Prinz erst von weitem habe her=beigebracht werden müssen, wie Kotzebue B. I. S. 412 vermuthet, ist wenigstens eine unerweisliche Voraussetzung. Es ist überhaupt nicht glaublich, daß man jetzt in des Legaten Anwesenheit mit Erfüllung die=ser ersten und wichtigsten Bedingung so lange Anstand genommen ha=ben werde.

1) Vgl. die Urkunde bei *Dreger* Nr. 184 mit der bei Kotzebue B. I. S. 409.

zwungen würden, über diesen Gegenstand eine eidliche Erklärung abzugeben, jenes Versprechens ungeachtet zustehen solle, ungestraft darüber die Wahrheit auszusagen [1]: Es versprachen sich ferner beide Theile gegenseitig, daß aller und jeglicher in den Kriegen erlittene Schade auf beiden Seiten vergessen und aufgehoben seyn solle, daß einer des andern Nachtheil in keiner Weise weder öffentlich noch im geheimen mehr suchen, sondern nach Kräften verhindern oder ihm mit Treue und Vorsicht anzeigen wolle, damit der gefährdete Theil sich dagegen verwahren könne. In künftigen zwistigen Fällen sollte forthin keiner der beiden Theile sein Recht oder seine Unbill mit Feuer und Schwert verfolgen, sondern beide sollten zwei rechtschaffene Männer und diese zwei dann einen dritten erwählen; auf das Urtheil dieser Schiedsrichter sollte unter namhafter Strafe die Streitsache gestellt seyn. Wenn aber jene zwei in der Wahl des dritten oder die drei Schiedsrichter in der Entscheidung der Sache zu keinem gemeinsamen Beschluß gelangen könnten, so möge dann jeglicher Theil in freundlicher Weise sein Recht am päpstlichen Hofe suchen. Ferner erklärten die Ordensritter dem Herzoge auch ietzt, daß sie, sofern er mit seinem Bruder Sambor, dem Herzoge Casimir von Cujavien und den Herzogen Przemislav und Boleslav von Polen keine gütliche Ausgleichung eingehen oder durch Richterspruch ihre Streitigkeiten nicht beilegen wolle, diese ihre Verbündeten dieser Friedenssühne unbeschadet mit ihrer Person, ihren Burgen und Kriegsleuten gegen den Herzog unterstützen dürften. Suantepolc willigte in diese

---

1) „Hoc tamen salvo, quod si per superiorem aliquem super hoc cogemur jurare, non obstante ista promissione liceat nobis impune super hoc dicere veritatem." Die Worte enthalten eine Dunkelheit, die sich nicht ganz aufklären läßt. So viel geht aus ihnen wohl hervor, daß die Darlegung des wahren Thatbestandes, so wie die Ordensritter sie geben konnten, für den Herzog Casimir in Rücksicht seiner Ansprüche auf die Burg günstig, nicht so hingegen für Herzog Suantepolc seyn mußte. Was aber hatten die Ritter denn als Wahrheit zu sagen? Darauf antwortet uns keine Quelle.

Erklärung der Ordensgebietiger ein mit dem Versprechen, in
solchem Falle das Ordensland nicht feindlich zu betreten oder
die Ritter deßhalb zu befehden. Dagegen gaben diese dem
Herzoge die Versicherung, daß sie, so lange die friedliche
Ausgleichung oder die richterliche Entscheidung von dem Herzoge noch gesucht werde, jene genannten Herzoge in keiner
Weise gegen ihn unterstützen wollten.

Außerdem gelobte und verpflichtete sich Herzog Suantepolc mit seinen Erben, hinfüro niemals mit den neubekehrten
Preussen oder mit den Heiden gegen den Orden oder gegen
irgend andere Christen ins Bündniß zu treten oder die Neubekehrten durch Gunst und Hülfe zum Abfalle von der Herrschaft der Ordensritter zu bewegen [1]. Alle diese festgesetzten
Friedenspunkte beschwuren der Landmeister auf seine und seiner Ordensbrüder Seele und Herzog Suantepolc in gleicher
Weise auf seine und seiner Nachfolger Seele mit Berührung
heiliger Reliquien und des heiligen Kreuzes in Gegenwart
des päpstlichen Legaten und der Bischöfe Michael von Cujavien und Heidenreich von Kulm. Beide Theile verpflichteten
sich im Falle der Verletzung dieses Friedens oder der Ueber-
tretung eines der festgesetzten Punkte zur Entrichtung einer
Straffumme von zweitausend Mark Silbers an denjenigen,
welcher den Vertrag getreu beobachtet, dergestalt daß jene
Strafe bei der jedesmaligen Verletzung von neuem wieder
eintreten solle. Ferner erklärte der Herzog, daß er auf die
Verschreibungsbriefe, in welchen der Orden ihm das Landgebiet Lansanien für die Burg Pin auf Lebenszeit abgetreten
habe, förmlich Verzicht leiste und sie nie in Anwendung brin-

---

1) Dieser wichtige Punkt heißt in der Urkunde wörtlich: Adhuc
etiam Ego Sanctopolcus (!) promitto fideliter et obligo me
meosque heredes coram sepedicto Archidiacono quod nunquam de cetero cum neophitis Prutenis neque cum paganis
contra (nicht circa, wie *Dreger* las) ipsos fratres domus
theutonicorum vel quoscunque alios cristianos ero confedera-
tus. nec eosdem Neophitos ab eorundem fratrum dominio
amore vel auxilio subtrahere procurabo.

gen wolle; und endlich bezeugte er noch, daß er vom Land=
meister und den Ordensrittern seinen Sohn auf dem Sande
neben der Schmieds = Insel wirklich zurückerhalten, diesem
aber befohlen habe, den Friedensschluß im Ganzen und in
seinen einzelnen Theilen zu beschwören und getreu zu halten,
und daß der Sohn diesen Schwur auf seinen Befehl bereits
auch wirklich geleistet [1]).

---

1) Das Original dieses wichtigen Vertrages befindet sich im geh.
Archive Schiebl. 48 Nr. 15; es ist aber so stark beschädigt und zerfres=
sen, daß es nur noch mit Beihülfe der Abdrücke zu gebrauchen ist. Es
befinden sich daran noch die beiden Siegel des päpstlichen Legaten und
des Herzogs Suantepolc in rothem Wachs. Jener nennt sich darin
pape capellanus, und in des letztern Siegel lautet die Umschrift:
Anul. Ducis Sventopolci. So ist der Name des Herzogs in sei=
nem gewöhnlichen Siegel, welches ziemlich zahlreich im geh. Archive
vorhanden ist, sonst nie zu finden. Warum er gerade dieses Siegel bei
dieser Urkunde gebrauchte, sagt die Urkunde am Schlusse. Diplomatisch
ist diese Sache nicht unwichtig, aber sie gehört mehr der Geschichte
Pommerns an. — Gedruckt findet man diese Urkunde bei *Dreger*
Nr. 184. p. 170. *Dogiel* T. IV. Nr. XXII. p. 15. Acta Boruss.
B. II. S. 714 — 721, zum Theil auch bei Baczko B. I. S. 262—
265. Doch sind diese Abdrücke in Rücksicht der Aussteller der Urkunde
verschieden, so sehr sie auch im Inhalte mit einander übereinstimmen.
Dreger liefert die Urkunde, welche der Landmeister und der Herzog
gegenseitig ausstellen; in ihr treten beide Theile als selbst sprechend auf
und setzen ihre Erklärungen einander gegenüber. Diese Urkunde ist es,
welche auch das geh. Archiv im Original besitzt. Beide stimmen mit
einander völlig überein, nur daß im *Dreger* einige Namen etwas
verändert stehen, z. B. Nerie statt Nerey, Cantzikini statt Camzi=
kini, Tuya statt Tuia. Den Namen Lanzania, der anderwärts öf=
ter verdorben Lausania vorkommt, hat Dreger richtig; eben so den
Namen Mistui. *Dogiel* dagegen, die Acta Boruss. und Lucas
David B. III. S. 117 haben die Urkunde, welche der päpstliche Legat
über den Friedensschluß ausstellte. In ihr tritt er als sprechende und
handelnde Person auf und berichtet, wie die beiden Theile sich zum
Frieden vereinigt. In Rücksicht des Datums ist zwischen beiden Urkun=
den nur ein Tag Unterschied. Die des päpstlichen Legaten ist gegeben
feria tertia post festum Clementis d. h. am 26. November, die
des Landmeisters dagegen feria tertia ante adventum domini d.
h. am 27. Nov. 1248.

Das war die Friedensurkunde, durch welche der lange und blutige Kampf beendigt und der Groll versöhnt wurde, der über die beiden Nachbarlande so unbeschreibliches Elend und Verderben, so viel Jammer und Unglück gebracht hatte. Aber welch ein Friede für Herzog Suantepolc! Was mußte sich in seiner Seele bewegen, wenn er von dem Inhalte die= ses Friedensschlusses auf das blutige Jahrzehent zurückblickte, für welches dieser Friede nun den Schluß bildete! Es ist nicht zu läugnen, Suantepolc betrat das Kriegsfeld gegen den Orden mit Gedanken und Bestrebungen, die von der Stellung aus und in den Verhältnissen, in denen er als Fürst stand, schwerlich an ihm zu tadeln sind: Sicherheit und Ruhe seines Landes, Erhaltung der Freiheit und der reinen Eigenthümlichkeit seines Volkes, Befestigung und Sicherung seiner Herrschaft, Behauptung seiner freien Fürstenwürde für sich und seine Nachfolger. Dieß alles schien ihm in großer Gefahr durch das steigende Glück und die immer weiter drin= gende Herrschaft des Ritterordens im nachbarlichen Lande. Diese Ritter=Herrschaft also in jeglicher Weise niederzuhalten, zu untergraben und das gefahrvolle Regiment aus der Nach= barschaft wieder zu verdrängen: das war der Grundgedanke aller seiner Bestrebungen, Plane und Entwürfe, der erste und wichtigste aller seiner Wünsche. Und was war nun in die= sem Streben und für diesen Wunsch erreicht? Wie lautete der Friede, den er jetzt untersiegelt, gegen den Frieden, in wel= chem er das Heil, die Sicherheit und die Freiheit gesucht und gesehen hatte! Wo war für diese Freiheit und Sicherheit seines Landes auch nur die mindeste Bürgschaft in die= sem Friedensschlusse? Gewiß wurde nun die Ordensherrschaft im Nachbarlande wieder fester aufgebaut; das konnte Herzog Suantepolc nicht bezweifeln, wenn er sah, was die Päpste, was der Kaiser, was ganz Deutschland von Jahr zu Jahr für die Erhebung des Deutschen Ordens und für Preussens Unterwerfung thaten. Und diese Unterwerfung mußte nun sonder Zweifel um so eher gelingen, da Suantepolc, die alte Verbindung mit den Preussen aufgebend, das verzagte, mürbe

fort gegen ihn den Bann und über ſein Land das Interbict
ſolle verhängen dürfen, wofern er ſich der Anordnung der
Schiedsrichter widerſetzen werde; er gab zugleich die eidliche
Verſicherung, er werde die von Sambor ihm abgeforderten
Burgen während der Unterhandlungen in keiner Weiſe beſchä-
bigen, ſo wie die Einkünfte des ſtreitigen Landes nicht verwenden. Am Feſte Simonis und Judä, am acht und zwanzigſten October ſollten die beiden Herren von Caſſubien und
Herzog Suantepolc ſich in Soreden, und Herzog Sambor,
der Landmeiſter und der päpſtliche Legat in Zantir einfinden
und den Ort beſtimmen, an welchem die Schiedsrichter und
deren Beiräthe ſich über Zeit und Ort ihrer Verhandlungen
vereinigen ſollten, um dann ungeſäumt die Ausgleichung zu
bewirken. Die Schiedsrichter aber ſollten verſprechen, daß
ſie keinem der beiden Herzoge ihre Meinung eher mittheilen
wollten, als bis ihr Ausſpruch öffentlich geſchehe. Sollten die
Schiedsrichter ſich zu keinem gemeinſamen Beſchluſſe vereinigen können, ſo ſollte ihre Vollmacht erloſchen ſeyn und Herzog Sambor die Streitſache wieder vor das Gericht des päpſtlichen Legaten bringen dürfen [1]). So weit ſchien Herzog
Suantepolc zu allem geneigt.

Nun hatte aber der päpſtliche Legat ſchon oft und aufs
Dringendſte die Freilaſſung Ratibors aus ſeinem Kerker und
die Wiedereinſetzung der Brüder in ihre väterlichen Erbtheile
von dem Herzoge verlangt. Hiezu bedurfte es keineswegs erſt
einer richterlichen Entſcheidung, denn es war offenkundig, und
Herzog Suantepolc hatte es ſelbſt nicht läugnen können, daß
Sambor und Ratibor als ſeine leiblichen Brüder nach Landesordnung und Verfaſſung in der Theilung des väterlichen
Erbes ihm gleich ſtehen ſollten [2]). Es war bekannt, daß der

---

1) Das Original dieſer Urkunde befindet ſich im geheimen Archive
Schiebl. 48. Nr. 16; abgedruckt ſteht ſie bei Lucas David B. III.
Anhang Nr. VI. S. 12.

2) „Cum constaret omnibus, ipsos esse fratres legittimos
uterinos nobilis viri domini Swantepolci ducis Pomeranie pri-
mogeniti fratris sui et debere ei in portione hereditatis se-

Herzog ſeine Brüder ihrer geſetzlichen Erbtheile, die ſie Jahre lang nach des Vaters Tod ſchon friedlich beſeſſen hatten, gewaltthätig beraubt, und um allein Herr des Landes zu ſeyn [1]), den einen Bruder aus dem Lande vertrieben, den andern in Ketten und Banden gefangen gehalten habe. Herzog Suantepolc hatte auch verſprochen, den Forderungen des Legaten zu genügen, die Sache Sambors durch Schiedsrichter ausgleichen zu laſſen und Ratibor zur Zeit der ſchiedsrichterlichen Entſcheidung um Simon und Juda aus der Gefangenſchaft frei zu geben [2]). Der Legat hatte dieſen Aufſchub bewilligt, im Vertrauen, daß dann der Herzog ſein Verſprechen erfüllen werde, denn die Ausgleichung mit Sambor hatte auch darin eine beſondere Schwierigkeit, daß Suantepolc erſt vor wenigen Monden einen Theil der Beſitzungen, auf welche jener jetzt Anſprüche erhob, dem Johanniter-Orden in Pommern urkundlich zugeſprochen und zu ewigem Beſitze verliehen hatte [3]).

Als aber jener feſtgeſetzte Tag herankam und Sambor mit ſeinem Schiedsrichter, dem Landmeiſter an dem beſtimmten Orte erſchien, ſtellte ſich weder der Herzog ſelbſt ein, noch ſandte er in ſeinem Namen einen Sachwalter; er brachte nicht einmal ſeine beiden erwählten Schiedsrichter, die Herren von Caſſubien herbei, und eben ſo wenig gab er ſeinen Bruder Ratibor frei. Auch jetzt hegte der päpſtliche Legat noch Nach-

---

cundum terre consuetudinem pares esse." S. Urkunde bei Lucas David B. III. Anhang Nr. VIII. S. 16.

1) „Ut idem dux Swantepolcus primogenitus posset in tota Pomerania dominari." Ebendaſ.

2) Freilich hatte der Herzog ſeinem Verſprechen die verfängliche Clauſel hinzugefügt, er wolle fratres suos *cum honore suo et securitate sua si posset commode* ad propria revocare.

3) Urkunde im geh. Archive Schiebl. 48. Nr. 17., gedruckt bei *Dreger* Nr. 183. Der Herzog Suantepolc ſagte darin: Frater Samborius noster, quo ductus spiritu nescimus, bis sine causa predictas recepit possessiones, et cum de patrimonio exularet, fratres hospitalis beati Johannis in quietam restituimus possessionem jam secundo.

sicht gegen ihn, obgleich er offen erklärte, er könne in seinem Benehmen nur eine straffällige Verhöhnung seiner und der päpstlichen Würde erkennen. Er ließ daher den Herzog noch= mals theils durch seine Kapellane, theils durch Mönche und andere Männer an die Erfüllung seiner Versprechungen erin= nern. Allein eine Zeitlang war Suantepolc nirgends aufzu= finden; er ergötzte sich in seinen Wäldern an der Jagd, und als ihm die Ermahnungen des Legaten endlich zukamen, schien er weiter kein Gewicht darauf zu legen. Da setzte der Legat um die Mitte des Novembers einen Tag auf dem Sande neben der Schmieds=Insel fest und lud den Herzog vor. Als er erschien, ward er vom Legaten selbst noch einmal dringend aufgefordert, bis zum sechsten December die beiden Brüder unfehlbar in ihr Erbtheil wieder einzusetzen und Ratibor frei zu lassen oder am Vorabend jenes Tages in Thorn vor dem Legaten entweder selbst zu erscheinen oder einen Sachwalter zu senden, um die Gründe vorzulegen, warum er dem so oft wiederholten Verlangen nicht entsprechen dürfe oder könne. Der Herzog indessen blieb auch jetzt noch säumig, denn je dringender man von ihm die Theilung Pommerns verlangte, um so näher schien ihm die befürchtete Gefahr zu seyn und um so näher trat ihm das geahnete Verderben seines Landes vor die Seele. Nichts konnte ihn daher bewegen, die beiden Brüder in ihre Erbtheile wieder einzusetzen oder auch nur Ra= tibor seiner Haft zu entlassen [1]).

Nun erschien der angeordnete Tage zu Thorn, zu wel= chem sich der päpstliche Legat, die Bischöfe Michael von Cu= javien und Heidenreich von Kulm, Herzog Sambor, der Landmeister und mehre andere achtbare Männer eingefunden hatten. Man erwartete auch den Herzog Suantepolc oder seinen Bevollmächtigten zur Vorlegung der Gründe seines Ver= fahrens. Er erschien indessen nicht, sondern er sandte nur

---

1) Die einzige Quelle über diese Begebenheiten ist eine Original= Urkunde im geh. Archive Schiebl. 48. Nr. 13, abgedruckt bei Lucas David B. III. Anhang Nr. VIII.

seine beiden Kapellane Marol und Dargozlav, von denen der
erstere einen an den Legaten gerichteten Brief des Herzogs
überreichte, worin er ihm anzeigte, der Kapellan werde die
schriftlich abgefaßten Gründe seines Streites mit seinem Bru=
der Sambor vorlegen und ihm auch seine weiteren Bitten in
dieser Sache mittheilen [1]). Die Klagschrift des Herzogs, wor=
in er die Ursachen seiner Feindschaft gegen Sambor auseinan=
der setzte, lautete im Wesentlichen also:

„Als mein Vater dem Tode nahe lag, vertraute er mir
„meinen Bruder mit seinem Lande an, daß ich ihn zwanzig
„Jahre lang in meine Obhut nehmen und sein Land wie das
„meinige regieren solle. Mein Sohn, sprach der Vater, halte
„fest an der Liebe, mit der ich dich von jeher geliebt habe;
„und bewegt durch des Vaters Bitten nahm ich den Bruder
„in meine Aufsicht. Meinem Bruder aber sagte hierauf der
„Vater: Dir, mein Sohn, gebiete ich ernstlich, in Allem
„deinem ältern Bruder so wie mir zu gehorchen; wofern nicht,
„so fordere ich dich einst vor den Richter der Lebendigen und
„der Todten. So habe ich zwölf Jahre meinen Bruder un=
„ter meinem Schutze gehabt und im dreizehnten ihn mit brü=
„derlicher Liebe in sein Erbtheil eingesetzt. Sobald er aber
„Herr war in seinem Theile, trat er zu meinem Nachtheile
„in ein Bündniß mit den Preussen. Zum Schaden meines
„Landes wollte er sich auch mit der Tochter eines Preussen
„Preroch [2]) vermählen. Heimlich gebot er seinen Rittern,
„den Preussen freien Durchzug durch sein Land zu gestatten,
„damit sie mein Land verwüsten könnten. Da stellte sich
„aber ein Ritter mit seinem Rathe dazwischen, erklärend:
„nimmer solle solches dem rechten=, ältern Erbherrn geschehen.
„Von Scham ergriffen bei dieser Rede des Ritters gab mein
„Bruder der Sache eine andere Deutung, ließ aber dennoch
„mein ganzes Land auf heimliche Weise verwüsten. Darauf

---

1) Dieser Brief des Herzogs befindet sich in der Urkunde bei Ko=
tzebue B. I. S. 397.

2) Nicht Perroclj, wie Kotzebue B. I. S. 398 den Namen
falsch gelesen hat.

„ging er mit den Preussen einen anderen Plan ein. Er und
„mich mit meinen Baronen auf eins seiner Schiffe ein und
„wollte mich dann als Gefangenen durch den Steuermann
„in ein fremdes Land entführen lassen. Als er jedoch auf
„solche Weise mich nicht überlisten konnte, so wollte er mit
„andern Bösewichtern mich bei einer angeordneten persönlichen
„Zusammenkunft gefangen nehmen lassen, und da auch dieser
„Plan nicht glückte, so regte er Zwietracht unter meinen Ba=
„ronen auf, um mir wenigstens auf diese Art Schaden zuzu=
„fügen. Darauf sandte er den Landmeister Hermann Balk
„zu mir, um mir durch diesen Friede anzubieten. Hieburch
„hetzte er die Deutschen Ordensritter zur Feindschaft wider
„mich auf. Um mich darüber aber zu täuschen, sprach er zu
„mir: Bruder, ich bin deshalb der Vertraute der Ordensrit=
„ter geworden, damit ich dir alles mittheilen kann, wenn sie
„irgend Böses gegen dich im Sinne führen, und schon kenne
„ich ihren Plan, zu deinem Schaden eine Burg, Prenzlau
„genannt, zu erbauen. Aehnliches sagte er mir mehr, um nur
„desto leichter Zwietracht zwischen mich und die Ordensritter
„zu bringen. Hierauf begann er mit diesen Rittern eine
„Burg Gordin [1]) zu errichten zum Verderben von ganz Pom=
„mern, sammelte gegen mich ein Heer und zog sich mit den
„Rittern in diese Burg. Allein durch Gottes gerechtes Ge=
„richt ward jenes Heer von mir besiegt. Ich rückte dann
„gegen die Burg, nahm ihre Festungswerke ein, und ob ich
„gleich Böses mit Bösem hätte vergelten können, so ließ ich
„dennoch meinen Bruder mit den Rittern frei abziehen. Da
„verließ er sein eigenes Land und hing seitdem fort und fort
„den Ordensrittern an. Weil er indessen hier mir nicht sehr
„schaden konnte, so begab er sich nach Cassubien und verwü=
„stete mein Land mit Hülfe der Cassuben, so weit er konnte.
„Darauf faßte er mit meinem Bruder Ratibor den Plan,
„meine Burg Slanz einzunehmen; bevor sie beide aber zu=

---

1) In andern Urkunden wird dieser Name Goreden geschrieben;
im J. 1282 kommt er als Name eines Dorfes vor.

„sammen kamen, fiel Sambor in die Hände meiner Ritter.
„Ich ließ ihn in die Burg gefangen setzen; doch bald von
„brüderlichem Mitleid bewogen gab ich ihn in einer Ver=
„sammlung meiner Ritter seinem Lande wieder zurück. Zwei
„Wochen später schwur er in einer Versammlung vieler Mönche
„des Cistercienser= und Prämonstratenser = Ordens, Prediger=
„brüder und anderer geistlicher und weltlicher Männer sein
„eigenes Land gänzlich ab, sofern er sich hinfort mir irgend
„wieder entgegenstellen werde. Das alles aber brach er wort=
„brüchig und blieb beständig mein Gegner bis zu euerer An=
„kunft.

„Mein Bruder Ratibor befestigte gleich im Anfange des
„Krieges auf Anrathen des Bischofs von Cujavien und mei=
„nes Bruders Sambor seine Burg Belgard außerordentlich
„stark, fiel dann feindlich mit zusammengeraffter Mannschaft
„in mein Gebiet Slupsech ein und plünderte es durch und
„durch. Ich nahm diese Burg aber ein und brannte sie nie=
„der. Da nun Ratibor sah, daß er mich nicht überwältigen
„könne, so bat er reuig um Verzeihung, und durch Mitleid
„bewogen gab ich ihm sein Erbland wieder zurück. Darauf
„aber ließ er sich in eine Verschwörung mit dem Bischofe von
„Cujavien, meinem Bruder Sambor und den Herzogen von
„Polen ein, nach welcher diese letzteren in meinem Gebiete
„eine Burg erbauen sollten; wenn ich dann versuchen würde,
„sie von dem Orte zu vertreiben, so sollte mein Bruder Ra=
„tibor meinen Heerhaufen im Rücken überfallen und mich ge=
„fangen nehmen oder ermorden. Der mit diesem Verschwö=
„rungsplane Beauftragte ward aber auf einer Reise durch
„mein Gebiet von den Meinigen festgehalten und bekannte
„und bekennt noch jetzt die ganze Sache. So schützte mich
„auch hier Gottes Hand in meiner Unschuld.“
So lautete Herzog Suantepolc's Vertheidigungsschrift [1]).

---

1) Diese Vertheidigungsschrift ist vollständig in die Urkunde der
Bischöfe von Kulm und Cujavien aufgenommen. S. Kotzebue B. I.
S. 39 —401.

Allein der päpstliche Legat schenkte ihrem Inhalte, wie es scheint, wenig Glauben. Es geschah daher im Gerichte für Sambors und Ratibors Sache der Ausspruch, daß weil des Herzogs Kapellan andere schriftliche Beweise nicht vorlegen könne, die mitgetheilten für das, was der Herzog oder sein Sachwalter begründen solle, keine Gültigkeit haben könnten, erstens schon deshalb, weil die vorgelegte Vertheidigungsschrift nicht einmal besiegelt, sondern nur zusammengenäht [1]) und verschlossen gewesen sey; zweitens weil der Herzog darin keinen Sachwalter bestimmt habe; weil darin auch nicht ein ordentlicher Sendbote genannt, sondern nur gesagt sey, wenn Marol nicht gegenwärtig sey, so werde Dargozlav an seiner Stelle erscheinen, und endlich weil aus der Schrift auch hervorleuchte, daß Marol und Dargozlav vom Herzoge über die Sache gar keinen Auftrag erhalten hätten. Da sprach der päpstliche Legat nach Erwägung aller Verhältnisse und mit Beirath achtbarer Männer über den Herzog das Verdammungsurtheil aus und erklärte ihn noch an dem nämlichen Tage in den Bann [2]). Die beiden Bischöfe Michael von Cujavien und Heidenreich von Kulm wurden von ihm beauftragt, die ganze Gerichtsverhandlung aufzuzeichnen und als Zeugen zu bestätigen [3]).

Diesen Schlag aber hatte Herzog Suantepolc offenbar nicht erwartet; um so mehr mußte er ihn entmuthigen, niederbeugen und demüthigen; denn bei der ernsten und durchgreifenden Strenge, mit welcher der Legat verfuhr, stand allerdings jetzt alles auf dem Spiele. Die nächste Gefahr, die

---

1) „Cedulae non sigillatae, sed consutae (nicht consiccae, wie Kotzebue las); litterae clausae werden sie später genannt.

2) Dieses geschah durch die Urkunde, welche im Abdruck bei Lucas David B. III. Anhang Nr. VIII. und bei Baczko B. I. S. 266, hier aber sehr fehlerhaft, zu finden ist. In dem erstern Abdruck muß S. 18 in der Mitte statt „Non" gelesen werden „Nos".

3) Die hierüber abgefaßte Urkunde im Original mit den Siegeln beider Bischöfe befindet sich im geh. Arch. Schiebl. 48. Nr. 14; abgedruckt in Kotzebue B. I. S. 396. Dieser Abdruck ist aber so äußerst fehlerhaft, daß der Sinn der Worte oft gar nicht zu verstehen ist.

nun dem Herzoge drohete, überwog alle entferntere Besorg=
nisse. Manche Beispiele von der Gewalt der Kirche gegen
gebannte Fürsten mochten warnend dem Herzoge vor die
Seele treten. Daher söhnte er sich jetzt mit seinen Brüdern
aus und erfüllte des Legaten Forderungen [1]).

So bald aber der Orden auf solche Weise sich nur ir=
gend gegen den Herzog Suantepolc gesichert wußte und seine
Kriegsmacht von Westen her nicht mehr bedroht war, ging
sofort des Landmeisters ganzes Streben auf die Unterwerfung
der abgefallenen Landschaften in Preussen. Ueber das, was
sich in diesen Gebieten nach ihrem Abfalle von der Ordens=
herrschaft aus den Verhältnissen der alten Zeit wieder empor=
gehoben und im Leben von neuem geregt und bewegt, was
sich an neuen Ereignissen ergeben und unter welchen Formen
sich das Bild des alten Lebens hier wieder ausgebildet habe,
ob die nördlicheren Gebiete seitdem meist Ruhe und Erholung
genossen oder ob sie hie und da mit der Kriegsmannschaft
auf der Burg Balga in kriegerischen Fehden begriffen gewe=
sen seyen, über dieses, wie über alles, worin das Leben sich
fortbewegt, weiß uns die Geschichte nichts zu sagen. Erst der
neue Kampf deckt den Schleier wieder auf. Es war noch,
wie es scheint, im Spät=Herbst des Jahres 1248, als der
Landmeister eine Anzahl seiner Ordensritter mit einer ansehn=
lichen Kriegsschaar nach Elbing sandte. Da vereinigt mit den

---

1) Daß durch den Legaten noch eine Aussöhnung zwischen den
Brüdern zu Stande gekommen und der Bannspruch nicht eigentlich in
Ausübung gebracht worden sey, erhellt nicht nur aus der Urkunde des
Gardian der Minoriten Berthog von Thorn bei Lucas David B.
III. Anhang S. 25, wo es heißt: Jacobus Archidiaconus etc. —
nobilem virum Swantopulcum ducem pomeranie cum magi=
stro et fratribus de domo theutonica et nobili viro Samborio
duce pomeranie fratre dicti nobilis uterino discordantem re=
duxit ad concordie unitatem; sondern es geht solches auch aus der
päpstlichen Bulle bei Lucas David a. a. O. Nr. IX. S. 19 her=
vor, worin der Herzog vom Papste dilectus filius genannt wird, was
wohl nicht geschehen wäre, wenn im J. 1249 der Bann noch auf ihm
gelegen hätte.

Ritterbrüdern des dortigen Konvents brachen sie in Warmien ein, ohne irgend Widerstand zu finden, und gelangten glücklich nach Balga. Auch hier verbanden sich die Ordensbrüder mit dem Heerhaufen der Burg, und man beschloß nun einen Zug ins Innere von Natangen. Weit und breit ward die Landschaft durchzogen, durch Feuer und Raub verwüstet und, wo Widerstand Statt fand, mit dem Schwerte die Bahn gebrochen. Viele fanden auf solche Weise den Tod. Im Glücke aber ahnete keiner von den Rittern die große Gefahr, welche allen drohete; selbst der Ordensmarschall Heinrich Botel vergaß im Fortgange der Waffen die nöthige Vorsicht.

Das erbitterte Volk nämlich war im Rücken des Heerhaufens bewaffnet aufgestanden, und hatte auch aus den nachbarlichen Landschaften bedeutende Beihülfe erhalten. Als nun die Ritter den Rückzug nach Balga antraten, fanden sie zu ihrem großen Schrecken alle Wege durch den Feind besetzt. Mit ihrer schwächeren Macht durften sie es auf keine Weise wagen, die feindlichen Haufen zu durchbrechen, und zogen sich daher nach dem Dorfe Kruken[1]) zurück, südlich von der Kreuzburg unfern vom Flusse Paßmar. Die Preußen aber nachziehend belagerten die Ritter förmlich im Dorfe. Zwei Seen, im Süden und im Norden, gaben dem Orte eine natürliche Festigkeit. Einen offenen Kampf wagten weder die Ritter noch die Preußen, die letzteren hoffend, daß Hunger und Mangel den Feind in wenigen Tagen zur Ergebung zwingen werde. Da aber die Heeresmacht der Preußen mit jedem Tage stärker ward, so traten die Ritter mit ihnen in Unterhandlungen, um wenigstens den größeren Theil ihrer Mannschaft zu retten. Die Preußen verlangten den Ordensmarschall Heinrich Botel und drei andere Ordensritter als Geißeln. Der Hauskomthur von Balga Johannes[2]) widerrieth

---

1) Das jetzige Dorf Krüken, südwärts von Kreuzburg.

2) *Dusburg* P. III. c. 65 nennt ihn nur mit diesem Taufnamen. Simon Grunau Tr. VIII. c. XI. §. 1. weiß hier wieder mehr als alle andere Quellen; er nennt diesen Hauskomthur Johannes von Synneberg. Der Ordensmarschall heißt bei ihm Hermann

zwar die Erfüllung dieser Bedingung, meinend, man müsse auf Gott vertrauen, dem Feinde zur offenen Schlacht entgegen gehen und mit dem Schwerte den Weg öffnen. Allein der Rath der übrigen Ritter überstimmte ihn; die Geißeln wurden den Preußen zugestanden und gegen ihr Versprechen, den übrigen freien Abzug zu gestatten, übergeben. Kaum aber hatten die Ritter den sicheren Ort verlassen, so fiel der Feind, wortbrüchig, über die Mannschaft des Ordens her, rieb sie fast gänzlich auf und erschlug vier und funfzig Ritter [2]). Dem Hauskomthur von Balga hieb ein Nathangischer Krieger das Haupt ab und, es auf eine Lanze steckend, rief er aus: Wären Deine Brüder Deinem weisen Rathe gefolgt, sie hätten das Leben erhalten. Einem andern gefangenen Ordensritter schnitten die Preußen den Nabel aus, nagelten diesen an einen Baum fest und trieben dann den Unglücklichen mit Hieben so lange um den Baum herum, bis

Bozol. Die Preußen werden von einem Fürsten Thyrwaido angeführt. Zwei der Ordensritter, welche als Geißel übergeben werden, bekommen die Namen Johann Rabecken und Heinrich von Clausenborgk. Der Ort, wo die Begebenheit vorfiel, soll in alter Zeit Pokarwis und erst zu Grunau's Zeit Crokeyn geheißen haben u. s. w. Wir können auch hier diesen Nachrichten keinen Glauben schenken, denn schon in der letztern Bemerkung bewährt sich die Faselei des Mönchs, da auch *Dusburg* l. c. den Namen Crucke hat. Lucas David B. III. S. 113 — 114 hat die Erzählung Grunau's nachgeschrieben, doch mit ausdrücklicher Angabe, daß sie diesem zugehöre. Henneberger Landtaf. S. 244 nennt den Hauskomthur von Balga zwar auch Johann von Sinnenberg, erzählt aber das übrige nach reineren Quellen.

1) *Dusburg* l. c. läßt alle bis auf den letzten Mann erschlagen. In der Zahl von 54 Rittern stimmen die Quellen überein. Die übrige Kriegsmannschaft giebt *Schütz* S. 25 auf 1500 an. Simon Grunau a. a. O. begnügt sich mit den erwähnten Grausamkeiten der Preußen noch nicht; er läßt den Ritter Heinrich von Clausenburg gebraten und den Johann Rabecken unter einem Rauchfeuer an den Füßen aufgehangen werden. Lucas David B. III. S. 114 erzählt die oben erwähnte Grausamkeit vom Ordensmarschall. Allein auch dieses ist nicht richtig, denn derselbe blieb am Leben und kommt noch oft in Urkunden vor.

die Eingeweide aus dem Leibe herausgewunden waren und
der Ritter todt zur Erde fiel. Dieß soll geschehen seyn am
Tage des h. Andreas, am dreißigsten November des Jahres 1248 [1]).

. Die Nachricht dieses Unglückes verbreitete sich schnell über
die nachbarlichen Länder und vor allem auch nach Deutschland. Da brachen mehre Fürsten, längst schon mit dem
Plane eines Heereszuges nach Preußen beschäftigt, eiligst mit
wohlgerüsteten Kriegshaufen zur Hülfe des Ordens auf. Voran zog Markgraf Otto der Fromme von Brandenburg [2]) und
mit ihm mancher tapfere Ritter seines Landes; dann der Bischof Thomas von Breslau; bald darauf auch der Bischof
Heinrich von Merseburg und Graf Heinrich von Schwarz-
burg [3]). Es war im Anfange des Jahres 1249, als diese

1) Bei *Dusburg* c. 65 — 66 herrscht über die Zeitangabe dieser und der nächstfolgenden Begebenheiten große Verwirrung. Das
Jahr MCCLIX, welches im Texte bei Hartknoch steht, ist zwar nur
ein Druckfehler und soll MCCXLIX heißen, wie in den Mscp. steht;
allein richtig ist auch das Jahr 1249 wohl schwerlich. Nach Dusburgs
eigener Angabe geschah dieses Unglück des Ordens noch vor der Ankunft
des Markgrafen Otto von Brandenburg. Dieser war aber am 10ten
Januar 1249 schon in Preußen; folglich muß die Begebenheit noch in
das Jahr 1248 fallen. Lucas David B. III. S. 115 ist zwar geneigt, sie ins Jahr 1247 zu setzen; allein sie steht nach *Dusburg* c.
66 mit der Ankunft der Deutschen Fürsten in zu naher Verbindung,
als daß ein ganzes Jahr dazwischen liegen könnte. Den S. Andreas-
Tag giebt Henneberger S. 244 an.

2) Daß Otto III. oder der Fromme schon in den ersten Wochen
des J. 1249 in Preußen war, beweiset eine Urkunde des Erzbischofs
Albert über seinen Streit mit dem Landmeister von Preußen, die ohne
Zweifel in Preußen abgefaßt und vom 10. Januar 1249 datirt ist,
worin Otto als Vermittler mit den Preußischen Bischöfen genannt
wird. Wir werden ihren Inhalt später kennen lernen.

3) Die Gegenwart des Bischofs von Breslau, welchen *Dusburg*
c. 67 nicht nennt, bezeugt eine von ihm ausgestellte Urkunde, welche
der päpstliche Legat mit untersiegelt hat. Sie ist gegeben am 14ten
März 1249. Den Bischof von Merseburg und Heinrichen von Schwarz-
burg nennt Dusburg l. c. ausdrücklich. Die bei ihm vorkommende
Benennung Henricus de Sitarsburg ist aber offenbar ein Schreibfeh-

Fürsten jeglicher mit seinem Heerhaufen sich den Anordnungen des Landmeisters Heinrich von Wida zur Bekämpfung der Preussen untergaben. Jeder an der Spitze seiner eigenen Heerschaar durchzogen sie fast ohne Widerstand Pomesanien und Warmien, darauf auch Natangen und einen Theil des Barterlandes und schreckten überall das Volk durch Raub, Feuer und Schwert in solcher Weise, daß sich schnell alles dem Orden zum Gehorsam untergab und gestellte Geißeln auch die Treue und Sicherheit verbürgten [1]). So schnell vor

ler für de Swartzburg, wie der Epitomator und Jeroschin P. III. c. 67 auch wirklich lesen. Das Mscr. Berol. hat de Suarzburgk. *Schütz* S. 26.

1) *Dusburg* P. III. c. 66. Der Epitomator sagt: Intrant terram apostatarum Prutenorum quilibet cum copia sua, unus post alium, et hincinde captivant, interficiunt, rapiunt et cogerunt maledictos in fratrum obedientiam et voluntatem. Posthec Pomezani, Ermyni, Pogezeni, Barthini et Nattangini dissentione deposita inclinant cervices suas ordinacione divina in sidei precepta. Sicque subjecti fratribus in robur sidei obsides posuerunt, de quo deus sit benedictus! — Wenn hier sowohl, als bei *Dusburg* l. c. auch die Barter als besiegt und zum Glauben geführt genannt werden, so scheint dieser Angabe eine Bulle des Papstes Innocenz IV. vom 10ten Mai 1254 (geh. Archiv Schiebl. III. Nr. 58) beim ersten Anblick zu widerstreiten; denn nach ihr hatte der Meister von Livland und Preussen Dieterich von Grüningen erst um diese Zeit dem Papste berichtet, daß die Ordensritter mit Hülfe der Kreuzfahrer „terram, que *maior Bartha* vulgariter appellatur Warmiensis diocesis ac terram nomine Galanda prope positam ad cultum sidei catholice ydoneis de predicta Bartha receptis obsidibus de novo per dei gratiam deduxerunt. Genauer genommen liegt jedoch in diesen beiden Quellen kein Widerspruch. Wir haben früher gesehen, daß das Barterland in zwei Theile zerfiel, in *major et minor Bartha* oder Plica-Bartha, wie *Dusburg* P. III. c. 3 sie nennt. Nun nennt aber die erwähnte Bulle ausdrücklich *maior Bartha* als dasjenige Land, welches im J. 1254 erst zum christlichen Glauben gebracht sey. Ohne Zweifel also war *minor Bartha* schon jetzt zum Gehorsam des Ordens zurückgekehrt, denn sonst würde in jener Bulle nicht so ausdrücklich der andere Theil des Landes bezeichnet worden seyn. *Dusburg* nennt übrigens auch im Prologus p. 5. die Barter mit unter den unterworfenen Völkern.

wenigen Jahren in Einem Geiste des Muthes, der Erman=
nung und der Erbitterung der Abfall vom Orden geschehen
war, so schnell fügte sich jetzt in Einem Geiste des Schreckens,
der Verzagtheit, der Hoffnungslosigkeit und der Verzweife=
lung das gesammte Volk dieser Landschaften der Herrschaft
des Ordens, so daß es fast wunderbar scheint, wie Menschen,
die seit Jahren so unzählige Opfer für ihre Freiheit und so
viel Blut für ihren Glauben dargebracht hatten, nun in
kaum zwei Monden ihr altes Leben beinahe ohne alles Wi=
derstreben aufgeben konnten. Es giebt aber für den streben=
den Geist des Menschen in seinem Ringen und Kämpfen für
ein Ziel einen Punkt, bis zu welchem hinan ihm nichts un=
überwindlich, fast alles möglich scheint. Bis dahin kennt er
keine zu theueren Opfer und kaum einen Werth des Lebens.
In solchem Anstreben gewinnt die Seele eine Macht über den
Menschen und in ihr erwecken sich Kräfte und eine Stärke,
die zu unglaublichen Thaten führen. Wird aber bis zu die=
sem Punkte des Strebens das gestellte Ziel nicht erreicht, so
schlägt nicht selten die Seele um, es entschwindet ihr mehr
und schneller als gewöhnlich alle Kraft, der Mensch wird eben
so kleinmüthig und verzagt, als er muthvoll und entschlossen
war, eben so schwach, so rath= und thatlos, als vormals
mannhaft, stark und klug und umsichtig in allen Dingen.

So mag jetzt die Stimmung des Volkes in jenen Land=
schaften gewesen seyn. Beinahe zwanzig Jahre hindurch hat=
ten nun die Preussen unter schrecklichen Mühen und Leiden
gekämpft; gekämpft für Haus und Heimat, für Freiheit und
Vaterland, für Sitte und Gesetz, für väterliche Ordnung und
Verfassung; gekämpft für Götter und Heiligthümer, für
Glauben und Priesterthum, für das Theuerste und Erhabenste,
was sie in der Seele trugen; gekämpft für die höchsten Gü=
ter des Lebens, für die das Leben allein seinen höchsten Werth
hat, nach denen ewig der Mensch sich müht und sehnet. Wo
aber waren nun die Gewinne dieses zwanzigjährigen Kampfes?
War nicht das alte Leben mit allen seinen Gütern, für deren
Erhaltung seit Jahren so unendlich viel eingesetzt worden war,

bis ins Innerste gestört, zerrissen, zerrüttet, in seinen tiefsten
Wurzeln untergraben und so für immer der Blüthe und
der Frische beraubt, in der es einstmals dagestanden hatte?
War denn das Vaterland und die Freiheit, um die man so
vieles opferte, wirklich noch in allen, die sich Preussen nann=
ten? War nicht so mancher um lockender Gewinne willen
den Ordensrittern nachgegangen? Hatten nicht viele aus dem
Stande der Vornehmeren Vortheile und Huldigungen genos=
sen, die sie ungerne wieder aufgaben? Hatte der stürmische
Krieg die Sitte in ihrer Reinheit, das Gesetz in seiner Ach=
tung, die Verfassung in ihrer Ordnung, den Glauben und
die Religion in ihrer Heiligkeit gelassen? Oder ging vielmehr
nicht durch das ganze Leben eine Verwirrung und Zerstö=
rung, sah man nicht überall eine Aufgelöstheit und Zerrissen=
heit der alten Verhältnisse, bei welcher kaum noch eine jema=
lige Rückkehr des alten Lebens in seiner alten Art und Weise
zu erwarten stand? Und die alten Götter und Heiligthümer,
das ganze System des alten religiösen Glaubens, standen sie
noch in der urväterlichen Reinheit und Festigkeit da? Hatte
nicht die schon vernommene Lehre des Evangeliums mit ihrer
Allgewalt über Geist und Herz in manche Seele ein Zer=
würfniß gebracht, welches wohl nie wieder mit der vollsten
Zuversicht und mit dem festen Glauben der Väter auf der
Götter Macht vertrauen und an der Heiligkeit der geweiheten
Haine festhalten ließ? So war also gewiß der alte Stamm
des Lebens früherer Zeiten schon in mancherlei Weise stark
entblättert und entästet, die kräftigsten seiner Wurzeln durch
den zwanzigjährigen Sturm aus dem alten Boden schon los=
gerissen und der Baum der Fülle seiner Nahrung schon be=
raubt. Noch grünten an ihm hie und da einzelne Zweige
und Aeste; in ihnen trieben aber und wirkten nur noch die
letzten Kräfte, die der Stamm an sich zog. Auch sie konnten
nur noch eine kurze Zeit bestehen, denn eine andere edlere
Pflanzung, die auf den Boden eingesäet ward, entzog auch
ihnen mehr und mehr die alten Lebenssäfte.

Das war es wohl ohne Zweifel vorzüglich, was das

Volk der bekriegten Landschaften so sehr entmuthigt, so er=
mattet und ermüdet, so trost= und hülflos gemacht. Da trat
der päpstliche Legat unter ihm auf als Vermittler des Frie=
dens und der Versöhnung zwischen ihm und dem Deutschen
Orden Lange Zeit war die Streitsache zwischen den abge=
fallenen Preussen und den Ordensrittern mit der des Herzogs
Suantepolc schon am päpstlichen Hofe verhandelt worden.
Dort aber konnte natürlich von der Erhaltung des alten Le=
bens, der alten Sitte und Verfassung, des alten Glaubens
nicht die Rede seyn; vielmehr knüpften dort die Sachwalter
der Neubekehrten alle Beschwerden ihres Volkes nur an die
Klage, daß ihnen die Freiheit, welche die Päpste Innocenz
der Dritte, Honorius der Dritte, Gregorius der Neunte und
der jetzige Papst Innocenz der Vierte ihnen als neugeborenen
Söhnen Gottes verheißen hätten und nach welcher sie im
Fortgenusse ihres freien Lebens nur in dem Gehorsam der
Römischen Kirche seyn sollten, zur Zeit noch keineswegs zu
Theil geworden sey, daß vielmehr die Ordensritter im Wi=
derspruche mit jener Zusage die Neubekehrten mit so harter
Knechtschaft belastet hätten, daß die nachbarlichen Heiden, be=
nachrichtigt von diesen Bedrückungen, das Christenthum im=
mer noch mit Furcht und Scheu von sich zurückgewiesen [1]).

---

1) S. die Urkunde bei *Dreger* Nr. 191. In-ben Worten:
quod — ipsis neophitis esset concessum, ut cum vocati essent
in libertatem filiorum dei ex aqua et spiritu sancto renati,
in libertate sua manentes, nulli alii essent quam soli Christo
et obedientie ecclesie Romane subjecti, fanden die Neubekehrten
offenbar einen ganz andern Sinn, als die Päpste ihn in ihren Bestim=
mungen hatten aussprechen wollen. An eine Unterthänigkeit und an
einen Gehorsam gegen den Orden war hiebei nach ihrer Meinung na=
türlich gar nicht zu denken. Sie fanden in den Verordnungen der
Päpste nur eine unmittelbare Untergebenheit unter dem Papste oder der
Kirche. Entweder verstanden sie überhaupt das ganze Lehnsverhältniß
nicht, in welchem der Orden zum Römischen Hofe stand, und nahmen
den Papst oder die Römische Kirche als den Oberherrn des Landes
auch für ihren nächsten Herrn, oder — was wenigstens möglich wäre—
der Bischof Christian hatte unter das Volk Ideen gebracht, die sich mit

Lange war am päpstlichen Hofe durch die Sachwalter beider
Theile über diesen Punkt hin und her gestritten und vieles
verhandelt worden, wovon uns die Geschichte keine genaue
Kunde mehr giebt. Es läßt sich denken, daß es den Preussen äußerst schwer und für den Augenblick fast unmöglich war,
die Verhältnisse des Ordens oder der Christenheit überhaupt
zur Römischen Kirche und die Beziehungen und Verknüpfun-
gen des Lehnsystems irgend klar zu fassen. Es war unmöglich, daß das Volk Preussens von seiner alten Lebensfreiheit
aus die Verhältnisse und den Sinn dieses Systems deutlich
genug begriff, um sich mit seinem aus der alten freien Zeit
herausgewachsenen Leben sogleich in den neuen Verhältnissen
zurecht zu finden. Daher auch bei den Verhandlungen am
päpstlichen Hofe so viele Widersprüche und Mißverständnisse
über die Verhältnisse, ein solches Gemisch von Wahrheit und
Schein und ein solches Gewirre von Anklagen und Verthei-
digungen, daß selbst der Papst über den wahren Stand der
Dinge nicht zur Klarheit zu kommen vermochte [1]). Diesen
Zwist an Ort und Stelle näher aus den Verhältnissen selbst
zu untersuchen und mit Vorsicht und Klugheit auszugleichen,
war daher auch eine der wesentlichsten Ursachen gewesen, die
den Papst bewogen, den gewandten und klugen Archidiaconus
Jacob von Lüttich als Legaten ins Land zu senden. Und
seit dieser in Preussen angekommen war, hatte er mit unermüdlichem Eifer für Frieden und Versöhnung gearbeitet. Es
waren gewiß außerordentliche Schwierigkeiten zu bekämpfen;
was mußte es kosten, um das Mißtrauen der Preussen nur
einigermaßen zu dämpfen, ihre alte Erbitterung zu beschwichtigen und den erzürnten Gemüthern Vertrauen und Hoffnung
einzuflößen! Oefter waren die Häupter und Vornehmsten
aus den Landschaften, denen das Volk die Vertretung seiner

einer Herrschaft des Ordens über Land und Leute nicht vereinigen ließen. Wenn sich nun aber die Preussen dem Rechte nach als in *libertate sua* manentes betrachteten, so mußte ihnen freilich sehr vieles
als durae servitutes erscheinen.

1) Das sagt die Urkunde bei *Dreger* Nr. 191 ausdrücklich.

erwünschten Rechte und Freiheiten übertragen hatte, mit den
Obersten der Ordensritter vor dem päpstlichen Legaten zu Un=
terhandlungen versammelt, bis endlich alle Hindernisse so weit
beseitigt und alle Verhältnisse so weit ausgeglichen waren,
daß am siebenten Februar des Jahres 1249 das Friedens=
werk zu Stande kam [1]).

Es war an diesem Tage eine Versammlung auf der
Burg Christburg angeordnet. Dort erschienen der päpstliche
Legat, der Bischof Heidenreich von Kulm, der Landmeister
Heinrich von Wida, der Ordensmarschall Heinrich Botel und
eine Anzahl der Vornehmsten und mancher anderer achtbarer
und angesehener Männer aus den Landschaften Preussens [2]).
So ward von der Burg aus, seit deren Aufbau die Unter=
werfung der Preussen kaum noch einem Zweifel unterlag, auch
zuerst das milde Wort des Friedens und der Versöhnung aus=
gesprochen. Die gegenseitigen Rechte aber, Freiheiten, An=
sprüche und Verpflichtungen, über welche man sich vereinigt
und die nunmehr gesetzlich festgestellt wurden, bestanden in
folgenden Hauptpunkten.

1. Es ward den Neubekehrten, aber nicht minder auch den
   Heiden sowohl in den genannten Landschaften, als in
   den naheliegenden Gebieten, sobald sie sich durch die
   Taufe zum Christenthum wendeten, das Recht zugestan=
   den, durch Kauf oder auf anderen rechtlichen Wegen
   sich Eigenthum zu erwerben [3]), so viel ein Jeglicher ver=

---

1) Dieses ist die Zeitangabe der Urkunde bei *Dreger* l. c.

2) Die erstern nennt die erwähnte Urkunde ausdrücklich. Daß
auch Abgeordnete der Landschaften zugegen gewesen, scheint so natürlich
als nothwendig. Zwar sagt dieses die Urkunde nicht ausdrücklich; wahr=
scheinlich aber sind sie unter den „presentibus etiam pluribus aliis
bonis viris gemeint. Hätten wir noch das eigentliche Friedensinstru=
ment, so würden wir ohne Zweifel die gegenwärtigen Preussen genannt
finden. Daß die Verhandlungen zu diesem Friedensschlusse auf der
Christburg, nicht aber auf Balga, angestellt wurden, geht aus dem
Schlusse der Beilage Nr. V. hervor.

3) Ohne Zweifel liegt in den Worten: „licito sit eisdem neophitis emere res quascumque a quibuscumque voluerint etc.“

möge, und ſolches für ſich und die rechtmäßigen Erben zu beſitzen.

2. Hinſichtlich des Erbrechtes über ſolches Eigenthum ward beſtimmt, daß beim Tode des Vaters zunächſt der hinterbliebene Sohn oder die Tochter, die nie verehelicht geweſen [1]), oder beide als Erben folgen ſollten. In Ermangelung ſolcher näherer Erben ſollte die Erbſchaft zunächſt auf Vater oder Mutter des geſtorbenen Sohnes zurückgehen, und wenn dieſe nicht mehr lebten, ſollte zunächſt der männliche Enkel als Erbe eintreten. War aber auch ein ſolcher nicht vorhanden, ſo ſollte das Erbe dem Bruder des Geſtorbenen anheim fallen und wenn keiner dieſer näheren Erben mehr lebe, ſo ſollten die männlichen Geſchwiſterkinder als Erben folgen [2]). Gerne nahmen die Neubekehrten dieſe Beſtimmungen an, da in ihrer bisherigen Lebensordnung nur die Söhne als Erben hatten eintreten können. Sie willigten daher auch aus freier Zuſtimmung ein, daß ſofern jemand keinen der eben genannten Erben hinterlaſſe, ſein ſämmtliches

eine Beziehung auf die Verhältniſſe der früheren Zeit. Der Orden ſcheint früherhin den Neubekehrten den Ankauf mancher Gegenſtände unterſagt zu haben; dahin mögten wohl vorzüglich Waffen gehört haben. Wie ſchon Carl der Große den Handel mit Waffen, beſonders den Verkauf derſelben an die Slaviſchen Völker unter harten Strafen verboten hatte, ſo ſah gewiß auch der Orden ein, „daß man mit den Waffen einen Theil der Kriegskunſt hingebe.“ Da aber jetzt die Neubekehrten, wie es in dieſer nämlichen Urkunde heißt, ad omnes expeditiones eorum (sc. fratrum) ibunt *decenter parati et armati*, ſo mußte ihnen der Waffenkauf unbeſchränkt erlaubt werden.

1) „Que nunquam fuerit maritata“; ſo heißt es ausdrücklich bei der Tochter. Aber wie, wenn ſie nun verheirathet geweſen oder zur Zeit es noch war, erbte ſie da nicht? Auch dann nicht, wenn kein Sohn des Hauſes vorhanden war?

2) Hiemit beantwortet ſich die Frage der vorigen Anmerkung wohl von ſelbſt. Die Tochter erbte nur vom Vater, ſo lange ſie nicht verheirathet war. Nachdem hatte weder ſie, noch ihre Nachkommenſchaft erbrechtliche Anſprüche an den Nachlaß der Aeltern, denn dieſer ging dann nur in die nähere männliche Verwandtſchaft über.

unbewegliches Eigenthum an den Orden und an andere
Herren, unter denen die Neubekehrten leben würden, ohne
weiteres übergehe, desgleichen auch die beweglichen Güter, ſofern hierüber der Eigenthümer nicht ſchon zu Leb-
zeiten oder bei ſeinem Tode anders verfügt habe.

3.　Es ward den Neubekehrten das Recht zugeſtanden, ihre
beweglichen Güter nach freiem Belieben auszugeben, zu
verſchenken, zu vertheilen, zu verkaufen oder in anderer
Weiſe darüber zu verfügen. Ferner ward ihnen erlaubt, ſobald es die Noth oder ihr Vortheil forderte,
auch ihre unbeweglichen Güter an ihres Gleichen, an
Deutſche oder Preuſſen oder Pommern [1]) zu verkaufen,

---

1) Dieſe Stelle der Urkunde iſt nicht ohne Dunkelheit. Es
heißt nämlich „quod licitum sit eisdem pro necessitate
sua vel pro sua etiam utilitate immobilia bona sua vendere paribus suis vel Theutonicis sive Prutenis vel Romanis." Die Lesarten in den Abdrücken dieſer Urkunde weichen
hier indeſſen ſehr von einander ab. *Hartknoch* bei *Dusburg*
p. 465 hat: Teutonicis seu Prutenis Christianis vel Pomeranis. Dieſes iſt jedoch, wie aus der Anmerkung p. 474 hervorgeht,
nur eine von Hartknoch gewählte Veränderung, die ſich auf eine
Elbingiſche Ueberſetzung gründet. Wir können dieſer Lesart unſern
Beifall nicht ganz verſagen, da es im Pomeſaniſchen Gebiete auch ſpäterhin noch Bewohner gab, welche Pomerani hießen und es wohl möglich wäre, daß man dieſe Pommern hierin den Deutſchen und Preuſſen
gleich ſtellen wollte. *Dreger* Nr. 191 p. 288 hat: Theutonicis seu
Pruthenis Cristianis Romanis; eben ſo Baczko B. I. S. 270. Offenbar
aber weicht dieſe Lesart zu ſtark von der Originalcopie ab, denn aus
dem „vel" iſt unmöglich Cristianis herauszubringen. *Dogiel* Nr.
23. p. 18 lieſet ſogar: Teutonicis seu Prutenis Christianis vel
Pomeranis und *Leo* p. 87: Theutonicis vel Prutenis, Christianis vel Romanis. Kein Abdruck ſtimmt alſo mit der Lesart des
Originals überein. Am allerwenigſten kann die von Gadebuſch Livländ. Jahrb. B. I. S. 253 vorgeſchlagene Lesart: Christianis vel
Paganis gebilligt werden. Hennig zum Lucas David B. III.
S. 121 bemerkt: unter den Theutonicis ſeyen die unter den Preuſſen
wohnenden Deutſchen, unter den Romanis aber die Anzöglinge aus
dem Römiſch-Deutſchen Reiche gemeint. Wir können indeſſen dieſer
Erklärung nicht beiſtimmen, denn einmal iſt der Unterſchied für die
Verhältniſſe viel zu ſubtil und zweitens hat im gewöhnlichen Sprachge-

ſofern ſie zuvor nur dem Orden eine dem verkäuflichen
Gegenſtande in ſeinem Werthe angemeſſene Bürgſchaft
ſtellten, daß ſie nach dem Verkaufe ihres Eigenthums
nicht zu den Heiden oder des Ordens offenbaren Feinden
entfliehen wollten.

4. Die Neubekehrten erhielten ferner auch das Recht, über
ihre beweglichen und unbeweglichen Güter durch Teſta-
mente zu verfügen, doch mit der Beſchränkung, daß
wenn jemand etwas von ſeinem unbeweglichen Eigenthum durch ein Teſtament einer Kirche oder einer geiſtlichen Perſon vermache, ſolche verpflichtet ſey, das unbe-
wegliche Gut binnen Jahresfriſt den Erben des Verſtorbenen wieder zu verkaufen und nur den aus dem Verkaufe empfangenen Gewinn für ſich zu behalten. Wi-
brigenfalls verblieb dem Orden das Recht, nach Jahres-
verlauf ſolches vermachte und aus Verſäumniß nicht ver-
kaufte Grundbeſitzthum für ſich einzuziehen; denn da der
Orden Eine Gemeine bildete und das geſammte Land
in Preuſſen nur als Lehn von der Römiſchen Kirche be-
ſaß, ſo glaubte er es nicht erlauben zu dürfen, daß ſolches Land in das Herrenrecht irgend einer Kirche oder
einer geiſtlichen Perſon übergehe ohne des Papſtes beſondere Erlaubniß und ausdrückliche Zuſtimmung. Mit wil-
liger Annahme dieſer Satzung geſtanden die Neubekehrten dem Orden bei allen ſolchen Verkäufen den Vor-
kauf um gleichen Preis zu und die Ordensritter verſpra-

---

brauche das Wort Romani dieſe Bedeutung nicht. Wir ſchlagen zwei
Erklärungen vor: entweder zu leſen Prutenis ecclesie Romane für
chriſtliche, der Römiſchen Kirche zugethane Preuſſen, denn bekanntlich
wird das Wort ecclesia faſt beſtändig abbrevirt, oft eccl., woraus
das „vel" entſtanden ſeyn könnte; oder es muß geleſen werden: Theutonicis sive Prutenis vel Pomeranis; dann könnte im Original-
texte geſtanden haben Pomanis; aus dem P würde durch den Ab-
ſchreiber ein R geworden, das Abbreviaturzeichen S, welches dieſe
Urkunde durchweg für die Silbe er hat, nicht beachtet oder vergeſſen
worden ſeyn, und ſo wäre leicht das Wort Romanis entſtanden, dieſe
bisherige crux interpretum.

chen dagegen, es in keiner Weiſe zu hindern, daß für ir=
gend ein Gut der wahre Werth geboten werde. — Es
war dieſes ſonder Zweifel eine der weiſeſten Maßregeln,
die der Orden nur irgend für ſeine Verfaſſung, für ſeine
Landesordnung, für ſeine Freiheit, Unabhängigkeit und
Sicherheit gegen die Geiſtlichkeit, für die Regelmäßigkeit
und Feſtigkeit in ſeiner Landesverwaltung, für ſeine
Macht und ſein Anſehen, kurz für das ganze Syſtem ſei=
ner Herrſchaft ergreifen konnte. Und es tritt die Weis=
heit dieſer Anordnung gewiß jeglichem noch klarer in die
Augen, wenn er in den Geſchichten ſo vieler Länder Eu=
ropa's die Menge von Gebrechen und Unordnungen er=
kennt, die einzig darin ihre Quelle hatten, daß eine ſo
große Maſſe ländlichen Beſitzthums in die todte Hand
der Kirche übergegangen war. Wie es der Kirche und
dem Clerus in Preuſſen durch dieſe Verordnung unmög=
lich wurde, zu ſolchem Reichthum ländlicher Beſitzungen
zu gelangen, als anderswo, ſo war der Orden in ſeiner
Herrſchaft über Land und Leute hiedurch gegen den Ein=
fluß der Geiſtlichkeit auch ungleich mehr ſicher geſtellt,
als andere Fürſten.

5. Der Orden geſtand den Neubekehrten ferner zu, frei
und nach eigener Wahl geſetzmäßige Ehen zu ſchließen,
in allen Rechtsſachen Sachwalter ſeyn zu können, gegen
jedermann ihre Rechte zu ſuchen, als geſetzliche Perſonen
zu allen geſetzlichen Verhandlungen zugelaſſen zu werden
ſowohl vor geiſtlichen als vor weltlichen Richtern. Es
ſollte ihnen, ſo wie ihren rechtmäßigen Kindern auch
erlaubt ſeyn, in den geiſtlichen Stand zu treten und die
Kloſtergelübbe anzunehmen. Sprößlinge eines edlen Stam=
mes der Neubekehrten ſollten mit dem Ehrengürtel des
wehrhaften Kriegers geſchmückt werden dürfen [1]). Mit

---

1) Dieſe Stelle iſt in verſchiedener Hinſicht ſehr merkwürdig. Sie
liefert vor Allem einen wichtigen Beweis dafür, daß es unter den heid=
niſchen Preuſſen eine vornehmere Klaſſe oder, wenn man es ſo nennen
will, einen Adel, d. h. einen Stand der Vornehmeren gegeben habe.

einem Worte, die Ordensritter geſtanden den Neubekehrten jegliche perſönliche Freiheit zu, ſo lange ſie dem
chriſtlichen Glauben getreu bleiben, der Unterwürfigkeit
und dem Gehorſam der Römiſchen Kirche ſich untergeben und gegen den Meiſter und die Ritter des Ordens
Treue bezeigen würden. Dieſe perſönliche Freiheit aber
ſollte für die Bewohner einer Landſchaft oder für eine
einzelne Perſon ſofort verloren ſeyn, ſobald ſie wieder
zum heidniſchen Glauben zurücktreten würden.

6. Auf die Anfrage des päpſtlichen Legaten an die Neubekehrten: welches weltliche Geſetz ſie für ſich wählen und
welche weltlichen Gerichte ſie bei ſich gelten laſſen wollten? baten ſie nach gepflogenem Rathe um das Geſetz
und die Gerichtsverfaſſung ihrer Nachbaren der Polen

Davon iſt jedoch ſchon im erſten Bande dieſes Werkes geſprochen worden. Sie beweiſet aber auch außerdem, daß man dieſe Vornehmeren
einer beſonderen Auszeichnung von Seiten des Ordens für würdig gehalten. Es iſt früherhin darüber geſtritten worden, ob das cingulum
militare nur von einer Wehrhaftmachung oder vom Ritterſchlage zu
verſtehen ſey. Man hat das in unſerer Urkunde vorkommende: accingi cingulo militari, für „zum Ritter geſchlagen werden“ genommen; ſo Gadebuſch Livl. Jahrb. Th. I. S. 253. Kreuzfeld vom
Adel der alten Preuſſ. S. 8., wiewohl ſich Kreuzfeld S. 7 in der
Anmerkung mehr für bloße Wehrhaftmachung entſcheidet; Preuſſ.
Samml. B. I. S. 637. De Wal Histoire de l'Ordr. Teut.
T. I. p. 412 überſetzt: l'on permettoit à ceux qui étoient d'ancienne noblesse, d'aspirer à l'honneur du baudrier militaire,
c'est-à-dire, d'être faits Chevaliers. Wir können jedoch nicht
glauben, daß bei dem accingi cingulo militari an die eigentliche Er-
theilung der Ritterwürde gedacht werden dürfe, ſondern daß es bloß
die Wehrhaftmachung edler Jünglinge bedeute. So nahm es ſchon Du
Fresne Glossar. s. h. v.; ſo erklären es auch Schlieffen Nachricht vom Geſchlechte der Schlieffen S. 59 und Hanſelmann von
der Hohenloh. Landeshoheit S. 201 — 202, wo der Beweis dafür am
gründlichſten geführt iſt. Ueberhaupt iſt ja bekannt, daß die Sitte des
cinguli militaris weit früher vorhanden war, als an einen Ritter-
ſchlag oder an die förmliche Aufnahme in den eigentlichen Ritterſtand
gedacht wurde.

II.   **40**

umb der Orden sprach ihnen diese zu [2]). Auf ihre Bitte
jedoch ward die Probe des glühenden Eisens und nach
der Anordnung des Legaten auch alles andere davon
ausgeschieden und für ungültig erklärt, was in jenem
Gesetze gegen Gott, gegen die Römische Kirche oder gegen kirchliche Freiheit streite. Der Orden aber versprach,
den Neubekehrten ihre Güter nie ohne ihre Schuld und
nur nach dem rechtmäßigen Gerichte dieses Gesetzes zu
nehmen.

7. Die Neubekehrten, besonders aber die aus Pomesanien,
Warmien und Natangen wurden vom päpstlichen Legaten belehrt, daß alle Menschen, sofern sie nicht sündigen,
einander gleich seyen, daß nur die Sünde die Menschen
zu unglücklichen Knechten mache und jeder Freie, sobald
er sündige, sich zum Sklaven der Sünde erniedrige. Daher gaben auch die Neubekehrten das feste und treue Versprechen, daß weder sie, noch ihre Nachkommen bei Ver-
brennung oder Beerdigung der Todten mit ihren Pferden oder Gesinde, Waffen, Kleidern oder sonst werthgeschätzten Dingen oder auch in irgend anderen Beziehungen die heidnischen Gebräuche fernerhin beobachten, sondern ihre Todten nach christlicher Sitte auf den Kirchhöfen beerdigen wollten [2]).

---

1) Daher kam es auch, daß das judicium Prutenorum immer
ganz anders gehandhabt wurde, als das der übrigen Bewohner Preussens. Der Orden that es niemals aus, sondern behielt es immer für
sich; deshalb heißt es in der Regel in den Verschreibungen: Excipi-
mus specialiter omnibus probibentes, ut nullus plane de judicio Prutenorum se intromittat ultra ipsos judicando aut ab
eis judicium expostulando, nam ad fratres ordinis pertinebat
ab antiquo. Dieses galt selbst auch in Städten. In dem Privilegium der Neustadt Elbing heißt es daher auch: Us neme wir bi Polen und bi Prüssen, di wir sundirlichen uns behalbin zcu richtin, wen
wir si von albir gerichtet han. — Nachmals wurde übrigens das in
der Urkunde erwähnte Polnische Recht in das s. g. Preussische Recht
umgewandelt und unter diesem Namen kommt es dann sehr viel vor.

2) Diese Bestimmung findet offenbar darin ihren Zusammenhang,

8. Die Neubekehrten gelobten ferner auch, dem Götzenbilde, welches sie jedes Jahr einmal aus gesammelten Früchten zu verfertigen pflegten und unter dem Namen Curche göttlich verehrten, so wie allen andern Göttern, wie sie auch genannt seyn möchten, fernerhin keine Weihopfer mehr darzubringen, sondern im Glauben an Jesum Christum und in der Unterwürfigkeit und im Gehorsam gegen die Römische Kirche fest und standhaft zu beharren. Sie versprachen auch, die Leichenpriester, Tulissonen oder Ligaschonen genannt [1]), fernerhin nicht mehr unter sich zu dulden.

9. In Betreff der ehelichen Verhältnisse gaben sie das Versprechen, fernerhin nicht mehr zwei oder mehre Frauen zu nehmen, sondern sich mit Einer zu begnügen, mit dieser sich unter einem genügenden Zeugnisse zu vereinigen und die Verehelichung zu bestimmten Zeiten in der Kirche bekannt machen zu lassen. Sie versprachen ferner, daß forthin keiner seine Tochter einem andern zur Ehe verkaufen, ingleichen daß auch niemand mehr weder für sich, noch für seinen Sohn eine Frau erkaufen solle. Es war hiebei die Gewohnheit entstanden, daß der Sohn gemeinhin die Frau des Vaters hatte, denn wenn der letztere mit dem gemeinschaftlichen Gelde des Sohnes für sich eine Frau erkauft hatte, so behielten sie solche, bis nach des Vaters Tode sie wie jedes gemeinsam erworbene Erbstück an den Sohn fiel, so daß also nicht selten der Sohn seine Stiefmutter zur Frau bekam. Unverwehrt sollte es jedoch seyn, soweit es die Gesetze gestatteten, daß der Bräutigam dem Vater oder der Mutter

---

daß bei den alten Preussen auch in Beziehung auf die Bestattung ihrer Todten ein großer Unterschied des Standes Statt gefunden hatte und der Vornehmere ganz anders als der gemeine Mann und der Knecht zur Erde bestattet worden war. wie schon im ersten Theile dieses Werkes gesagt ist.

1) Die in der Urkunde enthaltene Schilderung dieser Priester und ihrer Geschäfte ist schon in dem ersten Bande dieses Werkes gegeben.

- der Braut oder diese ihm Geschenke an Kleidern oder
andern werthgeschätzten Dingen gebe oder verheiße, oder
auch daß der Mann eine Mitgift oder die Frau wegen
der Hochzeit eine Beschenkung erhalte. Außerdem daß
hinfort keiner mehr seine Stiefmutter heirathen solle, ver=
sprachen sie auch, daß niemand sich mit der Frau seines
Bruders oder im vierten Grade der Verwandtschaft ohne
des Papstes ausdrückliche Erlassung und Erlaubniß ver=
mählen solle. Es solle auch kein Kind beides Geschlech=
tes für einen gesetzmäßigen Erben gelten oder zu der oben
erwähnten Erbschaftsfolge zugelassen werden, welches nicht
aus einer nach den Verordnungen der Römischen Kirche
gesetzmäßig geschlossenen Ehe entsprungen sey.

10. In Rücksicht der Kinder solcher Ehen ward festgesetzt:
es solle hinfüro kein Vater seinen Sohn oder seine Toch=
ter aus irgend einer Ursache weder selbst, noch durch ei=
nen Andern aussetzen, eben so wenig öffentlich oder heim=
lich tödten oder in irgend einer Weise durch einen An=
dern tödten lassen. Es versprachen die Neubekehrten,
das geborene Kind sogleich oder doch innerhalb acht Ta=
gen in die Kirche zur Taufe zu bringen, bei drohender
Todesgefahr aber die Taufe des Kindes von irgend ei=
nem Christen durch dreimaliges Eintauchen in das Was=
ser so schnell als möglich vollziehen zu lassen. Da noch
viele Kinder bei dem langen Mangel von Geistlichen und
Kirchen ungetauft geblieben waren, so gelobten die Neu=
bekehrten, solche sämmtlich innerhalb eines Monats nach
dem Gebrauche der Kirche taufen zu lassen. Sie willig=
ten auch ein, daß die Güter solcher Aeltern, die binnen
dieser Frist aus Verachtung des Sacramentes ihre Kin=
der nicht taufen lassen würden, so wie das Eigenthum
derer, welche schon erwachsen den Empfang der Taufe
hartnäckig verschmähten, veräußert, sie selbst aber nur
mit einem Kittel bekleidet aus dem Gebiete der Christen
verbannt werden sollten, damit die guten Sitten nicht
durch ihr faules Gespräch verdorben würden.

11. Die Pomeſanier verſprachen, bis nächſte Pfingſten fol=
gende Kirchen zu erbauen: eine im Dorfe Pozolove, wel=
ches auch Rutiz genannt wurde; eine zweite im Dorfe
Paſtelina; eine dritte im Orte Lingues; eine vierte im
Orte Lyopiez; eine fünfte in Chomor S. Adalberts; die
ſechſte in Bobus; die ſiebente und achte in Beria; die
neunte in Prozile; die zehnte in Reſien; die elfte bei
Alt=Chriſtburg; die zwölfte in Raydez; die dreizehnte in
Neu=Chriſtburg ¹).

12. Die Warmier verſprachen in demſelbigen Zeitraum die Er=
bauung folgender Kirchen: eine in dem Dorfe, in welchem
Jebun wohnte oder nahe bei dieſem Orte; eine zweite in
Sunines; eine dritte in Bandabis; eine vierte in Slinia;
eine fünfte in Wuntenowe; eine ſechſte in Bruſebergue ²).

---

1) Ueber dieſe älteſten Kirchen in der Landſchaft vgl. die gründ=
liche Abhandlung von Faber in den Beiträgen zur Kunde Preuſſens
B. III. S. 331 — 346. Wir weichen in einigen Punkten von dem
Verfaſſer ab; denn 1) Posolve oder Posolva ſcheint wohl eher Puſi=
lie zu ſeyn; die Urkunde S. 337 nennt es neben Alyem, welches das
nachmalige Marienburg iſt; Posolve wäre demnach das heutige Dorf
Poſilgen. 2) Pastelina, auch Postelin iſt das jetzige Dorf Peſtlin,
ſüdlich von Stuhm. 3) Lingues iſt ohne Zweifel das Dorf Linken am
Baalauer=See, ſüdlich von Chriſtburg. 4) Lyopiez oder Loypicz,
auch Loepiz oder Leupiz iſt das jetzige Dorf Lippiz unfern von Chriſt=
burg. 5) Chomor S. Adalberti das heutige Albrechtau bei Roſen=
berg. 6) Bobus muß nach Fabers Beweis im Gebiete von Chriſtburg
bei Königsſee und Lippiz gelegen haben und auch Poburse genannt
worden ſeyn. Jetzt iſt kein Ort dieſes Namens mehr vorhanden. 7)
Beria muß in der Nähe des vorigen Ortes gelegen haben. 8) Pro=
zile ſcheint einerlei mit Prezla, welches die Urkunde S. 337 nennt.
Das jetzige Dorf Prenzlau an der Garbenga zwiſchen Freiſtadt und
Gärnſee erinnert daran. 9) Reſien deutet klar auf Rieſenkirch bei
Rieſenburg hin. 10) Raydez, auch Rudenz das jetzige Gut Raubnitz
nordöſtlich von Deutſch=Eilau.

2) Das Dorf des Preuſſen Jebun (vielleicht richtiger Gebune, wel=
cher Name oft vorkommt) iſt ſchwerlich wieder aufzufinden, wenn
nicht an Gebau nördlich von Melſack zu denken iſt. 2) Sunines iſt
ganz unbekannt. 3) Bandadis könnte wohl Banbitten zwiſchen Kreuz=
burg und Zinten ſeyn. 4) Slinia iſt nicht mehr zu finden. 5)

13. Die Ratanger gelobten in der nämlichen Friſt die Erbauung einer Kirche in Labegow, einer zweiten in der
Nachbarſchaft Lummone's, einer dritten in Sutwiert 1).

14. Die Neubekehrten ſollten verbunden ſeyn, jegliche dieſer
Kirchen mit dem kirchlichen Schmucke, mit Kelchen, Büchern und andern nothwendigen Dingen geziemend zu
verſehen. Die Bewohner der Dörfer aber, die einer
Kirche zugewieſen ſeyen, ſollten in ihr zuſammenkommen
und in ihr und aus ihr die kirchlichen Sacramente empfangen. Die Neubekehrten verpflichteten ſich auch,
dieſe Kirchen ſo ſtattlich und ſchön zu erbauen, daß ſie
bei ihrer Andacht in dieſen Kirchen weit mehr erhoben
würden, als bei ihrem bisherigen Gottesdienſte in den
Wäldern. Sie willigten ferner ein, daß die Ordensritter, wenn ſie ſelbſt die Kirchen bis zu jener Friſt
noch nicht erbaut hätten, nach dem Vermögen eines jeden
der Neubekehrten eine Beiſteuer erheben ſollten und dieſes
ſelbſt auch, wenn es mit Gewalt geſchehen müſſe. Sie
gelobten aber, dieſe Kirchen zum wenigſten an allen
Sonn- und Feſttagen zu beſuchen. Der Orden dagegen
verpflichtete ſich, die erbauten Kirchen innerhalb eines
Jahres mit Prieſtern und den nöthigen Gütern zu verſehen. Es ſollte nämlich zum Unterhalte eines Geiſtlichen jegliche Kirche acht Hufen Landes erhalten, die
Hälfte an Ackerland, die andere an Waldland, außerdem
auch den Zehnten von zwanzig Haken Landes, zwei Zug-
ochſen, ein Pferd und eine Kuh. Sofern aber der Zehnte
bei des Geiſtlichen Ankunft noch nicht vorräthig ſey, ſo
verſprachen die Ordensritter, dieſem das nöthige Brot-
korn 2), Bier für drei Perſonen, Futter für das Pferd

Wuntenowe vielleicht Wonditten bei Deren. 6) Brusebergue iſt
Braunsberg.

1) Von dieſen Ratangiſchen Kirchdörfern iſt kein einziges mit Ge-
wißheit mehr aufzufinden.

2) Die Urkunde bei *Dreger* Nr. 191 p. 293 weicht hier weſent-

und das nothwendige Saatgetreide bis zur Erhebung des
Zehnten selbst zu liefern. Außerdem sollten dem Geist=
lichen alle Opfer, Geschenke und sonstige Verleihun=
gen zufallen. Endlich verpflichtete sich der Orden auch,
bei ruhigerer Friedenszeit und in glücklicherer Lage der
Dinge in den zwei ihm zufallenden Landestheilen die
Zahl der Kirchen und deren Güter noch zu vermehren.

15. Die Neubekehrten gelobten, sich an den Fasttagen des
Fleisches und der Milchspeisen zu enthalten, an Sonn=
und Festtagen keine schwere Arbeit zu verrichten, zum
mindesten einmal im Jahre ihrem Geistlichen zu beichten,
am Osterfeste das heilige Abendmahl zu nehmen und in
allem, was zu thun und zu lassen sey, sich nach dem
zu richten, was Geistliche und andere redliche Christen
ihnen lehren würden.

16. Aus Dankbarkeit für die empfangene Freiheit und Gunst
versprachen die Neubekehrten für sich und ihre Nachkom=
men, jährlich den Zehnten in die Ordensscheunen selbst
einzuliefern und so den Orden der Beschwerde bei der
Einsammlung zu entheben [1]).

17. Sie verpflichteten sich ferner auch, die Personen, die Ehre

---

lich von der Originalcopie im geh. Archive ab. In dieser letzteren heißt
es: Dabunt ei etiam bladum ad faciendum panem et cerevisiam pro se tercio et pro equo predicto. Jener Abbdruck hat da=
gegen: Dabunt ei annonam pro pane et cerevisia, dabunt ei
etiam bladum ad faciendum panem et cerevisiam tercio et
pro equo predicto.

1) *Dreger* p. 294 meint, man sehe hieraus, daß die Ordensritter
damals den Zehnten von den Preussen loco tributi genommen und
sich diesen in natura an Korn in die Magazine bringen lassen. Wir
finden keinen Grund, diese Zinslieferung als Tribut anzusehen. Sie
war nach der Kulmischen Handfeste bestimmt, wurde eben so von den
Deutschen Einzöglingen, als von den neubekehrten Preussen verlangt
und dauerte auch für die nachfolgende Zeit immer fort. Späterhin
aber, nämlich in der Mitte des 15ten Jahrhunderts entstand zwischen
dem Orden und den Preussen über diesen Artikel ein Streit, welcher zu
dem in der folgenden Anmerkung angeführten Transsumt Anlaß gab.

und die Rechte des Ordens nach ihren Kräften mit
Treue zu beſchützen, weder heimlich noch öffentlich in ei=
nen Verrath gegen die Ordensritter einzuwilligen oder
ſolchen zuzulaſſen und wenn er ihnen bekannt werde,
ihn nach Möglichkeit zu hindern oder den Ordensrittern
zu entdecken.

18. Endlich gaben die Neubekehrten auch das Verſprechen,
daß ſie an allen Heerfahrten des Ordens in geziemender
Rüſtung und in einer nach ihren Vermögensumſtänden
guten Bewaffnung Theil nehmen wollten. Die von den
Neubekehrten auf dieſen Kriegszügen als Gefangene in
die Hände der Heiden oder anderer Feinde fallen wür=
den, verſprach der Orden wieder zu befreien.

Dieſes waren die Hauptpunkte, über welche die Neubekehrten
ſich in dem Friedensſchluſſe mit den Ordensrittern vereinigten.
Der Landmeiſter Heinrich von Wida gab in ſeinem und aller
ſeiner Brüder Namen ſein ritterliches Wort, daß von Seiten
des Ordens dieſes alles feſt und unverbrüchlich gehalten wer=
den ſolle. Daſſelbe verſicherten die Bevollmächtigten der
Neubekehrten durch einen körperlichen Eid. Um jeden Funken
der alten Zwietracht zu erſticken, ſicherten ſich beide Theile
völlige Verzeihung und Vergeſſenheit aller früher zugefügten
Beleidigungen zu und gaben ſich in Gegenwart des päpſtli=
chen Legaten den Friedenskuß. Ueber dieſes alles ward eine
Friedensurkunde aufgeſetzt, an deren Schluſſe dem päpſtlichen
Stuhle, den Prälaten in Preuſſen, der Kirche und dem Orden
ihre Rechte in Rückſicht ihres Anſehens, des Gehorſams gegen
ſie, der kirchlichen Freiheit und aller Privilegien und Gerecht=
ſame ausdrücklich noch vorbehalten wurden. Bekräftigt ward
der urkundliche Friedensſchluß durch die Siegel des päpſtlichen
Legaten, des ſtellvertretenden Landmeiſters Heinrich von Wida,
da der eigentliche Landmeiſter von Preuſſen Dieterich von
Grüningen nicht ſelbſt anweſend war, des Ritterconvents vom
Hauſe Balga und des Ordensmarſchalls Heinrich Botel [1]).

---

1) Das eigentliche Original dieſer wichtigen Urkunde iſt nicht mehr

vorhanden. Das geheime Archiv Schiebl. 59 Nr. 7 besitzt aber noch
die Originalcopie, welche der päpstliche Legat selbst verfertigen ließ und
insofern vertritt sie ganz die Stelle des Originals. Als Originalcopie
hat sie nicht die in der Urkunde erwähnten Siegel, sondern diese sind
nur durch Einschnitte in das Pergament bemerkbar gemacht. Vgl.
Hennigs Anmerk. zu Lucas David B. III. S. 118. Das Ori=
ginal ist jetzt nicht mehr aufzufinden. Die letzte Spur seines Vorhan=
denseyns geht ins Jahr 1453 zurück, indem damals der Bischof Cas=
par von Pomesanien den Auftrag erhielt, vom Originale, welches ihm
vorgelegt wurde, die die Zehntenlieferung betreffende Stelle zu transsu=
miren. Wir theilen in der Beilage Nr. V. seine Beschreibung des
Originals, der Wichtigkeit der Sache wegen mit. Gedruckt ist diese Ur=
kunde schon sehr oft, namentlich als Beilage zu *Dusburg* p. 463
(sehr fehlerhaft), Preuß. Samml. B. I. S. 620 (Deutsch, aber nach
einem fehlerhaften Abdruck) *Dogiel* T. IV. Nr. 23. p. 17. *Leo* p.
86. *Dreger* Nr. 191. p. 286; nach diesem bei Baczko B. I. S.
269. Gelehrt. Preuß. B. VI. S. 199. Hartknochs Kirchengeschichte
S. 36 (Deutsch). Auch Hennig lieferte einen Abdruck zum Lucas
David B. III. S. 118; er soll ganz diplomatisch getreu seyn, ist es
aber nicht; besonders kommen Fehler in den Namen vor.

Beilagen.

Beilage №. I.

Ueber die Zeit der Stiftung des Deutschen Ordens.

Ueber die Frage: in welchem Jahre eigentlich der Deutsche Orden gestiftet worden sey? hat von jeher große Ungewißheit geherrscht. Da selbst die Quellen hierüber nicht einig sind, so schwankten die späteren Schriftsteller in der Zeitbestimmung hin und her. Eine Hauptursache dieser Unbestimmtheit lag offenbar darin, daß man zu wenig auf den Unterschied zwischen Entstehung und Stiftung des Deutschen Ordens achtete. Vielleicht gelingt es dieser Abhandlung, die Sache in etwas helleres Licht zu stellen.

Entstanden war der Deutsche Orden, zwar nicht seinem Namen nach, aber in seinem ersten Keime, unbestreitbar schon seit der Gründung des Deutschen Hospitals zu Jerusalem, denn es sprechen die bündigsten Beweise für die Behauptung, daß jenes Deutsche Hospital in Jerusalem die eigentliche Wiege des Deutschen Ordens ist. Schon *Paulo Antonio Paoli* in seinem Werke: Dell' origine ed instituto del sacro militar. ordine di S. Giovan battista, Rom. 1781 behauptete, daß der Ursprung des Deutschen Ordens wohl gegen funfzig Jahre vor dem Jahre 1190 liege und daß der Orden sicher schon vor dem Jahre 1143 da gewesen sey; .f. *De Wal* Recherches sur l'ancienne institut. de l'Ordre Teut. T. I. p. III. Es stützt sich aber diese Behauptung theils auf ausdrückliche Zeugnisse der Chronisten, theils auf urkundliche Beweise, theils auch auf den ganzen Zusammenhang der ersten Geschichte des Ordens selbst.

Zu jenen Zeugnissen der Chronisten gehört unter andern vorzüglich die schon oben angezogene Stelle im Chronicon S. Bertini ap. *Martene* Thesaur. Anecdot. T. III. p. 626, wo wir zuerst die Erzählung über die Gründung jenes Marien-Hospitals in Jerusalem lesen und dann ausdrücklich hinzugefügt finden:

Ordo iste est Ordo Alemannorum et ordo beatae Mariae Theutonicorum, quia vix aliquem in fratrem recipiunt, nisi de lingua Theutonica , et vocant se Dei Milites, sed a populo vocantur hodie et vere sunt domini Prussiae et domini Livoniae. Aus diesen Worten geht klar hervor, daß der Chronist jenes Hospital zu Jerusalem und den Deutschen Orden gewissermaßen als Eine Stiftung ansah und den spätern Deutschen Orden seinem Ursprunge nach wirklich schon in jenem Deutschen Hospitale fand. Ein anderes Zeugniß, welches im Alter dem vorigen noch vorangeht, stellen uns die Ordensstatuten selbst. Es heißt nämlich in den Regeln c. 4, in der Ausgabe von Hennig S. 43: „Wente dirre orden e (eher) spital hatte denne rittirschaft, als is schinet (d. h. wie es deutlich und klar ist) an deme namen, want her das spital heißt." Mit andern Worten: bevor der Orden als eigentlicher Ritter=Orden vorhanden war, bestand schon ein Spital, welches den wahren Ursprung des Ordens bildete, daher hat er auch den Namen vom Spitale beibehalten. Zwar könnte man auf die Vermuthung kommen, die Ordensstatuten bezeichneten hiemit vielleicht jene Krankenpflege unter dem Schiffszelte vor den Mauern Akkons; allein es ist wohl kaum glaublich, daß sie solches ein Spital genannt haben sollten, denn offenbar bezieht sich diese Stelle auf den Namen des Ordens Hospitale sanctae Mariae Teutonicorum Ierosolymitanum, also auf das Hospital zu Jerusalem. Hiemit spricht also das Ordensgesetzbuch selbst den engen Zusammenhang des Hospitals und des eigentlichen Ordens aus. Nicht minder wichtig sind ferner auch die Zeugnisse derjenigen Chronisten, welche der Stiftung jenes Hospitals in Jerusalem erwähnen, nämlich *Jacob de Vitriaco* p. 1085 und *Sanut.* L. III. P. VII. c. 3. Beide bringen in ihrer Erzählung von dem Ursprunge des Deutschen Ordens alles in so enge Verbindung mit jenem Hospitale in Jerusalem, daß man deutlich sieht, auch sie fanden den Orden seinem Wesen und seiner Bestimmung nach schon in jenem Hospitale und sahen die Entstehung des erstern nur als eine Fortbildung jener frommen Stiftung an.

Zu diesen Zeugnissen kommen nun außerdem die Beweise für die aufgestellte Behauptung aus Urkunden. Wir haben diese aber zum Theil schon früher aus einigen päpstlichen Bullen und aus dem Diplom des Kaisers Friederich des Zweiten bei *Duellius* Histor. Ordin. Teut. p. 9 in der Urkunde Nr. XVI. p. 15 angedeutet. Seinem Avus, dem Kaiser Friederich dem Ersten hätte Friederich der Zweite wohl unmöglich Verdienste um den Deutschen Orden zuschreiben können, wenn er nicht schon in dem Hospitale zu Jerusalem den Keim und die erste Gründung des

Deutschen Ordens gesehen hätte. Einer andern Urkunde, nämlich einer Bulle des Papstes Clemens des Dritten, die für die
Sache gleichfalls von bedeutendem Gewichte ist, werden wir sogleich näher gedenken.

Die Deutschen Hospitalbrüder wanderten nun aber nach Eroberung der heiligen Stadt durch Salabin dem größten Theile
nach mit den Ordensbrüdern der Tempeler und Johanniter aus.
Freilich erwähnt ihrer ausdrücklich und namentlich kein Chronist
bei dem Berichte über den Auszug der Christen aus Jerusalem.
Allein es ist dieses auch kaum zu erwarten, denn erstens mochten
ohne Zweifel der Deutschen Hospitalbrüder, welche mit auszogen,
doch immer nur wenige seyn, indem manche in den Kämpfen,
die theils vorher, theils während der Belagerung Jerusalems mit
den Türken zu bestehen waren, gefallen seyn mochten. Zweitens
wanderten offenbar auch nur diejenigen von ihnen aus, welche
mit dem Schwerte das heilige Land und zuletzt besonders Jerusalem mit hatten vertheidigen helfen. Es wird uns ja ausdrücklich
gesagt — *Baronii* Annal. T. XII. an. 1187 Nr. 7. *Guil.*
Neubrig. L. III. c. 18. Ordens=Chron. S. 7 und bei *Mat-*
thaeus c. 36 —, daß diejenigen Hospitalbrüder, welche sich mit
der Krankenpflege beschäftigten, unter Salabins Erlaubniß auf
eine gewisse Zeit in Jerusalem zurückblieben. Es läßt sich drittens
aber auch annehmen, daß die Chronisten ihrer sowohl bei dem
Auszuge, als bei den nachherigen Kämpfen wirklich mit erwähnen,
nur nicht unter dem ihnen eigenthümlich zukommenden Namen.
Die Chronisten nämlich nennen beständig zwar nur die Templarii und Hospitalarii und verstehen unter den letzteren hauptsäch-
lich die Ritter und Brüder des Johanniter = Ordens, so *Jacob*
de Vitriaco p. 1118, wo er sagt: Salahadinus existimans Templariorum et Hospitalariorum ordines prorsus in partibus
Orientalibus delere, quotquot ex ipsis capere potuit, decapi-
tari praecepit. *Wilhelm. Tyrus* L. XXII. c. 1. welcher ebenfalls nur der fratres militiae Templi und der fratres Hospitalis erwähnt; so die Historia Hierosol. p. 11164, *Sanut.* p. 198
u. a. Allein es ist bei genauer Erwägung der Verhältnisse, in
denen die Hospitalbrüder des Deutschen Hauses mit den Hospitalbrüdern des Johanniter=Ordens standen, wohl gar kein Zweifel, daß unter den Hospitalariis der Chronisten außer den Johannitern auch die Deutschen Hospitalbrüder zu finden sind.
Beide waren ja wirklich Hospitalarii, beide standen unter der
Aufsicht und Obhut eines gemeinsamen Hauptes, des Großmeisters. Sorgsamere Schriftsteller, als die Chronisten des Mittel,
alters sind, würden sie allerdings wohl unterschieden haben, etwa
durch die Bezeichnung Hospitalarii S. Johannis für die Johan-

niter und Hospitalarii S. Mariae für die Deutschen Hospitalbrü=
der. Da diese letzteren aber mit jenen unter der Obhut Eines
Meisters und schon in sofern in enger Verbindung mit ihnen
lebten, so ward für beide auch der allgemeine Name Hospitalarii
gebräuchlich und blieb es bei den Chronisten noch lange Zeit hin=
durch.

Vor Akkons Mauern aber trennten sich die Deutschen Ho=
spitalbrüder von den Johannitern. Sehr wichtig ist in dieser
Beziehung eine Stelle im *Guil. Neubrig.* L. IV. c. 19, wo es
von dem vor Akkon liegenden Belagerungsheere heißt: Guido
olim Rex Ierosolymorum et Marchio de Monte Ferrato,
causa superius memorata dissidentes, ad exercitum venerant,
atque in ipsa obsidione ita locis distincti ut animis, multam
post se turbam trahebant: dum potentum plurimi partes
oppositas divisis prosequerentur favoribus, in tantum ut
religiosa hospitalis Ierosolymitani militia in duo collegia
pro studio partium scissa videretur. Der Chronist hatte of=
fenbar von einer Trennung im Johanniter = Orden gehört und
schreibt sie dem damals überhaupt im christlichen Heere vor Akkon
herrschenden Geiste der Zwietracht und Spaltung zu und hierin
mochte sie wohl allerdings auch ihren Grund haben. Aber es
ist klar, daß es nicht eigentlich eine Trennung der eigentlichen Jo=
hanniterritter unter sich selbst, sondern vielmehr eine Absonderung der
Deutschen Hospitalbrüder von dem Johanniter = Orden war. Be=
stätigt wird diese Annahme durch das altdeutsche Gedicht von des
Landgrafen Ludwig von Thüringen Kreuzfahrt, wovon uns Wil=
ken im 4ten Theile seiner Geschichte der Kreuzzüge einen schätz=
baren Auszug geliefert hat, denn in diesem Gedichte wird (S. 21
26. bei Wilken) der Ritter des Deutschen Hauses oder des Ho=
spitals noch vor der Stiftung des Deutschen Ordens und selbst
noch vor der Ankunft des Herzogs Friederich von Schwaben er=
wähnt: offenbar keine anderen, als die aus Jerusalem ausgewan=
derten, mit dem Johanniter=Orden bisher verbundenen und erst
vor kurzem von ihm getrennten Brüder des Deutschen Ho=
spitals.

Diese nämlichen waren es nun auch, welche sich nach der
Ankunft des Herzogs Friederich von Schwaben mit den Bürgern
aus Lübeck und Bremen zur Pflege der unglücklichen Deutschen
verbanden. Es geschah dieses, wie oben behauptet ist, im Herbst
des Jahres 1190. Diese Zeitbestimmung aber müssen wir aus
den Quellen rechtfertigen. Der Kaiser Friederich starb am 10ten
Juni 1190. Diese Angabe ist nach allen Untersuchungen (s.
Raumer B. II. S. 435 — 436 und Wilken Kreuzzüge B.
IV. S. 139) völlig sicher, wenn gleich manche Quellen, wie

Alberic. p. 380, seinen Tod erst im August erfolgen lassen. Die Ankunft des Herzogs Friederich von Schwaben in Antiochien fiel auf den 19ten Juni, nach *Tageno* p. 14 auf den 21sten Juni und der Aufenthalt daselbst dauerte, wie uns *Godefrid. Monach.* ap. *Freher.* T. I. p. 258 versichert, volle acht Wochen. Demnach brach Friederich erst gegen das Ende des Augusts aus Antiochien auf und nahm den Weg unter großen Gefahren nach Tripolis hin, wo er in den letzten Tagen des Augusts oder im Anfange des Septembers ankam. Hier verweilte er wieder eine Zeitlang. „Hier beschloß er, sagt Wilken B. IV. S. 288 nach der Mitte des Septembermonats nach dem Lager bei Ptolemais zur See sich zu begeben, um den Beunruhigungen durch die muselmännischen Schaaren zu entgehen. Kaum aber hatten die Schiffe den Hafen verlassen, als ein heftiger Wind sich erhob, welcher drei Schiffe zerstörte und die übrigen nöthigte, in den Hafen zurückzukehren. Erst nach einigen Tagen erlaubte ihnen ein günstiger Wind, nach Tyrus zu fahren. Dort verweilte der Herzog Friederich einige Tage, indem er den größten Theil seiner Truppen zu Lande zu ihrer Bestimmung ziehen ließ. Er selbst kam mit wenigen Begleitern erst am achten Tage des Octobers im Lager vor Akkon an.“ Dieses bestimmte Datum der Ankunft Friederichs vor Akkons Mauern fand Wilken in *Bohaeddin,* welcher den 6ten Ramaban nennt; vgl. Wilken a. a. O. S. 289. Vier Wochen später, nämlich am 11ten November oder am Tage Martini führte er, wie die Histor. Hierosol. p. 1171 sagt, im Heerlager mit den Oberbefehl. In diese Zeit nun fällt unstreitig die eigentliche Stiftung des Deutschen Ordens. Die Gründe, worauf sich diese Annahme der Zeit der Stiftung stützet, sind folgende:

1) Nehmen fast alle Ordens-Chroniken und darunter die wichtigsten das Jahr 1190 als das der Stiftung des Ordens an; so *Dusburg* p. I. c. 1. die „Cronica der Lande Preußen S. 1. Stegemanns Chron. Fol. 4. Am genauesten nennt die Zeit die Ordens-Chronik S. 9 (Mscr.) und bei *Matthaeus* p. 662, welche von der Stiftung des Ordens sagt: „Ende dit geschiede (geschah) int jair ons Heren MC. ende XC. op ten XIX. dach in November;“ im Mscr. steht zwar „uff den Newenden Tag Novembris,“ allein es soll offenbar auch hier der neunzehnte Tag des Novembers stehen, denn auch Lucas David giebt den 19ten November als den Stiftungstag des Ordens an. Auch das alte Hochmeister-Verzeichniß in Lindenblatts Annalen S. 359 nimmt die Stiftung im Jahre 1190 an (die dortige Note ist nicht ganz richtig) und mit diesen und andern Ordens-Chroniken stimmen endlich auch die Ordensstatuten überein, in-

dem sie in der Vorrede (Ausgabe v. Hennig S. 31) gleichfalls das Jahr 1190 als das der Stiftung nennen.

2) Sprechen für dieses Jahr auch ausländische Quellen. Das Chron. Mont. Sereni p. 51 sagt unter dem Jahre 1190: Porro Fridericum filium eius Ducem Sueviae exercitus omnis pro ipso principem sibi constituit, a quibus et militra, quae de Teutonica domo appellatur, eodem tempore instituta est. Es kann ferner hieher auch die Stelle im Aquicinct. Auct. ap. *Pistor.* T. I. p. 998 gerechnet werden, denn obgleich hier beim Schlusse des Jahres 1189 der Stiftung des Ordens erwähnt wird, so gehören die Worte doch offenbar mit zu dem Jahre 1190. Das Chron. Episc. Verdens. ap. *Leibnitz* T. II. p. 218 sagt bestimmt vom Jahre 1190: Circa idem tempus incepit Ordo militum de domo Teutonica a Friderico Duce Sueviae in obsidione civitatis Achon, suo velo navis extenso. In gewisser Hinsicht dürfen wir zu diesen auswärtigen Zeugnissen auch noch die Annal. Oliviens. rechnen, wo es heißt: Huius principis tempore anno 1190 exordium sumpsit Ordo fratrum de domo Teutonica in obsidione civitatis Acconensis.

3) Spricht für die Annahme des Jahres 1190 auch die durch Hennig im Lucas David B. IV. p. IV. zuerst bekannt gemachte Bulle des Papstes Clemens des Dritten. Sie ist in aller Hinsicht für die Zeitbestimmung der Stiftung des Deutschen Ordens merkwürdig. Der Papst versichert nämlich in ihr den Deutschen Marien=Brüdern — fratribus thewtonicis ecclesiae sanctae Mariae Ierusalemitane, wie er sie nennt — für ihre Personen, ihre Kirche in Jerusalem und ihre Güter, sowohl die, welche sie schon besaßen, als solche, die sie noch erwerben würden, den Schutz des heil. Petrus und des apostolischen Stuhles. Das Datum der Bulle ist: Laterani VIII. Idus Februarii Pontificatus nostri anno quarto, d. i. der 6te Februar 1191. Im ersten Augenblicke scheint diese Bulle unter diesem spätern Datum keineswegs mit unserer Annahme übereinzustimmen, denn es könnten allerdings die Fragen erhoben werden: warum gab der Papst diese Bulle erst im Februar des Jahres 1191, wenn der Orden schon im November 1190 entstanden war? Warum sicherte er erst dann dem Orden und seiner Kirche in Jerusalem den Schutz der Röm. Kirche zu? Warum nennt er die Ordensbrüder noch fratres thewtonice ecclesie S. Marie Ierusal.? Warum nicht fratres Hospitalis S. Marie Alemannorum Ierusal., wie sie sie Innocenz der Dritte im J. 1215 und Honorius der Dritte im J. 1216 nennt? — Alle diese Fragen aber lassen sich auf eine Weise beantworten, daß sie statt unserer Annahme entgegen zu stehen, dieselbe vielmehr bestätigen. Wenn

der Orden, wie wir behaupten, im November 1190 in erwähnter
Weise eigentlich erst als Ritter=Orden entstand, so mußte ihm
vor allem daran liegen, im Falle einer Wiedereroberung Jerusa=
lems seine dortigen Besitzungen und namentlich auch die Kirche
der h. Maria, den Ort seines eigentlichen Ursprungs, für sich ge=
sichert zu sehen. Er wandte sich also noch im November oder
im December 1190 an den Papst mit der Bitte, ihm sein Ei=
genthum in Jerusalem durch eine besondere Bulle zu sichern. Ehe
nun dieses Gesuch von Akkon nach Rom gelangte und ehe hier
die Bulle förmlich ausgefertigt wurde, mußte allerdings der An=
fang des Februars 1191 herankommen. Demnach kann also das
spätere Datum dieser Bulle durchaus keinen Beweis für eine spä=
tere Entstehungszeit des Ordens abgeben; vielmehr liegt gerade
in diesem späteren Datum ein Grund mehr, eine frühere Entste=
hung des Ordens anzunehmen. Was ferner den Namen an=
langt, mit welchem der Papst die Ordensbrüder bezeichnet, so
zeugt dieser keineswegs gegen unsere Annahme. Die Deutschen
Hospitalbrüder waren seit ihrer Vertreibung aus der heil. Stadt
mit den eigentlichen s. g. Hospitalbrüdern oder den Johannitern
vereinigt gewesen; selbst Ein Name — Hospitalarii — hatte
sie in der gewöhnlichen Benennung mit einander verknüpft und
beide konnten sich so nennen, weil sie beide Hospitale in Jerusa=
lem gehabt hatten. Was beide eigentlich im Aeußern genau von
einander unterschied, das waren ihre Kirchen oder vielmehr die
Heiligen, denen diese gewidmet waren, indem bekanntlich die der
eigentlichen Hospitalbrüder dem heil. Johannes, die der Deutschen
Hospitalbrüder dagegen der Jungfrau Maria zu Ehren erbaut
waren. Wollte demnach der Papst Clemens die nunmehrigen
Deutschen Ordensbrüder im Unterschied von den Johannis=Ho=
spitalitern genau bezeichnen, so konnte er dieses nicht füglich an=
ders thun, als so wie er es that. Vollkommen richtig sagt auch
Hennig zu Lucas David B. IV. S. V.: „Als der Orden
am 19ten (9ten) Novemb. 1190 im Lager vor Akkon, unter
Theilnahme der Bremer und Lübecker gestiftet wurde, ward ihm
zwar die Krankenpflege zur Pflicht gemacht, allein er behielt den
Namen der Deutschen Brüderschaft der Marienkirche zu Jerusa=
lem bei, zur steten Erinnerung an die Pflicht, seinen Ursprungs=
ort, die Marienkirche zu Jerusalem, wieder erobern zu helfen. Es
ist daher wohl nicht ganz richtig, wenn *De Wal* Recherches
T. I. p. 367 sagt: Suivant le prologue des statuts, et le té-
moignage de presque tous les écrivains, l'Ordre prit nais-
sance pendant le siège de St. Jean d'Acre en 1190, et par
conséquent sous le pontificat du pape Clément III., mais il
ne fut confirmé qu'en 1191 ou 1192, par Célestin III., suc-

41*

cesseur de Clément. — Es bleibt indessen auch noch eine andere
Erklärung der Sache übrig. Wir erfahren aus der oben schon
erwähnten Stelle des *Guil. Neubrig. L. IV. c. 19*, daß sich die
Deutschen Hospitalbrüder von den Johannitern getrennt hatten.
Bei dieser Trennung, deren Ursache uns nicht ganz klar bekannt
wird, mochte es den ersteren nothwendig scheinen, sich ihr altes
Besitzthum in Jerusalem bei der nahe bevorstehenden Ankunft des
Königes Philipp August von Frankreich, des Königes Richard
von England und des Deutschen Kreuzheeres um so mehr zu
sichern, da bei solchen Streitkräften die Wiedereroberung Jerusalems wohl nicht so ganz unwahrscheinlich war. Sie wandten
sich also noch als bloße Hospitalbrüder an den Papst mit der
Bitte um festere Zusicherung ihrer Besitzung in der heil. Stadt.
— Quociens *postulatur* a nobis, quod religioni et honestati
convenire dinoscitur, animo nos decet libenti concedere
et juxta *petencium* voluntatem consentaneam racioni effectu
prosequente complere, sagt der Papst selbst. Der Papst bewilligte
die Bitte und ertheilte ihnen auch noch den Namen, unter welchem sie ihr Gesuch an ihn gebracht hatten. Später als dieses
Gesuch kam dann auch der Bericht über die Stiftung des Deutschen Ordens an ihn und er bestätigte diese in einer besondern
Bulle, worauf wir früher schon hingedeutet haben. So würde
also auch bei dieser Erklärung der Sache die Bulle bei Lucas
David a. a. O. unserer Annahme in keiner Weise entgegen
stehen.

4) Den eigentlichen Ausschlag in der Sache giebt unstreitig
der frühzeitige Tod des Herzogs Friederich von Schwaben. Daß
dieser Fürst die bisherige Deutsche Hospitalbrüderschaft vor Akkons Mauern zu einem Orden erhob, ist eine Nachricht, gegen
welche kein Zweifel aufgeworfen werden kann; die Vorrede der
im Morgenlande entworfenen Ordensstatuten zeugt hierüber aufs
bestimmteste und entscheidendste. Nun starb aber Friederich schon
am zwanzigsten Januar des J. 1191, wie Wilken B. IV. S.
314 aus morgenländischen Quellen und Raumer B. II. S.
437 ermittelt haben. Vgl. auch *De Wal* Recherches T. I. p.
368. Folglich muß die Stiftung des Deutschen Ordens nothwendig zwischen den 8ten Octob. 1190 und den 20sten Januar
1191 fallen und es ist also wohl kein Grund vorhanden, die Angabe der Ordens Chronik, welche uns den neunzehnten November
1190 als den Stiftungstag des Ordens nennt, irgend zu bezweifeln: vielmehr spricht alles für die Richtigkeit dieser genauen Angabe. Wenn daher Fascicul. Tempor. auct. *Rolewink* ap. Pistor. T. II. p. 79 die Stiftung erst ins J. 1194, das Chron.
Hirsaug. T. II. p. 482 ins J. 1192, die Continuat. Chron.

Engelhus. ap. *Leibnitz* T. II. p. 57 ins J. 1200, die Chron. S. Aegydii ibid. T. III. p. 586 in daffelbe Jahr oder spätere Compilatoren ap. *Leibnitz* T. II. p. 67 fie ins J. 1701 oder sogar erst ins Jahr 1212 setzen, so sind solches Angaben, welche keiner weiteren Widerlegung werth sind.

Wir wenden uns zur näheren Betrachtung der Personen, welche bei der Stiftung des Ordens gegenwärtig gewesen seyn sollen, oder wirklich zugegen waren. Wir haben darüber zwei Verzeichnisse, das eine bei *Dusburg* P I. c. 1, das andere in der Ordens=Chron. S. 8 (Mscr.) und bei *Matthaeus* p. 657, die wir bei dieser Untersuchung zum Grunde legen wollen.

Beide Verzeichnisse stellen den König Heinrich von Jerusalem an die Spitze der gegenwärtigen Personen. Sie meinen darunter den Grafen Heinrich von Champagne. Denselben nennt außerdem auch die Vorrede der Ordensstatuten. Nun war aber um die Zeit der Stiftung des Ordens noch Guido oder Veit König von Jerusalem, Histor. Hierosol. p. 1163, Arnold. Lubec. L. III. c. 35 und es liegt also in den genannten Quellen ein Irrthum zum Grunde. Er besteht darin, daß der Graf Heinrich von Champagne von ihnen um einige Jahre zu früh König von Jerusalem genannt wird, denn er erhielt die königliche Würde erst im Jahre 1192, *Alberic.* p. 395. Raumer B. II. S. 401 — 402. Wilken B. IV. S. 491. Dagegen ist vollkommen richtig, daß die Quellen ihn als bei der Stiftung des Ordens gegenwärtig bezeichnen, denn er war schon im Sommer des J. 1190 nach Akkon gekommen; Wilken B. IV. S. 283, *Alberic.* p. 393.

Die übrigen in den Verzeichnissen genannten, nicht zum Deutschen Volke gehörigen Personen können wir wohl füglich unberücksichtigt lassen, da sie auf die Stiftung und ersten Schicksale des Deutschen Ordens doch ohne Zweifel keinen Einfluß hatten. Unter den als gegenwärtig aufgeführten Deutschen wird aber zuerst erwähnt: der Erzbischof von Mainz. Allein es muß schon auffallen, daß keiner von den Deutschen Chronisten, welche uns die in des Kaisers Friederich Begleitung seyenden Geistlichen namentlich anführen, dieses ausgezeichneten Deutschen Erzbischofs mit einem Worte erwähnt. Zwar erzählt *Godefrid. Monach.* p. 252 vom Jahre 1188; Mogontinus mittitur ab Imperatore ad Ungarum pro Bulgaria evaequanda et stratas et pro victualibus providendis exercitibus signatorum. Allein auf eine Theilnahme am Kreuzzuge selbst kann sich dieses um so weniger beziehen, da bald nachher p. 256 gesagt wird, daß nach Ostern des Jahres 1190 König Heinrich den Erzbischof von Mainz nach Apulien in Geschäften gesandt habe. Außerdem haben wir aus den Jahren 1190 und 1191 auch Urkunden von diesem Erzbischofe, die zu Mainz ausgestellt seine Anwesenheit in dieser Stadt ganz klar darthun; s. *Guden.* Cod. diplom. Nr. 107. 110. 111. Daraus folgt, daß ihn die Verzeichnisse fälschlich als bei der Stiftung des Deutschen Ordens gegenwärtig aufführen; wohl aber begleitete er ein späteres Kreuzheer im J. 1196 — 1197; s. *Otto de S. Blas.* c. 42. *Arnold. Lubec. I. V.* c. 5.

Der zweite Geistliche, welcher als bei der Stiftung gegenwärtig genannt wird, soll der Bischof Conrad von Würzburg gewesen seyn. Nun wird ein Bischof von Würzburg allerdings mit in der Begleitung des Kaisers angeführt, *Tageno* p. 6. *Lambert. Schaffnaburg.* Addit. p. 430; allein er hieß nicht Conrad, sondern Gottfried von Pisenberg. Doch selbst dieser kam nicht bis nach Akkon, sondern starb schon in Antiochien, *Arnold. Lubec. L.* III. c. 34. Sein Nachfolger war Heinrich von Bibelrieth, welcher das bischöfliche Amt bis 1197 bekleidete; ihm folgte Gottfried von Hohenlohe und erst nach diesem kam im J. 1198 der Bischof von Würzburg auf den bischöflichen Stuhl, welcher, wie Dusburg meint, mit vor Akkon war. Er hieß Conrad von Ravensburg, war aber erst im J. 1205 mit im Morgenlande und folglich bei der Stiftung des Ordens nicht zugegen; s. *Otto de S. Blasio* c. 42.

Der Bischof von Passau war bei der Stiftung wirklich gegenwärtig; seiner erwähnen als Theilnehmer des Kreuzzuges *Tageno* p. 6, Chron. Ursperg. p. 229 u. a. Aber *Dusburg* hat darin dennoch Unrecht, wenn er ihn Wolgerus nennt, denn er hieß Dietpold oder Leopold nach dem Auszuge bei Wilken B. IV. S. 95. Ohne Zweifel verwechselte der Ordens-Chronist diesen mit dem spätern Bischofe Wolgerus von Passau, welcher im J. 1204 Patriarch von Aquileja wurde; Chron. Augustens. p. 365.

Der Bischof von Halberstadt, von *Dusburg* Gardolphus genannt, wird in keiner Quelle als Begleiter Friederichs des Ersten bezeichnet. Ohnedieß bekleidete das bischöfliche Amt in Halberstadt um diese Zeit auch Dieterich und erst im Jahre 1195 folgte diesem der von *Dusburg* genannte Gardolphus, bisher Dechant zu Halberstadt; und dieser Gardolphus begab sich erst im Jahre 1196 nach Palästina; Chron. Halberst. ap. *Leibnitz* T. II. p. 138 — 139. Chron. Ursperg. p. 232. Chron. S. Petri Erfurt. ap. *Mencken* T. III. p. 232. Also war bei der Stiftung des Ordens gar kein Bischof von Halberstadt zugegen.

Auch der Bischof von Zeit wird von *Dusburg* als gegenwärtig aufgeführt; allein ihn nennt wiederum keine andere

Quelle unter den Theilnehmern dieses Kreuzzuges; dagegen finden wir einen Bischof von Zeiz mit unter den Kreuzbrüdern im J. 1197; Chron. Ursperg. p. 232.

Unter den weltlichen Fürsten wird außer dem Herzoge Friederich von Schwaben von *Dusburg* zuerst genannt:

Der Pfalzgraf Heinrich vom Rhein; allein auch dieses Fürsten erwähnt keine einzige Quelle als Begleiter Friederichs des Ersten. Wir erfahren dagegen, daß dieser Pfalzgraf erst im J. 1197 mit auf dem Kreuzzuge ins Morgenland war und damals eine sehr wichtige Rolle spielte; *Arnold. Lubec.* L. V. c. 1. 4. *Otto de S. Blasio* c. 42. Raumer B. III. c. 66.

Der Herzog Friederich von Oesterreich wird eben so wenig unter den Fürsten in Friederichs Heere genannt. Im J. 1190 war Friederich überhaupt noch gar nicht Herzog von Oesterreich, denn er erbte das Herzogthum erst im Jahre 1192 und unternahm erst im J. 1197 mit dem Patriarchen Wolger von Aquileja eine Pilgerfahrt ins heilige Land, wie uns das Chron. Austral. ap. *Freher* T. I. p. 320, Otto de S. Blasio c. 42 u. a. sagen. Im Jahre nachher starb er und hinterließ sein Erbtheil seinem Bruder Leopold. Folglich wird auch er von *Dusburg* fälschlich unter die Mitstifter des Deutschen Ordens gezählt.

Der Herzog Heinrich von Brabant wird von *Dusburg* zum Anführer des ganzen Heeres erhoben, capitaneus totius erat exercitus. Allein wir kennen die Anführer der einzelnen Theile des Kreuzheeres des Kaisers Friederich sehr genau aus der Expedit. Asiat. Friderici I. ap. *Canis.* T. V. p. 64 und unter diesen wird er eben so wenig, als überhaupt unter den Theilnehmern dieses Kreuzzuges genannt. Wir wissen dagegen, daß er ebenfalls erst später das Kreuz nahm; *Arnold. Lubec.* L. V. c. 1. Chron. Ursperg. p. 232. *Otto de S. Blasio* l. c.

Der Graf von Sachsen und Landgraf von Thüringen, dessen *Dusburg* erwähnt, war ohne Zweifel Hermann, der seinen Kreuzzug aber erst mit Herzog Heinrich von Brabant und dem Pfalzgrafen Heinrich vom Rhein antrat; *Arnold. Lubec.* L. V. c. 1. Chron. Ursperg. p. 232. Chron. S. Petri Erfurt. p. 232. Zwar war der Landgraf Ludwig der Milde von Thüringen im J. 1190 mit im Morgenlande; allein die Zusammenstellung mit den übrigen Fürsten zeigt, daß *Dusburg* den Landgrafen Hermann gemeint hat.

Der Markgraf Albrecht von Brandenburg (der Zweite), den *Dusburg* nennt, wird ebenfalls von keinem Chronisten unter den Kreuzbrüdern des J. 1190 angeführt. Auch an dem späteren Zuge scheint er nicht Theil genommen zu haben; denn in der Zahl der Fürsten wird seiner nicht erwähnt. Außerdem haben wir aus den Jahren 1195 — 1197 Urkunden, die seine Gegenwart in Deutschland für diese Zeit außer Zweifel setzen, *Gerken* Cod. diplom. T. III. Nr. 9 — 11. Sein Bruder Otto, Markgraf von Brandenburg hatte zwar das Kreuz genommen, ward aber vom Papste von seinem Gelübde frei gesprochen, *Arnold. Lubec.* L. V. c. 1. Chron. S. Petri Erfurt. p. 232 und jene Urkunden bezeugen ebenfalls, daß auch er in der Heimat war. Im Verzeichnisse der Ordens=Chronik ist auch überhaupt keines Markgrafen von Brandenburg erwähnt.

Der Reichsmarschall Heinrich von Callentin, von *Dusburg* Caladia genannt, war allerdings zwar in Friederichs Begleitung und kann daher auch als bei der Stiftung des Deutschen Ordens gegenwärtig angesehen werden; Exped. Asiat. ap. *Canis* T. V. p. 66. Allein er begleitete die genannten Fürsten auch auf dem späteren Zuge im J. 1197, ebenfalls noch in der Würde eines kaiserlichen Marschalls, Chron. Ursperg. p. 233.

Der Markgraf Conrad von Landsberg wird unter Friederichs Begleitung nicht genannt; wohl aber war ein Markgraf Conrad und ohne Zweifel derselbe mit auf dem Kreuzzuge im Jahre 1197, Chron. Ursperg. p. 232.

Der Markgraf Dieterich von Meißen nahm nach den bewährtesten Quellen ebenfalls nicht Theil am Kreuzzuge im J. 1190, obgleich das Chron. Cizens. p. 799 seiner erwähnt. Dagegen finden wir ihn ebenfalls erst in den Jahren 1195 — 1197 im Morgenlande, doch kehrte er in dem zuletzt genannten Jahre zurück, um sein väterliches Erbe in Besitz zu nehmen, Chron. Pegav. ap. *Mencken.* T. III. p. 152.

Dieses sind die sämmtlichen Deutschen Fürsten und Bischöfe, welche Dusburg als Zeugen der Stiftung des Deutschen Ordens nennt und von denen er sagt: omnium Principum supra dictorum consilium in hoc resedit, ut Dominus Fridericus Dux Sueviae nuncios solennes fratri suo Serenissimo Domino Heinrico VI. Regi Roman. futuro Imperatori mitteret etc. Die Ordens=Chronik aber nennt in ihrem Verzeichnisse außer diesen auch noch die Herzoge von Baiern, den Herzog von Braunschweig, den Herzog von Sachsen, Herzog Philipp von Schwaben, den Grafen Wilhelm von Holland, Graf Florenzens Sohn, Graf Otto von Geldern, Graf Dieterich von Cleve, den Landgrafen von Hessen, den Grafen von Jülich und den von Berg, die Grafen von Nassau, Henneberg und Spanheim. Vergleicht man aber diese genannten Fürsten mit dem Verzeichnisse der wirklich im J. 1190 mit Kaiser Friederich mitziehenden Fürsten und Herren, welches Wilken B. IV. S. 95 im Anhange aus Ansberts Erzählung von der Kreuzfahrt Friederichs mittheilt, so ist

klar, daß viele, ja die meisten der in der Ordens=Chronik genann=
ten Fürsten an der Kreuzfahrt im J. 1190 gar nicht Theil nahmen.

Ueberblicken wir nun die Reihe der von *Dusburg* aufge=
führten Fürsten, so leuchtet aufs klarste ein, daß der Chronist fast
keinen von denen nennt, welche im J. 1190 das Kreuz wirklich
genommen hatten, im Gegentheil nur solcher erwähnt, die später=
hin mit dem Erzbischofe von Mainz das Morgenland besuchten.
Wir glauben also mit Recht den Schluß ziehen zu dürfen, daß
Dusburg bei der Abfassung dieses Theiles seiner Chronik das Ver=
zeichniß derjenigen Fürsten vor sich hatte, welche im Jahre 1197
eine Kreuzfahrt unternahmen, und unbekannt mit der richtigen
Zeit ihrer Pilgerfahrt sie schon im Jahre 1190 ins Morgenland
ziehen ließ. Daß er dabei den chronologischen Fehler beging,
den Herzog Friedrich von Schwaben mit diesen Fürsten zusam=
men zu stellen, folgte schon von selbst aus dieser Unbekanntschaft
mit der richtigen Zeit des Pilgerzuges dieser Fürsten. Das Ver=
zeichniß aber, welches Dusburg vor sich hatte, war nicht einmal
ganz vollständig oder er nahm es wenigstens nicht vollständig in
seine Chronik auf, denn außer den von ihm angeführten geistlichen
und weltlichen Fürsten nahmen an dem Kreuzzuge im J. 1197
noch Theil die Bischöfe von Naumburg, Verden, Regensburg
und Prag, außer dem Mainzer Erzbischof auch noch die von Köln
und Bremen, außer den genannten Fürsten auch noch der Her=
zog von Meran, Graf Adolf von Holstein und Schauenburg
und mehre andere; vgl. *Arnold. Lubec.* L. V. c. 1. *Otto de
S. Blasio* c. 42. Chron. Ursperg. p. 232. Chron. S. Petri
Erfurt. ap. *Mencken* T. III. p. 232. — Wollen wir uns aber
über die Theilnehmer und Zeugen der Stiftung des Deutschen
Ordens vollständig und gründlich belehren, so giebt die genaueste
Nachricht hierüber bei Wilken B. IV. S. 95 — 96 der er=
wähnte Auszug aus Ansberts Erzählung über den Kreuzzug des
Kaisers Friederichs des Ersten.

————————

Nachdem diese Abhandlung schon beendigt war, erhielt ich
durch die freundliche Gefälligkeit des Herrn Prof. und Bibliothe=
kars Dr. Spieker, dessen Güte ich so manches literärische
Hülfsmittel verdanke, aus der Königl. Bibliothek zu Berlin das
Mscr. des altdeutschen Gedichtes von des Landgrafen Ludwig des
Milden oder Frommen von Thüringen Kreuzfahrt, aus welchem
Wilken im 4ten Bande seiner Geschichte der Kreuzzüge den auch
hier schon mehrmals erwähnten Auszug gegeben hat. Die Dun=
kelheit der Geschichte der ersten Zeiten des Deutschen Ordens vor

Akkon, die Wichtigkeit der Quelle und der Umstand, daß Wilken die den Orden betreffenden Stellen nur auszüglich mittheilt, legen mir die Pflicht auf, die wichtigsten dieser Stellen zur Ergänzung der vorstehenden Abhandlung hier auszuheben.

Des Deutschen Hauses wird in dem Gedichte zuerst erwähnt, als der Landgraf Ludwig mit seinem Bruder Hermann ins Lager vor Akkon einzieht und vom Könige Guito, dem Meister des Johanniter-Ordens, den Tempelherren und den Rittern des Deutschen Hauses empfangen wird. Da heißt es B. 916:

> Si worden frolich genumen
> Da in die erliche bruderschaft
> Tzu der gotes ritterschaft
> Von dem spitale
> Sente johannis mit manigem fråle
> Mit manigem tûwern rittere sie
> Sines ordens enphie
> Der hohemeister und fro
> Sam taten die tempil bruder bo
> Die von dem dûtschen huse dem gelich
> Und envollen liplich
> Die hetten des recht wand er in
> Ein sunderlich helfe ist gesin
> Tzu bistetene ir orden

Nachdem berichtet ist, daß die erste Nachtwache den Grafen von Geldern traf, wird gesagt, daß die Tempelherren, der Meister der Johanniter und die vom Deutschen Hause sich ebenfalls an dem Wasser (dem Flusse bei Akkon) gelagert hätten: B. 1150:

> Als si des waren zu rate nu
> Die dûtschen worden gimeinlich
> Bi den herren sie leiten sich
> Ouch waz der tempil herren was
> Waz der in strite vor genas
> Der hohemeister von sente iohanne
> Mit manigem werden manne
> Sines ordens ouch manigen werden man
> Dem er solt het getan
> Die von dem dûtschen huse na
> Dem wazzer leiten sich ouch da
> Mit werlicher ritterschaft
> Ir bruder als si der hetten craft.

Auf die Forderung der Christen, eine entscheidende Schlacht mit dem Heere Saladins nicht länger zu verzögern, beruft König

Guido einen Kriegsrath. Es wird hiebei der Ritter vom Deut=
schen Hause nicht besonders gedacht, sondern es heißt nur V. 1602:

> Der bisante die spitalere
> Und ouch die tempelere
> Die besten als er die hate
> Und wart mit den zu rate.

Als sich darauf aber das christliche Heer zur Schlacht ordnet,
halten sich die Deutschen und die Ritter der geistlichen Orden zur
Schlachtreihe des Landgrafen von Thüringen; V. 1963:

> So hilden zu dem lantgraven sich
> Die dûtschen fro und williclich
> Der hohe meister von sente iohanne
> Mit manigem bigebenen manne
> Als er die het mit im do
> Der meister von dem templo
> Mit sinen brudern frolich
> Under sin banyr ouch schicten sich
> Die bruder als die des gerden
> Von dem dûtschen huse. — —

Dann werden die ritterlichen Helden unter den Deutschen aufge=
zählt, wobei es heißt V. 1775:

> Ouch von dem spitale der hohemeister
> Den sarrazinen leiste er
> Des tages waz er in vor gehiz
> Doch was da cleine ir geniz
> Die temployse waren ouch da
> Den hetten sich zu geschicket na
> Von dem dûtschen huse die herren
> Uf ein ewigez werren
> Daz sie mit werlicher craft
> Frumten da der heidenschäft.

Im Verlaufe der Kämpfe der Christen mit Salabins Heer wird
der Ritter des Deutschen Hauses sonst nie und auch nur einige=
mal der Johanniter und Tempelherren erwähnt. Als aber unter
dem größten Theile der Belagerer der Gedanke herrschend wurde,
man wolle die Belagerung Akkons aufgeben und nach Tyrus se=
geln, standen die geistlichen Orden auf der Seite des Landgrafen
von Thüringen, der für die Fortsetzung stimmte; V. 3555:

> Ouch von allen orbenen gemenlich
> Die rittere hilden sich im zu
> Und wolden mit im bliben nu.

Auf den hierauf folgenden Verstoß des Dichters gegen die histo=
rische Wahrheit, nach welchem nun der Kaiser Friederich im La=
ger ankommt und (V. 3567)

> Mit im kumit ouch der bruder min
>
> Chunrat von dem duschen hus
>
> Der homeister.

hat schon Wilken aufmerksam gemacht, wie denn überhaupt der
Dichter sich nicht immer an chronologische Folge der Begebenhei=
ten bindet. Uebrigens erfahren wir bei dieser Gelegenheit den
Namen des damaligen Meisters des Tempel=Ordens Walther
von Spelten, dessen Taufname sonst nur bekannt ist. Weiterhin
erwähnt der Dichter des Deutschen Ordens nicht besonders mehr.

Beilage №⁰ II.

Ueber das Todesjahr und den Todestag Hermanns von Salza herrscht eine außerordentliche Verschiedenheit in den Quellen. Vor allem ist es sehr auffallend, daß *Richard. de S. Germano*, der seiner so vielfältig und zuletzt auch seiner Krankheit an zwei Stellen erwähnt, über seinen Tod ganz schweigt. Der Ordens-Chronist *Dusburg* P. I. c. 5 giebt nur den Todestag, nicht das Todesjahr an. Als jenen nennt er IX. Calend. August. und das alte nach *Dusburg* umgewandelte Chronicon vetus (welches wir gewöhnlich den Epitomator Dusburgs genannt haben), setzt noch hinzu: in vigilia Christine, welches auch Jeroschin P. l. c. 5 hinzufügt. Dieß wäre der 24ste Juli. Die Unrichtigkeit dieser Angabe aber beweiset das in dieser Hinsicht viel wichtigere Zeugniß des alten Ordens-Kalenders (im geh. Archive), in welchem der vom Orden späterhin immer feierlich begangene Todestag Hermanns durch folgende Worte angegeben ist: XIII. Cal. April. Hermannus obiit magister quartus. Nach dieser Angabe ist folglich der Todestag der 20ste März. Diese Bestimmung weicht von dem Liber Anniversariorum Ecclesiae Ordin. Teuton. Mosae Trajectinae, welches Buch Bachem (Chronolog. der Hochmeister ꝛc. S. VII.) als Mscrpt. im Ordens-Archive zu Altenbiesen fand, nur um einen Tag ab, indem dieses XIV. Calend. April., d. h. den 19ten März als Hermanns Todestag angiebt. Vgl. *De Wal* Recherches T. II. p. 247. *Duellius* p. 15. not. m. Wie nun *Dusburg* zu seiner abweichenden Angabe gekommen seyn mag, ist eben so wenig abzusehen, als zu begreifen ist, wie Bachem seiner besseren Quelle ungeachtet den 22sten Juli hat annehmen können. Schon Bayer in seiner Lebensbeschreibung von Hermann von Salza erklärte den Ordens-Kalender für die entscheidende Quelle in dieser Sache, und nahm sonach den 20sten März als Todestag an.

Noch verschiedener sind die Chronisten in der Bestimmung des Todesjahres. Sie schwanken zwischen den Jahren 1239, 1240, 1243 und 1246, denn schon *Hartknoch* zu Dusburg p. 27 sagt: Annus mortis ex mente Dusburgii videtur fuisse 1246, ut ex incidentibus ad partis III. c. 33 et 34 apparet. Doch nimmt Hartknoch selbst mit Schütz, Henneberger u. a. das Jahr 1240 als Hermanns Todesjahr an. Es läßt sich aber barthun, daß alle Angaben unrichtig sind, welche den Tod Hermanns später als ins Jahr 1239 setzen. Eine Urkunde, auf welche zuerst De *Wal* Hist. de l'Ordre Teuton. T. I. p. 302 hinwies, giebt hierin den Ausschlag. Ihr Datum ist vom 14ten Mai 1240 und sie nennt schon den Landgrafen Conrad von Thüringen als Hochmeister, also als Nachfolger Hermanns von Salza. Daher sagt auch schon der eben genannte Schriftsteller: La date de cette chartre prouve encore, qu'on ne doit pas marquer la mort de Salza au 20 de mars de l'an 1240, parceque les cinquante-quatre jours d'intervalle, qui se trouvent entre les deux époques, ne suffisoient pas pour assembler les grands Capitulaires, et pour procéder à l'élection d'un nouveau Grand-Maître, d'autant que Salza avoit fini ses jours au fond de l'Italie, et que le Landgrave se trouvoit alors en Allemagne." Noch specieller spricht De *Wal* von dieser Urkunde in einer Anmerkung T. I. p. 313. Es ist demnach auch nicht ganz richtig, wenn das alte Hochmeister=Ver= zeichniß in Lindenblatts Jahrb. S. 359 dem Hermann von Salza 30 Jahre als Regierungszeit zuspricht, denn nach den uns bekannten Angaben stand er dem Orden nur vom März 1210 bis zum 20sten März 1239, also nur 29 Jahre vor. *Dusburg,* mit der Dauer der Regierungszeit, wie es scheint, ganz unbe= kannt, half sich mit den Worten aus: „praefuit plurimis annis."

Hieran schließt sich die Erörterung eines andern Punktes, der für die letzte Lebensgeschichte Hermanns von Salza nicht ohne Wichtigkeit ist. Es ist nämlich in den meisten Werken über die Geschichte des Ordens, wie in Pauli allgem. Preuß. Staatsge= schichte B. IV. S. 67. Baczko B. I. S. 199. Kotzebue B. I. S. 391 die Meinung ausgesprochen worden: Hermann von Salza habe in seinem letzten Lebensjahre den Plan gehegt, noch einmal das Morgenland zu besuchen und den Grafen Ri= chard von Cornwall auf seinem Zuge nach Syrien mit Rath und That zu unterstützen. Die Ordenschronik bei *Matthaeus* p. 708 läßt ihn diesen Plan sogar in Ausführung bringen, denn sie sagt: „Ende dor dese edele vrome Heer Herman van Salfa dertich „jaren lanck met grooter vromicheyt ende wysheit synen Oirden „so grotelick mit der hulpe Godes, ende mit groten victorien en

„hulp van Vorſten en Princen verbreyt ende vermeert habbe, ſo
„tooch hy tot Akers om .te viſitieren, ende van dane weder op
„Venetien, ende van dane naer Apulien. Daer wert hy ſiec ende
„ſterff, ende wert eerlicken begraven in des Dirdens kercke in de
„Stadt geheten Baleta.‟ Bayer in ſeiner Lebensbeſchreibung
Hermanns von Salza im Continuirten gelehrten Preuſſen B.
I. S. 41, dem die andern meiſt nur nachgeſchrieben haben, ſagt:
„Da in Paläſtina noch alles in voller Bewegung wider den Kaiſer war, wurde Richardus Comes Cornubiae dahin geſchicket
und ſollte Hermann von Salza ihm mit Rath an die Hand gehen.‟ Beides, die Angabe der Ordenschronik und dieſe Behauptung Bayers, verdient durchaus keinen Glauben. Hermann von
Salza kann in den letzten Zeiten auf keine Weiſe im Morgenlande geweſen ſeyn. Im Sommer des Jahres 1237 befand er
ſich beim Kaiſer nach *Richard. de S. Germano* p. 1038. Im
December deſſelben Jahres hielt er ſich zu Lodi am Kaiſerhofe
auf, ſ. *Guden.* T. II. p. 74. Im Januar des Jahres 1238
wurde er vom Kaiſer nach Deutſchland geſchickt, von wo er im
Juli zurückgekehrt ſich im Auguſt nach Salerno begab, nach
Richard. de S. Germano p. 1039 — 1040. Da der Hochmeiſter während der beiden Jahre theils in Deutſchland mit der Verbindung des Livländiſchen und des Deutſchen Ordens theils in
Italien in Geſchäften des Kaiſers fort und fort thätig war, ſo
läßt ſich durchaus keine Zeit finden, in welcher er die Reiſe ins
Morgenland hätte unternehmen können.

Aber auch nicht einmal den Plan zu einer ſolchen Reiſe
kann Hermann in dieſer Zeit gehabt haben. Die neueren Schriftſteller, welche ihm dieſen Plan zuſchreiben, behaupten einſtimmig:
er habe den Grafen Richard von Cornwall auf deſſen Pilgerfahrt
begleiten wollen oder nach des Kaiſers Beſtimmung begleiten ſollen. Dieſer Graf hatte allerdings ſchon im Jahre 1238 den
Vorſatz, eine Pilgerreiſe nach dem Morgenlande anzutreten und
Kaiſer Friederich billigte nicht bloß dieſen Gedanken des Grafen,
ſondern lud ihn auch ein, den Weg über Italien einzuſchlagen,
Mathaeus Paris p. 450; allein in den verſchiedenen Briefen,
welche der Kaiſer dem Grafen in dieſer Sache ſchreibt und *Mathaeus Paris* uns aufbehalten hat, kommt nicht ein Wort von
dem Plane vor, daß Hermann von Salza den Grafen begleiten
wolle oder ſolle. — Woraus iſt denn nun aber die Behauptung
der neueren Schriftſteller genommen, daß Hermann das Morgenland noch einmal habe beſuchen wollen? Die Stelle in einem
Briefe des Kaiſers Friederich in *Petri de Vineis* Epiſt. L. I. c.
28 p. 197, worauf Bayer (die Quelle der Uebrigen) und Kotzebue ihre Behauptung gründen, iſt folgende: Der Kaiſer ſagt:

Dudum viro spectabili comite Cornubiae, dilecto sororio nostro cum honorabili comitiva nobilium transalpina, in ultramarinis partibus vices agente nostras, de consilio magistrorum hospitalis et sanctae Mariae Theutonicorum et totius Christianorum exercitus pro parte nostra, qui jura dilecti filii nostri Cunradi, in Romanorum regem electi, semper Augusti et regni Hierosolymitani haeredis, eiusdem regis et regni moderamine fungebatur, cum Soldano Babyloniae supra dicto, treugas fideliter et prudenter iniit. Betrachten wir diese Stelle in ihrem Zusammenhange mit den Ereigniſſen, von denen ſie ſpricht, ſo wird ſich leicht finden, daß von Hermann von Salza gar nicht die Rede iſt oder auch nur ſeyn kann. Graf Richard von Cornwall trat ſeinen Zug ins Morgenland erſt im Spätſommer des Jahres 1240 an und landete im Herbſt in Syrien, *Mathaeus Paris* p. 526. Es erfolgte alſo dieſe Reiſe erſt anderthalb Jahre nach Hermanns von Salza Tode. Im Jahre 1238, wo allerdings der Graf den Entſchluß zu dieſer Pilgerfahrt ſchon gefaßt hatte, war Hermann theils in Deutſchland ſo beſchäftigt geweſen, theils nachher ſo krank, daß er wohl ſchwerlich an eine ſo mühſame Reiſe ins Morgenland denken konnte. Die erwähnte Stelle ſpricht aber auch keineswegs von dem, was vor Richards Abreiſe im Plane lag, ſondern nur von dem, was Richard im Morgenlande that; er ſchloß nämlich de consilio magistrorum hospitalis et sanctae Mariae Theutonicorum et totius Christianorum exercitus mit dem Sultan von Aegypten einen Waffenſtillſtand. Richard giebt in einem Briefe, den *Mathaeus Paris* p. 547 — 548 aufbehalten hat, darüber ſelbſt ausführliche Nachricht; unter andern erzählt er darin: er habe ſich nach Joppe begeben, ubi occurrens nobis quidam magnus potens valde, ex parte Soldani Babyloniae nobis nunciavit, dominum suum Soldanum nobiscum treugas facere velle, si nobis placeret. Auditis igitur et intellectis, nobis per ipsum expressius exponendis, Dei gratia sinceriter invocata, de consilio Ducis Burgundiae, Comitis Walteri de Bresne, Magistri Hospitalis et caeterorum nobilium, maioris scilicet partis exercitus, paci et treugae consensimus subscriptae." Daraus geht klar hervor, daß die Stelle in *Petri de Vineis* Epist. nichts weiter ſagt, als: Richard habe die Meiſter des Ordens der Johanniter und der Deutſchen bei Abſchließung dieſes Waffenſtillſtandes um Rath gefragt.

Wer war denn aber der Magister sanctae Mariae Theutonicorum, der ſich im Morgenlande beim Grafen Richard befand? Wir dürfen antworten: Es war kein anderer, als der Landmeiſter des Deutſchen Ordens für die morgenländiſchen Be-

ſitzungen. Daß ein ſolcher eben ſo im Morgenlande, wie in
Deutſchland, Preuſſen und Livland war, geht aus einigen Urkunden im großen Privilegienbuche (im geh. Archive) deutlich
hervor. Zuerſt wird er noch im Jahre 1223 Magnus Praeceptor (wenn man will, Großgebietiger, Großkomthur) genannt; in
den ſpätern Urkunden aber heißt er Magister oder Magister
domus sanctae Mariae Teutonicorum Acconensis So
kommt er namentlich in einer Urkunde vom Jahre 1254 vor.
Ein ſolcher Landmeiſter im Morgenlande war nach der ganzen
Verfaſſung des Ordens dort in der That eben ſo nothwendig, als
in allen den andern Ländern, in denen der Orden bedeutende Beſitzungen inne hatte. Dabei griff allerdings auch noch der Hochmeiſter öfters mit in die Verhältniſſe des Morgenlandes ein. So
berichtet uns *Sanut.* L. III. P. XI. c. 14 vom Jahre 1236: Post
haec illi de regno Jerusalem, tractante Alamannorum Magistro, nuntios transmittunt ad procurandum cum Imperatore concordiam: ad voluntatem vero Imperatoris, agente
mediatore praedicto, consentientibus etiam praedictis nun-
tiis, mandati tenorem forma pacis excessit. Von einer Anweſenheit des Hochmeiſters im Morgenlande, wie die Ordenschronik ſie annimmt, weiß auch *Sanut.* keine Silbe. — Das Reſultat
iſt alſo: die Behauptung der neueren Schriftſteller, daß Hermann
von Salza in der letzteren Zeit den Plan gehegt habe, mit dem
Grafen Richard von Cornwall noch einmal das Morgenland zu
beſuchen, beruht auf einem Mißverſtändniß der Stelle in *Petri
de Vineis* Epist. p. 197.

Wir müſſen hier in Hermanns von Salza Lebensgeſchichte
aber auch noch eines andern Umſtandes erwähnen, der ebenmäßig
in neueren Schriften allgemein behauptet wird und gleichwohl
nicht weniger auf Irrthum und Mißverſtändniß beruht. Man
findet nämlich überall, ſelbſt auch in ſonſt ehrenwerthen geſchicht-
lichen Werken die Behauptung aufgeſtellt: nachdem der Hochmeiſter Hermann von Salza das Morgenland verlaſſen habe, ſey er
nach Italien gekommen und habe ſeinen Wohnſitz in Venedig
genommen, wo denn ſeitdem auch der Hauptſitz des Ordens geweſen ſey. Man hat dieſe Annahme unbedenklich dem *Leo* p.
65 nachgeſchrieben, welcher ſagt: Obtinuit etiam Hermannus
Magister bona et domum supremam pro ordine Venetiis.
Baczko B. I. S. 40 behauptet, es ſey dieſes wahrſcheinlich im
Jahre 1224 geſchehen. Es läßt ſich beweiſen, daß dieſe Behauptung durchaus unrichtig iſt. Der Hochmeiſter hatte um dieſe Zeit
überhaupt noch gar keinen beſtimmten, feſten Wohnſitz, oder vielmehr er hatte ihn jedesmal nur da, wo ihn der Kaiſer hatte. Im
J. 1214 hatte Kaiſer Friederich dem Meiſter des Deutſchen Or-

II. 42

dens unter andern auch die Begünstigung verliehen: ut Magister ille, quotiescunque ad Curiam Imperii accesserit, in familia Curiae imperialis sit ascriptus, et ipsi Magistro cum socio uno, fratre domus suae et cum sex equitaturis, tanquam aliis familiae in omnibus necessariis abundanter provideatur; *Duellius* Selecta privileg. Nr. XIII. p. 12. Von diesem sehr eh= renvollen Vorrechte machte Hermann von Salza auch Gebrauch, so lange er im Abendlande lebte und sofern ihn nicht die vom Kaiser ihm aufgetragenen Reisen und Geschäfte oder die Angele= genheiten seines Ordens vom Kaiserhofe entfernten. Die frühere Erzählung der Ereignisse der Zeit, welche Hermann in Italien verlebte, hat hierüber zahlreiche Beweise gegeben. Dagegen ist es nicht möglich, aus irgend einem Chronisten oder aus Urkunden jener Zeit die Behauptung zu begründen, daß Hermann sich nur ein einziges Jahr oder auch nur einige Monate hindurch fortwährend in Venedig aufgehalten habe, obgleich er doch oft lange Zeit in Oberitalien verweilte, so wenig uns auch aus zeit= genössischen Jahrbüchern eine Stelle bekannt ist, in welcher da= mals schon Venedig als der Hauptsitz des Deutschen Ordens ge= nannt ist. Le Bret in seiner Staatsgeschichte von Venedig B. I. S. 736 sagt zwar: „Die Deutschen Ordensritter seyen immer wahre Freunde der Republik gewesen, hätten in den Ge= nuesischen Kriegen die Vortheile der Venetianer auf alle Art un= terstützt; der Doge Fenier Zeno habe ihre Dienste mit Dank an= erkannt, für sie die Kirche der heil. Dreifaltigkeit erbauen lassen, die er ihnen mit Einkünften geschenkt und ihrem Hause, welches sie in dieser Seestadt hatten, zuerkannt. Sie hielten, fährt Le Bret fort, in dem Jahre 1221 ihr Generalkapitel in Venedig, allwo sie eines ihrer Haupthäuser hatten, in welches sich ihr aus Ptolemais in dem Jahre 1·298 entflohener Ordensmeister mit einigen Rittern flüchtete. Sie hatten also von Hermann von Salza an ihren Hauptsitz in Venedig, bis sie nach Preussen ver= setzt wurden." Allein diese Angaben hat Le Bret erstlich durch keine Beweise begründet, sondern ganz nackt hingestellt. Zwei= tens ist für die Abhaltung eines Generalkapitels zu Venedig im J. 1221 kein Zeugniß angegeben und so lange dieses fehlt, müs= sen wir es in Zweifel ziehen. Allerdings kam Hermann in diesem Jahre nach Italien; aber wir wissen nur, daß er in Apulien beim Kaiser und in Rom beim Papste war; von einer Reise da= gegen nach Venedig zu einem Generalkapitel haben wir aus den uns zugänglichen Quellen keine Nachricht gefunden. Gesetzt aber, ein solches Generalkapitel ließe sich für das Jahr 1221 in Vene= dig auch beweisen, so ist dieses noch keineswegs ein Beweis für einen regelmäßigen Aufenthalt des Hochmeisters in der Seestadt.

Drittens liegt alles, was der Doge Xenier Zeno für den Orden gethan haben soll, weit hinter Hermanns Lebenszeit, denn die Wahl dieses Doge fällt nach *Daru* histoire de Venise T. I. p. 363 erst ins Jahr 1252 und von den Verdiensten der Deutschen Ordensritter um Venedigs Handelsvortheile im Morgenlande weiß dieser Geschichtschreiber nichts zu bemerken, indem er p. 367 nur sagt, daß in Syrien les chevaliers du Temple, les hospitaliers de Saint-Jean-de Jérusalem devinrent les auxiliaires des deux républiques rivales. Viertens ist es ein sehr sonderbarer Schluß, wenn Le Bret sagt: im J. 1298 habe sich der aus Ptolemais entflohene Ordensmeister mit einigen Rittern nach Benedig geflüchtet; also hätten sie (?) von Hermann von Salza an ihren Hauptsitz in Venedig gehabt, bis sie (?) nach Preußen versetzt worden seyen. Man sieht aus diesen verwirrten Zusammenstellungen klar, daß Le Bret überhaupt keine deutliche Vorstellung von der Sache hatte. — Wir sprechen also als Resultat die Behauptung aus, daß es zur Zeit noch an allen gültigen Beweisen fehlt, das Haupthaus des Deutschen Ordens und den Hauptwohnsitz des Hochmeisters zu Hermanns von Salza Zeit schon in Venedig zu finden. Es scheint uns daher auch ganz richtig, was *De Wal* Recherches T. II. p. 282 sagt: On ignore si les Teutoniques ont eu un établissement à Venise, avant que le Doge Reinier Zeno eût fait bâtir l'église et la Commanderie de la Ste. Trinité, après l'an 1258.

Dieser Behauptung wird wohl niemand die Urkunde entgegenstellen wollen, die am 5ten Mai 1223 in einem Generalkapitel zu Venedig von einem Hochmeister Wilhelm von Urenbach ausgestellt, die Erklärung enthält, daß, obgleich Hermann, Bischof von Kurland, den Schwertbrüdern den dritten Theil von Kurland zugewiesen, doch dessen Nachfolger Heinrich von Lüttelenburg dem Deutschen Orden zwei Theile davon unter der Bedingung abgetreten habe, daß keine Ländertheilung ohne seine Zustimmung ferner erfolgen solle; denn es ist längst erwiesen von *De Wal* Histoire de l'Ord. Teut. T. I. p. 357 — 358, daß die Urkunde untergeschoben, von einem mit der Geschichte des Ordens ganz unbekannten Urkundenfabrikanten verfertigt und also ohne alle historische Brauchbarkeit ist, und selbst die Vermuthung (Baczko's Geschichte von Preußen B. I. S. 216) möchte sich schwerlich halten lassen, daß Wilhelm von Urenbach ein Nebenbuhler des Grafen Heinrich von Hohenlohe in der Hochmeisterwürde gewesen sey.

Beilage № III.

Ueber die Theilnahme des Deutschen Ordens an der Mongolen=Schlacht bei Liegnitz.

Bis auf die neuesten Zeiten herab ist angenommen worden, daß die Deutschen Ordensritter aus Preussen wesentlichen Antheil am Kampfe gegen die Mongolen bei Liegnitz oder Wahlstadt gehabt haben. Raumer Gesch. der Hohenstaufen B. IV. S. 79 läßt „Poppo von Osterne, Landmeister des Deutschen Ordens in Preussen" dem Herzoge Heinrich dem Frommen von Niederschlesien zu Hülfe ziehen, ihn mit seinen Rittern und Knechten die vierte Schlachtreihe einnehmen, nach Boleslavs von Mähren Fall und Mieslavs von Oberschlesien Flucht noch ritterlich fortkämpfen, bis Herzog Heinrich dem Feinde erliegt und Poppo schwer verwundet wird. Auch Schlosser Weltgeschichte B. III. Th. 2. Abth. 1. S. 318 schließt „den Deutschmeister" vom Kampfe nicht aus und läßt ihn durch die Seinigen gleichfalls die vierte Schlachtreihe bilden. Genauere Forschung aber zeigt, daß diese Angaben sich auf keine Weise begründen lassen.

Die Hauptquelle, auf welche die Erzählung sich stützt (und welcher schweigend auch Raumer folgt) ist *Dlugoss.* hist. Polon. p. 676. Dieser berichtet nämlich: Item ·Pompo de Höstern Magister Generalis Cruciferorum de Prussia et fratres militiae ordinis sui, laturi in id bellum solatia Henrico advenerant; dann bei Angabe der Schlachtordnung: Tertium agmen milites Opolienses et Pompo de Hostern Magister Prussiae cum fratribus et militia sua tenebant, hos Meczlaus Dux Opoliensis ducebat; und endlich beim Ausgange des Kampfes: Tartarorum exercitus intelligens Polonos jam pene victores — clamore horrido sublato in Polonos se vertit, et aciebus eorum quae in id tempus integrae erant disruptis, strage magna, in qua Boleslaus-Dux Dipoldi Marchionis Moraviae filius dictus Schepolka, cum multis aliis insignibus militibus, felici cruore necatus est, et Pompo Cruciferorum Magister de Prussia cum suis magna clade obrutus, Polonorum residuum agmen in fugam vertit. Wie schon Klose Gesch. von Breslau B. 1. S. 427 bemerkt, schöpfte aus dieser Quelle *Miechow* L. III. c. 38 p. 132 — 133, aus Miechow wieder *Cromer* L. VIII. p. 209, aus diesem *Thebesius* in den Liegnitzischen Jahrbüchern u. s. w. *Dlugoss.* ist folglich als die Urquelle der Nachricht über die Theilnahme des Deutschen Ordens an der Schlacht anzusehen. — Es kann aber aus mehrfachen Gründen klar bewiesen werden, daß alles, was uns Dlugoß über diese Theilnahme der Ordensritter an der Mongolen=Schlacht vorerzählt, reine Erdichtung ist oder vielmehr auf Irrthum und Verwechselung beruht.

Erstens nämlich erwähnt der Deutschen Ordensritter bei dieser Schlacht und überhaupt bei dem ganzen Ereignisse keine einzige ältere Quelle. *Boguphal.* p. 60, der wohl kaum umhin gekonnt hätte, der Sache zu gedenken, da er gleich darauf mehres vom Deutschen Orden erzählt, schweigt gänzlich. Er erwähnt, daß Herzog Boleslav und Herzog Heinrich im Kampfe gefallen seyen; würde er nicht auch des Namens Poppo's von Osterna gedacht haben, wenn dieser sich so ritterlich ausgezeichnet hätte? Es schweigt ferner auch *Johannis* Chron. Polonor. ap. *Sommersberg.* T. I. p. 9; eben so die Chron. Princip. Polonor. ibid. p. 42. Es erwähnt überhaupt keine bewährte Polnische oder Schlesische geschichtliche Quelle der Theilnahme des Ordens.

Zweitens ist Dlugoß immer nur mit höchster Vorsicht als geschichtliche Quelle zu benutzen; er ist in eben dem Maße unkritisch, als parteiisch; er schreibt oft in den Tag hinein ohne Prüfung, ohne Urtheil, ohne Sichtung. Das vorliegende Beispiel zeigt seinen Mangel an Kritik in seiner ganzen Blöße. Er läßt in der Schlacht gegen die Mongolen Poppo von Osterna mit den Seinen umkommen. Späterhin jedoch vergißt er diesen Tod. Poppo tritt ihm im Jahre 1255 wieder entgegen. Es heißt in seiner Chronik p. 740: Tunc quoque Magistro Prussiae nono Conrado Calendis Augusti obeunte, Gerhardum de Herczborg in officium assumunt, *secundum vero alios* Poponem de Osterna. Die Worte „*secundum vero alios*" sind offenbar nur ein schlechter Nothbehelf, denn wir kennen keine einzige Quelle, welche Poppo von Osterna im Jahre 1255 als Meister nennte. Es geht vielmehr als unwiderleglich aus des Dlugoß Worten hervor, daß er gehört oder gelesen hatte, Poppo sey noch einmal Meister geworden; er mußte ihn irgendwo noch unterbringen und schiebt ihn daher mit den pfiffigen Worten: secundum vero alios, an ganz unpassender Stelle ein.

Drittens enthalten des Dlugoß Worte mehre offenbare Unrichtigkeiten, die ihm zum Theil bis auf die neuesten Zeiten auch nachgeschrieben sind. Vor allem nennt er ganz unrichtig Poppo von Osterna (dessen richtigen Namen er erst p. 740 kennen lernt) Magister Generalis Cruciferorum de Prussia; Raumer änderte dieses in „Landmeister des Deutschen Ordens in Preußen," und Schlosser in „Deutschmeister." Poppo war aber damals keins von dem allen. Aus Urkunden erhellt, daß Hochmeister des Ordens Conrad von Thüringen, Landmeister in Preußen Heinrich von Wida, und Deutschmeister Heinrich von Hohenlohe waren. Wenn also auch erwiesen werden kann, daß Poppo von Osterna damals schon im Deutschen Orden war — denn er wird schon im Jahre 1233 unter den Zeugen im Kulmischen Privilegium als Ordensbruder genannt — wenn selbst nicht unwahrscheinlich ist, daß er schon eine ziemlich bedeutende Stelle verwaltet und in besonderem Ansehen gestanden habe — denn er steht unter allen genannten Zeugen oben an —, so ist doch ausgemacht, daß er im Jahre 1241 keins von den drei erwähnten Aemtern verwaltet habe. Erst später gelangte er zum Amte des Landmeisters in Preußen, und dann auch zur Würde des Hochmeisters. — Ferner läßt Dlugoß Poppo von Osterna in der Schlacht umkommen. Auch dieses ist eine offenbare Unrichtigkeit. Schon Schlosser S. 317 hat dieses widerlegt, obgleich er nicht hätte sagen sollen, Poppo sey im J. 1253 zum „Deutschmeister," sondern zum Hochmeister erwählt worden, denn hierin ist bekanntlich ein großer Unterschied. Auch schon in *Sommersberg* T. I. p. 316 ist des Dlugoß Irrthum berichtigt. Raumer S. 81 findet wahrscheinlich, daß „die Verwundung Poppo's zu der gewöhnlichen Annahme Veranlassung gegeben, er sey getödtet worden." Allein eine Verwundung Poppo's in der Schlacht ist eben so wenig zu erweisen, als überhaupt seine Theilnahme im Kampfe. — Außerdem trägt das ganze Bild der Schlacht, so weit es wenigstens in Beziehung auf Poppo von Osterna und die Deutschen Ordensbrüder dasteht, das Gepräge der höchsten Unwahrscheinlichkeit. Dlugoß stellt seinen Hochmeister Poppo mit dem Herzoge Mieslav und dessen Heerschaar in die dritte Schlachtreihe und überweiset diesem Herzoge den Heerbefehl. Auf das listige Geschrei eines Mongolen: „biegaycie! biegaycie! flieht! flieht!" nimmt dieser Herzog schnell die Flucht: Ad hanc vocem Dux Opolien-

sis Meczlaus, non hostem sed proprium et amicum ex com-
passione non vafricie credens ista esse vociferatum, deserto
proelio fugit, magnamque militum, *eorum praecipue* qui sibi
in *tertio agmine* parebant, catervam in similem fugam tra-
xit. Wo bleibt nun der Hochmeister Poppo? Er bleibt stehen,
kämpft und fällt zuletzt! Mehr Ruhm für die Ordensherren,
als Dlugoß ihnen sonst zugesteht! Raumer hat gefühlt, daß
Poppo mit den Seinen in der dritten, flüchtigen Schlachtreihe
wohl nicht stehen geblieben seyn würde, und weiset daher
den Deutschen Rittern und ihren Knechten lieber die vierte
Schlachtreihe an, aber nach welchen Quellen? Der treffliche
Geschichtschreiber der Hohenstaufen hat offenbar hier den Boden nicht ganz sicher gefunden, aber ihn nicht genau un-
tersucht.

Viertens giebt auch die damalige Lage des Ordens und das
Verhältniß im Innern seines Landes bedeutende Gründe zum
Zweifel an der Sache an die Hand. So eben erst waren die
drei Landschaften Warmien, Natangen und Barterland unter-
jocht. Alles war noch in Unruhe und Bewegung. Die Völker
zeigten feindlichen Sinn, wünschten Befreiung, dachten auf Abfall.
Ueberall war der Orden mit Errichtung der nöthigen Burgen beschäftigt, zu deren Aufbau schützende Kriegsmacht unerläßlich war.
Herzog Otto von Braunschweig war mit seinen Kriegern heimgekehrt und noch kein neues Kreuzheer wieder im Lande. Die Streitmacht des Ordens kann um diese Zeit noch auf keine Weise als
so sehr bedeutend angesehen werden. Konnte nicht das nahe Samland aufstehen und sich mit den unglücklichen Nachbaren verbinden? Drohte nicht jetzt auch schon Herzog Suantepolc von
Pommern wieder? Mußte nicht der Landmeister den nur irgend
übrigen Theil seiner Kriegsmacht zum Schutze der nahe bedrohten Gränzen im Süden aufstellen, da der arge Feind so hart an
Preussens Gränzen vorüberzog? (*Boguphal.* p. 60). Darf
man es unter solchen Umständen auch nur im mindesten wahrscheinlich finden, daß die klugen Ordensherren, alles Preis gebend,
den bedeutendsten Theil ihrer Streitkraft nach Schlesien würden
verwendet haben? Sicherlich nicht!

Doch wir können fünftens dem Dlugoß auf die Spur kommen und den ganzen Irrthum aufdecken, auf welchen sich alles
bei ihm stützt. Es ist nämlich wirklich späterhin die Nachricht
verbreitet gewesen, Poppo von Osterna, der zu Breslau in der
Kirche zu S. Jacob begraben liegt, sey von den Tartaren erschlagen worden. So sagt das Verzeichniß der Hochmeister bei Lindenblatt S. 360: „Bruder Poppo von Osterna wart Homeister in dem Jahre des Herrn M. CC. LII. unde hilt das ampt

XI, Jare unde wart irschlagen von den Tattern unde leit begra=
bin zcu Breslaw bie den Prediger Brüdern." Aus diesen Wor=
ten geht einmal hervor, daß zur Zeit des Dlugoß allerdings die
Nachricht vorhanden war, Poppo habe seinen Tod in einem
Kampfe mit den Tartaren gefunden, und es wird somit der Pol=
nische Chronist von dem Verdachte einer bloßen Erdichtung der
Sache gerettet; aber es geht ferner daraus hervor, daß von dem
Tode Poppo's von Osterna in der Mongolen=Schlacht im Jahre
1241 gar nicht die Rede seyn kann, denn nach jenem Verzeich=
nisse müßte Poppo erst im Jahre 1263 durch die Tartaren er=
schlagen worden seyn. — Ferner führt *Manlius* in s. Commen=
tar. rer. Lusaticar. ap. *Hoffmann* Script. rer. Lusaticar. p.
229 und *Klose* in der Geschichte von Breslau S. 467 eine
Inschrift an, die sich auf diesen Gegenstand bezieht. In der
Kloster=Kirche zu S. Jacob in Breslau soll nämlich noch ums
Jahr 1568 an einer Wandtafel bei dem Begräbnisse des Her=
zogs Heinrich, dessen Tod in der Tartaren=Schlacht ebenfalls
durch eine Inschrift angezeigt war, Folgendes gestanden haben:
In eodem bello interfectus est Dominus Poppo, Magister ge=
neralis Ordinis fratrum hospitalis beatae Virginis Mariae
de domo Teutonica cum pluribus Fratribus eius Ordinis
hic sepultus 1521. Zur Zeit, als *Klose* schrieb (1781), war
keine von diesen beiden Inschriften mehr zu sehen. Aber was
beweiset diese Inschrift? Offenbar nichts weiter, als daß man
sich im Jahre 1521 eben so über Poppo's von Osterna Tod irrte,
wie es Dlugoß that. Den Grund des Irrthums gab augen=
scheinlich Poppo's Begräbniß in der S. Jacobskirche zu Breslau.
Ueber Poppo's Tod und sein Begräbniß müssen wir an einem
andern Orte sprechen. Genug man war in der Mitte des funf=
zehnten Jahrhunderts darüber einig, daß Poppo in Schlesien
gestorben und zu S. Jacob in Breslau bei Herzog Heinrichs
Grabmahl begraben sey, und hieran knüpft sich nun auch alles
andere, hierdurch löset sich das ganze Räthsel. Der Zusammen=
hang scheint nämlich folgender gewesen zu seyn. Poppo's von
Osterna Tod in Schlesien mußte nothwendig auffallen; wie kam
ein Hochmeister des Deutschen Ordens, wenngleich er der Würde
auch entsagt hatte, nach Schlesien? Er lag zu Breslau begra=
ben. Sein Begräbniß war in der Nähe des von den Mongolen
erschlagenen Herzogs Heinrich; also — der Schluß: er ist mit
diesem zugleich in der Mongolen=Schlacht geblieben. Dlugoß
hatte offenbar von Poppo's Begräbniß Nachricht, wie er p. 681
ausdrücklich sagt; er war es daher, der jenen Schluß machte
und dadurch bis auf die neuesten Zeiten ein Ereigniß in die Ge=
schichte gebracht hat, dem alle Wahrheit abgeht. Es darf dem=

nach wohl als erwiesen betrachtet werden, daß der Deutsche Or=
den in Preussen an der Mongolen=Schlacht vor Liegniß durch=
aus keinen Theil gehabt hat und es rechtfertigt sich somit
auch der Zweifel, den schon *Schütz* p. 29 gegen die Sache
äußerte.

Beilage Nͬᵒ IV.

Schon seit Lucas Davids Zeit ist bei den Geschichtschreibern Preussens oft die Rede von einem einstigen Erzbisthum in Preussen gewesen. Nach der Angabe des genannten Chronisten B. III. S. 28 soll der Bischof Heidenreich von Kulm, den er früher Bischof von Armagh in Irland seyn läst, die erzbischöfliche Würde in Preussen verwaltet haben, so daß die übrigen Bischöfe Preussens ihm untergeben gewesen seyen. „Aber diese Ehre des Erzbisthums," sagt Lucas David, „ist nicht lange in Preussen geblieben, nämlich nicht länger denn vom 27sten December des 1244sten bis auf den letzten Martii des 1256sten Jahres." Heidenreich aber, fährt der Chronist fort, habe sich nicht Kulmischer Erzbischof, sondern immer schlechtweg bloß Kulmischer Bischof genannt, wie aus Urkunden hervorgehe; der Grund sey gewesen, weil die Einkünfte des Kulmischen Bisthums nicht hingereicht hätten, den Aufwand eines Erzbischofes zu bestreiten. Deshalb sey nachmals auch die erzbischöfliche Würde auf den Bischof von Riga übertragen worden. Man sieht es dieser Nachricht des Chronisten bald an, daß er mit einer ihm zugekommenen Notiz über einen einstigen Erzbischof in Preussen nicht ins Klare hatte kommen können; er suchte daher irgend einen Zusammenhang, half sich dabei aber, wie er konnte, und so halfen sich dann auch seine Nachschreiber; s. Arnold Kirchengeschichte S. 144. Acta Boruss. B. II. S. 622 u. a. Baczko B. I. S. 212 sah hier schon etwas richtiger, als seine Vorgänger. Eine Urkunde bewies ihm, daß nicht Heidenreich von Kulm, sondern der Bischof Albert von Lübeck jener Erzbischof gewesen sey. Weiter ging er indessen in die Sache nicht ein, und sie ward so ganz vergessen, daß Kotzebue in seiner Geschichte Preussens ihrer nicht einmal weiter erwähnt. Hennig konnte bei der Herausgabe des Lucas David nicht umhin, den Gegenstand B. III. S. 28 wieder zur Sprache zu bringen; allein statt einer gründlichen kritischen Untersuchung trat er mit der leichtfertigen, flachen Behauptung auf: die Ur-

kunde, in welcher der Papst Innocenz den Erzbischof über Preussen ernenne, möge unächt seyn, so wie die ganze Sache von einem in Preussen gewesenen Erzbisthum verdächtig sey; wahrscheinlich sey sie ein Machwerk eines Kulmischen Geistlichen, um
das Kulmische Bisthum der Jurisdiction des Rigaischen Erzbisthums zu entziehen. Den Hauptbeweis für die Unächtheit der
Bulle und für die Erdichtung der ganzen Sache fand Hennig
darin, daß kein Preussischer Bischof vorher Erzbischof von Armagh
gewesen sey. So that er die Sache kurz und leichtfertig ab, wiewohl ihm bei der Herausgabe des Lucas David alle nur wün-
schenswerthe Quellen zu Gebote standen, um hier, wie überall,
mit mehr Gründlichkeit und kritischer Forschung zu verfahren.

Die Sache hat aber unbezweifelt eine weit größere Wichtigkeit für den Zusammenhang der Geschichte des Landes und für
das rechte Verständniß der nachfolgenden Ereignisse, als man ihr
bisher gegeben hat; und die pragmatische Entwickelung mancher Verhältnisse des Landes gewinnt durch sie viel zu sehr an
Klarheit und Zusammenhang, als daß sie hier nicht näher beleuchtet,
das Irrige getrennt und das Wahre fester begründet und bündi-
ger bewiesen werden müßte.

Ein Kulmisches Erzbisthum hat allerdings in Preussen
nie bestanden, und Hennig kämpft also hier gegen eine Sache,
deren Nichtexistenz zu zeigen ihm eine leichte Mühe hätte seyn
können. Unter den Chronisten kennt ein solches nur Lucas David allein; aber die Art schon, wie er sich darüber ausläßt, beweiset nur zu klar, daß sein Kulmisches Erzbisthum einzig aus
Mißverständniß der Bulle entstanden war, welche er sogleich S.
29 — 30 mittheilt. Er bezog nämlich diese Urkunde, ohne in ihr
selbst auch nur den mindesten Grund dazu zu finden, auf den Bischof Heidenreich von Kulm. Warum auch Hennig dieser irrigen
Meinung nachging, ist nicht abzusehen. Der Kulmische Erzbischof machte ihn indessen doch etwas bedenklich, und um ihn los
zu werden, war es allerdings das leichteste Mittel, mit der Miene
des Kritikers die Urkunde überhaupt für unächt zu erklären, und
durch welchen Beweis? — Weil es keinen Kulmischen Erzbischof jemals gegeben hat, so ist die Bulle unächt!

Die ganze Sache erhält ihr nöthiges Licht und die erwähnte
Urkunde ihre richtige Anwendung, wenn wir Folgendes näher be-
rücksichtigen. Wir erinnern uns, daß der Erzbischof von Bremen
bei dem Tode des Bischofs Albert von Riga den Scholasticus des
Stiftes zu Bremen Albert zum Bischofe in Riga zu erheben
suchte, während das Rigaische Kapitel aus seiner Mitte den
Stiftsherrn Nicolaus von Magdeburg als Alberts Nachfolger erkor, welcher vom Papste auch die Bestätigung erhielt. Vielleicht

um sich dem Erzbischofe von Bremen gefällig zu zeigen, ernannte Gregorius jenen Scholasticus Albert zum Erzbischof von Armagh in Irland. Wir ersehen dieses aus *Albert. Stadens.* ap. *Schilter* p. 306, wo es beim J. 1229 also heißt: Albertus Livoniensis Episcopus obiit. Et Bremensis Ecclesia iure suo potita, Magistrum Albertum, Bremensem Scholasticum, in Episcopum elegit, qui postea factus est Primas in Hybernia etc. *Gruber* Orig. Livon. p. 183. Dieses Amt verwaltete Albert bis zum Jahre 1244, wo ihn der Papst davon entband, wie dieser in der Bulle bei Lucas David B. III. S. 30 selbst sagt. Albert kehrte aus Irland zurück und weil nun damals gerade der Bischof Johannes von Lübeck gestorben war und die dortigen Domherren sich über die Wahl des neuen Bischofs nicht vereinigen konnten, so bestellte der Papst jenen Albert zum einstweiligen Verweser des Lübeckischen Bisthums. *Herman. Corner.* ap. *Eccard.* T. II. p. 887 sagt hierüber: Frater Johannes (Lector Ordinis Minorum) non est electus statim post mortem praedicti Johannis Episcopi defuncti, sed post sex integros annos, in quibus Canonici concordare non poterant in sua electione, uno non favente alteri honorem, primo est electus dictus Frater in Antistitem dictae Ecclesiae. Interim autem Dominus Albertus Episcopus Rigensis tutor extitit Ecclesiae Lubicensis, residens in hoc loco. Bischof von Lübeck scheint hienach Albert eigentlich nie gewesen zu seyn; daher ihm auch weder der Papst, noch er selbst sich diesen Titel beilegt. Jener nennt ihn nur fratrem nostrum quondam Armachanum Archiepiscopum in der Bulle bei Lucas David B. III. S. 29, *Raynald.* an. 1246 Nr. 28. Er selbst giebt sich bloß die Amtsbezeichnung Minister Ecclesiae Lubicensis; so in der Urkunde bei *Gruber* Orig. Livon. silva Document. Nr. 33 p. 259; so auch in einer Urkunde vom Jahre 1251, deren Original im geh. Archive Schiebl. XLI. Nr. 5 liegt, und so auch noch im Jahre 1253 in der Urkunde bei Arndt Livl. Chron. B. II. S. 52. Nur in der Eidesformel bei *Lindenbrog* Script. Septembr. p. 173 wird er Episcopus Lubicensis genannt.

Auf diesen Albert nun, welcher wirklich Erzbischof von Armagh gewesen und um diese Zeit Verweser des Bisthums Lübeck war, bezieht sich jene Urkunde bei Lucas David B. III. S. 29, durch welche ihn der Papst zum Erzbischof über Preussen, Livland und Esthland ernannte. Die Aechtheit dieser Bulle wird außer allem Zweifel liegen, sobald durch andere vollgültige Zeugnisse nachzuweisen ist, daß dieser Albert wirklich in dieser Zeit die Würde eines Erzbischofs über die erwähnten Länder gehabt hat. Als solchen aber bezeichnet ihn erstens der Papst selbst in mehren ihn betreffenden Bullen. In der einen bei *Gruber* l. c. Nr. 57 p. 277 nennt er ihn im Jahre 1246 venerabilem fratrem nostrum, Archiepiscopum Prussiae et Estoniae, Apostolicae Sedis Legatum; in einer andern vom Jahre 1247 Archiepiscopum Prussiae, Livoniae et Estoniae, indem er ihm als Legaten eine Gesandtschaft nach Rußland aufträgt. In diesen beiden Bullen also ertheilt der Papst ihm den nämlichen Titel, welchen er ihm in jener Bulle bei Lucas David im Jahre 1245 verliehen hatte; *Raynald.* ann. 1246 Nr. 29. ann. 1247 Nr. 28. Wir finden ferner in einem Bullenverzeichnisse im geh. Archive Schiebl. 17 Nr. 30 mehrer Bullen erwähnt, in welchen Albert auch als Erzbischof von Preussen erwähnt ist. So wird eine mit den Worten bezeichnet: Archiepiscopo Prutie etc. ut fratres hospitalis etc. congruis honoribus supportemus mandamus ut unum ex fratribus cessante — — uni diocesi Prutie preficias in episcopum; eine andere mit folgenden Worten: Archiepiscopo Livonie et Prutie ac Rigensi et Curoniensi episcopis et Magistro et fratribus scte marie theut. super confirmatione composicionis facte inter ipsos per episcopum Albanensem.

Die Würde eines Erzbischofs von Preussen, Livland und Esthland legt sich aber zweitens Albert in seinen Urkunden auch selbst bei. Zwar steht in der Eidesformel bei *Gruber* l. c. Nr. 59 p. 278 nur: Albertus, Lubicensis Episcopus, Livoniae, Estoniae et Prussiae Apostolicae Sedis Legatus; allein es ist in der Eidesformel selbst doch auch von seiner Sedes Archiepiscopalis in (provinciis) nostrae Legationi commissis die Rede, und ohnedieß hat es sicherlich mit dieser Formel eine eigene Bewandtniß. Vgl. *Westphalen* Monumenta inedita T. I. p. 1307. In einer Urkunde vom Jahre 1249, deren Original im geh. Archive Schiebl. XLI. Nr. 1 und der Abdruck bei Baczko B. I. S. 259 — 260 zu finden ist, nennt sich Albert: Albertus miseratione divina Archiepiscopus Prucie et Lyvonie, apostolice sedis legatus; in einer andern dagegen vom Jahre 1251, deren Original gleichfalls das geh. Archiv Schiebl. XLI. Nr. 5 verwahrt, giebt er sich den Titel: A. miseratione divina Archiepiscopus Lyvonie, Estonie et Prutie, Minister Ecclesie Lubicensis, eben so wie bei Arndt B. II. S. 52. In einer dritten Urkunde heißt er wieder nur: Albertus Archiepiscopus Livonie et Pruscie und der Rath von Lübeck bezeichnet ihn nur mit dem einfachen Titel: A. archiepiscopus Pruscie. Die eine von jenen Urkunden des Erzbischofs ist außerdem insofern merkwürdig, weil sein erzbischöfliches Siegel daran noch erhalten ist: in der Mitte nämlich das Bild des Erzbischofs (aber

— — Discretus vir Michael Ebrardi venerabilis et religiosi
fratris Ulrici Isenhoeffen dicti ordinis magni commendatoris Secretarius, Magnifici principis et domini, domini Ludo-
wici de Erlichsshwsen prefati ordinis beate marie domus
Theutonicorum Ihrlmitan. Magistri generalis ac ordinis sui
procurator et sindicus prout de mandato procurationis et
sindicatus huiusmodi nobis per litteras prefati domini magistri generalis eius vero sigillo sigillatas plenam fecit fidem
personaliter in nostri constitutus presencia quasdam litteras
concordie inter venerabiles et religiosos fratres H vicem-
gerentem, H. marschalkum ordinis beate marie domus theo-
tonicorum Irlmitan. totumque conventum in Balga ceteros-
que fratres ordinis eiusdem ex una, et inter neophitas pru-
sie ex altera partibus occasione quarundem gravium discor-
diarum inter ipsas partes exortarum, per venerabilem virum
dominum Jacobum Archidyaconum Leodiensem Cappella-
num olim sanctissimi in cristo patris et domini nostri domini Innocencii pape quarti ac ipsius in polonia prussia et
pomerania vicesgerentem de anno domini M. CC. XLVIIII.
ad partes prussie transmissum tractate facte et concluse
quatuor sigillis de cera rubea in cordulis sericeis rubei co-
loris impendentibus sigillatis, Quorum sigillorum primum
fuit oblongum, in cuius medio ymago sacerdotis sacris vestibus induti et quasi in divinis ante altare stantis calicem-
que in manibus tenentis, quam circumdabaut hee littere †
S. IACOBI DE TCIS ARCHID. LEODIEN. DÑI. PP. CA-
PELLI. Secundum vero sigillum fuit rotundum in cuius
medio forma infantuli iacentis in presepio ad cuius caput
ymago beate virginis, ad pedes vero ymago Joseph, super
presepe vero duum animalium capita videlicet bovis et asini
et in circumferentia hee littere † SIGIL. CONVENTVS
FRATRVM PRVCIE. Tercium eciam erat rotundum in quo

Lightning Source UK Ltd.
Milton Keynes UK
UKHW020234091218
333599UK00007B/332/P